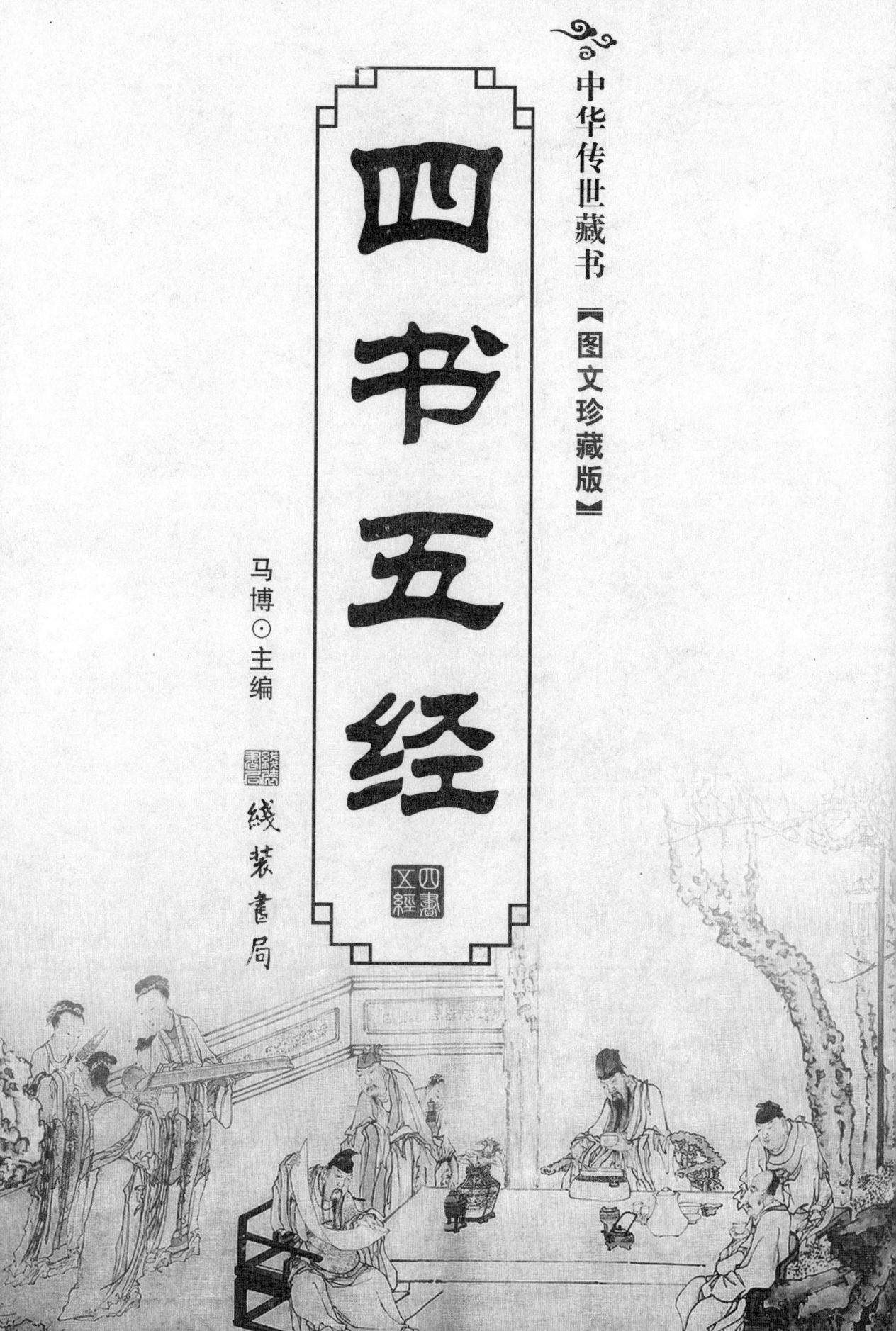

四书五经

中华传世藏书 【图文珍藏版】

马博 ⊙ 主编

线装书局

宣公十年

【原文】

　　十年：春，公如齐。
　　公至自齐。
　　齐人归我济西田。
　　夏，四月丙辰，日有食之。
　　己巳，齐侯元卒。
　　齐崔氏出奔卫。
　　公如齐。
　　五月，公至自齐。
　　癸巳，陈夏征舒弑其君平国。
　　六月，宋师伐滕。
　　公孙归父如齐。葬齐惠公。
　　晋人、宋人、卫人、曹人伐郑。
　　秋，天王使王季子来聘。
　　公孙归父帅师伐邾，取绎。
　　大水。
　　季孙行父如齐。
　　冬，公孙归父如齐。齐侯使国佐来聘。
　　饥。
　　楚子伐郑。
　　十年春，公如齐。齐侯以我服故，归济西之田。
　　夏，齐惠公卒。崔杼有宠于惠公；高、国畏其偪也，公卒而逐之。奔卫。书曰"崔氏"，非其罪也；且告以族，不以名。凡诸侯之大夫违，告于诸侯曰："某氏之守臣某失守宗庙，敢告。"所有玉帛之使者，则告；不然，则否。
　　公如齐奔丧。
　　陈灵公与孔宁、仪行父饮酒于夏氏。公谓行父曰："徵舒似女。"对曰："亦似君。"徵舒病之。公出，自其厩射而杀之。二子奔楚。
　　滕人恃晋而不事宋。六月，宋师伐滕。
　　郑及楚平。诸侯之师伐郑，取成而还。
　　秋，刘康公来报聘。
　　师伐邾，取绎。

季文子初聘于齐。

冬，子家如齐，伐邾故也。

国武子来报聘。

楚子伐郑。晋士会救郑，逐楚师于颍北。诸侯之师戍郑。

郑子家卒。郑人讨幽公之乱，斫子家之棺而逐其族。改葬幽公，谥之曰"灵"。

【译文】

宣公十年春天，宣公前往齐国。宣公从齐国回国。齐国人把济水以西的田地归还给了鲁国。夏天四月丙辰，发生了日食。十四日，齐惠公去世。齐国的崔杼带着族人出逃到卫国。宣公又前往齐国，五月，从齐国回国。八日。陈国的夏征舒杀掉了陈灵公。六月，宋军攻打滕国。公孙归父前往齐国，参加齐惠公的葬礼。晋国人、宋国人、卫国人和曹国人攻打郑国。秋天，周定王派王季子前来鲁国聘问。公孙归父率领军队攻打邾国，占取了绎地。鲁国发大水。季孙行父前往齐国。冬天，公孙归父去齐国。齐顷公派遣国武子前来聘问。鲁国发生了饥荒。楚庄王出兵攻打郑国。

宣公十年春天，宣公前去齐国。齐惠公因为我国顺从了他，所以归还了我国的济西之田。

夏天，齐惠公去世。崔杼在惠公生前很受宠信，高氏、国氏两族害怕他对自己构成的威胁，齐惠公去世后便把他赶出了齐国。崔杼逃亡到卫国。

《春秋》记载为"崔氏"，表明不是崔杼的罪过，而且在把此事通报诸侯时也只称其族而不称其名。凡是诸侯的大夫离开本国，通报诸侯说："某氏的守臣某，不能继续奉祀宗庙，特此通告。"凡是有友好往来关系的国家就通报，否则就不予通报。

宣公前往齐国奔丧。

陈灵公和孔宁、仪行父在夏征舒家喝酒。灵公对仪行父说："征舒长得像你。"仪行父说："也像您。"夏征舒很愤怒。当灵公出来时，夏征舒从他的马棚里用箭射死了他。孔宁和仪行父逃亡到楚国去了。

滕国人依仗晋国的势力而不事奉宋国。六月，宋军攻打滕国。

郑国和楚国讲和。诸侯联军讨伐郑国，直到郑国求和才撤军。

秋天，刘康公代表周天子前来鲁国，以回报孟献子的聘问。

鲁国军队攻打邾国，占取了绎地。

季文子在齐顷公即位后首次到齐国聘问。

冬天，子家前往齐国访问，是为了解释伐邾一事。齐国的国佐前来回访。

楚庄王出兵攻打郑国。晋国的士会救援郑国，在颍水以北赶走了楚军。诸侯军队便驻守在郑国。

郑国的子家去世了。郑国人为了声讨子家杀害幽公的暴行，劈开了子家的棺材，并且把他的族人赶出了郑国。郑国人重新安葬了幽公，把他的谥号改为"灵"。

宣公十一年

【原文】

十有一年：春，王正月。

夏，楚子、陈侯、郑伯盟于辰陵。

公孙归父会齐人伐莒。

秋，晋侯会狄于欑函。

冬，十月，楚人杀陈夏徵舒。

丁亥，楚子入陈。

纳公孙宁、仪行父于陈。

十一年春，楚子伐郑，及栎。子良曰："晋、楚不务德而兵争，与其来者可也。晋、楚无信，我焉得有信！"乃从楚。夏，楚"盟于辰陵"，陈、郑服也。

楚左尹子重侵宋，王待诸郔。

令尹蒍艾猎城沂，使封人虑事，以授司徒。量功命日，分财用，平板榦，称畚筑，程土物，议远迩，略基趾，具糇粮，度有司。事三旬而成，不愆于素。

晋郤成子求成于众狄。众狄疾赤狄之役，遂服于晋。"秋，会于欑函"，众狄服也。

是行也，诸大夫欲召狄。郤成子曰："吾闻之：非德，莫如勤；非勤，何以求人？能勤，有继。其从之也！《诗》曰：'文王既勤止。'文王犹勤，况寡德乎？"

冬，楚子为陈夏氏乱故，伐陈；谓陈人："无动！将讨于少西氏。"遂入陈，杀夏徵舒，轘诸栗门。因县陈。陈侯在晋。

申叔时使于齐，反，复命而退。王使让之，曰："夏徵舒为不道，弑其君，寡人以诸侯讨而戮之。诸侯、县公皆庆寡人。女独不庆寡人，何故？"对曰："犹可辞乎？"王曰："可哉！"曰："夏徵舒弑其君，其罪大矣。讨而戮之，君之义也。抑人亦有言曰：'牵牛以蹊人之田，而夺之牛。'牵牛以蹊者，信有罪矣；而夺之牛，罚已重矣。诸侯之从也，曰讨有罪也。今县陈，贪其富也。以讨召诸侯，而以贪归之，无乃不可乎？"王曰："善哉！吾未之闻也。反之，可乎？"对曰："〔可哉！〕吾侪小人所谓取诸其怀而与之也。"乃复封陈；乡取一人焉以归，谓之夏州。故书曰："楚子入陈。纳公孙宁、仪行父于陈。"书有礼也。

厉之役，郑伯逃归，自是楚未得志焉。郑既受盟于辰陵，又徼事于晋。

【译文】

宣公十一年春天，周历正月。夏天，楚庄王、陈成公、郑襄公在辰陵会盟。鲁国的公孙归父会合齐国人攻打莒国。秋天，晋景公与狄人在欑函会见。冬天十月，楚国人杀掉了陈国的夏征舒。十一日，楚庄王攻入陈国。送公孙宁、仪行父回到陈国。

鲁宣公十一年春天，楚庄王攻打郑国，直达栎地。郑国的子良说："晋国和楚国不致力于德行而靠武力争夺诸侯，我们顺从打进来的国家就行了。晋国和楚国不讲信用，我们怎能守信用？"于是顺从了楚国。夏天，楚国在辰陵举行盟会，这是因为陈国、郑国已顺服。

楚国左尹子重率兵进攻宋国，楚庄王留在郔地相机策应。

楚国令尹蒍艾猎在沂地筑城，派筑城负责人考虑工程计划，然后呈报给司徒。他又计算工程量和工时，分配材料和用具，取平夹板和支柱，合理规定土方和器材的数量，研究取料的远近，巡察城池的基址，准备粮食，审查监工人员。筑城工程三十天完成，没有超过预定的日期。

晋国的郤成子向各部族的狄人谋求友好。各处的狄人也都痛恨赤狄对他们的奴役，于是顺服了晋国。秋天，在攒函会盟，从此狄人顺服晋国。

这次攒函会盟前，各位大夫主张召狄人前来。郤成子说："我听说，如果没有德行，不如用勤劳来弥补，如果不勤劳，那凭什么要求别人顺服自己呢？能勤劳就会有好的结果，还是让我们到狄人那里去吧！《诗》说：'文王很勤劳。'文王还如此勤劳，何况我们这些缺少德行的人呢？"

楚庄王因夏氏之乱征讨陈国，选自明刊本《新镌绣像列国志》。

冬天，楚庄王由于陈国夏氏之乱的缘故，讨伐陈国。庄王对陈国人说："不要惊慌害怕，我们将只讨伐少西氏。"于是攻入陈国，杀了夏征舒，把他车裂在栗门，随之把陈国作为楚国的一个县。当时陈侯正在晋国。

楚国的申叔时出使到齐国，回国，向楚庄王汇报出使情况后便退下去了。庄王派人责备他说："夏征舒做了大逆不道之事，杀了自己的国君，我率领诸侯讨伐并杀了他，诸侯县公都祝贺我，而唯独你不向我道贺，这是什么缘故？"申叔时回答说："我还可以申辩理由吗？"庄王说："可以！"申叔时说："夏征舒杀害他的国君，他的罪恶的确很大，讨伐并杀掉他，这是君王应该做的。不过别人也可以有闲话可说：'甲牵牛从乙的田里走过，而乙就抢走了甲的牛。'甲牵牛从田里走，确实不对，而乙抢走甲的牛,惩罚也太重了。诸侯跟从您攻打陈国,说是讨伐有罪之人。而现在把陈国划为楚国的一个县,这是贪图陈国的财富。以讨伐有罪为名召集诸侯,最后却以贪财结束,恐怕不行吧?"庄王说:"好啊!你的这些话我从来没听见过。现在把陈国返还给他们,可以吗?"申叔时回答说:"可以!这就是我们这类小人所说的'从别人怀中取走,再还给别人'啊!"于是庄王再重新封立了陈国,从每乡带回一人,把他们集中在一个地区,这个地区就称为夏州。因此《春秋》记载说:"楚子入陈,纳公孙宁、仪行父于陈。"这是表明楚庄王的这一行动合于礼法。

厉地之战,郑襄公逃回国内。从此楚国一直没有得志。郑国已在辰陵接受了楚国的盟约,但又请求事奉晋国。

宣公十二年

【原文】

十有二年:春,葬陈灵公。

楚子围郑。

夏,六月乙卯,晋荀林父帅师及楚子战于邲。晋师败绩。

秋,七月。

冬,十有二月戊寅,楚子灭萧。

晋人、宋人、卫人、曹人同盟于清丘。

宋师伐陈。卫人救陈。

十二年春,楚子围郑。旬有七日,郑人卜行成,不吉;卜临于大宫且巷出车,吉。国人大临,守陴者皆哭。楚子退师。郑人修城,进复围之三月,克之。入自皇门,至于逵路。郑伯肉袒牵羊以逆,曰:"孤不天,不能事君,使君怀怒以及敝邑,孤之罪也。敢不唯命是听?其俘诸江南以实海滨,亦唯命;其翦以赐诸侯,使臣妾之,亦唯命。若惠顾前好,徼福于厉、宣、桓、武,不泯其社稷,使改事君,夷于九县:君之惠也,孤之愿也,非所敢望也!敢布腹心,君实图之!"左右曰:"不可许也,得国无赦!"王曰:"其君能下人,必能信用其民矣,庸可几乎?"退三十里而许之平。潘尪入盟。子良出质。

夏六月,晋师救郑。荀林父将中军,先縠佐之。士会将上军,郤克佐之。赵朔将下军,栾书佐之。赵括、赵婴齐为中军大夫,巩朔、韩穿为上军大夫,荀首、赵同为下军大夫,韩厥为司马。

及河,闻郑既及楚平,桓子欲还,曰:"无及于郑而勤民,焉用之?楚归而动,不后。"

随武子曰:"善!会闻用师,观衅而动。德、刑、政、事、典、礼:不易,不可敌

也，不为是征。楚（军）〔君〕讨郑，怒其贰而哀其卑，叛而伐之，服而舍之，德刑成矣。伐叛，刑也；柔服，德也：二者立矣。昔岁入陈，今兹入郑，民不罢劳，君无怨讟，政有经矣。荆尸而举，商农工贾不败其业而卒乘辑睦，事不奸矣。蒍敖为宰，择楚国之令典。军行：右辕，左追蓐，前茅虑无，中权，后劲。百官象物而动，军政不戒而备，能用典矣。其君之举也：内姓选于亲，外姓选于旧；举不失德，赏不失劳。老有加惠，旅有施舍；君子小人，物有服章；贵有常尊，贱有等威：礼不逆矣。德立，刑行；政成、事时；典从、礼顺：若之何敌之？见可而进，知难而退，军之善政也。兼弱攻昧，武之善经也。子姑整军而经武乎！犹有弱而昧者，何必楚？仲虺有言曰：'取乱侮亡'，兼弱也。《汋》曰：'於铄王师，遵养时晦。'耆昧也。《武》曰：'无竞惟烈'。抚弱耆昧以务烈所，可也。"

彘子曰："不可！晋所以霸，师武臣力也。今失诸侯，不可谓力；有敌而不从，不可谓武。由我失霸，不如死！且成师以出，闻敌强而退，非夫也。命（有）〔以〕军（师）〔帅〕，而卒以非夫，唯群子能，我弗为也！"以中军佐济。

知庄子曰："此师殆哉！《周易》有之，在'师䷆'之'临䷒'，曰：'师出以律。否臧，凶。'执事顺成为臧，逆为否；众散为弱，川壅为泽，有律以如己也：故曰律否臧，且律竭也。盈而以竭，夭且不整，所以凶也。不行谓之'临'。有帅而不从，临孰甚焉！此之谓矣。果遇，必败，彘子尸之。虽免而归，必有大咎！"

韩献子谓桓子曰："彘子以偏师陷，子罪大矣！子为元帅，师不用命，谁之罪也？失属亡师，为罪已重，不如进也。事之不捷，恶有所分。与其专罪，六人同之不犹愈乎？"师遂济。

楚子北，师次于郔。沈尹将中军，子重将左，子反将右，将饮马于河而归。闻晋师既济，王欲还。嬖人伍参欲战。令尹孙叔敖弗欲，曰："昔岁入陈，今兹入郑，不无事矣。战而不捷，参之肉其足食乎！"参曰："若事之捷，孙叔为无谋矣。不捷，参之肉将在晋军，可得食乎？"令尹南辕反旆，伍参言于王曰："晋之从政者新，未能行令。其佐先縠刚愎不仁，未肯用命。其三帅者专行不获。听而无上，众谁适从？此行也，晋师必败！且君而逃臣，若社稷何？"王病之，告令尹：改乘辕而北之，次于管以待之。

晋师在敖、鄗之间，郑皇（戍）〔戌〕使如晋师，曰："郑之从楚，社稷之故也，未有贰心。楚师骤胜而骄，其师老矣而不设备。子击之，郑师为承，楚师必败！"彘子曰："败楚，服郑，于此在矣。必许之！"栾武子曰："楚自克庸以来，其君无日不讨国人而训之于民生之不易、祸至之无日、戒惧之不可以怠，在军无日不讨军实而申儆之于胜之不可保、纣之百克而卒无后，训之以若敖、蚡冒筚路蓝缕以启山林，箴之曰'民生在勤，勤则不匮'：不可谓'骄'。先大夫子犯有言曰：'师直为壮，曲为老。'我则不德，而徼怨于楚。我曲楚直，不可谓'老'。其君之戎分为二广，广有一卒，卒偏之两。右广初驾，数及日中；左则受之，以至于昏。内官序当其夜，以待不虞。不可谓'无备'。子良，郑之良也。师叔，楚之崇也。师叔入盟，子良在楚，楚、郑亲矣。来劝我战，我克则来，不克遂往：以我卜也。郑不可从！"赵括、赵同曰："率师以来，唯敌是求。克敌，得属，又何俟？必从彘子！"知季曰："原、屏，咎之徒也。"赵庄子曰："栾伯善哉？实其言，必长晋国！"

楚少宰如晋师，曰："寡君少遭闵凶，不能文。闻二先君之出入此行也，将郑是训定，岂敢求罪于晋？二三子无淹久！"随季对曰："昔平王命我先君文侯曰：'与郑夹辅周室，毋废王命！'今郑不率，寡君使群臣问诸郑，岂敢辱候人？敢拜君命之辱！"彘子以为谄，使赵括从而更之，曰："行人失辞。寡君使群臣迁大国之迹于郑，曰：'无辟敌！'群臣无所逃命！"

楚子又使求成于晋，晋人许之，盟有日矣。楚许伯御乐伯，摄叔为右，以致晋师。许伯曰："吾闻：致师者御靡旌摩垒而还。"乐伯曰："吾闻：致师者左射以菆，代御执辔，御下两马，掉鞅而还。"摄叔曰："吾闻：致师者右入垒，折馘、执俘而还。"皆行其所闻而复。晋人逐之，左右角。乐伯左射马而右射人，角不能进；矢一而已。麋兴于前，射麋丽龟。晋鲍癸当其后，使摄叔奉麋献焉，曰："以岁之非时，献禽之未至，敢膳诸从者。"鲍癸止之，曰："其左善射，其右有辞，君子也！"既免。

晋魏锜求公族未得而怒，欲败晋师。请致师，弗许。请使，许之。遂往，请战而还。楚潘党逐之。及荧泽，见六麋，射一麋以顾献，曰："子有军事，兽人无乃不给于鲜？敢献于从者。"叔党命去之。

赵旃求卿未得，且怒于失楚之致师者，请挑战。弗许。请召盟，许之；与魏锜皆命而往。郤献子曰："二憾往矣。弗备，必败。"彘子曰："郑人劝战，弗敢从也；楚人求成，弗能好也：师无成命，多备何为？"士季曰："备之善。若二子怒楚，楚人乘我，丧师无日矣。不如备之。楚之无恶，除备而盟，何损于好？若以恶来，有备，不败。且虽诸侯相见，军卫不彻，警也。"彘子不可。

士季使巩朔、韩穿帅七覆于敖前，故上军不败。赵婴齐使其徒先具舟于河，故败而先济。

潘党既逐魏锜。赵旃夜至于楚军，席于军门之外，使其徒入之。楚子为乘广三十乘，分为左右：右广鸡鸣而驾，日中而说；左则受之，日入而说。许偃御右广，养由基为右；彭名御左广，屈荡为右。乙卯，王乘左广以逐赵旃。赵旃弃车而走林；屈荡搏之，得其甲裳。晋人惧二子之怒楚师也，使轵车逆之。潘党望其尘，使骋而告曰："晋师至矣！"楚人亦惧王之入晋军也，遂出陈。孙叔曰："进之！宁我薄人，无人薄我。《诗》云：'元戎十乘，以先启行。'先人也。《军志》曰：'先人有夺人之心。'薄之也。"遂疾进师，车驰，卒奔，乘晋军。

桓子不知所为，鼓于军中，曰："先济者有赏！"中军、下军争舟，舟中之指可掬也。晋师右移，上军未动。

工尹齐将右拒卒以逐下军。楚子使唐狡与蔡鸠居告唐惠侯曰："不榖不德而贪，以遇大敌，不榖之罪也。然楚不克，君之羞也。敢藉君灵以济楚师！"使潘党率游阙四十乘，从唐侯以为左拒，以从上军。

驹伯曰："待诸乎？"随季曰："楚师方壮，若萃于我，吾师必尽。不如收而去之。分谤，生民，不亦可乎？"殿其卒而退，不败。

王见右广，将从之乘。屈荡（尸）〔户〕之，曰："君以此始，亦必以终。"自是楚之乘广先左。

晋人或以广队不能进，楚人惎之脱扃。少进，马还，又惎之拔旆投衡，乃出。顾曰："吾不如大国之数奔也。"

赵旃以其良马二济其兄与叔父，以他马反。遇敌不能去，弃车而走林。逢大夫与其二子乘，谓其二子："无顾！"顾，曰："赵傁在后。"怒之，使下，指木曰："尸女于是！"授赵旃绥，以免。明日，以表尸之，皆重获在木下。

楚熊负羁囚知䓨。知庄子以其族反之，厨武子御，下军之士多从之。每射抽矢，菆纳诸厨子之房。厨子怒曰："非子之求而蒲之爱，董泽之蒲可胜既乎？"知季曰："不以人子，吾子其可得乎？吾不可以苟射故也。"射连尹襄老，获之，遂载其尸；射公子榖臣，囚之。以二者还。

及昏，楚师军于邲。晋之馀师不能军，宵济，亦终夜有声。

丙辰，楚重至于邲，遂次于衡雍。潘党曰："君盍筑武军而收晋尸以为京观？臣闻克敌必示子孙，以无忘武功。"楚子曰："非尔所知也。夫文，止戈为武。武王克商，作《颂》曰：'载戢干戈，载櫜弓矢。我求懿德，肆于时夏。允王保之！'又作《武》，其卒章曰：'耆定尔功。'其三曰：'铺时绎思，我徂维求定。'其六曰：'绥万邦，（屡）〔娄〕丰年。'夫武，禁暴、戢兵、保大、定功、安民、和众、丰财者也，故使子孙无忘其章。今我使二国暴骨，暴矣；观兵以威诸侯，兵不戢矣；暴而不戢，安能保大？犹有晋在，焉得定功？所违民欲犹多，民何安焉？无德而强争诸侯，何以和众？利人之几而安人之乱以为己荣，何以丰财？武有七德，我无一焉，何以示子孙？其为先君宫，告成事而已；武非吾功也。古者明王伐不敬，取其鲸鲵而封之，以为大戮；于是乎有京观，以惩淫慝。今罪无所，而民皆尽忠以死君命，又可以为京观乎？"祀于河，作先君宫，告成事而还。

是役也，郑石制实入楚师，将以分郑而立公子鱼臣。辛未，郑杀仆叔及子服。君子曰："史佚所谓'毋怙乱'者，谓是类也。《诗》曰：'乱离瘼矣，爰其适归？'归于怙乱者也夫！"

郑伯、许男如楚。

秋，晋师归。桓子请死，晋侯欲许之，士贞子谏曰："不可！城濮之役，晋师三日榖，文公犹有忧色。左右曰：'有喜而忧，如有忧而喜乎？'公曰：'得臣犹在，忧未歇也。困兽犹斗，况国相乎！'及楚杀子玉，公喜而后可知也，曰：'莫余毒也已！'是晋再克而楚再败也，楚是以再世不竞。今天或者大警晋也，而又杀林父以重楚胜，其无乃久不竞乎？林父之事君也，进思尽忠，退思补过，社稷之卫也，若之何杀之？夫其败也，如日月之食焉，何损于明？"晋侯使复其位。

冬，楚子伐萧，宋华椒以蔡人救萧。萧人囚熊相宜僚及公子丙。王曰："勿杀！吾退。"萧人杀之。王怒,遂围萧。萧溃。

申公巫臣曰:"师人多寒。"王巡三军,拊而勉之,三军之士皆如挟纩。遂傅于萧。

还无社与司马卯言,号申叔展。叔展曰:"有麦麹乎?"曰:"无。""有山鞠穷乎?"曰:"无。""河鱼腹疾奈何?"曰:"目于眢井而拯之。""若为茅绖,哭井则已。"明日萧溃,申叔视其井,则茅绖存焉,号而出之。

晋原縠、宋华椒、卫孔达、曹人同盟于清丘,曰:"恤病,讨贰。"于是卿不书,不实其言也。

宋为盟故,伐陈。卫人救之。孔达曰:"先君有约言焉。若大国讨,我则死之。"

【译文】

鲁宣公十二年春天,安葬陈灵公。楚庄王率兵包围了郑国。夏天六月乙卯,晋国的荀林父率军与楚庄王在邲地作战,晋军大败。秋天七月。冬天十二月八日,楚庄王灭亡了萧国。晋国人、宋国人、卫国人、曹国人一起在清丘会盟。宋军进攻陈国。卫国人救援陈国。

鲁宣公十二年春天,楚庄王包围郑国,有十七天了。郑国人为求和占卜,但不吉利,再为在太庙号哭而且出车于街巷以示不屈占卜,吉利。于是都城的人都到太庙大哭,守城将士也都大哭。楚庄王见此,下令退兵。郑国人修复了城墙,楚庄王进军再次包围了郑国都城,历时三个月才攻破。楚军从皇门入城。直达城中大道。郑襄公光着上身牵着羊出来迎接楚庄王,说:"我没有承奉天意,事奉您,使您满怀愤怒来到我国,这是我的罪过,怎敢不听从您的命令呢?如果把我俘虏到江南,流放到海滨,也听凭您安排;如果灭亡郑国,把郑国的土地分赐给诸侯,让郑国的男女成为别国的奴婢,也只听凭您的吩咐。如果承蒙君王念及两国过去的友好关系,托周厉王、周宣王、郑桓公、郑武公的福,而不至于亡国的话,那么让郑国重新事奉君王,将郑国等同于楚国各县,这就是君王的恩惠了,也是我的愿望,但这又不是我所敢奢望的。谨陈述我的心里话,请您考虑。"庄王的手下人说:"不能答应他,得到了一个国家就不能再赦免它。"庄王说:"郑国的国君能屈己居人之下,一定能得到他的百姓的信任,郑国还是有希望的吧!"于是退兵三十里,同意郑国求和的请求。楚国的潘尪入城结盟,郑国的子良出国到楚国做人质。

夏天六月,晋军救援郑国。荀林父率领中军,先縠辅佐他;士会率领上军,郤克辅佐他;赵朔率领下军,栾书辅佐他。赵括、赵婴齐任中军大夫,巩朔、韩穿任上军大夫,荀首、赵同任下军大夫,韩厥任司马。

晋军抵达黄河时。听说郑国已和楚国讲和。荀林父想撤军回国,他说:"没有赶上救郑国而劳民与楚军对峙,哪里用得着呢?楚军撤回后再出兵攻打郑国,也不算迟。"士会说:"好。我听说用兵之道,就是要善于观察敌人的间隙然后行动。如果一个国家的德行、刑法、政令、事务、典章、礼仪没有违背常道,便不能与之为敌,也不宜攻打它。楚国国君讨伐郑国,愤恨郑国的三心二意而又哀怜他们的奴颜卑下。背叛时就

讨伐它，顺服时便宽恕他，这样德行和刑罚就具备了。讨伐背叛，就是刑罚；安抚顺服，便是德行。二者都树立起来了。楚国去年攻入陈国。今年又攻入郑国，百姓并不疲劳，对国君也没有怨言，政令是合乎常道的。楚军列成荆尸之陈而后发兵，商贩、农民、工匠、店主都不废弃自己的行业，而且步兵与车兵也很和睦，各司其职，互不相犯。

"蒍敖担任令尹，选择楚国好的法典。军队行动，右军跟随主将车辕而行，左军搜寻粮草，前军举着旌旗侦察敌情以防意外，中军权衡作战方案，后军以精兵殿后。各级军官根据象征自己的旌旗的指挥而行动，军中政事不须等待命令就已准备就绪，这是因为能运用典章制度。他们的君王选拔人才，在同姓中选拔亲近的人，异姓中选拔历代旧臣后裔；选拔不遗漏有德行的人，赏赐不遗漏有功劳的人；老人加恩，羁旅之人也有施舍；君子和小人，服饰各有规定；对尊贵的人有一定的表示尊敬的礼仪，对低贱的人也有等级的威仪，这样礼法就不至于违反。德行树立，刑法实行，政治修明，国事合乎时宜，典章得到执行，礼仪顺应时代，这样的国家怎么能够抵挡呢？见机而进，知难而退，这是用兵的好策略；兼并弱小攻打昏庸之国，这是军事上正确的战略方针。您姑且整顿军队、筹划军事装备吧！还有的是弱小而又政治黑暗的国家，为什么一定要攻打楚国呢？仲虺说过：'夺取动乱之国，欺侮行将灭亡之国。'说的就是兼并弱小。《诗·汋》中说：'啊！天子的军队真威风，率领他们占取昏暗的国家。'说的就是进攻昏暗之国。《诗·武》中说：'没有谁比武王的功业更强盛。'安抚弱小而攻打昏暗之国，从而致力于武王的伟业，是可以的。"先縠说："不行。晋国之所以能称霸诸侯，是由于军队勇敢、臣子尽力。现在眼看会失去诸侯，不能说是尽力；有了敌人而不去迎战，不能说是勇敢。从我们身上失去晋国的霸主地位，还不如死了好。况且兴兵出战，听说敌人强大就退却，这不是大丈夫。受命担任军队统帅，却以有辱大丈夫的结果而告终，只有诸位能做到，我是不干的。"于是率领中军副帅所属部队渡过了黄河。

知庄子说："这支军队危险了。《周易》有这样的卦象，从师卦变为临卦，爻辞说：'军队出击要以法制号令约束，不然，就有危险。'行事顺其道而有所成就是臧，反之就叫否。士兵离散就是柔弱，流水壅塞就成了沼泽。有法制号令指挥军队就如同指挥自己一样，所以叫做律。如果行事不善，法制号令就形同虚设。从充满到枯竭，阻塞而不整齐，所以就是凶象了。水不流动为'临'，有统帅而不服从，还有比这更严重的'临'吗？说的就是这个道理。果真和楚军相遇，肯定失败，彘子要承担罪责。即使他侥幸不死而逃回，也一定有大灾祸。"韩献子对荀林父说："彘子率领他那一部分军队如果陷入楚军，您的罪过就大了。您为元帅，军队不听从命令，这是谁的罪过呢？失掉了属国，又损失了军队，这个罪责已很大了，不如进军。即使失败了，也可由大家来分担责任，与其您一个人承担罪过，不如六个人共同承担，这样不是更好吗？"于是晋军就渡过了黄河。

楚庄王率军北上，驻扎在郔地。沈尹率领中军，子重率领左军，子反率领右军，准备在黄河饮马后便回国。听说晋军已经渡过了黄河，庄王想撤军回国，宠臣伍参想与晋军开战。令尹孙叔敖不想作战，他说："去年我们攻入陈国，今年又攻入郑国，不能说没有战事。如果开战而不能取得胜利，你伍参的肉恐怕不够让人吃吧？"伍参说："如果作战胜利了，你孙叔敖就是没有谋略之人。不能取胜，我伍参之肉将落在晋军之手，你们怎么能吃得到呢？"令尹把车辕调转南方，军旗也指向南方，准备回国。伍参对楚庄王说："晋国执政的人荀林父上台不久，命令还不能通行无阻，他的中军副帅先縠刚愎自用，残暴不仁，不肯听从他的命令，他的三个将帅想专权又办不到，想听从又没有具有绝对权威的上司，军队听从谁的呢？这次交战，晋军必定失败。况且您作为国君，如果逃避晋国的臣子，又把国家的荣辱置于何地呢？"楚庄王很忧虑，于是命令令尹调转车辕，向北进军，驻扎在管地，等待晋军。

晋军此时驻扎在敖山、鄗山之间。郑国的皇戌出使来到晋军中，说："郑国屈从楚国，是为了挽救国家的缘故，对晋国并没有二心。楚军屡次获胜因而骄傲轻敌，军队士气已衰落，而且又不设防，你们如果攻击他们，郑军作为后继，楚军必定失败。"先縠说："打败楚国、降服郑国，就在此一举了，一定答应他。"栾书说："楚国自从战胜庸国以来，他们的国君没有一天不用'百姓生活还很艰难、战祸随时会降临、不可以放松警惕和戒备'的话来教育和训诫国人。在军队中，没有一天不用'不可能保持永久的胜利，商纣王曾经百战百胜，但最后却亡国取辱'的历史来教育和再三告诫军队官兵，用楚国先君若敖和蚡冒当初乘柴车、穿破敝衣服开辟山林，艰苦创业的事迹来教育他们。并告诫他们说：'百姓的生存在于勤劳，勤劳就不缺乏。'这不能说他们骄傲。先大夫子犯说过：'师出有名就气壮，理曲就气衰。'我们的行为不合德行，又与楚国结怨，我们理曲而楚国理直，因此不能说楚军已士气衰落。楚国国王的车队分为左右两部，称两广，每广有三十辆战车，称一卒，每卒又分左右两偏。右广先行驾车守卫，直到中午，再由左广接替，直到黄昏。左右近臣轮流值夜班，以防意外。这不能说他们没有防备。子良是郑国的杰出人才，师叔是楚国人崇敬的人物。师叔到郑国结盟，子良作为人质住在楚国，楚国和郑国关系是密切的。郑国派人来劝我们出战，我们胜了，他们就来归服，不胜，他们就又去投奔楚国，这是在以我们的胜负来占卜决定去从啊，郑国的建议不能听从。"赵括、赵同说："率军前来，就是寻找敌人作战。战胜敌人降服属国，还等待什么呢？一定要采纳先縠的建议。"荀首说："赵同和赵括的主意，是一条取祸之道。"赵朔说："栾书说得好啊！如果照他说的去做，一定能使晋国长存不衰。"

楚国的少宰来到晋军，说："我国国君自幼遭到忧患，因此他不善辞令。听说我国两位先君成王和穆王曾出入这条道路，是为了教训和安定郑国，哪里敢得罪晋国呢？你们几位不要在此久留。"士会回答说："从前周王平命令我国先君文侯说：'与郑国一起辅佐周王室，不要背弃天子的命令。'现在郑国不遵循天子命令，我国国君派群臣前来质问郑国，又怎么敢劳驾您前来呢？谨此拜谢您国国君的命令。"先縠认为这是讨好楚国，派赵括去更正，说："刚才外交官的话不恰当。我国国君派群臣来把楚国的军队赶出郑国，他说：'不要躲避敌人。'我们群臣不能不执行这一命令。"

楚庄王又派人向晋国求和，晋国人答应了，并且确定了结盟的日期。但楚国的许伯为乐伯驾车，摄叔为车右，向晋军挑战。许伯说："我听说向敌人挑战，战车疾驰以致旌旗靡倒，迅速迫近敌人营垒然后返回。"乐伯说："我听说向敌人挑战，由车左用利箭射击敌人，代替驾车人执掌马缰绳，驾车人下车整理马匹和马脖子上的皮带，然后从容而回。"摄叔也说："我听说向敌人挑战，车右要攻入敌人营垒，杀死敌人，割取左耳，生擒俘虏而回。"这三个人都按他们听说的去做了然后回营。晋国人追赶他们，从左右夹攻。乐伯射左边的马，射右边的人，使夹攻的晋兵不能前进。他的箭仅仅只剩下一支了。有一只麋鹿出现在前方，乐伯用这支箭射中了它的背部。这时晋国的鲍癸正在后面追赶，乐伯让摄叔把麋鹿献给他，说："因为还不到时令，应当奉献的禽兽还没有出现，谨以此作为您的随从的食肴吧。"鲍癸让部队停止追赶，说："他们的车左善于射箭，车右善于辞令，都是君子啊。"这三人都免遭俘获。

晋国的魏锜请求公族大夫的职位，没有得到，因而恼怒，想让晋军失败。他请求前去挑战，不批准。请求出使到楚军，批准了他。于是他前往楚军，请战后返回。楚国的潘党追击他，到达荥泽，魏锜看见六只麋鹿，射杀了一只而回车献给潘党，说："您有作战任务在身，兽人之官恐怕不能供给你新鲜野味，谨把这只麋鹿献给您的随从。"潘党命令部下不再追赶魏锜。赵旃求卿的职位，没有得到，而且对逃走了楚国的挑战者十分生气，于是请求前往楚军挑战，未被批准。又请求去召请楚军前来结盟，得到了同意。赵旃和魏锜都受命前往楚军。郤克说："这两个心怀不满的人去了，如果我们不加以防备，必定要失败。"先縠说："郑国人劝我们和楚军作战，不敢听从；楚国人向我们求和，又不和他们结好。军队没有一个固定的战略目的，多加防备又有什么用呢？"士会说："有所防备为好。如果赵旃、魏锜二人激怒了楚国，楚国人乘机袭击我们，我们很快就会全军覆没。不如防备他们。如果楚国没有恶意，到时再解除防备，缔结盟约，对两国和好有什么损害呢？如果楚国怀恶意而来，我们有所防备，也不至于失败。再说即使诸侯会见，守卫部队也不加撤除，就是以防万一。"先縠还是不同意设防。士会派

乐伯驾战车向晋地挑战，选自明刊本《新镌锈像列国志》。

巩朔、韩穿率领七支伏兵埋伏在敖山之前，所以上军才没有失败。赵婴齐派他的部下事先在黄河边准备了船只，所以在战败后首先渡过黄河。

潘党赶走了魏锜，赵旃又在晚上来到楚军，他在军门之外铺席而坐，派他的部下进入军门。楚庄王组建他的车队以三十乘为一广，分左右两广。右广在凌晨鸡叫时驾车值勤，中午卸车休息；左广中午接班，太阳落山时卸车休息。许偃为右广的指挥车驾车，养由基担任车右。彭名为左广的指挥车驾车，屈荡担任车右。乙卯这一天，庄王乘坐左广的指挥车追赶赵旃。赵旃丢下车队逃跑到树林中。屈荡和他搏斗，扯下了他的甲衣。晋国人害怕这两个人会惹恼楚军，便派一辆兵车去接应他们。潘党从远处看到这辆兵车扬起的尘土，便派人驾车报告楚军首领说："晋军到了。"楚国人也害怕楚庄王落入晋军之手，便列阵迎战。孙叔敖说："进军！宁可我们逼近敌人，不可让敌人逼近我们。《诗》说：'战车十辆，用来在前面冲锋开道。'意思就是要抢在敌人前面。《军志》说：'抢在敌人前面就可以夺去敌人的斗志。'意思就是要主动逼近敌人。"于是就迅速进军，战车奔驰，士兵奔跑，乘势掩杀晋军。荀林父不知所措，只得在军中击鼓传令说："先渡过黄河的人有奖赏。"中军和下军为船只争斗，许多人落入水中，先上船的人把攀住船舷的人的手指砍断，船里的断指多得可以捧起来。

晋军向右边转移，上军没有动。楚国的工尹齐率领右边方阵士兵追击晋国下军。楚庄王派唐狡和蔡鸠居向唐惠侯报告说："我没有德行而又贪心，以至遇到大敌，这是我的罪过。但如果楚国不能取胜，也是您的耻辱，谨借重您的威灵来帮助楚军获胜。"于是派潘党率领机动战车四十辆，跟从唐惠侯作为左边的方阵，追击晋军的上军。驹伯说："抵御敌人吗？"士会说："楚军现在士气正旺，如果集中兵力对付我们，我军必定全军覆没，不如收兵撤退。这样既可以分担战败的指责，又可以保全士兵的生命，不也可以吗？"于是士会作为上军的后卫走在最后，撤退下去，才没有打败仗。

楚庄王见到右广的指挥车，就准备上去乘坐。屈户阻止他，说："君王既然是以乘坐左广开始作战的，也应该乘坐它来结束这场战争。"从此，楚国乘广以左广为尊。

晋国人有几辆兵车陷到坑里不能前进，楚国人教他们抽掉车前的横木，兵车稍微向前动了一下，马仍盘旋不前。楚国人又教他们拔掉大旗，扔掉车轭，兵车才从坑中拉出。晋国人回过头来说："我们比不上你们楚国经常逃奔，很有经验。"

赵旃用他的两匹好马帮助他的哥哥和叔父逃跑，用别的马驾车返回，遇到敌人不能逃脱，便扔下战车逃入树林。逢大夫和他的两个儿子正驾车赶路，他让两个儿子不要回头。可儿子回头说："赵老头在后面。"逢大夫很生气，让两个儿子下车，指着一棵树木说："我在这里收你们的尸首。"然后把登车的绳子交给赵旃，赵旃才得以逃脱。第二天，逢大夫按标记去收尸。两个儿子的尸体果然叠压在那棵树下。

楚国的熊负羁俘获了知罃，知罃的父亲荀首率领他的部属返回来追赶，魏锜为他驾车，下军的士兵多半都跟随着他。荀首每次射箭，抽箭出来，如果是利箭，就放入魏锜的箭袋。魏锜生气地说："你这不是想救儿子，而是爱惜你的箭，董泽那里的蒲柳可以制无数支箭，能用得尽吗？"荀首说："如果抓不到别人的儿子，能救回我的儿子吗？这就是我不随便使用利箭的缘故啊。"射击连尹襄老，得到了他的尸体，装在车上；射击公子谷臣，俘获了他，最后带着这两个人回去。

到了黄昏时分，楚军在邲地驻扎，晋国剩余的部队已溃不成军，连夜渡黄河，整夜都有人马喧嚣的声音。

丙辰这一天，楚军的辎重到达邲地，于是军队在衡雍驻扎。潘党说："您何不将晋军尸体收集起来埋掉，在上面筑土堆作为京观呢？我听说战胜敌人后一定要把战功展示给子孙，让他们不忘记祖先的武功。"楚庄王说："这不是你能懂的。从文字构造上讲，止戈二字会合起来就是武字。周武王灭亡商朝后，作《周颂》说：'收缴兵器，包藏弓箭。我追求美德，并把这一愿望体现在夏乐之中，以求成就王业保有天下。'又作《武》篇，诗的最后一章说：'巩固你的功业。'诗的第三章说：'发扬文王的美德，我前去讨伐纣王只是为了安定天下。'诗的第六章说：'安定万邦，常有丰年。'所谓武功，就是禁除残暴、消灭战争、保有天下、巩固功业、安定百姓、调和诸国、丰富财物。因此让子孙不要忘记祖先的丰功伟业。现在我让两国士兵暴尸荒野，这是残暴；炫耀武力威胁诸侯，战争便没有停止；既残暴而又没有消除战争，怎么能保有天下？晋国还仍然存在，怎么能够巩固功业？违背百姓愿望的事情还很多，百姓怎么能安定？没有德行而仅凭强大的武力争霸诸侯，又怎么能使各国友好相处，乘人之危而为自己谋利，以别国的动乱求得自己的安定，并以此为荣，怎么能丰富财物？武功有七种德行，我们一种也不具备，又拿什么向子孙展示？还是为祖先建造一座神庙，报告取得了胜利就是了，我这点战功还算不得武功。古代圣明的君王讨伐不听王命的国家，杀掉首恶分子并将其埋葬，作为一次大杀戮，在这时才有京观，以惩戒历代罪恶之人。现在晋国的罪恶无法确定，而士兵又都是为了执行国君的命令而尽忠，又怎么能建造京观呢？"于是在黄河边举行了祭祀，建造了祖庙，向先君报告这次战争的胜利后便回国了。

这次战役，实际上是郑国的石制把楚军引进来的，他打算分割郑国为两部分，一部分给楚国，并立公子鱼臣为郑国国君。七月二十九日，郑国人杀了公子鱼臣和石制。君子评论说："史佚所说的'不要乘人之乱来利己'，说的就是这种人。《诗》说：'战乱让百姓疾苦，哪里是他们的归宿呢？这是归罪于那些凭借动乱来利己的人啊！"

郑襄公和许昭公到了楚国。

秋天，晋军回国，荀林父请求以死抵罪，晋景公想同意他的请求。士贞子劝谏说："不能这样。城濮之战，晋军已吃了三天楚国的粮食，文公仍然面带忧虑。左右近臣问道：'有了喜事您却忧虑，如果有了忧事您反而会高兴吗？'文公说：'只要得臣还存在，我的忧虑就不会完。被围困的野兽尚且还要挣扎一下，何况得臣这个一国之相呢？'等到楚国杀掉了得臣，文公的高兴劲就可想而知了。他说：'再没有人来威胁我了。'这是晋国取得了第二次胜利，楚国又一次失败，楚国因此在成王、穆王两代都没有强大起来。现在也许是上天严厉地警告晋国，使晋国打了败仗，如果又杀掉荀林父，让楚国再胜利一次，那岂不是要让晋国从此一蹶不振吗？荀林父事奉国君，上朝想着为君尽忠，退朝想着弥补自己的过错，他是国家的保卫者，怎么能杀他呢？他这次失败，如同日月之蚀，又哪里会损害日月的光明？"于是晋景公让荀林父官复原位。

冬天，楚庄王攻打萧国，宋国的华椒率领蔡国人救援萧国。萧国人俘虏了熊相宜和公子丙。楚庄王说："不要杀他们，我退兵。"但萧国人还是杀掉了他们。庄王愤怒了，于是包围了萧国。萧国溃败了。

申公巫臣说："士兵们很寒冷。"庄王巡视三军，抚慰勉励士兵。三军将士好像身裹丝絮，十分温暖。于是楚军逼近萧城。

萧国大夫还无社告诉楚国大夫司马卯，让他把楚国大夫申叔展喊来。申叔展问："你有麦曲吗？"还无社说："没有。""有山鞠穷吗？"还无社说："没有。""如果得了风湿病怎么办？"还无社回答："你如果看到枯井，就可以从里面救我出来。"申叔展说："你做一根草绳放在井边，如有人在井上哭那么这就是我。"第二天，萧军溃败。申叔展看见一眼枯井，草绳正放在井边，于是他大哭，把还无社救了出来。

晋国的原縠、宋国的华椒、卫国的孔达以及曹国人在清丘会盟，说："帮助有灾难的国家，讨伐怀有二心的国家。"《春秋》没有记载上述各国卿的名字，是因为他们没有履行盟约。

宋国因为盟约的缘故，讨伐陈国。卫国人救援陈国。孔达说："先君卫成公曾与陈共公有过盟约。如果大国来攻打我们，我就为此而死。"

宣公十三年

【原文】

十有三年：春，齐师伐莒。

夏，楚子伐宋。

秋，蟓。

冬，晋杀其大夫先縠。

十三年春，"齐师伐莒"，莒恃晋而不事齐故也。

"夏，楚子伐宋"，以其救萧也。君子曰："清丘之盟，惟宋可以免焉。"

秋，赤狄伐晋，及清，先縠召之也。

冬，晋人讨邲之败与清之师，归罪于先縠而杀之，尽灭其族。君子曰："'恶之来也，己则取之。'其先縠之谓乎！"

清丘之盟，晋以卫之救陈也，讨焉。使人弗去，曰："罪无所归，将加而师。"孔达曰："苟利社稷，请以我说，罪我之由。我则为政，而亢大国之讨，将以谁任？我则死之！"

【译文】

宣公十三年春天，齐军攻打莒国。夏天，楚庄王攻打宋国。秋天，鲁国发虫灾。冬天，晋国杀掉了大夫先縠。

鲁宣公十三年春天，齐军攻打莒国，这是因为莒国依仗晋国而不肯事奉齐国的缘故。

夏天，楚庄王攻打宋国，因为宋国救援过萧国。君子认为："清丘的盟会，只有宋国可以免于不守诺言的指责。"

秋天，赤狄攻打晋国，直达清原，这是先縠勾引他们来的。

冬天，晋国人追究邲地战败和赤狄入侵清原的原因，这都是先縠的罪行，于是杀了他，并杀掉了他的全部族人。君子说："灾祸降临，是自己招来的，大概说的就是先縠吧！"

根据清丘盟约，晋国因卫国救援了陈国而追究卫国的责任。晋国的使者不肯离去，说："如不查处救援陈国的主谋，我国将派兵攻打你们。"孔达说："如果对国家有利，就请把我交出去向他们做交代，因为罪过在于我。我作为执政者，现在大国来追究，我能把罪责推诿给谁呢？我愿意为此而死。"

宣公十四年

【原文】

十有四年：春，卫杀其大夫孔达。夏，五月壬申，曹伯寿卒。

晋侯伐郑。

秋，九月，楚子围宋。

葬曹文公。

冬，公孙归父会齐侯于穀。

十四年春，孔达缢而死，卫人以说于晋而免。遂告于诸侯曰："寡君有不令之臣达，构我敝邑于大国，既伏其罪矣，敢告！"卫人以为成劳，复室其子，使复其位。

夏，晋侯伐郑，为邲故也。告于诸侯，蒐焉而还。中行桓子之谋也，曰："示之以整，使谋而来。"郑人惧，使子张代子良于楚。郑伯如楚，谋晋故也。郑以子良为有礼，故召之。

楚子使申舟聘于齐，曰："无假道于宋。"亦使公子冯聘于晋，不假道于郑。申舟以孟诸之役恶宋，曰："郑昭、宋聋，晋使不害，我则必死。"王曰："杀女，我伐之。"见犀而行。及宋，宋人止之。华元曰："过我而不假道，鄙我也；鄙我，亡也。杀其使者，必伐我；伐我，亦亡也。亡，一也。"乃杀之。楚子闻之，投袂而起，屦及于室皇，剑及于寝门之外，车及于蒲胥之市。

秋，九月，楚子围宋。

冬，公孙归父会齐侯于穀，见晏桓子，与之言鲁，乐。桓子告高宣子曰："子家其亡乎？怀于鲁矣。怀必贪，贪必谋人。谋人，人亦谋己。一国谋之，何以不亡！"

孟献子言于公曰："臣闻小国之免于大国也，聘而献物，于是有庭实旅百；朝而献功，于是有容貌采章，嘉淑而有加货：谋其不免也。诛而荐贿，则无及也。今楚在宋，君其图之！"公说。

【译文】

鲁宣公十四年春天，卫国杀掉了大夫孔达。夏天五月十一日，曹文公去世。晋景公攻打郑国。秋天九月，楚庄王发兵包围了宋国。安葬曹文公。冬天，公孙归父在谷地与齐侯会见。

鲁宣公十四年春天，孔达自缢而死。卫国人以此向晋国人交代，才免于被攻打。于是卫国向诸侯通报说："我国国君有一个不善的臣子孔达，使我国和大国之间不和，现在已经伏罪了。谨此通告。"卫国人认为孔达过去有功劳，于是便把公室的女子嫁给他儿子为妻，并让他的儿子接任了他的官位。

夏天，晋景公攻打郑国，是为了郊地之战的缘故。晋景公通报各诸侯国，检阅部队后就回国了。这是荀林父的计谋。他说："向郑国展示严整的军容，让他们自己主动前来归附。"郑国人果然害怕了，派子张到楚国代替子良作为人质。郑襄公到了楚国，是为了谋划对付晋国。郑国认为子良有礼，所以召他回国。

楚庄王派遣申舟到齐国访问，说"你不要向宋国请求借道。"又派公子冯到晋国访问，也让他不要向郑国借道。申舟因为孟诸之役得罪了宋国，因此他对庄王说："郑国人明理而宋国人昏聩，派往晋国的使者没有危险，而我必然被宋国杀掉。"庄王说："如果杀你，我就攻打他们。"申舟将儿子申犀引见给庄王后就出发了。到了宋国，宋国人拦住了他。华元说："路过我国却不向我国借道，这是把我国当做了他们的边地。把我国当做他们的边地，实际上就是以为我们亡了国。如果杀了他们的使者，他们必然讨伐我们，讨伐我们也不过就是亡国。亡国是一样的。"于是就杀了申舟。楚庄王听说了这一消息，挥袖而起，侍卫追到前庭才把鞋子送上，追到寝宫门外才把佩剑送上，追到蒲胥街市上才让他坐上车。秋天九月，庄王发兵包围了宋国。

冬天，公孙归父在谷地和齐顷公会见，见到了晏桓子，晏桓子和他谈到了鲁国，他非常高兴。桓子告诉高固说："公孙归父可能要逃跑，因为他还怀念鲁国。怀念就会产生贪心，有贪心就必定要算计别人。他算计别人，别人也算计他。如果全国的人都算计他，他怎么能不逃跑呢？"

孟献子对鲁宣公说："我听说小国之所以不被大国问罪，是因为经常前往大国访问并进献礼物，于是大国才有堆满庭院的财物；小国朝见大国，并献上功劳成果，因此大国也就有了各种华美珍贵的装饰品和附加的礼物。这都是为了谋求免除难以免除的

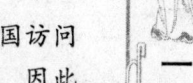

灾难。如果等到大国责难问罪时再去进献礼物，那就来不及了。现在楚庄王正在宋国，您还是要考虑一下送礼的事。"鲁宣公听了很高兴。

宣公十五年

【原文】

　　十有五年：春，公孙归父会楚子于宋。
　　夏，五月，宋人及楚人平。
　　六月癸卯，晋师灭赤狄潞氏，以潞子婴儿归。
　　秦人伐晋。
　　王札子杀召伯、毛伯。
　　秋，螽。
　　仲孙蔑会齐高固于无娄。
　　初税亩。
　　冬，蝝生。
　　饥。
　　十五年春，公孙归父会楚子于宋。
　　宋人使乐婴齐告急于晋。晋侯欲救之，伯宗曰："不可，古人有言曰：'虽鞭之长，不及马腹。'天方授楚，未可与争。虽晋之强，能违天乎？谚曰：'高下在心。'川泽纳污，山薮藏疾，瑾瑜匿瑕，国君含垢，天之道也。君其待之。"乃止。
　　使解扬如宋，使无降楚，曰："晋师悉起，将至矣。"郑人囚而献诸楚。楚子厚赂之，使反其言，不许，三而许之。登诸楼车，使呼宋人而告之，遂致其君命。楚子将杀之，使与之言曰："尔既许不穀，而反之，何故？非我无信，女则弃之，速即尔刑！"对曰："臣闻之：君能制命为义，臣能承命为信，信载义而行之为利。谋不失利，以卫社稷，民之主也。义无二信，信无二命。君之赂臣，不知命也。受命以出，有死无陨，又可赂乎？臣之许君，以成命也。死而成命，臣之禄也。寡君有信臣，下臣获考死，又何求？"楚子舍之以归。
　　夏五月，楚师将去宋，申犀稽首于王之马前，曰："毋畏知死而不敢废王命，王弃言焉！"王不能答。申叔时仆，曰："筑室反耕者，宋必听命。"从之。
　　宋人惧，使华元夜入楚师，登子反之床，起之，曰："寡君使元以病告，曰：'敝邑易子而食，析骸以爨。虽然，城下之盟，有以国毙，不能从也。去我三十里，唯命是听。'"子反惧，与之盟而告王。退三十里，宋及楚平。华元为质。盟曰："我无尔诈，尔无我虞！"
　　潞子婴儿之夫人，晋景公之姊也。酆舒为政而杀之，又伤潞子之目。晋侯将伐之，诸大夫皆曰："不可！酆舒有三俊才，不如待后之人。"伯宗曰："必伐之！狄有五罪，俊才虽多，何补焉？不祀，一也；耆酒，二也；弃仲章而夺黎氏地，三也；虐我伯姬，四也；伤其君目，五也。怙其俊才，而不以茂德，滋益罪也。后之人或者将敬奉德义以事神人，而申固其命，若之何待之？不讨有罪，曰'将待后，后有辞而讨焉'，毋乃不可乎？夫恃才与众，亡之道也。商纣由之，故灭。天反时为灾，地反物为妖，民反德为乱。乱则妖灾生。故文反正为乏。尽在狄矣！"晋侯从之。六月癸卯，晋荀林父败赤狄于曲梁；辛亥，灭潞。酆舒奔卫，卫人归诸晋，晋人杀之。

王孙苏与召氏、毛氏争政，使王子捷杀召戴公及毛伯卫，卒立召襄。

秋七月，秦桓公伐晋，次于辅氏。壬午，晋侯治兵于稷，以略狄土，立黎侯而还。及雒，魏颗败秦师于辅氏，获杜回——秦之力人也。

初，魏武子有嬖妾，无子。武子疾，命颗曰："必嫁是！"疾病，则曰："必以为殉！"及卒，颗嫁之，曰："疾病则乱。吾从其治也。"及辅氏之役，颗见老人结草以亢杜回。杜回踬而颠，故获之。夜梦之曰："余，而所嫁妇人之父也。尔用先人之治命，余是以报。"

晋侯赏桓子狄臣千室，亦赏士伯以瓜衍之县，曰："吾获狄土，子之功也。微子，吾丧伯氏矣。"羊舌职说是赏也，曰："《周书》所谓'庸庸祇祇'者，谓此物也夫！士伯庸中行伯，君信之，亦庸士伯，此之谓明德矣。文王所以造周，不是过也。故《诗》曰'陈锡载周'，能施也。率是道也，其何不济！"

晋侯使赵同献狄俘于周，不敬。刘康公曰："不及十年，原叔必有大咎。天夺之魄矣！"

初税亩，非礼也。穀出不过藉，以丰财也。

冬，蝝生。饥。幸之也。

【译文】

宣公十五年春天，公孙归父在宋国与楚庄王会见。夏天五月，宋国人和楚国人讲和。六月十八日，晋军消灭了赤狄的潞氏部落，把潞子婴儿俘虏回国。秦国人攻打晋国。王札子杀了召伯、毛伯。秋天，发虫灾。仲孙蔑在无娄与齐国的高固会见。鲁国开始按田亩征税。冬天，鲁国蝗虫成灾。造成了饥荒。

鲁宣公十五年春天，公孙归父在宋国会见了楚庄王。

宋国人派乐婴齐向晋国告急，晋景公打算救援宋国。伯宗说："不行。古人有句话说：'马鞭虽长，也达不到马肚子。'上天正保佑楚国，不能与它争强。虽然晋国也强大，但能违背天意吗？俗话说：'是屈是伸，自己心里有数。'川流水泽总要容纳污垢，山林草野总要隐藏毒虫猛兽，美玉也难免有瑕疵，因此，国君忍受耻辱，这也是上天的常理。您就等待一下吧！"于是晋景公停止了出兵。

晋国派解扬前往宋国，让他们不要投降楚国，并告诉他们："晋军已全部出发，马上就到了。"但当解扬路过郑国时，郑国人抓住了他并把他送给了楚国人。楚庄王送给他许多财物，让他按相反的意思去说，解扬不同意，庄王劝说了三次他终于答应了。于是让解扬登上瞭望车，让他向宋国人喊话，于是他趁机把晋景公的话告诉了宋国人。楚庄王准备杀掉解扬，派人对他说："你既已答应我却又食言。这是为什么？不是我不讲信用，而是你违背诺言。马上接受你应得的刑罚吧！"解扬回答说："我听说，国君能制定发布命令为义，臣子能接受贯彻君王的命令为信，用臣子的信去表现君王的义，就是国家的利益。谋划不损害利益，以此保卫国家，这才是百姓的主人。君王的义不能用两种信，臣子的信不能受两种命。君王以财物收买我，就是不懂得这个道理。臣子受命出使国外，宁可死也不能背弃君命，又怎么能被财物收买呢？我假装答应您，是为了完成我的使命。我死了但完成了使命，这是我的福分。我国国君有我这样守信的臣子，我死得其所，还有什么更值得追求的呢？"于是楚庄王放他回国。

夏天五月，楚军准备离开宋国。申犀跪在庄王的马前行叩头之礼，说："我父亲虽然明知必死无疑也不敢违背君王的命令，但您没有履行诺言。"庄王不能回答。申叔时正为庄王驾车，他说："如果在此建造营房，让逃跑的种田人回来种田，宋国必定会屈服。"庄王采纳了这一建议。宋国人果然害怕了，派华元夜间来到楚军，他登上子反的床，叫醒子反，说："我国国君派我来通报我们的困难，他说：'都城的人已经在交换儿子，杀了吃掉，把骨头劈了当柴烧。即使如此，也不能接受城下之盟，纵使亡国，也不能屈从。如果贵军后撤三十里，我国就一切听从贵国的命令'。"子反害怕了，与华元私下订立了盟约，并报告了庄王。于是楚军后退三十里。宋国和楚国讲和，华元到楚国作人质。两国盟誓说："从今以后，我不欺骗你，你也不要欺骗我。"

潞子婴儿的妻子是晋景公的姐姐。酆舒执政时把她杀了，并且又伤害了潞子的眼睛。晋景公准备讨伐酆舒。大夫们都说："不行。酆舒有三种突出的才能，不如等他后面的人上台了再说。"伯宗说："一定要讨伐他。狄人有五大罪行，虽然有很多突出的才干，但又有什么用呢？不祭祖先，这是第一罪。嗜酒成性，这是第二罪。废弃贤臣仲章并且侵占黎氏的土地，这是第三罪。杀害我国的伯姬，这是第四罪。伤害了他的君王的眼睛，这是第五罪。酆舒依仗自己的突出才能，而不用美德，这就更加重了他的罪过。他的后任也许能重视德行仁义，来事奉神灵安定人民，使国家的命运得到巩固，但到那时又怎么对付它？现在不讨伐有罪之人，却说'等待以后，以后有理由再去讨伐它'，这恐怕不行吧？依仗才能和人多，这是亡国之道。商纣王正是这样做的，所以灭亡了。天违反时令就是灾祸，地违反物性就是妖异，民众违反道德就是动乱。国家动乱就有妖异和灾祸产生。所以在文字构造上，把'正'字反过来写就是'乏'。这些现象，在狄人那里都发生了。"晋景公听从了他的话。六月十八日，晋国的荀林父在曲梁打败了赤狄。六月二十六日，灭亡了潞国。酆舒逃亡到卫国，卫国人把他送回了晋国，晋国人杀了他。

王孙苏与召戴公、毛伯卫争夺执政之权，派王子捷杀了召戴公和毛伯卫，最后立了召戴公之子召襄。

秋天七月，秦桓公攻打晋国，驻扎在辅氏。七月二十七日，晋景公在稷地举行军事演习,乘机强行占取了狄人的土地,立了黎侯后便回国了。到达洛地时,魏颗在辅氏打败了秦军。俘虏了杜回,杜回是秦国的一个大力士。

当初,魏武子有一个爱妾,她没有儿子。魏武子生病了,对魏颗说:"我死后你一定要让她改嫁。"病危时又说:"一定要让她为我殉葬。"等到魏武子死后,魏颗还是嫁了她,并说:"病重时神志昏乱,我还是按照父亲清醒时说的话去办。"辅氏战役开始后,魏颗看到一个老人把草挽成结用来绊拦杜回,结果杜回被绊倒在地,所以魏颗才俘虏了他。晚上魏颗梦见那位老人对他说:"我就是你嫁出去的那个妇人的父亲。你按照你父亲清醒时的命令去做,我以此来报答你。"

晋景公奖给荀林父狄人奴隶一千户,同时也奖给士伯瓜衍之县。他说:"我得到狄人的土地,这是你的功劳。没有你士伯当年的劝谏,我早就失去荀林父了。"羊舌职对晋景公的这种奖赏非常高兴,他说:'《周书》所说的'使用可用的人,尊敬可敬的人',说的就是这一类吧!士伯认为荀林父可以重用,君王相信了他,也认为士伯可用,这可以说是昭明德行了。文王创立周朝,也没有超过这种尊贤荐能的美德。因此《诗》说:'广赐天下,创建周朝。'就是说文王能施恩给天下百姓。遵循这个道理,那还有什么不能成功的呢?"

老人结草绊倒杜回,选自明刊本《新镌锈像列国志》。

晋景公派赵同把狄人俘虏进献给周王室,赵同不恭敬。刘康公说:"等不到十年,赵同一定有大祸,因为上天已经夺去了他的魂魄。"

鲁国开始按田亩征税,这不符合礼法。过去的井田制所征收的粮食不超过藉法的规定,这是用来增加财物的办法。

冬天,鲁国发生了虫灾,造成了饥荒。《春秋》之所以记载这件事,是庆幸没有造成严重灾害。

宣公十六年

【原文】

十有六年：春，王正月，晋人灭赤狄甲氏及留吁。

夏，成周宣榭火。

秋，郯伯姬来归。

冬，大有年。

十六年春，晋士会帅师灭赤狄甲氏及留吁、铎辰。

三月，献狄俘。晋侯请于王，戊申，以黻冕命士会将中军，且为大傅。于是晋国之盗逃奔于秦，羊舌职曰："吾闻之：'禹称善人，不善人远'，此之谓也夫。《诗》曰：'战战兢兢，如临深渊，如履薄冰'，善人在上也。善人在上，则国无幸民。谚曰：'民之多幸，国之不幸也。'是无善人之谓也。"

夏，成周宣榭火，人火之也。凡火，人火曰"火"，天火曰"灾"。

秋，郯伯姬来归，出也。

为毛、召之难故，王室复乱，王孙苏奔晋。晋人复之。

冬，晋侯使士会平王室。定王享之，原襄公相礼，殽烝，武子私问其故。王闻之，召武子曰："季氏，而弗闻乎？王享有体荐，宴有折俎；公当享，卿当宴：王室之礼也。"武子归而讲求典礼，以修晋国之法。

【译文】

鲁宣公十六年春天，周历正月，晋国人灭亡了赤狄中的甲氏和留吁部落。夏天，成周的宣榭失火。秋天，郯伯姬回到鲁国。冬天，五谷丰收。

鲁宣公十六年春天，晋国的士会率领军队灭亡了赤狄中的甲氏、留吁和铎辰三个部落。

三月，晋国向周王室献上俘虏的赤狄人。晋景公向周定王请求准许士会升职，二十七日，赐给士会卿大夫的礼服，任命他为中军将领，并兼任太傅。在这时，晋国的盗贼逃跑到秦国。羊舌职说："我听说，大禹举拔贤人，不贤之人就远远离开他。说的就是这种情况吧。《诗》说：'战战兢兢，好像面临万丈深渊，好像走在薄冰之上。'这是因为贤人在位的缘故，贤人在位，国家就没有抱着侥幸心理去犯罪的人。俗话说：'民众都抱侥幸心理，就是国家的不幸。'这是说的没有贤人的情况。"

夏天，周王室的宣榭失火，这是人为的火灾。凡是火灾，人为的叫"火"，天然的称"灾"。

秋天，郯伯姬回到鲁国，她是被郯国休弃赶回娘家来的。

由于毛伯卫、召戴公动乱的缘故，周王室又一次发生了动乱。王孙苏逃到晋国，晋国人让他重新恢复了官职。

冬天，晋景公派士会前往平定了周王室之乱，定王设宴款待他，原襄公主持仪式。宴席上有连肉带骨的食物。士会悄悄地问旁边的人这是什么缘故。定王听到后，就召见士会说："士会，你没听说过吗？天子设享，要用半个牛，设宴，要上煮熟肢解了的带骨肉。对诸侯用享礼，对卿要用宴礼，这是周王室的礼仪。"士会回国后，开始讲究礼仪，进一步完善晋国的法度。

宣公十七年

【原文】

　　十有七年：春，王正月庚子，许男锡我卒。

　　丁未，蔡侯申卒。

　　夏，葬许昭公。葬蔡文公。

　　六月癸卯，日有食之。

　　己未，公会晋侯、卫侯、曹伯、邾子，同盟于断道。

　　秋，公至自会。

　　冬，十有一月壬午，公弟叔肸卒。

　　十七年春，晋侯使郤克徵会于齐。齐顷公帷妇人，使观之。郤子登，妇人笑于房。献子怒，出而誓曰："所不此报，无能涉河！"献子先归，使栾京庐待命于齐，曰："不得齐事，无复命矣。"

　　郤子至，请伐齐，晋侯弗许。请以其私属，又弗许。

　　齐侯使高固、晏弱、蔡朝、南郭偃会。及敛盂，高固逃归。夏，会于断道，讨贰也。盟于卷楚，辞齐人。晋人执晏弱于野王，执蔡朝于原，执南郭偃于温。

　　苗贲皇使，见晏桓子。归，言于晋侯曰："夫晏子何罪？昔者诸侯事吾先君，皆如不逮。举言群臣不信，诸侯皆有贰志；齐君恐不得礼，故不出，而使四子来。左右或沮之，曰：'君不出，必执吾使。'故高子及敛盂而逃。夫三子者曰：'若绝君好，宁归死焉！'为是犯难而来。吾若善逆彼，以怀来者；吾又执之，以信齐沮，吾不既过矣乎？过而不改，而又久之以成其悔，何利之有焉？使反者得辞，而害来者，以惧诸侯，将焉用之？"晋人缓之，逸。

　　秋八月，晋师还。

　　范武子将老，召文子曰："燮乎！吾闻之：喜怒以类者鲜，易者实多。《诗》曰：'君子如怒，乱庶遄沮。君子如祉，乱庶遄已。'君子之喜怒，以已乱也；弗已者，必益之。郤子其或者欲已乱于齐乎？不然，余惧其益之也。余将老，使郤子逞其志，庶有豸乎！尔从二三子，唯敬！"乃请老。郤献子为政。

　　冬，公弟叔肸卒，公母弟也。凡大子之母弟，公在曰"公子"，不在曰"弟"。凡称"弟"，皆母弟也。

【译文】

　　鲁宣公十七年春天，周历正月二十四日，许昭公去世。二月二日，蔡文公去世。夏天，安葬许昭公。安葬蔡文公。六月癸卯这天，发生了日蚀。六月十五日，鲁宣公会见晋景公、卫穆公、曹宣公和邾子，一同在晋国的断道会盟。秋天，鲁宣公从会盟地回国。冬天十一月十一日，鲁宣公的弟弟叔肸去世。

　　鲁宣公十七年春天，晋景公派郤克到齐国召请齐顷公参加诸侯盟会。齐顷公用帐帷围着他母亲，让她偷看郤克。郤克是个跛子，上台阶时，齐顷公的母亲在厢房里笑出声来。郤克很气愤，出宫后发誓说："假如不报此恨，决不再渡过黄河。"郤克先期回国，让栾京庐留在齐国等候答复，并对他说："如果不能完成齐国的事情，你就不要回国复命了。"

　　郤克回到晋国，请求攻打齐国，晋景公不同意；请求率领他的家族兵丁攻打齐国，也没有同意。

　　齐顷公派遣高固、晏弱、蔡朝、南郭偃参加盟会。走到敛盂时，高固逃了回去。夏天，诸侯们在断道会盟，这是为了研究如何讨伐怀有二心的国家。接着又在卷楚会盟，但拒绝齐国人参加。晋国人在野王抓住了晏弱，在原地抓住了蔡朝，在温地抓住了南郭偃。

齐顷公的母亲在台上笑话郤克，选自明刊本《新镌锈像列国志》。

　　苗贲皇出使国外，在野王见到晏弱被抓。回国后对晋景公说："晏弱有什么罪？从前诸侯事奉我们国君时，都只怕落在其他国家后面，现在诸侯各国都说我国群臣不讲信用，所以诸侯都有二心。齐国国君害怕得不到礼遇，所以不出国，而让四个臣子来。左右随从有人阻止，说：'国君不去，晋国肯定抓住我国的使者。'所以高固走到敛盂就逃回国去了。这三个人说：'宁可死，也不能断绝君王与诸侯的友好关系。'他们为这个冒着危险而来。我们应当友好地欢迎他们，从而怀柔前来的诸侯，现在我们不但没有这样做，反而囚禁了他们，以证实齐国人阻止齐君的话是正确的，我们不是已经犯错误了吗？犯了错误不改正，还把他们长期关押，让他们感到后悔，这又有什么好处呢？这样做只能使中途逃跑回去的高固得到借口，恐吓前来我国的人，使诸侯害怕我们，这有什么用？"于是晋国人放松了对齐国使者的看管，晏弱逃出去了。

秋天八月，晋军回国。

士会准备告老退休，把儿子文子喊来说："士燮啊！我听说，喜怒合于礼法的人是很少的，相反的人却很多。《诗》说：'君子如果愤怒，祸乱可能被迅速遏止；君子如果高兴，祸乱也许迅速结束。'君子的喜或怒，都是为了消除祸乱。不能消除祸乱的人，就必定会加剧祸乱。郤克他也许能消除齐国的祸乱。如果不是这样，我担心他会加剧齐国的祸乱。我准备告老退休，让郤克满足他的心愿，祸乱也许可以解除。你跟从这几位大夫只能恭敬从事。"于是士会请求告老辞官，郤克从此执政。

冬天，鲁宣公的弟弟叔肸去世。叔肸是宣公的同母兄弟，凡是太子的同母弟，国君健在就称公子，国君不在称弟。凡是称弟，都是同母兄弟。

宣公十八年

【原文】

十有八年：春，晋侯、卫世子臧伐齐。

公伐杞。

夏，四月。

秋，七月，邾人戕鄫子于鄫。

甲戌，楚子旅卒。

公孙归父如晋。

冬，十月壬戌，公薨于路寝。

归父还自晋，至笙，遂奔齐。

十八年春，晋侯、卫大子臧伐齐，至于阳穀。齐侯会晋侯，盟于缯；以公子强为质于晋。晋师还。蔡朝、南郭偃逃归。

夏，公使如楚乞师，欲以伐齐。

秋，邾人戕鄫子于鄫。凡自〔内〕虐其君曰"弑"，自外曰"戕"。

楚庄王卒，楚师不出。既而用晋师，楚于是乎有蜀之役。

公孙归父以襄仲之立公也，有宠；欲去三桓以张公室。与公谋，而聘于晋，欲以晋人去之。

冬，公薨。季文子言于朝曰："使我杀適立庶以失大援者，仲也夫！"臧宣叔怒曰："当其时不能治也，后之人何罪？子欲去之，许请去之！"遂逐东门氏。

子家还，及笙，坛帷，复命于介。既复命，袒，括发，即位哭，三踊而出，遂奔齐。书曰"归父还自晋"，善之也。

【译文】

　　宣公十八年春天，晋景公、卫国太子臧攻打齐国。宣公攻打杞国。夏天四月。秋天七月，邾国人在鄫国杀了鄫子。七日，楚庄王去世。公孙归父前往晋国聘问。冬天十月二十六日，宣公死在他的正室里。公孙归父从晋国回国。到达笙地时听说了宣公去世的消息，就逃到齐国去了。

　　鲁宣公十八年春天，晋景公和卫国太子臧攻打齐国，军队到达阳谷。齐顷公和晋景公会见，并在缯地结盟，让公子强作为人质去到晋国。晋军撤退回国，蔡朝和南郭偃也逃回齐国。

　　夏天，宣公的使者到楚国请求楚国出兵，想联合攻打齐国。

　　秋天，邾国人在鄫国杀害了鄫子。凡是本国人杀了自己的国君叫做弑，别国人杀了本国国君叫做戕。

　　楚庄王去世了，所以楚军没有出国攻打齐国。不久鲁国又请求晋国出兵，楚国因此后来发动了蜀地的战役。

　　公孙归父因为他父亲拥立了宣公，受到宣公宠信，他想铲除专权已久的季孙氏、孟孙氏和叔孙氏，以便扩大公室的权力。他和宣公谋划，前往晋国聘问，想凭借晋国人的力量来铲除三桓。冬天，宣公去世。季文子在朝廷上说："使我国蒙受杀死嫡子而立庶子的罪名，从而丧失了强大诸侯援助的人，就是襄仲啊！"臧宣叔气愤地说："当时没有追究襄仲的罪责，他的后代有什么罪？如果您想去掉他，就让我去除掉他。"于是把襄仲的家族东门氏全部驱逐出了鲁国。

　　公孙归父从晋国回国，走到笙地时，听说了宣公去世和家族被逐的消息后，就筑了一座祭坛，用帐帷围住，向他的副手复命。然后脱去上衣，用麻束起头发，在自己应立的位子上哭悼宣公，连连顿足，然后出来，逃到齐国去了。《春秋》记载为"归父从晋国回国"，是表示对他的赞赏。

成公

成公元年

【原文】

　　元年：春，王正月，公即位。

二月辛酉，葬我君宣公。

无冰。

三月，作丘甲。

夏，臧孙许及晋侯盟于赤棘。

秋，王师败绩于茅戎。

鲁成公

冬，十月。

元年春，晋侯使瑕嘉平戎于王，单襄公如晋拜成。刘康公徼戎，将遂伐之；叔服曰："背盟而欺大国，此必败！背盟不祥。欺大国，不义。神人弗助，将何以胜？"不听，遂伐茅戎。三月癸未，败绩于徐吾氏。

为齐难故，作丘甲。

闻齐将出楚师，夏，盟于赤棘。

秋，王人来告败。

冬，臧宣叔令修赋、缮完、具守备，曰："齐、楚结好，我新与晋盟。晋、楚争盟，齐师必至。虽晋人伐齐，楚必救之，是齐、楚同我也。知难而有备，乃可以逞。"

【译文】

鲁成公元年春天，周历正月，成公即位。二月二十七日，安葬我国国君宣公。没有冰可取。三月，实行丘甲制度。夏天，臧孙许与晋景公在赤棘结盟。秋天，周王室军队被茅戎打败。冬天十月。

鲁成公元年春天，晋景公派瑕嘉到周王室调停王室和戎人之间的矛盾，单襄公到晋国对此表示感谢。刘康公想利用戎人不备之机，准备攻打戎人。叔服说："这样既违背了与戎人的盟约，又欺骗了晋国，一定失败。违背盟约不吉祥，欺骗大国不义，神

和人都不会帮助你，你又凭什么取胜呢？"刘康公不听劝告，便攻打茅戎。三月十九日，在徐吾氏被打得大败。

鲁国为了防备齐国入侵的缘故，实行丘甲制度。

鲁国听说齐国准备同楚军一道来犯，于是在夏天，和晋国在赤棘结盟。

秋天，周王室派人来通报周王军队被茅戎打败的消息。

冬天，臧宣叔下令改革军赋制度，修整武器装备，加固城郭，完备防御工作。他说："齐国和楚国友好，我国最近与晋国结盟，晋国和楚国争夺盟主地位，齐军也必然前来。虽说晋国人攻打齐国，楚国必然会救援它，这实际上是齐国和楚国联合进攻我国。了解这些困难并有充分准备，才可以使战祸得到解除。"

成公二年

【原文】

二年：春，齐侯伐我北鄙。

夏，四月丙戌，卫孙良夫帅师及齐师战于新筑，卫师败绩。

六月癸酉，季孙行父、臧孙许、叔孙侨如、公孙婴齐帅师会晋郤克、卫孙良夫、曹公子首及齐侯战于鞌，齐师败绩。

秋，七月，齐侯使国佐如师。己酉，及国佐盟于袁娄。

八月壬午，宋公鲍卒。

庚寅，卫侯速卒。

取汶阳田。

冬，楚师、郑师侵卫。

十有一月，公会楚公子婴齐于蜀。

丙申，公及楚人、秦人、宋人、陈人、卫人、郑人、齐人、曹人、邾人、薛人、鄫人盟于蜀。

二年春，齐侯伐我北鄙，围龙。顷公之嬖人卢蒲就魁门焉。龙人囚之。齐侯曰："勿杀！吾与而盟，无入而封。"弗听，杀而膊诸城上。齐侯亲鼓，士陵城。三日，取龙。遂南侵，及巢丘。

卫侯使孙良夫、石稷、宁相、向禽将侵齐。与齐师遇，石子欲还。孙子曰："不可！以师伐人，遇其师而还，将谓君何？若知不能，则如无出。今既遇矣，不如战也！"

夏，有……

石成子曰："师败矣。子不少须，众惧尽。子丧师徒，何以复命？"皆不对。又曰："子，国卿也。陨子，辱矣。子以众退，我此乃止。"且告车来甚众。齐师乃止，次于鞫居。新筑人仲叔于奚救孙桓子，桓子是以免。

既，卫人赏之以邑。辞，请曲县、繁缨以朝。许之。

仲尼闻之，曰："惜也！不如多与之邑。惟器与名，不可以假人：君之所司也。名以出信，信以守器，器以藏礼，礼以行义，义以生利，利以平民：政之大节也。若以假人，与人政也。政亡则国家从之，弗可止也已。"

孙桓子还于新筑，不入，遂如晋乞师。臧宣叔亦如晋乞师。皆主郤献子。晋侯许之七百乘。郤子曰："此城濮之赋也。有先君之明与先大夫之肃，故捷。克于先大夫，无能为役；请八百乘。"许之。郤克将中军，士燮（将）〔佐〕上军，栾书将下军，韩厥为司马，以救鲁、卫。臧宣叔逆晋师，且道之。季文子帅师会之。

及卫地，韩献子将斩人，郤献子驰，将救之。至，则既斩之矣。郤子使速以徇，告其仆曰："吾以分谤也。"

师从齐师于莘。六月壬申，师至于靡笄之下。齐侯使请战，曰："子以君师辱于敝邑，不腆敝赋，诘朝请见。"对曰："晋与鲁、卫，兄弟也；来告曰：'大国朝夕释憾于敝邑之地。'寡君不忍，使群臣请于大国，无令舆师淹于君地。能进不能退，君无所辱命。"齐侯曰："大夫之许，寡人之愿也。若其不许，亦将见也。"

齐高固入晋师，桀石以投人，禽之；而乘其车，系桑本焉，以徇齐垒，曰："欲勇者，贾余馀勇！"

癸酉，师陈于鞌。

邴夏御齐侯，逢丑父为右。晋解张御郤克，郑丘缓为右。

齐侯曰："余姑翦灭此而朝食！"不介马而驰之。

郤克伤于矢，流血及屦，未绝鼓音，曰："余病矣！"张侯曰："自始合，而矢贯余手及肘，余折以御，左轮朱殷。岂敢言病？吾子忍之！"缓曰："自始合，苟有险，余必下推车。子岂识之？然子病矣！"张侯曰："师之耳目，在吾旗鼓，进退从之。此车一人殿之，可以集事，若之何其以病败君之大事也？擐甲执兵，固即死也。病未及死，吾子勉之！"左并辔，右援枹而鼓。马逸不能止，师从之。齐师败绩。逐之，三周华不注。

韩厥梦子舆谓己曰："（且）〔旦〕辟左右！"故中御而从齐侯。邴夏曰："射其御者，君子也。"公曰："谓之君子而射之，非礼也。"射其左，越于车下；射其右，毙于车中。綦毋张丧车，从韩厥，曰："请寓乘。"从左右，皆肘之，使立于后。韩厥俛，定其右。逢丑父与公易位。将及华泉，骖䩪于木而止。丑父寝于轏中；蛇出于其下，以肱击之，伤而匿之，故不能推车而及。韩厥执絷马前，再拜稽首，奉觞加璧以进，曰："寡君使群臣为鲁、卫请，曰：'无令舆师陷入君地。'下臣不幸，属当戎行，无所逃隐，且惧奔辟而忝两君。臣辱戎士，敢告不敏，摄官承乏。"丑父使公下，如华泉取饮。郑周父御佐车，宛茷为右，载齐侯以免。

韩厥献丑父，郤献子将戮之。呼曰："自今无有代其君任患者，有一于此，将为戮乎？"郤子曰："人不难以死免其君，我戮之，不祥。赦之以劝事君者。"乃免之。

齐侯免，求丑父，三入三出。每出，齐师以帅退。入于狄卒，狄卒皆抽戈楯冒之。以入于卫师，卫师免之。遂自徐关入，齐侯见保者，曰："勉之！齐师败矣！"辟女子，女子曰："君免乎？"曰："免矣！"曰："锐司徒免乎？"曰："免矣。"曰："苟君与吾父免矣，可若何！"乃奔。齐侯以为有礼。既而问之，辟司徒之妻也。予之石窌。

晋师从齐师，入自丘舆，击马陉。

齐侯使宾媚人赂以纪甗、玉磬与地，"不可，则听客之所为"。宾媚人致赂。晋人不可，曰："必以萧同叔子为质，而使齐之封内尽东其亩！"对曰："萧同叔子非他，寡君之母也。若以匹敌，则亦晋君之母也。吾子布大命于诸侯，而曰必质其母以为信，其若王命何？且是以不孝令也。《诗》曰：'孝子不匮，永锡尔类。'若以不孝令于诸侯，其无乃非德类也夫！先王疆理天下，物土之宜而布其利，故《诗》曰：'我疆我理，南东其亩。'今吾子疆理诸侯，而曰'尽东其亩'而已，唯吾子戎车是利，无顾土宜，其无乃非先王之命也乎！反先王则不义，何以为盟主？其晋实有阙！四王之王也，树德而济同欲焉。五伯之霸也，勤而抚之，以役王命。今吾子求合诸侯，以逞无疆之欲。《诗》曰：'布政优优，百禄是遒。'子实不优，而弃百禄，诸侯何害焉？不然，寡君之命使臣，则有辞矣，曰：'子以君师辱于敝邑。不腆敝赋，以犒从者。畏君之震，师徒桡败。吾子惠徼齐国之福，不泯其社稷，使继旧好；唯是先君之敝器、土地不敢爱。子又不许，请收合馀烬，背城借一。敝邑之幸，亦云从也。况其不幸，敢不唯命是听！'"鲁、卫谏曰："齐疾我矣！其死亡者，皆亲昵也。子若不许，雠我必甚。唯子则又何求？子得其国宝，我亦得地，而纾于难，其荣多矣。齐、晋亦唯天所授，岂必晋？"晋人许之，对曰："群臣帅赋舆以为鲁、卫请，若苟有以借口而复于寡君，君之惠也，敢不唯命是听？"

禽郑自师逆公。

秋七月，晋师及齐国佐盟于爰娄。使齐人归我汶阳之田。公会晋师于上鄏，赐三帅先路三命之服，司马、司空、舆帅、候正、亚旅皆受一命之服。

八月，宋文公卒。始厚葬，用蜃、炭，益车、马。始用殉，重器备。椁有四阿，棺有翰、桧。

君子谓华元、乐举于是乎不臣。臣，治烦去惑者也，是以伏死而争。今二子者，君生则纵其惑，死又益其侈，是弃君于恶也，何臣之为？

九月，卫穆公卒。晋（二）〔三〕子自役吊焉，哭于大门之外。卫人逆之，妇人哭于门内。送亦如之。遂常以葬。

楚之讨陈夏氏也，庄王欲纳夏姬。申公巫臣曰："不可！君召诸侯，以讨罪也。今纳夏姬，贪其色也。贪色为淫，淫为大罚。《周书》曰：'明德慎罚'，文王所以造周也。明德，务崇之之谓也；慎罚，务去之之谓也。若兴诸侯以取大罚，非慎之也。君其图之！"王乃止。

子反欲取之，巫臣曰："是不祥人也！是夭子蛮，杀御叔，弑灵侯，戮夏南，出孔、仪，丧陈国，何不祥如是！人生实难，其有不获死乎？天下多美妇人，何必是？"

子反乃止。

王以予连尹襄老。襄老死于邲，不获其尸。其子黑要烝焉。巫臣使道焉，曰："归，吾聘女。"又使自郑召之，曰："尸可得也，必来逆之！"姬以告王。王问诸屈巫，对曰："其信。知䓨之父，成公之嬖也，而中行伯之季弟也，新佐中军，而善郑皇戌，甚爱此子。其必因郑而归王子与襄老之尸以求之。郑人惧于邲之役而欲求媚于晋，其必许之。"王遣夏姬归。将行，谓送者曰："不得尸，吾不反矣。"巫臣聘诸郑，郑伯许之。

及共王即位，将为阳桥之役，使屈巫聘于齐，且告师期。巫臣尽室以行。申侯跪从其父，将适郢，遇之，曰："异哉！夫子有三军之惧，而又有《桑中》之喜，宜将窃妻以逃者也。"及郑，使介反币；而以夏姬行，将奔齐。齐师新败，曰："吾不处不胜之国。"遂奔晋，而因郤至以臣于晋。晋人使为邢大夫。

子反请以重币锢之。王曰："止！其自为谋也，则过矣；其为吾先君谋也，则忠。忠，社稷之固也，所盖多矣。且彼若能利国家，虽重币，晋将可乎？若无益于晋，晋将弃之，何劳锢焉！"

晋师归，范文子后入。武子曰："无为吾望尔也乎？"对曰："师有功，国人喜以逆之；先入，必属耳目焉；是代帅受名也，故不敢。"武子曰："吾知免矣！"

郤伯见，公曰："子之力也夫！"对曰："君之训也，二三子之力也。臣何力之有焉？"范叔见，劳之如郤伯；对曰："庚所命也，克之制也。燮何力之有焉？"栾伯见，公亦如之；对曰："燮之诏也，士用命也。书何力之有焉？"

宣公使求好于楚。庄王卒，宣公薨，不克作好。公即位，受盟于晋，会晋伐齐。卫人不行使于楚，而亦受盟于晋，从于伐齐。故楚令尹子重为阳桥之役以救齐。将起师，子重曰："君弱，群臣不如先大夫，师众而后可。《诗》曰：'济济多士，文王以宁。'夫文王犹用众，况吾侪乎？且先君庄王属之曰：'无德以及远方，莫如惠恤其民而善用之。'"乃大户，已责，逮鳏，救乏，赦罪。悉师，王卒尽行。彭名御戎，蔡景公为左，许灵公为右。二君弱，皆强冠之。

冬，楚师侵卫；遂侵我，师于蜀。使臧孙往，辞曰："楚远而久，固将退矣。无功而受名，臣不敢。"楚侵及阳桥，孟孙请往，赂之以执斫、执针、织纴，皆百人，公衡为质，以请盟。楚人许平。

十一月，公及楚公子婴齐、蔡侯、许男、秦右大夫说、宋华元、陈公孙宁、卫孙良夫、郑公子去疾及齐国之大夫盟于蜀。卿不书，匮盟也。于是乎畏晋而窃与楚盟，故曰"匮盟"。蔡侯、许男不书，乘楚车也，谓之失位。

君子曰："位其不可不慎也乎！蔡、许之君一失其位，不得列于诸侯，况其下乎？《诗》曰：'不解于位，民之攸墍。'其是之谓矣。"

楚师及宋，公衡逃归。臧宣叔曰："衡父不忍数年之不宴，以弃鲁国，国将若之何？谁居？后之人必有任是夫！国弃矣！"

是行也，晋辟楚，畏其众也。君子曰："众之不可〔以〕已也。大夫为政犹以众克，况明君而善用其众乎？《大誓》所谓商兆民离、周十人同者，众也。"

晋侯使巩朔献齐捷于周。王弗见，使单襄公辞焉，曰："蛮夷戎狄不式王命，淫湎毁常；王命伐之，则有献捷，王亲受而劳之，所以惩不敬、劝有功也。兄弟甥舅侵败王略，王命伐之，告事而已，不献其功，所以敬亲昵、禁淫慝也。今叔父克遂，有功于齐，而不使命卿镇抚王室，所使来抚余一人；而巩伯实来，未有职司于王室，又奸先王之礼；余虽欲于巩伯，其敢废旧典以忝叔父？夫齐，甥舅之国也，而大师之后也，宁不亦淫从其欲以怒叔父，抑岂不可谏诲？"士庄伯不能对。王使委于三吏，礼之如侯伯克敌使大夫告庆之礼，降于卿礼一等。王以巩伯宴，而私贿之。使相告之曰："非礼也，勿籍！"

【译文】

成公二年春天，齐顷公发兵攻打我国北部边境。夏天四月二十九日，卫国的孙良夫率军与齐军在新筑作战，卫军大败。六月十七日，鲁国的季孙行父、臧孙许、叔孙侨如、公孙婴齐率军会合晋国的郤克、卫国的孙良夫、曹国的公子首与齐顷公率领的齐军在鞌地作战，齐军大败。秋天七月，齐顷公派国佐到齐军。二十三日，晋国与齐国国佐在袁娄会盟。八月二十七日，宋文公去世。九月五日，卫穆公去世。在晋国的支持下，鲁国从齐国取回了汶阳的土地。冬天，楚军和郑军入侵卫国。十一月，成公在蜀地会见了楚国的公子婴齐。十二日，成公与楚国人、秦国人、宋国人、陈国人、卫国人、郑国人、齐国人、曹国人、邾国人、薛国人、鄫国人在蜀地会盟。

鲁成公二年春天，齐顷公攻打我鲁国的北部边境，包围了龙地。顷公的宠臣卢蒲就魁攻打城门，龙地人俘获了他。齐顷公说："不要杀他！我和你们结盟，撤出你们的边境。"龙地人不听，杀了卢蒲就魁，并把尸体吊在城上示众。齐顷公亲自击鼓督战，士兵攻上了城墙。经过三天的战斗，夺取了龙地。于是齐国南下入侵，直达巢丘。

卫穆公派遣孙良夫、石稷、宁相、向禽将侵犯齐国，与齐军相遇。'石稷想撤军，孙良夫说："不行。我们率领军队是来攻打齐国人的，现在遇到齐军却要撤退，怎么向国君交代？如果早知不能与齐军作战，那还不如不出兵。现在既然已经和齐军相遇，不如一战。"

夏天，有……

石稷说："我军已经失败了。如果你不稍作停留来顶住敌人的进攻，恐怕要全军覆没。你丧失了军队，怎么向国君交代？"大家都不回答。石稷又说："你是国家的卿，损失了你，是国家的耻辱。你领着军队撤退，我留在这里阻击齐军。"并且通告全军说救援的兵车来了很多。这样齐军才停止了进攻，在鞫居驻扎下来。新筑大夫仲叔于奚前来救援孙良夫，孙良夫因此免遭被俘。

事后不久，卫国人奖给仲叔于奚一块封地，他推辞了。他请求得到诸侯才能享受的三面悬挂的乐器，和诸侯才能使用的繁缨装饰马匹，朝见国君，卫穆公同意了他的请求。

孔子听说这件事后说："可惜啊！不如多赏给他封地。只有器物和爵号不能轻易赐给别人，这是君主所掌握的东西。爵位名号用来体现威信，威信用来保有器物，器物用来体现礼法，礼法用来推行道义，道义用来谋求利益，利益用来治理百姓，这是治理国家的关键。如果把它赐给别人，就等于把政权交给别人。政权丧失，那么国家也就会随之丧失，到时就无法挽回了。"

孙良夫回到新筑，没有进城，就前往晋国请求出兵。鲁国的臧宣叔也来到晋国请求出兵。他们都找到郤克。晋景公答应派出七百辆战车。郤克说："这只是城濮之战时的兵力。那次战役，因为有先君文公的明德和先大夫的才思敏捷，所以才能取得胜利。我和先大夫们相比，还不足以做他们的仆人。"郤克请求派出八百辆战车，晋景公同意了。于是郤克率领中军，士燮为上军副师，栾书率领下军，韩厥担任司马，前往救援鲁、卫二国。臧宣叔迎接晋军，同时为他们做向导。鲁国的季文子率领军队与晋军会合。

军队到达卫国时，韩厥将要杀掉违犯军法之人，郤克飞车前往营救。等他赶到时犯人已经被杀了。于是郤克派人迅速在全军示众。他告诉他的御者说："我这样做是为了分担别人对韩厥的指责。"

晋、鲁、卫联军在莘地跟踪追上了齐军。六月十六日，联军攻到了齐国的靡笄山下。齐顷公派人请战，说："您率领您们国君的军队，来到敝国，虽然我军已疲惫不堪，但也准备和贵军在明天早晨相会。"郤克回答说："晋国与鲁、卫二国，是兄弟国家，他们来告诉我们说：'齐国经常到我们国家来发泄愤怒。'我国国君不忍心让他们如此受欺负，便派我们前来贵国请求你们不要欺人太甚，他不让我们在贵国久留。我军只有前进，不能后退，我们不会让贵国国君失望。"齐顷公说："您同意决战，这是我的愿望；即使您不同意，也一定要和你们决战。"齐军的高固闯入晋军，举起一块巨石砸向晋国士兵，擒获了晋军士兵并坐上他的战车，把一颗桑树连根拔起系在车后，回到齐军示众，说："想要勇气的人可以来买我剩余的勇气。"

十七日，两军在齐国鞌地摆开阵势。邴夏为齐顷公驾驭战车，逢丑父为车右。晋国的解张为郤克驾车，郑丘缓为车右。齐顷公说："我暂且把这些人都消灭了再吃早饭吧。"于是马不披甲就奔向晋军。郤克被箭射伤，鲜血一直流到鞋上，但还是不停地擂鼓，他说："我受伤了！"解张说："从开始交战，箭就射伤了我的手和肘，我把箭折断继续驾车，左边的车轮都被血染红了，我又怎么敢说受伤了呢？您就再坚持一下吧！"郑丘缓说："从开始交战，只要遇到危险，我必定下去推车，您哪里知道？但您确实受伤了！"解张说："军队的耳目，全听凭我们的旗子和战鼓，进攻退却都听从它们。这辆战车只要有一个人镇守，就可以成功，怎么能因为受伤而影响了国君的大事呢？军人身披铠甲、手持兵器，本来就抱定了去死的决心。受伤了但还没有死，您还是振作精神奋力作战吧！"说完，解张用左手抓住缰绳，用右手拿起鼓槌击鼓，马狂奔不止，军队也跟着冲了上去。结果齐军大败。晋军追逐齐军，绕着华不注山追了三圈。

韩厥头天夜里梦见他父亲对自己说："早晨交战时避开战车的左右两侧！"因此韩

厥居于车中代御者驾车追击齐顷公。郑夏说："射击那辆车的驾车人，他像个君子。"齐顷公说："认为他是君子却又射杀他，这不合礼法。"于是射击车左，车左坠到车下。射击车右，车右倒毙在车中。綦毋张丢了自己的战车，追着韩厥，说："请让我搭乘您的车。"綦毋张上车后站在车左侧或车右侧，韩厥都用肘部推开了他，让他站立在自己身后。韩厥俯身放好车右的尸体。这时齐臣逢丑父和齐顷公迅速互换了位置。当他们快到华泉时，骖马被树木挂住了，车子停了下来。头天夜里，逢丑父在棚车中睡觉，一条蛇从下面爬上来，他用胳膊打蛇，被蛇咬伤了，但他隐瞒了这件事，所以现在他不能推车，以至被韩厥追上了。韩厥手拿着拴马足的绳索走到齐顷公马前，行稽首之礼，捧着酒杯和玉璧献给齐顷公，并说："我国国君派我们群臣前来为鲁国、卫国求情，他说：'不要让晋军进入齐国境地。'在下不幸，正好和您的兵车在战车行道上相遇，我没有逃避的地方。况且也害怕因逃避而让两国国君蒙受耻辱。在下勉强充当一名兵士，谨向您报告我的无能，虽然因缺乏人手由我代替这一职务，但我也必须履行我的职责。"逢丑父让齐顷公下车，到华泉去取水，让他乘机逃跑。郑周父驾驭副车，宛茷为车右，载着齐顷公离去，才使齐顷公免于被俘。韩厥献上逢丑父，郤克准备杀掉他。逢丑父大声喊叫说："自古至今还没有代替他的国君受难的人，现在有一个在这里，他将被杀掉吗？"郤子说："一个人不怕用死来使国君免于祸患，我杀掉他不吉利，赦免了他，以此勉励事奉国君的人。"于是就赦免了逢丑。

　　齐顷公免于被俘，他为了营救逢丑父，三次冲入敌军，又三次杀出重围。每次冲出时，齐军都紧紧地簇拥着他往后撤。当他冲入晋国友军狄人军中时，狄人士兵都拿着戈和盾保护他。他因而顺利进入卫国军队，卫军也没有伤害他。于是齐顷公从徐关进入齐国。齐顷公看见守城者，说："你们要尽力防范！齐军已经战败了。"齐顷公的前卫驱赶一个女子，让她避开。这个女子问："国君幸免于难了吗？"前卫回答说："幸免了。"女子又问："锐司徒幸免于难了吗？"回答说："幸免了。"女子说："如果国君和我父亲幸免于难了，我还能怎么样呢？"于是就跑开了。齐顷公认为这个女子懂礼法。事后查询，才知道她是辟司徒的妻子。于是齐顷公把石窌这个地方奖给了她。

　　晋军追击齐军，从丘舆进入齐国，接着攻打马陉。

　　齐顷公派宾媚人把纪国的甗器、玉磬和土地作为礼物送给晋国。但又交代他说："如果晋国不同意，就随他们的便。"宾媚人进献礼物，晋国人果然不同意，并说："必须以萧同叔子作为人质，并且让齐国境内的田垄都改为东西走向。"宾媚人回答说："萧同叔子不是别人，她是我国国君的母亲。如果以平等地位而论，那么我国国君的母亲也等于是晋国国君的母亲。您向诸侯发布重大命令，却说'必须把他们的母亲作为人质才能相信。'那您又怎么对待周王的命令呢？况且这是命令诸侯做不孝的事啊。《诗》说：'孝子的孝心无穷尽，永远赐给你的同类。'如果您用不孝来号令诸侯，这大概不符合道德的准则吧？先王划分疆界，考察土地，因地制宜，而广施其利。所以《诗》说：'划分疆界，治理土地，田垄走向或南北向，或东西向。'现在您划分和治理诸侯的土地，却只说'一律让田垄东西向'，这实际上是只考虑您战车行进的方便，而不顾田地是否适宜，这恐怕不是先王的命令吧？违背先王的命令就是不义，又怎么能成为诸侯的盟主呢？晋国的确有过错。

"四王统治天下，树立德行，满足诸侯的共同愿望。五伯称霸诸侯，勤勉图强，安抚诸侯，共同为王命效力。现在您想领导诸侯，来满足自己无止境的欲望。《诗》说：'施行统治政策宽松，福禄就会集于一身。'您施行的政策确实不够宽松，失去了许多福禄，这对诸侯又有什么害处呢？如果您不同意讲和，那么我们国君还让我有话可说：'您率领你们国君的军队光临我国，我们以疲弱的兵力和您的士兵作战。因畏惧贵国国君的威力，我军失败了。如果您能为齐国求福，不灭亡我国，使我们能继续保持友好关系，那么先君留下的宝器和土地，我们将不敢怜惜。但您又不同意。我们只好收集残余部队，在我国城下决一死战。如果我国侥幸取胜，也仍然听从贵国的命令，何况不幸又战败呢，岂敢不唯命是听'？"鲁国、卫国也劝告郤克说："齐国已经非常仇恨我们了，那些战死的人，都是齐侯的宗族。您如果不答应讲和，他们会更加仇恨我们。您还想得到什么呢？您得到齐国的国宝，我们得到土地，而且又使祸难得到缓解，这荣耀也够多了。齐国、晋国都是上天保佑的国家，难道上天必定只保佑晋国永远不败吗？"晋国人最终同意了齐国讲和的请求，答复说："我们诸位大臣率兵前来，是为了替鲁、卫两国请命，假如有理由回去向国君复命，这就是我国国君的恩惠了。我们哪里敢不答应你们的要求呢？"

鲁国的禽郑从军中前往迎接成公。

秋天七月，晋军和齐国的宾媚人在爰娄结盟。使齐国人把汶阳的土地归还鲁国。成公在上郓会见晋军，赐给郤克、士燮、栾书三位将帅先路礼车和三命礼服，司马、司空、舆帅、侯正、亚旅等官也都获得了一命礼服。

八月，宋文公去世，开始采取厚葬，用蜃灰和木炭，增加了随葬的车马，并开始用活人殉葬。陪葬器物也大大增多，外棺做成四坡形，棺木上有翰桧装饰。

君子认为："华元和乐举，在这件事上没有履行臣子的职责。臣子的职责就是为国君解除烦恼和惑乱，因此有的臣子不惜生命而冒死进谏。现在这两个人，国君生前，他们放纵他作恶，国君死了，他们又为他奢侈无度，这是把国君推向邪恶的深渊，这是什么臣子？"

九月，卫穆公去世，晋国的郤克、士燮、栾书三人在作战回国途中前往吊唁，只是在大门外哭泣。卫国人也在门外接待他们。妇女们在大门里面哭。送他们出来时也是这样。于是此后以此礼为常，直到安葬。

楚国攻打陈国夏氏之后，庄王想纳夏姬为妃。申公巫臣说："不行。君王召集诸侯，本来是为了讨伐罪人。现在纳夏姬为妃，是贪恋她的美色。贪恋美色就是淫乱，淫乱就要受到重罚。《周书》说：'要宣扬德行，小心刑罚。'这正是周文王能够缔造周王朝的根本原因。宣扬德行，就是说要努力提倡；小心刑罚，就是说要尽量不用它。如果兴师动众而来，却得到极大的惩罚，这就不是很小心了。您还是认真考虑一下！"庄王于是打消了这个念头。子反也想娶夏姬，巫臣说："这是个不吉利的女人。她使子

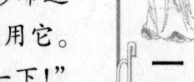

蛮早亡，使御叔和陈灵公被杀，夏征舒被诛，孔宁、仪行父也因她而逃亡国外，陈国因她而亡，还有谁比她更不吉利呢？人生在世的确不容易，您如果娶了夏姬，恐怕也不会有好结果吧！天下有许多漂亮女人，何必一定要娶她呢？"于是子反也打消了这个念头。

庄王最后把夏姬送给了连尹襄老，结果襄老在邲之战中死了，没有找到他的尸体。襄老的儿子黑要和夏姬乱伦私通。巫臣派人向夏姬示意，说："你回郑国去，我要娶你。"又派人去郑国，让郑国召她回去，说："襄老的尸体能够找到，你必须亲自来迎接。"夏姬将此事告诉了庄王，庄王便向屈巫征求意见。巫臣说："这话大概可信。知罃的父亲荀首，是成公的宠臣，又是荀林父的小弟弟，他最近做了中军副帅，和郑国的皇戌关系很好，又非常喜欢知罃。他必然想通过郑国而归还王子和襄老的尸体，而换取知罃。郑国人对邲地之战至今心有余悸，想讨好晋国，他们一定会答应。"于是庄王打发夏姬回郑国。将要动身时，夏姬对送行的人说："如果得不到襄老的尸体，我就不回来了。"巫臣向郑国请求娶夏姬为妻，郑襄公同意了他的请求。

等到楚共公即位，准备发动阳桥之战时，派屈巫前往齐国聘问，并且通报他们出兵的日期。巫臣动身时带走了全部家产。申侯跪跟随父亲准备到郢都去，遇到了巫臣，他说："奇怪！这个人既有军事使命在身的戒惧，又有桑中约会的喜悦，大概要偷偷带着妻子逃跑吧。"果然，巫臣从齐国返回到达郑国后，便让副使带着齐国赠送的礼物返回楚国，而他自己则带着夏姬逃走了。准备逃到齐国，齐军刚刚打了败仗，他说："我不呆在战败之国。"于是逃到了晋国，通过郤至的关系，在晋国做了臣子。晋国任命他为邢地大夫。子反请求以重金收买晋国，让晋国永不起用巫臣。楚共王说："不可！他为自己打算，无疑是错误的。但他为先君出谋划策，却是忠诚的。忠诚，是国家赖以巩固的保证，它对国家的作用太大了。况且他如果能有利于晋国，即使送去重礼，晋国就会同意我们的要求吗？如果他对晋国没有用处，晋国自然会废弃他，又哪里用得着送重礼去请晋国永不起用他呢？"

晋军班师回国，士燮最后进入国都。他父亲士会说："你不知道我盼望你吗？"士燮说："军队得胜回来，国人高兴地迎接他们，如果先回来，一定特别引人注目，这是代替主帅享受这份荣誉，所以不敢先回来。"士会说："你如此谦让有礼，我知道我们家族能免于祸患了。"

郤克进见晋景公。景公说："这次大胜得力于你啊！"郤克回答说："这完全是国君的教训有方，和几位将领的功劳，我有什么功劳呢？"士燮进见景公，景公用同样的话慰问他，士燮回答说："这次胜利，是听从荀庚的命令，接受郤克统帅的结果，我有什么功劳呢？"栾书进见景公，景公也是像这样慰问他，他回答说："这次胜利，得力于士燮的指挥和士兵的奋不顾身，我有什么功劳呢？"

当初鲁宣公派使者到楚国请求结好时，正好楚庄王去世，不久鲁宣公也去世了，因此两国没能建立友好关系。鲁成公即位后，在晋国接受了盟约，并会同晋国攻打了齐国。卫国人不派使者前往楚国聘问，而且也接受了晋国的盟约，跟随晋国一起攻打齐国。所以楚国令尹子重发动了阳桥之战来救援齐国。部队准备出发时，子重说："现在国君年幼。我们这些臣子也不如先大夫，只有军队很多才可出兵。《诗》说：'拥有众多的人才，文王才能平定天下。'周文王都要依靠众多的兵士，何况我们这类人呢？再说先君庄王临终时嘱托我们说：'假如没有足够的德行推及到远方，就不如好好地爱护百姓，并合理地使用他们。'"于是大规模地清理户口，免除百姓的债务，关怀孤寡老人，救济穷人，赦免罪犯。调动全国的军队，楚共王的侍卫军也全部出动。彭名驾驭战车，蔡景公为车左，许灵公为车右。蔡、许两位国君虽然还年幼，也都勉强行了冠礼。

冬天，楚军入侵卫国，随后又入侵我鲁国，军队驻扎在蜀地。鲁国派臧宣叔前往楚军谈判，臧宣叔推辞说："楚军远距离作战而且时间已很久，本来就要退兵了。没有功劳而接受荣誉，下臣不敢。"楚军进攻到达阳桥，孟孙请求前往谈判，以木工、缝工、织工各一百人作为礼物，并让公衡作为人质，请求讲和。楚国人同意讲和。

十一月，成公和楚公子婴齐、蔡景公、许灵公、秦国右大夫说、宋国的华元、陈国的公孙宁、卫国的孙良夫、郑国的公子去疾以及齐国的大夫在蜀地订立了盟约。《春秋》没有记载卿的名字，表示此次结盟缺乏诚意。在这时因害怕晋国而只能偷偷地与楚国结盟，所以叫做"匮盟"。没有记载蔡景公和许灵公，是因为他们乘坐了楚国的车辆，这表明他们丧失了作为国君的地位。

巫臣携夏姬逃离楚国，选自明刊本《新镌绣像列国志》。

君子说："国君的地位不能不谨慎对待啊！蔡、许两国国君，一旦失去了作为国君的地位，便不能与诸侯并列，更何况在他们之下的人呢？《诗》说：'君王不懈怠，百姓就能得到休息。'大概说的就是这种情况了。"

楚军到达宋国时，公衡就逃回来了。臧宣叔说："公衡不能忍受几年的艰苦生活，而置鲁国于不顾，国家将怎么办呢？谁能解除这一祸患呢？后代子孙必然受此祸患啊！国家被抛弃了。"

这次军事行动中，晋军避开楚军，是因为害怕楚军兵力强大。君子认为："大众是不能放弃的。子重这样的大夫执政，还能以人多势众战胜敌军，何况是善于使用大众的贤明之君呢？《大誓》所说的'商朝亿万人离心离德，周朝十个人同心同德'，就是说要依靠众人。"

晋景公派巩朔把齐国俘虏进献给周王室。周天子不肯接见，派单襄公推辞，并说："蛮夷戎狄不服从天子命令，沉湎酒色，败坏法度，天子命令讨伐他们，如果取得胜利，才有向王室进献俘虏的规定，天子亲自接受并且慰劳有功者，这是为了惩罚不遵主命之人，奖励有功之人。同姓兄弟国家或异姓甥舅国家，如果互相侵犯，败坏天子的法度，天子命令讨伐他们，如果取得胜利，也只是派人来通报一下胜利的消息而已，不需进献俘虏，这是为了尊敬亲近，禁止邪恶。现在叔父能够成功，在对齐作战中建立了功勋，但却没有派一位天子任命的卿来问候王室，所派来问候我的使者，只是巩朔，而在周王室所任命的卿中并没有他，并且把齐国的俘虏献给王室，也违背了先王的礼法。我虽然喜爱巩朔，难道敢废弃先王的典章制度而羞辱叔父？齐国和周王室是甥舅关系，又是姜太公的后代，难道是齐国放纵私欲激怒了叔父，还是齐国已经不可劝谏教诲了呢？"巩朔不能回答。周天子把接待任务交给三公，让他们按侯伯战胜敌国派大夫向王室告捷的礼节接待巩朔，这比接待卿的礼节低了一等。周天子与巩朔宴饮，私下送给他礼物。又派赞礼者告诉他说："这种接待不合礼法，不要记在史书上。"

成公三年

【原文】

三年：春，王正月，公会晋侯、宋公、卫侯、曹伯伐郑。
辛亥，葬卫穆公。
二月，公至自伐郑。
甲子，新宫灾。三日哭。
乙亥，葬宋文公。
夏，公如晋。
郑公子去疾帅师伐许。
公至自晋。
秋，叔孙侨如帅师围棘。
大雩。
晋郤克、卫孙良夫伐廧咎如。
冬，十有一月，晋侯使荀庚来聘。
卫侯使孙良夫来聘。

丙午，及荀庚盟。丁未，及孙良夫盟。

郑伐许。

三年春，诸侯伐郑，次于伯牛，讨邲之役也。遂东侵郑。郑公子偃帅师御之，使东鄙覆诸鄤，败诸丘舆。皇戌如楚献捷。

夏，公如晋，拜汶阳之田。

许恃楚而不事郑。郑子良伐许。

晋人归楚公子穀臣与连尹襄老之尸于楚，以求知罃。于是荀首佐中军矣，故楚人许之。王送知罃，曰："子其怨我乎？"对曰："二国治戎，臣不才，不胜其任，以为俘馘。执事不以衅鼓，使归即戮，君之惠也。臣实不才，又谁敢怨？"王曰："然则德我乎？"对曰："二国图其社稷而求纾其民，各惩其忿以相宥也，两释累囚以成其好。二国有好，臣不与及，其谁敢德？"王曰："子归，何以报我？"对曰："臣不任受怨，君亦不任受德，无怨无德，不知所报。"王曰："虽然，必告不穀！"对曰："以君之灵，累臣得归骨于晋，寡君之以为戮，死且不朽。若从君之惠而免之，以赐君之外臣首，首其请于寡君而以戮于宗，亦死且不朽。若不获命，而使嗣宗职，次及于事，而帅偏师以修封疆，虽遇执事，其弗敢违。其竭力致死，无有二心，以尽臣礼，所以报也。"王曰："晋未可与争。"重为之礼而归之。

秋，叔孙侨如围棘，取汶阳之田。棘不服，故围之。

晋郤克、卫孙良夫伐廧咎如，讨赤狄之馀焉。廧咎如溃，上失民也。

冬十一月，晋侯使荀庚来聘，且寻盟。卫侯使孙良夫来聘，且寻盟。公问诸臧宣叔曰："中行伯之于晋也，其位在三。孙子之于卫也，位为上卿。将谁先？"对曰："次国之上卿当大国之中，中当其下，下当其上大夫。小国之上卿当大国之下卿，中当其上大夫，下当其下大夫。上下如是，古之制也。卫在晋，不得为次国。晋为盟主，其将先之。"丙午盟晋，丁未盟卫，礼也。

十二年甲戌，晋作六军。韩厥、赵括、巩朔、韩穿、荀骓、赵旃皆为卿，赏鞌之功也。

齐侯朝于晋，将授玉，郤克趋进，曰："此行也，君为妇人之笑辱也，寡君未之敢任。"

晋侯享齐侯。齐侯视韩厥。韩厥曰："君知厥也乎？"齐侯曰："服改矣。"韩厥登，举爵，曰："臣之不敢爱死，为两君之在此堂也！"

荀罃之在楚也，郑贾人有将寘诸褚中以出。既谋之，未行，而楚人归之。贾人如晋，荀罃善视之，如实出己。贾人曰："吾无其功，敢有其实乎？吾小人，不可以厚诬君子。"遂适齐。

【译文】

鲁成公三年春天，周王正月，成公会合晋景公、宋共公、卫定公、曹宣公攻打郑国。二十八日，安葬卫穆公。二月，成公从伐郑前线回国。十二日，宣公庙遭火灾，成公和家人哭泣三天。二十三日，安葬宋文公。夏天，成公前往晋国。郑国的公子去疾率军攻打许国。成公从晋国回国。秋天，叔孙侨如率军包围了鲁国的棘地。因干旱，举行求雨祭祀活动。晋国的郤克和卫国的孙良夫讨伐廧咎如。冬天十一月，晋景公派荀庚前来聘问。二十八日，与荀庚盟约。二十九日，与孙良夫盟约。郑国攻打许国。

鲁成公三年春天，诸侯联军攻打郑国，驻扎在伯牛，这是为了报复郑国在邲之战中对晋国的不忠。于是东下进攻郑国。郑国的公子偃率军抵抗，并让东部边境地区军队埋伏在鄫地，在丘舆一举击败了诸侯联军。郑大夫皇戌前往楚国进献战利品。

夏天，成公前往晋国，答谢晋国让齐国归还了汶阳之田。

许国倚仗楚国而不事奉郑国，郑国的子良发兵攻打许国。

晋国人把公子谷臣和连尹襄老的尸体归还给楚国，以此赎回知罃。此时知罃的父亲荀首任晋军的中军副帅，所以楚国人同意交换。楚共王送别知罃，说："您怨恨我吗？"知罃回答说："两国交战，我没有才能，不能胜任自己的职务，而做了俘虏。您没有杀我，让我回国受刑，这是您的恩惠。我实在无能，又敢怨恨谁呢？"共王又说："那么您感谢我吗？"知罃回答说："两国都是为了谋求本国的利益，以求安定百姓，现在各自克制愤怒，互相谅解，双方释放战俘，重结友好。两国友好，我没有参与谋划，又敢感激谁呢？"共王又说："您回国后，用什么来报答我？"回答说："我不怨恨您，也不感激您，无怨无德，不知道应该报答什么？"共王说："即便如此，您也一定要把您的想法告诉我。"知罃说："托您的洪福，如果我能把这身骨头带回晋国，即使我国国君将我杀了，我也认为死而不朽。如果承蒙您的恩惠而国君免我一死，把我交给您的外臣荀首处置；即使荀首向国君请求在宗庙将我杀死，我也认为死而不朽。如果国君不同意处死我，而让我继承宗族世袭的职位，并依照次序参与政事，率领一部分军队保卫边境，到那时即使遇到您，也不敢违背命令。我将竭尽全力作战，即使战死，也不敢有二心，以此来尽到臣子的责任。这就是我对您的报答。"共王说："看来不能与晋国争雄。"于是对他重加礼遇，让他回国。

秋天，鲁国的叔孙侨如围攻棘地，占领了汶阳的田地。因为棘地人不肯顺服鲁国，所以才围攻他们。

晋国的郤克、卫国的孙良夫率兵攻打廧咎如，以消灭赤狄的残余势力。廧咎如溃败了，这是因为他们的首领失去了老百姓的拥护。

冬天，十一月，晋景公派荀庚前来鲁国聘问，同时重温过去的盟约。卫定公也派孙良夫前来聘问，同时重温过去的盟约。成公问臧宣叔："荀庚在晋国，位次第三，孙良夫在卫国，处上卿之位，让谁在前呢？"臧宣叔回答说："次国的上卿相当于大国的中卿，中卿相当于大国的下卿，下卿相当于大国的上大夫。小国的上卿只相当于大国的下卿，中卿相当于大国的上大夫，下卿相当于大国的下大夫。上下职位如此，是自古以来的制度。卫国和晋国相比，还算不得次国。晋国为诸侯盟主，应该让晋国在前面。"二十八日，先和晋国结盟，二十九日，再和卫国结盟，这是合乎礼法的。

十二月二十六日，晋国将军队扩充为六军。韩厥、赵括、巩朔、韩穿、荀骓、赵郤都担任卿，这是奖赏他们在鞌之战中的功劳。

齐顷公到晋国朝见，正要举行授玉仪式时，郤克快步上前对齐顷公说："君王此次来访，是为了贵国妇人嘲笑小臣一事来受辱，我们君王可担当不起。"

晋景公设宴款待齐顷公。齐顷公总看着韩厥，韩厥说："您认识我吗？"齐顷公说："衣服变了。"韩厥登阶，举起酒杯说："我当初不敢怕死，拼命地追赶您，就是为了两国国君今天能在此堂举杯欢宴啊。"

知罃在楚国时，有一个郑国商人准备把他藏在装衣物的口袋里，救他出来。两人已经策划好了，未及行动，楚国人就把知罃送回晋国了。后来这个商人到了晋国，知罃很好地招待他，就好像他真的把自己救出来了一样。商人说："我并没有功劳，怎敢领受他的报答呢？我是个小人，不能这样欺骗君子。"于是就到齐国去了。

成公四年

【原文】

　　四年：春，宋公使华元来聘。
　　三月壬申，郑伯坚卒。
　　杞伯来朝。
　　夏，四月甲寅，臧孙许卒。
　　公如晋。
　　葬郑襄公。
　　秋，公至自晋。
　　冬，城郓。
　　郑伯伐许。
　　四年春，宋华元来聘，通嗣君也。
　　杞伯来朝，归叔姬故也。
　　夏，公如晋。晋侯见公，不敬。季文子曰："晋侯必不免。《诗》曰：'敬之敬之！天惟显思，命不易哉！'夫晋侯之命在诸侯矣，可不敬乎？"
　　秋，公至自晋，欲求成于楚而叛晋。季文子曰："不可。晋虽无道，未可叛也。国大臣睦而迩于我，诸侯听焉，未可以贰。《史佚之志》有之，曰：'非我族类，其心必异。'楚虽大，非吾族也，其肯字我乎？"公乃止。
　　冬十一月，郑公孙申帅师疆许田，许人败诸展陂。郑伯伐许，取钼任、泠敦之田。
　　晋栾书将中军，荀首佐之，士燮佐上军，以救许伐郑。取（氾）〔汜〕、祭。
　　楚子反救郑。郑伯与许男讼焉，皇戌摄郑伯之辞。子反不能决也，曰："君若辱在寡君，寡君与其二三臣共听两君之所欲，成其可知也。不然，侧不足以知二国之成。"

晋赵婴通于赵庄姬。

【译文】

鲁成公四年春天，宋共王派华元前来聘问。三月壬申这天，郑襄公去世。杞桓公前来朝见。夏天四月八日，臧孙许去世。成公前往晋国。安葬郑襄公。秋天，成公从晋国回国。冬天，在郓地筑城。郑悼公讨伐许国。

鲁成公四年春天，宋国的华元前来聘问，这是为新即位的宋共公谋求和鲁国的友好。

杞伯前来鲁国朝见，是为了休弃叔姬的缘故。

夏天，成公前往晋国。晋景公会见成公时，不礼貌。季文子说："晋景公必定难免祸患。《诗》说：'小心又谨慎，上天是明察的，天命不可能长久不变！'晋景公的命运决定于诸侯，怎么能对诸侯不恭敬呢？"

秋天，成公从晋国回国，准备和楚国结好而背叛晋国。季文子说："不能这样。晋国虽然无道，但也不能背叛它。晋国国力强盛，群臣和睦，而且邻近我国，诸侯又都听从它的命令，所以不能对它有二心。史佚之《志》有这样的话：'不是我们同一个种族，必然不能同心同德。'楚国虽然强大，但不是我们的同族，难道能喜欢我们吗？"成公于是放弃了这个主意。

冬天，十一月，郑国的公孙申率军在许国的土地上划定疆界，许国人在展陂打败了他们。于是郑悼公讨伐许国，夺取了鉏任、泠敦的田地。

晋国的栾书率领中军，荀首为副帅，士燮为上军副帅，前往救援许国，讨伐郑国，夺取了郑国的汜、祭二地。

楚国的子反救援郑国，郑悼公和许灵公在子反面前互相指责。皇戌代表郑伯发言，子反不能决断是非。他说："如果二位国君能前去面见我国国君，他和几个大臣一起听取两位国君想要说的，是非曲直大概可以明断。不然，我也无法判断你们两国的是非。"

晋国的赵婴与侄儿赵朔的妻子赵庄姬通奸。

成公五年

【原文】

五年：春，王正月，杞叔姬来归。

仲孙蔑如宋。

夏，叔孙侨如会晋荀首于谷。

梁山崩。

秋，大水。

冬，十有一月己酉，天王崩。

十有二月己丑，公会晋侯、齐侯、宋公、卫侯、郑伯、曹伯、邾子、杞伯，同盟于虫牢。

五年春，原、屏放诸齐。婴曰："我在，故栾氏不作。我亡，吾二昆其忧哉！且人各有能有不能，舍我何害？"弗听。

婴梦天使谓己："祭余！余福女。"使问诸士贞伯，贞伯曰："不识也。"既而告其人曰："神福仁而祸淫。淫而无罚，福也。祭，其得亡乎？"祭之之明日而亡。

孟献子如宋，报华元也。

夏，晋荀首如齐逆女，故宣伯餫诸穀。

梁山崩，晋侯以传召伯宗。伯宗辟重，曰："辟传！"重人曰："待我，不如捷之速也。"问其所，曰："绛人也。"问绛事焉，曰："梁山崩，将召伯宗谋之。"问："将若之何？"曰："山有朽壤而崩，可若何？国主山川，故山崩川竭，君为之不举、降服、乘缦、彻乐、出次；祝币，史辞以礼焉。其如此而已。虽伯宗，若之何？"伯宗请见之，不可。遂以告，而从之。

许灵公愬郑伯于楚。六月，郑悼公如楚，讼，不胜。楚人执皇戌及子国。故郑伯归，使公子偃请成于晋。秋八月，郑伯及晋赵同盟于垂棘。

宋公子围龟为质于楚而归。华元享之，请鼓噪以出，鼓噪以复入，曰："习攻华氏。"宋公杀之。

冬，"同盟于虫牢"，郑服也。

诸侯谋复会，宋公使向为人辞以子灵之难。

十一月己酉，定王崩。

【译文】

鲁成公五年春天，周王正月，杞伯夫人叔姬被休回到鲁国。仲叔蔑前往宋国。夏天，叔孙侨如在齐国谷地和晋国的荀首会见。梁山发生了山崩。秋天，发大水。冬天，十一月十二日，周定王去世。十二月二十三日，成公会见晋景公、齐顷公、宋共公、卫定公、郑悼公、曹宣公、邾子、杞桓公，在虫牢一起结盟。

鲁成公五年春天，赵同、赵括准备将赵婴放逐到齐国。赵婴说："我在晋国，因此栾书等人不敢作乱。如果我不在晋国，两位兄长就将有灾祸。再说任何一个人都有所能、也有所不能，赦免了我对你们又有什么坏处呢？"赵同、赵括不同意。

赵婴梦见上天的使者告诉自己："祭祀我，我保佑你。"赵婴派人请士贞伯解释，贞伯说："我也不知道这是什么意思。"过了一会儿又告诉那个人说："神灵保佑仁人君子，降祸于淫乱之人，淫乱而没有受到惩罚，这就已经是福了。即使祭祀神灵，难道就能无祸吗？"赵婴祭祀了神灵，到第二天就流亡到齐国去了。

鲁国的孟献子前往宋国，这是对去年华元的聘问进行回访。

夏天，晋国的荀首前往齐国为晋景公迎娶齐女，因此鲁国的叔孙侨如在谷地为他们赠送食物。

梁山崩塌，晋景公用驿车召见伯宗。伯宗令一辆载重车给他让路，说："给驿车让路！"押送重车的人说："等我避开让道，不如走捷径来得快。"伯宗问他是哪里人，回答说："晋都绛城人。"又问他绛城的情况，他说："梁山崩塌，国君要召回伯宗研究对策。"伯召又问："应该怎样对待这件事？"回答说："山因为有腐朽的土质而崩塌，又能有什么办法？国家以山川为主体，因此一旦有山崩塌河流枯竭的事，国君就应减膳斋戒，穿素服，乘坐没有彩饰的车子，不奏音乐，离开寝宫外出居住，给神灵献上礼品，由祝史宣读祭文祭祀山川神灵。如此而已，即使伯宗回去，他又能怎么样呢？"伯宗请他去见晋景公，他不肯去。于是伯宗把他的话告诉了景公，景公听从了他的意见。

许灵公到楚国控告郑悼公。六月，郑悼公到楚国争辩是非，结果败诉。楚国人于是囚禁了郑国的皇戍和子国。因此郑悼公回国后，便派公子偃到晋国请求和好。秋天八月，郑悼公和晋国的赵同在垂流结盟。

宋国的公子围龟在楚国当人质，回到宋国后，华元设宴招待他。但他要求击鼓呼叫从华元家出来，又击鼓呼叫着再进华元家，并说："我这是演习攻打华氏。"于是宋共公杀了他。

冬天，成公和晋景公、齐顷公、宋共公、卫定公、郑悼公、曹宣公、邾子、杞伯在郑国的虫牢举行盟会，这次盟会是因为郑国归顺晋国而举行的。诸侯国商量再举行一次盟会，宋共公派向为人前来报告国内发生了子灵事件，表示不能参加盟会。

十一月十二日，周定王去世。

成公六年

【原文】

六年：春，王正月，公至自会。

二月辛巳，立武宫。

取鄟。

卫孙良夫帅师侵宋。

夏，六月，邾子来朝。

公孙婴齐如晋。

壬申，郑伯费卒。

秋，仲孙蔑、叔孙侨如帅师侵宋。

楚公子婴齐帅师伐郑。

冬，季孙行父如晋。

晋栾书帅师救郑。

六年春，郑伯如晋拜成，子游相。授玉于东楹之东。士贞伯曰："郑伯其死乎！自弃也已。视流而行速，不安其位，宜不能久。"

二月，季文子以鄍之功立武宫，非礼也。听于人以救其难，不可以立武。立武由己，非由人也。

"取鄟"，言易也。

三月，晋伯宗、夏阳说、卫孙良夫、宁相、郑人、伊雒之戎、陆浑、蛮氏侵宋，以其辞会也。师于针。卫人不保。说欲袭卫，曰："虽不可入，多俘而归，有罪不及死。"伯宗曰："不可！卫唯信晋，故师在其郊而不设备。若袭之，是弃信也。虽多卫俘，而晋无信，何以求诸侯？"乃止。师还，卫人登陴。

晋人谋去故绛，诸大夫皆曰："必居郇、瑕氏之地！沃饶而近盬，国利君乐，不可失也。"韩献子将新中军，且为仆大夫。公揖而入，献子从。公立于寝庭，谓献子曰："何如？"对曰："不可！郇、瑕氏土薄水浅，其恶易觏。易觏则民愁，民愁则垫隘，于是乎有沉溺重膇之疾。不如新田：土厚水深，居之不疾，有汾、浍以流其恶，且民从教，十世之利也。夫山、泽、林、盬，国之宝也。国饶，则民骄佚；近宝，公室乃贫：不可谓乐。"公说，从之。夏四月丁丑，晋迁于新田。

六月，郑悼公卒。

子叔声伯如晋，命伐宋。

秋，孟献子、叔孙宣伯侵宋，晋命也。

楚子重伐郑，郑从晋故也。

冬，季文子如晋，贺迁也。

晋栾书救郑，与楚师遇于绕角。楚师还，晋师遂侵蔡。楚公子申、公子成以申、息之师救蔡，御诸桑隧。赵同、赵括欲战，请于武子，武子将许之。知庄子、范文子、韩献子谏曰："不可。吾来救郑，楚师去我，吾遂至于此，是迁戮也。戮而不已，又怒楚师，战必不克。虽克，不令。成师以出，而败楚之二县，何荣之有焉？若不能败，为辱已甚。不如还也！"乃遂还。

于是军帅之欲战者众。或谓栾武子曰："圣人与众同欲，是以济事。子盍从众？子为大政，将酌于民者也。子之佐十一人，其不欲战者三人而已，欲战者可谓众矣。《商书》曰：'三人占，从二人'，众故也。"武子曰："善钧，从众。夫善，众之主也。三卿为主，可谓众矣。从之，不亦可乎？"

【译文】

成公六年春天，周历正月，成公从会盟地回国。二月十六日，建立了武宫。攻取了鄟国。卫国的孙良夫率军攻打宋国。夏天六月，郯子前来朝见。公孙婴齐前往晋国。九日，郑悼公去世。秋天，仲孙蔑、叔孙侨如率军攻打宋国。楚国公子婴齐率军攻打郑国。冬天，季孙行父前往晋国。晋国的栾书率军救援郑国。

鲁成公六年春天，郑悼公前往晋国感谢晋国同意和好，子游担任礼相。郑悼公本应在东西两楹之间行授玉之礼，却走到东楹的东边行礼。士贞伯说："郑悼公恐怕快死了吧！他自己不尊重自己。目光游移不定，走路过快，他在君位上不能安定，大概不长久了。"

二月，季文子因为鞌之战的胜利而建立了武宫，这是不合礼法的。依靠别人的力量来解救自己的灾难，不能建立武宫。建立武宫必须是由自己的力量取得胜利，而不是由别人。

攻取了鄟国，《春秋》这样记载，是说这次行动完成得很容易。

三月，晋国的伯宗、夏阳说、卫国的孙良夫、宁相、郑国人以及伊雒之戎、陆浑、蛮氏等联合攻打宋国，因为宋国去年拒绝参加虫牢会盟。联军驻扎在卫国的铖地，卫国人没有设防。夏阳说想偷袭卫国，他说："即使不能攻入卫国国都，但多抓些俘虏回去，就是有罪也还不至于被处死。"伯宗说："不能这样。卫国正因为信任晋国，所以我们军队驻扎在他们郊外，他们也不防备。如果偷袭卫国，这是背弃信义。虽然多获了卫国俘虏，但晋国却因此而丧失信义，又怎么能得到诸侯的拥戴？"于是打消了这个念头。晋军开拔返回，卫国人才登上城墙。

晋国人打算将都城迁离故绛。大夫们都说："一定要迁到郇、瑕氏的某个地方，那里土地肥沃，又离盐池很近，对国家有利，君王也快乐，不能放弃这个好地方。"此时韩献子掌管新中军，又兼任仆大夫。晋景公向群臣答礼后退入路门，韩献子跟在他后面。景公站在寝宫的院子里，对韩献子说："怎么样？"韩献子回答说："不行。郇、瑕之地土质贫瘠，又缺少水源，容易积聚肮脏之物。肮脏之物容易积聚，百姓就忧愁，百姓忧愁，身体就会疲弱不堪，因此就会滋生风湿和脚肿的疾病。不如迁往新田，那里土地肥沃，水源丰富，居住在那里不会生病，又有汾水和浍水冲走各种肮脏之物，而且那里的百姓服从教化，这是关系到国家千秋万代的根本利益。大山、沼泽、森林、盐地，是国家的宝藏。国家富饶，百姓就会骄淫，靠近宝藏之地，公室将因此而贫乏，这不能说是君王的快乐。"景公很高兴，听从了韩献子的意见。夏天四月十三日，晋国迁都到新田。

六月，郑悼公去世。

子叔声伯前往晋国。晋国命令鲁国攻打宋国。

秋天，孟献子和叔孙宣伯攻打宋国，这是执行晋国的命令。

楚国的子重攻打郑国，这是因为郑国又归顺晋国的缘故。

冬天，季文子前往晋国，祝贺晋国迁都。

晋国的栾书救援郑国，与楚军在绕角相遇。楚军撤退回国，晋军便攻打蔡国。楚国的公子申、公子成率领申地、息地的军队救援蔡国，在桑隧抵抗晋军。赵同、赵括想出战，向栾书请示，栾书准备同意。荀首、士燮和韩厥劝阻说："不行。我们前来救援郑国，楚军离开了我们，我们才到达这里，这实际上是转移了杀戮对象。杀戮没有结束，又激怒了楚军，这样出战必定失败。即使取胜，也不一定是好事。出动大军而仅仅击败楚国两个县,又有什么荣耀呢?如果不能击败他们,那么我们蒙受的耻辱就太大了,不如回去吧。"于是晋军就回国了。

此时,军中将帅主张出战的人很多。有人对栾书说:"圣明的人与大众共愿望,因此能够成功。您何不顺从大家的愿望?您为执政大臣,应该考虑民众的意见。您的助手有十一人,不想出战的只有三人。主张出战的人可以说是多数了。《商书》说:'如果有三个人占卜,就听从两个人的。'因为两个人就是多数。"栾书说:"如果同样都是善,就听从多数人的意见。善,是大家的主张。现在有三位卿同意这一主张,也可以说是多数了。听从他们的意见,不也可以吗?"

成公七年

【原文】

七年:春,王正月,鼷鼠食郊牛角,改卜牛。鼷鼠又食其角,乃免牛。

吴伐郯。

夏,五月,曹伯来朝。

不郊,犹三望。

秋,楚公子婴齐帅师伐郑。

公会晋侯、齐侯、宋公、卫侯、曹伯、莒子、邾子、杞伯救郑。八月戊辰,同盟于马陵。

公至自会。

吴入州来。

冬,大雩。

卫孙林父出奔晋。

七年春,吴伐郯。郯成。

季文子曰:"中国不振旅,蛮夷入伐,而莫之或恤。无吊者也夫!《诗》曰:'不吊昊天,乱靡有定。'其此之谓乎!有上不吊,其谁不受乱?吾亡无日矣!"君子曰:"知惧如是,斯不亡矣!"

郑子良相成公以如晋,见,且拜师。

夏,曹宣公来朝。

秋,楚子重伐郑,师于氾。诸侯救郑。郑共仲、侯羽军楚师,囚郧公钟仪,献诸晋。

"八月,同盟于马陵",寻虫牢之盟,且莒服故也。

晋人以钟仪归,囚诸军府。

楚围宋之役,师还,子重请取于申、吕以为赏田;王许之。申公巫臣曰:"不可。

此申、吕所以邑也，是以为赋，以御北方。若取之，是无申、吕也，晋、郑必至于汉。"王乃止。子重是以怨巫臣。子反欲取夏姬，巫臣止之，遂取以行。子反亦怨之。及共王即位，子重、子反杀巫臣之族子阎、子荡及清尹弗忌及襄老之子黑要，而分其室。子重取子阎之室，使沈尹与王子罢分子荡之室，子反取黑要与清尹之室。巫臣自晋遗二子书，曰："尔以谗慝贪惏事君，而多杀不辜，余必使尔罢于奔命以死！"

巫臣请使于吴，晋侯许之。吴子寿梦说之。乃通吴于晋，以两之一卒适吴，舍偏两之一焉。与其射御，教吴乘车，教之战陈，教之叛楚。寘其子狐庸焉，使为行人于吴。吴始伐楚、伐巢、伐徐，子重奔命。马陵之会，吴入州来，子重自郑奔命。子重、子反于是乎一岁七奔命。蛮夷属于楚者，吴尽取之，是以始大，通吴于上国。

卫定公恶孙林父。冬，孙林父出奔晋。卫侯如晋，晋反戚焉。

【译文】

鲁成公七年春天，周历正月，鼷鼠咬坏了用来作郊祭的牛的角，于是改用其他牛来卜测吉凶。鼷鼠又咬坏了这头牛的角，于是不再杀牛。吴国攻打郯国。夏天五月，曹宣公前来鲁国朝见。不再举行郊祭，但还是举行了望祭。秋天，楚国的公子婴齐率军攻打郑国。成公会合晋景公、齐顷公、宋共公、卫定公、曹宣公、莒子、邾子、杞桓公救援郑国。八月十一日，一起在马陵会盟。成公从会盟地回国。吴国攻入州来。冬天，大规模地举行祈雨祭祀。卫国的孙林父出逃到了晋国。

鲁成公七年春天，吴国攻打郯国，郯国求和。

季文子说："中原各国不整顿军备，四方蛮夷经常入侵，竟没有人忧虑此事，这是因为没有好的具有权威的人啊！《诗》说：'上天不仁，动乱没有休止。'大概就是说的这种情况吧！即使有了霸主，但他不仁不义，那又有谁能免遭蛮夷入侵呢？我们灭亡指日可待了。"君子认为："能像季文子这样忧国忧民，国家就不会灭亡了。"

郑国的子良作为郑成公的礼相前往晋国，朝见晋景公，同时对晋国去年出兵救郑表示感谢。

夏天，曹宣公前来鲁国朝见。

秋天，楚国的子重攻打郑国，进军到氾地。诸侯各国救援郑国。郑国的共仲、侯羽包围了楚军，囚获了郧公钟仪，把他献给了晋国。

八月，成公同晋景公、齐顷公等诸侯国君在马陵会盟，重申在虫牢的盟约，同时也是为了莒国归顺晋国的缘故。

晋国人把钟仪带回国，囚禁在军用仓库。

楚国围攻宋国那次战役，楚军回国后，令尹子重请求将申地、吕地作为赏田奖给他，楚王同意了他的请求。申公巫臣说："不能这样。申、吕二地所以成为城邑，这是因为国家能从这里征收兵赋，用来抵御北方的入侵。如果子重占有了这两地，也就丧失了申、吕两个城邑。这样，晋国和郑国的势力就会扩张到汉水一带。"于是楚庄王取消了这个决定。子重因此而怨恨巫臣。子反想娶夏姬为妻，巫臣阻止他，而自己却娶了夏姬并逃到晋国去了。子反也因此而怨恨巫臣。等到楚共王即位，子重、子反杀了巫臣的族人子阎、子荡、清尹弗忌和襄老的儿子黑要，并且瓜分了他们的家产。子重占取了子阎的家产，让沈尹和王子罢分了子荡的家产，子反占有了黑要和清尹的家产。巫臣从晋国写信给子重和子反，说："你们靠谗言、邪恶和贪婪事奉国君，又滥杀无辜，我一定要让你们疲于奔命而死。"

巫臣请求出使到吴国，晋景公同意了他。吴王寿梦很赏识他。于是巫臣使吴国和晋国建立了友好关系。巫臣到吴国去时带了三十辆兵车，他留下十五辆给吴国，并送给吴国射手和驾车手。教吴国人驾车，教他们战阵之法，又教唆他们背叛楚国。巫臣安排自己的儿子到吴国做外交使者。于是吴国开始攻打楚国、巢国和徐国。子重为了抵御吴国的进攻，四处奔波。各诸侯国在马陵会盟时，吴国攻入州来。子重从郑国赶去援救。子重、子反在一年内为了抵御吴国，奉命奔波了七次。从前属于楚国的蛮夷，都被吴国占取了，因此吴国开始强大起来，并开始和中原各国交往。

卫定公讨厌孙林父。冬天，孙林父逃亡到晋国。卫定公到晋国，晋国便把孙林父的封地戚邑还给了卫国。

成公八年

【原文】

八年：春，晋侯使韩穿来言汶阳之田，归之于齐。

晋栾书帅师侵蔡。

公孙婴齐如莒。

宋公使华元来聘。

夏，宋公使公孙寿来纳币。

晋杀其大夫赵同、赵括。

秋，七月，天子使召伯来（赐）〔锡〕公命。

冬，十月癸卯，杞叔姬卒。

晋侯使士燮来聘。

叔孙侨如会晋士燮、齐人、邾人伐郯。

卫人来媵。

八年春，晋侯使韩穿来言汶阳之田，归之于齐。季文子饯之，私焉，曰："大国制义，以为盟主，是以诸侯怀德畏讨，无有贰心。谓汶阳之田，敝邑之旧也；而用师于齐，使归诸敝邑。今有二命曰'归诸齐'。信以行义，义以成命，小国所望而怀也。信不可知，义无所立；四方诸侯，其谁不解体？《诗》曰：'女也不爽，士贰其行。士也罔极，二三其德。'七年之中，一与一夺，二三孰甚焉？士之二三，犹丧妃耦，而况霸主？霸主将德是以，而二三之，其何以长有诸侯乎？《诗》曰：'犹之未远，是用大简。'行父惧晋之不远犹而失诸侯也，是以敢私言之。"

晋栾书侵蔡，遂侵楚，获申骊。

楚师之还也，晋侵沈，获沈子揖初，从知、范、韩也。君子曰："从善如流，宜哉！《诗》曰：'恺悌君子，遐不作人？'求善也夫！作人，斯有功绩矣。"

是行也，郑伯将会晋师，门于许东门，大获焉。

声伯如莒，逆也。

宋华元来聘，聘共姬也。

夏，宋公使公孙寿来纳币，礼也。

晋赵庄姬为赵婴之亡故，谮之于晋侯，曰："原、屏将为乱。"栾、郤为徵。六月，晋讨赵同、赵括。武从姬氏畜于公宫。以其田与祁奚。韩厥言于晋侯曰："成季之勋、宣孟之忠而无后，为善者其惧矣。三代之令王，皆数百年保天之禄。夫岂无辟王？赖前哲以免也。《周书》曰：'不敢侮鳏寡'。所以明德也。"乃立武，而反其田焉。

秋，召桓公来赐公命。

晋侯使申公巫臣如吴，假道于莒。与渠丘公立于池上，曰："城已恶。"莒子曰："辟陋在夷，其孰以我为虞？"对曰："夫狡焉思启封疆以利社稷者，何国蔑有？唯然，故多大国矣。唯或思或纵也。勇夫重闭，况国乎？"

冬，杞叔姬卒。来归自杞，故书。

晋士燮来聘，言伐郯也。以其事吴故。公赂之，请缓师。文子不可，曰："君命无贰，失信不立。礼无加货，事无二成。君后诸侯，是寡君不得事君也。燮将复之。"季孙惧，使宣伯帅师会伐郯。

卫人来媵共姬，礼也。凡诸侯嫁女，同姓媵之，异姓则否。

【译文】

鲁成公八年春天，晋景公派韩穿来到鲁国，要求鲁国把取回的汶阳之田重新还给齐国。晋国的栾书率军入侵蔡国。公孙婴齐前往莒国。宋共公派华元前来聘问。夏天，宋共公又派公孙寿来鲁国送彩礼。晋国杀了大夫赵同和赵括。秋天七月，周天子派召伯来鲁国传达赏赐成公的命令。冬天十月二十三日，杞叔姬去世。晋景公派士燮来鲁国聘问，叔孙侨如会合晋国士燮、齐国人、邾国人攻打郯国。卫人送来一个陪嫁的女子。

鲁成公八年春天，晋景公派韩穿来鲁国谈关于要鲁国把汶阳之田重新还给齐国的事。季文子为韩穿饯行，私下对他说："大国处事公正而成为盟主，诸侯也因此而怀念它的德行，畏惧它的讨伐，没有二心。说到汶阳之田，本来就是我国的领土，对齐国用兵之后，才迫使齐国归还我国。现在又有不同的命令说：'再归还给齐国。'推行道义要凭信用，完成命令要靠道义，这是小国所希望的，也会因此而归顺大国。现在信用不可靠，道义没有树立，四方诸侯，谁能不离心涣散？《诗》说：'女人并无过错，是男子的操行不好，男子的心中没有主意，他的行为三心二意。'七年之内，还回来一次又夺回去一次，还有比这更三心二意的吗？男子变化无常，还会失去配偶，更何况是诸侯霸主呢？霸主必须凭借德行，如果朝令夕改，那又怎能长久得到诸侯的拥戴呢？《诗》说：'谋略缺乏远见，因此极力劝谏。'行父我担心晋国不能深谋远虑而失去诸侯的拥戴，因此才敢私下对您说这些话。"

晋国的栾书入侵蔡国，接着又侵入楚国，抓获了楚国大夫申骊。

在鲁成公六年，楚、晋两军在绕角相遇，楚军撤退后，晋国趁机入侵沈国，俘虏了沈子揖初。这是栾书采纳了荀首、士燮、韩厥三人计谋的结果。君子认为："采纳好建议就像流水一样爽快，这是恰当的啊！《诗》说：'谦虚的君子，怎么不起用人才？'说的就是求取贤能之人啊！善于起用人才，这就有功绩了。"这次行动，郑悼公会合晋军，经过许国时，便攻打许国国都的东门，收获很大。

鲁国的声伯前往莒国，迎娶妻子。

宋国的华元来鲁国聘问是为宋共公聘定共姬为夫人。

夏天，宋共公派公孙寿前来下彩礼，这是合乎礼法的。

晋国的赵庄姬因为赵婴被迫逃亡的缘故，在晋景公面前诬陷赵同和赵括。说："赵同和赵括准备叛乱。"栾氏、郤氏作证。六月，晋国诛杀了赵同、赵括。赵武跟着庄姬住在晋景公的宫内。景公把赵氏的田地赏给祁奚。韩厥对晋景公说："以赵衰的功勋和赵盾的忠心，却没有后代，善良的人恐怕会因此害怕。夏、商、周三代君王，都能够几百年保有江山，难道就没有邪恶的昏君？只不过靠他们贤明的祖先才得以免除灾祸罢了。《周书》说：'不敢欺侮鳏夫寡妇。'就是为了宣扬德行。"于是晋景公就立赵武为赵氏继承人，并把赵氏的田地都归还给了他。

秋天，召桓公来鲁国传达周天子赐爵成公的命令。

晋景公派申公巫臣前去吴国，向莒国借道。巫臣与莒君渠丘公站在城上，说："城墙太破旧了。"渠丘公说："我国偏远狭小，又在蛮夷之地，谁还会打我们的主意呢？"巫臣说："狡猾的人总是想着扩展疆土以有利于自己的国家，哪个国家没有这种人？正因为这样，所以有很多大国。小国中有的考虑防卫才得以幸存，有的放纵不设防便亡国。一个勇敢的人还要把门窗层层关闭，更何况是一个国家呢？"

冬天，杞叔姬去世。因为她是从杞国回到鲁国的，所以《春秋》才加以记载。

晋国的士燮来鲁国聘问，提到要攻打郑国，因为郑国事奉吴国。成公送给士燮礼物，请求让鲁国暂缓出兵。士燮不同意，他说："国君的命令不能随意更改，失去信用就难以自立。我接受的礼物不能另外增加，马上出兵或暂缓出兵只能有一种选择。如果您在其他诸侯之后出兵，那么我们国君就不能再事奉您了。我将如实向我们国君汇报。"季孙对此感到害怕，于是派宣伯率兵会同晋国讨伐郑国。

卫国人送来了一个女子作为共姬的陪嫁，这是合乎礼法的。凡是诸侯嫁女，如果是同姓国家就要送一个女子作为陪嫁，异姓国家就不必这样。

成公九年

【原文】

九年：春，王正月，杞伯来逆叔姬之丧以归。
公会晋侯、齐侯、宋公、卫侯、郑伯、曹伯、莒子、杞伯，同盟于蒲。
公至自会。
二月，伯姬归于宋。
夏，季孙行父如宋致女。
晋人来媵。
秋，七月丙子，齐侯无野卒。
晋人执郑伯。
晋栾书帅师伐郑。
冬，十有一月，葬齐顷公。
楚公子婴齐帅师伐莒。庚申，莒溃。
楚人入郓。
秦人、白狄伐晋。
郑人围许。
城中城。

九年春，杞桓公来逆叔姬之丧，请之也。杞叔姬卒，为杞故也。逆叔姬，为我也。

为归汶阳之田故，诸侯贰于晋。晋人惧，会于蒲，以寻马陵之盟。季文子谓范文子曰："德则不竞，寻盟何为？"范文子曰："勤以抚之，宽以待之，坚（疆）〔强〕以御之，明神以要之，柔服而伐贰，德之次也。"

是行也，将始会吴，吴人不至。

二月，伯姬归于宋。

楚人以重赂求郑，郑伯会楚公子成于邓。

夏，季文子如宋致女。复命，公享之。赋《韩奕》之五章。穆姜出于房，再拜，曰："大夫勤辱，不忘先君以及嗣君，施及未亡人，先君犹有望也。敢拜大夫之重勤！"又赋《绿衣》之卒章而入。

晋人来媵，礼也。

秋，郑伯如晋。晋人讨其贰于楚也，执诸铜鞮。

栾书伐郑，郑人使伯蠲行成。晋人杀之，非礼也。兵交，使在其间可也。

楚子重侵陈以救郑。

晋侯观于军府，见钟仪。问之曰："南冠而絷者，谁也？"有司对曰："郑人所献楚

囚也。"使税之，召而吊之。再拜稽首。问其族，对曰："泠人也。"公曰："能乐乎？"对曰："先人之职官也，敢有二事？"使与之琴。操南音。公曰："君王何如？"对曰："非小人之所得知也。"固问之，对曰："其为太子也，师、保奉之，以朝于婴齐而夕于侧也。不知其他。"

公语范文子。文子曰："楚囚，君子也：言称先职，不背本也；乐操土风，不忘旧也；称大子，抑无私也；名其二卿，尊君也。不背本，仁也；不忘旧，信也；无私，忠也；尊君，敏也。仁以接事，信以守之，忠以成之，敏以行之。事虽大，必济。君盍归之，使合晋楚之成？"公从之，重为之礼，使归求成。

冬，十一月，楚子重自陈伐莒，围渠丘。渠丘城恶，众溃，奔莒。戊申，楚人渠丘。莒人囚楚公子平，楚人曰："勿杀！吾归而俘。"莒人杀之。楚师围莒。莒城亦恶，庚申，莒溃。楚遂入郓，莒无备故也。

君子曰："恃陋而不备，罪之大者也。备豫不虞，善之大者也。莒恃其陋而不修城郭，浃辰之间而楚克其三都，无备也夫！《诗》曰：'虽有丝、麻，无弃菅、蒯；虽有姬、姜，无弃蕉萃。凡百君子，莫不代匮。'言备之不可以已也。

秦人、白狄伐晋，诸侯贰故也。

郑人围许，示晋不急君也。是则公孙申谋之，曰："我出师以围许，为将改立君者，而纾晋使，晋必归君。"

城中城，书，时也。

十二月，楚子使公子辰如晋，报钟仪之使，请修好结成。

【译文】

鲁成公九年春天，周历正月，杞桓公前来鲁国迎接叔姬的灵柩回国。成公会合晋景公、齐顷公、宋共公、卫定公、郑成公、曹宣公、莒子、杞桓公，一起在蒲地会盟。成公从会盟地回国。二月，伯姬嫁到宋国。夏天，季孙行父到宋国去探望伯姬。晋国人送来一个女子作为陪嫁。秋天，七月丙子这天，齐顷公无野去世。晋国人囚禁了郑成公。晋国的栾书率军攻打郑国。冬天，十一月，安葬齐顷公。楚国的公子婴齐率军攻打莒国。十七日，莒国溃败，楚国人进入郓城。秦国人和白狄联合攻打晋国。郑国人包围了许国。鲁国在都城内又建造了一座城。

鲁成公九年春天，杞桓公来鲁国接回叔姬的灵柩，这是应鲁国的要求。杞叔姬的死，是因为被杞国遗弃的缘故。杞国迎回叔姬的尸体，也是为了考虑和我国的关系。

由于晋国要鲁国把汶阳之田归还给齐国的缘故，诸侯国都对晋国有了二心。晋国人害怕了，于是在蒲地与诸侯会盟，以求重提原来在马陵的盟约。季文子对士燮说："德行已经衰落，重提旧盟干什么？"士燮说："勤勉地安抚诸侯，宽厚地对待诸侯，坚强地领导诸侯，用会盟来约束诸侯，怀柔顺服的，讨伐三心二意的，这也毕竟是次一等的德行。"

这次会盟，准备开始和吴国会见，但吴国人没有来参加。

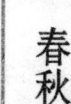

二月，伯姬嫁到宋国。

楚国人用重礼请求和郑国和好，于是郑成公在邓地与楚国的公子成会盟。

夏天，季文子到宋国去探望伯姬，回国后向成公复命，成公设宴招待他。季文子吟诵了《韩奕》一诗的第五章，穆姜从后屋里走出来，两次下拜，说："大夫辛勤，您不忘先君的恩德，并把这种忠诚延续到当今君王和我身上。先君当初就对您有这样的希望。再次拜谢您加倍的辛勤。"又吟诵了《绿衣》一诗的最后一章才进去。

晋国人来鲁国送了一个女子作为陪嫁，这是礼节。

秋天，郑成公前往晋国。晋国人为了惩罚他背叛晋国、投靠楚国，把他囚禁在铜鞮。

栾书讨伐郑国，郑国人派伯蠲求和，晋国人杀了他，这是不合礼法的。两国交兵，使者可以在敌对双方之间来往。

楚国的子重入侵陈国，以此来救援郑国。

晋景公视察军用仓库，看到了钟仪，便问随行的官吏说："那个戴着南方帽子而被捆绑的人，是谁呢？"官吏回答说："是郑国人献来的楚国俘虏。"景公让人给钟仪松绑，召见并且慰问了他。钟仪两次行叩头礼，表示感谢。景公问他的家世，钟仪回答说："世代都是乐官。"景公问："你能演奏乐曲吗？"回答说："祖先以此为职官，我还能干其他的事吗？"景公便让人给他琴，他演奏的是南方曲调。景公又问："你国君王怎么样？"钟仪回答说："这不是我做下官的能知道的事。"景公再三问他，他才回答说："他做太子的时候，太师、太保事奉着他，他每天早晨请教令尹子重，晚上请教司马子反。其他的事我就不知道了。"景公把这话告诉了士燮，士燮说："这个楚国俘虏，是一个君子。他说话时先提到祖先的官职，这是不忘本；奏乐时弹奏家乡曲调，这是不忘旧；提到楚君做太子时的事，这是没有私心；直呼两位卿的名字，这是尊重国君您。不忘本，就是仁；不忘旧，就是信；无私心，就是忠；尊重君王，就是敏。仁爱地处理事务，诚实地恪守它，忠心地完成它，灵敏地执行它，即使事情再大，也一定能成功。您何不放他回去，让他成就晋、楚两国的友好呢？"景公听从了士燮的建议，对钟仪重加礼遇，让他回国为晋、楚两国求和。

冬天，十一月，楚国的子重从陈国出兵攻打莒国，包围了渠丘。渠丘城墙很破旧，守军溃败，逃到了莒城。五日，楚军进入渠丘。莒国人俘虏了楚国的公子平。楚国人说："不要杀他！我们归还你们的俘虏。"莒国人还是杀了公子平。于是楚军包围了莒城。莒城的城墙也破旧不堪，十七日，莒城守军溃败。楚军便进入了郓城。莒国这次大败，是由于没有防备的缘故。

君子认为："凭着城墙破旧而干脆不设防，这是罪中的大罪；预防意外，则是善中的大善。莒国借口自己的城墙破旧，不修治城郭，因此在十二天之内，楚国连下三城，这是没有防备的结果啊！《诗》说：'虽然有了丝麻，也不要将菅、蒯这类粗恶的东西扔掉。虽然有了美貌的姬妾，也不要将憔悴丑陋的妻子抛弃。凡是君子，也没有不顾此失彼的。'说的就是不能不防患于未然。"

秦国人和白狄攻打晋国,这是利用诸侯国对晋国怀有二心的机会采取的行动。

郑国人包围了许国,示意晋国,他们并不想急着救出郑成公。这是公孙申出的主意,他说:"我们出军围攻许国,给晋国造成我们要改立国君的假象,也暂不派使者去晋国谈判,这样晋国一定会送国君回来。"

鲁国在都城内又建造了一座城。《春秋》记载了这件事,是因为修城合乎时宜。

十二月,楚共王派公子辰前往晋国,回报晋国放钟仪回国并为两国修好之举,请求重修旧好,订立盟约。

成公十年

【原文】

十年:春,卫侯之弟黑背帅师侵郑。

夏,四月,五卜郊,不从,乃不郊。

五月,公会晋侯、齐侯、宋公、卫侯、曹伯伐郑。

齐人来媵。

丙午,晋侯獳卒。

秋,七月,公如晋。

(冬,十月。)

十年春,晋侯使籴茷如楚,报大宰子商之使也。

卫子叔黑背侵郑,晋命也。

郑公子班闻叔申之谋。三月,子如立公子繻。夏四月,郑人杀繻,立髡顽。子如奔许。

栾武子曰:"郑人立君,我执一人焉,何益?不如伐郑而归其君,以求成焉。"晋侯有疾,五月,晋立大子州(蒲)〔满〕以为君,而会诸侯伐郑。郑子罕赂以襄钟,子然盟于修泽,子驷为质。辛巳,郑伯归。

晋侯梦大厉被发及地,搏膺而踊曰:"杀余孙,不义!余得请于帝矣!"坏大门及寝门而入。公惧,入于室。又坏户。公觉,召桑田巫。巫言如梦,公曰:"何如?"曰:"不食新矣。"

公疾病,求医于秦。秦伯使医缓为之。未至,公梦疾为二竖子,曰:"彼良医也。惧伤我,焉逃之?"其一曰:"居肓之上、膏之下,若我何?"医至,曰:"疾不可为也。在肓之上、膏之下,攻之不可,达之不及,药不至焉,不可为也!"公曰:"良医也!"厚为之礼而归之。

六月丙午,晋侯欲麦,使甸人献麦,馈人为之。召桑田巫,示而杀之。将食,张;如厕,陷而卒。小臣有晨梦负公以登天,及日中,负晋侯出诸厕,遂以为殉。

郑伯讨立君者，戊申，杀叔申、叔禽。君子曰："忠为令德，非其人犹不可；况不令乎？"

秋，公如晋。晋人止公，使送葬。于是糴茷未反。

冬，葬晋景公。公送葬，诸侯莫在。鲁人辱之，故不书，讳之也。

【译文】

鲁成公十年春天，卫定公的弟弟黑背率军入侵郑国。夏天，四月，五次为郊祭占卜，都不顺利，于是就不举行郊祭。五月，成公会合晋景公、齐灵公、宋共公、卫定公、曹宣公攻打郑国。齐国人送来了一个女子作为陪嫁。六月六日，晋景公獳去世。秋天，七月，成公前往晋国。冬天，十月。

鲁成公十年春天，晋景公派糴茷去楚国，这是回报楚国太宰子商对晋国的访问。

卫国的子叔黑背听说了公孙申的计谋。三月，公子班便立公子繻为国君。夏天，四月，郑国人杀了公子繻，另立髡顽为国君。公子班逃到许国。栾书说："郑国人立了国君，我们在这里囚禁郑成公，又有什么用呢？不如攻打郑国，把他们的国君送回去，以谋求两国和好。"晋景公有病。五月，晋国立太子州蒲为国君，会合诸侯攻打郑国。郑国的子罕为了求和。把郑襄公庙里的钟送给了晋国，子然在脩泽与晋和诸侯们会盟，子驷到晋国做人质。十一日，郑成公回国。

晋景公梦见一个恶鬼，头发披散到地上，捶胸跳着说："你杀了我的孙子，不义。我得到上帝的允许要为子孙报仇了。"于是捣毁宫门和寝门走了进来。景公害怕，躲到内室。又捣坏了内室的门。景公惊醒了，召请桑田的巫师。巫师占卜的结果和景公梦到的一样。景公问："怎么样？"巫师回答："您吃不到今年的麦子了。"景公的病更重了，于是派人到秦国求医。秦桓公派一个叫缓的医生来给景公治病。医生还未到达，景公又梦见他的病变成了两个小孩，一个说："缓是一个名医，害怕他伤害我们，我们逃到哪里去呢？"另一个说："我们躲到肓的上面，膏的下面，他能把我们怎么样？"医缓到了，看了景公的病后说："病已无法治好了。它在肓之上，膏之下，用砭石攻它不行，用针疗又达不到，用药也不起作用，没法治了。"景公说："的确是个好医生。"于是赏给他很多礼物，让他回国了。六月六日，景公想尝新麦，就让管理土地的人献上麦子，厨师做好了麦饭。景公召来了那个桑田的巫师，把做好的新麦饭让他看，然后杀了他。景公正要进食时，忽然肚子发胀，就去上厕所，掉到粪坑里淹死了。有一个宦官早晨梦见自己背着景公上了天，等到中午，果然从厕所里背出了景公。于是晋国就让他为景公殉葬。

郑成公惩治另立新国君的人，六月八日，杀了叔申和叔禽。君子认为："忠诚是美德，但效忠的对象不是那种人还不行，更何况他本身就缺乏美德。"

秋天，鲁成公到晋国访问，晋国人强迫成公留下，让他为景公送葬。在这时晋国派往楚国的糴茷还没有回来。

冬天，安葬晋景公。成公送葬，其他诸侯都没有参加。鲁国人以此为耻辱，所以

《春秋》没有记载，这是因为忌讳这件事。

成公十一年

【原文】

　　十有一年：春，王三月，公至自晋。

　　晋侯使郤犨来聘。己丑，及郤犨盟。

　　夏，季孙行父如晋。

　　秋，叔孙侨如如齐。

　　冬，十月。

　　十一年春，王三月，公至自晋。晋人以公为贰于楚，故止公。公请受盟，而后使归。

　　郤犨来聘，且莅盟。

　　声伯之母不聘。穆姜曰："吾不以妾为姒。"生声伯而出之。嫁于齐管于奚，生二子而寡，以归声伯。声伯以其外弟为大夫，而嫁其外妹于施孝叔。郤犨来聘，求妇于声伯。声伯夺施氏妇以与之。妇人曰："鸟兽犹不失俪，子将若何？"曰："吾不能死亡。"妇人遂行。生二子于郤氏。郤氏亡，晋人归之施氏。施氏逆诸河，沈其二子。妇人怒，曰："己不能庇其伉俪而亡之，又不能字人之孤而杀之，将何以终？"遂誓施氏。

　　夏，季文子如晋报聘，且莅盟也。

　　周公楚恶惠、襄之偪也，且与伯与争政，不胜，怒而出。及阳樊，王使刘子复之，盟于鄄而入。三日，复出奔晋。

　　秋，宣伯聘于齐，以修前好。

　　晋郤至与周争鄇田，王命刘康公、单襄公讼诸晋。郤至曰："温，吾故也，故不敢失。"刘子、单子曰："昔周克商，使诸侯抚封。苏忿生以温为司寇，与檀伯达封于河。苏氏即狄，又不能于狄而奔卫。襄王劳文公而赐之温，狐氏、阳氏先处之，而后及子。若治其故，则王官之邑也，子安得之？"晋侯使郤至勿敢争。

　　宋华元善于令尹子重，又善于栾武子。闻楚人既许晋籴茷成，而使归复命矣。冬，华元如楚，遂如晋，合晋、楚之成。

　　秦、晋为成，将会于令狐。晋侯先至焉。秦伯不肯涉河，次于王城，使史颗盟晋侯于河东。晋郤犨盟秦伯于河西。范文子曰："是盟也何益？齐盟，所以质信也。会所，信之始也。始之不从，其何质乎？"秦伯归而背晋成。

【译文】

　　鲁成公十一年春，周历三月，成公从晋国回国。晋厉公派郤犨来聘问，二十四日，与郯犨会盟。夏天，季孙行父前往晋国。秋天，叔孙侨如前去齐国。冬天，十月。

鲁成公十一年春天，周历三月，成公从晋国回国。晋国人认为成公暗中投靠楚国，所以强留下他。成公请求接受盟约，然后才让他回国。

郤犨前来鲁国聘问，同时也监视两国盟约的执行情况。

声伯的母亲未行聘礼就嫁给了声伯的父亲，穆姜说："我不能让一个妾做我的嫂子。"声伯的母亲生下声伯后便被遗弃了，嫁给了齐国的管于奚。生了两个孩子后又守寡了，最后回到了声伯的身边。声伯让他的异父弟弟做了大夫，把异父妹妹嫁给了施孝叔。郤犨来鲁国聘问时，请求声伯给他物色一个妻子。声伯把异父妹妹从施孝叔手里夺回来给了郤犨。妇人对施孝叔说："鸟兽都不愿失去配偶，你将怎么办呢？"施孝叔回答说："我不能死，也不愿逃亡。"于是妇人就跟郤犨走了。后来为郤氏生了两个孩子。郤氏被灭族后，晋国人又把她送回给施孝叔。施孝叔在黄河边上迎接她，却将她的两个孩子丢到河里淹死了。妇人愤怒地说："你自己既不能保护自己的妻子而令她远去他国，又不能爱护别人的孤儿而杀死了他们，靠什么得以善终？"于是妇人发誓不再做施孝叔的妻子。

夏天，季文子到晋国对郤犨的访问进行回访，并且监视两国盟约的执行情况。

周公楚讨厌周惠王、周襄王后人的逼迫，又与伯舆争夺权力，由于没有得胜，就气愤地跑到了阳樊。周王派刘子请他回来，他与刘子在鄍地结盟后就回来了。过了三天，又逃亡到了晋国。

秋天，宣伯到齐国聘问，为了重修两国以前的友好关系。

晋国的郤至和周王室争夺鄇田。周王命令刘康公、单襄公到晋国争辩是非。郤至说："温地，是我的旧地，所以不敢放弃。"刘康公和单襄公说："从前周朝灭亡商朝，让诸侯都据有封地，苏忿生被封在温地，并做了司寇，他和檀伯达都被封在黄河边。后来苏氏后人投靠了狄人，在狄人那里待不下去，又逃到了卫国。周襄公慰劳晋文公而把温地赏赐给了他。狐氏和阳氏两族人都曾先后被封在温地，最后才封给你们郤氏。如果要探根寻源，那么温地是周王属官的封邑，您又怎能得到它呢？晋厉公让郤至不要再争。

宋国的华元和楚国的令尹子重关系很好，和晋国的栾书也很要好。他听说楚国人已经同意了晋国籴茷的和议，并让他回国复命。于是在冬天，华元先到楚国，接着又到晋国，促成了晋国和楚国的和好。

秦、晋两国议和，准备在令狐会见。晋厉公先到达，秦桓公不肯渡过黄河，驻扎在河西的王城，派史颗到河东与晋厉公会盟。晋国的郤犨在河西与秦桓公会盟。士燮说："这种结盟有什么用？斋戒会盟，是为了表示信用。会盟的地点，是信用的开始。在会盟地点上就不讲信用，难道这种结盟可以信任吗？"秦桓公回国后果然背叛了和晋国的盟约。

成公十二年

【原文】

十有二年：春，周公出奔晋。

夏，公会晋侯、卫侯于琐泽。

秋，晋人败狄于交刚。

冬，十月。

十二年春，王使以周公之难来告。书曰"周公出奔晋"，凡自周无出，周公自出故也。

宋华元克合晋、楚之成。夏五月，晋士燮会楚公子罢、许偃。癸亥，盟于宋西门之外，曰："凡晋、楚无相加戎，好恶同之。同恤灾危，备救凶患。若有害楚，则晋伐之；在晋，楚亦如之。交贽往来，道路无壅；谋其不协，而讨不庭。有渝此盟，明神殛之，俾队其师，无克胙国！"郑伯如晋听成，会于琐泽，成故也。

狄人间宋之盟，以侵晋而不设备。秋，晋人败狄于交刚。

晋郤至如楚聘，且莅盟。楚子享之，子反相。为地室而县焉；郤至将登，金奏作于下，惊而走出。子反曰："日云莫矣，寡君须矣，吾子其入也！"宾曰："君不忘先君之好，施及下臣，贶之以大礼，重之以备乐，如天之福。两君相见，何以代此？下臣不敢！"子反曰："如天之福，两君相见，无亦唯是一矢以相加遗，焉用乐？寡君须矣，吾子其入也！"宾曰："若让之以一矢，祸之大者，其何福之为？世之治也：诸侯闲于天子之事，则相朝也，于是乎有享宴之礼。享以训共俭，宴以示慈惠。共俭以行礼，而慈惠以布政。政以礼成，民是以息。百官承事，朝而不夕，此公侯之所以扞城其民也。故《诗》曰：'赳赳武夫，公侯干城。'及其乱也：诸侯贪冒，侵欲不忌，争寻常以尽其民；略其武夫，以为己腹心、股肱、爪牙，故《诗》曰：'赳赳武夫，公侯腹心。'天下有道，则公侯能为民干城，而制其腹心；乱则反之。今吾子之言，乱之道也，不可以为法。然吾子主也，至敢不从？"遂入，卒事。归以语范文子，文子曰："无礼必食言，吾死无日矣夫！"

冬，楚公子罢如晋聘，且莅盟。十二月，晋侯及楚公子罢盟于赤棘。

【译文】

十二年春天，周公楚逃亡到了晋国。夏天，鲁成公在琐泽会见了晋厉公和卫定公。秋天，晋国人在交刚打败了狄人。冬天十月。

鲁成公十二年春天，周天子的使者前来通报周公楚出逃一事。《春秋》记载说："周公出奔晋。"凡是从周王室逃出不能称作"出"，对周公称"出"，是因为他自己出逃的缘故。

宋国的华元促成了晋、楚两国的和谈。夏天五月，晋国的士燮会见了楚国的公子罢和许偃。四日，在宋国的西门外结盟，盟辞说："今后晋、楚两国不再互相以武力相加，同心协力，共同拯救危难，援救灾荒祸患。如果有人危害楚国，那么晋国就出兵讨伐；对晋国，楚国也是这样。两国使者往来，道路不得设置障碍，有不同意见可共同协商，有背叛两国者就共同讨伐。谁背叛这一盟约，神灵就会诛杀他，并使他的军队毁灭，不能保佑国家。"郑成公也到晋国接受和约，并与诸侯在琐泽会见，这都是晋、楚两国和好了的缘故。

狄人乘晋、楚两国在宋国结盟的机会发兵攻打晋国，但自己却不设防备。秋天，晋国人在交刚打败了狄人。

晋国的郤至到楚国访问，并且监督楚国履行盟约。楚共王设宴款待他，子反做相礼人，在地下室悬挂乐器奏乐。郤至正要登堂，地下室里奏起了乐曲，他吓得连忙跑了出来。子反说："时间不早了，我们国君正在等候您，您就快进去吧！"郤至说："贵国国君不忘和我国先君的友谊，并将这种友好推及到下臣身上，用隆重的礼仪和全套的音乐来欢迎我。如果上天赐福，我们两国的国君相见，将用什么礼节来代替这个呢？下臣我实在不敢当。"子反说："如果上天降福，我们两国国君相见，也只能是在战场上，以一枝箭相赠，哪里用得着音乐？我们国君还等着您，您就进去吧！"郤至说："如果在战场上以箭互赠，那就是祸中的大祸，还有什么福可赐？天下大治的时代，诸侯在完成了天子使命的闲暇里，就互相朝见，在这时就产生了享、宴的礼仪。享礼用来教导恭敬节俭，宴礼用来表示慈爱恩惠。恭敬节俭用来推行礼仪，而慈爱恩惠用来布施政事。政事凭借礼仪来完成，百姓因此安居乐业。百官处理政事，都是在早晨而不是在晚上，这是公侯用来保护他们百姓的办法。所以《诗》说：'雄健的武士，是公侯的护卫者。'到了社会动乱不安的时代，诸侯就贪婪无比，侵略的欲望达到了无所顾忌的地步，争夺尺寸之地而使百姓遭殃，网罗武士作为自己的心腹、死党和爪牙。所以《诗》又说：'雄健的武士，是公侯的心腹。'如果天下有道，那么公侯就能成为百姓的保护者，而控制他们的心腹。如果是动乱时代，情况就恰恰相反。刚才您说的话，就是乱世之道，不能作为行为的法则。但您是主人，我又怎敢不服从呢？"于是就进去了。办完事之后，郤至回到了晋国，把上述情况告诉了士燮。士燮说："没有礼法，说话必定不算数，我们离战死疆场的日子不远了啊！"

冬天，楚国的公子罢到晋国访问，并且监督晋国履行盟约。十二月，晋厉公和楚国的公子罢在赤棘会盟。

成公十三年

【原文】

十有三年：春，晋侯使郤锜来乞师。

三月，公如京师。

夏，五月，公自京师，遂会晋侯、齐侯、宋公、卫侯、郑伯、曹伯、邾人、滕人伐秦。

曹伯卢卒于师。

秋，七月，公至自伐秦。

冬，葬曹宣公。

十三年春，晋侯使郤锜来乞师，将事不敬。孟献子曰："郤氏其亡乎！礼，身之干也。敬，身之基也。郤子无基。且先君之嗣卿也，受命以求师，将社稷是卫；而惰，弃君命也，不亡何为？"

三月，公如京师。宣伯欲赐，请先使；王以行人之礼礼焉。孟献子从，王以为介而重贿之。公及诸侯朝王，遂从刘康公、成肃公会晋侯伐秦。

成子受脤于社，不敬。刘子曰："吾闻之：民受天地之中以生，所谓命也。是以有动作礼义威仪之则以定命也。能者养（之）以〔之〕福，不能者败以取祸。是故君子勤礼，小人尽力。勤礼莫如致敬，尽力莫如敦笃。敬在养神，笃在守业。国之大事，在祀与戎。祀有执膰，戎有受脤，神之大节也。今成子惰，弃其命矣，其不反乎？"

夏四月戊午，晋侯使吕相绝秦，曰：昔逮我献公及穆公相好，戮力同心，申之以盟誓，重之以昏姻。天祸晋国，文公如齐，惠公如秦。无禄，献公即世。穆公不忘旧德，俾我惠公用能奉祀于晋。又不能成大勋，而为韩之师。亦悔于厥心，用集我文公。是穆之成也。

文公躬擐甲胄，跋履山川，逾越险阻，征东之诸侯，虞、夏、商、周之胤而朝诸秦，则亦既报旧德矣。郑人怒君之疆场，我文公帅诸侯及秦围郑。秦大夫不询于我寡君，擅及郑盟。诸侯疾之，将致命于秦。文公恐惧，绥静诸侯，秦师克还无害，则是我有大造于西也。

无禄，文公即世。穆为不吊，蔑死我君，寡我襄公，迭我殽地，奸绝我好，伐我保城，殄灭我费滑，散离我兄弟，挠乱我同盟，倾覆我国家。我襄公未忘君之旧勋，而惧社稷之陨，是以有殽之师。犹愿赦罪于穆公。穆公弗听，而即楚谋我。天诱其衷，成王陨命，穆公是以不克逞志于我。

穆、襄即世，康、灵即位。康公，我之自出，又欲阙翦我公室、倾覆我社稷，帅我蝥贼以来荡摇我边疆，我是以有令狐之役。康犹不悛，入我河曲，伐我涑川，俘我王官，翦我羁马，我是以有河曲之战。东道之不通，则是康公绝我好也。

及君之嗣也，我君景公引领西望，曰："庶抚我乎！"君亦不惠称盟，利吾有狄难，入我河县，焚我箕、郜，芟夷我农功，虔刘我边（陲）〔垂〕，我是以有辅氏之聚。君亦悔祸之延，而欲徼福于先君献、穆，使伯车来命我景公曰："吾与女同好弃恶，复修旧德，以追念前勋。"言誓未就，景公即世，我寡君是以有令狐之会。

君又不祥，背弃盟誓。白狄及君同州，君之仇雠而我（之）昏姻也。君来赐命曰："吾与女伐狄。"寡君不敢顾昏姻，畏君之威而受命于吏。君有二心于狄，曰："晋将伐女。"狄应且憎，是用告我。楚人恶君之二三其德也，亦来告我曰："秦背令狐之盟，而来求盟于我：'昭告昊天上帝、秦三公、楚三王，曰："余虽与晋出入，余唯利是视。"'不榖恶其无成德，则用宣之，以惩不壹。"诸侯备闻此言，斯是用痛心疾首，昵就寡人。

寡人帅以听命，唯好是求。君若惠顾诸侯、矜哀寡人而赐之盟，则寡人之愿也，其承宁诸侯以退，岂敢邀乱？君若不施大惠，寡人不佞，其不能〔以〕诸侯退矣！敢尽布之执事，俾执事实图利之。

秦桓公既与晋厉公为令狐之盟，而又召狄与楚，欲道以伐晋，诸侯是以睦于晋。

晋栾书将中军，荀庚佐之；士燮将上军，郤锜佐之；韩厥将下军，荀䓨佐之；赵旃将新军，郤至佐之。郤毅御戎，栾针为右。孟献子曰："晋师乘和，师必有大功。"五月丁亥，晋师以诸侯之师及秦师战于麻隧，秦师败绩。获秦成差及不更女父。

曹宣公卒于师。师遂济泾，及侯丽而还。迓晋侯于新楚。

成肃公卒于瑕。

六月丁卯夜，郑公子班自訾求入于大宫，不能；杀子印、子羽，反军于市。己巳，子驷帅国人盟于大宫，遂从而尽焚之，杀子如、子驵、孙叔、孙知。

曹人使公子负刍守，使公子欣时逆曹伯之丧。秋，负刍杀其大子而自立也，诸侯乃请讨之。晋人以其役之劳，请俟他年。

冬，葬曹宣公。既葬，子臧将亡，国人皆将从之。成公乃惧，告罪，且请焉。乃反，而致其邑。

【译文】

鲁成公十三年春天，晋厉公派郤锜来鲁国请求出兵。三月，成公到京城朝见周天子。夏天五月，成公从京城回到鲁国，就会合晋厉公、齐灵公、宋共公、卫定公、郑成公、曹宣公、邾国人和滕国人攻打秦国。曹宣公在军中去世。秋天七月，成公从攻打秦国的战场回国。冬天，安葬曹宣公。

鲁成公十三年春天，晋厉公派郤锜来鲁国请求出兵，态度不够恭敬。孟献子说："郤氏恐怕要灭亡了吧！礼仪，就好像是人的躯干；恭敬，就好像是人的根基。郤子已丧失了根基。况且他作为先君的嗣卿，受命前来请求出兵，是为了保卫国家，却如此懈怠，这是忘记了国君的命令，他怎能不灭亡呢？"

三月，成公到京城朝见天子。宣伯想得到赏赐，请求先行出发。周简王只用对普通外交人员的礼节接待他。孟献子跟随成公一起到了京城，周简王认为他是成公的副手，就重加赏赐。

成公和诸侯朝见了周简王，就随同刘康公、成肃公会同晋厉公攻打秦国。成肃公在举行祭祀、分发社肉时，不够恭敬。刘康公说："我听说，百姓得到天地的中和之气而降生，这就是天命。因此有了动作、礼义、威仪的法则，用来安定一个人的命运。贤能的人遵循这些法则而得到福佑，无能的人败坏这些法则就招致祸患。因此君子勤礼法，小人竭尽体力。勤于礼没有比恭敬再好的了，尽力没有比敦厚笃实再好的了。恭敬在于供奉神明，笃实在于安分守业。国家的大事，就是祭祀和战争。祭祀有分享祭肉之礼，战争有分发社肉之礼，这都是事奉神明的重大礼节。现在成肃公懈怠无礼，是抛弃了天命，恐怕回不来了吧！"

夏天四月五日，晋厉公派吕相去秦国断绝和秦国的外交关系，他说："过去从我们献公和你们穆公就开始友好，合力同心，立下了盟誓，并建立了婚姻关系。后来上天降灾给晋国，晋文公到了齐国，晋惠公到了秦国。不幸献公又去世了。秦穆公不忘旧德，使我们惠公能继承晋国君位。但秦国没有能为两国的友好建立更大的功勋，而发动了韩地之战。后来你们对此也有所后悔，于是又成就我们文公登上君位，这都是秦穆公的功劳。文公身披甲胄，跋山涉水，历尽险阻，征服了东方的诸侯，使虞、夏、商、周的后代都来朝见秦国，那么这也算是报答了秦国过去的恩德了。郑国人侵犯贵国边境，我们文公又率领诸侯和秦军围攻郑国。秦国大夫没有征求我们国君的意见，就擅自和郑国订立了和约。诸侯们都因此而憎恨秦国，准备与秦国拼一死战。我们文公为贵国担忧，又安抚诸侯，才使秦军能够平安回国，未受伤害，这也是我们对秦国的大功劳了吧。

"不幸文公去世，你们穆公却不来吊唁，蔑视我国已去世的君王，并且欺凌我们襄公，侵犯我国的殽地，断绝和我国的友好关系，攻打我国城堡，灭亡了我们的滑国，离间我们兄弟国家，扰乱我们同盟国的关系，企图颠覆我们国家。我们襄公虽没有忘记过去贵国国君对我们的功劳，但担忧国家被灭亡，因此才向殽地发兵。即使如此，我国还是愿意向穆公赔罪。但穆公不听，而投靠楚国来对付我国。上天有灵，使楚成王被害，穆公对我国的阴谋才因此没有得逞。穆公、襄公去世，秦康公和晋灵公即位。康公本是我晋国的外甥，却也想损害我国公室，颠覆我们国家，还利用我国的内奸，来扰乱我国边疆，因此我国与贵国发生了令狐之战。康公仍不悔改，又侵犯我国河曲，攻打涑川，劫我王官，灭我羁马，因此我国和贵国才有河曲一战。秦、晋两国断绝友好往来，是康公拒绝和我们友好的缘故。

"等到您继位之后，我们国君景公翘首西望说：'秦国大概会安抚我们了吧！'但您也不愿赐恩和我们结盟，还利用我们遭到狄人入侵的机会，侵入我国河曲，楚烧我国箕、郜二地，抢掠我国的庄稼，在我国边疆大肆杀戮。因此我们才有辅氏之战。您也为战祸蔓延感到后悔，而想向先君献公、穆公祈求福佑，派伯车来，对我们景公说：

'我和你同修旧好，捐弃前嫌，来追念先君的功勋。'盟约还没有订立，景公就去世了，我国厉公因此参加了在令狐举行的会盟。但您又无诚意，背弃了盟约。白狄和您同在一州，他们是您的仇人，却是我国的姻亲。您传令说：'我和你一起攻打白狄。'我们国君不敢顾及婚姻关系，畏惧您的威严，只好下令攻打白狄。可您却对白狄有另外的念头，对他们说：'晋国将要攻打你们。'白狄表面上接受您的好意，实际上却憎恨您的这种做法，因此将此事告诉了我们。

"楚国人也讨厌您的这种反复无常，前来告诉我们说：'秦国背弃了令狐之盟，而来请求和我国结盟，对皇天上帝、秦三公和楚三王发誓说：'我们虽然和晋国来往，但只是图谋自己的利益。'楚王讨厌他们反复无常，因此公之于众，来惩罚他们不专一。诸侯们都听说了这些话，因此都痛心疾首，而更加亲近我们。现在我们国君率领诸侯前来听候您的命令，只是为了谋求友好。您如果顾念诸侯，怜悯我们，赐恩与我们结盟，那么这将是我们的愿望。我们将安抚诸侯而退兵，哪里敢谋求战乱呢？您如果不肯施大恩，那么我们不才，也就不能率领诸侯退兵了。谨把该说的都坦率地告诉您了。请您权衡利弊。"

秦桓公和晋厉公订立了令狐之盟，又召来狄人和楚国人，要带着他们攻打晋国，因为这件事，诸侯们反而和晋国更团结了。晋国的栾书率领中军，荀庚为副帅；士燮率领上军，郤锜为副帅；韩厥率领下军。荀䓨为副帅；赵旃率领新军，郤至为副帅；郤毅驾御战车，栾鍼担任车右。孟献子说："晋国的将士上下一心，军队一定能建立大功。"五月四日，晋军率领诸侯的军队与秦军在麻隧作战。秦军大败，晋军俘获了秦国的成差和女父。曹宣公在军中去世。晋军于是渡过泾水，直达侯丽才退兵。军队在新楚迎接厉公。

成肃公在晋国的瑕地去世。

六月十五日晚上，郑国的公子班想从訾地进入郑国的太庙，没能如愿，就杀了子印和子羽，然后又率军返回城内驻扎。十七日，子驷率领国人在太庙盟誓，随后就追杀公子班，全部焚烧了他驻扎的地方，并杀了公子班、子驵、孙叔、孙知。

曹国人派公子负刍留守国内，派公子欣时去迎接曹宣公的灵柩。秋天，公子负刍杀了太子而自立为国君。诸侯于是请求讨伐他。晋国人因为他在对秦作战中的功劳，请求等到下一年再讨伐。冬天，安葬曹宣公。安葬完宣公之后，公子欣时准备逃亡，曹国人都要跟从他。成公负刍于是害怕了，他承认了自己的罪过，并请求公子欣时留下。公子欣时于是回到宫内，并把自己的封邑送给了成公。

成公十四年

【原文】

十有四年：春，王正月，莒子朱卒。

夏，卫孙林父自晋归于卫。

秋，叔孙侨如如齐逆女。

郑公子喜帅师伐许。

九月，侨如以夫人妇姜氏至自齐。

冬，十月庚寅，卫侯臧卒。

秦伯卒。

十四年春，卫侯如晋。晋侯强见孙林父焉，定公不可。夏，卫侯既归，晋侯使郤犨送孙林父而见之。卫侯欲辞，定姜曰："不可！是先君宗卿之嗣也，大国又以为请；不许，将亡。虽恶之，不犹愈于亡乎？君其忍之！安民而宥宗卿，不亦可乎？"卫侯见而复之。

卫侯飨苦成叔，宁惠子相。苦成叔傲。宁子曰："苦成〔叔〕家其亡乎！古之为享食也，以观威仪、省祸福也，故《诗》曰：'兕觥其觩，旨酒思柔。彼交匪傲，万福来求。'今夫子傲，取祸之道也。"

秋，宣伯如齐逆女。称族，尊君命也。

八月，郑子罕伐许，败焉。戊戌，郑伯复伐许。庚子，入其郛。许人平以叔申之封。

九月，侨如以夫人妇姜氏至自齐。舍族，尊夫人也。故君子曰："《春秋》之称，微而显，志而晦，婉而成章，尽而不汙，惩恶而劝善。非圣人，谁能修之？"

卫侯有疾，使孔成子、宁惠子立敬姒之子衎以为大子。冬十月，卫定公卒。夫人姜氏既哭而息，见大子之不哀也，不内酌饮，叹曰："是夫也，将不唯卫国之败，其必始于未亡人。乌呼！天祸卫国也夫！吾不获鱯也使主社稷。"大夫闻之，无不耸惧。孙文子自是不敢舍其重器于卫，尽寘诸戚，而甚善晋大夫。

【译文】

鲁成公十四年春天，周历正月，莒子朱去世。夏天，卫国的孙林父从晋国回到卫国。秋天，叔孙侨如到齐国为成公迎娶齐女。郑国的公子喜率军攻打许国。九月。侨如带着夫人姜氏从齐国回到鲁国。冬天，十月十六日，卫定公臧去世。秦桓公去世。

鲁成公十四年春天，卫定公到晋国访问，晋厉公强行要卫定公接见从卫国逃到晋国的孙林父，卫定公不同意。夏天，卫定公已经回国，晋厉公又派郤犨送孙林父回卫国拜见定公。定公想拒绝，定公夫人说："不能这样做。孙林父是先君同宗之卿的后代，而且又有大国来请求，不答应，将要亡国。虽然讨厌他，不还是比亡国强吗？您就忍耐一下吧！您这样做既安定了百姓，又宽宥了宗卿，不也是可以的吗？"卫定公于是接见了孙林父，并且恢复了他的职位和封地。

卫定公设宴款待郤犨，宁惠子主持接待。郤犨表现傲慢。宁惠子说："郤犨家族快要灭亡了吧！古代的设宴款待之礼，就是为了观察一个人的威仪，检查他的祸福命运。所以《诗》说：'牛角酒杯，美酒柔和，不骄不傲，万福就到。'现在那个人很傲慢，这是自取灾祸之道。"

秋天，宣伯到齐国为鲁成公迎娶齐女。《春秋》之所以称呼宣伯的族名"叔孙"，是为了尊重国君的命令。八月，郑国的子罕攻打许国，被打败了。二十三日，郑成公再次发兵攻打许国。二十五日，攻入许国国都外城。许国人以叔申的封地为条件向郑国求和。

九月，宣伯带着夫人姜氏从齐国回到鲁国。这次《春秋》不称他的族名"叔孙"，是为了尊重夫人。所以君子认为：'《春秋》的记述，细微而含义显明，记载史实含义深远，委婉而顺理成章，记述全面但又不歪曲事实，因此能惩戒邪恶，勉励行善。如果不是圣人，谁能够编写它？'

卫定公有病，让孔成子、宁惠子拥立他的妾敬姒的儿子衎为太子。冬天，十月，卫定公去世。夫人姜氏哭着哭着就停了下来，她看见太子并不哀伤，于是气得连水也不喝了。她叹息说："这个人啊，不但会使卫国败亡，而且还必定从我身上开始。呜呼！这是上天要降祸给卫国啊！我没有得到鱄，来让他主持国家。"大夫听到了这番话，无不恐惧。孙林父从此不敢把贵重宝物放在卫国都城，全部放到他的封邑戚地去了，同时和晋国大夫们的关系也搞得很好。

成公十五年

【原文】

十有五年：春，王二月，葬卫定公。
三月乙巳，仲婴齐卒。
癸丑，公会晋侯、卫侯、郑伯、曹伯、宋世子成、齐国佐、邾人，同盟于戚。
晋侯执曹伯归于京师。
公至自会。
夏，六月，宋公固卒。
楚子伐郑。
秋，八月庚辰，葬宋共公。
宋华元出奔晋。宋华元自晋归于宋。
宋杀其大夫山。
宋鱼石出奔楚。
冬，十有一月，叔孙侨如会晋士燮、齐高无咎、宋华元、卫孙林父、郑公子鳅、邾人，会吴于钟离。
许迁于叶。

十五年春，会于戚，讨曹成公也。执而归诸京师。书曰"晋侯执曹伯"，不及其民也。凡君不道于其民，诸侯讨而执之，则曰"某人执某侯"，不然则否。

诸侯将见子臧于王而立之。子臧辞，曰："前《志》有之，曰：'圣达节，次守节，下失节。'为君非吾节也。虽不能圣，敢失守乎？"遂逃，奔宋。

夏，六月，宋共公卒。

楚将北师，子囊曰："新与晋盟而背之，无乃不可乎？"子反曰："敌利则进，何盟之有？"申叔时老矣，在申，闻之，曰："子反必不免！信以守礼，礼以庇身。信、礼之亡，欲免，得乎？"

楚子侵郑，及暴隧。遂侵卫，及首止。郑子罕侵楚，取新石。

栾武子欲报楚，韩献子曰："无庸。使重其罪，民将叛之。无民，孰战？"

秋八月，葬宋共公。于是华元为右师，鱼石为左师，荡泽为司马，华喜为司徒，公孙师为司城，向为人为大司寇，鳞朱为少司寇，向带为太宰，鱼府为少宰。荡泽弱公室，杀公子肥。华元曰："我为右师。君臣之训，师所司也。今公室卑而不能正，吾罪大矣！不能治官，敢赖宠乎？"乃出，奔晋。

二华，戴族也。司城，庄族也。六官者，皆桓族也。鱼石将止华元，鱼府曰："右师反，必讨，是无桓氏也。"鱼石曰："右师苟获反，虽许之讨，必不敢。且多大功，国人与之；不反，惧桓氏之无祀于宋也。右师讨，犹有戌在。桓氏虽亡，必偏。"鱼石自止华元于河上。请讨，许之，乃反。使华喜、公孙师帅国人攻荡氏，杀子山。书曰"宋杀〔其〕大夫山"，言背其族也。

鱼石、向为人、鳞朱、向带、鱼府出舍于睢上。华元使止之，不可。冬，十月，华元自止之，不可，乃反。鱼府曰："今不从，不得入矣。右师视速而言疾，有异志焉。若不我纳，今将驰矣！"登丘而望之，则驰。骋而从之，则决睢澨，闭门登陴矣。左师、二司寇、二宰遂出奔楚。华元使向戌为左师，老佐为司马，乐裔为司寇，以靖国人。

晋三郤害伯宗，谮而杀之，及栾弗忌。伯州犁奔楚。韩献子曰："郤氏其不免乎！善人，天地之纪也；而骤绝之，不亡何待？"

初，伯宗每朝，其妻必戒之曰："'盗憎主人，民恶其上。'子好直言，必及于难！"

十一月，会吴于钟离，始通吴也。

许灵公畏偪于郑，请迁于楚。辛丑，楚公子申迁许于叶。

【译文】

鲁成公十五年春天，周历二月，安葬卫定公。三月三日，仲婴齐去世。十一日，成公会合晋厉公、卫献公、郑成公、曹成公、宋国的太子成、齐国的国佐、邾人在戚地结盟。晋厉公抓住曹成公送到了京师。成公从会盟地回国。夏天，六月，宋共公固去世。楚共王攻打郑国。秋天，八月十日，安葬宋共公。宋国的华元逃亡到晋国。宋国的华元从晋国回到宋国。宋国杀掉了大夫山。宋国的鱼石逃亡到楚国。冬天，十一月，叔孙侨如会合晋国的士燮、齐国的高无咎、宋国的华元、卫国的孙林父、郑公子鰌、邾人在钟离和吴国举行了会谈。许国迁到了叶城。

鲁成公十五年春天，成公和诸侯们在戚地会盟，是为了讨伐曹成公。在盟会上抓住曹成公，然后把他送到了京师。《春秋》记载说："晋侯执曹伯。"表示只惩罚曹成公，并不连累曹国的老百姓。凡是国君对老百姓不行仁道，诸侯讨伐并抓住他，就叫做"某人执某侯"，不然，就不这样记载。

诸侯准备要子臧去朝见周天子，然后立他为国君。子臧推辞说："《前志》上有这样的话：'圣人能通达节操，次一等的能保持节操，下等的失去节操。'出任国君，不符合我的节操。我虽然不能成为圣人，但敢失去节操吗？"于是就逃到宋国去了。

夏天，六月，宋共公去世。

楚国打算出兵侵略北方。子囊说："刚和晋国结盟就背叛它，恐怕不行吧？"子反说："敌情对我有利就进兵，管它盟约不盟约？"申叔此时已经告老退休了，住在申地，听说了这件事，说："子反一定难免灾祸。信用是用来保持礼仪的，礼仪是用来保护自己的，信用和礼仪都丢了，想免除灾祸，能吗？"

楚共王入侵郑国，攻到了暴隧，于是又入侵卫国，攻到了首止。郑国的子罕就攻打楚国，攻占了新石。

栾书想报复楚国。韩献子说："用不着，让他们加重自己的罪过，老百姓就将背叛他们。失去了老百姓，靠什么作战？"

秋天八月，安葬宋共公。此时华元担任右师，鱼石担任左师，荡泽担任司马，华喜担任司徒，公孙师担任司城，向为人担任大司寇，鳞朱担任少司寇，向带担任太宰，鱼府担任少宰。荡泽削弱公室，杀了公子肥。华元说："我担任右师，君臣之礼，应是我负责的事。如今公室衰弱而我又不能拨乱反正，我的罪过可就大了。不能尽职，还敢得到宠信以利己吗？"于是就逃亡到晋国去了。

华元和华喜，都是宋戴公的后人；司城公孙师，是宋庄公的后人；其他六个大臣，都是宋桓公的后人。

鱼石准备劝阻华元，鱼府说："右师如果返回，一定要讨伐荡泽，这样会导致我们桓族灭亡。"鱼石说："右师如果能够回来，即使准许他讨伐罪人，他也肯定不敢。况且他有大功，国人都听从他，如果不让他回来，我担心桓公之族在宋国没有人祭祀了。右师即使讨伐，也还有向戌在，桓公之族虽然灭亡，也只是一部分。"鱼石自己赶到黄河阻止华元出国。华元请求讨伐荡泽，鱼石同意了他，于是华元就回来了。让华喜、公孙师率领国人攻打荡泽，杀了荡泽。《春秋》记载说："宋杀其大夫山。"是说荡泽背叛了他的族人。

鱼石、向为人、鳞朱、向带、鱼府离开国都住到睢水边上，华元派人劝阻他们，他们不听。冬天，十月，华元亲自去劝告他们，仍不听。华元就回去了。鱼府说："现在不听从华元的劝告，以后就不能回去了。华元目光锐利，言语快捷，可能有别的想法。如果他不是真心接我们回去，现在应该已经走了。"于是登上土丘远望，果然华元已驱车而去。他们驱车跟随其后,到了国都,华元已决开睢水堤防,关上城门登上城墙了。左师、两个司寇和两个宰就逃亡到了楚国。华元派向戌担任左师,老佐担任司马,乐裔担任司寇,以安定百姓。

晋国的郤锜、郤犨、郤至迫害伯宗,诬陷并杀害了他,同时杀了栾弗忌。伯州犁逃亡到楚国。韩献子说:"郤氏恐怕难逃灾祸了吧!好人,是天地的纲纪,而郤氏屡次想灭绝他们,还能不灭亡吗?"

当初,伯宗每次上朝,他的妻子必定告诫他说:"'盗贼憎恨主人,百姓厌恶统治者。'你喜欢直言不忌,一定会遭难。"

十一月,在钟离会见吴国使者,这是中原各国首次和吴国往来。

许灵公害怕郑国的欺凌,请求迁到楚国。三日,楚国的公子申把许国迁到了楚国的叶城。

成公十六年

【原文】

　　十有六年:春,王正月,雨,木冰。
　　夏,四月辛未,滕子卒。
　　郑公子喜帅师侵宋。
　　六月丙寅朔,日有食之。
　　晋侯使栾黡来乞师。
　　甲午晦,晋侯及楚子、郑伯战于鄢陵。楚子、郑师败绩。
　　楚杀其大夫公子侧。
　　秋,公会晋侯、齐侯、卫侯、宋华元、邾人于沙随,不见公。
　　公至自会。
　　公会尹子、晋侯、齐国佐、邾人伐郑。
　　曹伯归自京师。
　　九月,晋人执季孙行父,舍之于苕丘。
　　冬,十月乙亥,叔孙侨如出奔齐。
　　十有二月乙丑,季孙行父及晋郤犨盟于扈。
　　公至自会。
　　乙酉,刺公子偃。
　　十六年春,楚子自武城使公子成以汝阴之田求成于郑。郑叛晋,子驷从楚子盟于武城。
　　夏,四月,滕文公卒。

郑子罕伐宋。宋将鉏、乐惧败诸汋陂；退舍于夫渠，不儆。郑人覆之，败诸汋陵，获将鉏、乐惧，宋恃胜也。

卫侯伐郑，至于鸣雁，为晋故也。

晋侯将伐郑。范文子曰："若逞吾愿，诸侯皆叛，晋可以逞。若惟郑叛，晋国之忧可立俟也。"栾武子曰："不可以当吾世而失诸侯，必伐郑！"乃兴师。栾书将中军，士燮佐之。郤锜将上军，荀偃佐之。韩厥将下军，郤至佐新军。荀䓨居守。

郤犨如卫，遂如齐，皆乞师焉。栾黡来乞师，孟献子曰："〔晋〕有胜矣。"

戊寅，晋师起。郑人闻有晋师，使告于楚，姚句耳与往。

楚子救郑，司马将中军，令尹将左，右尹子辛将右。过申，子反入见申叔时，曰："师其何如？"对曰："德、刑、详、义、礼、信，战之器也。德以施惠，刑以正邪，详以事神，义以建利，礼以顺时，信以守物。民生厚而德正，用利而事节，时顺而物成，上下和睦，周旋不逆，求无不具，各知其极。故《诗》曰：'立我烝民，莫匪尔极。'是以神降之福，时无灾害，民生敦庞，和同以听，莫不尽力以从上命，致死以补其阙。此战之所由克也。今楚内弃其民而外绝其好，渎齐盟而食话言，奸时以动而疲民以逞。民不知信，进退罪也。人恤所（底）〔厎〕，其谁致死？子其勉之，吾不复见子矣！"

姚句耳先归。子驷问焉，对曰："其行速，过险而不整。速则失志。不整，丧列。志失列丧，将何以战？楚惧不可用也。"

五月，晋师济河。闻楚师将至，范文子欲反，曰："我（伪）〔为〕逃楚，可以纾忧。夫合诸侯，非吾所能也，以遗能者。我若群臣辑睦以事君，多矣。"武子曰："不可！"

六月，晋、楚遇于鄢陵。范文子不欲战，郤至曰："韩之战，惠公不振旅；箕之役，先轸不反命；邲之师，荀伯不复从；皆晋之耻也！子亦见先君之事矣，今我辟楚，又益耻也！"文子曰："吾先君之亟战也，有故。秦、狄、齐、楚皆强，不尽力，子孙将弱。今三强服矣，敌，楚而已。惟圣人能外内无患。自非圣人，外宁必有内忧。盍释楚以为外惧乎？"

甲午晦，楚晨压晋军而陈。军吏患之。范匄趋进，曰："塞井夷灶，陈于军中而疏行首。晋、楚惟天所授，何患焉？"文子执戈逐之，曰："国之存亡，天也，童子何知焉？"栾书曰："楚师轻窕，固垒而待之，三日必退。退而击之，必获胜焉。"郤至曰："楚有六间，不可失也；其二卿相恶，王卒以旧，郑陈而不整，蛮军而不陈，陈不违晦，在陈而嚣，合而加嚣，各顾其后，莫有斗心。旧不必良，以犯天忌，我必克之！"

楚子登巢车以望晋军，子重使大宰伯州犁侍于王后。王曰："骋而左右何也？"曰："召军吏也。""皆聚于中军矣。"曰："合谋也。""张幕矣。"曰："虔卜于先君也。""彻幕矣。"曰："将发命也。""甚嚣，且尘上矣！"曰："将塞井夷灶而为行也。""皆乘矣，左右执兵而下矣。"曰："听誓也。""战乎？"曰："未可知也。""乘而左右皆下矣。"曰："战祷也。"伯州犁以公卒告王。

苗贲皇在晋侯之侧，亦以王卒告。皆曰："国士在，且厚，不可当也。"苗贲皇言于晋侯曰:"楚之良在其中军王族而已。请分良以击其左、右,而三军萃于王卒,必大败之。"公筮之,史曰:"吉。其卦遇'复䷗',曰:'南国蹙,射其元王,中厥目。'国蹙王伤,不败何待?"公从之。

有淖于前,乃皆左右相违于淖。步毅御晋厉公,栾针为右。彭名御楚共王,潘党为右。石首御郑成公,唐苟为右。

栾、范以其族夹公行,陷于淖。栾书将载晋侯,针曰:"书退!国有大任,焉得专之?且侵官,冒也;失官,慢也;离局,奸也。有三罪焉,不可犯也。"乃掀公以出于淖。

癸巳,潘尫之党与养由基蹲甲而射之,彻七札焉。以示王,曰:"君有二臣如此,何忧于战!"王怒曰:"大辱国!诘朝尔射,死艺!"吕锜梦射月,中之,退入于泥。占之,曰:"姬姓,日也;异姓,月也,必楚王也。射而中之,退入于泥,亦必死矣!"及战,射共王,中目。王召养由基,与之两矢,使射吕锜。中项,伏弢;以一矢复命。

郤至三遇楚子之卒,见楚子,必下,免胄而趋风。楚子使工尹襄问之以弓,曰:"方事之殷也,有韎韦之跗注,君子也。识见不榖而趋,无乃伤乎?"郤至见客,免胄承命,曰:"君之外臣至,从寡君之戎事。以君之灵,间蒙甲胄,不敢拜命,敢告不宁君命之辱。为事之故,敢肃使者!"三肃使者而退。

晋韩厥从郑伯,其御杜溷罗曰:"速从之!其御屡顾,不在马,可及也。"韩厥曰:"不可以再辱国君。"乃止。郤至从郑伯,其右茀翰胡曰:"谍辂之,余从之乘而俘以下。"郤至曰:"伤国君有刑。"亦止。

石首曰:"卫懿公唯不去其旗,是以败于荧。"乃内旌于弢中。唐苟谓石首曰:"子在君侧,败者壹大。我不如子。子以君免,我请止。"乃死。

楚师薄于险。叔山冉谓养由基曰:"虽君有命,为国故,子必射!"乃射。再发,尽殪。叔山冉搏人以投,中车,折轼。晋师乃止。囚楚公子茷。

栾针见子重之旌,请曰:"楚人谓夫旌,子重之麾也,彼其子重也。日臣之使于楚也,子重问晋国之勇,臣对曰:'好以众整。'曰:'又何如?'臣对曰:'好以暇。'今两国治戎,行人不使,不可谓整。临事而食言,不可谓暇。请摄饮焉。"公许之。使行人执榼承饮,造于子重,曰:"寡君乏使,使针御持矛,是以不得犒从者,使某摄饮。"子重曰:"夫子尝与吾言于楚,必是故也。不亦识乎?"受而饮之,免使者而复鼓。

旦而战,见星未已。子反命军吏:"察夷伤,补卒乘,缮甲兵,展车马,鸡鸣而食,唯命是听。"晋人患之。苗贲皇徇曰:"蒐乘补卒,秣马利兵,修陈固列,蓐食申祷,明日复战!"乃逸楚囚。王闻之,召子反谋。榖阳竖献饮于子反,子反醉而不能见。王曰:"天败楚也夫!余不可以待。"乃宵遁。

晋入楚军,三日榖。范文子立于戎马之前,曰:"君幼,诸臣不佞,何以及此?君其戒之!《周书》曰:'惟命不于常。'有德之谓。"

楚师还,及瑕,王使谓子反曰:"先大夫之覆师徒者,君不在。子无以为过,不榖之罪也。"子反再拜稽首,曰:"君赐臣死,死且不朽。臣之卒实奔,臣之罪也!"子重使谓子反曰:"初陨师徒者,而亦闻之矣。盍图之?"对曰:"虽微先大夫有之,大夫命侧,侧敢不义?侧亡君师,敢忘其死!"王使止之,弗及而卒。

战之日,齐国佐、高无咎至于师,卫侯出于卫,公出于坏隤。

宣伯通于穆姜,欲去季、孟而取其室。将行,穆姜送公,而使逐二子。公以晋难告,曰:"请反而听命。"姜怒,——公子偃、公子鉏趋过,——指之曰:"女不可,是皆君也。"公待于坏隤,申宫、儆备、设守而后行,是以后。使孟献子守于公宫。

秋,会于沙随,谋伐郑也。

宣伯使告郤犨曰:"鲁侯待于坏隤,以待胜者。"郤犨将新军,且为公族大夫,以主东诸侯。取货于宣伯而诉公于晋侯,晋侯不见公。

曹人请于晋曰:"自我先君宣公即世,国人曰:'若之何?'忧犹未弭,而又讨我寡君,以亡曹国社稷之镇公子,是大泯曹也。先君无乃有罪乎?若有罪,则君列诸会矣。君唯不遗德刑以伯诸侯,岂独遗诸敝邑?取私布之!"

七月,公会尹武公及诸侯伐郑。将行,姜又命公如初。公又申守而行。诸侯之师次于郑西。我师次于督扬,不敢过郑。子叔声伯使叔孙豹请逆于晋师,为食于郑郊。师逆以至。声伯四日不食以待之,食使者而后食。

诸侯迁于制田。知武子佐下军,以诸侯之师侵陈;至于鸣鹿,遂侵蔡。未反,诸侯迁于颍上。戊午,郑子罕宵军之,宋、齐、卫皆失军。

曹人复请于晋。晋侯谓子臧:"反!吾归而君。"子臧反,曹伯归。子臧尽致其邑与卿而不出。

宣伯使告郤犨曰:"鲁之有季、孟,犹晋之有栾、范也,政令于是乎成。今其谋曰:'晋政多门,不可从也。宁事齐、楚,有亡而已,蔑从晋矣!'若欲得志于鲁,请止行父而杀之,我毙蔑也,而事晋蔑有贰矣。鲁不贰,小国必睦。不然,归必叛矣。"

九月,晋人执季文子于苕丘。公还,待于郓,使子叔声伯请季孙于晋。郤犨曰:"苟去仲孙蔑而止季孙行父,吾与子国,亲于公室。"对曰:"侨如之情,子必闻之矣。若去蔑与行父,是大弃鲁国而罪寡君也。若犹不弃,而惠徼周公之福,使寡君得事晋君;则夫二人者鲁国社稷之臣也,若朝亡之,鲁必夕亡。以鲁之密迩仇雠,亡而为雠,治之何及?"郤犨曰:"吾为子请邑。"对曰:"婴齐,鲁之常隶也,敢介大国以求厚焉?承寡君之命以请;若得所请,吾子之赐多矣!又何求?"

范文子谓栾武子曰:"季孙于鲁,相二君矣。妾不衣帛,马不食粟,可不谓忠乎?信谗慝而弃忠良,若诸侯何?子叔婴齐奉君命无私,谋国家不贰,图其身不忘其君。若虚其请,是弃善人也。子其图之!"乃许鲁平,赦季孙。

冬十月,出叔孙侨如而盟之。侨如奔齐。

十二月,季孙及郤犨盟于扈。归,刺公子偃。召叔孙豹于齐而立之。

齐声孟子通侨如,使立于高、国之间。侨如曰:"不可以再罪。"奔卫,亦间于卿。

晋侯使郤至献楚捷于周。与单襄公语,骤称其伐。单子语诸大夫曰:"温季其亡乎!位于七人之下,而求掩其上;怨之所聚,乱之本也。多怨而阶乱,何以在位?《夏书》曰：'怨岂在明？不见是图。'将慎其细也。今而明之，其可乎？"

【译文】

　　鲁成公十六年春天，周历正月，下雨，树木上凝聚了一层白霜。夏天，四月五日，滕文公去世。郑国的公子喜率领军队入侵宋国。六月初一，发生了日蚀。晋厉公派栾黡前来请求鲁国出兵。二十九日，晋厉公与楚共公和郑成公在鄢陵作战。楚共公和郑军大败。楚国杀了公子侧。秋天，鲁成公在沙随和晋厉公、齐灵公、卫献公、宋国的华元、邾人举行会谈，晋厉公因故不会见成公。成公从会谈地回国。成公会见尹子，晋厉公和齐国的国佐、邾人一起攻打郑国。曹成公从京师回国。九月，晋国人抓住了季孙行父，囚禁在苕丘。冬天，十月十二日，叔孙侨如逃亡到了齐国。十二月三日，季孙行父与晋国的郤犨在扈地会盟。成公从会盟地回国。二十三日，暗杀了公子偃。

　　鲁成公十六年春天，楚共王从武城派公子成用汝阴的土地向郑国求和。郑国又背叛了晋国，子驷跟随楚共公在武城订立了盟约。

　　夏天，四月，滕文公去世。郑国的子罕攻打了宋国，宋国的将钼、乐惧二人在汋陂打败了子罕。宋国军队撤退后，驻扎在夫渠，但没有加强戒备，郑国人用伏兵突然袭击，在汋陵打败了宋军，俘虏了将钼和乐惧。这是因为宋军获胜后轻敌的缘故。

　　卫献公攻打郑国，一直攻到鸣雁，这是为了晋国才出兵的。

　　晋厉公准备攻打郑国，士燮说："如果要满足我国的愿望，必须要等到诸侯都背叛了我们，晋国的愿望才能得到满足。如果只有郑国背叛，就出兵讨伐，晋国的灾祸就指日可待

潘党射透七层铠甲，选自明刊本《新镌绣像列国志》。

了。"栾书说："不能在我们执政期间失去诸侯，一定要攻打郑国。"于是兴兵。栾书率领中军，士燮辅佐他；郤锜率领上军，荀偃辅佐他；韩厥率下军，郤至为新军副帅，荀䓨留守国内。郤犨到卫国，又到齐国，都是请求出兵相助。栾黡来鲁国请求出兵。孟献子说："晋国能取胜。"十二日，晋军出动。

　　郑国人听说有晋军入侵，便派人通报楚国，姚句耳随使者一同前往。楚共王援救

郑国。任命司马子反率中军，令尹子重率左军，右尹子辛率右军。楚军途经申地时，子反拜见申叔时，说："这次出兵。您以为如何？"申叔时回答说："德行、刑法、祭祀、道义、礼法、信用，这是战争的六种条件。德行用来施恩，刑法用来正邪，祭祀用来敬神，道义用来创利，礼法用来顺时，信用用来保物。百姓生活富足，德行就会端正；一切为百姓谋利，办事就合乎法度；顺应时令，万物就有所成就。这样就能上下和睦，处事没有矛盾，需求无不满足，每人都知道行为的准则。所以《诗》说：'安置我的百姓，没有人不以你为准则。'因此神灵就降福给他们，四时无灾害，百姓生活富足，团结一致听从政令，没有人不尽力为君王效命，牺牲生命前赴后继，这就是作战取胜的原因。现在楚国在国内抛弃了百姓，对外又断绝了和其他国家的友好关系，亵渎神圣的盟约，食言无信，违反时令而兴兵，劳民伤财以满足自己的野心。百姓不知道信用，前进后退都是犯罪。人们都担心自己的命运结局，那还有谁愿意去拼死作战呢？您尽力去做吧！我再也见不到您了。"姚句耳先回到郑国，子驷问他情况怎么样？姚句耳回答说："楚军行军迅速，经过险要地带时军容不整，行军太快就可能缺乏周密考虑，军容不整，就会导致队列混乱。考虑不周，队列混乱，又凭什么去作战？楚国恐怕不能依靠了。"

五月，晋军渡过黄河。听说楚军将要到，士燮想退兵，他说："我们假装逃避楚军，可以缓解晋国的忧患。大会诸侯，不是我们所能做到的，还是留给有能力的人吧。如果我们群臣团结一致事奉国君，就足够了。"栾书说："不能退兵。"

六月，晋、楚两军在鄢陵相遇。士燮还是不想作战。郤至说："韩地之战，我们惠公未能扬威而归；箕地之战，先轸阵亡；邲地用兵，荀伯一战即败。这都是晋国的耻辱。您也看见了先君的成败。现在我们再逃避楚国，又会增加晋国的耻辱。"士燮说："我们先君屡次作战，是有原因的。当时秦、狄、齐、楚都很强大，如果不尽力争斗，那么子孙就会被进一步削弱。现在秦、狄、齐三国已经屈服，能和我们相匹敌的只有一个楚国而已。只有圣人才能做到内外无忧患。如果不是圣人，外部安宁就必定有内忧，我们何不放过楚国，仍然对外有所戒惧呢？"

六月三十日，楚军清晨逼近晋军摆开阵势。晋国军官十分担心。范匄快步向前，说："赶快填井平灶，摆开军阵，放宽队列距离。晋国和楚国都是上天赐福的国家，有什么担忧的呢？"他父亲士燮拿着戈追赶他，说："国家的存亡，完全在于上天的意志，小孩子知道什么？"栾书说："楚军轻佻，我们加固壁垒严阵以待，他们三天之后必定退走。一旦他们退走，我们趁机追击，一定能获胜。"郤至说："楚军有六个空子可钻，不能失去机会。他们的两个卿子反和子重互相仇恨，楚王的亲兵用的都是旧家子弟，郑国列阵不整齐，蛮人军队没列阵势，列阵作战不忌讳月末的晦日，士兵在阵中喧闹不止，合阵后更加喧闹，各军互相观望后顾，没有斗志。旧家子弟未必精良，晦日出兵犯了上天所忌。我们一定能战胜他们。"

楚共王登上巢车观望晋军，子重让太宰伯州犁站在楚王身后。共王说："晋军的兵车有的向左有的向右奔驰，这是为什么？"伯州犁回答说："这是召集军官。"共王说：

"都集中到了中军了。"伯州犁说:"这是在研究战略。"共王说:"张开了帷帐。"伯州犁说:"这是他们在向先君祈祷和占卜。"共王说:"又拆除了帷帐。"伯州犁说:"这是准备发布命令。"共王说:"那里十分喧闹,而且尘土飞扬。"伯州犁说:"这是在填井平灶准备采取行动了。"共王说:"都上了兵车,但将帅和车右又拿着武器下来了。"伯州犁说:"这是要听取命令。"共王问:"就要作战了吗?"伯州犁回答说:"还不能知道。"共王说:"将帅和车右上了兵车,但又下来了。"伯州犁说:"这是在做战前祈祷。"伯州犁还把晋厉公亲兵的情况一一告诉给共王。这时苗贲皇也站在晋厉公的身旁,也把楚王亲兵的情况告诉给晋厉公。厉公左右的人都说:"有伯州犁在楚国,而且他们阵容强大,是不可抵挡的。"苗贲皇对晋厉公说:"楚军的精良,只是集中在中军王族而已。请用我们的精锐部队攻击楚军的左右军,而三军集中攻击楚王的亲兵,一定能大败楚军。"厉公为此事占筮,太史说:"吉利。占卦得到的是复卦,卦辞说:'南方之国日益缩小,用箭射它的君王,射中他的眼睛。'国家衰弱,君王受伤,还有什么不失败?"于是厉公听从了苗贲皇的建议。

有一片泥沼地出现在晋军前面,于是都左右绕行避开泥沼地。步毅为晋厉公驾车,栾铖为车右。彭名为楚共王驾车,潘党为车右。石首为郑成公驾车,唐苟为车右。栾书、士燮带领他们的族人护卫晋厉公前进。厉公的战车陷到了泥沼里,栾书准备要厉公乘坐自己的战车。栾铖说:"栾书您退下!国家有大事,怎能由您一人独揽?而且这样做侵犯了别人的职权,就是冒犯;放弃自己的职责,就是怠慢;离开自己的部属,这是扰乱。有这三个罪名,切不能犯。"于是就把厉公的战车掀了上来。

五月二十九日,潘尪的儿子潘党和养由基把铠甲放在远处,用箭射它,穿透了七层。他们拿给楚王看,并说:"君王有我们两个神射手,作战时有什么可怕的呢?"共王大怒说:"不知羞。明天早晨你们这样射箭,一定死在你们自己的箭术上。"吕锜夜里梦见用箭射月,射中了它,可自己却退到了泥坑里。他为这事占卜,卜辞说:"姬姓为日,异姓为月,这月亮一定是代表楚共王。射中了他,但自己退入泥坑,也一定会死。"等到战斗开始后,果然射中了共王的眼睛。共王叫来养由基,给他两支箭,让他射吕锜,射中了他的脖子,吕锜倒在弓袋上死了。养由基拿着剩下的一支箭向共王复命。

郤至三次碰到楚王的亲兵,每次见到楚王,他都一定下车,脱下头盔,向前快步走。楚共王派工尹襄送给他一张弓表示问候,并且说:"现在战斗正激烈,这位身穿赤黄色铠甲的人,是一位君子吧。见到我就快步前进,恐怕是受伤了吧?"郤至见到工尹襄,脱下头盔接受共王的问候,说:"君王的外臣郤至,跟随我国国君作战,靠君王的神灵,得以披甲戴胄,不敢拜受君王的问候。谨向君王报告,我并没有受伤,承蒙君王问候,实不敢当。由于军务在身,谨向使者肃拜。"然后对使者肃拜三次才退下去。

晋国的韩厥追赶郑成公,他的御者杜溷罗说:"赶快追上去!他们的御者屡次回头,注意力没有放在赶马上,可以追上。"韩厥说:"我从前羞辱过齐顷公一次,不能再羞辱郑成公了。"于是停止了追赶。郤至追击郑成公,他的车右茀翰胡说:"派一支轻兵从小道迎击，我从后面追上他的车，把他抓下来。"郤至说："伤害国君要受到刑罚。"于是也停止了追赶。石首说："卫懿公与狄人作战时只因为他没有丢掉旗子，因此在荧泽失败了。"于是石首就把旌旗收入弓袋里。唐苟对石首说："你留在国君身边，失败者应一心保护国君。我不如您，您带着国君逃走，我留下来抵挡敌人。"结果唐苟战死了。

楚军被晋军逼迫到险要地带，叔山冉对养由基说："虽然国君有命令，让您不得随便射箭，但为了国家的利益，您一定要射箭！"于是养由基就射箭。他两发两中，那两个人都死了。叔山冉抓住一个俘虏扔向晋军，击中了战车，折断了车前扶手的横木。晋军因此而停止了追击。晋军俘虏了公子茷。

栾鍼看见子重的旗子，对晋厉公说："楚国俘虏说那面旗子，是子重的指挥旗，那车上的人可能就是子重了。往日我出使楚国，子重问晋国的勇武怎么样。我回答他说：'喜欢军容整肃。'又问：'还有什么？'我回答说：'喜欢从容不迫。'现在两国交兵，外交使节不相往来，不能说是军容整肃；遇到战事而不履行过去说的话，不能说是从容不迫。请君派人替我给子重敬酒。"厉公同意了他的请求，派使者端着酒，前去送给子重。使者说："我们国君缺少使者，让栾鍼担任车右，因此他不能前来犒劳阁下，派我来代他向您敬酒。"子重说："栾鍼在楚国时曾和我说过你们晋国喜欢整肃和从容不迫，一定是为这句话的缘故才给我送这杯酒，他的记性真好！"于是子重接过酒一饮而尽，让使者回去后又再次击鼓。从早晨开始作战，一直战到星星出来还没停止。

子反命令军官了解伤亡情况，补充步兵和车兵，修整铠甲兵器，摆列战车马匹，鸡叫时就吃饭，只等主帅的命令。晋国人很担忧。苗贲皇通告全军说："检阅战车，补充士兵，喂饱战马，磨砺武器，整顿军阵，巩固行列，在住地吃饭，再祷告一次，明天再战。"于是故意让楚国俘虏逃跑。楚共王听说这一情况后，召见子反商量对策。子反的侍从进酒给子反喝，子反喝醉了，不能去见共王。共王说："上天要让楚国失败啊！我不能坐以待毙。"于是连夜逃走了。

晋军进入楚军阵地，连续三天都吃楚军的粮食。士燮站在厉公的车马前，说："我国国君年轻，群臣没有才能，凭什么取得这么大的胜利呢？国君您要以此为戒啊！《周书》中说：'天命不会一成不变。'就是说只有有德的人才能享有天命。"

楚军回国，走到瑕地时，共王派人对子反说："当年先大夫子玉使楚军覆灭，因为国君不在军中，所以责任由子玉承担。这次战败，你不要以为是自己的过错，这都是我的罪过。"子反连行了两次叩头礼，说："即使国君赐我一死，死了也觉得光荣。我的部下率先逃跑，这是我的罪过。"子重派人对子反说："当初使军队覆灭的子玉，你也听说过了。何不自己早作决断？"子反回答说："即使没有子玉兵败自杀一事，您让我去死，我岂敢贪生而做不义之人呢？我使君王的军队惨遭失败，怎敢忘记以死谢罪呢？"共王派人拦阻他，还没赶到他就自杀了。

作战的那天，齐国的国佐、高无咎来到军中。卫献公从卫国前来参战，鲁成公也从坏隤率军赶来。宣伯和成公的母亲穆姜私通，他想杀掉季文子和孟献子，从而占取他们的财产。成公准备出发去晋国，穆姜为他送行，要他驱逐季文子和孟献子。成公把晋国要求鲁国联合攻打郑国的事情告诉了她并说："等我回来再听从您的命令。"穆姜很生气。这时成公的庶弟公子偃和公子鉏从旁边路过，于是穆姜指着他们说："你不同意驱逐季文子和孟献子，这两个人随时都可以代你做国君。"成公在坏隤等待前往晋国，同时下令加强宫中警戒，设置了守卫之后才到晋国去，因此他去晚了。他让孟献子留守宫中。

秋天，鲁成公和晋厉公、齐灵公、卫献公、宋国的华元、邾人在沙随举行会谈，谋划攻打郑国。宣伯派人告诉郤犨说："鲁成公在鄢陵之战时待在坏隤迟迟不动，以静观晋、楚两国的胜负。"这时郤犨为新军主帅，并担任公族大夫，主管东方诸侯外交事宜。他接受了宣伯的贿赂，在晋厉公面前毁谤成公，因此晋厉公拒绝会见成公。

曹国人向晋国请求说："自从我们先君宣公去世，国人都说：'忧患没完没了，这可怎么办？'而去年贵国又讨伐我们国君，使我国主持国政的公子子臧逃往国外，这是彻底灭亡曹国啊。先君难道有罪吗？如果真有罪，却为何又让他参加了鲁宣公十七年的断道盟会？国君您从来不失德行和赏罚，所以能称霸诸侯。难道唯独对曹国赏罚不公？谨向君王申述这一点。"

七月，鲁成公会合尹武公和诸侯攻打郑国。将要出发时，穆姜又命令成公驱逐季文子和孟献子。成公又一次设置了宫中守卫后才离开。诸侯的军队驻扎在郑国西部，鲁军驻扎在郑国东部的督扬，不敢经过郑国国都。子叔声伯派叔孙豹请求晋军前来迎接鲁军，并在郑都郊外为晋军准备了饭食。晋军为迎接鲁军而来到了郑郊。声伯四天没有吃饭，一直等到晋军来到，让晋国使者吃了饭之后才进食。

诸侯军队转移到制田。荀䓨为下军副帅，率领诸侯军队入侵陈国，直达鸣鹿。随后又入侵蔡国。没有返回，又转移到颍水边。二十四日，郑国的子罕夜间突袭诸侯联军，宋国、齐国、卫国的军队都溃败了。

曹国人再次请求晋国。晋厉公对子臧说："你回去吧，我让你们国君回国。"子臧回到曹国，曹成公也回国了。子臧把自己的封邑和卿位全都还给了曹成公，从此不再做官。

宣伯派人告诉郤犨说："鲁国有季文子和孟献子，就像你们晋国有栾书、士燮一样，政令都由他们制定。现在他们谋划说：'晋国政出多门，无法听从。宁可事奉齐国和楚国，顶多是亡国而已，但决不跟从晋国了。'如果你们想得到鲁国的拥戴，就请在晋国杀掉季文子，我在国内杀掉孟献子，然后鲁国事奉晋国，就没有二心了。鲁国没有二心，其他小国也一定归顺晋国。不然，季文子回国后必定要背叛晋国。"九月，晋国人在苕丘拘留了季文子。成公回到国内，在郓地等候季文子，并派子叔声伯到晋国为季文子请求。郤犨说："假如您能去掉孟献子和季文子，我就把鲁国的政权交给您。我们和您的关系比和鲁国公室还要亲近。"声伯回答说："宣伯和穆姜的私情，您一定也听说了。如果去掉孟献子和季文子，就是彻底抛弃鲁国和对我国国君的惩罚。如果您还不准备抛弃鲁国，而托周公之福，让我们国君继续事奉晋国国君的话，那么这两个人，就是鲁国的安邦治国之臣。如果早晨处死他们，鲁国必定晚上就灭亡。凭鲁国紧靠贵国的敌国齐国和楚国，你们如果想灭亡鲁国，它就必然会成为贵国的仇敌，到时候想补救还来得及吗？"

郤犨说："我为您请求封邑。"声伯说："我是鲁国的一个普通臣子，哪里敢倚仗大国求取厚禄呢？我奉国君之命前来请求，如果得到批准，那么您给我的赏赐就够多了，还敢要求别的东西吗？"士燮对栾书说："季孙行父在鲁国，先后辅佐了宣公和成公两个君王。他的妾不穿丝绸，马不吃粮食，能说他不是忠心耿耿吗？听信谗言邪恶而抛弃忠良，怎么向诸侯交代？声伯奉君之命而无私心杂念，为国家谋利忠心不二，即使为自己考虑也不忘记他的国君。如果不同意他的请求，这就是抛弃好人。请您认真考虑一下！"于是晋国同意和鲁国讲和，赦免了季文子。

冬天十月，鲁国驱逐了宣伯，群臣都参加了盟誓。宣伯逃亡到齐国。十二月，季文子和郤犨在扈地结盟。季文子回国后暗杀了公子偃，把叔孙豹从齐国召回来立为叔孙氏的继承人。

齐灵公的母亲声孟子和宣伯私通，使宣伯的地位和高氏、国氏相等。宣伯说："我不能犯两次同样的罪过了。"于是逃亡到卫国，地位也在各卿之间。

晋厉公派郤至到周王室进献在对楚作战中所获的俘虏，他和单襄公谈话时，多次夸耀自己的战功。单襄公事后对大夫们说："郤至恐怕要灭亡了啊！他的地位在七人之下，却想超过他上面的七个人。怨恨聚积，这就是祸乱的根源。招致很多怨恨，而自造祸乱的阶梯，又怎么能保持官位？《夏书》说：'对于怨恨难道只应警惕那些明显的，还应考虑那些看不见的因素。'这就是说要谨慎地对待那些细微的问题。现在郤至却在明显地招致怨恨，难道行吗？"

成公十七年

【原文】

十有七年：春，卫北宫括帅师侵郑。
夏，公会尹子、单子、晋侯、齐侯、宋公、卫侯、曹伯、邾人伐郑。
六月乙酉，同盟于柯陵。
秋，公至自会。
齐高无咎出奔莒。
九月辛丑，用郊。
晋侯使荀罃来乞师。
冬，公会单子、晋侯、宋公、卫侯、曹伯、齐人、邾人伐郑。
十有一月，公至自伐郑。

壬申，公孙婴齐卒于貍脤。

十有二月丁巳朔，日有食之。

邾子䁂且卒。

晋杀其大夫郤锜、郤犨、郤至。

楚人灭舒庸。

十七年春，王正月，郑子驷侵晋虚、滑。卫北宫括救晋，侵郑，至于高氏。

夏五月，郑大子髡顽、侯獳为质于楚，楚公子成、公子寅戍郑。公会尹武公、单襄公及诸侯伐郑，自戏童至于曲洧。

晋范文子反自鄢陵，使其祝宗祈死，曰："君骄侈而克敌，是天益其疾也，难将作矣。爱我者惟祝我，使我速死，无及于难，范氏之福也。"六月戊辰，士燮卒。

乙酉，同盟于柯陵，寻戚之盟也。

楚子重救郑，师于首止。诸侯还。

齐庆克通于声孟子，与妇人蒙衣乘辇而入于闳。鲍牵见之，以告国武子。武子召庆克而谓之。庆克久不出，而告夫人曰："国子谪我。"夫人怒。

国子相灵公以会，高、鲍处守。及还，将至，闭门而索客。孟子诉之曰："高、鲍将不纳君而立公子角，国子知之。"秋七月壬寅，刖鲍牵而逐高无咎。无咎奔莒。高弱以卢叛。齐人来召鲍国而立之。

初，鲍国去鲍氏而来为施孝叔臣。施氏卜宰，匡句须吉。施氏之宰有百室之邑。与匡句须邑，使为宰，以让鲍国而致邑焉。施孝叔曰："子实吉。"对曰："能与忠良，吉孰大焉！"鲍国相施氏忠，故齐人取以为鲍氏后。

仲尼曰："鲍庄子之知不如葵，葵犹能卫其足。"

冬，诸侯伐郑。十月庚午，围郑。楚公子申救郑，师于汝上。十一月，诸侯还。

初，声伯梦涉洹，或与己琼瑰，食之；泣而为琼瑰盈其怀，从而歌之曰："济洹之水，赠我以琼瑰。归乎归乎，琼瑰盈吾怀乎！"惧，不敢占也，还自郑。壬申，至于貍脤而占之，曰："余恐死，故不敢占也。今众繁而从余三年矣，无伤也。"言之，之莫而卒。

齐侯使崔杼为大夫，使庆克佐之，帅师围卢。国佐从诸侯围郑，以难请而归；遂如卢师杀庆克，以榖叛。齐侯与之盟于徐关而复之。十二月，卢降。使国胜告难于晋，待命于清。

晋厉公侈，多外嬖。反自鄢陵，欲尽去群大夫，而立其左右。胥童以胥克之废也，怨郤氏，而嬖于厉公。郤锜夺夷阳五田，五亦嬖于厉公。郤犨与长鱼矫争田，执而梏之，与其父母妻子同一辕。既、矫亦嬖于厉公。

栾书怨郤至，以其不从己而败楚师也，欲废之，使楚公子茷告公曰："此战也，郤至实召寡君，以东师之未至也，与军帅之不具也，曰：'此必败，吾因奉孙周以事君。'"公告栾书，书曰："其有焉！不然，岂其死之不恤而受敌使乎？君盍尝使诸周而察之？"郤至聘于周。栾书使孙周见之。公使觇之，信；遂怨郤至。

厉公田，与妇人先杀而饮酒，后使大夫杀。郤至奉豕，寺人孟将夺之，郤至射而杀之。公曰："季子欺余！"

厉公将作难，胥童曰："必先三郤，族大多怨。去大族，不逼。敌多怨，有庸。"公曰："然！"郤氏闻之。郤锜欲攻公，曰："虽死，君必危。"郤至曰："人所以立，信、知、勇也。信，不叛君；知，不害民；勇，不作乱。失兹三者，其谁与我？死而多怨，将安用之？君实有臣而杀之，其谓君何？我之有罪，吾死后矣。若杀不辜，将失其民；欲安，得乎？待命而已。受君之禄，是以聚党。有党而争命，罪孰大焉？"

壬午，胥童、夷羊五帅甲八百，将攻郤氏。长鱼矫请无用众，公使清沸魋助之。抽戈结衽，而（伪）〔为〕讼者。三郤将谋于榭，矫以戈杀驹伯、苦成叔于其位。温季曰："逃威也。"遂趋。矫及诸其车，以戈杀之。皆尸诸朝。

胥童以甲劫栾书、中行偃于朝。矫曰："不杀二子，忧必及君！"公曰："一朝而尸三卿，余不忍益也！"对曰："人将忍君。臣闻乱在外为奸，在内为轨。御奸以德，御轨以刑。不施而杀，不可谓德；臣逼而不讨，不可谓刑。德刑不立，奸轨并至，臣请行！"遂出，奔狄。公使辞于二子，曰："寡人有讨于郤氏，郤氏既伏其辜矣。大夫无辱，其复职位！"皆再拜稽首，曰："君讨有罪，而免臣于死，君之惠也。二臣虽死，敢忘君德？"乃皆归。公使胥童为卿。

公游于匠丽氏，栾书、中行偃遂执公焉。召士匄，士匄辞。召韩厥，韩厥辞，曰："昔吾畜于赵氏。孟姬之谗，吾能违兵。古人有言曰：'杀老牛，莫之敢尸。'而况君乎？二三子不能事君，焉用厥也？"

舒庸人以楚师之败也，道吴人围巢，伐驾，围厘、虺，遂恃吴而不设备。楚公子橐师袭舒庸，灭之。

闰月乙卯晦，栾书、中行偃杀胥童。民不与郤氏，胥童道君为乱，故皆书曰："晋杀其大夫"。

【译文】

鲁成公十七年春天，卫国的北宫括率领军队攻打郑国。夏天，成公会合尹武公、单襄公、晋厉公、齐灵公、宋平公、卫献公、曹成公、邾国人讨伐郑国。六月二十六日，成公和尹武公、单襄公等在柯陵举行盟会。秋天，成公从柯陵回国。齐国的高无咎逃亡到莒国。九月十三日，举行郊祭。晋厉公派荀䓨前来鲁国请求出兵。冬天，成公又会合单襄子、晋厉公、宋平公、卫献公、曹成公、齐国人、邾国人讨伐郑国。十一月，成公从伐郑前线回国。壬申这天，公孙婴齐在貍脤去世。十二月朔日，发生了日蚀。邾子貜且去世。晋国杀掉了大夫郤锜、郤犨、郤至。楚国人灭掉了舒庸。

鲁成公十七年春天，周历正月，郑国的子驷入侵晋国的虚地和滑地。卫国的北宫括救援晋国，攻打郑国，直达高氏一地。夏天，五月，郑国的太子髡顽、侯獳去楚国作为人质，楚国的公子成、公子寅去郑国戍守。

鲁成公会合尹武公、单襄公和诸侯攻打郑国，从戏童直到曲洧。

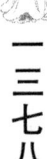

晋国的士燮从鄢陵回国后，让他的祝宗为他祷告，希望自己早点死去。他说："国君骄横奢侈却能战胜敌人，这是上天在加重他的罪过，灾难就要发生了。爱我的人只要诅咒我，让我快死，以免遇到祸乱，这就是我们范氏家族的福气了。"六月九日，士燮去世。

六月二十六日，成公和尹武公、单襄公、晋厉公等在柯陵举行会盟，这是为了重温鲁成公十五年在戚地的盟约。

楚国的子重发兵援救郑国，军队驻扎在首止。诸侯联军撤退回国了。

齐国的庆克与齐灵公之母声孟子私通，有一次他男扮女装和一个妇人同乘一辆车子进入宫中巷门。鲍牵看见了，就告诉了国武子，国武子就找来庆克并责备了他。庆克因此而很久不出门，他告诉声孟子说："国武子责备了我。"声孟子为此很恼怒。国武子陪灵公一同前去与诸侯会盟，高无咎和鲍牵留守都城。等到国武子和灵公回到国都时，城门却被关闭了，并且要检查行人。声孟子向灵公告状说："高、鲍准备不让你进城，另立公子角为国君，国武子也知道这个阴谋。"秋天，七月十三日，灵公下令砍去了鲍牵的双脚，把高无咎驱逐出齐国。高无咎逃亡到了莒国，他的儿子高弱率领高氏封邑卢地的人举行了叛乱。齐国人把鲍牵的弟弟鲍国从鲁国召回立为大夫。

当初，鲍国离开鲍氏族人来到鲁国做了施孝叔的家臣。施氏占卜，挑选家族总管，结果是匡句须吉利。施氏的总管，享有一百户人家的封邑。于是施氏给了匡句须封邑，让他担任总管，但他却把这一职位让给了鲍国，并把封邑也给了他。施孝叔说："占卜的结果是你吉利。"匡句须回答说："能够把这一职位送给一个忠诚善良的人，还有比这更吉利的事吗？"果然，鲍国辅佐施氏家族忠心耿耿，因此齐国人挑选他做鲍氏家族的继承人。

孔子说："鲍牵还不如葵菜聪明，葵菜还能保护自己的脚。"

冬天，诸侯联合讨伐郑国。十月十二日，包围了郑国。楚国的公子申援救郑国，军队驻扎在汝水边。十一月，诸侯联军撤退回国。

当初，声伯梦见徒步涉过洹水，有人给自己一块美玉，他吃了它，哭泣时泪水却变成了美玉，装满了怀抱。他跟着那个人唱道："渡过洹水，有人赠给我美玉。回去吧！回去吧！美玉装满了我的怀抱！"醒来后他很害怕，不敢占卜问吉凶。从郑国回来，走到狸脤时占卜，他说："我害怕死，所以不敢占卜。现在有很多人跟从我，而且已经有三年了，再不会有伤害了。"他说完这话，到黄昏时就死了。

齐灵公让崔杼担任大夫，让庆克辅佐他，率兵围攻卢地。国佐正随诸侯一道围攻郑国，听到这个消息后，便以国内发生了动乱为由请求回国。于是到了围攻卢地的军队中，杀了庆克，率领谷地的人叛乱了。齐灵公被迫和他在徐关盟誓，并恢复了他的官职。十二月，卢地投降。齐国便派国胜到晋国去报告这一动乱的情况，并让他在清地等候命令。

晋厉公很奢侈，有很多宠臣。他从鄢陵回国以后，想去掉所有的大夫，而另立他左右的宠信之人。胥童因为父亲胥克被郤缺罢免，而怨恨郤氏，但很受厉公宠信。郤郤犨夺去了夷阳五的田地，夷阳五也受到厉公的宠信。郤犨与长鱼矫争夺田地，把长鱼矫抓住后囚禁了起来，把他和他父母妻子和小孩捆在同一辆车上。不久，长鱼矫也受到厉公的宠信。栾书怨恨郤至，是因为至不听从自己的主张却打败了楚军，就想罢免他。于是指使楚公子茷告诉厉公说："这次战役，实际上是郤至召请我们国君来的。因为东方各诸侯军队还没有来到，晋军的将帅也还没有到位，他说：'这次战役晋国必然失败，我将因此而拥立孙周来事奉君王'。"厉公把这番话告诉了栾书，栾书说："有这回事。不然，他怎么毫不怕死，去接见敌国的使者呢？君王何不试着派他出使周王室而进一步考察他呢？"于是郤至到周王室聘问，栾书又让孙周和他见面。厉公派人监视郤至，就相信了公子茷和栾书的话，于是就开始怨恨郤至。

晋厉公外出打猎，和女人一起先射猎接着又喝酒，再让大夫射猎。郤至献给厉公一头野猪，宦官孟张抢夺了过去，郤至一箭将他射死了。厉公说："郤至这是欺负我。"

厉公准备对群大夫发难。胥童说："一定要首先去掉三郤，因为他们家族势力大，怨恨他们的人很多。铲除了这个大族，公室就不会再受到逼迫；讨伐树敌很多的人，容易成功。"厉公说："对。"郤氏家族听说了这件事，郤锜要攻打厉公，他说："即使我们死了，国君也必然面临危险。"郤至说："一个人所以立身处世，就在于有信用、智慧和勇气。讲究信用就不会背叛国君，有智慧就不能残害百姓，有勇气也不能发动祸乱。失去这三点，还有谁来亲近我们？同样是死，何必又招致更多的怨恨，这样做又有什么用？国君拥有臣子而杀了他们，又能对他怎么样？我如果真有罪，那我就死得太晚了。如果国君滥杀无辜，他就将失去百姓，想要安定君位，能吗？我们还是听候命令吧。我们享受国君的俸禄，因此才能蓄养家兵。有了家兵就去和国君抗争，还有比这更大的罪行吗？"二十六日，胥童、夷阳五率领甲士八百人，准备攻打郤氏。长鱼矫请求不用兴师动众，厉公派清沸魋协助他。长鱼矫和清沸魋抽出戈来，把两人的衣襟连结在一起，伪装成打架的样子。三郤准备在台榭上为他们调解，长鱼矫便用戈把郤锜和郤犨杀死在座位上。郤至说："我要逃避无罪被杀。"于是就逃走了。长鱼矫在他车上追上了他，用戈杀了他。三郤的尸体都被陈列在朝廷之中。

胥童率领甲士在朝廷上劫持了栾书和荀偃。长鱼矫说："如果不杀掉这两个人，祸患一定会降临到国君身上。"晋厉公说："一个早晨就杀了三位卿，我不忍心再多杀了。"长鱼矫回答说："栾书和荀偃将会容忍你国君。我听说在外作乱是奸，在内作乱是轨。防御奸用德，防御轨用刑。不施恩而杀人，不能叫德行；臣子逼迫国君而不加讨伐，不能叫刑罚。德行和刑罚不能树立，奸和轨就会同时到来。我请求离开晋国。"于是就逃亡到狄人那里去了。厉公派人对栾书和荀偃解释说："我讨伐郤氏。郤氏已经伏法。你们不要为此事感到受辱，我恢复你们的职位。"栾书和荀偃两次叩头拜谢说："国君讨伐有罪之人，而赦免我们的死罪，这是国君的恩惠。我们二人即使死了，敢忘记国君您的大德？"于是两人都回去了。厉公让胥童做卿。

晋厉公到宠臣匠丽氏家里游玩，栾书和荀偃趁机抓住了厉公。他们召士匄杀厉公，士匄拒绝了，召韩厥，韩厥也拒绝了。韩厥说："过去我被赵家收养提拔，孟姬陷害赵氏，我不肯出兵攻打赵氏。古人有句话说：'宰杀老牛没有人敢做主'，况且是对待国君呢？你们几个既然不愿意事奉国君，又哪里用得着我韩厥呢？"

舒庸人利用楚军战败的机会，领着吴国人包围了巢地，攻打驾地，接着又包围了厘、虺二地。于是就依仗吴国而不加强防备。楚国的公子橐师率军偷袭舒庸，灭亡了它。

闰月的最后一天，栾书和荀偃杀了胥童。老百姓不拥护郤氏，而胥童又趁机引诱国君制造动乱，所以《春秋》都记载为"晋杀其大夫"。

成公十八年

【原文】

十有八年：春，王正月，晋杀其大夫胥童。

庚申，晋弑其君州（蒲）〔满〕。

齐杀其大夫国佐。

公如晋。

夏，楚子、郑伯伐宋。宋鱼石复入于彭城。

公至自晋。

晋侯使士匄来聘。

秋，杞伯来朝。

八月，邾子来朝。

筑鹿囿。

己丑，公薨于路寝。

冬，楚人、郑人侵宋。

晋侯使士鲂来乞师。

十有二月，仲孙蔑会晋侯、宋公、卫侯、邾子、齐崔杼，同盟于虚朾。

丁未，葬我君成公。

十八年春，王正月庚申，晋栾书、中行偃使程滑弑厉公，葬之于翼东门之外，以车一乘。使荀䓨、士鲂逆周子于京师而立之，生十四年矣。

大夫逆于清原。周子曰："孤始愿不及此。虽及此，岂非天乎！抑人之求君，使出命也。立而不从，将安用君？二三子用我今日，否亦今日。共而从君，神之所福也！"对曰："群臣之愿也。敢不唯命是听！"庚午，盟而入，馆于伯子同氏。辛巳，朝于武宫。逐不臣者七人。周子有兄而无慧，不能辨菽麦，故不可立。

齐为庆氏之难故，甲申晦，齐侯使士华免以戈杀国佐于内宫之朝。师逃于夫人之宫。书曰"齐杀其大夫国佐"，弃命、专杀，以縠叛故也。使清人杀国胜。国弱来奔。

王湫奔莱。庆封为大夫，庆佐为司寇。既，齐侯反国弱，使嗣国氏，礼也。

二月乙酉朔，晋（侯）悼公即位于朝。始命百官，施舍，已责，逮鳏寡，振废滞，匡乏困，救灾患，禁淫慝，薄赋敛，宥罪戾，节器用，时用民，欲无犯时。使魏相、士鲂、魏颉、赵武为卿。荀家、荀会、栾黡、韩无忌为公族大夫，使训卿之子弟共俭孝弟。使士渥浊为大傅，使修范武子之法。右行辛为司空，使修士蒍之法。弁纠御戎，校正属焉，使训诸御知义。荀宾为右，司士属焉，使训勇力之士时使。卿无共御，立军尉以摄之。祁奚为中军尉，羊舌职佐之；魏绛为司马，张老为候奄。铎遏寇为上军尉，籍偃为之司马，使训卒乘亲以听命。程郑为乘马御，六驺属焉，使训群驺知礼。凡六官之长，皆民誉也。举不失职，官不易方，爵不逾德，师不陵正，旅不逼师：民无谤言，所以复霸也。

公如晋，朝嗣君也。

夏六月，郑伯侵宋。及曹门外，遂会楚子伐宋，取朝郏。楚子辛、郑皇辰侵城郜，取幽丘。同伐彭城，纳宋鱼石、向为人、鳞朱、向带、鱼府焉，以三百乘戍之，而还。书曰"复入"。凡去其国，国逆而立之，曰"入"；复其位，曰"复归"；诸侯纳之，曰"归"；以恶曰"复入"。

宋人患之，西鉏吾曰："何也！若楚人与吾同恶，以德于我，吾固事之也，不敢贰矣。大国无厌，鄙我犹憾；不然而收吾憎，使赞其政，以间吾衅，亦吾患也。今将崇诸侯之奸而披其地，以塞夷庚，逞奸而携服，毒诸侯而惧吴、晋，吾庸多矣，非吾忧也。且事晋何为？晋必恤之。"

公至自晋。晋范宣子来聘，且拜朝也。君子谓"晋于是乎有礼"。

秋，杞桓公来朝，劳公，且问晋故。公以晋君语之。杞伯于是骤朝于晋而请为昏。

七月，宋老佐、华喜围彭城，老佐卒焉。

八月，邾宣公来朝。即位而来见也。

筑鹿囿。书，不时也。

己丑，公薨于路寝。言道也。

冬十一月，楚子重救彭城，伐宋。宋华元如晋告急。韩献子为政，曰："欲求得人，必先勤之。成霸安疆，自宋始矣。"晋侯师于台谷以救宋，遇楚师于靡角之谷。楚师还。

晋士鲂来乞师。季文子问师数于臧武仲，对曰："伐郑之役，知伯实来，卜军之佐也。今岁季亦佐下军，如伐郑可也。事大国，无失班爵而加敬焉，礼也。"从之。

十二月，孟献子会于虚杜，谋救宋也。宋人辞诸侯而请师以围彭城。

孟献子请于诸侯，而先归会葬。"丁未，葬我君成公"，书，顺也。

【译文】

鲁成公十八年春天，周历正月，晋国杀掉了大夫胥童。五日，晋国杀了他们的国君州满。齐国杀了大夫国佐。成公前往晋国。夏天，楚共王和郑成公入侵宋国。宋国的鱼石被武力强行送回宋国彭城。成公从晋国回国。晋悼公派士匄前来鲁国访问。秋天，杞桓公来朝见。八月，邾宣公来朝见。鲁国在鹿地修建园林。七日，鲁成公在寝宫内去世。冬天，楚国人、郑国人攻打宋国。晋悼公派士鲂前来鲁国请求出兵。十二月，孟献子会见晋悼公、宋平公、卫献公、邾子、齐国的崔杼，一同在虚打举行盟会。二十六日，安葬我国国君成公。

鲁成公十八年春天，周历正月五日，晋国的栾书和荀偃指使程滑杀了晋厉公，然后把他埋在翼地的东门之外，下葬时仅用了一辆车。派荀䓨、士鲂到京城迎接孙周回国立为国君，此时孙周才十四岁。晋国大夫们到清原迎接。孙周说："我当初并没有做国君的愿望，现在虽然到了这一步，难道不是上天的意志吗？然而人们要求有一个国君，只是为了让他发布命令，拥立以后又不听从他的命令，那么要国君又有什么用？你们几个考虑好，要立我在今天，不想立我也在今天。恭敬地听从国君的命令，就是神灵赐予的福气。"群臣回答说："这正是我们的愿望，不敢不听从国君的命令。"十五日，悼公与群臣盟誓后进入国都，住在伯子同家。二十六日，朝拜了武宫，驱逐了不肯称臣的人七个。孙周有一个哥哥，但是一个白痴，不能分辨豆子和麦子，所以不能立他做国君。

齐国因为发生了国佐杀了庆克的缘故，正月的最后一天，齐灵公派华免在内宫中用戈杀了国佐。众人都逃跑到夫人的宫中。《春秋》记载说："齐杀其大夫国佐。"是因为他违背了国君的命令，专权杀死了庆克，又率领谷地的人发动了叛乱。齐灵公又让清地的人杀了国胜。国胜的弟弟国弱逃亡到鲁国，国佐的党羽王湫逃亡到莱地。于是庆封做了大夫，庆佐担任司寇。不久，齐灵公又让国弱回国，让他做国氏的继承人，这是合乎礼法的。

二月一日，晋悼公在朝廷即国君位，开始任命百官。并采取了下列施政措施：施恩惠给百姓，免除百姓的债务，鳏夫寡妇也不例外。起用被废黜和滞居下位的旧贵族，救济贫困，帮助有灾患的人，禁止邪恶，减轻税赋，赦免罪犯，节省开支，有限度地使用民力，使用百姓不违背农时，任命魏相、士鲂、魏颉、赵武为卿；荀家、荀会、栾黡、韩无忌为公族大夫，让他们教育卿的子弟懂得恭敬、节俭、孝顺、友爱。任命士渥浊为太傅，让他修订士会制定的兵法。任命右行辛为司空，让他修订士蒍制定的法令。由弁纠驾驭战车，掌马之官归他管辖，让他教育驾车人懂得礼义。荀宾为车右，所有的车右都归他管辖，让他教育勇士们随时效力。各军主帅副帅都没有固定的驾车人，设立军尉统管此事。祁奚担任中军尉，羊舌职辅佐他；魏绛担任司马，张老担任候奄。铎遏寇担任上军尉，籍偃为他的司马，让他教育步兵和车兵团结一致听从命令。程郑为国君的乘马御，六驺都归他管辖，让他教育六驺懂得礼仪。凡是各部门的长官，都是百姓赞誉的人。选拔的人都称职，官吏都遵守现有的制度，授予爵位不超出他的德行，师不欺凌正，旅不逼迫师，百姓没有责备朝廷的话，因此晋国能够再一次称霸诸侯。

成公前往晋国，是为了朝见新即位的晋悼公。

夏天，六月，郑成公入侵宋国，攻到了都城的曹门之外。接着又会合楚共王一同攻打宋国，夺取了朝郏。楚国的子辛、郑皇辰攻打城郜，夺取了幽丘。又一同攻打彭城，把三年前逃往楚国的宋臣鱼石、向为人、鳞朱、向带、鱼府送回宋国，用三百辆战车留守，然后就回国了。因此《春秋》记载鱼石等"复入"。凡是离开自己的国家，本国迎接他回来并立他叫"入"，恢复他的职位叫"复归"，诸侯把他送回来叫"归"，以武力送回就叫"复入"。宋国人对鱼石等的"复入"和楚国留下三百辆战车很担忧。西鉏吾说："为什么要担忧？如果楚国人和我们同样憎恨鱼石等人，对我们以德相待，我们本来就应该事奉他们，不敢有二心了。但大国贪得无厌，把我国当做他们的边邑还不满足。他们不是和我们同仇敌忾，而是收留我们憎恶的人，并企图让他们回国掌权执政，伺机钻我们的空子，这也是我们的祸患。现在他们尊崇诸侯的奸邪之人，分给他们土地，阻塞各国之间的通道。让奸邪之人快意而使顺服之人离心，损害诸侯而使吴、晋等国害怕，这对我国来说，好处就多了，并不是我们的忧患。况且我们事奉晋国又是为什么？晋国一定会来援救我们的。"

鲁成公从晋国回国。晋国的范宣子前来鲁国回访，并且答谢成公对晋悼公的朝见。君子认为晋国在这件事情上合乎礼法。

秋天，杞桓公前来朝见，慰劳成公，同时打听晋国的有关情况。成公把晋悼公的情况告诉了他，于是杞桓公马上到晋国朝见并请求通婚。

七月，宋国的老佐、华喜包围了彭城，老佐在此时去世了。

八月，邾宣公前来朝见，这是他即位后的例行朝见。

鲁国在鹿地修建园林，《春秋》之所以记载此事，表明此时修建园林不合时令。

七日，成公在寝宫内去世，这就是说合乎正常情况。

冬天，十一月，楚国的子重救援彭城，攻打宋国，宋国的华元到晋国告急。韩献子主持晋国的政务，他说："想得到诸侯的拥护，必须先为他们办事。晋国成就霸业，安定疆土，应该从救援宋国开始。"于是晋悼公发兵到台谷以救援宋国，在靡角之谷遇到楚军，楚军就回国了。

晋国的士鲂前来鲁国请求出兵。季文子问臧武仲应派出兵员的数量，臧武仲回答说："上次攻打郑国的战役，荀䓨来请求出兵，他当时是下军的副帅。现在士鲂也是下军的副帅，派出和上次攻打郑国时的人数就可以了。事奉大国，不违失使者的爵位次序，而对他们恭敬有礼，这是合于礼法的。"季文子听从了臧武仲的意见

十二月，孟献子和晋悼公、宋平公等在虚打会盟，商议援救宋国的事。宋国人谢绝了诸侯的好意，而只请求军队包围彭城。孟献子向诸侯们请求，先回国参加成公的葬礼。

二十六日，安葬我国国君成公。《春秋》这样记载，表明国内形势稳定顺利。

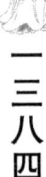

襄公

襄公元年

【原文】

元年：春，王正月，公即位。

仲孙蔑会晋栾黡、宋华元、卫宁殖、曹人、莒人、邾人、滕人、薛人，围宋彭城。

夏，晋韩厥帅师伐郑。

仲孙蔑会齐崔杼、曹人、邾人、杞人，次于鄫。

秋，楚公子壬夫帅师侵宋。

九月辛酉，天王崩。

邾子来朝。

冬，卫侯使公孙剽来聘。

晋侯使荀䓨来聘。

元年春己亥，"围宋彭城"。非宋地，追书也。于是为宋讨鱼石，故称宋，且不登叛人也，谓之宋志。

彭城降晋，晋人以宋五大夫在彭城者归，寘诸瓠丘。

齐人不会彭城，晋人以为讨。二月，齐大子光为质于晋。

夏五月，晋韩厥、荀偃帅诸侯之师伐郑，入其郛，败其徒兵于洧上。于是东诸侯之师次于鄫，以待晋师。晋师自郑以鄫之师侵楚焦、夷及陈。晋侯、卫侯次于戚，以为之援。

秋，楚子辛救郑，侵宋吕、留。郑子然侵宋，取犬丘。

九月，邾子来朝，礼也。

冬，卫子叔、晋知武子来聘，礼也。凡诸侯即位，小国朝之，大国聘焉，以继好、结信、谋事、补阙，礼之大者也。

【译文】

元年春，周历正月，襄公即位。仲孙蔑会合晋国栾黡、宋国华元、卫国宁殖和曹国人、莒国人、邾国人、滕国人、薛国人包围了宋国的彭城。夏天，晋国韩厥率领军队攻打郑国，仲孙蔑会合齐国崔杼和曹国人、邾国人、杞国人驻扎在鄫。秋天，楚国公子子辛率领军队侵袭宋国。九月十五日，周简王死。邾宣公前来朝见。冬天，卫侯派公孙剽前来访问。晋侯派荀罃前来访问。

元年春天，正月二十五日，诸侯包围了宋国彭城。彭城已不是宋国的地方了，这是一种追记。此时为了宋国去讨伐鱼石，所以称宋国，而且反对叛逆者，这体现了宋国收复彭城的愿望。

彭城投降晋国，晋国人带着在彭城的五个宋国大夫回去，安置在瓠丘。

齐国人没有在彭城会合，晋国因此讨伐齐国。二月，齐国太子光到晋国做人质。

夏天，五月，晋国的韩厥、荀偃率领诸侯军队攻打郑国，进入它的外城，在洧水边上击败了郑国的步兵。此时东部诸侯的军队驻扎在鄫地，等候晋军。晋军从郑国带领鄫地的军队入侵楚国的焦地、夷地和陈国，晋侯、卫侯驻在戚地，作为诸侯军队的后援。

鲁襄公

秋天，楚国子辛救援郑国，入侵宋国的吕地和留地。郑国子然入侵宋国，夺取了犬丘。

九月，邾子来朝见，这合于礼。

冬天，卫国子叔、晋国知武子来聘问，这合于礼。凡诸侯即位，小国前来朝见，大国前来聘问，从而继续发展友好关系，取得信任，商量国事，补正过失，这是礼制中的大事。

襄公二年

【原文】

二年：春，王正月，葬简王。

郑师伐宋。

夏，五月庚寅，夫人姜氏薨。

六月庚辰，郑伯睔卒。

晋师、宋师、卫宁殖侵郑。

秋，七月，仲孙蔑会晋荀罃、宋华元、卫孙林父、曹人、邾人于戚。

己丑，葬我小君齐姜。

叔孙豹如宋。

冬，仲孙蔑会晋荀䓨、齐崔杼、宋华元、卫孙林父、曹人、邾人、滕人、薛人、小邾人于戚，遂城虎牢。

楚杀其大夫公子申。

二年春，郑师侵宋，楚令也。

齐侯伐莱。莱人使正舆子赂夙沙卫以索马、牛，皆百匹，齐师乃还。君子是以知齐灵公之为"灵"也。

夏，齐姜薨。初，穆姜使择美檟，以自为榇与颂琴，季文子取以葬。

君子曰："非礼也。礼无所逆。妇，养姑者也。亏姑以成妇，逆莫大焉。《诗》曰：'其惟哲人，告之话言，顺德之行。'季孙于是为不哲矣。且姜氏，君之妣也。《诗》曰：'为酒为醴，烝畀祖妣，以洽百礼，降福孔偕。'"

齐侯使诸姜、宗妇来送葬，召莱子。莱子不会，故晏弱城东阳以偪之。

郑成公疾，子驷请息肩于晋。公曰："楚君以郑故，亲集矢于其目，非异人任，寡人也。若背之，是弃力与言，其谁昵我？免寡人，唯二三子！"

秋七月庚辰，郑伯睔卒。于是子罕当国，子驷为政，子国为司马。晋师侵郑，诸大夫欲从晋。子驷曰："官命未改。"

会于戚，谋郑故也。孟献子曰："请城虎牢以偪郑。"知武子曰："善！鄎之会，吾子闻崔子之言，今不来矣。滕、薛、小邾之不至，皆齐故也。寡君之忧不唯郑。䓨将复于寡君，而请于齐。得请而告，吾子之功也。若不得请，事将在齐。吾子之请，诸侯之福也，岂唯寡君赖之！"

穆叔聘于宋，通嗣君也。

冬，复会于戚。齐崔武子及滕、薛、小邾之大夫皆会，知武子之言故也。"遂城虎牢"，郑人乃成。

楚公子申为右司马，多受小国之赂，以偪子重、子辛。楚人杀之，故书曰"楚杀其大夫公子申"。

【译文】

二年春天，周历正月，葬天子简王。郑国军队讨伐宋国。夏天，五月十八日，夫人姜氏去世。六月庚辰，郑成公去世。晋军、宋军和卫国宁殖入侵郑国。秋天，七月，仲孙蔑在卫国戚地与晋国荀䓨、宋国华元、卫国孙林父、曹国人和邾国人会见。十八日，安葬我国君夫人齐姜。叔孙豹到宋国去了。冬天，仲孙蔑又在戚地与晋国荀䓨、齐国崔杼、宋国华元、卫国孙林父、曹国人、邾国人、滕国人、薛国人和小邾国人会见，于是在虎牢关筑城。楚国杀掉了大夫公子申。

二年春天，郑国军队侵袭宋国，这是楚国的命令。

齐灵公讨伐莱国，莱国人派正舆子以精选的马、牛各一百匹赠送给夙沙卫，齐军就退兵了。君子因此知道了齐灵公所以谥为"灵"的理由。

夏天，齐姜去世。当初，穆姜派人挑选上等的槚木，用来自己做内棺和颂琴，季文子拿来安葬齐姜。

君子说："这不合于礼法。礼法不允许这种上下颠倒的行为。媳妇是奉养婆婆的人。亏损婆婆的利益来成全媳妇，没有比这更严重的颠倒行为了。《诗》说：'只有明智的人，告诉他善言，他就能顺应道德而行动。'季孙在这件事上是不明智的。况且穆姜是国君的祖母。《诗》说：'酿造美酒，献给祖父祖母，合乎所有礼仪，神灵普降福祉'。"

齐灵公派遣嫁给大夫的宗女和同姓大夫的妻子前来送葬。召见莱子，莱子拒绝前往，所以晏弱在东阳筑城，来逼迫莱国。

郑成公生了病，子驷请求和晋国和好，以解除对楚国的负担。郑成公说："楚国国君因为郑国的缘故，亲自率军与晋军作战，以致眼睛受了箭伤，这不是为了别人，而是为了保护我。如果背叛他，这是背弃了别人的功劳和自己的诺言，那将还有谁来亲近我们郑国呢？使我免于过错，只有靠你们几位了。"

秋天七月庚辰，郑成公去世。此时子罕主持国政，子驷处理日常政务，子国任司马。晋军入侵郑国，大夫们想顺从晋国。子驷说："成公的决定没有改变。"

鲁国孟献子和晋国荀䘏、宋国华元、卫国孙林父以及曹国人、邾国人在戚地会见，这是为了对付郑国。孟献子说："建议在虎牢筑城来威逼郑国。"知武子说："好！鄫地的会盟，您听到了齐国崔杼的话，现在他们果然不来了。滕国、薛国、小邾国不来参加会见，都是齐国的缘故。我们国君的忧虑不仅仅是郑国。我将向国君报告，向齐国请求。如果请求得到齐国同意，通知诸侯在虎牢筑城，这是您的功劳。如果请求得不到同意，战事将在齐国发生。您的这一请求，是诸侯的福气，难道只是我国国君仰仗它？"

穆叔到宋国聘问，通报襄公即位的消息。

冬天，再次在戚地会见，齐国的崔杼和滕、薛、小邾等国的大夫都参加了会见。这是知武子一番话的结果。于是在虎牢筑城。郑国人于是求和。

楚国的公子申担任右司马，收受了小国的很多礼物，又威逼子重、子辛。楚国人杀了他，所以《春秋》记载说"楚杀其大夫公子申"。

襄公三年

【原文】

三年：春，楚公子婴齐帅师伐吴。

公如晋。

夏，四月壬戌，公及晋侯盟于长樗。

公至自晋。

六月，公会单子、晋侯、宋公、卫侯、郑伯、莒子、邾子、齐世子光。己未，同盟于鸡泽。

陈侯使袁侨如会。

戊寅，叔孙豹及诸侯之大夫及陈袁侨盟。

秋，公至自会。

冬，晋荀䓨帅师伐许。

三年春，楚子重伐吴，为简之师。克鸠兹，至于衡山，使邓廖帅组甲三百、被练三千以侵吴。吴人要而击之，获邓廖；其能免者，组甲八十、被练三百而已。

子重归，既饮至，三日；吴人伐楚，取驾。驾，良邑也；邓廖，亦楚之良也。君子谓子重于是役也，所获不如所亡。楚人以是咎子重。子重病之，遂遇心疾而卒。

公如晋，始朝也。

夏，盟于长樗。孟献子相，公稽首。知武子曰："天子在而君辱稽首，寡君惧矣！"孟献子曰："以敝邑介在东表，密迩仇雠，寡君将君是望，敢不稽首？"

晋为郑服故，且欲修吴好，将合诸侯。使士匄告于齐曰："寡君使匄以岁之不易，不虞之不戒，寡君愿与一二兄弟相见，以谋不协。请君临之，使匄乞盟。"齐侯欲勿许，而难为不协，乃盟于耏外。

祁奚请老，晋侯问嗣焉。称解狐，其仇也，将立之而卒。又问焉，对曰："午也可。"于是羊舌职死矣，晋侯曰："孰可以代之？"对曰："赤也可。"于是使祁午为中军尉，羊舌赤佐之。

君子谓祁奚于是能举善矣：称其仇，不为谄；立其子，不为比；举其偏，不为党。《商书》曰："无偏无党，王道荡荡。"其祁奚之谓矣。解狐得举，祁午得位，伯华得官，建一官而三物成，能举善也夫。唯善，故能举其类。《诗》云："惟其有之，是以似之。"祁奚有焉！

六月，公会单顷公及诸侯。己未，同盟于鸡泽。

晋侯使荀会逆吴子于淮上，吴子不至。

楚子辛为令尹，欲侵于小国，陈成公使袁侨如会求成。晋侯使和组父告于诸侯。秋，"叔孙豹及诸侯之大夫及陈袁侨盟"，陈请服也。

晋侯之弟扬干乱行于曲梁，魏绛戮其仆。晋侯怒，谓羊舌赤曰："合诸侯以为荣也。扬干为戮，何辱如之？必杀魏绛，无失也！"对曰："绛无贰志，事君不辟难，有罪不逃刑。其将来辞，何辱命焉？"言终，魏绛至，授仆人书，将伏剑。士鲂、张老止之。公读其书，曰：

日君乏使，使臣斯司马。臣闻："师众，以顺为武。军事，有死无犯为敬。"君合诸侯，臣敢不敬？君师不武，执事不敬，罪莫大焉。臣惧其死，以及扬干，无所逃罪。不能致训，至于用钺；臣之罪重，敢有不从以怒君心？请归死于司寇。

公跣而出，曰："寡人之言，亲爱也。吾子之讨，军礼也。寡人有弟，弗能教训，使干大命，寡人之过也。子无重寡人之过，敢以为请！"

晋侯以魏绛为能以刑佐民矣，反役与之礼食，使佐新军。张老为中军司马，士富为候奄。

楚司马公子何忌侵陈，陈叛故也。

许灵公事楚，不会于鸡泽。冬，晋知武子帅师伐许。

【译文】

襄公三年春天，楚国公子婴齐率军讨伐吴国。襄公前往晋国。夏天，四月二十五日，襄公和晋绰公在长樗结盟。襄公从晋国回国。六月，襄公会见单子、晋侯、宋公、卫侯、郑伯、莒子、邾子和齐国太子光。二十三日，同在鸡泽会盟。陈侯派遣袁侨参加会盟。七月十三日，叔孙豹和诸侯国的大夫以及陈国的袁侨会盟。秋天，襄公从会盟地回国。冬天，晋国荀䓨率军讨伐许国。

鲁襄公三年春天，楚国的子重发兵攻打吴国，组建了一支经过严格挑选的军队。楚军攻克了吴国的鸠兹，进逼衡山。派遣邓廖率领三百名车兵和三千名步兵进攻吴国。吴军拦腰截击楚军，俘虏了邓廖。免于被俘被杀的只有八十名车兵和三百名步兵。

子重回国后，在太庙庆功犒赏，三日。吴军进攻楚国，夺取了驾地。驾地是楚国的上等邑地；邓廖也是楚国的杰出将领。因此君子认为："子重在这次战役中得到的不如失去的多。"楚国人因此责备子重。子重为此而耿耿于怀，不久便患精神病死了。

襄公到晋国去，这是即位后的第一次朝见。夏天，在长樗结盟。孟献子担任赞礼官。襄公叩头，知武子说："天子在上，而国君屈尊行此大礼，我们国君害怕。"孟献子说："我国远在东方，与齐、楚等敌国邻近，我们国君将完全仰仗贵君，怎能不行此大礼？"

晋国由于郑国已经顺服的缘故，并且也想和吴国建立友好关系，便准备会盟诸侯。派士匄通报齐国说："我国国君派我前来，是因为近年来各国间纠纷不断，对意外情况缺乏戒备，我国国君希望与几位诸侯兄弟相见，以便商讨解决彼此间的不和，请国君光临这次会盟。特此派我前来请求结盟。"齐侯想不同意，而又怕被说成是与盟国不协同，于是在耏水之滨参加了会盟。

祁奚请求退休，晋悼公问他谁能接替他的职位。祁奚推荐解狐，解狐是他的仇人，正准备任命他时他却死了。又问祁奚，还有谁可以担任此职，祁奚回答说："祁午可以。"这时候羊舌职死了，晋悼公问："谁可以代替他？"祁奚说："羊舌赤可以。"于是悼公任命祁午为中军尉，羊舌赤为他的副手。

君子说："祁奚在这个问题上能举贤荐能。推荐他的仇人不算谄媚，推举他的儿子不算营私，推举他的副手不算结党。《商书》说：'既不结党又不营私，君王之道光明浩荡。'那大概就是说的祁奚吧。解狐得到举荐，祁午得到重用，羊舌赤得到官位，任命一个官员却成就了三件好事，这是善于举荐贤人的结果。只因为祁奚有德行，所以才能举荐贤能之人。《诗》说：'只因为他有德行，所以被荐者才像他一样。'祁奚就是这样的人。"

六月，襄公会合单顷公和晋悼公、宋平公、卫献公、郑僖公、莒子、邾子、齐国太子光，于二十三日在鸡泽会盟。

晋悼公派荀会到淮水北迎接吴王寿梦，但吴王没来。

楚国子辛任令尹，侵害小国，以满足楚国贪得无厌的欲望。陈成公派袁侨到盟会上请求和好。晋悼公派和组父将此事通报诸侯。秋天，叔孙豹和各诸侯的大夫与陈国袁侨结盟，这是陈国请求归顺的缘故。

晋悼公的弟弟扬干在曲梁扰乱了军队的行列，魏绛杀了扬干的车夫。晋悼公对此十分愤怒，对羊舌赤说："会合诸侯本来以为是一件荣耀的事，但扬干被惩罚，有什么比这种侮辱更大呢？一定要杀掉魏绛，不要让他逃跑了。"羊舌赤回答说："魏绛忠心不二，事奉国君从不逃避任何危难，有了罪过也不会逃避刑罚。他会前来有所解释的，何必劳国君下令呢？"刚说完，魏绛就到了，他呈交给仆人一封奏章后，准备拔剑自杀。士鲂和张老劝阻他。悼公读他的奏章，奏章说："当初君王缺乏人手，让我担任司马之职。我听说军队服从纪律叫做武，从军杀敌宁死不犯军令叫做敬。国君会合诸侯，我怎能不执行军纪军法呢？国君的军队没有纪律，军官不执行军法，那再没有比这更大的罪过了。我害怕这种死罪，才连累到扬干，实在没有逃避罪责的办法。我不能让下属得到好的训教，以至于动用斧刑。我的罪过很大，怎敢不服从惩罚，来使国君愤怒？请把我交给司法官处死。"悼公没等穿上鞋就急忙跑出来，说："我的话是出于对兄弟的亲情。您惩罚扬干，这是执行军法。我有弟弟，却没教育好，使他触犯了军令，这是我的过错。您不要再加重我的过错了，谨以此作为请求。"

晋悼公认为魏绛善于运用刑罚治理百姓，从鸡泽回国后，在太庙设礼食款待他，任命他为新军副帅。又任命张老为中军司马，士富为候奄。

楚国的司马公子何忌率军入侵陈国，因为陈国背叛了楚国。

许灵公依附楚国，因此不参加在鸡泽的会盟。冬天，晋国知武子率军攻打许国。

襄公四年

【原文】

四年：春，王三月己酉，陈侯午卒。
夏，叔孙豹如晋。
秋，七月戊子，夫人姒氏薨。
葬陈成公。
八月辛亥，葬我小君定姒。
冬，公如晋。

陈人围顿。

四年春，楚师为陈叛故，犹在繁阳。韩献子患之，言于朝曰："文王帅殷之叛国以事纣，唯知时也。今我易之，难哉！"

三月，陈成公卒。楚人将伐陈，闻丧乃止。陈人不听命。臧武仲闻之，曰："陈不服于楚，必亡。大国行礼焉而不服，在大犹有咎，而况小乎？"

夏，楚彭名侵陈，陈无礼故也。

穆叔如晋，报知武子之聘也。晋侯享之。金奏《肆夏》之三，不拜。工歌《文王》之三，又不拜。歌《鹿鸣》之三，三拜。

韩献子使行人子员问之，曰："子以君命辱于敝邑。先君之礼，藉之以乐，以辱吾子。吾子舍其大，而重拜其细，敢问何礼也？"对曰："三《夏》，天子所以享元侯也，使臣弗敢与闻。《文王》，两君相见之乐也，〔使〕臣不敢及。《鹿鸣》，君所以嘉寡君也，敢不拜嘉？《四牡》，君所以劳使臣也，敢不重拜？《皇皇者华》，君教使臣曰：'必谘于周。'臣闻之：'访问于善为咨，咨亲为询，咨礼为度，咨事为诹，咨难为谋。'臣获五善，敢不重拜？"

秋，定姒薨。不殡于庙，无榇，不虞。匠庆谓季文子曰："子为正卿，而小君之丧不成，不终君也。君长，谁受其咎？"

初，季孙为己树六槚于蒲圃东门之外。匠庆请木，季孙曰："略。"匠庆用蒲圃之槚，季孙不御。

君子曰："《志》所谓'多行无礼，必自及也'，其是之谓乎！"

冬，公如晋听政。晋侯享公。公请属鄫，晋侯不许。孟献子曰："以寡君之密迩于仇雠，而愿固事君，无失官命。鄫无赋于司马。为执事朝夕之命敝邑，敝邑褊小，阙而为罪，寡君是以愿借助焉。"晋侯许之。

楚人使顿间陈而侵伐之，故陈人围顿。

无终子嘉父使孟乐如晋，因魏庄子纳虎豹之皮，以请和诸戎。晋侯曰："戎狄无亲而贪，不如伐之。"魏绛曰："诸侯新服，陈新来和，将观于我：我德则睦，否则携贰。劳师于戎，而楚伐陈，必弗能救，是弃陈也；诸华必叛。戎，禽兽也。获戎失华，无乃不可乎？《夏训》有之曰：'有穷后羿'。"公曰："后羿何如？"

对曰："昔有夏之方衰也，后羿自鉏迁于穷石，因夏民以代夏政。恃其射也，不修民事，而淫于原兽，弃武罗、伯（困）〔因〕、熊髡、龙圉而用寒浞。寒浞，伯明氏之谗子弟也，伯明后寒弃之；夷羿收之，信而使之，以为己相。浞行媚于内而施赂于外，愚弄其民而虞羿于田，树之诈慝以取其国家，外内咸服。羿犹不悛，将归自田，家众杀而亨之。以食其子；其子不忍食诸，死于穷门。靡奔有鬲氏。浞因羿室，生浇及豷。恃其谗慝诈伪而不德于民，使浇用师，灭斟灌及斟寻氏。处浇于过，处豷于戈。靡自有鬲氏收二国之烬，以灭浞而立少康。少康灭浇于过，后杼灭豷于戈，有穷由是遂亡，失人故也。昔周辛甲之为大史也，命百官，官箴王阙。于《虞人之箴》曰：'芒芒禹迹，画为九州，经启九道。民有寝庙，兽有茂草；各有攸处，德用不扰。在帝夷羿，冒于原兽，忘其国恤，而思其麀牡。武不可重，用不恢于夏家。兽臣司原，敢告仆夫！'《虞箴》如是，可不惩乎？"于是晋侯好田，故魏绛及之。

公曰："然则莫如和戎乎？"对曰："和戎有五利焉。戎狄荐居，贵货易土，土可贾焉，一也。边鄙不耸，民狎其野，穑人成功，二也。戎狄事晋，四邻振动，诸侯威怀，三也。以德绥戎，师徒不勤，甲兵不顿，四也。鉴于后羿，而用德度，远至迩安，五也。君其图之！"

公说，使魏绛盟诸戎；修民事，田以时。

冬十月，邾人、莒人伐鄫，臧纥救鄫、侵邾，败于狐骀。国人逆丧者皆髽，鲁于是乎始髽。国人诵之曰："臧之狐裘，败我于狐骀。我君小子，朱儒是使。朱儒朱儒，使我败于邾。"

【译文】

襄公四年春天，周历三月己酉，陈侯午去世。夏天，叔孙豹前往晋国。秋天，七月二十八日，夫人姒氏去世。安葬陈成公。八月二十二日，安葬我国小君定姒。冬天，襄公前往晋国。陈国人包围了顿。

鲁襄公四年春天，楚国军队因为陈国叛变而入侵陈国，还驻扎在繁阳。韩献子为此担忧，在朝廷进言说："周文王所以率领背叛殷商的诸侯国事奉纣王，是因为他知道时机还不成熟。现在我们反其道而行之，难啊！"

三月，陈成公去世。楚国人准备讨伐陈国，听到这一消息后便停止了出兵。陈国仍然不肯服从楚国。臧武仲听说了此事，说："陈国不顺服楚国，一定灭亡。大国在陈国国丧期间不攻打，这是遵守礼法，而陈国还不归顺，对大国来说还有灾祸，更何况是小国呢？"

夏天，楚国的彭名率军入侵陈国，因为陈国无礼的缘故。

叔孙豹前往晋国，对荀䓨的聘问进行回访，晋悼公设宴款待了他。席间钟鼓演奏了《肆夏》乐曲的三章，但叔孙豹没有起身拜谢。乐工又歌唱了《文王》等三首，他还是没有拜谢。又歌唱了《鹿鸣》等三首，这次他起身连续拜谢了三次。

韩厥派外交官子员问他，说："您奉君主之命光临我国，我们按先君的礼节用音乐来招待您。您对前两次重要的演唱不拜谢，却对第三次演唱连拜三次，请问这是为什么？"叔孙豹回答说："三章《夏》乐，是天子用来招待诸侯首领的，使臣我不敢听；《文王》是两国国君相见时演唱的，使臣我也不敢听；《鹿鸣》是君王用来颂扬我国国君的，我怎敢不拜谢？《四牡》是君王慰劳我的，我怎敢不再次拜谢？《皇皇者华》，是君王教导我一定要向忠信之人请教。我听说：'向善人请教是咨，向亲戚请教是询，询问礼义是度，询问政事是诹，询问祸难是谋。'我由此得到五种善事，又怎敢不三拜呢？"

秋天，襄公的母亲定姒去世。没有在祖庙停放棺材，没有使用内棺，也没有举行虞祭。

工匠庆对季文子说:"您是正卿,国君生母的丧礼没有按夫人的规格,这就等于是不让国君为他母亲送终。将来国君长大了,谁来承担责任?"

当初,季文子为自己在蒲圃的东门之外种了六棵槚树。工匠庆请求用这些树给定姒做棺木,季文子说:"还是马虎一点算了。"工匠庆还是伐用了季文子的槚木,季文子也没有阻止。

君子认为:"《志》书中所说的'自己做多了无礼的事,一定有一天别人也对他无礼',大概说的就是季文子吧!"

冬天,襄公前往晋国听取晋国对鲁国的要求,晋悼公设宴招待他。襄公请求把鄫国附属于鲁国,晋悼公不同意。孟献子说:"我们君主距离敌国这么近,还是愿意始终事奉君,从不违背晋国的命令。鄫国从没有向鲁国交纳贡赋,而君的左右官员却整天下令我国交这交那,我国虽然地域狭小,财力有限,但如果不满足贵国的要求就是罪过,因此我们国君希望能得到鄫国以资借助。"晋悼公同意了这一请求。

楚国人让顿国乘陈国的空隙攻打它,因此陈国人包围了顿国。

无终国国君嘉父派孟乐前往晋国,通过魏绛的关系向晋悼公进献了虎豹皮,以此请求晋国与各戎人部落讲和。晋悼公说:"戎人不讲亲情而且贪婪,不如攻打他们。"魏绛说:"诸侯各国刚刚顺服,陈国也才来向我们求和,正在观望我国,如果我们有德,他们就亲近我们,否则就会怀有二心。兴师动众去讨伐戎国,楚国必定乘机攻打陈国,我们也一定不能救援他们,这实际上是抛弃陈国,中原诸国也一定会背叛我们。戎狄,就像禽兽,征服戎狄却失去中原各国,恐怕不行吧?《夏训》中有这样的话:'有穷的后羿——'。"悼公说:"后羿怎么样?"魏绛回答说:"从前夏朝正衰败时,后羿从鉏地迁到了穷石,利用夏朝的百姓取代了夏朝的政权。他倚仗自己善于射箭,不致力于安抚民众,却沉溺于打猎,抛弃了武罗、伯因、熊髡、龙圉四位贤臣,而起用了寒浞。寒浞,是伯明氏的一个奸邪子弟。寒国君主伯明抛弃了他,后羿收养了他,相信并重用他,让他做了自己的亲信。寒浞在宫内对女人献媚,在外广施钱财,收买民心,让后羿以打猎为乐。他在朝廷内扶植奸诈邪恶之人作为他的党羽,夺取了国家的政权,朝廷内外都归顺他。后羿仍不思悔改,他正准备从打猎的地方回朝廷,就被他的家臣杀了,并被煮熟,让他的儿子吃。他的儿子不忍心吃他的肉,也被杀死在穷门。

"后羿的臣子靡逃亡到有鬲氏部落。寒浞霸占了后羿的妻妾,生了浇和豷,凭着他的邪恶奸诈,对百姓不施德政。派浇发兵,灭亡了斟灌和斟寻氏部落。让浇驻守过地,让豷驻守戈地。靡在有鬲氏部落,收罗斟灌和斟寻两国的遗民,灭亡了寒浞,然后立了少康。少康在过地灭了浇,后杼则在戈地消灭了豷。有穷从此就灭亡了,这是失去了贤人的缘故。过去周朝的辛甲担任太史,命令百官劝谏天子的过错。在《虞人之箴》中说:"大禹所到的地方辽远广阔,划分为九个州,开辟了很多道路。百姓有房屋和祖庙,禽兽有丰茂的草料,人兽各有所居,互不干扰。后羿作为君王,贪恋打猎,忘记了国家的忧患,一心只想着野兽。田猎不能过分,过分了就不利于夏王朝。兽臣主管田猎，所以我才敢以此报告国君。'《虞箴》这样说，能不引起警惕吗？"这时晋悼公正喜欢打猎，所以魏绛才提到这件事。

晋悼公说："那么没有比跟戎狄讲和更好的办法了吗？"魏绛回答说："与戎狄讲和有五点好处：戎狄择水草之地而居，看重财物而轻视土地，他们的土地可以买过来，这是第一点。讲和后边界地区的百姓不再担惊受怕，可以安心耕种，农人可以丰收，这是第二点。戎狄事奉晋国，四邻的国家必然受震动，诸侯会因为我们的国威而顺服，这是第三点。用德行安抚戎狄，不需动用军队，武器也不会受损失，这是第四点。以后羿的教训为借鉴，推行德政和法度，远方的国家就会前来朝拜，邻近的国家也会安心，这是第五点。请国君您考虑一下！"

晋悼公很高兴，派魏绛和戎狄结盟，治理百姓的事务，打猎不再违背农时。

冬天，十月，邾人、莒人攻打鄫国，臧纥率兵救援鄫国，攻打邾国，在狐骀被打败。鲁国人迎接阵亡将士尸体回国，都以麻束发。鲁国从此开始流行以麻束发的丧葬习俗。鲁国人讽刺说："臧纥穿着狐皮袄，致使我军在狐骀被打败。我们国君太年幼，竟派一个侏儒去打仗。侏儒！侏儒！使我国败给邾国。"

襄公五年

【原文】

　　五年：春，公至自晋。
　　夏，郑伯使公子发来聘。
　　叔孙豹、鄫世子巫如晋。
　　仲孙蔑、卫孙林父会吴于善道。
　　秋，大雩。
　　楚杀其大夫公子壬夫。
　　公会晋侯、宋公、陈侯、卫侯、郑伯、曹伯、莒子、邾子、滕子、薛伯、齐世子光、吴人、鄫人于戚。
　　公至自会。
　　冬，戍陈。
　　楚公子贞帅师伐陈。
　　公会晋侯、宋公、卫侯、郑伯、曹伯、莒子、邾子、滕子、薛伯、齐世子光救陈。
　　十有二月，公至自救陈。
　　辛未，季孙行父卒。
　　五年春，公至自晋。
　　王使王叔陈生愬戎于晋，晋人执之。士鲂如京师，言王叔之贰于戎也。

夏，郑子国来聘，通嗣君也。

穆叔觌鄫大子于晋，以成属鄫。书曰："叔孙豹、鄫大子巫如晋"，言比诸鲁大夫也。

吴子使寿越如晋，辞不会于鸡泽之故，且请听诸侯之好。晋人将为之合诸侯，使鲁、卫先会吴，且告会期。故孟献子、孙文子会吴于善道。

秋，大雩，旱也。

楚人讨陈叛故，曰："由令尹子辛实侵欲焉。"乃杀之。书曰"楚杀其大夫公子壬夫"，贪也。

君子谓楚共王于是不刑。《诗》曰："周道挺挺，我心扃扃。讲事不令，集人来定。'己则无信，而杀人以逞，不亦难乎？《夏书》曰：'成允成功。'"

九月丙午，盟于戚，会吴，且命戍陈也。

穆叔以属鄫为不利，使鄫大夫听命于会。

楚子囊为令尹。范宣子曰："我丧陈矣！楚人讨贰而立子囊，必改行而疾讨陈。陈近于楚，民朝夕急，能无往乎？有陈非吾事也，无之而后可。"

冬，诸侯戍陈。子囊伐陈。十一月甲午，会于城棣以救之。

季文子卒。大夫入殓，公在位。宰庀家器为葬备，无衣帛之妾，无食粟之马，无藏金玉，无重器备。君子是以知季文子之忠于公室也：相三君矣，而无私积，可不谓忠乎？

【译文】

鲁襄公五年春天，襄公从晋国回国。夏天，郑僖公派公子发前来聘问。叔孙豹和鄫国太子巫到晋国。仲孙蔑、卫国孙林父在善道和吴国会谈。秋天，鲁国举行了求雨的祭祀。楚国杀掉了大夫公子壬夫。襄公和晋悼公、宋平公、陈哀公、卫献公、郑僖公、曹成公、莒子、邾子、滕子、薛伯、齐国的太子光、吴国人、鄫国人在戚地举行盟会。襄公从会盟地回国，冬天，诸侯们发兵戍守陈国。楚国的公子贞率军攻打陈国。襄公会合晋悼公、宋平公、卫献公、郑僖公、曹成公、莒子、邾子、滕子、薛伯、齐国的太子光救援陈国。十二月，襄公从救陈前线回国。二十日，季孙行父去世。

鲁襄公五年春天，襄公从晋国回国。

周天子派王叔陈生到晋国控告戎人，晋国人拘留了他。士鲂到京城，说王叔与戎人勾结。

夏天，郑国的子国来鲁国聘问，是为新即位的郑僖公谋求友好。

穆叔带着鄫国的太子去晋国会见，以期促成鄫国归属鲁国。《春秋》记载说："叔孙豹、鄫太子巫如晋。"意思是把鄫国太子当做鲁国的大夫一样。

吴王派寿越到晋国，说明没有参加鸡泽盟会的缘故，并且请求与诸侯友好。晋国人为此准备再次会合诸侯，于是派鲁国、卫国先和吴国会谈，并且告诉吴国会谈的日期。因此孟献子和孙文子在善道和吴国举行了会谈。

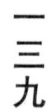

秋天，举行了大规模的求雨活动，因为天气干旱。

楚国人质问陈国为什么背叛楚国，陈国回答说："是因为贵国的令尹子辛总想满足他侵害我国的欲望。楚国于是杀了令尹子辛。《春秋》记载说："楚杀其大夫公子壬夫。"这是说明子辛是因贪婪而被杀的。

君子认为"楚共王在这件事上处刑不当。《诗》说：'大道平坦笔直，我的心中洞察分明，处理事情不当，就召集贤人来商定。'自己不讲信用，反而用杀人的办法来满足一时的快意，要想把国家治理好不是很困难吗？《夏书》说；'有了信用，才能成功'。"

九月二十三日，襄公会同诸侯在咸地举行了盟会，和吴国会谈，并且决定派兵戍守陈国。

穆叔认为鄫国归属鲁国后对鲁国不利，于是他就让鄫国大夫到会听取盟主的命令。

楚国的子囊担任令尹。晋大夫范宣子说："我们要失去陈国了。楚国人讨伐了生二心的陈国之后让子囊任令尹，必然会改变子辛的做法而尽快讨伐陈国。陈国与楚国很近，百姓早晚担心楚国入侵，他们还能不归服楚国吗？保住陈国，不是我们所能做得到的事情，放弃陈国，以后还好办些。"

冬天，诸侯发兵戍守陈国。子囊率兵攻打陈国。十一月十二日，诸侯率军在城棣会合，前往救援陈国。

季文子去世。按惯例大夫入殓，襄公亲自参加。季文子的家臣准备家里的器物作为他的葬具，人们发现季文子的妻妾不穿丝绸，马匹不吃粮食，没有收藏金银玉器，没有双份的器物。君子们因此知道了季文子对公室的忠心耿耿。他先后辅佐了三个国君，却没有私人积蓄，能不说他忠心耿耿吗？

襄公六年

【原文】

六年：春，王三月壬午，杞伯姑容卒。

夏，宋华弱来奔。

秋，葬杞桓公。

滕子来朝。

莒人灭鄫。

冬，叔孙豹如邾。

季孙宿如晋。

十有二月，齐侯灭莱。

六年春，杞桓公卒。始赴以名，同盟故也。

宋华弱与乐辔少相狎，长相优，又相谤也。子荡怒，以弓梏华弱于朝。平公见之，曰："司武而梏于朝，难以胜矣。"遂逐之。夏，宋华弱来奔。

司城子罕曰："同罪异罚，非刑也。专戮于朝，罪孰大焉？"亦逐子荡。子荡射子罕之门，曰："几日而不我从？"子罕善之如初。

秋，滕成公来朝，始朝公也。

莒人灭鄫，鄫恃赂也。

冬，穆叔如邾，聘，且修平。

晋人以鄫故来讨，曰："何故亡鄫？"季武子如晋见，且听命。

十一月，齐侯灭莱，莱恃谋也。

于郑子国之来聘也，四月，晏弱城东阳，而遂围莱。甲寅，堙之环城，傅于堞。及杞桓公卒之月，乙未，王湫帅师及正舆子、棠人军齐师，齐师大败之。丁未，入莱。莱共公浮柔奔棠。正舆子、王湫奔莒，莒人杀之。四月，陈无宇献莱宗器于襄宫。晏弱围棠，十一月丙辰而灭之。迁莱于郳。高厚、崔杼定其田。

【译文】

鲁襄公六年春天，周历三月二日，杞桓公姑容去世。夏天，宋国的华弱逃亡到鲁国。秋天，安葬杞桓公。滕子来鲁国朝见。莒国人灭亡了鄫国。冬天，叔孙豹前往邾国。季孙宿前往晋国。十二月，齐灵公灭掉了莱国。

鲁襄公六年春天，杞桓公去世。杞国首次在讣告上书写君主的名字，是由于同盟友好的缘故。

宋国的华弱与乐辔从小就很要好，长大后互相戏谑，又彼此攻击。有一次乐辔发怒，在朝廷上用弓套住华弱的脖子。宋平公看见了，说："统领军事的司马却被人在朝廷上套住了脖子，打仗一定难以取胜。"于是把华弱驱逐出国。夏天，宋国的华弱逃亡到鲁国。

司城子罕说："同样的罪却受到不同的处罚，这是不合刑法的。在朝廷上专横地侮辱别人，还有比这更大的罪吗？"于是也要驱逐乐辔。乐辔用箭射子罕的门，说："几天后你就不是和我一样被赶出国了吗？"子罕只好仍像过去一样对待他。

秋天，滕成公前来鲁国朝见，这是他首次朝见襄公。

莒国人灭亡了鄫国，这是由于鄫国倚仗送了财礼而放松戒备的缘故。

冬天，穆叔到邾国聘问，重修两国之好。

晋国人因为鄫国被灭亡的缘故前来责问鲁国，说："什么原因要让鄫国灭亡？"季武子到晋国会见，并且听候处置。

十一月，齐灵公灭掉了莱国，这是因为莱国倚仗计谋才造成的。

当郑国的子国来鲁国访问时，正是去年四月。齐国的晏弱在东阳筑城，然后就包围了莱国。甲寅日，在莱城四周堆起土山，高至城上的墙垛。到杞桓公去世的那个月，十五日，王湫率军和正舆子、棠人攻打齐军，齐军把他们打得大败。二十七日，齐军进入莱城。莱共公浮柔逃亡到棠地,正舆子和王湫逃亡到莒国,莒国人杀了他们。四月,齐国的陈无宇把莱国宗庙的宝器献到了齐襄公庙里。晏弱包围了棠地,十二月十日,灭掉了它,于是把莱国的百姓迁到了郳地。高厚和崔杼负责分配莱国的土地。

襄公七年

【原文】

七年:春,郯子来朝。

夏,四月,三卜郊;不从,乃免牲。

小邾子来朝。

城费。

秋,季孙宿如卫。

八月,螽。

冬,十月,卫侯使孙林父来聘。壬戌,及孙林父盟。

楚公子贞帅师围陈。

十有二月,公会晋侯、宋公、陈侯、卫侯、曹伯、莒子、邾子于鄬。郑伯髡顽如会,未见诸侯;丙戌,卒于鄵。

陈侯逃归。

七年春,郯子来朝,始朝公也。

夏四月,三卜郊;不从,乃免牲。孟献子曰:"吾乃今而后知有卜、筮。夫郊祀后稷,以祈农事也,是故启蛰而郊,郊而后耕。今既耕而卜郊,宜其不从也。"

南遗为费宰。叔仲昭伯为隧正,欲善季氏,而求媚于南遗;谓遗:"请城费,吾多与而役。"故季氏城费。

小邾穆公来朝,亦始朝公也。

秋,季武子如卫,报子叔之聘,且辞缓报:"非贰也。"

冬十月,晋韩献子告老。公族穆子有废疾,将立之,辞曰:"《诗》曰:'岂不夙夜?谓行多露。'又曰:'弗躬弗亲,庶民弗信。'无忌不才,让其可乎?请立起也:与田苏游,而曰'好仁'。《诗》曰:'靖共尔位,好是正直。神之听之,介尔景福!'恤民为德,正直为正,正曲为直,参和为仁。如是,则神听之,介福降之。立之,不亦可乎!"

庚戌,使宣子朝,遂老。晋侯谓韩无忌仁,使掌公族大夫。

卫孙文子来聘,且拜武子之言,而寻孙桓子之盟。公登亦登。叔孙穆子相,趋进,曰:"诸侯之会,寡君未尝后卫君。今吾子不后寡君,寡君未知所过。吾子其少安!"孙子无辞,亦无悛容。

穆叔曰："孙子必亡！为臣而君，过而不悛，亡之本也。《诗》曰：'退食自公，委蛇委蛇。'谓从者也。衡而委蛇，必折。"

楚子囊围陈，会于鄬以救之。

郑僖公之为大子也，于成之十六年与子罕适晋，不礼焉。又与子丰适楚，亦不礼焉。及其元年朝于晋，子丰欲愬诸晋而废之，子罕止之。及将会于鄬，子驷相，又不礼焉。侍者谏，不听；又谏，杀之。及鄬，子驷使贼夜弑僖公，而以疟疾赴于诸侯。简公生五年，奉而立之。

陈人患楚。庆虎、庆寅谓楚人曰："吾使公子黄往，而执之。"楚人从之。二庆使告陈侯于会，曰："楚人执公子黄矣！君若不来，群臣不忍社稷宗庙，惧有二图。"陈侯逃归。

【译文】

鲁襄公七年春天，郯子来鲁国朝见。夏天，四月，鲁国为举行郊祭占卜了三次，不吉利，于是就释放备用的祭牛。小邾国的国君前来鲁国朝见。在费地筑城。秋天，季孙宿到卫国。八月，发生了虫害。冬天，十月，卫国派孙林父来鲁国访问。二十一日，与孙林父会盟。楚国的公子贞率军包围了陈国。十二月，襄公与晋悼公、宋平公、陈哀公、卫献公、曹成公、莒子、邾子在鄬地聚会。郑僖公髠顽到会。没有见到诸侯，丙戌日，在鄬地去世。陈侯逃回国内。

鲁襄公七年春天，郯子前来鲁国朝见，这是他第一次朝见襄公。

夏天，四月，为举行郊祭三次占卜，都不吉利，于是释放备用的祭牛。

孟献子说："我现在才知道占卜和占筮的作用。郊祭，是祭祀后稷，祈求农业丰收。因此在启蛰这一天举行郊祭，郊祭后才开始耕种。如今已经开始耕种，才为郊祭占卜，难怪不吉利。"

南遗担任费邑的县宰。叔孙昭伯担任隧正，他想巴结季氏，于是就讨好南遗，对南遗说："请季氏在费邑筑城，我多派给你劳力。"因此季氏在费邑筑城。

小邾国穆公来鲁国朝见，也是第一次朝见襄公。

秋天，季武子到卫国，对子叔在襄公元年对鲁国的访问进行回访，并且说明迟迟才回访，并非是对卫国有二心。

冬天，十月，晋国的韩献子告老退休。他的长子穆子有残疾，晋悼公准备立他为卿。穆子推辞说："《诗》说：'难道我不是早晚都想来？只是途中露水太多。'又说：'如果不是亲理政事。百姓就不信服。'我韩无忌没有才干，让给别人，可不可以呢？请求国君立韩起为卿。韩起与田苏交游，田苏说他好行仁义。《诗》说：'忠于你的职守，起用正直的人。神灵听说了之后，就会赐给你大福。'冷悯百姓就是德，正直无邪就是正，纠正偏邪就是直，将这三者统一为一体就是仁。像这样，神灵就会听到，降给你大福。立韩起为卿，不也是可以的吗？"九日，让韩起朝见悼公，于是让韩献子告老退休。晋悼公认为韩无忌有仁义之心，就让他掌管公族大夫。

卫国的孙文子来鲁国访问，同时对季武子访卫时的解释进行答谢，之后两国又重温了孙桓子访问鲁国时签订的盟约。会见时孙文子与襄公并肩而行，襄公登上一级台阶，孙文子也登上一级台阶。叔孙穆子担任相礼，他急步上前说："诸侯会盟时，我们国君没有走在卫国国君之后。现在您不走在我国君之后，我们国君不知道他有什么过错而致使您如此轻视他。您还是稍慢一点吧！"孙文子不解释，但也没有难为情的表情。

穆叔说："孙文子必然灭亡。身为臣子却摆出国君的架子，犯了过错又不悔改，这是一个人灭亡的根本原因。《诗》说：'从朝廷回家吃饭，神态从容谦恭。'说的就是谦恭顺从的人。专横无礼却还洋洋自得的人必定毁灭。"

楚国的子囊包围了陈国，襄公与诸侯们在鄬地会合，然后发兵救援陈国。

郑僖公做太子的时候，在鲁成公十六年和郑国的子罕到晋国，没有礼貌。又和子丰到楚国，也没有礼貌。等到他即位的元年，到晋国朝见时，子丰想向晋国控告他以便废掉他，子罕制止了。等到将要在鄬地会见时，子驷担任相礼，僖公还是没有礼貌。侍者劝谏他，他不听，再次劝谏，他就杀了侍者。到了鄬地，子驷派贼人在夜里杀掉了僖公，而以暴病致死不能与会讣诸侯。简公当年五岁，臣子们立他为国君。

陈国人担忧楚国。庆虎、庆寅对楚国人说："我们让公子黄前往贵国。你们把他抓起来。"楚国人听从了他们的建议。于是庆席、庆寅派人到会盟地告诉陈哀公，说："楚国人抓住了公子黄，您如果不赶回来，群臣们不忍心国家灭亡，恐怕会有别的想法。"于是陈哀公就从盟会上逃回来了。

襄公八年

【原文】

八年：春，王正月，公如晋。
夏，葬郑僖公。
郑人侵蔡，获蔡公子燮。
季孙宿会晋侯、郑伯、齐人、宋人、卫人、邾人于邢丘。
公至自晋。
莒人伐我东鄙。
秋，九月，大雩。
冬，楚公子贞帅师伐郑。
晋侯使士匄来聘。
八年春，公如晋，朝，且听朝聘之数。
郑群公子以僖公之死也，谋子驷。子驷先之。夏四月庚辰，辟杀子狐、子熙、子侯、子丁。孙击、孙恶出奔卫。

庚寅，郑子国、子耳侵蔡，获蔡司马公子燮。郑人皆喜。唯子产不顺，曰："小国无文德而有武功，祸莫大焉。楚人来讨，能勿从乎？从之，晋师必至。晋、楚伐郑，自今郑国不四五年弗得宁矣！"子国怒之，曰："尔何知！国有大命，而有正卿；童子言焉，将为戮矣！"

五月甲辰，会于邢丘；以命朝聘之数，使诸侯之大夫听命。季孙宿、齐高厚、宋向戌、卫宁殖、邾大夫会之。郑伯献捷于会，故亲听命。大夫不书，尊晋侯也。

莒人伐我东鄙，以疆鄫田。

"秋九月，大雩"，旱也。

冬，楚子囊伐郑，讨其侵蔡也。子驷、子国、子耳欲从楚，子孔、子蟜、子展欲待晋。

子驷曰："《周诗》有之曰：'俟河之清，人寿几何？兆云询多，职竞作罗。'谋之多族，民之多违，事滋无成。民急矣！姑从楚以纾吾民。晋师至，吾又从之。敬共币帛以待来者，小国之道也。牺牲玉帛，待于二竟，以待强者而庇民焉。寇不为害，民不罢病，不亦可乎？"

子展曰："小所以事大，信也。小国无信，兵乱日至，亡无日矣。五会之信，今将背之；虽楚救我，将安用之？亲我无成，鄙我是欲，不可从也。不如待晋。晋君方明，四军无阙，八卿和睦，必不弃郑。楚师辽远，粮食将尽，必将速归，何患焉！舍之闻之：'杖莫如信。'完守以老楚，杖信以待晋，不亦可乎？"

子驷曰："《诗》云：'谋夫孔多，是用不集。发言盈庭，谁敢执其咎？如匪行迈谋，是用不得于道。'请从楚，骓也受其咎！"乃及楚平。

使王子伯骈告于晋，曰："君命敝邑：'修而车赋，儆而师徒，以讨乱略。'蔡人不从，敝邑之人不敢宁处，悉索敝赋以讨于蔡，获司马燮，献于邢丘。今楚来讨，曰：'女何故称兵于蔡？'焚我郊保，冯陵我城郭。敝邑之众，夫妇男女，不皇启处，以相救也。翦焉倾覆，无所控告。民死亡者，非其父兄，即其子弟。夫人愁痛，不知所庇。民知穷困，而受盟于楚。孤也与其二三臣不能禁止，不敢不告！"

知武子使行人子员对之，曰："君有楚命，亦不使一个行李告于寡君，而即安于楚。君之所欲也，谁敢违君？寡君将帅诸侯以见于城下，唯君图之！"

晋范宣子来聘，且拜公之辱，告将用师于郑。公享之。宣子赋《摽有梅》，季武子曰："谁敢哉？今譬于草木，寡君在君，君之臭味也。欢以承命，何时之有？"武子赋《角弓》。宾将出，武子赋《彤弓》。宣子曰："城濮之役，我先君文公献功于衡雍，受彤弓于襄王，以为子孙藏。匄也，先君守官之嗣也，敢不承命？"君子以为知礼。

【译文】

鲁襄公八年春天，周历正月，襄公到晋国。夏天，安葬郑僖公。郑国人入侵蔡国，抓获了蔡国的公子燮。季孙宿在邢丘与晋悼公、郑简公、齐国人、卫国人、邾国人会见。襄公从晋国回国。莒国人攻打我国的东部边境地区。秋天，九月，鲁国举行大规模的求雨活动。冬天，楚国的公子贞率军攻打郑国。晋悼公派士匄来鲁国访问。

鲁襄公八年春天，襄公到晋国朝见，同时请示每年朝聘时需要贡献的财物的数目。

郑国的公子们因僖公的死，谋划去掉子驷。子驷比他们先下手。夏天，四月十二日，以罪名杀掉了子狐、子熙、子侯、子丁。孙击、孙恶出逃到卫国。

二十二日，郑国的子国、子耳入侵蔡国，俘虏了蔡国的司马公子燮。郑国人都很高兴，只有子产一个人没有附和。他说："一个小国没有文治，却有武功，没有比这更大的祸患了。如果楚国人前来讨伐，能不顺从他们吗？如果顺从了楚国，晋军必然又前来讨伐。晋国、楚国讨伐郑国，从今以后，郑国至少有四五年不得安宁了。"子国对子产生气地说："你知道什么？国家有重大命令，自然有正卿发布，小孩子胡言乱语，是要被杀的。"

五月七日，季武子和晋悼公、郑简公、齐国人等在邢丘举行了会见。会上晋国确定了各国进贡的财物数目，让诸侯的大夫听取命令。季武子、齐国的高厚、宋国的向戌、卫国的宁殖、邾国的大夫参加了会见。郑简公向主持会见的晋悼公进献郑蔡之战的战利品，所以亲自到会听命。《春秋》没有记载各国大夫的名字，这是表示对晋悼公的尊敬。

莒国人攻打鲁国东部边境，想以此划定鄫国土地的疆界。

秋天，九月，鲁国举行盛大的求雨活动，因为大旱。

冬天，楚国的子囊攻打郑国，是为了讨伐它入侵蔡国。子驷、子国、子耳想顺从楚国，子孔、子𫓧、子展打算抵抗楚军以等待晋军的援救。子驷说："《周诗》中有这样的话：'如果等到黄河水澄清，人的寿命有多长？占卜次数太多，只能是自作罗网。'与很多人谋划，众说纷纭，百姓无所适从，事情就更加难以办成。百姓已万分危急，暂且顺从楚国，以缓解百姓的灾难。晋军到了，我们再投靠他们。恭敬地供给财礼，等待大国到来，这是小国的生存之道。带着祭祀用的牛羊玉帛，等候在我国和晋、楚两国的边境上，以等待他们这些强国来保护我们的百姓。这样敌寇不为害，百姓不因战争而疲顿不堪，不也是可以的吗？"

子展说："小国用来事奉大国的东西，是信用。如果小国不讲信用，战乱随时都会发生，亡国也就没有几天了。五次会盟与晋国订立的盟约，现在打算背弃它，虽然有楚国救援我们，又能有什么用？楚国亲近我们不会有好结果，想把我国作为他们的边邑，才是他们真正想得到的，不能顺从楚国。不如等待晋军。晋悼公正是贤明的时候，四军完备无缺，八卿和睦，一定不会抛弃郑国。楚军远道而来，粮食将要吃完，肯定要很快回国。有什么可怕的呢？我听说：'依靠别的东西，不如依靠信用。'加强守备，让楚军失去斗志，依靠信用等待晋军，不也可以吗？"

子驷说："《诗》说：'谋划的人太多，因此难以作出决断。发言的人满庭，但又有谁敢于承担责任？就好比一个人一边走路一边和人商量事情，因此一无所得。'请求顺从楚国，我来承担这一责任。"于是郑国就和楚国讲和。

派王子伯骈到晋国报告,说:"君王曾命令我国:'修好你们的兵车,告诫你们的官兵,准备讨伐叛乱者。'蔡国人不肯顺从,我国的人也不能安居,招集我国所有的兵力,讨伐蔡国,俘虏了蔡国的司马燮,并献到了邢丘的诸侯盟会上。现在楚国来讨伐我们说:'你们为什么对蔡国用兵?'并且焚烧了我国郊外的城堡,进犯我国的城郭。我国百姓,不论夫妻男女,无暇休息,互相救援。国家将要倾覆灭亡,却无处控告。百姓中死去的,不是他们的父兄,就是他们的子弟。人人忧愁悲伤,不知哪里是护身的地方。百姓知道已经走投无路,只得接受楚国的盟约,我和手下的臣子也不能禁止。这件事我们不敢不报告给贵国。"

荀罃派外交官员对王子伯骈说:"贵国遭到楚国的讨伐,也不派一个使臣来告诉我们国君,就向楚国屈服,这是贵国国君的希望,谁能违抗呢?我们国君将率领诸侯和你们在城下相见,请贵国国君慎重考虑!"

晋国的范宣子来鲁国访问,答谢襄公在春天对晋国的朝见,同时通报准备对郑国用兵。襄公设宴款待范宣子,宣子在宴席上吟诵了《摽有梅》这首诗。季武子说:"谁敢不及时出兵呢?现在以草木做比,我们国君对贵国国君来说,就好像是草木散发出来的气味。高兴地接受贵国的命令,哪里会有时间上的早晚?"季武子接着吟诵了《角弓》一诗。客人将要退出宴席时,季武子又吟诵了《彤弓》一诗。范宣子说:"当年城濮之战,我国先君文公曾到衡雍向周天子进献战果,接受了襄王赠给的一把红色的弓,作为子孙的宝藏。我士匄是先君大臣的后代,怎敢不接受您的命令呢?"君子认为宣子懂得礼。

襄公九年

【原文】

　　九年:春,宋灾。
　　夏,季孙宿如晋。
　　五月辛酉,夫人姜氏薨。
　　秋,八月癸未,葬我小君穆姜。
　　冬,公会晋侯、宋公、卫侯、曹伯、莒子、邾子、滕子、薛伯、杞伯、小邾子、齐世子光伐郑。十有(二)〔一〕月己亥,同盟于戏。
　　楚子伐郑。
　　九年春,宋灾。乐喜为司城以为政,使伯氏司里:火所未至,彻小屋,涂大屋。陈畚挶,具绠缶,备水器;量轻重,蓄水潦,积土涂;巡丈城,缮守备,表火道。使华臣具正徒,令隧正纳郊保,奔火所。使华阅讨右官,官庀其司;向戌讨左,亦如之。使乐遄庀刑器,亦如之。使皇郧命校正出马,工正出车,备甲兵,庀武守。使西鉏吾庀府守，令司宫、巷伯儆宫。二师令四乡正敬享，祝宗用马于四墉，祀盘庚于西门之外。

晋侯问于士弱曰："吾闻之：宋灾，于是乎知有天道。何故？"对曰："古之火正，或食于心，或食于咮，以出内火。是故咮为鹑火，心为大火。陶唐氏之火正阏伯居商丘，祀大火而火纪时焉。相土因之，故商主大火。商人阅其祸败之衅，必始于火，是以日知其有天道也。"公曰："可必乎？"对曰："在道。国乱无象，不可知也。"

夏，季武子如晋，报宣子之聘也。

穆姜薨于东宫。始往而筮之，遇"艮〔䷳〕"之八（䷐）。史曰："是谓'艮'之'随䷐'。'随'，其出也。君必速出！"姜曰："亡！是于《周易》曰：'随，元，亨，利，贞，无咎。'元，体之长也。亨，嘉之会也。利，义之和也。贞，事之干也。体仁足以长人，嘉德足以合礼，利物足以和义，贞固足以干事。然，故不可诬也。是以虽'随'无咎。今我妇人而与于乱，固在下位而有不仁，不可谓元；不靖国家，不可谓亨；作而害身，不可谓利；弃位而姣，不可谓贞。有四德者，'随'而无咎。我皆无之，岂'随'也哉？我则取恶，能无咎乎？必死于此，弗得出矣！"

秦景公使士雃乞师于楚，将以伐晋，楚子许之。子囊曰："不可。当今吾不能与晋争。晋君类能而使之，举不失选，官不易方。其卿让于善，其大夫不失守，其士竞于教，其庶人力于农穑，商工皂隶不知迁业。韩厥老矣，知䓨禀焉以为政。范匄少于中行偃而上之，使佐中军。韩起少于栾黡，而栾黡、士鲂上之，使佐上军。魏绛多功，以赵武为贤而为之佐。君明臣忠，上让下竞。当是时也，晋不可敌，事之而后可。君其图之！"王曰："吾既许之矣。虽不及晋，必将出师。"

秋，楚子师于武城以为秦援。

秦人侵晋。晋饥，弗能报也。

冬十月，诸侯伐郑。庚午，季武子、齐崔杼、宋皇郧从荀䓨、士匄门于鄟门，卫北宫括、曹人、邾人从荀偃、韩起门于师之梁，滕人、薛人从栾黡、士鲂门于北门，杞人、郳人从赵武、魏绛斩行栗。甲戌，师于氾，令于诸侯曰："修器备，盛餱粮，归老幼，居疾于虎牢，肆眚，围郑！"

郑人恐，乃行成。中行献子曰："遂围之，以待楚人之救也而与之战。不然，无成。"知武子曰："许之盟而还师，以敝楚人。吾三分四军，与诸侯之锐以逆来者，于我未病，楚不能矣。犹愈于战。暴骨以逞，不可以争。大劳未艾。君子劳心，小人劳力，先王之制也。"诸侯皆不欲战，乃许郑成。

十一月己亥，同盟于戏，郑服也。将盟，郑六卿公子騑、公子发、公子嘉、公孙辄、公孙虿、公孙舍之及其大夫、门子，皆从郑伯。晋士庄子为载书，曰："自今日既盟之后，郑国而不唯晋命是听，而或有异志者，有如此盟！"公子騑趋进，曰："天祸郑国，使介居二大国之间。大国不加德音而乱以要之，使其鬼神不获歆其禋祀，其民人不获享其土利，夫妇辛苦垫隘，无所（底）〔底〕告。自今日既盟之后，郑国而不唯有礼与强可以庇民者是从，而敢有异志者，亦如之！"荀偃曰："改载书！"公孙舍之曰："昭大神要言焉。若可改也，大国亦可叛也。"知武子谓献子曰："我实不德而要人以盟，岂礼也哉？非礼，何以主盟？姑盟而退，修德息师而来，终必获郑，何必今日？我之不德，民将弃我，岂唯郑？若能休和，远人将至，何恃于郑？"乃盟而还。

晋人不得志于郑，以诸侯复伐之。十二月癸亥，门其三门。闰月戊寅，济于阴阪，侵郑，次于阴口而还。子孔曰："晋师可击也，师老而劳，且有归志。必大克之！"子展曰："不可。"

公送晋侯。晋侯以公宴于河上，问公年。季武子对曰："会于沙随之岁，寡君以生。"晋侯曰："十二年矣。是谓一终，一星终也。国君十五而生子：冠而生子，礼也。君可以冠矣。大夫盍为冠具？"武子对曰："君冠，必以祼享之礼行之，以金石之乐节之，以先君之祧处之。今寡君在行，未可具也。请及兄弟之国而假备焉。"晋侯曰："诺。"公还及卫，冠于成公之庙，假钟磬焉，礼也。

楚子伐郑。子驷将及楚平，子孔、子蟜曰："与大国盟，口血未干而背之，可乎？"子驷、子展曰："吾盟固云'唯强是从'。今楚师至，晋不我救，则楚强矣。盟誓之言，岂敢背之？且要盟无质，神弗临也。所临唯信。信者言之瑞也，善之主也，是故临之。明神不蠲要盟，背之可也。"乃及楚平。公子罢戎入盟，同盟于中分。

楚庄夫人卒，王未能定郑而归。

晋侯归，谋所以息民。魏绛请施舍，输积聚以贷。自公以下，苟有积者，尽出之。国无滞积，亦无困人；公无禁利，亦无贪民。祈以币更，宾以特牲，器用不作，车服从给。行之期年，国乃有节，三驾而楚不能与争。

【译文】

鲁襄公九年春天，宋国发生了火灾。夏天，季孙宿到晋国。五月二十九日，夫人姜氏去世。秋天八月二十三日，安葬我国小君穆姜。冬天，襄公会合晋悼公、宋平公、卫献公、曹成公、莒子、邾子、滕子、薛伯、杞孝公、小邾子、齐国太子光攻打郑国。十二月十日，在戏地结盟。楚共王讨伐郑国。

鲁襄公九年春天，宋国发生了火灾。乐喜担任司城执掌政权。他派伯氏管理街巷，在火没有烧到的地方拆除小屋，用泥涂封大屋；准备运土工具、汲水的绳子和盛水的器物；根据需求量储蓄用水，堆积泥土；巡视城郭，加强守备，标记火的燃烧趋向。派华臣调集徒役，命令隧正调集郊外的徒卒，赶赴火灾区。派华阅管理右师各官，让他们各尽其职。派向戍管理左师各官，也让他们各尽其职。派乐遄准备刑具，也像华阅一样。派皇郧命令校正备好马匹，工正备好兵车和武器，保护武器仓库。派西鉏吾保护国库，他下令司宫、巷伯加强宫中守卫。左右二师命令四乡乡正祭祀神灵，让祝宗用马祭祀四方城池之神，在西门之外祭祀祖先盘庚。

晋悼公问士弱说："我听说，宋国发生了火灾，因此明白了自然规律，这是什么原因？"士弱回答说："古代的火正之官在祭祀火星时，有时用心宿作为陪祭，有时用柳宿作为陪祭，因为火星是在这两个星宿之间运行。所以咮就是鹑火星，心宿就是大火星。陶唐氏的火正阏伯住在商丘，祭祀大火星，而用火星的移动来纪时。商朝的先祖相土沿袭了这个办法，因此商朝就以大火星作为祭祀的主星。商朝人观察他们祸乱失败的征兆，就一定是从火灾开始，因此过去他们就自以为掌握了自然规律。"晋悼公说："这种规律一定能把握住吗？"士弱回答说："这在于有道或无道。如果一个国家发生了动乱，上天不显示预兆，那就无法知道了。"

夏天，季武子到晋国，回报范宣子对鲁国的访问。

穆姜在东宫去世。当初她搬到东宫时曾占筮，得到艮卦变为八。太史说："这是说艮卦变为随卦。随表示出走，您一定要尽快搬出去。"穆姜说："不用了。这卦象在《周易》中的解释是：'《随》，元、亨、利、贞，无咎。'元，是身体的最高处；亨，表示主宾相会；利，是道义的总和；贞，是事物的根本。以仁为本体就能高于常人，使德行美好就能合乎礼仪，对别人有利就能总括道义，为人忠诚守信就能成就事业。做到这样，是不可欺的，因此即使遇到随卦也不会有灾祸。而现在我作为一个妇人却参与动乱，本来妇人地位低下却有了不仁义的行为，不能说是元；使国家动乱不安，不能说是亨；兴风作浪而害及自身，不能说是利；忘记未亡人的身份却爱好姣美，不能说是贞。具有元、亨、利、贞四德的人，即使遇到随卦也不会有灾祸。我一种也不具有，又怎能符合随卦的卦辞呢？我自取邪恶，能没有灾祸吗？我肯定要死在这里，不能出去了。"

秦景公派士雃到楚国请求出兵，攻打晋国，楚共王同意了这一请求。子囊说："不能这样。现在我国不能与晋国争雄。晋悼公量才使用人才，选拔人才没有遗漏，任命官员不改变政策。他的卿把职务让给贤能之人，他的大夫恪尽职守，他的士致力于教化，他的百姓尽力耕种，他的工商杂役，安于本业。韩厥告老退休了，荀罃接替他执掌政权。范宣子比中行偃年轻，却位居中行偃之上，让他担任了中军副帅。韩起比栾黡年轻，但栾黡和士鲂却让他位居自己之上，让他担任了上军副帅。魏绛有很多功劳，但他认为赵武贤能而甘愿做他的副手。国君贤明，臣子忠诚，上面谦让，下面尽力。在这时候，晋国不可匹敌，只有事奉他们才行。请您考虑一下！"共王说："我已经同意了，即使我们比不上晋国，也一定要出兵。"

秋天，楚共王进兵武城，作为对秦国的支援。秦国人入侵晋国。晋国正发生饥荒，因此不能回去。

冬天十月，诸侯攻打郑国。十一日，季武子、齐国的崔杼、宋国的皇郧随同荀罃、士匄攻打郑都东门郭门，卫国的北宫括、曹国人、邾国人随同荀偃、韩起攻打郑都西门师之梁，滕国人、薛国人随同栾黡、士鲂攻打北门，杞国人、郳人随同赵武、魏绛砍除了道路边的栗树。十五日，联军驻扎在氾水之滨。晋悼公向诸侯下命令："整理武器装备，准备干粮，把老幼士卒送回去，让有病的士卒住到虎牢，宽恕那些有过失的人。围攻郑国。"

郑国人害怕了，于是求和。荀偃说："马上包围郑国，等候楚国人来救，再与他们作战。不这样，就不会有和谈。"知罃说："同意和郑国结盟然后撤兵，让楚国人再去攻打郑国，使他们疲惫不堪。我们把四个军分成三部分，与诸侯的精锐部队，迎击楚军，对我军来说，不会疲乏，但楚军就不可能了。这种方法比决战更好。暴骨弃尸以图一时痛快，不能用这种方法和敌人争锋。更大的辛劳还在等着我们，君子用智慧取胜，小人靠力气取胜，这是先王的遗训。"于是诸侯都不想作战了，就同意和郑国讲和。十一月十日，在戏地结盟，这是由于郑国已经顺服了。

将要结盟，郑国的六个卿公子騑、公子发、公子嘉、公孙辄、公孙虿、公孙舍之和他们的大夫、卿的嫡子都跟随郑简公来到盟会上。晋国的士庄子起草了盟书，内容说："从今天盟誓后，郑国如果不绝对服从晋国，或另有二心，就根据此盟约加以制裁。"公子騑快步上前说："上天降祸给郑国，让我们夹在两个大国的中间。但大国没有赐给我们恩德，反而用战乱要挟我们，使我们的神灵得不到祭祀，我们的百姓得不到土地的收益，男女老少辛苦劳作却仍然贫困瘦弱，而且无处诉说。从今天盟誓之后，郑国如果不绝对服从讲究礼义而又能强有力地保护我国百姓的国家，并有二心的话，甘愿受此处罚。"荀偃说："再修改一下盟书。"公孙舍之曰："已经对着神灵盟过誓了，如果还能改动的话，那么大国也可以背叛了。"知䓨对荀偃说："我们缺少德行，却以盟约来要挟人家，难道合乎礼义吗？不合乎礼义，凭什么来主持盟会？暂且结盟后退兵，修养德行，休整军队后再来，最终一定能得到郑国，又何必非在今天？假如我们没有德行，自己的百姓都会离我们而去，难道仅仅是郑国吗？如果能使德行美好，上下和睦，远方的诸侯都将前来归附，又何必只指望郑国呢？"于是和郑国结盟后就退兵了。

晋国人在郑国那里没有达到目的，便率领诸侯再次攻打郑国。十二月五日，攻打郑国的东、西、北三个城门，一连攻打了五天。二十日，在阴阪渡过了洧水，再次攻打郑国，军队驻扎在阴口，后来就回去了。子孔说："晋军可以攻击，军队已经疲惫，士兵归心似箭，一定能大胜他们。"子展说："不行。"

襄公送别晋悼公，晋悼公在黄河边设宴招待襄公。席间悼公问起襄公的年龄，季武子回答说："诸侯们在沙随盟会的那一年，我们国君出生。"晋悼公说："十二年了，这是一终，正好是岁星运行一周的时间。国君十五岁就可以生孩子。举行冠礼之后生孩子，是合乎礼法的。君可以举行冠礼了，大夫何不给君准备举行冠礼的用具？"季武子回答说："君举行冠礼，必须先举行祼享之礼，并且要用金石之乐使之有节度，还要到先君的宗庙中举行。现在我们国君身在路途，无法准备，请求到了兄弟国家后再借用具。"晋悼公说："好。"襄公回国，到了卫国，就在卫成公庙中举行了冠礼，还借用了卫国的钟和磬，这是合乎礼法的。

楚共王讨伐郑国，子驷准备和楚国讲和。子孔、子蟜说："才和晋国盟誓，嘴上的血还没干就背叛了，这样可以吗？"子驷、子展说："我们在盟约中本来就说：'只要是强大的国家我们就服从。'现在楚师来到，晋国却不来救援我们，那么楚国就是强国了。盟誓的话，怎么敢背叛？况且在要挟的情况下订立的盟约本来就没有诚信可言，神灵也不会亲临，只有真诚的盟会神灵才会亲临。诚信，是语言的凭证，是善良的根本，所以神灵才降临。圣明的神灵不会理睬在要挟情况下订立的盟约，背叛它是可以的。"于是和楚国讲和。公子罢戎进入郑都订立盟约，在中分举行了结盟仪式。

楚庄王的夫人去世，共王没有能够安定郑国就回国了。晋悼公回国后，与大臣商议怎样才能让百姓休养生息。魏绛请求对百姓施舍，输出积聚的财物借给百姓。从国君以下的所有官员，如果有积蓄的，都全部拿出来。因此国家再没有积压的货物，没有贫困的人。国君没有专门的利益，也没有贪婪的百姓。祈祷时用财货代替牛羊，宴请宾客只用一头雄性牲畜，不再制作新的器具，车马服饰够用就行了。实行了一年，国家就有了法度。后来晋国三次出兵，楚国都不能与它争雄。

襄公十年

【原文】

十年：春，公会晋侯、宋公、卫侯、曹伯、莒子、邾子、滕子、薛伯、杞伯、小邾子、齐世子光，会吴于柤。

夏，五月甲午，遂灭偪阳。

公至自会。

楚公子贞、郑公孙辄帅师伐宋。

晋师伐秦。

秋，莒人伐我东鄙。

公会晋侯、宋公、卫侯、曹伯、莒子、邾子、齐世子光、滕子、薛伯、杞伯、小邾子，伐郑。

冬，盗杀郑公子騑、公子发、公孙辄。

戍郑虎牢。

楚公子贞帅师救郑。

公至自伐郑。

"十年春，会于柤"，会吴子寿梦也。

三月癸丑，齐高厚相大子光，以先会诸侯于钟离，不敬。士庄子曰："高子相大子以会诸侯，将社稷是卫；而皆不敬，弃社稷也，其将不免乎？"

夏四月戊午，会于柤。

晋荀偃、士匄请伐偪阳，而封宋向戌焉。荀罃曰："城小而固，胜之不武，弗胜为笑。"固请。丙寅，围之，弗克。孟氏之臣秦堇父辇重如役，偪阳人启门；诸侯之士门焉。县门发，郰人纥抉之以出门者。狄虒弥建大车之轮，而蒙之以甲以为橹，左执之，右拔戟，以成一队。孟献子曰："《诗》所谓'有力如虎'者也。"主人县布，堇父登之，及堞而绝之，队；则又县之。苏而复上者三。主人辞焉，乃退。带其断以徇于军三日。

诸侯之师久于偪阳，荀偃、士匄请于荀䓨曰："水潦将降，惧不能归，请班师。"知伯怒，投之以机，出于其间，曰："女成二事而后告余！余恐乱命，以不女违。女既勤君而兴诸侯，牵帅老夫以至于此，既无武守，而又欲易余罪，曰：'是实班师。不然，克矣。'余羸老也，可重任乎？七日不克，必尔乎取之！"

五月庚寅，荀偃、士匄帅卒攻偪阳，亲受矢石。甲午，灭之。书曰"遂灭偪阳"，言自会也。

以与向戌，向戌辞曰："君若犹辱镇抚宋国，而以偪阳光启寡君，群臣安矣，其何贶如之！若专赐臣，是臣兴诸侯以自封也，其何罪大焉？敢以死请！"乃予宋公。

宋公享晋侯于楚丘，请以《桑林》，荀䓨辞。荀偃、士匄曰："诸侯宋、鲁，于是观礼。鲁有禘乐，宾、祭用之。宋以《桑林》享君，不亦可乎？"舞，师题以旌夏，晋侯惧而退入于房。去旌，卒享而还。及著雍，疾。卜，桑林见。荀偃、士匄欲奔请祷焉，荀䓨不可，曰："我辞礼矣，彼则以之。犹有鬼神，于彼加之。"晋侯有间。以偪阳子归，献于武宫，谓之夷俘。偪阳，妘姓也。使周内史选其族嗣，纳诸霍人，礼也。

师归，孟献子以秦堇父为右。生秦丕兹，事仲尼。

六月，楚子囊、郑子耳伐宋，师于訾毋。庚午围宋，门于桐门。

晋荀䓨伐秦，报其侵也。

卫侯救宋，师于襄牛。郑子展曰："必伐卫！不然，是不与楚也。得罪于晋，又得罪于楚，国将若之何？"子驷曰："国病矣！"子展曰："得罪于二大国，必亡。病，不犹愈于亡乎？"诸大夫皆以为然。故郑皇耳帅师侵卫，楚令也。

孙文子卜追之，献兆于定姜。姜氏问繇。曰："兆如山陵，有夫出征，而丧其雄。"姜氏曰："征者丧雄，御寇之利也。大夫图之！"卫人追之，孙蒯获郑皇耳于犬丘。

秋七月，楚子囊、郑子耳（伐）〔侵〕我西鄙。还，围萧。八月丙寅，克之。九月，子耳侵宋北鄙。

孟献子曰："郑其有灾乎！师竞已甚。周犹不堪竞，况郑乎？有灾，其执政之三士乎？"

莒人间诸侯之有事也，故伐我东鄙。

诸侯伐郑。齐崔杼使大子光先至于师，故长于滕。己酉，师于牛首。

初，子驷与尉止有争。将御诸侯之师，而黜其车。尉止获，又与之争。子驷抑尉止曰："尔车非礼也。"遂弗使献。初，子驷为田洫，司氏、堵氏、侯氏、子师氏皆丧田焉。故五族聚群不逞之人，因公子之徒以作乱。

于是子驷当国，子国为司马，子耳为司空，子孔为司徒。冬十月戊辰，尉止、司臣、侯晋、堵女父、子师仆帅贼以入，晨攻执政于西宫之朝，杀子驷、子国、子耳，劫郑伯以如北宫。子孔知之，故不死。书曰"盗"，言无大夫焉。

子西闻盗，不儆而出，尸而追盗。盗入于北宫。乃归授甲，臣妾多逃，器用多丧。子产闻盗，为门者，庀群司，闭府库，慎闭藏，完守备，成列而后出，兵车十七乘；

尸而攻盗于北宫，子蟜帅国人助之；杀尉止、子师仆，盗众尽死。侯晋奔晋，堵女父、司臣、尉翩、司齐奔宋。

子孔当国，为载书，以位序、听政辟。大夫、诸司、门子弗顺。将诛之；子产止之，请为之焚书。子孔不可，曰："为书以定国。众怒而焚之，是众为政也，国不亦难乎？"子产曰："众怒难犯，专欲难成。合二难以安国，危之道也。不如焚书以安众，子得所欲，众亦得安，不亦可乎？专欲无成，犯众兴祸。子必从之！"乃焚书于仓门之外，众而后定。

诸侯之师城虎牢而戍之。晋师城梧及制，士鲂、魏绛戍之。书曰"戍郑虎牢"，非郑地也，言将归焉。郑及晋平。

楚子囊救郑。十一月，诸侯之师还郑而南，至于阳陵。楚师不退。知武子欲退，曰："今我逃楚，楚必骄。骄则可与战矣。"栾黡曰："逃楚，晋之耻也。合诸侯以益耻，不如死！我将独进！"师遂进。

己亥，与楚师夹颍而军。子（矫）〔蟜〕曰："诸侯既有成行，必不战矣。从之将退，不从亦退。退，楚必围我。犹将退也，不如从楚，亦以退之。"（霄）〔宵〕涉颍，与楚人盟。栾黡欲伐郑师，荀罃不可，曰："我实不能御楚，又不能（庀）〔庇〕郑，郑何罪？不如致怨焉而还。今伐其师，楚必救之。战而不克，为诸侯笑。克不可命，不如还也！"

丁未，诸侯之师还，侵郑北鄙而归。楚人亦还。

王叔陈生与伯舆争政。王右伯舆。王叔陈生怒而出奔，及河；王复之，杀史狡以说焉。不入，遂处之。晋侯使士匄平王室，王叔与伯舆讼焉。王叔之宰与伯舆之大夫瑕禽坐狱于王庭，士匄听之。王叔之宰曰："筚门闺窦之人而皆陵其上，其难为上矣！"瑕禽曰："昔平王东迁，吾七姓从王，牲用备具；王赖之，而赐之骍旄之盟，曰：'世世无失职！'若筚门闺窦，其能来东（底）〔厎〕乎？且王何赖焉？今自王叔之相也，政以贿成，而刑放于宠，官之师旅不胜其富，吾能无筚门闺窦乎？唯大国图之！下而无直，则何谓正矣？"范宣子曰："天子所右，寡君亦右之；所左，亦左之。"使王叔氏与伯舆合要，王叔氏不能举其契。王叔奔晋。不书，不告也。单靖公为卿士，以相王室。

【译文】

鲁襄公十年的春天，襄公在柤地与晋侯、宋公、卫侯、曹伯、莒子、邾子、滕子、杞伯、小邾子、齐国太子光会见吴国人（共商连吴攘楚之事）。夏天五月初八日，便攻灭了楚国的偪阳。襄公的到来是自从柤地盟会开始的。（六月）楚公子贞（即子囊）、郑国公孙辄（即子耳）带兵攻打宋国，晋国军队则进攻秦国。这年秋天，莒国人则乘机进犯我鲁国东部边境。鲁襄公会合晋侯、宋公、卫侯、曹伯、莒子、邾子、齐国太子光、滕子、薛伯、杞伯、小邾子等国共同进攻郑国。那年冬天，叛乱分子杀害了郑国的公子騑（即子驷）、公子发（即子国）和公孙辄（即子耳）。于是讨伐郑国的军队戍守郑国的虎牢城。楚公子贞（即子囊）带兵救援郑国。襄公是从讨伐郑国的前线上回来的。

鲁襄公十年春，与各国诸侯在柤地盟会，是为了会见吴子寿梦。

三月二十六日，齐国高厚做太子光的相礼，因为在钟离先会见诸侯时，表现得不恭敬，晋国的士庄子便说："高子作为太子的相礼来会见诸侯，应当捍卫自己的国家，却表现出不恭敬，这是抛弃国家，恐怕将会免不了出祸害吧！"

夏季四月初一，诸侯在柤地相会。

晋国荀偃、士匄请求攻打偪阳，而把它作为宋国左师向戌的封邑。荀罃说："城小而坚固，攻下它不算勇武，攻不下来被人讥笑。"荀偃、士匄坚决请求。初九日，围攻偪阳，不能攻克。孟氏的家臣秦堇父拉了辎重车到达战地。偪阳人打开城门，诸侯的将士攻打城门。悬挂的闸门放下来了，鲁郰邑大夫叔梁纥托举闸门，使攻进城的将士得以出来。狄虒弥立起大车的轮子，蒙上皮甲作为大盾牌，左手拿着它，右手拔戟，领兵自成一队。孟献子说："这就是《诗经》上所说的'像猛虎一样有力气'的人啊。"偪阳守城的人把布悬下来，秦堇父拉着布登城，刚到城墙垛，守城人便将布割断。秦堇父坠落在地，守城人又悬下来布来，秦堇父苏醒后又登上去，这样三次，守城人佩服秦堇父的勇力，不再挂布了，这才退兵。秦堇父以割断的布作带子，在军中游行了三天。

诸侯的军队在偪阳时间久了，荀偃、士匄向荀罃请示说："要下大雨涨水了，恐怕到时候不能回去，请您撤兵回去吧。"荀罃发怒，将弩机向他们扔过去，正好从两人中间飞出，说："你们把两件事办成了再来报告我。原先我担心意见不一而乱了军令，才不违背你们的意见（同意攻打偪阳）。你们既已劳驾国君，且发动了诸侯的军队，牵连我老夫也来到这里；既不坚守武攻，又想归罪于我，回去说：'这实在是他撤兵，要不是这样，早就攻下来了。'我衰老了，还能再一次承担罪责吗？七天内攻不下来，一定要你们的脑袋！"五月初四日，荀偃、士匄率领步兵攻打偪阳，亲身受到箭和石块的攻击，初八日灭亡了偪阳。《春秋》记载说："遂灭偪阳"，说的是从柤地盟会以后开始进攻偪阳的。

把偪阳封给宋大夫向戌，向戌辞谢说："如果还辱蒙您安抚宋国，而用偪阳来扩大寡君的疆土，臣下们就安心了，还有什么恩赐能如此呢？但若专门赐给下臣我，那就是我发动诸侯进攻而为自己谋求封地了，还有什么罪过比这更大的呢？谨敢以死来请求。"于是就将偪阳给了宋平公。

宋平公在楚丘设宴款待晋侯，请求使用《桑林》之乐。荀罃辞谢。荀偃、士匄说："诸侯之中的宋国、鲁国，在那里可以参观礼仪。鲁国有禘乐，在招待贵宾和举行大祭时用它。宋国用《桑林》之乐招待国君，不也是可以的吗？"于是起舞，乐师手举大旌作为乐队的标记领队入场，晋侯害怕得退进了厢房。宋国人去掉大旌，晋侯直至宴会完毕才回国。到达著雍，晋侯病了。占卜，从卜兆中见到桑林之神。荀偃、士匄想奔回宋国请求祈祷，荀罃不同意，说："我们已经辞去这种礼仪了，他们还是用它。如果有鬼神，应该加祸于宋国。"晋侯病愈，带了偪阳子回国，奉献于武宫，称他为夷人俘虏。偪阳，是妘姓人的。晋侯派周朝掌管爵禄的内史选择它宗族中的后嗣，让他们住在霍人地方，这是合于礼的。

军队回国，孟献子让秦堇父做车右。秦堇父生了秦丕兹，师事孔子。

六月，楚国的子囊、郑国的子耳攻打宋国，军队驻扎在訾毋。六月十四日，包围宋国，攻打桐门。

晋国的荀䓨进攻秦国，这是为了报复秦国人去年的入侵。

卫侯救援宋国，军队驻扎在襄牛。郑国子展说："一定要攻打卫国。不然，就是不亲附楚国。得罪晋国，又得罪楚国，我们的国家将怎么办？"子驷说："我们郑国已困乏了呀！"子展说："得罪两个大国，必定灭亡。困乏，不还比灭亡要强吗？"大夫们都认为子展的话对。因此，郑国的皇耳带兵侵袭卫国，这实际上是楚国的命令。

卫国孙文子为追逐郑国军队占卜，将卜兆献给定姜。定姜问繇辞如何。孙文子回答说："卜兆（龟壳上出现的裂纹）如同山陵，意味着有人出征，会丧失他们的英雄。"定姜说："出征者丧失英雄，对御敌一方有利。大夫们应考虑这个问题！"卫国人追逐郑军，孙蒯在犬丘俘虏了郑大夫皇耳。

那年秋季七月，楚国子囊、郑国子耳进攻我国西部边境。回国时，包围了宋国萧邑，八月十一日，攻下了萧邑。九月，子耳进犯宋国北部边境。

孟献子说："郑国恐怕有灾殃吧！军队争战太过分了。周天子尚且承受不了经常争战，何况郑国呢！有灾殃的话，恐怕免不了是执政的三位大夫吧！"

莒国人趁着诸侯各国有战事的空隙，攻打我国东部边境。

诸侯攻打郑国，齐国的崔杼让太子光先行到达军中，所以排在滕国前头。七月二十五日，军队驻扎在牛首。

起初，郑国的子驷与尉止有争执，在将要抵御诸侯的军队时，子驷减少了尉止应有的兵车。尉止俘虏了敌人，子驷又与他争功劳。子驷压制尉止说："你的战车太多，不合礼制。"于是就不让他献俘虏。起初，子驷划分田间水沟的地界，司氏、堵氏、侯氏、子师氏都损失了田土。所以（连尉氏一起）五个宗族聚集了一群失意之人，凭藉公子的族党发动叛乱。

那时候，子驷掌握国政，子国做司马，子耳做司空，子孔做司徒。冬十月十四日，尉止、司臣、侯晋、堵女父、子师仆等人率领叛乱分子进入，早晨在西宫的朝廷上攻打执政大夫，杀了子驷、子国、子耳，将郑伯劫持到北宫。子孔事先知道这件事，所以没有死。《春秋》记载说"盗"，说的是没有大夫参与作乱。

子西听说发生叛乱，未加戒备就出来了，收了他父亲子驷的尸体就去追赶叛乱分子，叛乱分子进入北宫，子西便回去发放皮甲。但这时家臣和妾婢多已逃走，器物也多数已丢失。子产听说发生了叛乱，便设置守门的人，配备各种官员，封闭财物和兵器的仓库，谨慎地收藏，完善各种防守设备，令兵士排成行列后才出来，有战车十七辆，先收了他父亲的尸体，然后在北宫攻打叛乱分子。子蟜率领国内的人们来帮助子

产，杀了尉止、子师仆，这伙叛乱者尽被杀死。侯晋逃奔到晋国。堵女父、司臣、尉翩、司齐逃亡到宋国。

子孔掌握国政，制订盟书：规定官员的职位次序，听取执政的法令。大夫、各部门官吏、卿之嫡子不顺从的，子孔便将予以诛杀。子产劝阻他，请求替他烧掉盟书。子孔不同意，说："制订盟书用来安定国家，众人发怒就烧掉它，这是众人执政，国家不就很艰难了吗？"子产说："众人的愤怒难触犯，专权的欲望难成功，把两件难以做到的事合在一起来安定国家，这是危险的办法。不如烧掉盟书来安定众人，您得到了所需要的东西，众人也能安定，不也是可以吗？专权的欲望不能成功，触犯众人又将发生祸乱，您一定要听从他们。"于是就在仓门外面烧掉了盟书，众人这才安定下来。

诸侯的军队在虎牢筑城并且戍守它。晋国的军队在梧地和制地筑城，士鲂、魏绛戍守。《春秋》记载说："戍郑虎牢"，不是郑国的领土（而这样记载），是说将要归还给郑国了。郑国和晋国媾和。

楚国的子囊救援郑国。十一月，诸侯的军队环绕郑国然后向南开进，到达阳陵，但楚军不退。知武子想要退兵，说："现在我们避开楚军，楚军必然骄傲，它骄傲，我们就可以和它作战了。"栾黡说："逃避楚军，这是晋国的耻辱。会合诸侯而来增加耻辱，不如一死！我打算单独前进。"于是军队向前推进。十六日，和楚军夹着颍水扎营。子蟜说："诸侯已经完成退兵的准备，必定不会来作战了。我们郑国顺从他们要退兵，不顺从，他们也要退兵。退兵，楚国必定包围我们。同样是要退兵，我们不如顺从楚国，也以此使楚国退兵。"于是夜渡过颍水，与楚国结盟。栾黡想要攻打郑国军队，荀罃不同意，说："我们实在不能抵御楚军，又不能保护郑国，郑国有什么罪？不如致怨恨于楚国，然后回去。如今若攻打郑军，楚军一定会救援他们，作战而不能取胜，就会被诸侯笑话。取胜不能肯定，不如回去吧。"二十四日，诸侯的军队撤退回去，攻打了郑国的北部边境然后回国。楚国人也退兵回国。

王叔陈生与伯舆争夺政权。周灵王赞助伯舆，王叔陈生怒气冲冲地出逃了。到达黄河时，周灵王让他官复原职，并且杀了史狡以使他高兴。王叔陈生不回来，就住在黄河边上。晋侯派士匄调和周王室的纠纷，王叔与伯舆向他提出诉讼。王叔的家宰和伯舆的大夫瑕禽在周王的朝廷上对讼以争曲直，士匄听取他们的诉讼。王叔的家宰说："柴门小户之人，却都要凌驾他上面的人，在上面的就也为难了！"瑕禽说："从前周平王东迁，我们七姓人家跟随天子，牺牲之类祭品全都具备。天子信赖他们，而赐给他们用赤色牛祭神的盟约，并说：'世世代代不要失职。'如果是柴门小户，他们能来到东方住下来吗？而且天子又怎么信赖他们呢？如今自从王叔辅佐天子以后，政事要用贿赂才能办成，而执法大权又寄托在宠臣身上。官吏中的师、旅要员，钱财富足得无法形容，这样我们能不变成柴门小户吗？请大国考虑吧！下面的人不能有理，那么什么叫做公正呢？"士匄说："天子所赞助的，寡君也赞助他；天子所不赞助的，寡君也不赞助他。"于是让王叔和伯舆对证讼辞，王叔拿不出他的诉讼文书。王叔逃奔到晋国。《春秋》没有记载，是因为没有报告我们鲁国的缘故。单靖公做了卿士，辅佐周王室。

襄公十一年

【原文】

十有一年：春，王正月，作三军。

夏，四月，四卜郊；不从，乃不郊。

郑公孙舍之帅师侵宋。

公会晋侯、宋公、卫侯、曹伯、齐世子光、莒子、邾子、滕子、薛伯、杞伯、小邾子，伐郑。

秋，七月己未，同盟于亳城北。

公至自伐郑。

楚子、郑伯伐宋。

公会晋侯、宋公、卫侯、曹伯、齐世子光、莒子、邾子、滕子、薛伯、杞伯、小邾子，伐郑。会于萧鱼。

公至自会。

楚人执郑行人良霄。

冬，秦人伐晋。

十一年春，季武子将作三军，告叔孙穆子曰："请为三军，各征其军。"穆子曰："政将及子，子必不能。"武子固请之。穆子曰："然则盟诸？"乃盟诸僖闳，诅诸五父之衢。

正月，作三军，三分公室而各有其一。三子各毁其乘。季氏使其乘之人，以其役邑入者无征，不入者倍征。孟氏使半为臣，若子若弟。叔孙氏使尽为臣，不然不舍。

郑人患晋、楚之故，诸大夫曰："不从晋，国几亡。楚弱于晋，晋不吾疾也。晋疾，楚将辟之。何为而使晋师致死于我？楚弗敢敌，而后可固与也。"子展曰："与宋为恶，诸侯必至，吾从之盟。楚师至，吾又从之，则晋怒甚矣。晋能骤来。楚将不能，吾乃固与晋。"大夫说之。

使疆埸之司恶于宋。宋向戍侵郑，大获。子展曰："师而伐宋可矣。若我伐宋，诸侯之伐我必疾；吾乃听命焉，且告于楚。楚师至，吾（乃）〔又〕与之盟，而重赂晋师，乃免矣。"

夏，郑子展侵宋。四月，诸侯伐郑。己亥，齐大子光、宋向戍先至于郑，门于东门。其莫，晋荀䓨至于西郊，东侵旧许。卫孙林父侵其北鄙。六月，诸侯会于北林，师于向。右还，次于琐。围郑，观兵于南门，西济于济隧。郑人惧，乃行成。

秋七月，同盟于亳。范宣子曰："不慎，必失诸侯。诸侯道敝而无成，能无贰乎？"

乃盟。载书曰："凡我同盟，毋蕴年，毋壅利，毋保奸，毋留慝，救灾患，恤祸乱，同好恶，奖王室。或间兹命，司慎司盟、名山名川、群神群祀、先王先公、七姓十二国之祖，明神殛之！俾失其民，队命亡氏，踣其国家。"

楚子囊乞旅于秦。秦右大夫詹帅师从楚子，将以伐郑。郑伯逆之。丙子，伐宋。

九月，诸侯悉师以复伐郑。郑人使良霄、大宰石㚟如楚，告将服于晋，曰："孤以社稷之故，不能怀君。君若能以玉帛绥晋；不然则武震以摄威之，孤之愿也。"楚人执之。书曰"行人"，言使人也。

诸侯之师观兵于郑东门，郑人使王子伯骈行成。甲戌，晋赵武入盟郑伯。冬十月丁亥，郑子展出盟晋侯。十二月戊寅，会于萧鱼。庚辰，赦郑囚，皆礼而归之；纳斥侯，禁侵掠。晋侯使叔肸告于诸侯，公使臧孙纥对曰："凡我同盟，小国有罪，大国致讨；苟有以藉手，鲜不赦宥；寡君闻命矣。"

郑人赂晋侯以师悝、师触、师蠲；广车、𫐓车淳十五乘，甲兵备，凡兵车百乘；歌钟二肆，及其镈、磬；女乐二八。

晋侯以乐之半赐魏绛，曰："子教寡人和诸戎狄以正诸华，八年之中九合诸侯，如乐之和，无所不谐。请与子乐之。"辞曰："夫和戎狄，国之福也。八年之中九合诸侯，诸侯无慝，君之灵也，二三子之劳也。臣何力之有焉？抑臣愿君安其乐而思其终也。《诗》曰：'乐只君子，殿天子之邦。乐只君子，福禄攸同。便蕃左右，亦是帅从。'夫乐以安德，义以处之，礼以行之，信以守之，仁以厉之，而后可以殿邦国、同福禄、来远人，所谓乐也。《书》曰：'居安思危。'思则有备，有备无患。敢以此规！"公曰："子之教，敢不承命？抑微子，寡人无以待戎，不能济河。夫赏，国之典也；藏在盟府，不可废也。子其受之！"魏绛于是乎始有金石之乐，礼也。

秦庶长鲍、庶长武帅师伐晋以救郑。鲍先入晋地。士鲂御之，少秦师而弗设备。壬午，武济自辅氏，与鲍交伐晋师。己丑，秦、晋战于栎，晋师败绩，易秦故也。

【译文】

鲁襄公十一年春天，周历正月，鲁国建立上、中、下三军。夏季四月，第四次占卜选定郊祭的日期，卜兆上表示不同意，于是取消了这次郊祭。郑国公孙舍之率领军队侵袭宋国，襄公会合晋侯、宋公、卫侯、曹伯、齐国太子光、莒子、邾子、滕子、薛伯、杞伯、小邾子等诸侯国攻打郑国。秋季七月十日，同郑国一起各国在京城北订立盟约。襄公从攻打郑国回国。（九月）楚子、郑伯又进攻宋国。襄公会合晋侯、宋公、卫侯、曹伯、齐国太子光、莒子、邾子、滕子、薛伯、杞伯、小邾子进攻郑国，在萧鱼会战。鲁襄公从会战回国。楚国人捉拿了郑国的行人良霄。那年冬天，秦国人攻打了晋国。

十一年春，季武子将要组建三军，告诉叔孙穆子说："请组建三个军，我们三家各管一军。"叔孙穆子说："政权将要轮到您执掌了，您必定办不到。"季武子坚决请求，叔孙穆子说："既然这样，那么是不是为此盟誓呢？"于是就在鲁僖公的宗庙门口盟誓，在五父之衢诅咒。

正月，组编了三个军，把公家的军队分作三军，三家各掌握一军。三家都毁了原来的车兵编制，季氏让他私家的车兵人员加入军队，服兵役的邑人免除征税，不服役的加倍征税。孟氏则将私邑兵士的半数编入奴隶兵，尽是些少壮子弟。叔孙氏让他私邑中的士兵全都编为奴隶兵。不这样，就不编入所分的公室军队里。

郑国人因为担忧晋国和楚国的缘故，大夫们议论说："不顺从晋国，国家几乎灭亡。楚国比晋国弱，而晋国并不急于争夺我国。要是晋国急于争夺，楚国将会避开它。怎么做才能使晋国出死力攻打我国，楚国不敢抵抗，然后我国可以坚定地亲附晋国。"子展说："与宋国作对，诸侯必然到来，我们跟从他们结盟。楚军来了，我们又跟从楚国，这样晋国就会大怒了。晋国能屡次前来，而楚国却不能，我国便可以坚定地亲附晋国了。"大夫们对这个计划感到高兴，于是派边境的官吏向宋国挑衅。宋国的向戌攻打郑国，俘获很多。子展说："可以出兵攻打宋国了。如果我们攻打宋国，诸侯攻打我们必定很奋力，我们就听从诸侯的命令，同时报告楚国。楚军到达，我们又和他们结盟，而又重重地贿赂晋军，这样就可以免于战祸了。"这年夏天，郑国的子展攻打宋国。

四月，诸侯攻打郑国。十九日，齐国太子光、宋国向戌先到达郑国，驻扎在东门外。那天晚上，晋国荀罃到达郑国西郊，往东进攻许国的旧地。卫国的孙林父进攻郑国的北部边境。六月，诸侯在北林会合，军队驻扎在郑国的向地，又北行向西环绕驻扎在琐地，包围郑国。诸侯的军队在郑国南门外炫耀武力，又从西边渡过济隧。郑国人害怕了，就向诸侯求和。

秋天的七月，各国同在亳地结盟。范宣子说："若不谨慎，必定失去诸侯。诸侯在路上往来疲敝而没有什么成果，能不三心二意吗？"于是盟誓，盟书上记载说："凡是我们同盟国家，不要囤积粮食，不要垄断利益，不要庇护他国罪人，不要收留坏人，要救济灾荒，安定祸乱，统一好恶，辅助王室。有人触犯这些命令，司慎司盟、名山名川、群神群祀、先王先公，七姓十二国的祖宗，明察的神灵诛杀他，使他失去百姓，丧君灭族，亡国亡家。

楚国的子囊向秦国请求出兵，秦国的右大夫詹率领军队跟随楚王，准备去攻打郑国。郑伯迎接他们。七月二十七日，攻打宋国。

九月，诸侯全部出兵再次攻打郑国。郑国人派良霄、太宰石㚟到楚国，告知准备顺服晋国，曰："我们因为国家的缘故，不能怀念君王了。君王如果能用玉帛安抚晋国，……不这样，那就用武力威慑晋国，这都是我们的愿望。"楚国人将他们囚禁，《春秋》记载说"行人"，说的是他们是使者。

诸侯的军队在郑国东门外炫耀武力，郑国人派王子伯骈求和。九月二十六日，晋国的赵武进入郑国与郑伯结盟。冬十月初九，郑国子展出城和晋侯结盟。十二月初一日，在萧鱼会见。初三日，赦免郑国的俘虏，都给以礼遇放回去。撤回巡逻兵，禁止抢掠。晋侯派叔肸通告诸侯（也都赦免郑国的俘房）。襄公派臧孙纥回答说："凡是我们同盟国家，小国有罪，大国就去讨伐，如果小国有借助之功，很小不赦免的。寡君听到命令了。"

郑国人赠送晋侯师悝、师触、师蠲，成对的广车、𫐄车各十五辆，盔甲武器齐备。共计兵车一百辆，歌钟两列以及与它相配的镈、磬，还有女乐两佾十六人。

晋侯把乐队的一半赐给魏绛，说："您教寡人同各部落戎狄和好，而且整顿了中原各国。八年之中，九次会合诸侯，好像音乐的和谐，没有什么地方不协调。请与您一起享乐。"魏绛辞谢说："同戎狄和好，这是国家的福气。八年之中，九次会合诸侯，诸侯没有不顺从的，这是您君王的威灵，其他几位大夫们的辛劳，我下臣有什么力量？不过下臣但愿君王既安于这种快乐而又想到它的终了。《诗》上说：'快乐啊君子，镇抚天子的家邦。快乐啊君子，福禄和大家共享。治理好附近的小国，使他们相率服从。'音乐用来稳固德行，用道义来对待它，用礼仪来推行它，以信用来保护它，用仁爱勉励它，然后才可以镇抚邦国、共享福禄、招来远方的人，这就是所说的快乐。《书》说：'处于安乐要想到危险。'想到了就有防备，有了防备就没有祸患。谨敢以此规劝君王。"晋侯说："您的教导，岂敢不接受！若是没有您，寡人不能正确对待戎人，不能渡过黄河。奖赏，是国家的典章，藏在盟府中，不可废除。您还是接受吧！"魏绛从此开始有了金石的音乐，是合于礼的。

秦国的庶长鲍、庶长武带兵攻打晋国，用以救援郑国。庶长鲍先侵入晋国领土，士鲂抵御他，认为秦军入少而不加设防。十二月初五日，庶长武从辅氏渡河，与鲍一起夹攻晋军。十二日，秦晋两军在栎地交战，晋军大败，这是因为轻视秦军的缘故。

襄公十二年

【原文】

　　十有二年：春，王二月，莒人伐我东鄙，围台。
　　季孙宿帅师救台，遂入郓。
　　夏，晋侯使士鲂来聘。
　　秋，九月，吴子乘卒。
　　冬，楚公子贞帅师侵宋。
　　公如晋。
　　十二年春，莒人伐我东鄙，围台。季武子救台，遂入郓，取其钟以为公盘。
　　夏，晋士鲂来聘，且拜师。
　　秋，吴子寿梦卒。临于周庙，礼也。凡诸侯之丧，异姓临于外，同姓于宗庙，同宗于祖庙，同族于祢庙。是故鲁为诸姬临于周庙，为刑、凡、蒋、茅、胙、祭临于周公之庙。

冬，楚子囊、秦庶长无地伐宋，师于扬梁，以报晋之取郑也。

灵王求后于齐。齐侯问对于晏桓子，桓子对曰："先王之礼辞有之。天子求后于诸侯，诸侯对曰：'夫妇所生若而人，妾妇之子若而人。'无女而有姊妹及姑姊妹，则曰：'先守某公之遗女若而人。'"齐侯许昏。王使阴里结之。

公如晋，朝，且拜士鲂之辱，礼也。

秦嬴归于楚。楚司马子庚聘于秦，为夫人宁，礼也。

【译文】

鲁襄公十二年春天的二月，莒国人进犯我东部边境，包围了台城。季孙宿率领军队救援台城，于是进入郓地。夏季，晋侯派士鲂来鲁国聘问。秋天的九月，吴子寿梦去世。冬天，楚公子贞率军侵袭宋国。襄公到达晋国。

鲁襄公十二年春天，莒国人进犯我国东部边境，包围了台城。季武子救援台城，于是进入郓地，掠取了他们的钟改铸为襄公的食盘。

夏天，晋国士鲂来鲁国聘问，并且拜谢鲁国出兵。

秋天，吴子寿梦去世。襄公到周文王庙里哭丧吊唁，这是合于礼的。凡是诸侯的丧事，异姓的在城外哭泣吊唁，同姓的宗庙里，同宗的在祖庙里，同族的在父庙里。由于这个原因，鲁国为了姬姓诸国，到周文王庙里哭泣吊唁。为邢、凡、蒋、茅、胙、祭等各国，则在周公庙里哭泣吊唁。

冬天，楚国子囊、秦国庶长无地攻打宋国。军队驻扎在杨梁，以报复去年晋国取得郑国。

周灵王向齐国求娶王后。齐侯向晏桓子询问答辞，晏桓子回答说："先王的礼仪辞令有这样的话，天子向诸侯求娶王后，诸侯回答说：'夫人所生的若干人。妃妾所生的若干人。'没有女儿而有姐妹和姑母姐妹，就说：'先君某公的遗女若干人。'"齐侯答应了婚事，周灵王派阴里作了口头约定。

襄公到达晋国，朝见后并且拜谢士鲂的来聘，这是合于礼的。

秦嬴回到楚国。楚国司马子庚到秦国聘问，为了夫人回娘家省亲，这是合于礼的。

襄公十三年

【原文】

十有三年：春，公至自晋。

夏，取邿。

秋，九月庚辰，楚子审卒。

冬，城防。

十三年春，公至自晋。孟献子书劳于庙，礼也。

夏，邿乱，分为三。师救邿，遂取之。凡书"取"，言易也；用大师焉曰"灭"，弗地曰"入"。

荀䓨、士鲂卒。晋侯蒐于绵上以治兵，使士匄将中军，辞曰："伯游长。昔臣习于知伯，是以佐之，非能贤也。请从伯游。"荀偃将中军，士匄佐之。使韩起将上军，辞以赵武。又使栾黡，辞曰："臣不如韩起。韩起愿上赵武，君其听之。"使赵武将上军，韩起佐之。栾黡将下军，魏绛佐之。新军无帅，晋侯难其人，使其什吏率其卒乘官属以从于下军，礼也。晋国之民是以大和，诸侯遂睦。

君子曰："让，礼之主也。范宣子让，其下皆让。栾黡为汏，弗敢违也。晋国以平，数世赖之，刑善也夫！一人刑善，百姓休和，可不务乎？《书》曰：'一人有庆，兆民赖之，其宁惟永'，其是之谓乎！周之兴也，其诗曰：'仪刑文王，万邦作孚'，言刑善也。及其衰也，其诗曰：'大夫不均，我从事独贤。'言不让也。世之治也，君子尚能而让其下，小人农力以事其上，是以上下有礼而谗慝黜远，由不争也，谓之懿德。及其乱也，君子称其功以加小人，小人伐其技以冯君子，是以上下无礼，乱虐并生，由争善也，谓之昏德。国家之敝，恒必由之。"

楚子疾，告大夫曰："不穀不德，少主社稷。生十年而丧先君，未及习师保之教训而应受多福，是以不德，而亡师于鄢以辱社稷，为大夫忧，其弘多矣。若以大夫之灵，获保首领以殁于地，唯是春秋窀穸之事、所以从先君于祢庙者，请为'灵'若'厉'。大夫择焉！"莫对。及五命乃许。

秋，楚共王卒。子囊谋谥。大夫曰："君有命矣。"子囊曰："君命以共，若之何毁之？赫赫楚国而君临之，抚有蛮夷、奄征南海以属诸夏，而知其过，可不谓共乎？请谥之'共'！"大夫从之。

吴侵楚。养由基奔命，子庚以师继之。养叔曰："吴乘我丧，谓我不能师也，必易我而不戒。子为三覆以待我，我请诱之。"子庚从之。战于庸浦，大败吴师，获公子党。

君子以吴为不吊。《诗》曰："不吊昊天，乱靡有定。"

冬，城防。书事，时也。于是将早城，臧武仲请俟毕农事，礼也。

郑良霄、大宰石㚟犹在楚。石㚟言于子囊曰："先王卜征五年而岁习其祥，祥习则行，不习则增修德而改卜。今楚实不竞，行人何罪？止郑一卿以除其偪，使睦而疾楚，以固于晋，焉用之？使归而废其使，怨其君以疾其大夫，而相牵引也，不犹愈乎？"楚人归之。

【译文】

鲁襄公十三年春天，襄公从晋国回来。夏季，占领了邿国。秋季九月十四日，楚共王去世。冬季，在防地筑城。

鲁襄公十三年春天，襄公从晋国回来，孟献子在宗庙里记载功勋，这是合于礼的。

夏天，鄀国发生动乱，一分为三。鲁国出兵救援鄀国，就乘机占领了鄀国。凡是《春秋》记载说"取"，就是说来得容易。动用了大军叫做"灭"。不占领其土地叫做"入"。

荀罃、士鲂死。晋侯在绵上打猎并用以练兵，派士匄统领中军，他辞谢说："伯游应该居长。过去下臣熟悉知伯，因此我辅佐他，而不是我贤能。请让我跟从伯游。"于是荀偃（伯游）统领中军，士匄辅佐他。派韩起统率上军，他辞让给赵武。又派遣栾黡，他辞谢说："下臣不如韩起。韩起愿意让赵武居上位，君还是听从他吧！"于是就派赵武统领上军，韩起辅佐他。栾黡统率下军，魏绛辅佐他。新军没有统帅，晋侯对此人选问题感到为难，就派新军的十吏率领他的步兵车兵和所属官员，附属于下军，这是合于礼的。晋国的百姓因此很和谐，诸侯于是也亲睦了。

君子说："谦让，是礼的主体。范宣子谦让，他下面的人都谦让。栾黡就是专横，也不敢违背。晋国因此和睦团结，几世都依赖着它。这是取法于善行的缘故啊！一人取法于善行，百姓都美好和谐，岂可不致力于此？《尚书》上说：'一个人有好德行，亿万人依赖它，国家的安宁可以久长。'大概说的就是这个吧？周朝兴起的时候，它的《诗》说：'效法文王，万邦信孚。'说的是取法于善行。等到它衰微的时候，它的《诗》说：'大夫不公平，独我干的事情特别多。'说的是不谦让。天下大治的时候，君子崇尚贤能而对下谦让，小人努力以事奉他的上面，因此上下有礼，而奸邪废黜远离，这是由于不争夺的缘故，叫做美德。等到天下动乱的时候，君子夸耀他的功劳而凌驾于小人之上，小人夸耀自己的技能而凌驾于君子之上，因此上下无礼，动乱与残暴一起发生，这是由于相争自以为是的缘故，叫做昏德。国家的败坏，常常由于这个原因。"

养由基，选自《清刻历代画像传》。

楚王生病，告诉大夫说："不谷没有德行，年幼的时候就主持国家为君，生下来十年便失去先君，没有来得及学习师保的教训，就承受了君王之位。因此缺少德行而在鄢陵丧失了军队，让国家蒙受耻辱，让大夫担忧，实在太多了。如果托各位大夫的福气，我能得以保全首领而善终于地下，惟有这些祭祀和安葬的事情，得以在祢庙中追随先君，则请求谥为'灵'或者'厉'。大夫们选择吧！"没有谁回答。直到五次命令才答应。

秋天，楚共王死。子囊和大家商议谥号。大夫说："君王已有过命令了。"子囊说："国君是用'恭'来命令的，怎么能毁掉它呢？声威赫赫的楚国，君王在上面治理，安抚着蛮夷，大举征伐南海，让它们从属于中原诸国，而君王又知道了自己的过错，可以不说是恭吗？请谥他为'恭'。"大夫们都听从了子囊的意见。

吴国攻打楚国，养由基作为急行军的前锋去迎敌，子庚带兵跟着上去。养由基说："吴国趁着我国有丧事，认为我们不能出兵，必定会轻视我们而不加戒备。您设置三处伏兵等待我，我去引诱他们。"子庚听从了他的意见。在庸浦作战，大败吴军，俘虏了吴国的公子党。

君子认为吴国是不善的。《诗》说："上天认为你不善，动乱就没有个安定。"

冬天，在防地筑城，《春秋》记载了这件事，是因为它合于时令。当时准备早些时候筑城，臧武仲请求待农活完毕后再动工。这是合于礼的。

郑国的良霄、太宰石㚟还在楚国。石㚟对子囊说："先王为了征伐，连续占卜五年，而年年都重复出现吉兆；重复出现吉兆就可行动出兵，若不重复出现吉兆，就应更加努力修养德行，然后重新开始占卜。如今楚国实在不自强，行人使者有什么罪过？扣留郑国一卿，用以除掉对郑国君臣的威逼，使他们上下和睦而怨恨楚国，从而坚定地顺从晋国，为什么要采用这种办法呢？让他回去而废弃他的使命，他会埋怨他的国君，怨恨他的大夫们，从而互相牵制，这不是更胜一筹吗？"于是楚国人就把良霄放了回去。

襄公十四年

【原文】

十有四年：春，王正月，季孙宿、叔老会晋士匄、齐人、宋人、卫人、郑公孙虿、曹人、莒人、邾人、滕人、薛人、杞人、小邾人，会吴于向。

二月乙未朔，日有食之。

夏，四月，叔孙豹会晋荀偃、齐人、宋人、卫北宫括、郑公孙虿、曹人、莒人、邾人、滕人、薛人、杞人、小邾人，伐秦。

己未，卫侯出奔齐。

莒人侵我东鄙。

秋，楚公子贞帅师伐吴。

冬，季孙宿会晋士匄、宋华阅、卫孙林父、郑公孙虿、莒人、邾人于戚。

十四年春，吴告败于晋。会于向，为吴谋楚故也。范宣子数吴之不德也，以退吴人。执莒公子务娄，以其通楚使也。

将执戎子驹支，范宣子亲数诸朝，曰："来，姜戎氏！昔秦人迫逐乃祖吾离于瓜州，乃祖吾离被苫盖、蒙荆棘以来归我先君。我先君惠公有不腆之田，与女剖分而食之。今诸侯之事我寡君不如昔者，盖言语漏泄，则职女之由。诘朝之事，尔无与焉。与，将执女！"对曰："昔秦人负恃其众，贪于土地，逐我诸戎。惠公蠲其大德，谓我诸戎：'是四岳之裔胄也，毋是翦弃。'赐我南鄙之田，狐狸所居，豺狼所嗥。我诸戎除翦其荆棘，驱其狐狸豺狼，以为先君不侵不叛之臣，至于今不贰。昔文公与秦伐郑，秦人窃与郑盟而舍戍焉，于是乎有殽之师：晋御其上，戎亢其下，秦师不复，我诸戎实然。譬如捕鹿，晋人角之，诸戎掎之，与晋踣之。戎何以不免？自是以来，晋之百役与我诸戎相继于时，以从执政，犹殽志也，岂敢离逷？今官之师旅无乃实有所阙，以携诸侯，而罪我诸戎！我诸戎饮食衣服不与华同，贽币不通，言语不达，何恶之能为？不与于会，亦无瞢焉！"赋《青蝇》而退。宣子辞焉，使即事于会，成恺悌也。

于是子叔齐子为季武子介以会，自是晋人轻鲁币而益敬其使。

吴子诸樊既除丧，将立季札。季札辞曰："曹宣公之卒也，诸侯与曹人不义曹君，将立子臧。子臧去之，遂弗为也，以成曹君，君子曰'能守节'。君，义嗣也，谁敢奸君？有国非吾节也。札虽不才，愿附于子臧，以无失节。"固立之，弃其室而耕，乃舍之。

夏，诸侯之大夫从晋侯伐秦，以报栎之役也。晋侯待于竟，使六卿帅诸侯之师以进。及泾，不济。叔向见叔孙穆子，穆子赋《匏有苦叶》，叔向退而具舟。鲁人、莒人先济。郑子蟜见卫北宫懿子曰："与人而不固，取恶莫甚焉，若社稷何？"懿子说。二子见诸侯之师而劝之济。济泾而次。秦人毒泾上流，师人多死。郑司马子蟜帅郑师以进，师皆从之。至于棫林，不获成焉，荀偃令曰："鸡鸣而驾，塞井夷灶，唯余马首是瞻！"栾黡曰："晋国之命，未是有也。余马首欲东。"乃归，下军从之。左史谓魏庄子曰："不待中行伯乎？"庄子曰："夫子命从帅，栾伯吾帅也，吾将从之。从帅，所以待夫子也。"伯游曰："吾（今）〔令〕实过，悔之何及，多遗秦禽。"乃命大还。晋人谓之"迁延之役"。

栾鍼曰："此役也，报栎之败也。役又无功，晋之耻也。吾有二位于戎路，敢不耻乎？"与士鞅驰秦师，死焉。士鞅反。栾黡谓士匄曰："余弟不欲往，而子召之。余弟死，而子来，是而子杀余之弟也。弗逐，余亦将杀之。"士鞅奔秦。

于是齐崔杼、宋华阅、仲江会伐秦。不书，惰也。向之会亦如之。卫北宫括不书于向，书于伐秦，摄也。

秦伯问于士鞅曰："晋大夫其谁先亡？"对曰："其栾氏乎！"秦伯曰："以其（汰）〔汏〕乎？"对曰："然。栾黡（汰）〔汏〕虐已甚，犹可以免。其在盈乎？"秦伯曰："何故？"对曰："武子之德在民，如周人之思召公焉，爱其甘棠，况其子乎？栾黡死，盈之善未能及人；武子所施没矣，而黡之怨实章：将于是乎在。"秦伯以为知言，为之请于晋而复之。

卫献公戒孙文子、宁惠子食。皆服而朝。日旰不召，而射鸿于囿。二子从之。不释皮冠而与之言，二子怒。

孙文子如戚，孙蒯入使。公饮之酒，使大师歌《巧言》之卒章，大师辞；师曹请为之。初，公有嬖妾，使师曹诲之琴，师曹鞭之；公怒，鞭师曹三百。故师曹欲歌之以怒孙子，以报公。公使歌之，遂诵之。

蒯惧，告文子。文子曰："君忌我矣。弗先，必死！"并帑于戚而入。见蘧伯玉，曰："君之暴虐，子所知也。大惧社稷之倾覆，将若之何？"对曰："君制其国，臣敢奸之？虽奸之，庸知愈乎？"遂行，从近关出。

公使子蟜、子伯、子皮与孙子盟于丘宫，孙子皆杀之。四月己未，子展奔齐，公如鄄。使子行〔请〕于孙子，孙子又杀之。公出奔齐，孙氏追之，败公徒于河泽，鄄人执之。

初，尹公佗学射于庾公差，庾公差学射于公孙丁。二子追公，公孙丁御公。子鱼曰："射为背师，不射为戮，射为礼乎？"射两靷而还。尹公佗曰："子为师，我则远矣。"乃反之。公孙丁授公辔而射之，贯臂。

子鲜从公。及竟，公使祝宗告亡，且告无罪。定姜曰："无神，何告？若有，不可诬也。有罪，若何告无？舍大臣而与小臣谋，一罪也；先君有冢卿以为师保，而蔑之，二罪也。余以巾栉事先君，而暴妾使余，三罪也。告亡而已，无告无罪！"

公使厚成叔吊于卫，曰："寡君使瘠，闻君不抚社稷而越在他竟，若之何不吊？以同盟之故，使瘠敢私于执事曰：'有君不吊，有臣不敏；君不赦宥，臣亦不帅职：增淫发泄，其若之何？'"卫人使大叔仪对曰："群臣不佞，得罪于寡君。寡君不以即刑而悼弃之，以为君忧。君不忘先君之好，辱吊群臣，又重恤之。敢拜君命之辱，重拜大贶！"厚孙归复命，语臧武仲曰："卫君其必归乎！有大叔仪以守，有母弟鱄以出，或抚其内，或营其外，能无归乎？"

齐人以郲寄卫侯。及其复也，以郲粮归。

右宰穀从而逃归，卫人将杀之。辞曰："余不说初矣。余狐裘而羔袖。"乃赦之。

卫人立公孙剽，孙林父、宁殖相之，以听命于诸侯。

卫侯在郲，臧纥如齐唁卫侯。〔卫侯〕与之言，虐。退而告其人曰："卫侯其不得入矣。其言，粪土也。亡而不变，何以复国？"子展、子鲜闻之，见臧纥；与之言，道。臧孙说，谓其人曰："卫君必入！夫二子者，或挽之，或推之；欲无入，得乎？"

师归自伐秦，晋侯舍新军，礼也。成国不过半天子之军。周为六军，诸侯之大者三军可也。

于是知朔生盈而死，盈生六年而武子卒。彘裘亦幼。皆未可立也。新军无帅，故舍之。

师旷侍于晋侯。晋侯曰："卫人出其君，不亦甚乎？"对曰："或者其君实甚。良君将赏善而刑淫，养民如子，盖之如天，容之如地；民奉其君，爱之如父母，仰之如日月，敬之如神明，畏之如雷霆：其可出乎？夫君，神之主（也）〔而〕民之望也。若困民之（主）〔生〕，匮神乏祀，百姓绝望，社稷无主，将安用之？弗去何为？天生民而立之君，使司牧之，勿使失性；有君而为之贰，使师保之，勿使过度。是故天子有公，诸侯有卿，卿置侧室，大夫有贰宗，士有朋友，庶人、工、商、皂、隶、牧、圉皆有亲昵，以相辅佐也。善则赏之，过则匡之，患则救之，失则革之。自王以下，各有父兄子弟以补察其政。史为书，瞽为诗，工诵箴谏，大夫规诲，士传言，庶人谤，商旅于市，百工献艺。故《夏书》曰：'遒人以木铎徇于路，官师相规，工执艺事以谏。'正月孟春，于是乎有之，谏失常也。天之爱民甚矣！岂其使一人肆于民上，以从其淫而弃天地之性？必不然矣！"

秋，楚子为庸浦之役故，子囊师于棠以伐吴。吴不出而还，子囊殿，以吴为不能而弗儆。吴人自皋舟之隘要而击之，楚人不能相救。吴人败之，获楚公子宜穀。

王使刘定公赐齐侯命，曰："昔伯舅大公右我先王，股肱周室，师保万民。世胙大师，以表东海。王室之不坏，繄伯舅是赖。今余命女环，兹率舅氏之典，纂乃祖考，无忝乃旧。敬之哉，无废朕命！"

晋侯问卫故于中行献子。对曰："不如因而定之。卫有君矣，伐之，未可以得志，而勤诸侯。史佚有言曰：'因重而抚之。'仲虺有言曰：'亡者侮之，乱者取之。推亡，固存，国之道也。'君其定卫以待时乎！"冬，会于戚，谋定卫也。

范宣子假羽、毛于齐而弗归，齐人始贰。

楚子囊还自伐吴，卒。将死，遗言谓子庚："必城郢！"君子谓子囊忠：君薨不忘增其名，将死不忘卫社稷，可不谓忠乎？忠，民之望也。《诗》曰"行归于周，万民所望"，忠也。

【译文】

鲁襄公十四年春天的正月，季孙宿、叔老二卿和晋国士匄、齐人、宋人、卫人、郑匡公孙虿、曹人、莒人、邾人、滕人、薛人、杞人、小邾人在向地会见吴国人。二月初一日，有日蚀的现象。叔孙豹会合晋国荀偃、齐、宋人、卫国北宫括、郑国公孙虿、曹人、莒人、邾人、滕人、薛人、杞人、小邾人一起攻打秦国。二十六日，卫侯出逃到齐国。莒国人侵袭我鲁国东部边境。秋天，楚国公子贞（即子囊）领兵进攻吴国。冬天，季孙宿在戚地会见晋国士匄、宋国华阅、卫孙林父、郑国公孙虿、莒人和邾人。

十四年春，吴国向晋国报告被楚国打败。鲁、晋等各国在向地举行盟会，为的是替吴国谋划攻打楚国的事。范宣子责备吴国不道德，以此拒绝了吴人。拘捕了莒国的公子务娄，因为他的使者和楚国往来。

将要拘捕戎子驹支。范宣子亲自在朝廷上责备他，说："过来，姜戎氏！过去秦人逼迫你的祖父吾离离开瓜州，你的祖父吾离披着白茅衣、戴着荆草帽前来归附我们先君。我们先君晋惠公只有并不丰厚的土地，也和你祖父平分而吃用它。如今诸侯事奉我们寡君不如以前，这是因为说话泄漏了机密，应当是由于你的缘故。明天早晨诸侯盟会，你不要参加了！如果你去参加就把你捉起来。"

戎子驹支回答说："从前秦国人仗着他们人多，贪求土地，驱逐我们各部落戎人。晋惠公显示了他的大德，说我们各部落戎人是尧时四岳的后代，不要丢弃他们。赐给我们南部边境的田土，那是狐狸居住、豺狼嗥叫的地方。我们戎人剪除那里的荆棘，驱逐那里的狐狸豺狼，作为您先君不侵犯不背叛的下臣，直到如今都没有二心。从前晋文公和秦国一起攻打郑国，秦人私自与郑国结盟且安置了戍守的军队，因此就有了殽山之战。那时晋国在上边抵御，戎人在下边抵挡，秦军败得匹马只轮没回，实在是我们各部戎人致使他们这样。譬如捕鹿，晋人抓住鹿角，我们戎人拖住鹿脚，与晋国一起把鹿按倒，我们戎人为什么不能免于罪责呢？从这次战役以来，晋国的各次战役，我们各部戎人一次接着一次地按时参加，追随着执事，如同殽山战役一样，心志如一，岂敢违背？现在晋国执政官员，恐怕实在有些过失，而使诸侯渐生离叛之心，却反而归罪我们诸戎！我诸戎饮食衣服与中原华夏不同，财礼不相往来，言语不通，能做什么坏事呢？不让参加盟会，我也没有什么烦闷！"便赋了《青蝇》诗一首，然后退下。范宣子向他致歉，让他参加了盟会的事务，以表明具备平易且不信谗言的美德。

当时，子叔齐子作为季武子的副手参加盟会，从此晋国人减轻了鲁国的献礼，而更加敬重它的使者。

吴子诸樊已经除去丧服，将要立季札为国君。季札辞谢说："曹宣公死的时候，诸侯和曹国人都认为曹成公不义，要立子臧为君。子臧离开曹国，于是就没有按原来的想法去做，因而成全了曹成公。君子赞曰：'能保持节操'。君王您，是义当继承的人，谁敢冒犯您的君位？据有国家，不是我的节操。我季札虽然没有什么才能，愿意追随子臧，以不失节操。"诸樊坚决要立他为君，季札便抛弃了他的家室财产而去种田，于是只好放弃了立季札为君的想法。

夏天，诸侯的大夫跟随晋侯攻打秦国，以报复栎地那一战役。晋侯在边境上等待，让六卿率领诸侯的军队前进。到达泾水，诸侯的军队不肯渡河。叔向会见叔孙穆子，穆子赋《匏有苦叶》这首诗。叔向退出以后就准备船只，鲁国人、莒国人先渡河。郑国的子蟜会见卫国北宫懿子说："亲附别人却不坚定，没有什么比这更令人讨厌的了！把国家怎么办？"懿子很高兴。两个人去见诸侯的军队且劝他们渡河，军队渡过泾水而驻扎下来。秦国人在泾水上游放毒，诸侯军队的人死了很多。郑国的司马子蟜率领郑军前进，其他各国的军队都跟上来，到达棫林，没有得到秦国的屈服媾和。荀偃命令说："鸡叫套车，填井平灶，你们只看我的马头行事！"栾黡说："晋国的命令，从没有过这样的。我的马头想要往东。"于是就回国。下军跟随他回去。左史对魏庄子说："不等中行伯了吗？"魏庄子说："他老人家命令我们跟从主将。栾伯，是我的主将，我将跟从他。跟从主将，就是合理地对待了他老人家。"荀偃说："我的命令确实有错误，后悔哪里来得及，多留下人马只能被秦国俘虏。"于是命令全军撤回。晋国人称这次战役为"迁延之役"。

栾铖说："这次战役，是为了报复栎之役的失败。发动战役又没有功劳，这是晋国的耻辱。我有兄弟二人在战车上，怎敢不感到耻辱呢？"与士鞅驱马冲进秦军阵营，战死在那里。士鞅返回，栾黡对士匄说："我的弟弟不想去，你儿子叫他去。我的弟弟战死，你的儿子回来，这是你儿子杀了我弟弟。如果不驱逐他，我也要杀死他。"于是士鞅逃奔到秦国。

当时齐国崔杼、宋国华阅、仲江一起参加攻打秦国，《春秋》没有记载他们的名字，是由于他们临事惰慢。向地的会见也如这一样。对卫国北宫括在向地的与会不加记载，而将他记载在这次攻打秦国的战役中，这是他积极参与的缘故。

秦伯向士鞅询问说："晋国的大夫大概谁先灭亡？"士鞅回答说："恐怕是栾氏吧！"秦伯说："是由于他的骄横吗？"士鞅回答说："对。栾黡骄横暴虐已很过分，还可以免于祸难。祸难恐怕要落在栾盈身上吧！"秦伯说："什么缘故？"士鞅回答说："栾武子的恩德留在百姓中间，好像周朝人思念召公，就爱护召公的甘棠树，何况他的儿子呢？栾黡死了，栾盈的好处还不能达到人们身上，栾武子所施的恩惠渐渐消失了，而对栾黡的怨恨又很明显，因而灭亡将会在这时落在栾盈的身上。"秦伯认为这是有见识的话，为他向晋国请求而恢复了他的职位。

卫献公约请孙文子、宁惠子吃饭，两人都穿上朝服在朝廷上等待。天晚了，卫献公还不召见，而在园林里射雁。两人跟随到园林里，卫献公不脱皮帽跟他们说话。两个人火了。孙文子去戚地，孙蒯入朝请命。卫献公招待孙蒯喝酒，让太师歌唱《巧言》诗的最后一章。太师辞谢，乐人师曹请求唱这一章。当初，卫献公有个宠妾，让师曹教她弹琴，师曹鞭打了她。献公发怒，鞭打了师曹三百下。所以现在师曹想歌唱它，用以激怒孙蒯，报复卫献公。献公让师曹歌唱，师曹就朗诵了这一章。孙蒯害怕，告诉孙文子。孙文子说："国君猜忌我们了，不先下手，就必被他杀死。"

孙文子把家人集中到戚地，然后进入国都，遇见蘧伯玉，说："国君的暴虐，您是知道的。我非常害怕国家的颠覆，您打算怎么办？"伯玉回答说："国君控制他的国家，臣下哪能敢冒犯他？即使冒犯了他，（立了新的国君），难道能确知比他强吗？"于是伯玉出走，从最近的关口出的国。

卫献公派子蟜、子伯、子皮与孙文子在丘宫结盟，孙文子全把他们杀了。四月二十六日，子展逃奔到齐国。卫献公到了鄄地，派子行向孙文子请求和解，孙文子又把他杀了。卫献公出逃齐国，孙家的人追杀他们，把献公的亲兵击败在阿泽。鄄地人拘捕了败兵。

当初，尹公佗在庾公差那里学射箭，庾公差又在公孙丁那里学过射箭。（如今）尹公佗和庾公差两人追赶卫献公，公孙丁为卫献公驾车。庾公差说："射是背弃老师，不射将被诛戮，还是射合于礼吧！"射了车两边夹马颈的曲木而后回去。尹公佗说："您为了老师，我和他的关系就远了。"于是回过车去追赶。公孙丁把马缰绳递给卫献公然后射尹公佗，一箭穿了他的臂膀。

子鲜跟随卫献公出逃，到达边境时，献公派祝宗向祖先报告逃亡的事，并且告知自己是无罪的。定姜说："没有神灵，向谁报告？如果有，就不能欺骗。有罪，为什么报告没有？丢弃大臣而与小臣谋划，这是第一条罪。先君有正卿作为师保，而你却轻视他们，这是第二条罪。我用巾栉侍奉先君，而你却待我如同对待婢妾一样残暴，这是第三条罪。你报告逃亡而已，不要报告没有罪过！"

鲁襄公派厚成叔到卫国慰问，说："寡君派我瘠来，听说君失去了君位，而流亡到别国境内，怎么能不来慰问？因为同盟的缘故，让瘠谨敢私下对执事说：'有君不善良，有臣不明达，国君不宽恕，臣下也不尽职，积久而发泄出来，将如何办？'"卫人派太叔仪回答说："群臣不才，得罪了寡君。寡君不把下臣们依法惩办，而是远弃群臣而去，以成为君的忧虑。君不忘记先君的友好，辱您前来慰问下臣们，又再加哀怜。谨敢拜谢君的命令，再拜谢对下臣们的哀怜。"厚成叔回国，复命，告诉臧武仲说："卫君大概一定会回国吧！有太叔仪留守，有同母弟鱄随从出国，有的安抚国内，有的经营国外，能不回国吗？"齐国人将郲地让给卫献公寄居。等到后来卫献公复位的时候，把郲地的粮食也带回国了。

右宰谷先跟从卫献公而后又逃回卫国。卫国人将要杀掉他。他辩解说："当初跟着献公出逃我并不是乐意的。我穿的是狐皮袄而羊皮袖。"于是就赦免了他。

卫国人立公孙剽为国君，孙林父、宁殖辅佐他，以听取诸侯的命令。

卫献公在郲地。臧纥到齐国慰问卫献公。卫献公和他谈话，态度很粗暴。臧纥退出后告诉他的下属说："卫侯大概不能回国了。他的话好像粪土一样。逃亡在外而不悔改，怎么能够恢复国君的地位呢？"子展、子鲜听说这些话，进见臧纥。与他们说话，很通情达理。臧纥很高兴，对他的下属说："卫君一定能回国。这两个人，有的拉他，有的推他，想不回国，能行吗？"

军队攻打秦国回来，晋侯撤消新军，这是合了礼的。大国不超过天子军队的一半，周天子建立六军，诸侯中的大国，有三个军就可以了。

当时知朔生了知盈以后便死去，知盈出生以后六年而知武子去世，彘裘也还小，都不能立为卿。新军没有主帅，所以把它撤消了。

师旷陪侍在晋悼公身旁。晋悼公说："卫国人赶走他们的国君，不也太过分了吗？"师旷回答说："也许是他们的国君实在太过分了。良好的国君是会奖赏善良而惩罚邪恶，抚养老百姓好像儿女，覆盖他们如同上天，容载他们好像大地。百姓尊奉他们的国君，热爱他好像父母，敬仰他如同日月，敬重他如同神灵，害怕他好像雷霆，难道可以赶出去吗？国君，是祭神的主持者、百姓的希望。如果让百姓的财货困乏，神灵失去祭祀者，百姓绝望，国家没有主人，哪里还用得着他？不赶出去干什么？上天产生了百姓而立他们的国君，让他统治他们，不要让他们失去天性。有了国君又为他设置辅佐，让他们去教导保护他，不让他做事情过分。由于这样天子有公，诸侯有卿，卿设置侧室，大夫有贰宗，士有朋友，庶人、工、商、皂、隶、牧、圉都有亲近的人，用来互相辅佐。善良的就奖赏，有错误就纠正，有患难就救援，有过失就更改。自王以下，各有父兄子弟，来观察补救他的政令得失。太史作出记载，乐师写出诗歌，乐工诵读箴谏，大夫规劝开导，士传话，庶人公开指责，商人在市场上议论，各种工匠呈献技艺。所以《夏书》上说："道人摇着木铎在大路上巡行，官师规劝，工匠呈献技艺以作劝谏。正月初春，在这时节有道人摇动木铎，巡行宣令。这是由于劝谏失去常规的缘故。上天爱护百姓非同一般，难道会让某一个人在百姓头上肆意妄为，来放纵他的邪恶，而丢掉天地的本性？必定不会这样的。"

秋天，楚王因为庸浦那次战役的缘故，让子囊在棠地屯兵以攻打吴国，吴国不出兵应战，楚军就回去了。子囊殿后，认为吴国不行而不加警戒。吴国人从皋舟的险道拦腰截击楚军，楚国人前后不能相救。吴国人击败了楚军，俘虏了楚公子宜谷。

周灵王派刘定公赐给齐侯策命，说："从前伯舅太公，辅助我先王，是周王室的股肱，万民的师保。世世代代酬谢太师的功劳，让他在东海显扬光大。王室没有败坏，所依靠的就是伯舅。如今我命令你环，要孜孜不倦地遵循舅氏的常法，继承你的祖先，不要玷辱你的先人。要恭敬啊，不要废弃我的命令！"

晋侯向中行献子询问卫国发生的事情，中行献子回答说："不如根据现状而安定它。卫国已立有国君了，攻打它，不一定能够达到愿望却反而劳动诸侯。史佚有话说过：'顺着他已经定位而安抚他。'仲虺有话说过：'灭亡的可以欺侮，动乱的可以攻取，推翻灭亡的巩固存在的，这是治国的常道。'君王还是安定卫国以等待时机吧！"

冬天，诸侯在戚地会见，就是为了商量安定卫国。

范宣子在齐国借了鸟羽和旄牛尾而不归还，齐国人开始有了二心。

楚国的子囊攻打吴国回来，就死了。临死，对子庚遗言说："一定要修筑郢城。"君子认为："子囊忠诚。国君死不忘记谥他为'共'；自己临死不忘保卫国家，能不说忠吗？忠，是百姓的希望。《诗》说：'行为归结到忠信，是万民所期望的。'这就是忠的意思。"

襄公十五年

【原文】

十有五年：春，宋公使向戌来聘。二月己亥，及向戌盟于刘。
刘夏逆王后于齐。
夏，齐侯伐我北鄙，围成。公救成，至遇。
季孙宿、叔孙豹帅师城成郛。
秋，八月丁巳，日有食之。
邾人伐我南鄙。
冬，十一月癸亥，晋侯周卒。
十五年春，宋向戌来聘，且寻盟。见孟献子，尤其室，曰："子有令闻；而美其室，非所望也。"对曰："我在晋，吾兄为之。毁之重劳，且不敢闲。"
官师从单靖公逆王后于齐。卿不行，非礼也。

楚公子午为令尹，公子罢戎为右尹，蒍子冯为大司马，公子橐师为右司马，公子成为左司马，屈到为莫敖，公子追舒为箴尹，屈荡为连尹，养由基为宫厩尹，以靖国人。君子谓楚于是乎能官人。官人，国之急也。能官人，则民无觎心。《诗》云："嗟我怀人，寘彼周行。"能官人也。王及公、侯、伯、子、男、甸、采、卫、大夫，各居其列，所谓周行也。

郑尉氏、司氏之乱，其馀盗在宋。郑人以子西、伯有、子产之故，纳赂于宋，以马四十乘与师茷、师慧。三月，公孙黑为质焉。司城子罕以堵女父、尉翩、司齐与之；良司臣而逸之，托诸季武子，武子寘诸卞。郑人醢之三人也。

师慧过宋朝，将私焉。其相曰："朝也。"慧曰："无人焉。"相曰："朝也，何故无人？"慧曰："必无人焉！若犹有人，岂其以千乘之相易淫乐之矇？必无人焉故也。"子罕闻之，固请而归之。

夏，齐侯围成，贰于晋故也。于是乎城成郛。

秋，邾人伐我南鄙，使告于晋。晋将为会以讨邾、莒，晋侯有疾，乃止。冬，晋悼公卒，遂不克会。

郑公孙夏如晋奔丧，子蟜送葬。

宋人或得玉，献诸子罕。子罕弗受。献玉者曰："以示玉人，玉人以为宝也，故敢献之。"子罕曰："我以不贪为宝，尔以玉为宝。若以与我，皆丧宝也；不若人有其宝。"稽首而告曰："小人怀璧，不可以越乡，纳此以请死也。"子罕寘诸其里，使玉人为之攻之，富而后使复其所。

十二月，郑人夺堵狗之妻而归诸范氏。

【译文】

鲁襄公十五年春天，宋公派向戌来鲁国聘问。二月十一日，与向戌在刘地盟会。刘夏到齐国迎接周天子的王后。夏天，齐侯派兵进攻我国北部边境，包围了成邑。襄公救援成，到了遇地。季孙宿、叔孙豹二卿带兵来修筑成邑的外城。秋天的七月初一，有日蚀。邾人进攻我国南部边境。冬天的十一月九日，晋侯周去世。

鲁襄公十五年春，宋国的向戌前来聘问，并且重温过去的盟好。进见孟献子，责备他的房屋太豪华，说："您有好名声，却把自己的房屋修筑得如此豪华，这不是人们所希望的！"孟献子回答说："我在晋国的时候，我哥哥盖的这房子，毁了它又加重了辛劳，而且我不敢认为我哥哥做的事不对。"

官师跟随单靖公到齐国迎接王后。卿没有去，这是不合于礼的。

楚国公子午做令尹，公子罢戎做右尹，蒍子冯做大司马，公子橐师做右司马，公子成做左司马，屈到做莫敖，公子追舒做箴尹，屈荡做连尹，养由基做宫厩尹，以此安定国人。

君子认为："楚国在这个时候能恰当地安排官职人选。安排官职人选，这是国家的当务之急。能够恰当地安排人，那么百姓就没有非分的企求之心。《诗》上说：'嗟叹我怀念的贤人，要把他们都安置在官职的行列里。'就是说的能恰当地安排人的官职。天子和公、侯、伯、子、男以及甸、采、卫等各级大夫，各人都应在他为官的行列里，这就是所谓'周行'了。"

郑国尉氏、司氏的那次叛乱，所剩余的叛乱分子躲在宋国。郑国人因为子西、伯有、子产的缘故，向宋国赠送马一百六十匹加上师茷、师慧的贿赂。三月，公孙黑到宋国做人质。宋国的司城子罕把堵女父、尉翩、司齐交给了郑国。认为司臣贤能而放走了他，托付给鲁国的季武子，武子把他安置在下地。郑国人把这三个人杀了剁成肉酱。

师慧走过宋国朝廷，要在那里小便。扶他的人说："这里是朝廷。"师慧说："没有人在这里呀。"扶他的人说："朝廷，为什么没有人？"师慧说："一定是没有人。若是还有人，难道会用拥有千辆战车国家的相去交换一个演唱淫乐的盲人？必定是由于没有人的缘故。"司城子罕听了这些话，坚决请求让师慧回归郑国。

夏天，齐侯包围了成邑，是因为对晋国有了二心的缘故。于是鲁国修筑成邑的外城。

秋天，邾国人攻打我国南部边境，我国派人报告晋国。晋国打算举行会见以讨伐邾国、莒国。晋侯生病，事情就停下了。冬天，晋悼公死，就没能举行会见。

郑国的公孙夏到晋国奔丧吊唁，子蟜参加送葬。

宋国有人得到块玉，把它献给子罕，子罕不肯接受。献玉的人说："拿给玉匠看过，玉匠认为是宝物，所以才敢进献。"子罕说："我把不贪婪作为宝物，你把美玉作为宝物，若是你把玉给了我，我们两人都丧失了宝物，不如各人保有自己的宝物。"献玉的人叩头告诉子罕说："小人怀藏玉璧，不能够穿越乡里，把它送给您是用以请求免于一死。"子罕把玉放到自己的乡里，派玉匠为他雕琢，献玉的人卖出玉璧富有了之后，才让他回家。

十二月，郑国人夺取了堵狗的妻子，让她回到娘家范氏去。

襄公十六年

【原文】

十有六年：春，王正月，葬晋悼公。

三月，公会晋侯、宋公、卫侯、郑伯、曹伯、莒子、邾子、薛伯、杞伯、小邾子于（溴）〔湨〕梁。戊寅，大夫盟。

晋人执莒子、邾子以归。

齐侯伐我北鄙。

夏，公至自会。

五月甲子，地震。

叔老会郑伯、晋荀偃、卫宁殖、宋人伐许。

秋，齐侯伐我北鄙，围成。

大雩。

冬，叔孙豹如晋。

十六年春，葬晋悼公。平公即位，羊舌肸为傅，张君臣为中军司马，祁奚、韩襄、栾盈、士鞅为公族大夫，虞丘书为乘马御。改服，修官。烝于曲沃。警守而下，会于（溴）〔溴〕梁，命归侵田。以我故，执邾宣公、莒犁比公，且曰"通齐楚之使"。

晋侯与诸侯宴于温，使诸大夫舞，曰："歌诗必类！"齐高厚之诗不类，荀偃怒，且曰："诸侯有异志矣！"使诸大夫盟高厚，高厚逃归。于是叔孙豹、晋荀偃、宋向戌、卫宁殖、郑公孙虿、小邾之大夫盟曰："同讨不庭！"

许男请迁于晋。诸侯遂迁许，许大夫不可。晋人归诸侯。

郑子蟜闻将伐许，遂相郑伯以从诸侯之师。穆叔从公。齐子帅师会晋荀偃。书曰"会郑伯"，为夷故也。

夏六月，次于棫林。庚寅，伐许，次于函氏。

晋荀偃、栾黡帅师伐楚，以报宋扬梁之役。楚公子格帅师及晋师战于湛阪，楚师败绩。晋师遂侵方城之外，复伐许而还。

秋，齐侯围成，孟孺子速徼之。齐侯曰："是好勇，去之以为之名。"速遂塞海陉而还。

冬，穆叔如晋，聘，且言齐故。晋人曰："以寡君之未禘祀，与民之未息；不然，不敢忘。"穆叔曰："以齐人之朝夕释憾于敝邑之地，是以大请。敝邑之急，朝不及夕，引领西望曰：'庶几乎！'比执事之间，恐无及也！"见中行献子，赋《圻父》。献子曰："偃知罪矣。敢不从执事以同恤社稷，而使鲁及此！"见范宣子，赋《鸿雁》之卒章。宣子曰："匄在此，敢使鲁无鸠乎？"

【译文】

鲁襄公十六年春天的正月，安葬晋悼公。三月，襄公和晋侯、宋公、卫侯、郑伯、曹伯、莒子、邾子、薛伯、杞伯、小邾子在溴梁会见。三月二十六日，各国大夫盟誓。晋国人拘捕了莒子、邾子并带回国。齐侯进攻我鲁国北部边境。夏天，襄公从盟会地回国。五月十三日，发生了地震。叔老会合郑伯、晋国荀偃、卫国宁殖和宋国人一起讨伐许国。秋天，齐侯进攻我北部边境，包围了成邑。我国举行了求雨的大祭。冬天，叔孙豹出使到了晋国。

鲁襄公十六年春，安葬了晋悼公。晋平公即位，羊舌肸做太傅，张君臣做中军司马，祁奚、韩襄、栾盈、士鞅做公族大夫，虞丘书做乘马御。改穿吉服，选贤任能，在曲沃举行烝祭。晋平公在国都布置好守备之后就带兵沿黄河而下，和诸侯在溴梁相会。命令诸侯退还相互侵占的田地。由于我鲁国的缘故，拘捕了邾宣公、莒国犁比公，而且说他们"和齐、楚两国的使者私下往来。"

晋侯和诸侯在温地宴会,让各位大夫起舞,说:"唱诗一定要和舞蹈相配!"齐国高厚的诗不与舞蹈相配。荀偃发怒,并且说:"诸侯有不一致的想法了!"让各位大夫与高厚盟誓,高厚逃回齐国。在这种情况下,鲁国叔孙豹、晋国荀偃、宋国向戌、卫国宁殖、郑国公孙虿、小邾国的大夫一起盟誓说:"共同讨伐不忠于盟主的人。"

许男向晋国请求迁移。诸侯就让许国迁移,许国大夫不同意,晋国人就让诸侯回国。

郑国子蟜听说将要攻打许国,就辅佐郑伯跟从诸侯的队伍。穆叔跟随着鲁襄公。子叔齐子带兵会见晋国荀偃。《春秋》记载说:"会郑伯",是为了摆平次序的缘故。

夏季六月,军队驻扎在棫林。初九日,攻打许国,驻扎在函氏。

晋国荀偃、栾黡率领军队攻打楚国,报复在宋国杨梁的那次战役。楚国公子格带兵与晋军在湛阪交战,楚军大败。晋军于是进攻楚国方城山的外边,再次攻打许国然后回国。

秋天,齐侯包围我鲁国成邑,孟孺子速拦击齐军。齐侯说:"此人喜好勇猛,我们撤离这里以成全他好勇之名。"于是孟孺子速堵塞海陉隘道而回国。

冬天,穆叔到晋国聘问,并且谈论齐国再次侵犯鲁国的事。晋国人说:"因为寡君还没有举行禘祭,民众还没有得休息(所以不能救援)。要不是这样,是不敢忘记的。"穆叔说:"由于齐国人早晚在敝邑的土地上发泄愤恨,因此才来郑重地请求。敝邑的危急,早晨等不及晚上,人们伸长脖子望着西边说:'大概快来救援了吧!'等到执事得空,恐怕来不及了。"穆叔进见中行献子,赋《圻父》诗一首,献子说:"我荀偃知道罪过了,岂敢不跟从执事来共同忧虑社稷,而让鲁国到了这个地步。"进见范宣子,赋《鸿雁》这首诗的最后一章。范宣子说:"我士匄在这里,岂敢让鲁国不得安宁?"

襄公十七年

【原文】

十有七年:春,王二月庚午,邾子牼卒。

宋人伐陈。

夏,卫石买帅师伐曹。

秋,齐侯伐我北鄙,围桃。高厚帅师伐我北鄙,围防。

九月,大雩。

宋华臣出奔陈。

冬,邾人伐我南鄙。

十七年春,宋庄朝伐陈,获司徒卬,卑宋也。

卫孙蒯田于曹隧，饮马于重丘，毁其瓶。重丘人闭门而诟之，曰："亲逐而君，尔父为厉。是之不忧，而何以田为？"夏，卫石买、孙蒯伐曹，取重丘。曹人愬于晋。

齐人以其未得志于我故，秋，齐侯伐我北鄙，围桃；高厚围臧纥于防。师自阳关逆臧孙，至于旅松。耶叔纥、臧畴、臧贾帅甲三百，宵犯齐师，送之而复。齐师去之。

齐人获臧坚。齐侯使夙沙卫唁之，且曰："无死！"坚稽首，曰："拜命之辱。抑君赐不终，姑又使其刑臣礼于士！"以杙抉其伤而死。

冬，邾人伐我南鄙，为齐故也。

宋华阅卒。华臣弱皋比之室，使贼杀其宰华吴，贼六人以鈹杀诸卢门合左师之后。左师惧，曰："老夫无罪！"贼曰："皋比私有讨于吴。"遂幽其妻，曰："畀余而大璧！"宋公闻之，曰："臣也，不唯其宗室是暴，大乱宋国之政，必逐之！"左师曰："臣也，亦卿也。大臣不顺，国之耻也。不如盖之。"乃舍之。

左师为己短策，苟过华臣之门，必骋。

十一月甲午，国人逐瘈狗。瘈狗入于华臣氏，国人从之。华臣惧，遂奔陈。

宋皇国父为大宰，为平公筑台，妨于农（功）〔收〕。子罕请俟农功之毕，公弗许。筑者讴曰："泽门之晳，实兴我役。邑中之黔，实慰我心。"子罕闻之，亲执扑以行筑者，而抶其不勉者，曰："吾侪小人，皆有阖庐以辟燥湿寒暑；今君为一台而不速成，何以为役？"讴者乃止。或问其故，子罕曰："宋国区区而有诅有祝，祸之本也！"

齐晏桓子卒。晏婴粗缞斩，苴绖、带、杖，菅屦，食鬻，居倚庐，寝苫，枕草。其老曰："非大夫之礼也。"曰："唯卿为大夫。"

【译文】

鲁襄公十七年春天的二月二十三日，邾子径死了。宋国人进攻陈国。夏天，卫国石买率领军队进攻曹国。秋天，齐侯侵犯我鲁国的北部边境，包围了桃邑。齐国高厚带兵侵犯我鲁国的北部边境，包围了防邑。九月，举行了求雨的大祭祀。宋国华臣出逃奔往陈国。冬天，邾国人侵犯我南部边境。

鲁襄公十七年春天，宋国的庄朝带兵攻打陈国，俘虏了司徒卬，是由于轻视宋国的缘故。

卫国的孙蒯在曹隧打猎，在重丘饮马，砸了那里的汲水瓶。重丘人关起门来骂他，说："亲自赶走你的国君，你的父亲又作恶。这些你不担忧，而来打猎干什么？"

夏天，卫国石买、孙蒯攻打曹国，夺取了重丘。曹国人向晋国控诉。

齐国人因为他们没有在我国满足愿望的缘故，秋天，齐侯便带兵攻打我北部边境，包围了桃邑。高厚则把臧纥围困在防邑。鲁国军队从阳关去迎接臧纥。到达旅松。耶叔纥、臧畴、臧贾率领甲士三百人，夜袭齐军，把臧纥送到旅松然后回来。于是齐军撤离了鲁国。

齐国人俘虏了臧坚。齐侯派夙沙卫慰问臧坚，并且说："不要死。"臧坚叩头说："谨拜谢君王命令的羞辱！然而君王赐我不死，却又故意派他的刑臣对一个士表示敬意。"于是用尖木桩戳进自己的伤口而死。

冬天,邾国人侵犯我鲁国南部边境,是因为齐国的缘故。

宋国华阅死了,华臣认为皋比家软弱可欺,便派贼人去杀他家的总管华吴。六个贼人用钺把华吴杀死在卢门合左师的屋后。左师害怕,说:"我老头子没有罪。"凶手说:"皋比私自讨伐华吴。"于是幽禁了华吴的妻子,说:"把你的大玉璧给我!"宋平公听说了这件事,说:"华臣,不仅对他的宗室残暴,而且使宋国的政事大乱,一定要驱逐他!"左师说:"华臣,也是卿。大臣不和顺,是国家的耻辱。不如掩盖了这件事。"宋平公就放弃了这件事。左师为自己把马鞭弄短,如果经过华臣的家门,一定要打马快跑。

十一月二十二日,国人追赶疯狗。疯狗跑进华臣家里,国人跟着追进去。华臣害怕,就逃奔到陈国。

晏婴,清改琦绘。

宋国的皇国父做太宰,给宋平公修筑一座台,妨碍了农业收割。子罕请求等待农事完毕后再筑,平公不允许。筑台的人便唱着歌谣说:"泽门里的白脸皮,征发我们服劳役。城中住的黑皮人,才真体贴我们的心。"子罕听到了,亲自拿着竹鞭,巡行督察筑台的人,鞭打那些不卖力干活的人,说:"我们这一辈小人都有了房屋躲避干湿冷热。如今国君要修筑一座台而不能很快完成,怎么能办事呢?"唱歌谣的就停下不唱了。有人问他什么缘故,子罕说:"宋国那么小,却既有诅咒又有歌颂,这是祸乱的根本。"

齐国晏桓子死,晏婴穿着粗布丧服,头上、腰上都系着粗麻带子,手执竹杖,脚穿草鞋,喝粥,住草棚,睡在草垫子上,头枕着草。他的家臣说:"这不是大夫的礼仪。"晏婴说:"只有卿才是大夫。"

襄公十八年

【原文】

　　十有八年：春，白狄来。

　　夏，晋人执卫行人石买。

　　秋，齐师伐我北鄙。

　　冬，十月，公会晋侯、宋公、卫侯、郑伯、曹伯、莒子、邾子、滕子、薛伯、杞伯、小邾子，同围齐。

　　曹伯负刍卒于师。

　　楚公子午帅师伐郑。

　　十八年春，白狄始来。

　　夏，晋人执卫行人石买于长子，执孙蒯于纯留，为曹故也。

　　秋，齐侯伐我北鄙。中行献子将伐齐，梦与厉公讼，弗胜；公以戈击之，首队于前，跪而戴之，奉之以走，见梗阳之巫皋。他日，见诸道，与之言，同。巫曰："今兹主必死；若有事于东方，则可以逞。"献子许诺。

　　晋侯伐齐。将济河，献子以朱丝系玉二瑴而祷曰："齐环怙恃其险，负其众庶，弃好背盟，陵虐神主。曾臣彪将率诸侯以讨焉，其官臣偃实先后之。苟捷有功，无作神羞，官臣偃无敢复济。唯尔有神裁之！"沈玉而济。

　　冬十月，会于鲁济，寻（溴）〔湨〕梁之言，同伐齐。齐侯御诸平阴，堑防门而守之，广里。夙沙卫曰："不能战，莫如守险。"弗听。诸侯之士门焉，齐人多死。

　　范宣子告析文子，曰："吾知子，敢匿情乎？鲁人、莒人皆请以车千乘自其乡入，既许之矣。若入，君必失国。子盍图之？"子家以告公，公恐。晏婴闻之，曰："君固无勇，而又闻是，弗能久矣！"

　　齐侯登巫山以望晋师。晋人使司马斥山泽之险，虽所不至，必旆而疏陈之。使乘车者左实右伪，以旆先，舆曳柴而从之。齐侯见之，畏其众也，乃脱归。

　　丙寅晦，齐师夜遁。师旷告晋侯曰："鸟乌之声乐，齐师其遁。"邢伯告中行伯曰："有班马之声，齐师其遁。"叔向告晋侯曰："城上有乌，齐师其遁！"十一月丁卯朔，入平阴，遂从齐师。

　　夙沙卫连大车以塞隧而殿。殖绰、郭最曰："子殿国师，齐之辱也。子姑先乎！"乃代之殿。卫杀马于隘以塞道。晋州绰及之，射殖绰，中肩，两矢夹脰，曰："止，将为三军获。不止，将取其衷！"顾曰："为私誓。"州绰曰："有如日！"乃弛弓而自后缚之。其右具丙亦舍兵而缚郭最。皆衿甲面缚，坐于中军之鼓下。

　　晋人欲逐归者，鲁、卫请攻险。己卯，荀偃、士匄以中军克京兹。乙酉，魏绛、栾盈以下军克邿；赵武、韩起以上军围卢，弗克。十二月戊戌，及秦周，伐雍门之萩。范鞅门于雍门，其御追喜以戈杀犬于门中，孟庄子斩其櫓以为公琴。己亥，焚雍门及西郭、南郭。刘难、士弱率诸侯之师焚申池之竹木。壬寅，焚东郭、北郭，范鞅门于扬门；州绰门于东闾，左骖迫，还于（东）门中，以枚数阖。

齐侯驾，将走邮棠。大子与郭荣扣马，曰："师速而疾，略也；将退矣，君何惧焉？且社稷之主不可以轻，轻则失众。君必待之！"将犯之。大子抽剑断鞅，乃止。

甲辰，东侵及潍，南及沂。

郑子孔欲去诸大夫，将叛晋而起楚师以去之，使告子庚。子庚弗许。楚子闻之，使杨豚尹宜告子庚曰："国人谓不穀主社稷而不出师，死不从礼。不穀即位，于今五年，师徒不出，人其以不穀为自逸而忘先君之业矣。大夫图之，其若之何？"子庚叹曰："君王其谓午怀安乎？吾以利社稷也。"见使者，稽首而对曰："诸侯方睦于晋，臣请尝之。若可，君而继之。不可，收师而退，可以无害，君亦无辱。"

子庚帅师治兵于汾。于是子蟜、伯有、子张从郑伯伐齐，子孔、子展、子西守。二子知子孔之谋，完守入保。子孔不敢会楚师。

楚师伐郑，次于鱼陵。右师城上棘，遂涉颍，次于旃然。蒍子冯、公子格率锐师侵费滑、胥靡、献于、雍梁，右回梅山，侵郑东北，至于虫牢而反。子庚门于纯门，信于城下而还，涉于鱼齿之下。甚雨及之。楚师多冻，役徒几尽。

晋人闻有楚师。师旷曰："不害。吾骤歌北风，又歌南风。南风不竞，多死声，楚必无功！"董叔曰："天道多在西北。南师不时，必无功。"叔向曰："在其君之德也。"

【译文】

鲁襄公十八年春，白狄派人来鲁国。夏天，晋国人拘捕了卫国行人石买。秋天，齐国军队攻打我鲁国北部边境。冬天十月，襄公会合晋侯、宋公、卫侯，郑伯、曹伯、莒子、邾子、滕子、薛伯、杞伯、小邾子同心协力围攻齐国。曹伯负刍死于军中。楚公子午率领军队进攻郑国。

鲁襄公十八年春，白狄第一次来鲁国。

夏天，晋国人在长子拘捕了卫国行人石买，在纯留拘捕了孙蒯，都是因为曹国的缘故。

秋天，齐侯攻打我鲁国北部边境。中行献子将要攻打齐国，梦见自己和晋厉公争辩，没有获胜；晋厉公用戈打他，脑袋掉在身前，跪下来安在脖子上，双手捧着头就跑，见到梗阳的巫皋。过几天，在路上遇见巫皋，中行献子和他谈起梦中的事，竟和巫皋梦见的相同。巫皋说："今年您必定会死，如果在东方有战事，那是可以满足愿望的。"中行献子答应了。

晋侯攻打齐国，将要渡过黄河。中行献子用红丝线系着两对玉，祷告说："齐环靠着他的地形险要，仗着人多势众，背弃友好同盟，欺凌虐待百姓。末臣彪将率领诸侯去讨伐他，他的官臣荀偃在前后辅助他。如果得胜有功，不给神灵带来羞耻，官臣偃不敢再次渡河。只希望您神灵加以制裁！"把玉沉入黄河然后渡河。

　　冬天的十月，诸侯们在鲁国的济水边会见，重温溴梁之盟的誓言，共同讨伐齐国。

　　齐侯在平阴抵御，在防门外挖壕沟据守，挖了一里宽。夙沙卫说："如果不能作战，没有比扼守险要更好的了。"齐侯不听。诸侯的战士攻打防门，齐国人多数战死。范宣子告诉析文子说："我了解您，敢隐瞒实情吗？鲁国人、莒国人都请求用一千辆战车从他们那里向齐国攻进来，我们已经答应他们了。如果打进来，贵国君主必定丧失国家。您何不打算一下？"析文子把这些话告诉了齐灵公，齐灵公害怕了。晏婴听到了说："国君本来就没有勇气，却又听到了这些话，不能维持好久了。"

　　齐侯登上巫山远望晋军。晋国人派司马探测山林河泽的险阻，即使是军队所达不到的地方，也必定竖起大旗而稀疏地布下阵势。让乘战车的左边坐真人而右边为假人，用大旗作前导，战车后面拖着薪柴树枝跟上去。齐侯见到这情景，害怕晋军人多，就离开军队脱身逃回去。二十九日，齐军夜里逃走。师旷告诉晋侯说："乌鸦的叫声欢乐，齐军可能逃走了。"邢伯告诉中行献子说："有马匹别离的悲叫声，齐军可能逃走了。"叔向告诉晋侯说："平阴城上有乌鸦，齐军可能逃走了。"

　　十一月初一日，晋军进入平阴，于是就追赶齐军。夙沙卫把大车连接在一起堵塞山中的隘道，然后自己殿后。殖绰、郭最说："您做国家军队的殿后，这是齐国的耻辱。您姑且先走吧！"便代替夙沙卫做殿后。夙沙卫杀了马匹放在狭路上堵塞道路。晋国的州绰赶到了，用箭射殖绰，射中了肩膀，两枝箭夹着脖子，说："停下别跑，你还将成为我军的俘虏；不停下来，我要射你两箭中心的脖子。"殖绰回过头来说："你发誓。"州绰说："有太阳神为证！"于是就把弓弦卸下来从后面捆绑了殖绰，他的车右具丙也放下武器捆绑了郭最。两个都是不解除盔甲从后面捆绑的，坐在中军的战鼓下边。

　　晋国人想要追赶逃兵，鲁国、卫国请求攻打固守险要的顽敌。十三日，荀偃、士匄率领中军攻下京兹。十九日，魏绛、栾盈率领下军攻下邿地。赵武、韩起率领上军包围卢地，没有攻下。十二月初二日，到达秦周，砍了雍门的荻木。范鞅攻打雍门，他的御者追喜用戈在门里杀死一条狗。孟庄子砍了那儿的橁木准备做颂琴。初三日，放火烧了雍门和西边、南边的外城。刘难、士弱率领诸侯的军队放火烧了申池附近的竹子树木。初六日，放火烧了东边和北边的外城。范鞅攻打扬门。州绰攻打东闾，左边的骖马迫于拥挤而不能前进，在门内盘旋，连城门上的乳钉都数清楚了。

　　齐侯驾车，想逃跑到邮棠。太子和郭荣拉住马，说："敌军来得急速而奋勇攻击，是为了掠夺财物。完了将要退兵的，君怕什么呢？而且国家的君主，不可以轻动，轻动就会失去大众。君一定要等着！"齐侯将要突破他俩前去，太子抽出剑来砍断套马的皮带子，这才停下来。初八日，诸侯的军队向东进攻到了潍水，向南进攻到了沂水。

　　郑国的子孔想要除掉大夫们，打算背叛晋国而发动楚国军队来除掉他们。派人告知楚令尹子庚，子庚没有应许。楚王听到此事，派扬豚尹宜转告子庚说："国人认为不谷主持国家，而不出兵打仗，死后就不能遵从先君的礼仪。不谷即位，到现在已五年，军队没有出动，别人可能认为不谷是为了自己的安逸，而忘了先君的霸业了。大夫考虑一下，这件事应怎么办？"子庚叹息着说："君王大概是认为午在贪图安逸吧！我这是为了有利于国家呀！"子庚接见使者，叩头然后回答说："诸侯正同晋国和睦，下臣请求试探一下。若是可行，君王就继续出兵。如果不行，收兵退回来，可以没有损害，君王也不会受到羞辱。"

子庚率领军队在汾地练兵。当时子蟜、伯有、子张跟随郑伯攻打齐国，子孔、子展、子西留守。子展、子西二人知道子孔的阴谋，就完善城郭，加强守备，并人城堡固守。子孔不敢和楚军会合。

楚军攻打郑国，驻扎在鱼陵。右翼部队在上棘筑城，就徒步渡过颍水，驻扎在旃然水边。蒍子冯、公子格率领精锐部队攻打费滑、胥靡、献于、雍梁，向右绕过梅山，进攻郑国东北部，到达虫牢然后回师。子庚攻打郑国的纯门，在城下住了两晚然后回去。军队徒步渡过鱼齿山下的滍水，遇到大雨，楚军多数被冻坏，军中服杂役的人几乎死完了。

晋国人听说楚军侵袭郑国，师旷说："没有妨害。我屡次歌唱北方的曲调，又歌唱南方的曲调。南方的曲调不强，多是象征死亡的声音。楚国必定徒劳无功。"董叔说："岁星多在西北，南方的军队不合天时，必定不能成功。"叔向说："成败在于他们国君的德行。"

襄公十九年

【原文】

十有九年：春，王正月，诸侯盟于祝柯。晋人执邾子。
公至自伐齐。
取邾田，自漷水。
季孙宿如晋。
葬曹成公。
夏，卫孙林父率师伐齐。
秋，七月辛卯，齐侯环卒。
晋士匄帅师侵齐。至榖，闻齐侯卒，乃还。
八月丙辰，仲孙蔑卒。
齐杀其大夫高厚。
郑杀其大夫公子嘉。
冬，葬齐灵公。
城丁郚。
叔孙豹会晋士匄于柯。

城武城。

十九年春，诸侯还自沂上，盟于督扬，曰："大毋侵小！"

执邾悼公，以其伐我故。遂次于泗上，疆我田。取邾田，自漷水归之于我。

晋侯先归。公享晋六卿于蒲圃，赐之三命之服。军尉、司马、司空、舆尉、候奄，皆受一命之服。贿荀偃束锦、加璧、乘马，先吴寿梦之鼎。

荀偃瘅疽，生疡于头。济河，及著雍，病，目出。大夫先归者皆反。士匄请见，弗内。请后，曰："郑甥可。"二月甲寅，卒，而视，不可含。宣子盥而抚之，曰："事吴敢不如事主！"犹视。栾怀子曰："其为未卒事于齐故也乎？"乃复抚之，曰："主苟终，所不嗣事于齐者，有如河！"乃瞑，受含。宣子出，曰："吾浅之为丈夫也！"

晋栾鲂帅师从卫孙文子伐齐。

季武子如晋拜师，晋侯享之。范宣子为政，赋《黍苗》。季武子兴，再拜稽首，曰："小国之仰大国也，如百穀之仰膏雨焉。若常膏之，其天下辑睦，岂唯敝邑？"赋《六月》。

季武子以所得于齐之兵，作林钟而铭鲁功焉。臧武仲谓季孙曰："非礼也！夫铭，天子令德，诸侯言时计功，大夫称伐。今称伐则下等也，计功则借人也，言时则妨民多矣，何以为铭？且夫大伐小，取其所得以作彝器，铭其功烈以示子孙，昭明德而惩无礼也。今将借人之力以救其死，若之何铭之？小国幸于大国，而昭所获焉以怒之，亡之道也。"

齐侯娶于鲁，曰颜懿姬，无子。其侄鬷声姬生光，以为大子。诸子仲子、戎子，戎子嬖。仲子生牙，属诸戎子。戎子请以为大子，许之。仲子曰："不可！废常，不祥。间诸侯，难。光之立也，列于诸侯矣。今无故而废之，是专黜诸侯，而以难犯不祥也。君必悔之！"公曰："在我而已。"遂东大子光。使高厚傅牙以为大子，夙沙卫为少傅。

齐侯疾，崔杼微逆光。疾病，而立之。光杀戎子，尸诸朝，非礼也。妇人无刑；虽有刑，不在朝市。夏五月壬辰晦，齐灵公卒。庄公即位，执公子牙于句渎之丘。以夙沙卫易己，卫奔高唐以叛。

晋士匄侵齐，及穀，闻丧而还，礼也。

于四月丁未，郑公孙虿卒，赴于晋大夫。范宣子言于晋侯，以其善于伐秦也。六月，晋侯请于王，王追赐之大路，使以行，礼也。

秋八月，齐崔杼杀高厚于洒蓝而兼其室。书曰"齐杀其大夫"，从君于昏也。

郑子孔之为政也专，国人患之，乃讨西宫之难与纯门之师。子孔当罪，以其甲及子革、子良氏之甲守。甲辰，子展、子西率国人伐之，杀子孔而分其室。书曰"郑杀其大夫"，专也。

子然、子孔，宋子之子也。士子孔，圭妫之子也。圭妫之班亚宋子而相亲也。〔二〕子孔亦相亲也。僖之四年，子然卒。简之元年，士子孔卒。司徒孔实相子革、子良之室，三室如一，故及于难。子革、子良出奔楚。子革为右尹。郑人使子展当国，子西听政，立子产为卿。

齐庆封围高唐，弗克。冬十一月，齐侯围之。见卫在城上，号之，乃下。问守备焉，以无备告。揖之，乃登。闻师将傅，食高唐人。殖绰、工偻会夜缒纳师，醢卫于军。

城西郛，惧齐也。

齐及晋平，盟于大隧。故穆叔会范宣子于柯。穆叔见叔向，赋《载驰》之四章。叔向曰："肸敢不承命！"穆叔〔归〕，曰："齐犹未也，不可以不惧。"乃城武城。

卫石共子卒，悼子不哀。孔成子曰："是谓蹙其本，必不有其宗！"

【译文】

鲁襄公十九年春天的正月，诸侯们在祝柯盟会。晋国人拘捕了邾子。襄公从围攻齐国的前线回来。取得邾国的田地，自漷水为界。季孙宿出使到晋国。安葬了曹成公。这年夏天，卫国孙林父率领军队攻打齐国。秋天的七月二十八日，齐灵公环死。晋国的士匄带兵进攻齐国，到达谷地，听说齐侯死了，就回去了。八月二十三日，仲孙蔑死。齐国杀了大夫高厚，郑国杀了大夫公子嘉。冬天，安葬齐灵公。我国修筑国都西面的外城。叔孙豹在柯地会见晋国的士匄。我国在武城修筑城池。

鲁襄公十九年春天，诸侯从沂水边上回来，在督扬结盟，盟誓说："大国不要侵犯小国。"

拘捕了邾悼公，是因为他攻打我国的缘故。于是诸侯的军队驻扎在泗水边上，划定我国领土的疆界。取了邾国的部分田土，从漷水为界以西的都划归我国。

晋侯先回国。襄公在蒲圃设享礼招待晋国的六卿，赐给他们三命的礼服。军尉、司马、司空、舆尉、候奄，都授给一命的礼服。赠给荀偃五匹锦，加上玉璧、四匹马，然后再送给他吴王寿梦的铜鼎。

荀偃长了恶疮，疽生在头部。渡过黄河。到达著雍，荀偃病危，眼珠都鼓出来了。大夫先回去的都赶回来。士匄请求接见，荀偃不让进来。请问立谁为继承人，荀偃说："郑甥可以。"二月十九日，荀偃死了却睁着眼睛，口闭着不能放进珠玉。士匄盥洗后抚摸着尸体说："我们事奉荀吴，岂敢不像事奉您！"那尸体还是睁着眼睛。栾怀子说："是不是为了征伐齐国的事情没有完成的缘故呢？"就又抚摸着尸体说："您如果死去以后，我们不继续从事于齐国的事，有河神为证！"荀偃的尸体这才闭上眼睛，接受了含玉。士匄出来，说："作为大丈夫我见识太浅了。"

晋国的栾鲂带兵跟从卫国孙文子攻打齐国。

季武子到晋国拜谢出兵，晋侯设享礼招待他。范宣子执政，赋《黍苗》这首诗。季武子站起来，再拜叩头说："小国仰望大国，好像各种谷物仰望润泽的雨水一样！如果经常滋润着，天下将会和睦，岂独是敝邑？"就赋了《六月》这首诗。

季武子将那些在齐国所得的兵器，制作了林钟并在上面铭记鲁国的武功。臧武仲对季孙子说："这是不合于礼的。铭文，天子用来记载美德，诸侯用来记载举动适时和所建功绩，大夫用来记载征伐。现在记载征伐那是下等的做法，记载功绩却是借助了别人的力量，记载适时则又妨碍百姓太多了，用什么来做这铭文呢？况且大国攻打小国，拿他们所得的东西来制作彝器，铭记他们的功劳给子孙看，是为了宣扬明德而惩罚无礼。现在是借助别人的力量来拯救自己的死亡，怎么能记载这个呢？小国侥幸战胜大国，反而宣扬所获得的战利品来激怒敌人，这是亡国之道。"

齐侯在鲁国娶妻，名叫颜懿姬，没有生孩子。她的侄女鬷声姬，生了光，齐侯把他立为太子。姬妾中有仲子、戎子。戎子受到宠爱。仲子生了牙，把他嘱托给戎子。戎子请求立牙为太子，齐侯答应了。仲子说："不可以。废弃常规，不吉祥；触犯诸侯，难于成功。光立为太子，已经参与盟会进入诸侯之列了。现在无故而废掉他，这是专横而卑视诸侯。而把难成功的事去触犯常规，做不吉利的事。君必定会后悔的。"齐灵公说："这一切在于我。"于是就把太子光迁移到东部边境。让高厚做牙的太傅，把牙立为太子，夙沙卫做少傅。

齐侯生病，崔杼偷偷地把光接来，在齐侯病危的时候重新立他为太子。太子光杀了戎子，把尸体陈列在朝廷上，这是不合于礼的。对妇女没有专门的刑罚；即使有了死罪，也不能把尸体陈列在朝廷和市集上。

夏季五月二十九日，齐灵公死。庄公即位，在句渎之丘拘捕了公子牙。庄公认为夙沙卫出主意废弃自己，夙沙卫逃奔到高唐并据以叛变。

晋国的士匄侵袭齐国到达谷地，听到齐国有丧事就回去了，这是合于礼的。

四月十三日，郑国公孙虿死，向晋国大夫发出讣告。范宣子向晋侯进言，因为他在攻打秦国的战役中有功。六月，晋侯向周天子请求，周天子追赐给他大路，让它跟着柩车行进，这是合于礼的。

秋季八月，齐国崔杼在洒蓝杀了高厚而且兼并了他的家产。《春秋》记载说："齐杀其大夫"，这是因为高厚顺从国君昏聩的缘故。

郑国的子孔执政专权。国人担心这件事，就讨究西宫那次祸难和纯门那次楚军入侵的罪责。子孔应该抵罪，就带领他的甲士和子革、子良家的甲士来守护自己。八月十一日，子展、子西率领国人讨伐他，杀了子孔并瓜分了他们的家财采邑。《春秋》记载说："郑杀其大夫"，这是因为子孔专权。

子然、子孔，是宋子的儿子。士子孔，是圭妫的儿子。圭妫的位置在宋子之下，但她们互相亲近。两个子孔也互相亲近。郑僖公四年，子然死。郑简公元年，士子孔卒。子孔辅助子革、子良两家，三家像一家一样，所以都遭到祸难。子革、子良逃奔到楚国，子革做了右尹。郑国人让子展掌管国政，子西主持政事，立子产为卿。

齐国庆封带兵包围高唐，没有攻下来。冬十一月，齐侯亲自率领军队包围高唐，看见夙沙卫在城墙上，便大声喊他，他就下来了。齐侯问夙沙卫防守的情况，夙沙卫告诉说没有什么防守。齐侯向夙沙卫作揖，夙沙卫还揖后登上城墙。他听说齐军将要挨着城墙进攻，就让高唐人饱吃一顿。殖绰、工偻会在夜里缒城而下迎接军队进城，把夙沙卫在军中杀死剁成肉酱。

我国在都城外围的西大城修筑城墙，这是由于害怕齐军。

齐国和晋国媾和，在大隧结盟。所以穆叔在柯地会见范宣子。穆叔会见叔向，赋《载驰》这首诗的第四章。叔向说："我羊舌肸岂敢不接受命令！"穆叔回国，说："齐国还没有停止进攻，不可以不害怕。"于是就在武城筑城。

卫国石共子死，悼子并不悲哀。孔成子说："这叫做拔掉了根本，必定不能保有他的宗族。"

襄公二十年

【原文】

二十年：春，王正月辛亥，仲孙速会莒人，盟于向。

夏，六月庚申，公会晋侯、齐侯、宋公、卫侯、郑伯、曹伯、莒子、邾子、滕子、薛伯、杞伯、小邾子，盟于澶渊。

秋，公至自会。

仲孙速帅师伐邾。

蔡杀其大夫公子燮。蔡公子履出奔楚。

陈侯之弟黄出奔楚。

叔老如齐。

冬，十月丙辰朔，日有食之。

季孙宿如宋。

二十年春，及莒平。孟庄子会莒人，盟于向，督扬之盟故也。

夏，盟于澶渊，齐成故也。

邾人骤至，以诸侯之事弗能报也。秋，孟庄子伐邾以报之。

蔡公子燮欲以蔡之晋，蔡人杀之。公子履，其母弟也，故出奔楚。

陈庆虎、庆寅畏公子黄之偪，愬诸楚曰："与蔡司马同谋。"楚人以为讨，公子黄出奔楚。

初，蔡文侯欲事晋，曰："先君与于践土之盟。晋不可弃，且兄弟也。"畏楚，不能行而卒。楚人使蔡无常，公子燮求从先君以利蔡，不能而死。书曰"蔡杀其大夫公子燮"，言不与民同欲也；"陈侯之弟黄出奔楚"，言非其罪也。公子黄将出奔，呼于国曰："庆氏无道，求专陈国，暴蔑其君而去其亲；五年不灭，是无天也！"

齐子初聘于齐，礼也。

冬，季武子如宋，报向戌之聘也。褚师段逆之以受享，赋《常棣》之七章以卒。宋人重贿之。归复命，公享之，赋《鱼丽》之卒章。公赋《南山有台》，武子去所，曰："臣不堪也！"

卫宁惠子疾，召悼子曰："吾得罪于君，悔而无及也。名藏在诸侯之策，曰：'孙林父、宁殖出其君。'君入，则掩之。若能掩之，则吾子也。若不能，犹有鬼神，吾有馁而已，不来食矣！"悼子许诺，惠子遂卒。

【译文】

鲁襄公二十年春的正月二十一日，仲孙速在向邑与莒国人结盟。夏季六月初三日，鲁襄公和晋侯、齐侯、宋公、卫侯、郑伯、曹伯、莒子、邾子、滕子、薛伯、杞伯、小邾子在澶渊结盟。秋天，襄公从澶渊盟会地回国。仲孙速率领军队讨伐邾国。蔡国杀了它的大夫公子燮。蔡国的公子履出逃到楚国。陈哀公的弟弟黄出逃到楚国。叔老出使到齐国。冬季十月初一日，日有环蚀。季孙宿出使到宋国。

鲁襄公二十年春，我国与莒国媾和。孟庄子会见莒国人，在向邑结盟，这是因为有督扬之盟的缘故。

夏天，襄公与诸侯各国在澶渊结盟，这是为了与齐国媾和。

邾国人屡次来犯，因为诸侯的盟事活动，我国未能出兵报复。秋天，孟庄子攻打邾国以作报复。

蔡国公子燮想要蔡国背楚从晋，蔡国人杀了他。公子履，是公子燮的同母弟，所以出逃到楚国。

陈国庆虎、庆寅两位大夫害怕公子黄的逼迫，向楚国进谗说："公子黄和蔡司马一起策划背楚从晋。"楚国人以此责备陈国。公子黄出逃到楚国（想自己去申说）。

当初，蔡文侯想要事奉晋国，说："先君曾参加过践土的盟会，晋国是不能抛弃的，而且都是姬姓兄弟之国。"当时由于害怕楚国，不能行其志愿就死了。楚国人役使蔡国没有什么定准，公子燮要求继承先君的遗志以有利于蔡国，也没有办到就死了。《春秋》记载说："蔡杀其大夫公子燮"，是说没有与民众愿望相同。"陈侯之弟黄出奔楚"，是说不是他的罪过。公子黄将要逃亡时，在国都里呼喊着说："庆氏无道，谋求在陈国专权，轻慢他的国君，而且驱逐国君的亲人，五年之内若不灭亡，这就是没有天理了。"

我国大夫齐子第一次到齐国聘问，这是合于礼的。

冬天，季武子到宋国，回报当年向戌来鲁国的聘问。褚师段迎接季武子并让他接受宋公的享礼，季武子赋《常棣》这首诗的第七章和最后一章。宋国人重重地赠给他财礼。季武子回国复命，鲁襄公设享礼招待他，他赋《鱼丽》这首诗的最后一章。襄公赋《南山有台》这首诗。季武子离开坐席，说："下臣不敢当。"

卫国宁惠子生病，告戒悼子说："我得罪了国君，后悔已来不及了。我的名字记载在诸侯的简册上，说：'孙林父、宁殖驱出他们的国君。'国君回国就能掩盖这件事。若能掩盖这件事，你就是我的儿子。若不能，假如有鬼神的话，我宁愿挨饿，也不来吃你的祭品。"悼子答应，宁惠子就死了。

襄公二十一年

【原文】

二十有一年：春，王正月，公如晋。

邾庶其以漆、闾丘来奔。

夏，公至自晋。

秋，晋栾盈出奔楚。

九月庚戌朔，日有食之。

冬，十月庚辰朔，日有食之。

曹伯来朝。

公会晋侯、齐侯、宋公、卫侯、郑伯、曹伯、莒子、邾子于商任。

二十一年春，公如晋，拜师及取邾田也。

邾庶其以漆、闾丘来奔。季武子以公姑姊妻之，皆有赐于其从者。于是鲁多盗。季孙谓臧武仲曰："子盍诘盗？"武仲曰："不可诘也。纥又不能。"季孙曰："我有四封而诘其盗，何故不可？子为司寇，将盗是务去，若之何不能？"武仲曰："子召外盗而大礼焉，何以止吾盗？子为正卿而来外盗，使纥去之，将何以能？庶其窃邑于邾以来，子以姬氏妻之而与之邑，其从者皆有赐焉。若大盗，礼焉以君之姑姊与其大邑；其次皂牧舆马，其小者衣裳剑带：是赏盗也。赏而去之，其或难焉。纥也闻之：在上位者洒濯其心，壹以待人，轨度其信，可明徵也，而后可以治人。夫上之所为，民之归也。上所不为而民或为之，是以加刑罚焉，而莫敢不惩。若上之所为而民亦为之，乃其所也，又可禁乎？《夏书》曰：'念兹在兹，释兹在兹，名言兹在兹，允出兹在兹，惟帝念功。'将谓由己壹也。信由己壹，而后功可念也。"

庶其非卿也，以地来，虽贱必书，重地也。

齐侯使庆佐为大夫，复讨公子牙之党，执公子买于句渎之丘。公子鉏来奔。叔孙还奔燕。

夏，楚子庚卒。楚子使薳子冯为令尹，访于申叔豫。叔豫曰："国多宠而王弱，国不可为也。"遂以疾辞。方暑，阙地，下冰而床焉；重茧，衣裘，鲜食而寝。楚子使医视之，复曰："瘠则甚矣，而血气未动。"乃使子南为令尹。

栾桓子娶于范宣子，生怀子。范鞅以其亡也，怨栾氏，故与栾盈为公族大夫而不相能。桓子卒，栾祁与其老州宾通，几亡室矣。怀子患之。祁惧其讨也，愬诸宣子曰："盈将为乱，以范氏为死桓主而专政矣，曰：'吾父逐鞅也，不怒而以宠报之，又与吾同官而专之；吾父死而益富，死吾父而专于国。有死而已，吾蔑从之矣！'其谋如是。惧害于主，吾不敢不言。"范鞅为之徵：怀子好施，士多归之。宣子畏其多士也，信之。怀子为下卿，宣子使城著而遂逐之。

秋，栾盈出奔楚。宣子杀箕遗、黄渊、嘉父、司空靖、邴豫、董叔、邴师、申书、羊舌虎、叔罴，囚伯华、叔向、籍偃。

人谓叔向曰："子离于罪，其为不知乎？"叔向曰："与其死亡若何？《诗》曰：'优哉游哉，聊以卒岁。'知也。"乐王鲋见叔向，曰：'吾为子请。'叔向弗应。出，不拜。其人皆咎叔向。叔向曰："必祁大夫。"室老闻之，曰："乐王鲋言于君无不行，求赦吾子，吾子不许。祁大夫所不能也，而曰'必由之'，何也？"叔向曰："乐王鲋，从君者也，何能行？祁大夫外举不弃仇，内举不失亲，其独遗我乎？《诗》曰：'有觉德行，四国顺之。'夫子，觉者也。"

晋侯问叔向之罪于乐王鲋，对曰："不弃其亲，其有焉？"于是祁奚老矣，闻之，乘驲而见宣子，曰："《诗》曰：'惠我无疆，子孙保之。'《书》曰：'圣有谟勋，明徵定保。'夫谋而鲜过、惠训不倦者，叔向有焉。社稷之固也。犹将十世宥之，以劝能者。今壹不免其身，以弃社稷，不亦惑乎？鲧殛而禹兴；伊尹放大甲而相之，卒无怨色；管、蔡为戮，周公右王。若之何其以虎也弃社稷？子为善，谁敢不勉？多杀何为？"宣子说，与之乘，以言诸公而免之。不见叔向而归，叔向亦不告免焉而朝。

初，叔向之母妒叔虎之母美而不使，其子皆谏其母。其母曰："深山大泽，实生龙蛇。彼美，余惧其生龙蛇以祸女。女，敝族也。国多大宠，不仁人间之，不亦难乎？余何爱焉？"使往视寝。生叔虎，美而有勇力；栾怀子嬖之，故羊舌氏之族及于难。

栾盈过于周，周西鄙掠之。辞于行人曰："天子陪臣盈，得罪于王之守臣，将逃罪。罪重于郊甸，无所伏窜，敢布其死：昔陪臣书能输力于王室，王施惠焉。其子黡，不能保任其父之劳。大君若不弃书之力，亡臣犹有所逃。若弃书之力而思黡之罪；臣，戮馀也，将归死于尉氏，不敢还矣。敢布四体，唯大君命焉。"王曰："尤而效之，其又甚焉。"使司徒禁掠栾氏者归所取焉，使候出诸轘辕。

冬，曹武公来朝，始见也。

会于商任，锢栾氏也。齐侯、卫侯不敬。叔向曰："二君者必不免。会朝，礼之经也。礼，政之舆也。政，身之守也。怠礼，失政。失政，不立，是以乱也。"

知起、中行喜、州绰、邢蒯出奔齐，皆栾氏之党也。乐王鲋谓范宣子曰："盍反州绰、邢蒯？勇士也。"宣子曰："彼栾氏之勇也，余何获焉？"王鲋曰："子为彼栾氏，乃亦子之勇也。"

齐庄公朝，指殖绰、郭最曰："是寡人之雄也！"州绰曰："君以为雄，谁敢不雄？然臣不敏，平阴之役先二子鸣。"庄公为勇爵，殖绰、郭最欲与焉。州绰曰："东闾之役，臣左骖迫，还于门中，识其枚数，其可以与于此乎？"公曰："子为晋君也。"对曰："臣为隶新。然二子者譬于禽兽，臣食其肉而寝处其皮矣。"

【译文】

鲁襄公二十一年春天的正月，襄公到晋国。邾国庶其带着漆、闾丘二邑来投奔鲁国。夏天，襄公从晋国回国。秋天，晋国栾盈出逃到楚国。九月初一日，出现了日蚀。冬天的十月初一，有日蚀。曹伯来鲁国朝见。襄公和晋侯、齐侯、宋公、卫侯、郑伯、曹伯、莒子、邾子在商任会见。

鲁襄公二十一年春，襄公到晋国，是为了拜谢晋国出兵和鲁国取得邾国的土地。

邾国的庶其带着漆和闾丘二邑来逃奔鲁国。季武子把襄公的姑母嫁给他为妻，对他的随从都有赏赐。当时鲁国盗贼多。季武子对臧武仲说："您为什么不禁治盗贼？"臧武仲说："盗贼不可以禁治，我臧纥又没有能力。"季武子说："我国有四方的边境，用来禁治那些盗贼，有什么原因不可以？您作为一个司寇，应努力除掉那些盗贼，为什么说不能？"臧武仲说："您召来外边的盗贼且给他大的礼遇，以什么来禁治我国内的盗贼？您做正卿却招徕外边的盗贼，叫我臧纥除掉盗贼，我凭什么能办到呢？庶其从邾国盗窃城邑而来，您把姬氏做他的妻子，而且还给他城邑，他的随从人员都得到赏赐。如果对这样的大盗，用国君的姑母和他的大城邑去礼遇，其次的用皂牧车马，再小的给衣服佩剑带子，那就是奖赏盗贼。奖赏盗贼而又要除盗贼，这恐怕难办呢。纥听说过，在上位的，要洗涤他的心，专一待人，符合法度而使人相信，可以明白地验证，然后才能够治理别人。上头的所作所为，是百姓的归依。上头所不做的而百姓有人做了，因此加以惩罚，那没有谁敢不警戒。如果上头的所作所为，百姓也照样做，那就是势所必然，又能够禁止得了吗？《夏书》说：'想要做的这事在此，喜欢做的这事在此，所称道的这事也在此，诚信地推行的这事也在此，只有天帝才能记下这功劳。'大概说的是由自身专一。诚信由于自身专一，然后功劳才能被记录下来。"

庶其不是卿，带着土地来鲁国，虽然低贱但一定要记载，是为了重视土地。

齐侯让庆佐做大夫，再次讨伐公子牙的亲族，在句渎之丘抓了公子买。公子𫚉逃奔来鲁国，叔孙还逃奔到燕国。

夏天，楚国子庚死，楚王让薳子冯做令尹。薳子冯访问申叔豫，申叔豫说："国家宠臣多而君王又年轻，您不可做这令尹。"于是薳子冯就用有病来推辞。正好当时是酷暑天，挖地，放下冰且安上床。薳子冯身穿两层棉衣和皮袍，少吃东西而躺在床上。楚王派医生去诊视，回报说："瘦是瘦极了，但血气正常。"于是楚王就派子南做令尹。

栾桓子娶范宣子的女儿为妻，生了怀子。范鞅因自己曾被迫逃亡，怨恨栾氏，所以和栾盈一起做公族大夫而不能和好相处。栾桓子死，栾祁和她的家臣之长州宾私通，几乎失去了栾氏的全部的家产（被州宾侵占）栾怀子担心这件事。栾祁害怕怀子讨伐，向范宣子进谗说："栾盈将要作乱，认为范氏弄死了桓子而专权于晋国的政事，说：'我的父亲赶走范鞅，范鞅返国后范宣子不仅不表示愤怒，反而以宠信报答我，又和我担任同样的官职而使他得以专权，我父亲死后而范氏更加富有。弄死我父亲而在国内专权，我只有一死而已！我决不能跟从他们了。'他的谋划就是如此，我怕伤害您，不敢不说。"范鞅为她作证。栾怀子喜好施舍，士多数都归附他。范宣子害怕他多士，相信了栾祁的话。怀子当时做下卿，宣子就派他到著地去筑城而就此驱逐了他。这年秋天，栾盈出逃到楚国。范宣子杀了箕遗、黄渊、嘉父、司空靖、邴豫、董叔、邴师、申书、羊舌虎、叔罴,囚禁了伯华、叔向、籍偃。

有人对叔向说:"您遭受罪祸,恐怕是不明智吧?"叔向说:"比起死亡如何?《诗》说:'悠闲啊逍遥啊,聊且这样度过岁月。'这正是明智啊。"

乐王鲋去见叔向,说:"我为您去请求!"叔向不回答。乐王鲋退出,叔向不拜送。叔向的左右人都责怪他。叔向说:"一定得要祁大夫。"家臣之长听到了这话,说:"乐王鲋对国君说的话没有行不通的,他请求赦免您,您却不答应。这事是祁大夫不能办到的,你却说一定要由他去办,这是为什么?"叔向说:"乐王鲋,是什么都顺从国君的人,怎么能办得到?祁大夫推举宗族外的人不丢弃仇人,推举宗族内的人不失掉亲人,难道唯独会遗忘了我吗?《诗》说:'有正直的德行,四方的国家都会归顺。'他老人家是正直的人啊。"

晋侯向乐王鲋询问叔向的罪过,乐王鲋回答说:"叔向不抛弃他的亲人,恐怕有同谋作乱的事。"当时祁奚已告老在家,听说这情况,乘坐传车去拜见范宣子,说:"《诗》说:'惠赐我们的没有边际,子孙应永远保住它。'《书》说:'圣哲有谋略的功勋,应当明信而安保之。'谋划而少有过错,教诲别人而不知疲倦的人,叔向是具备的,他是国家的柱石。即使他的十代子孙有过错还应该赦免,以这种方式才能勉励有能力的人。如今叔向一旦自身不免于祸,而丢弃国家死去,不也会使人困惑吗?鲧被杀戮而禹兴起,伊尹逐放太甲又相太甲,太甲始终没有怨恨的神色。管叔、蔡叔被杀,周公辅助成王。为什么叔向要为了羊舌虎而抛弃国家呢?您做了好事,谁敢不努力?多杀人干什么?"范宣子很高兴,和祁奚共乘一辆车,用好言劝谏晋平公而赦免了叔向。祁奚不去见叔向就回家了。叔向也不向祁奚报告获免就去朝见晋侯。

当初,叔向的母亲妒忌叔虎的母亲美丽而不让她陪丈夫睡觉。她的儿子都规劝母亲。叔向的母亲说:"深山大泽之中,确实会生长龙蛇。她美丽,我害怕她生下龙蛇来祸害你们。你们是衰败的家族。国内很多大臣受宠,坏人又从中挑拨,不也是很难处了吗?我有什么舍不得的啊!"就让叔虎的母亲去陪侍睡觉,生了叔虎,貌美而有勇力,栾怀子宠爱他,所以羊舌氏这一家族遭此祸难。

栾盈经过周朝地界,周朝西部边境的人劫掠他的财物。栾盈对周王室的使者诉说:"天子的陪臣盈,得罪了天子的守臣,打算逃避惩罚。又重新在天子的郊外得罪,没有地方可以隐匿逃窜,谨敢冒死上言:从前陪臣书能为王室效力,天子赐给了恩惠。他的儿子黡,不能保全他父亲的辛劳。天子如果不抛弃书的努力,逃亡在外的陪臣还有可逃之处。若是抛弃书的尽力,而思虑黡的罪过,那么臣本来就是刑戮余生的人,就将回国死在尉氏那里,不敢再回来了。谨敢直言不讳,只听大君的命令了。"周天子说:"别人做错了而去效法,过错就更大了!"于是派司徒禁止那些劫掠栾氏的人,让他们归还所掠取的东西。派候人把栾盈送出辕辕山。

鲁襄公在商任与诸侯盟会,是为了禁锢栾盈。齐侯、卫侯表现得不恭敬。叔向说:"这两位国君必定免不了祸难。会见和朝见,这是礼仪的规范。礼仪,是政事的车子。政事,是身体的寄托。轻慢礼仪就会丧失政事,丧失政事就不能立身,因此就发生祸乱。"

知起、中行喜、州绰、刑蒯出逃到齐国,都是栾氏的党羽。乐王鲋对范宣子说:"何不让州绰、刑蒯回来?他们是勇士啊。"范宣子说:"他们是栾氏的勇士,我能获得什么?"王鲋说:"您若做他们的栾氏,那也就是您的勇士了。"

齐庄公上朝,指着殖绰、郭最说:"这是寡人的雄鸡。"州绰说:"君王认为他们是雄鸡,谁敢不认为是雄鸡?然而臣下不才,在平阴战役中比他们二位先鸣了。"齐庄公设置勇士的爵位,殖绰、郭最想要得到一份。州绰说:"东闾那次战役,臣的左骖马被迫在城门里盘旋不前,连门上的乳钉数也记下了,恐怕是在这里有一份吧?"庄公说:"您是为了晋君啊。"州绰回答说:"臣下做仆隶不久,然而这两位,如果用禽兽作譬,臣下已经吃了他们的肉而且睡在他们的皮上了。"

襄公二十二年

【原文】

二十有二年:春,王正月,公至自会。

夏,四月。

秋,七月辛酉,叔老卒。

冬,公会晋侯、齐侯、宋公、卫侯、郑伯、曹伯、莒子、邾子、薛伯、杞伯、小邾子于沙随。

公至自会。

楚杀其大夫公子追舒。

二十二年春,臧武仲如晋。雨,过御叔。御叔在其邑将饮酒,曰:"焉用圣人?我将饮酒,而己雨行,何以圣为?"穆叔闻之,曰:"不可使也而傲使人,国之蠹也。"令倍其赋。

夏,晋人徵朝于郑。郑人使少正公孙侨对曰:

在晋先君悼公九年,我寡君于是即位。即位八月,而我先大夫子驷从寡君以朝于执事。执事不礼于寡君,寡君惧。因是行也,我二年六月朝于楚,晋是以有戏之役。楚人犹竞,而申礼于敝邑。敝邑欲从执事而惧为大尤,曰'晋其谓我不共有礼',是以不敢携贰于楚。我四年三月,先大夫子蟜又从寡君以观衅于楚,晋于是乎有萧鱼之役。谓我敝邑迩在晋国,譬诸草木,吾臭味也,而何敢差池?楚亦不竞,寡君尽其土实,重之以宗器,以受齐盟;遂帅群臣随于执事,以会岁终。贰于楚者子侯、石盂,归而讨之。(溴)〔渻〕梁之明年,子蟜老矣,公孙夏从寡君以朝于君,见于尝酎,与执燔焉。间二年,闻君将靖东夏,四月又朝,以听事期。不朝之间,无岁不聘,无役不从。以大国政令之无常,国家罢病,不虞荐至,无日不惕,岂敢忘职?

大国若安定之，其朝夕在庭，何辱命焉？若不恤其患而以为口实，其无乃不堪任命而翦为仇雠？敝邑是惧，其敢忘君命？委诸执事，执事实重图之！

秋，栾盈自楚适齐。晏平仲言于齐侯曰："商任之会，受命于晋。今纳栾氏，将安用之？小所以事大，信也。失信，不立。君其图之！"弗听。退告陈文子曰："君人执信，臣人执共。忠信笃敬，上下同之，天之道也。君自弃也，弗能久矣！"

九月，郑公孙黑肱有疾，归邑于公，召室老、宗人立段，而使黜官、薄祭："祭以特羊，殷以少牢，足以共祀。"尽归其馀邑，曰："吾闻之：生于乱世，贵而能贫，民无求焉，可以后亡。敬共事君与二三子。生在敬戒，不在富也。"己巳，伯张卒。君子曰："善戒！《诗》曰：'慎尔侯度，用戒不虞。'郑子张其有焉。"

冬，会于沙随，复锢栾氏也。栾盈犹在齐。晏子曰："祸将作矣！齐将伐晋，不可以不惧。"

楚观起有宠于令尹子南，未益禄而有马数十乘。楚人患之，王将讨焉。子南之子弃疾为王御士，王每见之，必泣。弃疾曰："君三泣臣矣，敢问谁之罪也？"王曰："令尹之不能，尔所知也。国将讨焉，尔其居乎？"对曰："父戮子居，君焉用之？泄命重刑，臣亦不为。"王遂杀子南于朝，轘观起于四竟。

子南之臣谓弃疾："请徙子尸于朝。"曰："君臣有礼，唯二三子。"三日，弃疾请尸，王许之。既葬，其徒曰："行乎？"曰："吾与杀吾父，行将焉入？"曰："然则臣王乎？"曰："弃父事雠，吾弗忍也！"遂缢而死。

复使薳子冯为令尹，公子齮为司马，屈建为莫敖。有宠于薳子者八人，皆无禄而多马。他日朝，与申叔豫言，弗应而退；从之，入于人中；又从之，遂归。退朝，见之，曰："子三困我于朝，吾惧，不敢不见。吾过，子姑告我，何疾我也？"对曰："吾不免是惧，何敢告子！"曰："何故？"对曰："昔观起有宠于子南，子南得罪，观起车裂，何故不惧？"自御而归，不能当道。至，谓八人者曰："吾见申叔，夫子所谓生死而肉骨也。知我者如夫子则可，不然，请止。"辞八人者，而后王安之。

十二月，郑游眅将归晋，未出竟；遭逆妻者，夺之，以馆于邑。丁巳，其夫攻子明，杀之，以其妻行。子展废良而立大叔，曰："国卿，君之贰也，民之主也，不可以苟。请舍子明之类。"求亡妻者，使复其所。使游氏勿怨，曰："无昭恶也。"

【译文】

鲁襄公二十二年春天的正月，襄公从商丘的盟会上回国。夏四月。秋七月十六日，叔老死。冬天，襄公在沙随与晋侯、齐侯、宋公、卫侯、郑伯、曹伯、莒子、邾子、薛伯、杞伯、小邾子等诸侯盟会。襄公从盟会上回国。楚国杀了它的大夫公子追舒。

鲁襄公二十二年春，臧武仲去晋国，天下雨，去探望御叔。御叔在自己的封邑里，正准备饮酒，说："哪里用得着圣人！我打算喝酒，而他自己冒着雨出行，还要聪明做什么？"穆叔听到这话，说："自己不配出使，反而对使者傲慢，这是国家的蛀虫。"命令把御叔的赋税增加一倍。

夏天，晋人让郑人前去朝见，郑人派少正子产回答说："在晋国先君悼公九年，我寡君在这一年即位。即位八个月，我国先大夫子驷跟随寡君来朝见执事，执事对寡君却不加礼遇，寡君恐惧。因为这一趟，我国二年六月就朝见了楚国，晋国因此有了戏地一役。楚国还相当强大，但对敝邑表明了礼仪。敝邑想要跟随执事，却又怕犯下大错，说晋国恐怕会认为我们对有礼仪的国家不恭敬，因此我们不敢对楚国三心二意。我国四年三月，先大夫子蟜又随从寡君到楚国观察情况，晋国因此有了萧鱼之战。我们认为敝邑靠近晋国，晋国譬如草木，我国不过是草木散发出来的气味，怎么敢不一致？"

"楚国也不那么强大了，寡君拿出土地上的全部出产，加上宗庙的礼器，来接受同盟。于是率领群臣跟从执事参加年终在晋国的盟会。敝邑有二心跟楚国的，是子侯、石盂，回去以后就讨伐了他们。溴梁之盟的第二年，子蟜已经告老了，公孙夏跟从寡君朝见晋君，在用新酒尝祭时拜见的，参与了祭祀。隔了两年，听说君要安定东方，四月又朝见君，以听取盟会的日期。在没有朝见的时候，我国没有一年不聘问，没有一次战役不跟从。由于大国的政令没有常规标准，国和家族都很困乏，意外的忧患又屡屡发生，没有哪一天不警惕，岂敢忘掉自己的职责？大国如果安定敝邑，我们早晚都会在晋国的朝廷上朝见，哪里用得着贵国命令呢？若是不体恤敝邑的忧患，而把它作为借口，那恐怕不能忍受大国的命令，而只会被翦弃为仇敌了。敝邑害怕这样的后果，岂敢忘掉君的命令？这些就委托执事了，执事实在应该慎重地考虑一下。"

秋天，栾盈从楚国来到齐国。晏平仲对齐侯说："商任的会见，接受了晋国的命令。现在接收栾氏，打算怎么任用他？小国用来事奉大国的，是信用。失去信用不能立身立国，希望君考虑一下。"齐侯不听。晏平仲退出后告诉陈文子说："做人君主的应保持信用，做人臣下的应保持恭敬，忠实、信用、诚笃、恭敬，上下共同保持它，这是上天的常道。国君自己抛弃这些，不能久居其位了。"

九月，郑国公孙黑肱有病，把封邑归还给郑简公。又召集室老、宗人立了段为继承人，而且让他减省家臣、祭祀从简。一般的祭祀用一只羊，盛祭用羊和猪。留下足以供祭祀用的土地，其余的封邑全部归还郑伯。说："我听说，生在乱世，地位尊贵而能够清贫，不向百姓求取什么，这就可以在别人之后灭亡。恭敬地事奉国君和各位大夫。生存在于警戒，不在于富有。"二十五日，公孙黑肱死。君子说："公孙黑肱善于警戒。《诗》说：'谨慎地行使你公侯的法度，以此警戒意外的忧患。'郑国的公孙黑肱大概做到了吧。"

冬天，诸侯在沙随盟会，是为了再次禁锢栾氏。栾盈还在齐国住着，晏子说："祸乱要发生了！齐国将会攻打晋国，不能不使人害怕。"

楚国的观起受到令尹子南的宠爱，没有增加俸禄却有了能驾几十辆车子的马匹。楚国人担心这件事，楚王准备讨伐他们。子南的儿子弃疾做楚王的御士，楚王每次见到他，一定哭泣。弃疾说："君王三次向臣下哭泣了，敢问是谁的罪过？"楚王说："令尹不善，是你所知道的。国家要诛讨他，你能留下不走吗？"弃疾回答说："父亲被诛戮儿子留下不走，君王哪能还任用他？但泄露命令而加重刑罚，下臣也不会干。"楚王于是把子南杀死在朝廷上，将观起车裂并把尸体在四境示众。子南的家臣对弃疾说："请让我们把主人的尸体从朝廷上搬出来。"弃疾说："君臣之间有规定的礼仪，只看诸位大臣怎么办了。"过了三天，弃疾请求收尸，楚王答应了。安葬完毕，弃疾的手下人说："出走吧！"弃疾说："我参与杀我父亲，出走将入哪个国家呢？"手下人说："既然这样，那么做楚王的臣下吗？"弃疾说："丢弃父亲事奉仇人，我是不能忍受的。"于是上吊而死。

楚王再次让䓣子冯做令尹，公子齮做司马，屈建做莫敖。受到䓣子冯宠爱的有八个人，都是没有俸禄而有许多马匹。有一天䓣子冯上朝，与申叔豫说话，申叔豫不答应而退走。䓣子冯跟从他，申叔豫走进人群中。又跟从他，申叔豫就回家了。䓣子冯退朝后进见申叔豫，说："您在朝廷上三次让我受窘，我害怕，不敢不来见您。我有过错，您姑且告诉我，为什么讨厌我？"申叔豫回答说："我害怕不能免于罪过，哪里还敢告诉您？"䓣子冯说："什么缘故？"申叔豫回答说："过去观起受到子南的宠爱，子南被判罪，观起遭车裂。为什么不害怕？"䓣子冯自己驾着车子回家，车子都不能走在车道上。到了家，对那八个人说："我进见申叔，那个人就是所谓能使死人复生、白骨长肉的人。能了解我的人，像申叔一样的就可以留下。不然，请就此罢休。"辞退了这八个人之后，楚王才放了心。

十二月，郑国的游贩将要回到晋国去，还没有出国境，遇上迎娶妻子的人，夺了人家的妻子，就在那个城里住下。有一天，妻子的丈夫攻打游贩，杀了他，带着妻子逃走了。子展废掉良而立太叔，说："国卿，是国君的副手，百姓的主人，不可以随便。请舍弃游贩之流！"派人寻找丢失妻子的人，让他回自己的故里。要游氏别怨恨他，说："不要宣扬邪恶了。"

襄公二十三年

【原文】

二十有三年：春，王二月癸酉朔，日有食之。
三月己巳，杞伯匄卒。
夏，邾畀我来奔。
葬杞孝公。
陈杀其大夫庆虎及庆寅。
陈侯之弟黄自楚归于陈。
晋栾盈复入于晋，入于曲沃。
秋，齐侯伐卫，遂伐晋。

八月，叔孙豹帅师救晋，次于雍榆。

己卯，仲孙速卒。

冬，十月乙亥，臧孙纥出奔邾。

晋人杀栾盈。

齐侯袭莒。

二十三年春，杞孝公卒。晋悼夫人丧之。平公不彻乐，非礼也。礼：为邻国，阙。

陈侯如楚。公子黄愬二庆于楚，楚人召之。使庆乐往，杀之。庆氏以陈叛。夏，屈建从陈侯围陈。陈人城，板队而杀人。役人相命：各杀其长。遂杀庆虎、庆寅。楚人纳公子黄。君子谓庆氏不义，不可肆也，故《书》曰"惟命不于常"。

晋将嫁女于吴。齐侯使析归父媵之，以潘载栾盈及其士，纳诸曲沃。栾盈夜见胥午而告之，对曰："不可！天之所废，谁能兴之？子必不免！吾非爱死也，知不集也。"盈曰："虽然，因子而死，吾无悔矣。我实不天，子无咎焉。"许诺，伏之。而觞曲沃人，乐作，午言曰："今也得栾孺子何如？"对曰："得主而为之死，犹不死也！"皆叹，有泣者。爵行，又言；皆曰："得主，何贰之有！"盈出，遍拜之。

四月，栾盈帅曲沃之甲，因魏献子以昼入绛。初，栾盈佐魏庄子于下军，献子私焉，故因之。赵氏以原、屏之难怨栾氏。韩、赵方睦。中行氏以伐秦之役怨栾氏，而固与范氏和亲。知悼子少，而听于中行氏。程郑嬖于公。唯魏氏及七舆大夫与之。

乐王鲋侍坐于范宣子。或告曰："栾氏至矣。"宣子惧。桓子曰："奉君以走固宫，必无害也。且栾氏多怨，子为政，栾氏自外，子在位，其利多矣。既有利权，又执民柄，将何惧焉！栾氏所得，其唯魏氏乎？而可强取也。夫克乱在权，子无懈矣。"

公有姻丧。王鲋使宣子墨缞冒绖，二妇人辇以如公；奉公以如固宫。

范鞅逆魏舒，则成列既乘，将逆栾氏矣。趋进，曰："栾氏帅贼以入。鞅之父与二三子在君所矣，使鞅逆吾子。鞅请骖乘持带。"遂超乘，右抚剑，左援带，命驱之出。仆请，鞅曰："之公！"宣子逆诸阶，执其手，赂之以曲沃。

初，斐豹隶也，著于丹书。栾氏之力臣曰督戎，国人惧之。斐豹谓宣子曰："苟焚丹书，我杀督戎。"宣子喜，曰："而杀之，所不请于君焚丹书者，有如日！"乃出豹而闭之。督戎从之。逾隐而待之。督戎逾入，豹自后击而杀之。

范氏之徒在台后。栾氏乘公门。宣子谓鞅曰："矢及君屋，死之！"鞅用剑以帅卒，栾氏退；摄车从之。遇栾乐，曰："乐免之！死将讼女于天！"乐射之，不中；又注，则乘槐本而覆。或以戟钩之，断肘而死。栾鲂伤。栾盈奔曲沃，晋人围之。

秋，齐侯伐卫。先驱：穀荣御王孙挥，召扬为右。申驱：成秩御莒恒，申鲜虞之傅挚为右。曹开御戎，晏父戎为右。贰广：上之登御邢公，卢蒲癸为右。启：牢成御襄罢师，狼蘧疏为右。胠：商子车御侯朝，桓跳为右。大殿：商子游御夏之御寇，崔如为右；烛庸之越驷乘。

自卫将遂伐晋，晏平仲曰："君恃勇力以伐盟主，若不济，国之福也；不德而有功，忧必及君。"崔杼谏曰："不可。臣闻之：小国间大国之败而毁焉，必受其咎。君其图之！"弗听。

陈文子见崔武子，曰："将如君何？"武子曰："吾言于君，君弗听也。以为盟主而利其难，群臣若急，君于何有？子姑止之。"文子退，告其人曰："崔子将死乎？谓君甚而又过之，不得其死。过君以义，犹自抑也，况以恶乎？"

齐侯遂伐晋，取朝歌。为二队，入孟门，登大行。张武军于荧庭，戍郫邵，封少水，以报平阴之役，乃还。赵胜帅东阳之师以追之，获晏氂。八月，叔孙豹帅师救晋，次于雍榆，礼也。

季武子无适子。公弥长。而爱悼子，欲立之。访于申丰，曰："弥与纥，吾皆爱之。欲择才焉而立之。"申丰趋退，归，尽室将行。他日，又访焉。对曰："其然，将具敝车而行。"乃止。访于臧纥，臧纥曰："饮我酒，吾为子立之。"季氏饮大夫酒，臧纥为客。既献，臧孙命北面重席，新尊絜之；召悼子，降，逆之。大夫皆起。及旅，而召公钼，使与之齿。季孙失色。

季氏以公钼为马正。愠而不出。闵子马见之，曰："子无然！祸福无门，唯人所召。为人子者患不孝，不患无所。敬共父命，何常之有？若能孝敬，富倍季氏可也。奸回不轨，祸倍下民可也。"公钼然之，敬共朝夕，恪居官次。季孙喜，使饮己酒，而以具往，尽舍旃。故公钼氏富，又出为公左宰。

孟孙恶臧孙，季孙爱之。孟氏之御驺丰点好羯也，曰："从余言，必为孟孙。"再三云，羯从之。孟庄子疾，丰点谓公钼："苟立羯，请雠臧氏。"公钼谓季孙曰："孺子秩，固其所也。若羯立，则季氏信有力于臧氏矣。"弗应。己卯，孟孙卒。公钼奉羯立于户侧。季孙至，入，哭；而出，曰："秩焉在？"公钼曰："羯在此矣。"季孙曰："孺子长。"公钼曰："何长之有？唯其才也。且夫子之命也。"遂立羯。秩奔邾。

臧孙入，哭，甚哀，多涕。出，其御曰："孟孙之恶子也，而哀如是！季孙若死，其若之何？"臧孙曰："季孙之爱我，疾疢也。孟孙之恶我，药石也。美疢不如恶石。夫石犹生我；疢之美，其毒滋多。孟孙死，吾亡无日矣！"

孟氏闭门，告于季孙曰："臧氏将为乱，不使我葬。"季孙不信。臧孙闻之，戒。冬十月，孟氏将辟，藉除于臧氏。臧孙使正夫助之，除于东门，甲从己而视之。孟氏又告季孙。季孙怒，命攻臧氏。乙亥，臧纥斩鹿门之关以出奔邾。

初，臧宣叔娶于铸，生贾及为而死。继室以其侄，穆姜之姨子也，生纥，长于公宫。姜氏爱之，故立之。臧贾、臧为出在铸。臧武仲自邾使告臧贾，且致大蔡焉，曰："纥不佞，失守宗祧，敢告不吊。纥之罪，不及不祀。子以大蔡纳请，其可。"贾曰："是家之祸也，非子之过也。贾闻命矣！"再拜受龟，使为以纳请，遂自为也。臧孙如防，使来告曰："纥非能害也，知不足也。非敢私请。苟守先祀，无废二勋，敢不辟邑！"乃立臧为。

臧纥致防而奔齐。其人曰："其盟我乎？"臧孙曰："无辞。"将盟臧氏，季孙召外史掌恶臣，而问盟首焉。对曰："盟东门氏也，曰：'毋或如东门遂不听公命、杀适立庶！'盟叔孙氏也，曰：'毋或如叔孙侨如欲废国常、荡覆公室！'"季孙曰："臧孙之罪，皆不及此。"孟椒曰："盍以其犯门斩关？"季孙用之，乃盟臧氏曰："（无）〔毋〕或如臧孙纥干国之纪、犯门斩关！"臧孙闻之，曰："国有人焉，谁居？其孟椒乎！"

晋人克栾盈于曲沃，尽杀栾氏之族党。栾鲂出奔宋。书曰"晋人杀栾盈"，不言大夫，言自外也。

齐侯还自晋，不入，遂袭莒。门于且于，伤股而退。明日，将复战，期于寿舒。杞殖、华还载甲，夜入且于之隧，宿于莒郊。明日，先遇莒子于蒲侯氏。莒子重赂之，使无死，曰："请有盟。"华周对曰："贪货弃命，亦君所恶也。昏而受命，日未中而弃之，何以事君？"莒子亲鼓之，从而伐之，获杞梁。莒人行成。齐侯归，遇杞梁之妻于郊，使吊之。辞曰："殖之有罪，何辱命焉？若免于罪，犹有先人之敝庐在，下妾不得与郊吊。"齐侯吊诸其室。

齐侯将为臧纥田；臧孙闻之，见。齐侯与之言伐晋，对曰："多则多矣，抑君似鼠。夫鼠昼伏夜动，不穴于寝庙，畏人故也。今君闻晋之乱而后作焉，宁将事之，非鼠如何？"乃弗与田。仲尼曰："知之难也！有臧武仲之知，而不容于鲁国，抑有由也，作不顺而施不恕也。《夏书》曰：'念兹在兹。'顺事、恕施也。"

【译文】

鲁襄公二十三年春天的二月初一日，有日蚀。三月二十八日，杞伯匄死。夏天，邾国畀我来逃奔我鲁国。安葬杞孝公。陈国杀了它的大夫庆虎和庆寅。陈侯之弟黄从楚国回到陈国。晋国栾盈又进入晋国，来到曲沃。秋天，齐侯攻打卫国，就势又攻打晋国。八月，叔孙豹带兵救援晋国，军队驻扎在雍榆。八月十日，仲孙速卒。冬十月初七，臧孙纥出逃到邾国。晋国人杀了栾盈，齐侯侵袭莒国。

鲁襄公二十三年春，杞孝公死，晋悼夫人为他服丧。晋平公不撤除音乐，这是不合于礼的。按照礼，应该为邻国的丧事撤除音乐。陈侯来到楚国。公子黄在楚国控诉二庆，楚国人召见二庆。二庆派庆乐前去，楚人杀了庆乐。庆氏带领陈国人背叛楚国。夏天，屈建跟随陈侯包围陈国。陈国人筑城防守，夹板掉下来，庆氏就杀筑城的人。筑城的人互相传令，各自杀掉他们的头子，于是乘机杀了庆虎、庆寅。楚国人把公子黄送回陈国。君子认为："庆氏的行为不合道义，不能放纵。所以《尚书》说：'天命不能常在。'"

晋国准备把女儿嫁到吴国，齐侯派析归父送随嫁的妾媵给晋国，用篷车载着栾盈和他的士，把他们安置在曲沃。栾盈夜里进见胥午并告诉他一些情况，胥午回答说："不行。上天所要废弃的，谁能把他兴起？您必定不免于死。我不是爱惜一死，是明知事情不会成功。"栾盈说："虽然这样，但依靠您而死，我不后悔。我确实不为上天保佑，您没有过错。"胥午答应了。把栾盈隐藏起来，然后请曲沃人喝酒。音乐演奏起来了，胥午发话说："现在要是得到栾孺子，怎么办？"大家回答说："得到了主人而为他死，虽死犹生。"大家都叹息，还有哭泣的。举杯行酒，胥午又说起来。曲沃人都说："得到了主人，哪里会有二心？"于是栾盈出来，向大家一一拜谢。

四月，栾盈率领曲沃的甲士，依靠魏献子而在白天进入绛地。起初，栾盈在下军中辅佐魏庄子，魏献子和他有私交，所以依靠他。赵氏由于原同、屏括的祸难而怨恨栾氏，韩氏、赵氏刚刚和睦，中行氏因为攻打秦国的那次战役怨恨栾氏，且原来就与范氏和睦。知悼子年纪小，因而听中行氏的话。程郑受到晋平公的宠爱。只有魏氏和七舆大夫亲附栾氏。

乐王鲋侍坐在范宣子旁边。有人报告说："栾氏来了！"范宣子害怕。乐王鲋说："事奉国君逃跑到固宫，必定没有危害。而且栾氏怨敌很多，您执掌国政，栾氏从外边回来，您处在掌权的地位，有利的条件就多了。既有利有权，又掌握着对百姓的赏罚之权，有什么可害怕的？栾氏所得到的，大概只有魏氏了吧！而且魏氏是可以用强力争取过来的。平定叛乱在于权力，您不要懈怠了。"

晋平公有姻亲的丧事，乐王鲋让范宣子穿上黑色的丧服，（与悼夫人一道）两个妇人乘车到晋平公那里，陪侍着晋平公到固宫。范鞅迎接魏献子，魏献子的军队已经排成行列、登上战车，准备去迎接栾氏了。范鞅快步走进来，说："栾氏率领叛乱分子进入国都，鞅的父亲和诸位大夫都在国君那里，派鞅来迎接您。鞅请求做您的持带骖乘。"于是范鞅跳上魏献子的战车，右手摸着剑，左手拉着带子，命令驱车离开行列。驾车的人请问去哪里，范鞅说："到国君那里。"范宣子在队前迎接魏献子，拉着他的手，答应把曲沃送给他。

起初，斐豹是个奴隶，用红字写在简牍上。栾氏有个大力士家臣叫督戎，国人都害怕他。斐豹对范宣子说："如果烧掉那红字竹简，我去杀掉督戎。"范宣子很高兴，说："你杀了他，如果不请求国君烧掉这红字竹简，有太阳神作证！"于是将斐豹放出宫，然后关上宫门，督戎跟上他。斐豹跨过矮墙等待着督戎，督戎越墙进来，斐豹从后面猛击而杀死了他。

范氏的手下人在宫台的后面，栾氏登上晋平公的宫门。范宣子对范鞅说："箭射到国君的屋子，你就得死！"范鞅用剑率领步兵迎战，栾氏败退。范鞅跳上战车追赶，遇上栾乐，说："乐，别打了，我死了将会向上天讼你。"栾乐用箭射他，没射中。又把箭搭上弦，但战车被槐树根撞翻了。有人用戟钩他，把他的胳臂拉断了而死去。栾鲂受了伤。栾盈逃到曲沃，晋国人包围了他。

秋天，齐侯攻打卫国。前锋军是：谷荣驾御王孙挥的战车，召扬为车右，次前锋：成秩驾御莒恒的战车，申鲜虞之子傅挚为车右。曹开驾御齐侯的战车，晏父戎为车右。齐侯的副车，上之登驾御邢公的战车，卢蒲癸为车右。左翼军：牢成驾御襄罢师的战车，狼蘧疏为车右。右翼军：商子车驾御侯朝的战车，桓跳为车右。后军：商子游驾御夏之御寇的战车，崔如为车右，烛庸之越等四人共乘一辆车殿后。

齐侯从卫国出发将由此攻打晋国。晏平仲说："君王依仗勇力而攻打盟主，如果不成功，这是国家的福气。没有德行而有功劳，忧患必然到君身上。"崔杼劝谏说："不可以。臣下听说，小国钻大国祸败的空子而加以破坏，必然会受到灾祸。君王还是要考虑一下。"齐侯不听。陈文子进见崔杼，说："打算把国君怎么办？"崔杼说："我对国君说了，国君不听。把晋国奉为盟主，反而以它的祸难为利。群臣如果急了，哪里还有国君？您姑且不用管了。"陈文子退出，告诉他的手下人说："崔子将要死了吧！指责国君太过分，所作所为又超过国君，不会得到好死。行道义超过国君，还应自己加以抑制，何况是行恶呢？"

齐侯于是就攻打晋国，夺取了朝歌。兵分两路，一路打入孟门，一路登上大行陉。在荧庭扩建军营以显示武力，派兵戍守郫邵，在少水收晋军尸体埋成大坟，以此报复平阴之战，才收兵回去。赵胜带领东阳的晋军追击齐军，俘虏了晏氂。这年八月，叔孙豹率领鲁军救援晋军，驻扎在雍榆，这是合于礼的。

季武子没有嫡子，公弥年长，但季武子喜欢悼子，想立悼子为继承人。找申丰商量说："弥和纥，我都喜欢，想选择有才能的立为继承人。"申丰快步退出，回家，将要全家出走。过了几天，季武子又访问申丰，申丰回答说："如果这样，我就会套上我的车子走了。"季武子才停下了。

季武子去访问臧纥，臧纥说："招待我喝酒，我为您立悼子为继承人。"季氏招待大夫们喝酒，臧纥为上宾。向宾客献酒完毕，臧纥命令北面铺上两层席子，换上新酒杯并洗涤干净。召见悼子，臧纥走下台阶迎接他。大夫们都站起来。等到敬酒酬客时才召见公钼，让他和一般客宾并坐同列。季武子惊得变了脸色。

季氏让公钼做马正，公钼怨恨不肯做。闵子马见到公钼，说："您不要这样！祸福无门，只由人自己召来。做儿子的，担心的是不孝，而不担心没有地位。恭敬地对待父亲的命令，事情怎么会固定不变呢？若能孝敬，富有可比季氏增加一倍。若是奸邪而不合法度，祸患可比百姓增加一倍。"公钼认为他的话是对的。就恭敬地早晚问安，谨慎地居官守职。季武子高兴了，让公钼请自己去喝酒，而带着饮宴的器具前往，把器具全都留在公钼家。因此公钼氏富起来了，又出任做了鲁襄公的左宰。

孟庄子厌恶臧孙，但季武子喜欢他。孟氏的御驺丰点喜欢羯，说："听从我的话，你一定能做孟庄子的继承人。"丰点再三地说，羯就听从了他。孟庄子病了，丰点对公钼说："如果立了羯，请孟氏和你都把臧氏做仇敌。"公钼对季武子说："孺子秩本为孟氏的继承人。如果改立羯，那么季氏就确实会比臧氏的势力大。"季武子不答应。八月初十日，孟庄子死了，公钼奉侍羯立在门旁接受宾客吊唁。季武子来到，进门，哭，出门，说："秩在哪里？"公钼说："羯在这里了。"季武子说："孺子年长。"公钼说："有什么年长不年长？只因他有才能。而且是他老人家的命令。"于是就立了羯。孺子秩逃奔到邾国。

臧纥进门，号哭得很悲哀，流了很多泪。出门，他的御者说："孟庄子讨厌您，而您却悲哀成这样。季武子如果死了，您将怎么办？"臧纥说："季武子喜欢我，这是疾病。孟庄子厌恶我，却是药石。没有痛苦的疾病不如使人苦痛的药石。药石还可使我活下去，疾病没有痛苦，它的毒害更多。孟庄子死，我灭亡没有多少日子了。"孟氏关上门，告诉季武子说："臧氏将会作乱，不让我家安葬。"季武子不相信。臧纥听到了，便作了戒备。冬季十月，孟氏准备开辟墓道，在臧氏那里借用役夫。臧纥派正夫去帮忙，在东门开掘墓道，让甲士跟从自己去视察。孟氏又将情况报告季武子。季武子发怒了，命令攻打臧氏。十月初七日，臧纥砍断鹿门的门闩而出，逃奔到邾国。

起初，臧宣叔在铸国娶了妻，生了臧贾和臧为就死了。又以妻子的侄女为继室，就是穆姜妹妹的女儿，生了臧纥，在鲁君的宫中成长。穆姜喜欢他，所以立他为臧宣叔的继承人。臧贾、臧为便离开家而住在铸国。臧纥从邾国派人告诉臧贾，并且送给了大龟，说："纥不才，不能守祭宗庙，谨向您报告不善。纥的罪过，不至于断绝祭祀。您把这个大龟去进献请求立为后继人，大概是可以的。"臧贾说："这是臧家的祸殃，不是您的过错。贾听到命令了。"再次拜谢，接受了大龟，让臧为去代他进献请求，臧为却为自己请求做继承人。臧纥到了防邑，派人来鲁国报告说："纥并不能伤害别人，是智慧不足的缘故。纥不敢为自己请求。如果保存先人的祭祀，不废弃两位先人的功勋，怎敢不让出封邑。"于是就立了臧为。

臧纥交还防邑而逃亡到齐国。他的随从说："能为我们盟誓吗？"臧纥说："没有盟辞好写。"将为臧氏盟誓，季武子召见掌管恶臣的外史，且询问盟辞首章的写法，外史回答说："为东门氏盟誓，说：'不要有人像东门遂那样，不听国君的命令，杀嫡子立庶子。'为叔孙氏盟誓，说：'不要有人像叔孙侨如那样，想废掉国家的常道，颠覆公室。'"季武子曰："臧纥的罪过，都不至于如此。"孟椒说："何不把他打城门砍门闩写进盟辞？"季武子采用了他说的，于是为臧氏盟誓说："不要有人像臧孙纥那样，触犯国家的法纪，打城门砍门闩。"臧纥听到了，说："国内有人才啊！是谁呢？大概是孟椒吧！"

晋国人在曲沃战胜了栾盈，把栾氏的亲族党羽全部杀了。栾鲂逃亡到宋国。《春秋》记载说："晋人杀栾盈。"不说大夫，是说他是从国外进入国内发动叛乱。

齐侯从晋国回来，不进入国都，就袭击莒国，攻打且于的城门，大腿受了伤才退走。第二天，准备再战，约定军队在寿舒集中。杞殖、华还用战车载着甲士，夜里进入且于的狭道，露宿在莒国的郊外。第二天，先和莒子在蒲侯氏相遇。莒子送给他们重礼，让他们不要战死，说："请和你们结盟。"华还回答说："贪图财货背弃命令，这也是君所厌恶的。昨晚才接受命令，今天还不到中午就背弃它，这用什么来事奉国君？"莒子亲自击鼓，追击齐军，杀了杞梁。莒国人和齐国媾和。

齐侯回国，在郊外遇见杞梁的妻子，便派人向她吊唁。她辞谢说："杞梁有罪，怎敢辱劳君的命令？如果能够免罪，还有先人的破房子在那儿，下妾不能接受这郊外的吊唁。"齐侯就到她家里吊唁。

齐侯打算封给臧纥土地。臧纥听说了，进见齐侯。齐侯和他说起攻打晋国的事，他回答说："攻打晋国的战功多是很多了，可是君王却像老鼠。老鼠白天伏在洞穴里，夜间出来活动，不在宗庙里打洞，是由于怕人的缘故。现在君王听到晋国动乱然后起兵，晋国安宁就准备事奉它，这不是老鼠还是什么？"于是齐侯气得不封给他土地。

孔子说："聪明是难做到的。有了臧武仲的聪明，却不能被鲁国所容纳，是有原由的，因为所作不顺于事理，所为不合于恕道。《夏书》说：'想着这事就心在这事。'

这便是顺于事理而合于恕道。

襄公二十四年

【原文】

　　二十有四年：春，叔孙豹如晋。
　　仲孙羯帅师伐齐。
　　夏，楚子伐吴。
　　秋，七月甲子朔，日有食之，既。
　　齐崔杼帅师伐莒。
　　大水。
　　八月癸巳朔，日有食之。
　　公会晋侯、宋公、卫侯、郑伯、曹伯、莒子、邾子、滕子、薛伯、杞伯、小邾子于夷仪。
　　冬，楚子、蔡侯、陈侯、许男伐郑。
　　公至自会。
　　陈铖宜咎出奔楚。
　　叔孙豹如京师。
　　大饥。
　　二十四年春，穆叔如晋。范宣子逆之，问焉，曰："古人有言曰：'死而不朽'。何谓也？"穆叔未对。宣子曰："昔匄之祖，自虞以上为陶唐氏，在夏为御龙氏，在商为豕韦氏，在周为唐杜氏，晋主夏盟为范氏，其是之谓乎！"穆叔曰："以豹所闻，此之谓世禄，非不朽也。鲁有先大夫曰臧文仲，既没，其言立，其是之谓乎！豹闻之：'大上有立德，其次有立功，其次有立言。'虽久不废，此之谓三不朽。若夫保姓受氏以守宗祊，世不绝祀，无国无之。禄之大者，不可谓不朽。"
　　范宣子为政，诸侯之币重，郑人病之。二月，郑伯如晋，子产寓书于子西以告宣子，曰：子为晋国，四邻诸侯不闻令德，而闻重币，侨也惑之。侨闻君子长国家者，非无贿之患，而无令名之难。夫诸侯之贿聚于公室，则诸侯贰；若吾子赖之，则晋国贰。诸侯贰，则晋国坏；晋国贰，则子之家坏。何没没也！将焉用贿？
　　夫令名，德之舆也；德，国家之基也。有基无坏，无亦是务乎！有德则乐，乐则能久。《诗》云："乐只君子，邦家之基。"有令德也夫！"上帝临女，无贰尔心"，有令名也夫！恕思以明德，则令名载而行之，是以远至迩安。
　　毋宁使人谓子："子实生我。"而谓"子浚我以生"乎？象有齿以焚其身，贿也。
　　宣子说，乃轻币。

是行也，郑伯朝晋，为重币故，且请伐陈也。郑伯稽首，宣子辞。子西相，曰："以陈国之介恃大国而陵虐于敝邑，寡君是以〔请〕请罪焉，敢不稽首？"

孟孝伯侵齐，晋故也。

夏，楚子为舟师以伐吴，不为军政，无功而还。

齐侯既伐晋而惧，将欲见楚子。楚子使薳启（疆）〔彊〕如齐聘，且请期。齐社，蒐军实，使客观之。陈文子曰："齐将有寇。吾闻之：兵不戢，必取其族。"

秋，齐侯闻将有晋师，使陈无宇从薳启（疆）〔彊〕如楚，辞，且乞师。崔杼帅师送之，遂伐莒，侵介根。

会于夷仪，将以伐齐。水，不克。

冬，楚子伐郑以救齐，门于东门，次于棘泽，诸侯还救郑。

晋侯使张骼、辅跞致楚师，求御于郑。郑人卜：宛射犬吉。子大叔戒之曰："大国之人，不可与也。"对曰："无有众寡，其上一也。"大叔曰："不然。部娄无松柏。"二子在幄，坐射犬于外；既食而后食之。使御广车而行，己皆乘乘车。将及楚师，而后从之乘，皆踞转而鼓琴。近，不告而驰之。皆取胄于橐而胄，入垒，皆下，搏人以投，收禽挟囚。弗待而出。皆超乘，抽弓而射。既免，复踞转而鼓琴，曰："公孙！同乘，兄弟也，（故）〔胡〕再不谋？"对曰："曩者志入而已，今则怯也。"皆笑，曰："公孙之亟也！"

楚子自棘泽还，使薳启（疆）〔彊〕帅师送陈无宇。

吴人为楚舟师之役故，召舒鸠人。舒鸠人叛楚。楚子师于荒浦，使沈尹寿与师祁犁让之。舒鸠子敬逆二子而告"无之"，且请受盟。二子复命，王欲伐之。薳子曰："不可。彼告不叛，且请受盟；而又伐之，伐无罪也。姑归息民，以待其卒。卒而不贰，吾又何求？若犹叛我，无辞，有庸。"乃还。

陈人复讨庆氏之党，铖宜咎出奔楚。

齐人城郏。穆叔如周聘，且贺城。王嘉其有礼也，赐之大路。

晋侯嬖程郑，使佐下军。郑行人公孙挥如晋聘；程郑问焉，曰："敢问降阶何由？"子羽不能对，归以语然明。然明曰："是将死矣，不然将亡。贵而知惧，惧而思降，乃得其阶。下人而已，又何问焉？且夫既登而求降阶者，知人也，不在程郑。其有亡衅乎？不然，其有惑疾，将死而忧也。"

【译文】

鲁襄公二十四年春，叔孙豹出使到晋国。仲孙羯率领鲁军侵袭齐国。夏天，楚子带兵攻打吴国。秋天七月初一日，有日蚀，是日全蚀。齐国的崔杼带兵攻打莒国。涨大水。八月初一日，有日蚀。襄公在夷仪与晋侯、宋公、卫侯、郑伯、曹伯、莒子、邾子、滕子、薛伯、杞伯、小邾子盟会。冬天，楚子、蔡侯、陈侯、许男攻打郑国。襄公从盟会地回到鲁国。陈国的铖宜咎出逃到楚国。叔孙豹到达周朝的京城。大饥荒。

鲁襄公二十四年春，穆叔出使到晋国。范宣子迎接他，问穆叔，说："古人有话说

'死而不朽'，这说的是什么？"穆叔没有回答。范宣子说："从前匄的祖先，从虞舜以上是陶唐氏，在夏代是御龙氏，在商代是豕韦氏，在周代是唐杜氏，晋国主持中原的盟会是范氏，所谓不朽大概是说的这个吧！"穆叔说："据我叔孙豹所听到的，这叫做世禄，不是不朽。鲁国有位先大夫叫臧文仲，死了之后，他的言论不被废弃，所谓不朽大概是这个吧！豹听说，最高的是树立德行，其次是树立功业，再其次是树立言论，虽然人死了很久也不会废弃，这就叫做不朽。像那种保持姓、接受氏，用以守住宗庙，世世不断祭祀，没有哪个国家不是如此。爵禄中最大的，也不能说是不朽。"

范宣子执政，诸侯朝见晋国的贡品很重，郑国人很担心这件事。这年二月，郑伯去晋国。子产寄信给子西，让他告诉范宣子说："您治理晋国，四邻的诸侯听不到美德，而听到的是繁重的贡品，侨对此感到迷惑。侨听说君子治理国家的，不是担心没有财货，而是担心没有好名声。诸侯的财货聚集在晋国公室，诸侯内部就会产生二心。若是您把这些财货利己，则晋国内部又会产生二心。诸侯之间生二心，则晋国受损害。晋国内部生二心。则您的家族受损害。为什么那么糊涂啊！还哪里用得着财货？好名声，是装载德行的车子。德行，是国家的基础。有基础才不易毁坏，您不也是致力于这个吗！有了好德行就快乐，快乐就能长久。《诗经》说：'快乐啊君子，是国家的基础。'这就是有美德吧！'上帝在监视你，你不能有二心。'这就是有好名声吧！对人宽宥以发扬德行，则可以载着好名声而行事，因此而使远方人来到，近处人安心。您是宁可让人对您说：'您确实养活了我'还是说'您榨取我来养活你自己'呢？象有象牙而毁坏了自己，是因为象牙值钱的缘故。"

范宣子很高兴，就减轻了贡品。这一趟，郑伯朝见晋国，是为了贡品太重的缘故，同时请求攻打陈国。郑伯叩头，范宣子辞谢。子西相礼，说："由于陈国依仗大国，而欺凌侵害敝邑，寡君因此请求向陈国问罪。岂敢不叩首。"

孟孝伯入侵齐国，这是为了晋国的缘故。

夏天，楚王出动水军攻打吴国，对军队不进行教育，没有成功就回去了。

齐侯进攻晋国之后又害怕，打算会见楚王。楚王派䓴启疆到齐国聘问，并且请问会见的日期。齐军在祭祀土地，举行检阅，让客人观看。陈文子说："齐国将会有敌人侵犯。我听说，武力不收敛，必然危害自己。"

秋天，齐侯听说晋国要发兵，派陈无宇随从䓴启疆去楚国，说明将有战事不能会见，同时请求楚国出兵。崔杼带兵送他们，于是乘机攻打莒国，侵袭介根。

鲁襄公和诸侯们在夷仪会见，准备攻打齐国，发生了水灾，没有实现。

这年冬天，楚王攻打郑国以救援齐国，攻打郑都的东门，驻扎在棘泽。诸侯回军救援郑国。晋侯派张骼、辅跞向楚军单车挑战，向郑国求取驾驶战车的人。郑国人为派遣宛射犬占卜，吉利。子太叔告诫宛射犬说："对大国的人，不可和他们平行抗礼。"宛射犬回答说："不论兵多兵少，御者的地位在车左车右之上各国是一样的。"太叔说："不是这样，小土山上没有大松柏。"张骼、辅跞二人在帐篷里，让射犬坐在帐篷外，二人吃完饭才让射犬吃。让射犬驾驶广车前进，自己却坐着平时的车。将要到达楚军营垒,然后张、辅二人才登上射犬的战车,蹲在车后边的横木上弹琴。车子挨近楚营,射犬不告诉二人就突驰而进。二人都从袋子里拿出头盔戴上,进入营垒,都下车,把楚兵提起来扔过去,把俘虏捆住或挟在腋下。射犬不等待二人就驱车出去。这两人都跳上车,抽出弓箭来射向追兵,既已脱险,二人又蹲在车后的横木上弹琴,说:"公孙,同坐一辆战车,就是兄弟,为什么两次都不商量一下?"射犬回答说:"前一次是一心想着冲进敌营,这一次是心里害怕了。"张、辅二人笑起来了,说:"公孙的性子真急啊!"

楚王从棘泽回来,派远启疆带兵护送陈无宇。

吴国人为了楚国舟师之役的缘故,召集舒鸠人,舒鸠人背叛楚国。楚王的军队来到荒浦,派沈尹寿和师祁犁责备他们。舒鸠国的国君恭恭敬敬地迎接这两个人,告诉他们没有那回事,并请求接受盟约。沈、师二人向楚王复命,楚王想攻打舒鸠。远子说:"不行。舒鸠告诉我们不背叛,且请求接受盟约,而我们又攻打它,这是攻打无罪的国家。姑且回去使百姓休养生息,等待它的结果。结果没有二心,我们又有什么可求呢?如果还是背叛我国,他们就无话可说而我们就可以获得成功了。"楚王于是撤军回国。

陈国人再次讨伐庆氏的亲族,铖宜咎逃亡到楚国。

齐国人在郏地筑城。穆叔到周王室聘问,并且祝贺筑城竣工。周王嘉奖穆叔办事合于礼仪,赐给他大路。

晋侯宠幸程郑,命他为下军副帅。郑国的行人公孙挥到晋国聘问。程郑请问他,说:"敢问怎样才能降级?"公孙挥不能回答。回国后对然明说了此事,然明说:"这个人将要死了。否则,可能会逃亡,地位高贵而知道害怕,害怕而想到要降级,就可以得到适合他的官位,不过在别人下面而已,又问什么?而且既已登上高位而要求降级的,是明智的人,而不是程郑这种人。他是不是有逃亡的迹象呢?不然的话,大概是有疑心病,要死了而为自己担忧。"

襄公二十五年

【原文】

二十有五年:春,齐崔杼帅师伐我北鄙。

夏,五月乙亥,齐崔杼弑其君光。

公会晋侯、宋公、卫侯、郑伯、曹伯、莒子、邾子、滕子、薛伯、杞柏、小邾子于夷仪。

六月壬子,郑公孙舍之帅师入陈。

秋,(八)〔七〕月己巳,诸侯同盟于重丘。

公至自会。

卫侯入于夷仪。

楚屈建帅师灭舒鸠。

冬，郑公孙夏帅师伐陈。

十有二月，吴子遏伐楚，门于巢，卒。

二十五年春，齐崔杼帅师伐我北鄙，以报孝伯之师也。公患之，使告于晋。孟公绰曰："崔子将有大志，不在病我，必速归。何患焉？其来也不寇，使民不严，异于他日。"齐师徒归。

齐棠公之妻，东郭偃之姊也。东郭偃臣崔武子。棠公死，偃御武子以吊焉。见棠姜而美之，使偃取之。偃曰："男女辨姓。今君出自丁，臣出自桓，不可。"武子筮之，遇"困䷮"之"大过䷛"。史皆曰："吉！"示陈文子，文子曰："夫从风，风陨妻，不可娶也。且其繇曰：'困于石，据于蒺藜。入于其宫，不见其妻。凶。''困于石'，往不济也；'据于蒺藜'，所恃伤也。'入于其宫，不见其妻，凶'，无所归也。"崔子曰："嫠也何害？先夫当之矣。"遂取之。

庄公通焉，骤如崔氏，以崔子之冠赐人。侍者曰："不可。"公曰："不为崔子，其无冠乎？"崔子因是，又以其间伐晋也，曰："晋必将报。"欲（弑）〔杀〕公以说于晋，而不获间。公鞭侍人贾举而又近之，乃为崔子间公。

夏五月，莒为且于之役故，莒子朝于齐。甲戌，飨诸北郭。崔子称疾不视事。

乙亥，公问崔子，遂从姜氏。姜入于室，与崔子自侧户出。公拊楹而歌。侍人贾举止众从者，而入闭门。甲兴，公登台而请，弗许；请盟，弗许；请自刃于庙，弗许。皆曰："君之臣杼疾病，不能听命。近于公宫，陪臣干掫有淫者，不知二命。"公逾墙，又射之；中股，反队；遂弑之。

贾举、州绰、邴师、公孙敖、封具、铎父、襄伊、偻堙皆死。祝佗父祭于高唐，至，复命，不说弁而死于崔氏。申蒯侍渔者，退谓其宰曰："尔以帑免，我将死。"其宰曰："免，是反子之义也。"与之皆死。崔氏杀鬷蔑于平阴。

晏子立于崔氏之门外，其人曰："死乎？"曰："独吾君也乎哉，吾死也？"曰："行乎？"曰："吾罪也乎哉，吾亡也？"曰："归乎？"曰："君死，安归？君民者，岂以陵民？社稷是主；臣君者，岂为其口实？社稷是养。故君为社稷死，则死之；为社稷亡，则亡之；若为己死，而为己亡，非其私昵，谁敢任之？且人有君而弑之，吾焉得死之？而焉得亡之？将庸何归？"门启而入，枕尸股而哭，兴，三踊而出。人谓崔子："必杀之！"崔子曰："民之望也。舍之，得民。"

卢蒲癸奔晋，王何奔莒。

叔孙宣伯之在齐也，叔孙还纳其女于灵公。嬖，生景公。丁丑，崔杼立而相之，庆封为左相。盟国人于大宫，曰："所不与崔、庆者。"晏子仰天叹曰："婴所不唯忠于君、利社稷者是与，有如上帝！"乃歃。辛巳，公与大夫及莒子盟。大史书曰："崔杼弑其君。"崔子杀之。其弟嗣书而死者，二人；其弟又书，乃舍之。南史氏闻大史尽死，执简以往，闻既书矣，乃还。

闾丘婴以帷（縳）〔缚〕其妻而载之，与申鲜虞乘而出。鲜虞推而下之，曰："君昏不能匡，危不能救，死不能死，而知匿其昵，其谁纳之？"行及弇中，将舍，婴曰："崔、庆其追我。"鲜虞曰："一与一，谁能惧我？"遂舍，枕辔而寝，食马而食。驾而行，出弇中，谓婴曰："速驱之！崔、庆之众，不可当也。"遂来奔。

崔氏侧庄公于北郭。丁亥，葬诸士孙之里：四翣，不跸，下车七乘，不以兵甲。

晋侯济自泮，会于夷仪，伐齐，以报朝歌之役。齐人以庄公说，使隰钼请成，庆封如师；男女以班；赂晋侯以宗器、乐器，自六正、五吏、三十帅、三军之大夫、百官之正长师旅及处守者皆有赂。晋侯许之，使叔向告于诸侯。公使子服惠伯对曰："君舍有罪以靖小国，君之惠也。寡君闻命矣。"

晋侯使魏舒、宛没逆卫侯，将使卫与之夷仪。崔子止其帑，以求五鹿。

初，陈侯会楚子伐郑。当陈隧者，井堙木刊，郑人怨之。六月，郑子展、子产帅车七百乘伐陈，宵突陈城，遂入之。

陈侯扶其大子偃师奔墓，遇司马桓子，曰："载余！"曰："将巡城！"遇贾获载其母妻，下之，而授公车。公曰："舍而母。"辞曰："不祥。"与其妻扶其母以奔墓，亦免。

子展命师无入公宫，与子产亲御诸门。陈侯使司马桓子赂以宗器。陈侯免，拥社，使其众男女别而累，以待于朝。子展执絷而见，再拜稽首，承饮而进献。子美入，数俘而出。祝祓社，司徒致民，司马致节，司空致地，乃还。

秋七月己巳，同盟于重丘，齐成故也。

赵文子为政，令薄诸侯之币而重其礼。穆叔见之。谓穆叔曰："自今以往，兵其少弭矣。齐崔、庆新得政，将求善于诸侯。武也知楚令尹。若敬行其礼，道之以文辞，以靖诸侯，兵可以弭。"

楚蒍子冯卒，屈建为令尹，屈荡为莫敖。舒鸠人卒叛楚，令尹子木伐之；及离城，吴人救之。子木遽以右师先，子强、息桓、子捷、子骈、子孟帅左师以退。吴人居其间七日。子强曰："久将垫隘，隘乃禽也，不如速战。请以其私卒诱之。简师陈以待我：我克，则进；奔则亦视之。乃可以免。不然，必为吴禽。"从之。五人以其私卒先击吴师，吴师奔；登山以望，见楚师不继，复逐之，傅诸其军。简师会之，吴师大败。遂围舒鸠，舒鸠溃。八月，楚灭舒鸠。

卫献公入于夷仪。

郑子产献捷于晋，戎服将事。晋人问陈之罪，对曰：

昔虞阏父为周陶正，以服事我先王。我先王赖其利器用也，与其神明之后也，庸以元女大姬配胡公而封诸陈，以备三恪。则我周之自出，至于今是赖。桓公之乱，蔡人欲立其出；我先君庄公奉五父而立之，蔡人杀之；我又与蔡人奉戴厉公。至于庄、宣，皆我之自立。夏氏之乱，成公播荡，又我之自入，君所知也。

今陈忘周之大德，蔑我大惠，弃我姻亲，介恃楚众，以冯陵我敝邑，不可亿逞，我是以有往年之告。未获成命，则有我东门之役，当陈隧者井堙木刊。敝邑大惧不竞，而耻大姬。天诱其衷，启敝邑心。陈知其罪，授手于我。用敢献功。

晋人曰："何故侵小？"对曰："先王之命：唯罪所在，各致其辟。且昔天子之地一圻，列国一同，自是以衰。今大国多数圻矣，若无侵小，何以至焉？"晋人曰："何故戎服？"对曰："我先君武、庄，为平、桓卿士。城濮之役，文公布命，曰：'各复旧职。'命我文公戎服辅王，以授楚捷。不敢废王命故也。"士庄伯不能诘，复于赵文子。文子曰："其辞顺。犯顺不祥。"乃受之。

冬十月，子展相郑伯如晋，拜陈之功。子西复伐陈，陈及郑平。

仲尼曰："《志》有之：'言以足志，文以足言。'不言，谁知其志？言之无文，行而不远。晋为伯，郑入陈，非文辞不为功。慎辞哉！"

楚蒍掩为司马，子木使庀赋，数甲兵。甲午，蒍掩书土、田：度山林，鸠薮泽，辨京陵，表淳卤，数疆潦，规偃猪，町原防，牧隰皋，井衍沃。量入修赋，赋车籍马，赋车兵、徒（卒）〔兵〕、甲楯之数。既成，以授子木，礼也。

十二月，吴子诸樊伐楚，以报舟师之役。门于巢。巢牛臣曰："吴王勇而轻；若启之，将亲门。我获射之，必殪。是君也死，（彊）〔疆〕其少安。"从之。吴子门焉，牛臣隐于短墙以射之。卒。

楚子以灭舒鸠赏子木。辞曰："先大夫蒍子之功也。"以与蒍掩。

晋程郑卒。子产始知然明，问为政焉。对曰："视民如子。见不仁者诛之，如鹰鹯之逐鸟雀也。"子产喜，以语子大叔，且曰："他日吾见蔑之面而已，今吾见其心矣！"子大叔问政于子产，子产曰："政如农功。日夜思之，思其始而成其终。朝夕而行之，行无越思，如农之有畔，其过鲜矣。"

卫献公自夷仪使与宁喜言，宁喜许之。大叔文子闻之，曰："乌呼！《诗》所谓'我躬不说，皇恤我后'者，宁子可谓不恤其后矣。将可乎哉？殆必不可！君子之行，思其终也，思其复也。《书》曰：'慎始而敬终，终以不困。'《诗》曰：'夙夜匪解，以事一人。'今宁子视君不如弈棋，其何以免乎？奕者举棋不定，不胜其耦；而况置君而弗定乎？必不免矣！九世之卿族，一举而灭之，可哀也哉！"

【译文】

鲁襄公二十五年春，齐国的崔杼率领军队攻打我鲁国北部边境。夏天的五月十七日，齐国崔杼杀了他的国君齐庄公光。襄公在夷仪和晋侯、宋公、卫侯、郑伯、曹伯、莒子、邾子、滕子、薛伯、杞伯、小邾子会合。六月二十四日，郑国大夫公孙舍子带兵进入陈国。秋天的八月（七月）十二日，诸侯在重丘结盟。襄公是从盟会上回到鲁国的。卫侯进入夷仪。楚令尹屈建带兵灭亡了舒鸠。冬天，郑国的公孙夏带兵进攻陈国。十二月，吴王遏进攻楚国，攻打巢邑的城门，吴王死了。

鲁襄公二十五年春，齐国的崔杼率领军队攻打我国北部边境，为的是报复孝伯的那次出师入侵。襄公担心此事，便派人向晋国报告。孟公绰说："崔子将有大志，不在

于困扰我们，一定会很快撤军回国，担心什么？他来的时候不掠夺，使用老百姓不严厉，和以前不一样。"齐军空来一趟就回去了。

　　齐国棠公的妻子，是东郭偃的姐姐。东郭偃是崔武子的家臣。棠公死了，东郭偃为崔武子驾车去吊丧。崔杼一见棠姜便觉得她很美，让东郭偃为他娶过来。东郭偃说："男女婚配要辨别姓氏，您是丁公的后代，臣是桓公的后代，不可以通婚。"崔武子占筮，得到《困》卦䷮变为《大过》䷛。太史都说："吉利。"拿给陈文子看，文子说："丈夫跟从风，风坠落妻子，不可以娶。而且它的繇辞说：'为石头所困，据守在蒺藜中，走进屋，不见妻，凶。'为石头所困，意味着前去而不能成功。据守在蒺藜中，意味着依靠的会使人受伤。走进屋子不见妻，是凶兆，意味着没有归宿。"崔武子说："她是寡妇有什么妨碍？先夫已经承担过这凶兆了。"于是就娶了她。

　　齐庄公和棠姜私通，屡次到崔杼家去，拿崔武子的帽子赐给别人。他的侍从说："这不行。"庄公说："不是崔子，难道就没有帽子吗？"崔武子因此怀恨庄公，又因为庄公曾趁晋国有难而攻打过晋国，说："晋国必定要报仇。"想杀掉庄公来取悦于晋国，而又找不到机会。齐庄公鞭打过侍人贾举，后又亲近他，于是贾举就替崔子寻找机会杀掉齐庄公。

　　夏天，五月，莒国由于且于战役的缘故，莒子到齐国朝见。十六日，庄公在北城设享礼招待他，崔武子推托有病不上朝办公。十七日，庄公去问候崔武子，乘机又跟姜氏幽会。姜氏进入内室，和崔武子从侧门出去。齐庄公拍着柱子唱歌。侍人贾举阻止庄公的随从入内，自己走进去，关上大门。甲士们突然出现，庄公登上高台请求饶命，众人不答应。请求结盟，不答应。请求在祖庙里自杀，也不答应。众人都说："君王的臣子崔杼在重病中，不能听取您的命令。这里靠近君王的宫室，陪臣巡夜搜捕淫乱的人，不知道有其他的命令。"庄公跳墙，有人射他，中了大腿，反身坠落在墙里，于是就杀死了庄公。贾举、州绰、邴师、公孙敖、封具、铎父、襄伊、偻堙都被杀死。祝佗父在高唐祭祀，回到国都复命，没脱掉弁帽就在崔武子家里被杀死。申蒯是管理渔业的人，退出来对他的家臣之长说："你带领我的妻子儿女逃跑，我准备一死。"他的家臣之长说："我逃走免死，这违背了您的道义。"就和申蒯一起自杀而死。崔氏又在平阴杀了鬷蔑。

　　晏子站在崔家的大门外，他的随从说："殉死吗？"晏子说："独是我一个人的国君吗？我殉死？"随从的人说："逃走吗？"晏子说："是我的罪过吗？我逃亡？"随从的人说："回去吗？"晏子说："国君死了，我回到哪里去？作为百姓的国君，难道是用他的地位来凌驾于百姓之上吗？是为主持国家。作为国君的臣下，难道只是为了他的俸禄吗？是为保护国家。所以国君为国而死，则臣下也为他而死；为国而逃亡，则臣下也为他而逃亡。如果国君为自己而死、为自己而逃亡，不是他个人昵爱的人，谁敢承担陪死、陪逃的责任？况且别人有了国君而杀了他，我怎能为他而死，又怎能为他而逃亡呢？可是又能回到哪里去呢？"大门开了，晏子进去，头枕着尸体的大腿上号哭，然后站起来，往上跳了三下才出去。有人对崔杼说："一定要杀了他！"崔杼说："他是百姓仰望的人，放了他，能得民心。"

卢蒲癸逃亡到晋国，王何逃亡到莒国。

叔孙宣伯在齐国的时候，叔孙还把叔孙宣伯的女儿嫁给齐灵公。受到宠爱，生了景公。五月十九日，崔杼立他为国君并辅佐他，庆封做左相。与国人在太公的宗庙里结盟，说："有不亲附崔氏、庆氏的。"晏子仰天长叹说："婴如果不亲附忠君、利国的人，有天帝为证！"于是就歃血。五月二十三日，齐景公与大夫以及莒子结盟。

太史记载说："崔杼弑其君。"崔杼杀了太史。太史的弟弟继续这样写而被杀的，已有两个人。太史还有弟弟又这样写，崔杼就不杀了。南史氏听说太史都死了，拿着竹简前去。听说已经如实记载了，这才回去。

闾丘婴用车子的帷幕把他的妻子包捆起来，装上车，与申鲜虞一起乘车出逃。鲜虞把闾丘婴的妻子推下车，说："国君昏庸不能纠正，危难不能救援，死了不能同死，只知道把自己亲爱的人藏匿起来，有谁会接纳我们？"走到弇中狭道，准备住下来。闾丘婴说："崔氏、庆氏恐怕在追我们。"鲜虞说："一对一，谁能让我们害怕？"就住下来，头枕着马缰睡觉，先喂马再自己吃饭。套上马继续赶路，走出了弇中狭道，对闾丘婴说："快些赶马，崔氏、庆氏人多，是不能抵挡的。"于是逃奔来我鲁国。

崔杼没把庄公的棺柩殡于庙就放在城北郭外。五月二十九日，把庄公葬在士孙之里，用四翣之礼，不清路开道，送葬的车子只有七辆，不用甲兵。

晋侯渡过泮水，和诸侯在夷仪会合，攻打齐国，以报复朝歌那次战役。齐国人想用杀庄公之事讨得晋国欢喜，派隰鉏请求媾和。庆封来到军中，将男女奴隶分开排列捆绑着。把宗庙里的祭器、乐器送给晋侯。从六卿、五吏、三十师帅、三军大夫、各部门的主管官员、师旅属官和留守官员等，都赠送了财礼。晋侯答应齐国媾和。派叔向通告诸侯。鲁襄公派子服惠伯回答说："君王宽恕有罪者，以安定小国，是君王的恩惠。寡君听到命令了。"

晋侯派魏舒、宛没迎接卫献公，准备让卫国把夷仪给卫献公居住。崔杼扣留了卫献公的妻子和儿女，以此来谋求五鹿这块地方。

起初，陈侯会合楚王攻打郑国，陈军经过的路上，水井被填塞，树木被砍伐，郑国人怨恨他们。六月，郑国的子展、子产率领七百辆战车攻打陈国，夜间突然袭击陈国都城，于是就攻进了城。陈侯扶着他的太子偃师逃到坟地去，遇上司马桓子，说："你的车载上我！"司马桓子说："我正要巡视城池。"遇上贾获，车上载着他的母亲和妻子，便让母亲和妻子下车而把车子交给陈侯。陈侯说："安置好你的母亲。"贾获辞谢说："妇女和您同坐一车不吉祥。"于是与妻子一起扶着母亲逃奔到坟地，也免于祸难。

子展命令军队不要进入陈侯的宫室，与子产亲自监守着宫门。陈侯派司马桓子将宗庙的祭器赠送给他们。陈侯穿上丧服，抱着土地神的神主，让他手下的那些男男女女分别排列、捆绑，在朝廷上等待。子展手拿缰绳进见陈侯，再拜叩头，捧着酒杯向陈侯进献。子产进去，数了一下俘虏的人数就出来了。郑国人向土地神祝告除灾去邪，司徒归还民众，司马归还兵符，司空归还土地，就撤兵回国了。

秋七月十二日，诸侯在重丘结盟，这是由于跟齐国媾和的缘故。

晋国赵文子执政，命令减轻诸侯的贡物而重视礼仪。穆叔进见他。赵文子对穆叔说："从今以后，战争恐怕可以稍稍消除了！齐国的崔氏、庆氏新近当政，要向诸侯谋求友好。我赵武与楚国的令尹有交情。如果恭敬地推行礼仪，用辞令加以引导，来安定诸侯，战争可以消除。"

楚国的远子冯死，屈建做令尹，屈荡为莫敖。舒鸠人终于背叛楚国，令尹屈建攻打它，到达离城，吴国人救援舒鸠。屈建急忙让右翼部队先行，子强、息桓、子捷、子骈、子孟率领左翼部队后退。吴国人处在左右两军之间七天。子强说："时间拖久了就会疲弱，疲弱了就会被俘，不如快打。我请求带领家兵去引诱敌人，你们选择精兵，摆开阵势等待我。我们得胜就前进，败逃就看形势办，这样就可以免于被俘。不这样，必定被吴军俘虏。"大家听从了他的话。五个人率领他们的家兵先攻击吴军。吴军败逃，登山远望，看到楚军没有后继，就又回头追赶，迫近楚军。精选过的楚军与家兵会合作战，使吴军大败。于是楚军包围了舒鸠，舒鸠溃败。八月，楚国灭了舒鸠。

卫献公进入夷仪。

郑国的子产向晋国奉献战利品，穿着军服处理事情。晋国人质问陈国的罪过，子产回答说："从前虞阏父做周朝的陶正，服事我们先王。我们先王嘉奖他能制作器物为王所用，又是虞舜的后代，武王就把大女儿太姬许配给胡公，并封他在陈地，以使黄帝、尧、舜的后代都得到封地。所以陈国是我们周朝的后代，到今天还依靠周朝。陈桓公死后的那次动乱，蔡国人想立蔡女所生的公子为君。我们先君庄公事奉五父并立他为君，蔡国人杀了他。我们又和蔡国人奉事拥戴厉公，一直到陈庄公、陈宣公，都是我们郑国所立。夏氏的祸乱，陈成公流离失所，又是我们让他回国的，这些都是君王所知道的。现在陈国忘记了周朝的大德，丢弃了我们的大恩，抛弃我们这个姻亲，依仗楚国人多，来侵犯敝邑，但并不满足，因此而有我国去年请求攻打陈国的报告。没有得到贵国允许的命令，反而有了陈国攻打我国东门的战役。在陈军经过的路上，水井被填塞，树木遭砍伐。敝邑非常害怕敌不住外兵压境而给太姬带来羞耻。上天诱导我们的心，启发敝邑攻打陈国的念头。陈国知道自己的罪过，得到我们的惩罚。因此我们敢于奉献俘虏。"

晋国人说："为什么侵犯小国？"子产回答说："先王的命令，只要有罪过，就要分别给予刑罚。况且从前天子的土地方圆一千里，诸侯的土地方圆一百里，自此递降。如今大国的土地多到方圆数千里，如果没有侵占小国，怎么能到这个地步呢？"晋国人说："为什么穿军服？"子产回答说："我们先君武公、庄公做平王、桓王的卿士。城濮那一战役，文公发布命令说：'各自恢复原来的职务。'命令我国文公穿着军服辅佐天子，接受楚国俘虏献给天子，现在我穿军服是不敢废弃天子命令的缘故。"士庄伯不能诘责，便向赵文子复命。赵文子说："他的言辞合于情理，违背了情理不吉祥。"于是就接受了郑国奉献的战利品。

冬天的十月，子展作为郑伯的相礼一起到晋国，拜谢晋国接受郑国奉献的陈国战利品。子西再次攻打陈国，陈国与郑国媾和。

孔子说："《志》上有这样的话：'语言是用来完成意愿的，文采是用来完成言语的。'不说话，谁知道他的意愿？说话没有文采，虽行而不能达到远方。晋国成为霸主，郑国进攻陈国，不是善于辞令就不能成功。要谨慎地使用辞令啊！"

楚国的蒍掩做司马，令尹子木让他治理赋税，查点计算盔甲兵器。十月初八日，蒍掩记录土地情况，测量山林的木材，聚集水泽的出产。区别高地的不同情况，标出盐碱地，计算水淹地，规划含水地，划分小块耕地，在沼泽草地上放牧，在平衍肥沃的土地上划定井田，计量牧人修订赋税。让百姓交纳车马税，征收战车上士兵的武器、步卒的武器和盔甲盾牌。任务完成之后，把它交付给子木，这是合于礼的。

十二月，吴王诸樊攻打楚国，以报复舟师之役。攻打巢邑的城门。巢牛臣说："吴王勇敢而轻率，如果我们打开城门，他就会亲自进入城门。我乘机射他，必定能射死。这个国君死了，边境上就将稍微安定。"听从了他的意见。吴王进入城门，巢牛臣隐藏在矮墙后用箭射他，吴王死。

楚王因灭了舒鸠而赏赐子木。子木辞谢说："这是先大夫蒍子的功劳。"楚王就把奖赏给了蒍掩。

晋国的程郑死，子产才开始了解然明，向他询问怎样施政。然明回答说："看百姓如自己的儿子一样。见到不仁的人说诛戮他，好像鹰鹯追捕鸟雀一样。"子产很高兴，把这些话告诉子太叔，而且说："往日我见到的只是然明的面貌，现在我见到他的心了。"

子太叔向子产询问政事。子产说："政事好像农事，要日夜想着它，想到它的开始又想着要取得的好结果。早晚都努力去做，但所做的又不超越所想的，好像农田里有田塍为界一样，那么他的过错就少了。"

卫献公从夷仪派人和宁喜谈复位的事，宁喜答应了。太叔文子听说了，说："唉！《诗》所说'我自身尚且不能被人所容，哪里有闲暇顾念我的后代'的话，宁子可以说是不顾他的后代了。难道可以吗？恐怕是一定不可以的。君子的行动，想到它的结果，想到下次再做。逸书上说：'慎于始而不怠慢终结，结果就不会困窘。'《诗》说：'早晚不敢懈怠，以事奉一人。'如今宁子看待国君还不如下棋，他怎能免于灾祸呢？下棋的人举棋不定，就不能战胜他的对手。而何况安置国君而不能决定呢？必定不能免于祸难了。九代相传的卿族，一举而被灭亡，可悲啊！"

晋侯在夷仪会见诸侯的那一年，齐国人在郏地筑城。那年的五月，秦国、晋国媾和。晋国韩起到秦国参加结盟，秦国伯东到晋国参加结盟，虽然媾和却不巩固。

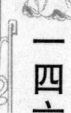

襄公二十六年

【原文】

　　二十有六年：春，王二月辛卯，卫宁喜弑其君剽。
　　卫孙林父入于戚以叛。
　　甲午，卫侯衎复归于卫。
　　夏，晋侯使荀吴来聘。
　　公会晋人、郑良霄、宋人、曹人于澶渊。
　　秋，宋公杀其世子痤。
　　晋人执卫宁喜。
　　八月壬午，许男宁卒于楚。
　　冬，楚子、蔡侯、陈侯伐郑。
　　葬许灵公。
　　会于夷仪之岁，齐人城郏。其五月，秦、晋为成，晋韩起如秦莅盟，秦伯车如晋莅盟，成而不结。
　　二十六年春，秦伯之弟针如晋修成。叔向命召行人子员。行人子朱曰："朱也当御。"三云，叔向不应。子朱怒，曰："班爵同，何以黜朱于朝？"抚剑从之。叔向曰："秦、晋不和久矣。今日之事幸而集，晋国赖之；不集，三军暴骨。子员道二国之言无私，子常易之。奸以事君者，吾所能御也！"拂衣从之。人救之。平公曰："晋其庶乎！吾臣之所争者大。"师旷曰："公室惧卑。臣不心竞而力争，不务德而争善，私欲已侈，能无卑乎？"
　　卫献公使子鲜为复，辞。敬姒强命之，对曰："君无信，臣惧不免。"敬姒曰："虽然，以吾故也。"许诺。初，献公使与宁喜言，宁喜曰："必子鲜在。不然，必败。"故公使子鲜。
　　子鲜不获命于敬姒，以公命与宁喜言，曰："苟反，政由宁氏，祭则寡人。"宁喜告蘧伯玉，伯玉曰："瑗不得闻君之出，敢闻其入？"遂行，从近关出。告右宰穀，右宰穀曰："不可！获罪于两君，天下谁畜之？"悼子曰："吾受命于先人，不可以贰。"穀曰："我请使焉而观之。"遂见公于夷仪。反，曰："君淹恤在外十二年矣，而无忧色，亦无宽言，犹夫人也。若不已，死无日矣！"悼子曰："子鲜在。"右宰穀曰："子鲜在，何益？多而能亡，于我何为？"悼子曰："虽然，不可以已。"
　　孙文子在戚，孙嘉聘于齐，孙襄居守。二月庚寅，宁喜、右宰穀伐孙氏，不克；伯国伤。宁子出舍于郊。伯国死，孙氏夜哭。国人召宁子，宁子复攻孙氏，克之。辛卯，杀子叔及大子角。书曰"宁喜弑其君剽"，言罪之在宁氏也。

孙林父以戚如晋。书曰"入于戚以叛"，罪孙氏也。臣之禄，君实有之。义则进，否则奉身而退。专禄以周旋，戮也。

甲午，卫侯入。书曰"复归"，国纳之也。大夫逆于竟者，执其手而与之言。道逆者，自车揖之。逆于门者，颔之而已。

公至，使让大叔文子曰："寡人淹恤在外，二三子皆使寡人朝夕闻卫国之言，吾子独不在寡人。古人有言曰：'非所怨勿怨。'寡人怨矣。"对曰："臣知罪矣。臣不佞，不能负羁绁以从扞牧圉，臣之罪一也。有出者，有居者，臣不能贰，通外内之言以事君，臣之罪二也。有二罪，敢忘其死？"乃行，从近关出。公使止之。

卫人侵戚东鄙。孙氏愬于晋，晋戍茅氏。殖绰伐茅氏，杀晋戍三百人。孙蒯追之，弗敢击。文子曰："厉之不如！"遂从卫师，败之圉。雍鉏获殖绰。复愬于晋。

郑伯赏入陈之功：三月甲寅朔，享子展，赐之先路、三命之服，先八邑；赐子产次路、再命之服，先六邑。子产辞邑，曰："自上以下，（隆）〔降〕杀以两，礼也。臣之位在四，且子展之功也，臣不敢及赏礼。请辞邑！"公固予之，乃受三邑。公孙挥曰："子产其将知政矣。让不失礼。"

晋人为孙氏故，召诸侯，将以讨卫也。夏，中行穆子来聘，召公也。

楚子、秦人侵吴，及雩娄，闻吴有备而还。遂侵郑。五月，至于城麇。郑皇颉戍之，出，与楚师战，败。穿封戌囚皇颉，公子围与之争之，正于伯州犁。伯州犁曰："请问于囚。"乃立囚。伯州犁曰："所争，君子也，其何不知？"上其手，曰："夫子为王子围，寡君之贵介弟也。"下其手，曰："此子为穿封戌，方城外之县尹也。谁获子？"囚曰："颉遇王子，弱焉。"戌怒，抽戈逐王子围，弗及。楚人以皇颉归。

印堇父与皇颉戍城麇，楚人囚之，以献于秦。郑人取贷于印氏以请之，子大叔为令正，以为请。子产曰："不获。受楚之功而取货于郑，不可谓国，秦不其然。若曰：'拜君之勤郑国！微君之惠，楚师其犹在敝邑之城下。'其可。"弗从。遂行。秦人不予。更币，从子产，而后获之。

六月，公会晋赵武、宋向戌、郑良霄、曹人于澶渊以讨卫，疆戚田。取卫西鄙懿氏六十以与孙氏。"赵武"不书，尊公也。"向戌"不书，后也。郑先宋，不失所也。

于是卫侯会之。晋人执宁喜、北宫遗，使女齐以先归。卫侯如晋，晋人执而囚之于士弱氏。

秋七月，齐侯、郑伯为卫侯故，如晋。晋侯兼享之。晋侯赋《嘉乐》。国景子相齐侯，赋《蓼萧》。子展相郑伯，赋《缁衣》。叔向命晋侯拜二君，曰："寡君敢拜齐君之安我先君之宗祧也，敢拜郑君之不贰也！"

国子使晏平仲私于叔向，曰："晋君宣其明德于诸侯，恤其患而补其阙，正其违而治其烦，所以为盟主也。今为臣执君，若之何？"叔向告赵文子，文子以告晋侯。晋侯言卫侯之罪，使叔向告二君。国子赋《辔之柔矣》，子展赋《将仲子兮》，晋侯乃许归卫侯。

叔向曰："郑七穆，罕氏其后亡者也？子展俭而壹。"

初，宋芮司徒生女子，赤而毛，弃诸堤下。共姬之妾取以入，名之曰弃。长而美。平公入夕，共姬与之食。公见弃也，而视之，尤。姬纳诸御，嬖；生佐，恶而婉。大子痤美而很，合左师畏而恶之。寺人惠墙伊戾为大子内师而无宠。

秋，楚客聘于晋，过宋。大子知之，请野享之，公使往。伊戾请从之，公曰："夫不恶女乎？"对曰："小人之事君子也，恶之不敢远，好之不敢近，敬以待命。敢有贰心乎？纵有共其外，莫共其内，臣请往也。"遣之。至，则坎，用牲，加书，徵之；而骋告公曰："大子将为乱，既与楚客盟矣。"公曰："为我子，又何求？"对曰："欲速。"公使视之，则信有焉。问诸夫人与左师，则皆曰："固闻之。"公囚大子。大子曰："唯佐也能免我。"召而使请，曰："日中不来，吾知死矣。"左师闻之，聒而与之语。过期，乃缢而死。佐为大子。公徐闻其无罪也，乃亨伊戾。

左师见夫人之步马者，问之。对曰："君夫人氏也。"左师曰："谁为君夫人？余胡弗知？"圉人归，以告夫人。夫人使馈之锦与马，先之以玉，曰："君之妾弃使某献。"左师改命曰"君夫人"，而后再拜稽首受之。

郑伯归自晋，使子西如晋聘，辞曰："寡君来烦执事，惧不免于戾，使夏谢不敏。"君子曰："善事大国。"

初，楚伍参与蔡（太）〔大〕师子朝友，其子伍举与声子相善也。伍举娶于王子牟。王子牟为申公而亡，楚人曰："伍举实送之。"伍举奔郑，将遂奔晋。声子将如晋，遇之于郑郊；班荆相与食，而言复故。声子曰："子行也，吾必复子。"

及宋向戌将平晋、楚，声子通使于晋，还如楚。令尹子木与之语，问晋故焉，且曰："晋大夫与楚孰贤？"对曰："晋卿不如楚，其大夫则贤，皆卿材也。如杞、梓、皮革，自楚往也。虽楚有材，晋实用之。"子木曰："夫独无族姻乎？"对曰：虽有，而用楚材实多。归生闻之：善为国者，赏不僭而刑不滥。赏僭，则惧及淫人；刑滥，则惧及善人。若不幸而过，宁僭无滥；与其失善，宁其利淫。无善人，则国从之。《诗》曰："人之云亡，邦国殄瘁。"无善人之谓也。故《夏书》曰："与其杀不辜，宁失不经。"惧失善也。《商颂》有之曰："不僭不滥，不敢怠皇。命于下国，封建厥福。"此汤所以获天福也。

古之治民者，劝赏而畏刑，恤民不倦。赏以春夏，刑以秋冬。是以将赏，为之加膳，加膳则饫赐，此以知其劝赏也；将刑，为之不举，不举则彻乐，此以知其畏刑也；夙兴夜寐，朝夕临政，此以知其恤民也。三者，礼之大节也。有礼，无败。今楚多淫刑，其大夫逃死于四方，而为之谋主以害楚国，不可救疗，所谓不能也。

子仪之乱，析公奔晋。晋人寘诸戎车之殿，以为谋主。绕角之役，晋将遁矣，析公曰："楚师轻窕，易震荡也。若多鼓钧声，以夜军之，楚师必遁。"晋人从之。楚师宵溃。晋遂侵蔡，袭沈，获其君，败申、息之师于桑隧，获申丽而还。郑于是不敢南面。楚失华夏，则析公之为也。

雍子之父兄谮雍子，君与大夫不善是也，雍子奔晋。晋人与之鄐，以为谋主。彭城之役，晋、楚遇于靡角之谷。晋将遁矣，雍子发命于军曰："归老幼，反孤疾。二人役，归一人。简兵蒐乘，秣马蓐食。师陈焚次，明日将战！"行归者而逸楚囚，楚师宵溃。晋降彭城而归诸宋，以鱼石归。楚失东夷，子辛死之，则雍子之为也。

子反与子灵争夏姬而雍害其事，子灵奔晋。晋人与之邢，以为谋主：扞御北狄，通吴于晋；教吴叛楚，教之乘车、射御、驱侵。使其子狐庸为吴行人焉。吴于是伐巢、取驾、克棘、入州来，楚罢于奔命，至今为患，则子灵之为也。若敖之乱，伯贲之子贲皇奔晋。晋人与之苗，以为谋主。鄢陵之役，楚晨压晋军而陈，晋将遁矣，苗贲皇曰："楚师之良，在其中军王族而已。若塞井夷灶，成陈以当之，栾、范易行以诱之，中行、二郤必克二穆，吾乃四萃于其王族，必大败之！"晋人从之，楚师大败，王夷师熸，子反死之。郑叛吴兴，楚失诸侯，则苗贲皇之为也。

子木曰："是皆然矣。"声子曰："今又有甚于此。椒举娶于申公子牟。子牟得戾而亡。君大夫谓椒举：'女实遣之。'惧而奔郑，引领南望曰：'庶几赦余！'亦弗图也。今在晋矣，晋人将与之县，以比叔向。彼若谋害楚国，岂不为患？"

子木惧，言诸王，益其禄爵而复之。声子使椒鸣逆之。

许灵公如楚，请伐郑，曰："师不兴，孤不归矣。"八月，卒于楚。楚子曰："不伐郑，何以求诸侯？"

冬十月，楚子伐郑。郑人将御之，子产曰："晋、楚将平，诸侯将和，楚王是故昧于一来。不如使逞而归，乃易成也。夫小人之性，衅于勇、啬于祸以足其性而求名焉者，非国家之利也，若何从之？"子展说，不御寇。十二月乙酉，入南里，堕其城。涉于乐氏，门于师之梁。县门发，获九人焉。涉于氾而归，而后葬许灵公。

卫人归卫姬于晋，乃释卫侯。君子是以知平公之失政也。

晋韩宣子聘于周，王使请事。对曰："晋士起将归时事于宰旅，无他事矣。"王闻之，曰："韩氏其昌阜于晋乎！辞不失旧。"

齐人城郏之岁，其夏，齐乌馀以廪丘奔晋。袭卫羊角，取之。遂袭我高鱼：有大雨，自其窦入，介于其库，以登其城，克而取之。又取邑于宋。于是范宣子卒，诸侯弗能治也。及赵文子为政，乃卒治之。文子言于晋侯曰："晋为盟主，诸侯或相侵也，则讨而使归其地。今乌馀之邑皆讨类也，而贪之，是无以为盟主也。请归之！"公曰："诺。孰可使也？"对曰："胥梁带能无用师。"晋侯使往。

【译文】

鲁襄公二十六年春天的二月七日，卫国宁喜杀了他的国君剽。卫国的孙林父进入戚邑以图叛乱。二月初十，卫侯衎回到卫国复位。夏天，晋侯派荀吴来我鲁国聘问。襄公在澶渊与晋人、郑国良霄、宋人、曹人会见。秋天，宋平公杀了他的太子痤。晋国人逮捕了卫国宁喜。八月初一，许灵公死在楚国。冬天，楚王、蔡侯、陈侯攻打郑国。安葬许灵公。

鲁襄公二十六年春，秦伯的弟弟铖到晋国重温和约，叔向命令召唤行人子员。行人子朱说："朱是值班的。"说了三次，叔向没有搭理。子朱发怒了，说："职位级别我与子员相同,为什么在朝廷上贬黜朱?"手握着剑跟上叔向。叔向说:"秦晋两国不和睦已经很久了。今天的事情,幸好成功了,晋国靠着它。要是不成功,三军就将死在战场上。子员沟通两国的话没有私心,您却常常改变原意。用奸邪事奉国君的人,我是能够抵御的。"抖动着衣跟上去。被别人劝住了。晋平公说:"晋国差不多要大治了吧!我的臣下所争执的是大事。"师旷说:"公室的地位恐怕要降低,臣下不在心里竞争而用力量争夺,不致力于德行而争执是非,个人的欲望已经扩大,公室的地位能不降低吗?"

卫献公派子鲜为自己谋求复国,子鲜辞谢。敬姒硬性命令他去。子鲜回答说:"国君没有信用,臣下害怕不能免于祸难。"敬姒说:"尽管如此,为了我的缘故去吧。"子鲜答应了。起初,献公派人和宁喜谈这件事,宁喜说:"一定要子鲜在场,不然事情必败。"所以献公派子鲜去。子鲜没有得到敬姒的命令,就把献公的命令对宁喜说:"如果能回国,政事由宁氏主持,祭祀则由寡人主持。"宁喜告诉蘧伯玉,伯玉说:"瑗没能听到国君的出走,岂敢听到他的进入?"于是就出走,从近处的关口出了国境。宁喜告诉右宰谷,右宰谷说:"不可以。得罪了两个国君,天下谁能容纳你?"宁喜说:"我接受了先人的命令,不能有二心。"右宰谷说:"我请求出使到那里去观察一下。"于是就到夷仪进见了献公。回来后说:"国君避难在外十二年了,却没有忧愁的脸色,也没有宽容的话,还是那样一个人。如果不停止让他回国的计划,我们离死亡就没有几天了。"宁喜说:"有子鲜在。"右宰谷说:"子鲜在,有什么益处?至多不过他能自己逃亡,对我们能做什么?"宁喜说:"尽管这样,不可以停止了。"

孙文子在戚地,孙嘉在齐国聘问,孙襄留守在都城家里。二月初六日,宁喜、右宰谷攻打孙氏,没有攻下,孙襄受伤。宁喜退出都城住在郊外。孙襄死,孙家夜里号哭。国都的人召唤宁喜,宁喜再次攻打孙氏,攻下来了。初七日,杀了卫侯剽和太子角。《春秋》记载说:"宁喜弑其君剽。"是说罪过在宁氏。孙林父带着戚地去晋国。《春秋》记载说:"入于戚以叛。"是说罪过在孙氏。臣下的俸禄,实际是国君所有的。合于道义就前进,不合就保全自身而引退。把俸禄视为私人专有而与人们打交道,其罪应该诛戮。

二月初十日,卫侯进入国都。《春秋》记载说:"复归",是说国人让他回来。大夫在国境上迎接的,拉着他们的手并与他们说话;在大路上迎接的,从车上向他们作揖;在城门口迎接的,向他们点点头罢了。卫侯到达后,就派人责备太叔文子说:"寡人流亡在外,各位大夫都让寡人早晚听到卫国的消息,唯独您不关心寡人。古人有话说:'不是应该怨恨的,就不要怨恨。'寡人怨恨了。"太叔文子回答说:"臣下知罪了!臣下没有才能,不能背负马笼头、马缰绳来跟随君王保护财物,这是臣下的第一条罪过。有在国外的,有在国内的,臣不能有二心,传递里外的消息来事奉君王,这是为臣的第二条罪过。有这两条罪过,怎敢忘记一死?"于是就出走,从最近的关口出国。卫献公派人阻止了他。

卫国人侵袭戚地的东部边境,孙氏向晋国诉说,晋国便派兵戍守茅氏。殖绰攻打茅氏，杀了晋国戍守者三百人。孙蒯追赶殖绰，不敢攻击。孙文子说："你连恶鬼都不如！"孙蒯就追上卫军，在圉地打败了他们。雍鉏俘虏了殖绰。孙氏再次向晋国控诉。

郑伯奖赏攻入陈国的功劳。三月初一日，设享礼招待子展，赐给他先路和三命的礼服，然后再赐给他八个城邑。赐给子产次路和再命之服，然后再赐给他六个城邑。子产辞谢城邑，说："从上而下，以二数递减，是合乎礼制的。臣下的官位在第四，且这次是子展的功劳。我不敢接受赏赐的礼仪，请让我辞去城邑。"郑伯坚决要给他，他就接受了三个城邑。公孙挥说："子产大概将要执政了。谦让而不失礼仪。"

晋国人为了孙氏的缘故，召集诸侯，准备用诸侯军讨伐卫国。这年夏天，晋国的中行穆子前来鲁国聘问，是为了召请鲁襄公。

楚王、秦国人进攻吴国，到达雩娄，听说吴国有了防备就退回。于是就侵袭郑国，五月，到达城麇。郑国的皇颉戍守城麇，出城，与楚军交战，被战败了。穿封戌俘虏了皇颉，公子围与他争功，让伯州犁评判是非。伯州犁说："请问一问俘虏。"于是就叫俘虏站在前面。伯州犁说："所争夺的就是您，有什么不明白的？"举起自己的手，说："那位是王子围，寡君尊贵的大弟弟。"放下自己的手，说："这个是穿封戌，是方城外的县尹。是谁俘虏了您呀？"俘虏说："颉遇上王子，被他战胜了。"穿封戌大怒，抽出戈来追赶王子围，没有追上。楚国人带着皇颉回国了。

印堇父与皇颉一起戍守城麇，楚国人囚禁了印堇父，把他献给秦国。郑国人在印氏那里取得财货向秦国请求赎回印堇父，子太叔做令正，为他们拟写请求赎人的说辞。子产说："这样是不能得到印堇父的。接受楚国的献俘，却在郑国取财货，这不可说是合于国家的体统，秦国不会那样做。如果说：'拜谢君王帮助了郑国，假如没有君王的恩惠，楚军恐怕还在敝邑的城下。'如此说才行。"子太叔没有听从就动身了，秦国人不给。郑国另派使者拿着财礼，照子产说的去交涉，然后得到了印堇父。

六月，鲁襄公在澶渊会见晋国赵武、宋国向戌、郑国良霄、曹人，以讨伐卫国，划定戚地的疆界。取了卫国西部边境懿氏六十邑给孙氏。

《春秋》记载中不写赵武的名字，这是由于尊重襄公。不写向戌，是由于他到会晚了。记郑国在宋国之前，是因为郑国人按期到会。

当时卫侯参加了会见。晋国人拘捕了宁喜、北宫遗，派女齐带他们先回国。卫侯到了晋国，晋国人把他抓了囚禁在士弱氏家中。

秋七月，齐侯、郑伯为了卫侯的缘故到了晋国，晋侯设享礼同时招待他们。晋侯赋《嘉乐》这首诗。国景子做齐侯的相礼，赋《蓼萧》这首诗。子展做郑伯的相礼，赋《缁衣》这首诗。叔向让晋侯下拜两位国君，说："寡君谨敢拜谢齐国国君安定我们先君的宗庙，谨敢拜谢郑国国君没有二心。"国景子派晏平仲私下对叔向说："晋国国君在诸侯中宣扬他的明德，担忧他们的祸患且补正他们的过失，纠正他们违礼的地方且治理他们的动乱，因此才做了盟主。现在为了臣下而逮捕了国君，怎么办？"叔向告诉赵文子，赵文子把这些话告诉晋侯。晋侯谈了卫侯的罪过，派叔向告诉齐、郑两位国君。国景子赋《辔之柔矣》这首诗，子展赋《将仲子兮》这首诗，晋侯才答应让卫侯回国。

叔向说："郑穆公后代的七个家族，罕氏大概是最后灭亡的，因为子展节俭而专一。"

当初，宋国芮司徒生了个女孩，皮肤红而长着毛，就把她丢在堤下。共姬的侍妾抱进宫来，给她取名为弃。长大了很漂亮。宋平公进宫问母亲晚安，共姬便与平公一起进餐。平公见到了弃，细看，觉得漂亮极了。共姬把她送给平公做侍妾，受到宠爱，生了佐，长得难看，却性情和顺。太子痤貌美却心狠，向戌对他又害怕又讨厌。寺人惠墙伊戾做太子的内师却得不到宠信。秋天，楚国客人到晋国聘问，路过宋国。太子和楚国客人原已相识，请求在野外设宴招待他。平公让太子去，伊戾请求跟从太子去。平公说："他不讨厌你吗？"伊戾回答说："小人事奉君子，被讨厌不敢远离，被喜欢不敢亲近。恭敬地等待命令，敢有二心吗？即使有人在外边伺候太子，却没有人在里边伺候。臣下请求前去。"平公说派他去了。到了那里，就挖坑，用牺牲，把盟书放在牺牲上，且验看盟书，然后驰马来报告平公说："太子将要作乱，已经与楚国客人结盟了。"平公说："已经是我的继承人了，还谋求什么？"伊戾回答说："想快点即位。"平公派人去察看，确实有其事。向夫人和左师询问，他们都说："的确听说过。"平公因禁了太子。太子说："只有佐能使我免于祸难。"召请佐并让他向平公请求，说："到中午不来，我知道应该死了。"左师听到这些，就和佐絮絮叨叨说个没完。过了中午，太子就上吊死了。佐被立为太子。平公慢慢听到太子痤没有罪，就把伊戾烹煮了。

左师向戌看见夫人的遛马人，问他，遛马人回答说："我是君夫人家的人。"左师说："谁是君夫人？我怎么不知道？"遛马人回去，把向戌的话报告夫人。夫人派人送给向戌锦和马，用玉作为先行礼品，说："国君的侍妾弃让某某来奉献。"向戌改口说："君夫人"然后再拜叩头接受了礼物。

郑伯从晋国回来，派子西到晋国去聘问，致辞说："寡君来麻烦执事，害怕失敬而不免于罪过，特派夏前来表示歉意。"君子说："郑国善于事奉大国。"

起初，楚国伍参和蔡国太师子朝友好，他的儿子伍举和声子也相互友善。伍举娶了王子牟的女儿为妻，王子牟做申公而获罪逃亡，楚国人说："伍举确实护送了他。"伍举于是逃到郑国，打算趁机再逃到晋国。声子要去晋国，在郑国郊外遇见伍举，于是把草铺在地上一起吃东西，谈到要返回楚国的事。声子说："您走吧！我一定让您回国。"

等到宋国向戌准备调解晋、楚两国的关系时，声子出使到晋国。回来到了楚国，令尹子木和他谈话，询问晋国的事。并且问："晋国的大夫和楚国的大夫谁贤能？"声子回答说："晋国的卿不如楚国，它的大夫却贤能，都是做卿的人才。好像杞木、梓木、皮革，都是从楚国去的。虽然楚国有人才，晋国却实在使用了他们。"子木说："他们没有同宗和亲戚吗？"声子回答说："虽然有，但使用的楚国人才实在多。我听说：'善于治理国家的人，赏赐不过分而刑罚不滥用。'赏赐过分了，就担心奖赏到了坏人；刑罚滥用，就怕处罚了好人。如果是不幸而失当，宁可过分，不要滥用。与其失掉好人，宁可利于坏人。没有好人，国家就跟着灭亡。《诗》说：'贤人能士都跑光，国家就将遭灾殃。'这说的就是没有好人。所以《夏书》说：'与其杀害无辜，宁可对罪人不用常法。'这就是怕失掉好人。《商颂》有这样的话说：'不过分不滥用，不敢懈怠偷闲，向下国发布命令，大大地建树他们的福禄。'这就是商汤所以获得上天赐福的原因。古代治理百姓的人，乐于行赏而怕用刑罚，为百姓操心而不知疲倦。在春夏行赏，在秋冬行刑。因此在将要行赏时就为它加膳，加膳后就可以把余下的饭菜赐给下边，从这可以知道他乐于行赏。将要行刑时就为它减膳，减膳就撤去音乐，从这可以知道他怕用刑罚。早起晚睡，早晚都亲临朝廷办理政事，从这可以知道他为百姓操心。这三件事，是礼仪的大节。有礼仪就不会失败。现在楚国多滥用刑罚，它的大夫逃命到四方各国，并且做他们的主要谋士，以危害楚国，至于不可挽救和疗治，这就是所说的楚国人不能使用它的人才。

"子仪的叛乱，析公逃亡到晋国。晋国人把他安置在晋侯战车的后面，让他做主要谋士。绕角那次战役，晋军就要逃跑了，析公说：'楚军轻佻，容易动摇。如果多击鼓，同时发出声音，在夜里全军进攻，楚军必定逃跑。'晋国人听从了，楚军当夜溃败。晋国于是就进攻蔡国。袭击沈国，俘虏了沈国的国君；在桑隧打败了申国、息国的军队，俘虏了楚国大夫申丽而回国。郑国那时不敢南面从楚，楚国失掉中原，这就是析公之为的结果。雍子的父亲和哥哥诬陷雍子，国君和大夫不进行调解、评定是非。雍子逃奔到晋国。晋国人封给他都邑，让他做主要谋士。彭城那次战役，晋、楚两军在靡角之谷相遇。晋军就要逃跑了，雍子向军队发布命令说：'年老的和年幼的都回去，孤儿和有病的都回去，兄弟二人服兵役的回去一个，精选步兵、检阅车兵、喂饱马，就在草垫上吃饭，军队摆开阵势，烧掉帐篷，明天将要决战。'让该回去的走，且故意放走楚国俘虏，楚军那天夜里溃败了。晋军允许彭城投降而归还给宋国，带了鱼石回国。楚国失掉了东方小国。子辛为此而死，这就是雍子做出来的。

"子反和灵争夺夏姬，妨害了子灵的婚事，子灵逃奔到晋国。晋国人封给他邢邑，让他做主要谋士。抵御北狄，让吴国与晋国通好，教吴国背叛楚国，教他们坐车、射箭、驾车奔驰作战，让他的儿子孤庸做吴国的行人。吴国在那时候攻打巢国，占取驾地，攻下棘邑，进入州来，楚国疲于奔命，到今天还是祸患，这就是子灵干出来的。"

子木说："这些都是对的。"声子说："如今又有比这厉害的。椒举娶了申公子牟的女儿，子牟得罪而逃亡，国君和大夫对椒举说：'实在是你让他走的！'椒举害怕而逃到郑国，伸长脖子望着南方说：'或许会赦免我。'但你们也不考虑。现在他在晋国了。晋国人要封给他县邑，把他比作叔向。他若谋划危害楚国，岂不成为祸患？"子木害怕了，对楚王说了，于是增加椒举的官禄爵位而让他回国复职。声子让椒鸣去迎接椒举。

许灵公到楚国，请求攻打郑国，说："不发兵，我不回国了！"八月，死在楚国。楚王说："不攻打郑国，怎能求得诸侯？"

冬十月，楚王攻打郑国，郑国人准备抵御楚军。子产说："晋、楚两国将要媾和，诸侯将要和睦，楚王因此冒昧地来一趟，不如让他快意而归，就容易媾和了。小人的本性，一有机会就逞勇、贪祸，以满足他的本性而追求虚名，这不符合国家的利益。怎么可以听从？"子展很高兴，就不抵抗敌人。十二月初五日，楚军进入南里，拆毁城墙。徒步从乐氏渡口过河，攻打师之梁城门。内城的闸门放下，俘虏了被关在城门外的九个郑国人。楚军徒步渡过汜水回国，然后安葬许灵公。

晋国韩宣子在周室聘问，周天子派人询问来意。韩宣子回答说："晋国下士起前来向宰旅奉献贡品，没有别的事情。"周天子听到了，说："韩氏可能要在晋国昌盛吧！他仍然保持着过去的辞令。"

齐国人在郏地筑城那年，夏天，齐国乌余带着廪丘逃奔到晋国。他袭击卫国的羊角，占领了这地方。于是就乘机袭击我鲁国的高鱼，下大雨，乌余带兵从城墙的排水洞钻进去，取出高鱼武器库中的甲胄装备了士兵，登上城墙，攻克并占领了高鱼。又攻取了宋国的城邑。这时范宣子死了，诸侯不能惩治乌余。等到晋国赵文子执政，才终于惩治了乌余。赵文子对晋侯说："晋国做盟主，诸侯有人互相侵占，就要讨伐而使他归还所侵夺的土地。现在乌余的城邑，都属于应该讨伐一类的，而我们却贪图它，这就没有资格做盟主了。请归还给诸侯！"晋侯说："好。谁可以做使者？"赵文子回答说："胥梁带能不用兵就办好这事。"晋侯就派胥梁带前去。

襄公二十七年

【原文】

二十有七年：春，齐侯使庆封来聘。

夏，叔孙豹会晋赵武、楚屈建、蔡公孙归生、卫石恶、陈孔奂、郑良霄、许人、曹人于宋。

卫杀其大夫宁喜。

卫侯之弟鱄出奔晋。

秋，七月辛巳，豹及诸侯之大夫盟于宋。

冬，十有二月乙（卯）〔亥〕朔，日有食之。

二十七年春，胥梁带使诸丧邑者具车徒以受地，必周。使乌馀具车徒以受封，乌馀以〔其〕众出。使诸侯伪效乌馀之封者，而遂执之，尽获之。皆取其邑而归诸侯，诸侯是以睦于晋。

齐庆封来聘，其车美。孟孙谓叔孙曰："庆季之车，不亦美乎！"叔孙曰："豹闻之：'服美不称，必以恶终。'美车何为？"叔孙与庆封食，不敬。为赋《相鼠》，亦不知也。

卫宁喜专，公患之。公孙免馀请杀之，公曰："微宁子不及此。吾与之言矣。事未可知，祇成恶名。止也！"对曰："臣杀之。君勿与知。"乃与公孙无地、公孙臣谋，使攻宁氏；弗克，皆死。公曰："臣也无罪，父子死余矣！"夏，免馀复攻宁氏，杀宁喜及右宰榖，尸诸朝。石恶将会宋之盟，受命而出，衣其尸，枕之股而哭之；欲敛以亡，惧不免，且曰："受命矣！"乃行。

子鲜曰："逐我者出，纳我者死：赏罚无章，何以沮劝？君失其信，而国无刑，不亦难乎？且鱄实使之。"遂出奔晋。公使止之，不可。及河，又使止之，止使者而盟于河。托于木门，不乡卫国而坐。木门大夫劝之仕，不可，曰："仕而废其事，罪也。从之，昭吾所以出也。将谁愬乎？吾不可以立于人之朝矣！"终身不仕。公丧之，如税服，终身。

公与免馀邑六十，辞曰："唯卿备百邑，臣六十矣。下有上禄，乱也。臣弗敢闻。且宁子唯多邑故死，臣惧死之速及也！"公固与之，受其半。以为少师。公使为卿，辞曰："大叔仪不贰，能赞大事，君其命之！"乃使文子为卿。

宋向戌善于赵文子，又善于令尹子木，欲弭诸侯之兵以为名。如晋，告赵孟。赵孟谋于诸大夫。韩宣子曰："兵，民之残也，财用之蠹，小国之大灾也。将或弭之，虽曰不可，必将许之。弗许，楚将许之以召诸侯，则我失为盟主矣。"晋人许之。如楚，楚亦许之。如齐，齐人难之。陈文子曰："晋、楚许之，我焉得已？且人曰'弭兵'，而我弗许，则固携吾民矣，将焉用之？"齐人许之。告于秦，秦亦许之。皆告于小国，为会于宋。

五月甲辰，晋赵武至于宋。丙午，郑良霄至。六月丁未朔，宋人享赵文子，叔向为介。司马（置）〔寘〕折俎，礼也。仲尼使举是礼也，以为多文辞。戊申，叔孙豹、齐庆封、陈须无、卫石恶至。甲寅，晋荀盈从赵武至。丙辰，邾悼公至。壬戌，楚公子黑肱先至，成言于晋。丁卯，（宋）〔向〕戌如陈，从子木成言于楚。戊辰，滕成公至。子木谓向戌："请晋、楚之从交相见也。"庚午，向戌复于赵孟。赵孟曰："晋、楚、齐、秦，匹也。晋之不能于齐，犹楚之不能于秦也。楚君若能使秦君辱于敝邑，寡君敢不固请于齐！"壬申，左师复言于子木，子木使驲谒诸王。王曰："释齐、秦，他国请相见也。"秋七月戊寅，左师至。是夜也，赵孟及子皙盟，以齐言。庚辰，子木至自陈。陈孔奂、蔡公孙归生至。曹、许之大夫皆至。以藩为军。晋、楚各处其偏。伯夙谓赵孟曰："楚氛甚恶，惧难。"赵孟曰："吾左还，入于宋，若我何？"

辛巳，将盟于宋西门之外。楚人衷甲。伯州犁曰："合诸侯之师，以为不信，无乃不可乎？夫诸侯望信于楚，是以来服。若不信，是弃其所以服诸侯也。"固请释甲。子木曰："晋、楚无信久矣！事利而已。苟得志焉，焉用有信？"大宰退，告人曰："令尹将死矣，不及三年。求逞志而弃信，志将逞乎？志以发言，言以出信，信以立志，参以定之。信亡，何以及三？"赵孟患楚衷甲，以告叔向。叔向曰："何害也？匹夫一为不信，犹不可，单毙其死。若合诸侯之卿以为不信，必不捷矣！食言者不病，非子之患也。夫以信召人，而以僭济之，必莫之与也，安能害我？且吾因宋以守，病则夫能致死。与宋致死，虽倍楚可也，子何惧焉？又不及是。曰'弭兵'以召诸侯，而称兵以害我；吾庸多矣，非所患也。"

季武子使谓叔孙以公命，曰："视邾、滕。"既而齐人请邾，宋人请滕，皆不与盟。叔孙曰："邾、滕人之私也，我列国也，何故视之？宋、卫吾匹也。"乃盟。故不书其族，言违命也。

晋、楚争先。晋人曰："晋固为诸侯盟主，未有先晋者也。"楚人曰："子言晋、楚匹也，若晋常先，是楚弱也。且晋、楚狎主诸侯之盟也久矣，岂专在晋？"叔向谓赵孟曰："诸侯归晋之德只，非归其尸盟也。子务德，无争先。且诸侯盟，小国固必有尸盟者。楚为晋细，不亦可乎？"乃先楚人。书先晋，晋有信也。

壬午，宋公兼享晋、楚之大夫。赵孟为客，子木与之言，弗能对；使叔向侍言焉，子木亦不能对也。

乙酉，宋公及诸侯之大夫盟于蒙门之外。子木问于赵孟曰："范武子之德何如？"对曰："夫子之家事治，言于晋国无隐情，其祝史陈信于鬼神无愧辞。"子木归，以语王。王曰："尚矣哉！能歆神人，宜其光辅五君以为盟主也！"子木又语王曰："宜晋之伯也：有叔向以佐其卿。楚无以当之，不可与争。"晋荀（寅）〔盈〕遂如楚莅盟。

郑伯享赵孟于垂陇，子展、伯有、子西、子产、子大叔、二子石从。赵孟曰："七子从君以宠武也，请皆赋以卒君贶，武亦以观七子之志。"子展赋《草虫》，赵孟曰："善哉民之主也！抑武也不足以当之。"伯有赋《鹑之贲贲》，赵孟曰："床笫之言不逾阈，况在野乎？非使人之所得闻也。"子西赋《黍苗》之四章，赵孟曰："寡君在，武何能焉？"子产赋《隰桑》，赵孟曰："武请受其卒章。"子大叔赋《野有蔓草》，赵孟曰："吾子之惠也。"印段赋《蟋蟀》，赵孟曰："善哉保家之主也！吾有望矣。"公孙段赋《桑扈》，赵孟曰："'匪交匪敖'，福将焉往？若保是言也，欲辞福禄，得乎？"卒享，文子告叔向曰："伯有将为戮矣。诗以言志。志诬其上而公怨之，以为宾荣，其能久乎？幸而后亡。"叔向曰："然，已侈！所谓不及五稔者，夫子之谓矣。"文子曰："其馀皆数世之主也。子展其后亡者也，在上不忘降。印氏其次也，乐而不荒；乐以安民，不淫以使之，后亡不亦可乎？"

宋左师请赏，曰："请免死之邑。"公与之邑六十，以示子罕。子罕曰："凡诸侯小国，晋、楚所以兵威之，畏而后上下慈和，慈和而后能安靖其国家，以事大国，所以存也。无威则骄，骄则乱生，乱生必灭，所以亡也。天生五材，民并用之，废一不可。谁能去兵？兵之设久矣，所以威不轨而昭文德也。圣人以兴，乱人以废。废兴、存亡、昏明之术，皆兵之由也；而子求去之，不亦诬乎？以诬道蔽诸侯，罪莫大焉。纵无大讨，而又求赏，无厌之甚也！"削而投之。

左师辞邑。向氏欲攻司城，左师曰："我将亡，夫子存我，德莫大焉。又可攻乎？"君子曰："'彼己之子，邦之司直'，乐喜之谓乎！'何以恤我，我其收之'，向戌之谓乎！"

齐崔杼生成及强而寡，取东郭姜，生明。东郭姜以孤入，曰棠无咎，与东郭偃相崔氏。崔成有疾而废之，而立明。成请老于崔，崔子许之；偃与无咎弗予，曰："崔，宗邑也，必在宗主。"成与强怒，将杀之，告庆封曰："夫子之身亦子所知也，唯无咎与偃是从，父兄莫得进矣。大恐害夫子，敢以告。"庆封曰："子姑退。吾图之。"告卢蒲嫳。卢蒲嫳曰："彼，君之雠也。天或者将弃彼矣。彼实家乱，子何病焉？崔之薄，庆之厚也。"他日又告。庆封曰："苟利夫子，必去之。难，吾助女。"

九月庚辰，崔成、崔强杀东郭偃、棠无咎于崔氏之朝。崔子怒而出，其众皆逃，求人使驾，不得；使圉人驾，寺人御而出，且曰："崔氏有福，止余犹可。"遂见庆封。庆封曰："崔、庆一也。是何敢然？请为子讨之。"使卢蒲嫳帅甲以攻崔氏。崔氏堞其宫而守之。弗克，使国人助之；遂灭崔氏，杀成与强而尽俘其家，其妻缢。嫳复命于崔子，且御而归之。至则无归矣，乃缢。崔明夜辟诸大墓。辛巳，崔明来奔。庆封当国。

楚薳罢如晋莅盟，晋侯享之。将出，赋《既醉》。叔向曰："薳氏之有后于楚国也，宜哉！承君命，不忘敏。子荡将知政矣。敏以事君，必能养民，政其焉往？"

崔氏之乱，申鲜虞来奔；仆赁于野，以丧庄公。冬，楚人召之。遂如楚为右尹。

十一月乙亥朔，日有食之。辰在申，司历过也，再失闰矣。

【译文】

鲁襄公二十七年春，齐侯派庆封来我鲁国聘问。夏天，叔孙豹在宋国会见晋国赵武、楚国屈建、蔡国公孙归生、卫国石恶、陈国孔奂、郑国良霄、许国人、曹国人。卫国杀了它的大夫宁喜。卫侯的弟弟鱄出逃到晋国。秋天七月初五日，叔孙豹和诸侯国的大夫在宋国结盟。冬十二月初一，有日蚀。

鲁襄公二十七年春，胥梁带让丢掉城邑的各国，准备好车兵和步兵来接受土地，行动必须秘密。让乌余准备车兵和步兵来接受封地，乌余带领他的一伙人出来。溴梁带让诸侯假装是送给乌余封地的，因而就乘机逮捕了乌余，全部俘虏了他的一伙人。把他的城邑都夺回来并归还给诸侯，诸侯因此归向晋国。

齐国庆封前来聘问，他的车子很漂亮。孟孙对叔孙说："庆封的车子，不也很漂亮吗？"叔孙说："我听说：'服饰漂亮和人不相称，必定会得恶果。'漂亮的车子有什么用？"叔孙招待庆封吃饭，庆封表现得不恭敬。叔孙为他赋《相鼠》这首诗，他也不知其意。

卫国宁喜专权，卫献公忧虑这件事。公孙免余请求杀掉他。献公说："假如没有宁子，我不能到这地步，我已经跟他说过了。事情的成败尚未可知，弄不好只成一个坏名声，停止不干了。"公孙免余回答说："我去杀掉他，君不要参与知道这事。"就和公孙无地、公孙臣策划，派他们攻打宁氏，没有攻下来，公孙无地和公孙臣都战死了。卫献公说："臣是没有罪的，父子二人都为我而死了。"这年夏天，公孙免余再次攻打宁氏，杀了宁喜和右宰谷，尸体陈列在朝廷上。石恶将要参加宋国的盟会，接受命令出来，给尸首穿上衣服，头枕在尸体的大腿上号哭。想把尸首敛之后自己逃亡，又害怕不能免于祸难，姑且说："接受命令了。"于是就出走了。

子鲜说："驱逐我的人逃亡，接纳我的死亡，赏罚没有章法，用什么止人为恶劝人为善？国君失掉他的信用，国家没有正常的刑罚，不也为难吗？而且鱄实在让宁喜这么做的。"于是就逃亡到晋国。卫献公派人阻止他，不行。到达黄河，又派人阻止他。他劝止使者而对着黄河发誓。子鲜寄居在晋国木门，坐着都不肯面向卫国。木门大夫劝他做官，他不同意，说："做官而废弃自己的职责，就是罪过。要尽自己的职责，就是宣扬我出逃的原因。我将向谁诉说呢？我不能立在别人的朝廷上了。"一直到死没有出来做官。献公悼念他，为他服丧一直到死。

卫献公给公孙免余六十个城邑，免余辞谢说："只有卿才备一百个城邑，臣下已经有六十个了。在下的人拥有在上人的邑禄，这是祸乱。臣不敢听到。况且宁喜就只因为邑多，所以死了，我害怕死亡会很快来到。"献公坚决要给他，他接受了一半。让他做了少师。献公让他做卿，他辞谢说："太叔仪没有二心，能赞助大事。君王还是任命他吧！"于是就让太叔仪做了卿。

宋国向戌和赵文子友好，又和令尹子木友好，想消除诸侯之间的战争以取得好名声。到晋国，他告诉了赵文子。赵文子和各位大夫商量，韩宣子说："战争，是百姓的祸害，财货的蛀虫，小国的大灾难。有人要消除它，虽说办不到，一定要答应他。不答应，楚国将会答应，用来号令诸侯，那么我国就失掉盟主的地位了。"晋国人答应了向戌。向戌到楚国，楚国也答应了。向戌到齐国，齐国人感到为难。陈文子说："晋国、楚国答应了，我们怎能不答应。而且别人说消除战争，我们却不答应，就的确会使我们的百姓产生二心了！那将怎么使用他们？"齐国人答应了。向戌告诉秦国，秦国也答应了。四国都通告小国，在宋国举行会见。

五月二十七日，晋国赵文子到达宋国。二十九日，郑国良霄到达。六月初一，宋国人设享礼招待赵文子，叔向做赵文子的副手。司马把煮熟的牲畜解成碎块放在礼器中，这是合于礼的。后来孔子看到这次礼仪的记录，认为修饰的辞藻太多。六月初二，叔孙豹、齐国的庆封、陈须无、卫的石恶到达。初八日，晋国荀盈跟随赵文子之后到达。初十日，邾悼公到达。十六日，楚国公子黑肱先到达，和晋国商定了有关的事项。二十一日，宋国向戌到陈国去，和子木商定有关楚国的条件。二十二日，滕成公到达。子木对向戌说："请跟从晋国和跟从楚国的诸侯更相朝见。"二十四日，向戌向赵文子复命。赵文子说："晋、楚、齐、秦，四个国家是地位相等的。晋国不能指挥齐国，如同楚国不能指挥秦国。楚国国君如若能叫秦国国君辱临敝邑，寡君怎敢不坚决向齐国国君请求？"二十六日，向戌向子木复命。子木派传车谒见楚王请示，楚王说："放下齐国、秦国，其他各国请互相朝见。"秋季七月初二，向戌到达。当天晚上，赵文子和公子黑肱统一了盟书的措辞。初四，子木从陈国到达宋国。陈国孔奂、蔡国公孙归生到达。曹国、许国的大夫都到达。各国军队用篱笆作为界限。

晋国和楚国各自驻扎在篱笆的两边。伯凤对赵文子说："楚国的气氛很不好，怕会发生战争祸难。"赵文子说："我们向左转就进入了宋国，能把我们怎么样？"七月初五，将要在宋国西门外结盟，楚国人在外衣里面穿着皮甲。伯州犁说："会合诸侯的军队，而做不令人信任的事，只怕不可以吧？诸侯盼望而信任楚国，因此前来顺服。如果不被人信任,这就是丢弃了所用来使诸侯顺服的东西了。"伯州犁坚决请求脱掉皮甲。子木说:"晋国、楚国不讲信用已经很久了,做对我们有利的事就是了。假如能满足意愿,哪里用得着有信用?"伯州犁退出去,告诉人说:"令尹要死了,不会到三年。只求满足意愿而丢弃信用,意愿会满足吗?意愿用以形成语言,语言用以产生信用,信用用以建立意愿,三者参合以彼此确定。信用丢掉了,怎能活到三年?"赵文子担心楚国人衣内穿了皮甲,把这事告诉了叔向。叔向说:"有什么危害?一个普通的人一旦做出不守信的事,尚且不行,全都不得好死。若是会合诸侯的卿,做出不守信用的事,就必定不会成功。自食其言的人并不能困乏别人,这不是您的祸患。以信用召集别人,却用虚假去求成功,必然没有人赞同他,怎能危害我们?而且我们依靠宋国来防御楚国制造困乏,那就人人都能誓死抗敌。和宋国一起拼死抵抗,即使楚军增加一倍也可以顶住,您有什么可害怕的呢?而事情又没到这种地步。口说'消除战争'用以召集诸侯,反而发动战争来坑害我们,我们的好处就多了,这不是我们所要担心的。"

季武子派人以襄公之命的名义对叔孙豹说:"把我们看作同邾国、滕国一样。随后不久,齐国人请求把邾国作自己的属国,宋国人请求把滕国作自己的属国,邾、滕两国都不参加结盟。"叔孙豹说:"邾国、滕国,是别人的私属。我们是诸侯国,为什么要视同如他们?宋国、卫国,才是和我国对等的。"于是就参加了结盟。因此《春秋》不记载他的族氏,这是说叔孙豹违背了命令的缘故。

晋、楚两国争执歃血盟誓的先后。晋国人说:"晋国本来说是诸侯的盟主,从来没有在晋国之前歃血的。"楚国人说:"您说晋、楚两国地位相等,如果晋国永远在前面,这就是楚国弱于晋国了。而且晋国、楚国交替主持诸侯的盟会已经很久了,难道专门由晋国主持吗?"叔向对赵文子说:"诸侯归服晋国的德行,并不是归服它主持结盟,您致力于德行,不要去争先歃血。况且诸侯会盟,小国本来必定要有主持具体事务的。楚国做晋国的尸盟者一类的小国,不也是可以的吗?"于是就让楚国人先歃血。《春秋》记载却先记晋国,是因为晋国有信用的缘故。

七月初六,宋平公设享礼同时招待晋、楚两国大夫,赵文子做主宾。子木和他谈话,赵文子不能回答。让叔向在旁边帮着答话,子木也不能回答。

初九日,宋平公和诸侯国的大夫在蒙门外边结盟。子木向赵文子询问说:"范武子的德行怎么样?"赵文子回答说:"这位老人家的家事治理得好,对晋国人来说没有隐瞒的情况。他的祝史以诚信之言陈告鬼神,没有言不由衷的话。"子木回国,把赵文子的话告诉楚王。楚王说:"高尚啊!能够使神和人都高兴,他光荣地辅佐五世国君做盟主是合适的。"子木又对楚王说:"晋国做诸侯之伯是适合的!有叔向辅佐他的卿,楚国是无法抵挡它的,不能和他们相争。"

晋国的荀盈于是就到楚国去参加结盟。

郑伯在垂陇设享礼招待赵文子,子展、伯有、子西、子产、子太叔、两个子石跟从郑伯。赵文子说:"这七位大夫跟从国君来招待我,是宠爱我啊。请各位都赋诗来完成君主的恩赐,我赵武也借此可以看到七位的志向。"子展赋《草虫》这首诗,赵文子说："好啊！是百姓的主人。但武是不足以担当的。"伯有赋《鹑之贲贲》这首诗，赵文子说："床上的话不出门槛，何况在野外呢？这不是让人应该听到的。"子西赋《黍苗》的第四章，赵文子说："有寡君在那儿，武又有什么能力呢？"子产赋《隰桑》这首诗，赵文子说："武请求接受它的最后一章。"子太叔赋《野有蔓草》这首诗，赵文子说："这是大夫的恩惠。"印段赋《蟋蟀》这首诗，赵文子说："好啊！这是保住家族的大夫，我有希望了。"公孙段赋《桑扈》这首诗，赵文子说："不骄不傲，福禄将会跑到哪里？若能保持这些话，想要推辞福禄能行吗？"

享礼结束了。赵文子告诉叔向说："伯有将要被杀了！诗用来表心意，心意在诬蔑他的国君，而国君怨恨他，以此作为待客的光荣，他能够长久吗？即使侥幸不被杀，后来也必定逃亡。"叔向说："是的，他太骄奢！所谓不到五年，说的就是这个人了。"赵文子说："其余都是可以传下数世的大夫。子展大概是最后灭亡的，处在上位却不忘记降抑自己。印氏是次于子展的，他欢乐而不荒唐。以安民为乐，不过分役使百姓，灭亡在后，不也是可以的吗？"

宋国的左师请求赏赐，说："请赐给免死的城邑。"宋平公赐给他六十个邑。他把简册拿给子罕看，子罕说："凡是诸侯小国，晋国、楚国都用武力威胁它。他们害怕然后上下慈爱和睦，慈爱和睦然后能安定他们的国家，以事奉大国，这是小国所以生存的原因。没有威胁他们就骄傲，骄傲了就发生祸乱，祸乱发生就必然被消灭，这是小国灭亡的原因。上天生出了金木水火土五种材料，百姓全部使用了它们，废掉一种都不可以，谁能去掉兵器呢？兵器的设置已经很久了，它是用来威慑越轨和宣扬文德的。圣人由于武力而兴起，作乱的人由于武力而被废弃，废兴存亡、昏明之术，都是武力所造成的。而您谋求去掉它，不也是欺骗吗？以欺骗之术蒙蔽诸侯，没有比这更大的罪过了。即使没有大的讨伐，而又求取赏赐，这是贪得无厌到极点了！"子罕削掉简册上的字，扔掉它。左师推辞了城邑不受。

向氏想要攻打子罕，左师说："我将要灭亡，他老人家让我生存，恩德没有比这更大的了，又可以攻打吗？"君子说："'那位人物，是国家主持正义的人'，说的就是子罕吧！'以什么赐给我，我都要接受它'，说的就是向戌吧！"

齐国崔杼生了成和强就死了妻子，又娶东郭姜为妻，生了明。东郭姜带了前夫的儿子进门，名叫棠无咎，和东郭偃辅助崔氏。崔成有病而被废掉了，立了崔明为继承人。崔成请求退休到崔地养老，崔杼答应了他。东郭偃和棠无咎不同意给，说："崔地，是宗庙所在的地方，一定要归于宗主。"崔成和崔强发怒了，要杀掉他们，告诉庆封说："他老人家的身事也是您所知道的，唯独听从棠无咎和东郭偃的，诸位父兄谁都不能进言。很怕有害于他老人家，谨敢以此向您报告。"庆封说："您姑且退出去，我考虑一下。"庆封告诉卢蒲嫳。卢蒲嫳说："他，是国君的仇人。上天或许要抛弃他了。他确实家中生了乱子，您担心什么呢？崔家的削弱，就是庆家的加强。"过几天崔成和崔强又对庆封说这件事。庆封说："如果有利于他老人家，一定要去掉他们。有危难，我来帮助你们。"

九月初五，崔成、崔强在崔氏的朝廷上杀了东郭偃、棠无咎。崔杼愤怒地走出，他的手下人都逃了，找人驾车，找不到。让养马的人套上车，寺人驾驶着车子出去。崔杼还说："崔氏如果有福，祸患只停止在我身上还可以。"于是进见庆封。庆封说："崔、庆是一家。这些人怎么敢这样？请让我为您讨伐他们。"派卢蒲嫳率领甲士进攻崔家。崔家修筑他们的宫墙守卫着，没有攻下来。发动国人帮助攻打，于是就灭亡了崔氏，杀了崔成与崔强，并夺取了崔家的全部人口和财货。崔杼的妻子上吊而死。卢蒲嫳向崔杼复命，且驾着车子送他回家。崔杼到家，则无家可归了，就上吊而死。崔明夜间躲藏在墓群里。九月初六，崔明逃奔来鲁国，庆封掌握了齐国政权。

楚国䓕罢到晋国参加结盟，晋侯设享礼招待他。䓕罢宴毕将要退出时，赋了《既醉》这首诗。叔向说："䓕氏在楚国有后嗣将长享禄位，是应该的啊！承受国君的命令，不忘记敏捷应对。子荡将要执政了。用敏捷来事奉国君，必然能抚养百姓。政权还能跑到哪里去？"

崔氏的叛乱，申鲜虞逃奔来鲁国，在郊外雇佣了仆人，为齐庄公服丧。冬天，楚国人召请申鲜虞，于是他就到楚国做了右尹。

十一月初一，日食。当时斗柄指向申星，由于司历官的过错，缺少了两次闰月。

襄公二十八年

【原文】

二十有八年：春，无冰。

夏，卫石恶出奔晋。

邾子来朝。

秋，八月，大雩。

仲孙羯如晋。

冬，齐庆封来奔。

十有一月，公如楚。

十有二月甲寅，天王崩。

（乙）〔己〕未，楚子昭卒。

二十八年春，无冰。梓慎曰："今兹宋、郑其饥乎？岁在星纪而淫于玄枵，以有时灾，阴不堪阳。蛇乘龙；龙，宋、郑之星也。宋、郑必饥。玄枵，虚中也。枵，耗名也。土虚而民耗，不饥何为？"

夏，齐侯、陈侯、蔡侯、北燕伯、杞伯、胡子、沈子、白狄朝于晋，宋之盟故也。齐侯将行，庆封曰："我不与盟，何为于晋？"陈文子曰："先事后贿，礼也。小事大，未获事焉，从之如志，礼也。虽不与盟，敢叛晋乎？重丘之盟，未可忘也。子其劝行！"

卫人讨宁氏之党，故石恶出奔晋。卫人立其从子圃以守石氏之祀，礼也。

邾悼公来朝，时事也。

秋八月，大雩，旱也。

蔡侯归自晋，入于郑。郑伯享之，不敬。子产曰："蔡侯其不免乎？日其过此也，君使子展迓劳于东门之外，而傲；吾曰'犹将更之'。今还，受享而惰，乃其心也。君小国，事大国而惰傲以为己心，将得死乎？若不免，必由其子。其为君也，淫而不父。侨闻之：如是者恒有子祸。"

孟孝伯如晋，告将为宋之盟故如楚也。

蔡侯之如晋也，郑伯使游吉如楚。及汉，楚人还之，曰："宋之盟，君实亲辱。今吾子来，寡君谓吾子姑还，吾将使驲奔问诸晋而以告。"子大叔曰："宋之盟，君命将利小国，而亦使安定其社稷、镇抚其民人，以礼承天之休。此君之宪令，而小国之望也。寡君是故使吉奉其皮币，以岁之不易，聘于下执事。今执事有命曰：'女何与政令之有？必使而君弃而封守，跋涉山川，蒙犯霜露，以逞君心。'小国将君是望，敢不唯命是听？无乃非载盟之言，以阙君德，而执事有不利焉，小国是惧。不然，其何劳之敢惮！"

子大叔归，复命，告子展曰："楚子将死矣。不修其政德，而贪昧于诸侯以逞其愿，欲久，得乎？《周易》有之，在'复'之'颐'，曰：'迷复，凶。'其楚子之谓乎！欲复其愿而弃其本，复归无所，是谓迷复，能无凶乎？君其往也，送葬而归，以快楚心。楚不几十年，未能恤诸侯也，吾乃休吾民矣。"

禆灶曰："今兹周王及楚子皆将死。岁弃其次而旅于明年之次，以害鸟帑，周、楚恶之。"

九月，郑游吉如晋，告将朝于楚以从宋之盟。子产相郑伯以如楚，舍不为坛。外仆言曰："昔先大夫相先君适四国，未尝不为坛。自是至今，亦皆循之。今子草舍，无乃不可乎？"子产曰："大适小，则为坛。小适大，苟舍而已，焉用坛？侨闻之，大适小有五美：宥其罪戾，赦其过失，救其灾患，赏其德刑，教其不及。小国不困，怀服如归，是故作坛以昭其功，宣告后人：无怠于德。小适大有五恶：说其罪戾，请其不足，行其政事，共其职贡，从其时命。不然，则重其币帛以贺其福而吊其凶，皆小国之祸也。焉用作坛以昭其祸？所以告子孙：无昭祸焉可也。"

齐庆封好田而耆酒，与庆舍政，则以其内实迁于卢蒲嫳氏，易内而饮酒。数日，国迁朝焉。使诸亡人得贼者以告而反之，故反卢蒲癸。癸臣子之，有宠，妻之。庆舍之士谓卢蒲癸曰："男女辨姓，子不辟宗，何也？"曰："宗不余辟，余独焉辟之？赋诗断章，余取所求焉。恶识宗？"癸言王何而反之。二人皆嬖，使执寝戈而先后之。

公膳，日双鸡。饔人窃更之以鹜，御者知之，则去其肉而以其洎馈。子雅、子尾怒。庆封告卢蒲嫳，卢蒲嫳曰："譬之如禽兽，吾寝处之矣。"使析归父告晏平仲，平仲曰："婴之众不足用也，知无能谋也。言弗敢出，有盟可也。"子家曰："子之言云，又焉用盟?"告北郭子车,子车曰:"人各有以事君,非佐之所能也。"陈文子谓桓子曰:"祸将作矣。吾其何得?"对曰:"得庆氏之木百车于庄。"文子曰:"可慎守也已。"

卢蒲癸、王何卜攻庆氏,示子之兆曰:"或卜攻雠,敢献其兆。"子之曰:"克,见血。"冬十月,庆封田于莱,陈无宇从。丙辰,文子使召之,请曰:"无宇之母疾病,请归。"庆季卜之,示之兆,曰:"死。"奉龟而泣,仍使归。庆嗣闻之,曰:"祸将作矣!"谓子家:"速归!祸必作于尝,归犹可及也。"子家弗听,亦无悛志。子息曰:"亡矣!幸而获在吴、越。"陈无宇济水而戕舟发梁。

卢蒲姜谓癸曰:"有事而不告我,必不捷矣。"癸告之。姜曰:"夫子愎,莫之止,将不出。我请止之。"癸曰:"诺。"十一月乙亥,尝于大公之庙,庆舍莅事。卢蒲姜告之,且止之。弗听,曰:"谁敢者?"遂如公。麻婴为尸,庆奊为上献。卢蒲癸、王何执寝戈,庆氏以其甲环公宫。陈氏、鲍氏之圉人为优。庆氏之马善惊,士皆释甲束马而饮酒,且观优,至于鱼里。栾、高、陈、鲍之徒介庆氏之甲。子尾抽桷击扉三,卢蒲癸自后刺子之,王何以戈击之,解其左肩。犹援庙桷,动于甍,以俎、壶投杀人而后死。遂杀庆绳、麻婴。公惧,鲍国曰:"群臣为君故也。"陈须无以公归,税服而如内宫。

庆封归,遇告乱者。丁亥,伐西门,弗克。还伐北门,克之;入,伐内宫,弗克。反,陈于岳。请战,弗许,遂来奔。献车于季武子,美泽可以鉴。展庄叔见之,曰:"车甚泽,人必瘁,宜其亡也。"叔孙穆子食庆封。庆封氾祭,穆子不说,使工为之诵《茅鸱》,亦不知。既而齐人来让,奔吴。吴句余予之朱方,聚其族焉而居之,富于其旧。子服惠伯谓叔孙曰:"天殆富淫人。庆封又富矣!"穆子曰:"善人富谓之赏,淫人富谓之殃。天其殃之也,其将聚而歼旃。"

癸巳,天王崩。未来赴,亦未书,礼也。

崔氏之乱,丧群公子,故鉏在鲁,叔孙还在燕,贾在句渎之丘。及庆氏亡,皆召之,具其器用而反其邑焉。与晏子邶殿,其鄙六十;弗受。子尾曰:"富,人之所欲也。何独弗欲?"对曰:"庆氏之邑足欲,故亡。吾邑不足欲也,益之以邶殿,乃足欲;足欲,亡无日矣。在外不得宰吾一邑。不受邶殿,非恶富也,恐失富也。且夫富如布帛之有幅焉,为之制度,使无迁也。夫民生厚而用利,于是乎正德以幅之,使无黜嫚,谓之幅利。利过则为败。吾不敢贪多,所谓幅也。"与北郭佐邑六十,受之。与子雅邑,辞多受少。与子尾邑,受而稍致之;公以为忠,故有宠。

释卢蒲嫳于北竟。求崔杼之尸,将戮之;不得。叔孙穆子曰:"必得之!武王有乱(臣)〔臣〕十人,崔杼其有乎?不十人,不足以葬。"既,崔氏之臣曰:"与我其拱璧,吾献其枢。"于是得之。十二月(乙)〔己〕亥朔,齐人迁庄公,殡于大寝。以其棺尸崔杼于市,国人犹知之,皆曰:"崔子也!"

为宋之盟故,公及宋公、陈侯、郑伯、许男如楚。公过郑,郑伯不在;伯有迓劳于黄崖,不敬。穆叔曰:"伯有无戾于郑,郑必有大咎。敬,民之主也;而弃之,何以承守？郑人不讨，必受其辜。济泽之阿，行潦之蘋藻，寘诸宗室，季兰尸之，敬也。敬可弃乎？"

及汉，楚康王卒。公欲反。叔仲昭伯曰："我楚国之为，岂为一人？行也！"子服惠伯曰："君子有远虑，小人从迩。饥寒之不恤，谁遑其后？不如姑归也。"叔孙穆子曰："叔仲子，专之矣。子服子，始学者也。"荣成伯曰："远图者，忠也。"公遂行。

宋向戌曰："我一人之为，非为楚也。饥寒之不恤，谁能恤楚？姑归而息民，待其立君而为之备。"宋公遂反。

楚屈建卒，赵文子丧之如同盟，礼也。

王人来告丧。问崩日，以甲寅告。故书之以徵过也。

【译文】

鲁襄公二十八年春天，没有结冰。夏天，卫国石恶出逃到晋国。邾悼公来我鲁国朝见。秋天的八月，举行大雩祭。鲁大夫仲孙羯到了晋国。冬天，齐国庆封逃奔前来鲁国。十一月，襄公到达楚国。十二月十六日，周天子死。乙未，楚康王昭死。

鲁襄公二十八年春，没有结冰。鲁国大夫梓慎说："今年宋国、郑国大概要发生饥荒吧？岁星应当在星纪，但却已超越到了玄枵。这是因为要发生天时不正的灾荒，阴不能胜阳。蛇乘坐在龙的上面，龙是宋国、郑国的星宿，宋国、郑国必定发生饥荒。玄枵，虚宿在中间。枵，是消耗的名称。土地虚而百姓耗，怎么能不发生饥荒？"

夏天，齐侯、陈侯、蔡侯、北燕伯、杞伯、胡子、沈子、白狄到晋国朝见，是为了在宋国那次结盟的缘故。

齐侯准备出行，庆封说："我们没有参加结盟，为什么要朝见晋国？"陈文子说："先考虑事奉大国后考虑财礼，这是合于礼的。小国事奉大国，如果没有获得事奉的机会，就要顺从大国的意图，这也合于礼。我们虽然没有参加结盟，怎胆敢背叛晋国呢？重丘的盟会，是不可忘记的。您还是劝国君出行！"

卫国人讨伐宁氏的亲族，所以石恶逃亡到晋国。卫国人立了他的侄儿石圃，以保存石氏的祭祀，这是合于礼的。

邾悼公来我鲁国朝见，这是按时令而来的朝见。

秋季，八月，举行大雩祭，是由于天旱。

蔡侯从晋国回国，路过郑国。郑伯设享礼招待他，他表现得不恭敬。子产说："蔡侯恐怕不能免于祸难吧！以前他经过这里的时候，国君派子展到东门外慰劳，但他显得骄傲。我认为他还是会改变的。现在他回来，接受享礼却显得怠惰，这就是他的本性了。作为小国的国君，事奉大国，反而把怠惰骄傲作为本性，能得到好死吗？假如不免于祸难，一定是由于他的儿子。他做国君，淫乱而不像做父亲的样子。侨听说，像这样的人，经常会遭到儿子发动的祸乱。"

孟孝伯到晋国，报告为了宋国之盟的缘故将要去楚国。

蔡侯到了晋国的时候，郑伯派游吉到楚国去。到达汉水，楚国人让他回去，说：

"在宋国的那次结盟,贵国君王亲自光临。现在大夫前来,寡君说大夫暂且回去,我将派传车奔赴晋国询问以后再告诉您。"游吉说:"在宋国那次结盟,贵国君王的命令要有利于小国,并且也使小国安定它的社稷,镇抚它的百姓,用礼仪承受上天的福禄,这是贵国君王的法令,也是小国的期望。由于年岁艰难,寡君因此派吉奉上财礼,向下级执事聘问。现在执事命令说:你怎么能参与郑国的政令?一定要让你们国君丢弃你们的封疆和守备,跋山涉水,冒着霜露,以满足我国君王的心意。小国还想期望贵国君王赐给恩惠,怎么敢不唯命是听?但这不符合盟书的话,而使贵国君王的德行有所缺失,也对执事有所不利,小国就害怕这个。不然,还敢害怕劳苦吗?"

游吉回国,复命,告诉子展说:"楚王将要死了。不修明他的政事和德行,反而贪图诸侯的进奉,以满足自己的愿望,想要活得长久,能够办到吗?《周易》记载,得到《复》䷗变成《颐》䷚,说:'迷了路又返回来,不吉利',大概说的就是楚王吧!想要实践他的愿望,却忘掉了原来的路径,想回来又找不着地方,这叫做迷复,能够吉利吗?君王就去吧,送葬回来,让楚国痛快一下。楚国没有将近十年的时间,不能争夺霸业,我们就可以让百姓休息了。禅灶说:"今年周天子和楚王都将死去。岁星失去它应在的位置,而运行在明年的位置上,危害了鸟尾星,周朝和楚国要受到灾祸。"

九月,郑国的游吉去晋国,报告说遵照在宋国的盟誓将要去楚国朝见。子产辅佐郑伯到楚国,搭了帐篷而不筑坛。外仆说:"从前先大夫辅佐先君,到四方各国,从没有不筑坛的。从那时到今天,也都相沿不改。现在您不除草就搭起帐篷,恐怕不可以吧?"子产说:"大国去小国,就筑坛;小国到大国,草草地搭起帐篷就行了,哪里用得着筑坛?侨听说,大国去小国有五个好处:宽宥它的罪过,原谅它的错误,救助它的灾难,赞赏它的德行和典范,教导它想不到的地方。小国不因乏,归心和顺服大国好像回家一样,因此筑坛来宣扬它的功德,公开告诉后代的人,对于德业的进修不要急惰。小国去大国有五个坏处:(向小国)掩饰它的罪过,请求得到它所缺乏的东西,(要求小国)奉行它的政事,供给它贡品,服从它忽然而来的指令。不这样,就得加重小国的财礼,用来祝贺它的喜事和吊唁它的祸事,这些都是小国的灾祸。哪里用得着筑坛来宣扬它的祸患呢?把这些告诉子孙。不要宣扬祸患就行了。"

齐国的庆封喜爱打猎并嗜好喝酒,把政权交给庆舍。他就带着妻妾财物迁移到卢蒲嫳家里,交换妻妾并喝酒。几天以后,官员们就改到这里朝见。庆封让逃亡在外而知道崔氏余党的人,如果把情况报告就允许他们回来,所以让卢蒲癸回来了。卢蒲癸做了庆舍的家臣,受到宠信,庆舍把女儿嫁给了他。庆舍的家臣对卢蒲癸说:"男女结婚要辨别是否同姓,可是您不避讳同宗,为什么?"卢蒲癸说:"同宗不避我,我怎么独独要避开同宗?就像赋诗的断章取义,我取得所需要的就是了,哪里知道什么同宗?"卢蒲癸又对庆舍说起王何而让他回来,两个人都受到庆舍宠信。庆舍让他们拿着寝戈在自己前后护卫。

公家供给卿大夫的伙食,每天有两只鸡,管伙食的人偷偷地换成鸭子。送饭的人知道了,就去掉鸭肉只送上肉汤。子雅、子尾发怒。庆封告诉卢蒲嫳。卢蒲嫳说:"把他们比做禽兽，我睡在他们皮上了。"庆封派析归父告诉晏平仲。晏平仲说："婴的一帮人不足以使用，智慧也够不上出谋划策。但决不敢泄露这些话，可以盟誓。"庆封说："您已经这么说了，又哪里用得着盟誓？"又告诉北郭子车。子车说："各人有不同的方式事奉国君这不是佐所能做到的。"陈文子对陈无宇说："祸难将要发生了，我们能得到什么？"陈无宇回答说："在庄街上得到庆氏的木料一百车。"陈文子说："可以谨慎地保住它。"

卢蒲癸、王何为攻打庆氏占卜，把龟兆给庆舍看，说："有人为攻打仇人而占卜，胆敢奉献他的兆象。"庆舍说："攻下了，见到血。"冬季十月，庆封在莱地打猎，陈无宇随从。十七日，陈文子派人召唤他回去。陈无宇请求说："无宇的母亲病重，请求回去。"庆封占卜，把龟兆给陈无宇看，陈无宇说："这是死的兆象。"捧着龟甲哭泣，于是就让他回去了。庆嗣听到这件事，说："祸患将要发生了！"对庆封说："赶快回去，祸难必定发生在尝祭的时候，回去还来得及。"庆封不听，也没有改悔的意思。庆嗣说："他要逃亡了！能够逃到吴国、越国就是侥幸。"陈无宇渡过河，就破坏了渡船，撤去了桥梁。

卢蒲姜对卢蒲癸说："有事情而不告诉我，必然不能成功。"卢蒲癸告诉了他。卢蒲姜说："我父亲性情倔强，没有人劝阻他，他会不出来的，请让我去劝阻他。"卢蒲癸说："好。"十一月初七日，在太公庙举行尝祭，庆舍将要亲临祭祀。卢蒲姜告诉他有人要发动祸乱，并劝阻他不要去。他不听，说："谁敢这么干？"于是就到了祭祀的地方。麻婴充当祭尸，庆奊充当先献。卢蒲癸、王何拿着寝戈，庆氏率领他的甲士围住公宫。陈氏、鲍氏的养马人演戏。庆氏的马容易受惊跳跃奔跑，甲士都解甲系马而喝酒，同时看戏，到了鱼里。栾氏、高氏、陈氏、鲍氏的士兵就穿上了庆氏甲士的皮甲。子尾抽出方形椽子在门扇上敲了三下，卢蒲癸从后面刺庆舍，王何用戈击他，砍下了他的左肩。庆舍还能拉着庙宇的椽子，牵动了屋梁，把俎和壶投掷出去，击死了人才死去。卢蒲癸等人就杀死了庆绳、麻婴。齐侯害怕，鲍国曰："群臣是为了君王的缘故。"陈须无带着齐侯回去，脱下祭服进入内宫。

庆封回来，遇到报告祸乱的人。十一月十九日，攻打西门，没有攻下。回头攻打北门，攻下了。进城，攻打内宫，没有攻下。庆封回军在岳里摆开阵势，请求决战，没有得到允许。于是就逃亡来鲁国，庆封把车子献给季武子，美丽的光泽可以照见人影。展庄叔进见季武子，说："车很光亮，人必定毁坏，他逃亡是活该了。"叔孙穆子设便宴招待庆封，庆封先遍祭诸神。穆子不高兴，让乐师为他诵《茅鸱》这首诗，他也不明白。不久齐国人前来鲁国责问，庆封又逃奔到吴国，吴子句余把朱方赐给了他，他聚集族人住在那里，财富超过他的过去。子服惠伯对叔孙穆子说："上天大概是要让坏人富有的，庆封又富有起来了。"叔孙穆子说："好人富有叫做奖赏，坏人富有叫做灾殃。上天大概让他遭殃，将要让他们聚合而一起被消灭吧。"

十一月二十五日，周天子死。没有发来讣告，《春秋》也没有记载，这是合于礼的。

崔氏的祸乱，公子们各自逃亡。所以鉏在鲁国，叔孙还在燕国，贾在句渎之丘。到了庆氏逃亡，把他们都召了回来，为他们准备了器物和用品，并返还给他们的封邑。封给晏子邶殿和它沿边上六十个城邑，晏子不接受。子尾说："富有，是人所想要的，为什么唯独您不想要？"晏子回答说："庆氏的城邑满足了欲望，所以逃亡。我的城邑不能满足欲望，把邶殿加上，就满足欲望了。满足了欲望，逃亡就没有几天了。逃亡在外边，我连一个城邑也不能主宰。不接受邶殿，不是厌恶富有，而是恐怕失掉富有。而且富有就像布帛的有一定宽度，给它制定幅度，使它不能改变。百姓，总是想要生活丰厚，器用富饶，因此就要端正道德来加以限制，让它不要不足或过分，这就叫做限制私利。私利过分就要败坏。我不敢贪多，就是所说的限制。"赐给北郭佐六十个城邑，他接受了。赐给子雅城邑，他推辞的多，接受的少。赐给子尾城邑，接受后又全部奉还了。齐侯认为子尾忠诚，所以被宠信。把卢蒲嫳放逐到北部边境。

齐国人寻求崔杼的尸体，打算戮尸，没有找到。叔孙穆子说："一定能找到的。武王有十个治国能臣，崔杼难道有吗？不到十个人，不足以安葬。"不久之后，崔氏的家臣说："把他的大璧给我，我献出他的棺材。"因此找到了崔杼尸体。十二月初一日，齐国人迁葬庄公，停棺在正寝。把崔杼的棺材装着崔杼的尸体在街市暴露。国内的人们还认得出他，都说："这是崔杼。"

为了在宋国结盟的缘故，鲁襄公和宋公、陈侯、郑伯、许男前往楚国。襄公经过郑国，郑伯不在国内。伯有前往黄崖慰劳，表现得不恭敬。穆叔说："伯有如果在郑国不受诛戮，郑国必定有大灾祸。恭敬，是百姓的主持，却丢弃了它，用什么来继承祖先，保持家业？郑国人不讨伐他，必定要受到他的灾祸。水边的薄土，路旁积水中的浮萍水草，用来作祭品，季兰作为祭尸，这是出于恭敬。恭敬难道可以抛弃吗？"

到达汉水，楚康王死。鲁襄公想要回去，叔仲昭伯说："我们是为了楚国，难道是为了一个人？继续走吧！"子服惠伯说："君子有长远的考虑，小人只顾及眼前。饥寒都顾不上，谁有工夫顾及以后？不如姑且回去吧。"叔孙穆子说："叔仲子可以被专门任用了，子服子是刚学习的人。"荣成伯说："长远打算的人，是忠诚的。"襄公就继续前进，宋国向戌说："我们是为了一个人，不是为了楚国。饥寒都顾不上，谁能够顾得上楚国？姑且回去让百姓休息，等他们立了国君再戒备他们。"宋公就回去了。

楚国屈建死，赵文子像对待同盟国一样去吊丧，这是合于礼的。

周王室的使者前来报告丧事，问他周天子死去的日子，回答说是十二月十六日。所以《春秋》记载它，用来惩戒过错。

襄公二十九年

【原文】

二十有九年：春，王正月，公在楚。

夏，五月，公至自楚。

庚午，卫侯衎卒。

阍弑吴子馀祭。

仲孙羯会晋荀盈、齐高止、宋华定、卫世叔仪、郑公孙段、曹人、莒人、滕人、薛人、小邾人，城杞。

晋侯使士鞅来聘。

杞子来盟。

吴子使札来聘。

秋，九月，葬卫献公。

齐高止出奔北燕。

冬，仲孙羯如晋。

二十九年春，王正月，公在楚，释不朝正于庙也。楚人使公亲襚，公患之。穆叔曰："祓殡而襚，则布币也。"乃使巫以桃、茢先祓殡。楚人弗禁，既而悔之。

二月癸卯，齐人葬庄公于北郭。

夏四月，葬楚康王。公及陈侯、郑伯、许男送葬，至于西门之外；诸侯之大夫皆至于墓。

楚郏敖即位，王子围为令尹。郑行人子羽曰："是谓不宜，必代之昌。松柏之下，其草不殖。"

公还，及方城。季武子取卞，使公冶问，玺书追而与之，曰："闻守卞者将叛，臣帅徒以讨之，既得之矣。敢告。"公冶致使而退，及舍而后闻取卞。公曰："欲之而言叛，祇见（疏）〔流〕也。"公谓公冶曰："吾可以入乎？"对曰："君实有国，谁敢违君？"公与公冶冕服，固辞，强之而后受。公欲无入。荣成伯赋《式微》，乃归。五月，公至自楚。

公冶致其邑于季氏，而终不入焉，曰："欺其君，何必使余？"季孙见之，则言季氏如他日；不见，则终不言季氏。及疾，聚其臣，曰："我死，必无以冕服敛，非德赏也。且无使季氏葬我！"

葬灵王，郑上卿有事。子展使印段往，伯有曰："弱，不可。"子展曰："与其莫往，弱不犹愈乎？《诗》云'王事靡盬，不遑启处。'东西南北，谁敢宁处？坚事晋、楚，以蕃王室也。王事无旷，何常之有？"遂使印段如周。

吴人伐越，获俘焉，以为阍，使守舟。吴子馀祭观舟，阍以刀弑之。

郑子展卒，子皮即位。于是郑饥而未及麦，民病。子皮以子展之命，饩国人粟，户一钟，是以得郑国之民，故罕氏常掌国政，以为上卿。宋司城子罕闻之，曰："邻于善，民之望也。"宋亦饥，请于平公，出公粟以贷，使大夫皆贷。司城氏贷而不书，为大夫之无者贷。宋无饥人。叔向闻之，曰："郑之罕，宋之乐，其后亡者也，二者其皆得国乎！民之归也。施而不德，乐氏加焉，其以宋升降乎！"

晋平公，杞出也，故治杞。六月，知悼子合诸侯之大夫以城杞，孟孝伯会之，郑子大叔与伯石往。子大叔见大叔文子，与之语。文子曰："甚乎，其城杞也！"子大叔曰："若之何哉！晋国不恤周宗之阙而夏肄是屏，其弃诸姬亦可知也已。诸姬是弃，其谁归之？吉也闻之：弃同即异，是谓离德。《诗》曰：'协比其邻，昏姻孔云。'晋不邻矣，其谁云之！"

齐高子容与宋司徒见知伯，女齐相礼。宾出，司马侯言于知伯曰："二子皆将不免。子容专，司徒侈，皆亡家之主也。"知伯曰："何如？"对曰："专则速及，侈将以其力毙，专则人实毙之。将及矣！"

范献子来聘，拜城杞也。公享之，展庄叔执币。射者三耦，公臣不足，取于家臣。家臣展瑕；展（玉）〔王〕父为一耦，公臣公巫召伯、仲颜庄叔为一耦，鄫鼓父、党叔为一耦。

晋侯使司马女叔侯来治杞田，弗尽归也。晋悼夫人愠曰："齐也取货，先君若有知也，不尚取之。"公告叔侯。叔侯曰："虞、虢、焦、滑、霍、扬、韩、魏，皆姬姓也，晋是以大。若非侵小，将何所取？武、献以下，兼国多矣，谁得治之？杞，夏馀也，而即东夷。鲁，周公之后也，而睦于晋。以杞封鲁犹可，而何有焉？鲁之于晋也，职贡不乏，玩好时至，公卿大夫相继于朝，史不绝书，府无虚月。如是可矣，何必瘠鲁以肥杞？且先君而有知也，毋宁夫人，而焉用老臣？"

杞文公来盟。书曰"子"，贱之也。

吴公子札来聘，见叔孙穆子，说之。谓穆子曰："子其不得死乎？好善而不能择人。吾闻君子务在择人。吾子为鲁宗卿而任其大政，不慎举，何以堪之？祸必及子！"请观于周乐。使工为之歌《周南》、《召南》。曰："美哉！始基之矣，犹未也，然勤而不怨矣。"为之歌《邶》、《鄘》、《卫》。曰："美哉渊乎！忧而不困者也。吾闻卫康叔、武公之德如是，是其《卫风》乎？"为之歌《王》。曰："美哉！思而不惧，其周之东乎？"为之歌《郑》。曰："美哉！其细已甚，民弗堪也。是其先亡乎？"为之歌《齐》。曰："美哉，泱泱乎！大风也哉！表东海者，其大公乎？国未可量也。"为之歌《豳》。曰："美哉，荡乎！乐而不淫，其周公之东乎？"为之歌《秦》。曰："此之谓夏声。夫能夏则大。大之至也，其周之旧乎？"为之歌《魏》。曰："美哉，沨沨乎！大而婉，险而易行，以德辅此，则明主也！"为之歌《唐》。曰："思深哉！其有陶唐氏之遗民乎！不然，何〔其〕忧之远也？非令德之后，谁能若是？"为之歌《陈》。曰："国无主，其能久乎？"自《郐》以下无讥焉！为之歌《小雅》。曰："美哉！思而不贰，怨而不言，其周德之衰乎？犹有先王之遗民焉！"为之歌《大雅》。曰："广哉，熙熙乎！曲而有直体，其文王之德乎？"为之歌《颂》。曰："至矣哉！直而不倨，曲而不屈；迩而不偪，远而不携；迁而不淫，复而不厌；哀而不愁，乐而不荒；用而不匮，广而不宣；施而不费，取而不贪；处而不底，行而不流。五声和，八风平；节有度，守有序。盛德之所同也！"见舞《象箾》、《南籥》者，曰："美哉，犹有憾！"见舞《大武》者，曰："美哉，周之盛也，其若此乎？"见舞《韶濩》者，曰："圣人之弘也，而犹有惭德，圣人之难也！"见舞《大夏》者，曰："美哉，勤而不德！非禹，其谁能修之？"见舞《韶箾》者，曰："德至矣哉！大矣，如天之无不帱也，如地之无不载也！虽甚盛德，其蔑以加于此矣。观止矣！若有他乐，吾不敢请已。"

其出聘也，通嗣君也。故遂聘于齐，说晏平仲，谓之曰："子速纳邑与政！无邑无政，乃免于难。齐国之政将有所归。未获所归，难未歇也。"故晏子因陈桓子以纳政与邑，是以免于栾、高之难。

聘于郑，见子产，如旧相识。与之缟带，子产献纻衣焉。谓子产曰："郑之执政侈，难将至矣。政必及子。子为政，慎之以礼。不然，郑国将败。"

适卫，说蘧瑗、史狗、史鳅、公子荆、公叔发、公子朝，曰："卫多君子，未有患也。"

自卫如晋，将宿于戚，闻钟声焉，曰："异哉！吾闻之也：'辩而不德，必加于戮。'夫子获罪于君以在此，惧犹不足，而又何乐？夫子之在此也，犹燕之巢于幕上。君又在殡，而可以乐乎？"遂去之。文子闻之，终身不听琴瑟。

适晋，说赵文子、韩宣子、魏献子，曰："晋国其萃于三族乎？"说叔向，将行，谓叔向曰："吾子勉之！君侈而多良，大夫皆富，政将在家。吾子好直，必思自免于难。"

秋九月，齐公孙虿、公孙灶放其大夫高止于北燕。乙未，出。书曰"出奔"，罪高止也。高止好以事自为功，且专，故难及之。

冬，孟孝伯如晋，报范叔也。

为高氏之难故，高竖以卢叛。十月庚寅，闾丘婴帅师围卢。高竖曰："苟使高氏有后，请致邑。"齐人立敬仲之曾孙酀，良敬仲也。十一月乙卯，高竖致卢而出奔晋，晋人城绵而寘旃。

郑伯有使公孙黑如楚，辞曰："楚、郑方恶，而使余往，是杀余也。"伯有曰："世行也。"子晳曰："可则往，难则已，何世之有？"伯有将强使之。子晳怒，将伐伯有氏，大夫和之。十二月己巳，郑大夫盟于伯有氏。裨谌曰："是盟也，其与几何？《诗》曰：'君子屡盟，乱是用长。'今是长乱之道也，祸未歇也。必三年而后能纾。"然明曰："政将焉往？"裨谌曰："善之代不善，天命也。其焉辟子产？举不逾等，则位班也。择善而举，则世隆也。天又除之，夺伯有魄，子西即世，将焉辟之？天祸郑久矣！其必使子产息之，乃犹可以戾。不然，将亡矣！"

【译文】

鲁襄公二十九年春季，周历正月，襄公在楚国。夏季五月，襄公从楚国回到鲁国。六月五日，卫侯衎死。守门人杀死吴子馀祭。仲孙羯会合晋国荀盈、齐国高止、宋国华定、卫国世叔仪、郑国公孙段、曹国人、莒国人、滕国人、薛国人、小邾国人为杞国筑城墙。晋侯派士鞅前来鲁国聘问。杞子前来鲁国结盟。吴子派季札前来鲁国聘问。秋季九月，卫国葬卫献公。齐国高止逃亡到北燕。冬季，仲孙羯到晋国。

鲁襄公二十九年春季，周历正月，"襄公在楚国"，这是解释不在岁首祭享宗庙的原因。

楚国人让襄公亲自把赠送给楚王的衣服放置到他棺材东部,襄公对这感到忧虑。穆叔说:"先祓除棺材的凶邪然后给死者放置衣服,这就等于朝见时陈列皮币。"于是就让巫人用桃棒、笤帚先在棺材上扫除凶邪。楚国人没有禁止,不久之后又感到后悔。

二月初六日,齐国人在外城北部安葬庄公。

夏季四月,安葬楚康王,鲁襄公和陈侯、郑伯、许男送葬,到达楚都西门外边。诸侯的大夫都到了墓地。楚国的郏敖即位,王子围做令尹。郑国使者子羽说:"这叫做不相宜,令尹必定要代替他而昌盛。松柏的下面,草是不能繁殖的。"

鲁襄公回来,到达方城山。季武子占取卞地,派公冶来问候襄公,用封泥加盖印章把信封好后追上去交给了公冶,信上说:"听到戍守卞邑的人要叛变,下臣率领部下讨伐他,已经得到卞邑了,斗胆报告。"公冶表达了使命就退出去,到达帐篷以后才听到占取了卞邑。襄公说:"想要这块地方而说叛变,只能是疏远我。"

鲁襄公对公冶说:"我可以进入国境吗?"公冶回答说:"君王据有国家,谁敢违背君王?"襄公赐给公冶冕服,公冶坚决辞谢,勉强他,然后才接受。襄公想不进入鲁国,荣城伯赋《式微》这首诗,襄公这才回国。五月,襄公从楚国回到鲁国。

公冶把他的封邑送还给季氏,而且始终不再进入季孙的家门,说:"欺骗他的国君,何必派我去?"季孙召见他,他就像往日一样和季氏说话;未被召见,他就始终不谈季氏。等到公冶病重,聚集他的家臣,说:"我死了以后,一定不要用冕服入殓,'这不是因为有德赏赐的。并且不要让季氏安葬我。"

安葬周灵王,郑国的上卿子展有事,他派印段前去。伯有说:"年轻,不行。"子展说:"与其没有人去,即使年轻不还是要好一些吗?《诗经》说:'王家的事做不完,没有闲暇安居。'东西南北,谁敢安居?坚定地事奉晋国、楚国,用以捍卫王室。王家的事没有缺失,有什么常规不常规?"于是就派印段前往周王室。

吴国人攻打越国,抓到了俘虏,让他做看门人,派他看守船只。吴子馀祭观看船只,看门人用刀杀死了他。

郑国的子展死了,子皮即位为上卿。这时郑国发生饥荒而还没有到麦收,百姓困乏。子皮用子展遗命,把粮食赠送给国内的人们,每户一钟,因此得到郑国百姓的拥护。所以罕氏经常掌握国政,作为上卿。宋国司城子罕听到这件事,说:"接近于善,这是百姓的期望。"宋国也发生饥荒,司城子罕向宋平公请求,拿出公家的粮食借给百姓;让大夫也都出借粮食。司城氏出借粮食而不写借约,又为缺少粮食的大夫借给百姓。宋国没有挨饿的人。叔向听说这件事,说:"郑国的罕氏、宋国的乐氏,大约是最后灭亡的啊,两家恐怕都要掌握国政吧!这是因为百姓归向他们的缘故。施惠而不自以为恩德,乐氏就更高一等了,大概会随着宋国的盛衰而盛衰吧!"

晋平公,是杞女所生的,所以整修杞国的城墙。六月知悼子会合诸侯的大夫来整修杞国城墙,孟孝伯参加了。郑国的子大叔和伯石前去。子大叔见到大叔文子,和他说话。文子说:"为杞国筑城墙这件事太过分了!"子大叔说:"拿他怎么办啊!晋国不担心周室的衰微，却保护夏朝的残余。它会丢弃姬姓诸国，也就可以想象到了。姬姓诸国都要丢弃，还有谁归向他？吉听说，丢弃同姓而靠近异姓，这叫做离德。《诗经》说：'亲近他的近亲，亲戚就会和他来往友好。'晋国不把同姓看作近亲，还有谁来和他来往友好？"

齐国的高子容和宋国的司徒进见知伯，女齐做相礼。客人出去，女齐对知伯说："这二位都将不免于祸难。子容专权，司徒奢侈，都是使家族灭亡的大夫。"知伯说："怎么呢？"女齐回答说："专权就会很快及于祸难，奢侈将会由于力量强大而致死，专权别人就会致他于死地，他将要及于祸难了。"

范献子来鲁国聘问，拜谢在杞国修筑城墙。襄公设享礼招待他，展庄叔捧着束帛。参加射礼的人是三对，公臣的人选不够，在家臣中选取。家臣：展瑕、展玉父为一对；公臣：公巫召伯、仲颜庄叔为一对，鄫鼓父、党叔为一对。

晋侯派司马女叔侯来鲁国办理让鲁国归还杞国田地的事，但没有全部归还给杞国。晋悼夫人生气地说："女齐办理归还杞国田地的事，先君如果有知，不会赞助他这样办的！"晋侯告诉了叔侯，叔侯说："虞国、虢国、焦国、滑国、霍国、扬国、韩国、魏国，都是姬姓，晋国因此强大。如果不是侵占小国，将要从哪里取得呢？武公、献公以来，兼并的国家就多了，哪个国家能够恢复并得以治理？杞国，是夏朝的后代，而接近东夷。鲁国，是周公的后代，并和晋国和睦。把杞国封给鲁国还是可以的，为什么要求鲁国全部归还杞国田地呢？鲁国对于晋国，贡品不缺，玩物按时送到，公卿大夫一个接一个前来朝见，史官没有中断过记载，国库没有一个月不接受贡品。像这样就可以了，何必要削弱鲁国而增强杞国呢？而且先君如果有知，就宁可让夫人去办，哪里用得着我老臣？"

杞文公来鲁国结盟，《春秋》记载他为"子"，这是轻视他。

吴国的公子札前来鲁国聘问，见到叔孙穆子，很喜欢他。对穆子说："您恐怕不得善终吧！喜欢善良却不能够选择善人。我听说君子应致力于选择善人。您身为鲁国宗卿，承担着国政，不慎重举拔善人，怎么能受得了呢？祸患必然殃及到您。"

公子札请求观看、聆听周朝的舞蹈和音乐。于是让乐工给他歌唱《周南》、《召南》。季札说："美好啊！开始奠定基础了，还没有完成。然而老百姓勤劳而不怨恨了。"给他歌唱《邶风》、《鄘风》、《卫风》。季札说："美好啊，深厚啊！忧愁而不困窘。我听说卫康叔、武公的德就像这样，这恐怕是《卫风》吧！"给他歌唱《王风》。季札说："美好啊！忧思而不害怕，恐怕是周室东迁以后的诗歌吧！"给他歌唱《郑风》。季札说："美好啊！但是它琐碎得太过分了，百姓不能忍受的，这恐怕是要先灭亡的吧！"

给他歌唱《齐风》。季札说："美好啊！宏大啊，大国之风啊！作为东海一带诸侯表率的，恐怕是太公的国家吧！国家不可限量。"给他歌唱《豳风》。季札说："美好啊，博大啊！欢乐而不过度，恐怕是周公东征的音乐吧！"给他歌唱《秦风》。季札说："这就叫做诸夏之声。能发夏声，自然声音宏大，大到极点了，恐怕是周室的旧乐吧！"

给他歌唱《魏风》。季札说："美好啊，轻盈浮动啊！粗犷而又婉转，艰难而容易推行，再用德行来辅助，就是贤明的君主了。"给他歌唱《唐风》。季札说："思虑深沉啊！恐怕有陶唐氏的遗民吧！不然，为什么忧思得那么深远呢？不是美德者的后代，谁能够像这样啊！"

给他歌唱《陈风》。季札说："国家没有主人，难道能够长久吗？"从《桧风》以下，就没有批评了。给他歌唱《小雅》。季札说："美好啊！忧愁而没有背叛之心，怨恨而不倾吐，恐怕是周朝德行衰微时的乐章吧！还是有先王的遗民啊。"给他歌唱《大雅》。季札说："宽广啊，和美啊！抑扬曲折而有刚健劲直的骨力，恐怕是文王的德行吧！"给他歌唱《颂》。季札说："达到顶点了！刚健而不放肆，曲折而不卑下，紧密而不逼迫，悠远而不游离，多变化而不过火，多反复重叠而不使人厌倦，哀伤而不忧愁，欢乐而不过度，使用而不匮乏，广博而不显露，施舍而不耗损，收取而不贪婪，静止而不停滞，行进而不流荡。五声和谐，八音协调。节拍有一定的尺度，乐器鸣奏按照一定的次序，这都是有盛德的人所共同具有的。"

吴公子季札，选自《清刻历代画像传》。

吴公子札看到跳《象箭》、《南籥》舞，说："美好啊！但还有遗憾。"看到跳《大武》舞，说："美好啊！周朝兴盛的时候，恐怕就像这样吧！"看到跳《韶濩》舞，说："像圣人那样的伟大，尚且还有缺点，可见当圣人不容易啊！"看到跳《大夏》舞，说："美好啊！勤劳于民事而不自以为有功，不是禹，还有谁能做得到呢？"看到跳《韶箾》舞，说："功德到达顶点了，伟大啊！好像上天无不覆盖似的，好像大地无不装载似的。盛德到达顶点，恐怕不能再比这有所增加了。聆听观赏这种音乐舞蹈达到止境了！如果还有其他的音乐，我不敢再请求了。"

公子札出国聘问，是为了向各国通告吴国继位的国君。因此就到齐国聘问，喜爱晏平仲，对他说："您赶快交还封邑和政权。没有封邑没有政权，这才能免于祸难。齐国的政权，将会有所归属，没有得到归属，祸难不会停息。"所以晏子通过陈桓子交还了政权和封邑，因此而免于栾氏、高氏发动的祸难。

公子札到郑国聘问，见到子产，好像老相识。送给子产白绢大带，子产献上麻织的衣服。公子札对子产说:"郑国的执政奢侈,祸难将要到来了,政权必定落到您身上。您执政,要用礼仪来谨慎地处事。否则,郑国将会败坏。"

公子札到卫国,喜爱蘧瑗、史狗、史鰌、公子荆、公叔发、公子朝,公子札说:"卫国的君子很多,不会有祸患。"

公子札从卫国去晋国,准备在卫国的戚地住宿。听到了钟声,公子札说:"奇怪啊!我听说了:'发动变乱而没有德行,必定遭到诛戮。'这一位就在这里得罪国君,害怕还来不及,又有什么可以寻欢作乐的?这一位在这里,就像燕子在帐幕上做巢。国君又正停柩没有安葬,可以寻欢作乐吗?"于是就离开戚地。孙文子听到了公子札这番话,到死不再听音乐。

公子札到晋国,喜爱赵文子、韩宣子、魏献子,说:"晋国的政权大概要聚集在这三家了!"他喜欢叔向,将要离别时,对叔向说:"您努力吧!国君奢侈而优秀的臣下很多,大夫都富有,政权将要归于私家。您喜欢直言,一定要考虑使自己免于祸难。"

秋季,九月,齐国公孙虿、公孙灶放逐他们的大夫高止到北燕。九月初二日,出国。《春秋》记载说"出奔",这是归罪于高止。高止喜欢生事而且自己居功,同时专权,所以祸难到了他身上。

冬季,孟孝伯到晋国,是为了回报范叔的聘问。

为了高氏遭受祸难的缘故,高竖盘踞卢地叛乱。十月二十七日,闾丘婴领兵包围卢地。高竖说:"如果让高氏有后代,我请求把封邑归还给国君。"齐国人立了敬仲的曾孙酀为高氏继承人,这是认为敬仲贤良之故。十一月二十三日,高竖归还卢地逃奔到晋国,晋国人在绵地筑城把他安置在那里。

郑国的伯有派公孙黑去楚国,公孙黑推辞说:"楚国、郑国正在互相憎恨,却让我去,这等于杀死我。"伯有说:"你家世代都是外交官。"公孙黑说:"可以去就去,有危难就不去,有什么世代不世代的?"伯有要强迫他去。公孙黑发怒,准备攻打伯有氏,大夫们给他们和解。十二月初七日,郑国的大夫们在伯有家里结盟。禅谌说:"这次结盟,能管多长时间呢?《诗》说:'君子多次结盟,祸乱因此滋长。'现在这样是滋长祸乱的做法。祸乱不能停歇,一定要三年然后能解除。"然明说:"政权将会落到哪家?"禅谌说:"善良的代替不善良的,这是天命,政权怎么能避开子产?如果不越级举拔别人,那么按班次子产应该位居执政。选择善人而举拔,就为世人所尊重。上天又为子产清除障碍,使伯有丧失了精神。子西去世了,子产哪能避开执政?上天降祸给郑国很久了,大概一定要让子产平息它,郑国还可以安定。不这样,郑国将要灭亡了。"

襄公三十年

【原文】

　　三十年：春，王正月，楚子使薳罢来聘。

　　夏，四月，蔡世子般弑其君固。

　　五月甲午，宋灾。宋伯姬卒。

　　天王杀其弟佞夫。

　　王子瑕奔晋。

　　秋，七月，叔弓如宋，葬宋共姬。

　　郑良霄出奔许，自许入于郑。郑人杀良霄。

　　冬，十月，葬蔡景公。

　　晋人、齐人、宋人、卫人、郑人、曹人、莒人、邾人、滕人、薛人、杞人、小邾人会于澶渊，宋灾故。

　　三十年春，王正月，楚子使薳罢来聘，通嗣君也。穆叔问："王子之为政何如？"对曰："吾侪小人食而听事，犹惧不给命而不免于戾，焉与知政？"固问焉，不告。穆叔告大夫曰："楚令尹将有大事，子荡将与焉助之，匿其情矣。"

　　子产相郑伯以如晋，叔向问郑国之政焉。对曰："吾得见与否，在此岁也。驷、良方争，未知所成。若有所成，吾得见，乃可知也。"叔向曰："不既和矣乎？"对曰："伯有侈而愎，子晳好在人上，莫能相下也。虽其和也，犹相积恶也。恶至无日矣！"

　　（三）〔二〕月癸未，晋悼夫人食舆人之城杞者。绛县人或年长矣，无子而往，与于食。有与疑年，使之年，曰："臣小人也，不知纪年。臣生之岁，正月甲子朔，四百有四十五甲子矣，其季于今三之一也。"吏走问诸朝。师旷曰："鲁叔仲惠伯会郤成子于承匡之岁也。是岁也，狄伐鲁，叔孙庄叔于是乎败狄于咸，获长狄侨如及虺也、豹也，而皆以名其子。七十三年矣。"史赵曰："亥有二首六身，下二如身，是其日数也。"士文伯曰："然则二万（二）〔六〕千六百有六旬也。"

　　赵孟问其县大夫，则其属也。召之，而谢过焉，曰："武不才，任君之大事，以晋国之多虞，不能由吾子，使吾子辱在泥涂久矣，武之罪也。敢谢不才！"遂仕之，使助为政；辞以老。与之田，使为君复陶，以为绛县师，而废其舆尉。

　　于是鲁使者在晋，归以语诸大夫。季武子曰："晋未可媮也。有赵孟以为大夫，有伯瑕以为佐，有史赵、师旷而咨度焉，有叔向、女齐以师保其君：其朝多君子，其庸可媮乎？勉事之而后可。"

　　夏四月己亥，郑伯及其大夫盟。君子是以知郑难之不已也。

　　蔡景侯为大子般娶于楚，通焉。大子弑景侯。

初，王儋季卒，其子括将见王，而叹。单公子愆期为灵王御士，过诸廷，闻其叹而言曰："乌乎！必有此夫！"入以告王，且曰："必杀之！不憨而愿大，视躁而足高，心在他矣。不杀，必害！"王曰："童子何知！"及灵王崩，儋括欲立王子佞夫，佞夫弗知。戊子，儋括围蒍，逐成愆；成愆奔平畤。五月癸巳，尹言多、刘毅、单蔑、甘过、巩成杀佞夫。括、瑕、廖奔晋。书曰"天王杀其弟佞夫"，罪在王也。

或叫于宋大庙，曰："譆譆，出出！"鸟鸣于亳社，如曰"譆譆"。甲午，宋大灾。宋伯姬卒，待姆也。君子谓宋共姬女而不妇，女待人，妇义事也。

六月，郑子产如陈莅盟。归复命，告大夫曰："陈，亡国也，不可与也。聚禾粟，缮城郭，恃此二者而不抚其民。其君弱植，公子侈，大子卑，大夫敖，政多门，以介于大国，能无亡乎？不过十年矣！"

秋七月，叔弓如宋，葬共姬也。

郑伯有耆酒，为窟室，而夜饮酒，击钟焉。朝至未已，朝者曰："公焉在？"其人曰："吾公在壑谷。"皆自朝布路而罢。既而朝，则又将使子晳如楚，归而饮酒。庚子，子晳以驷氏之甲伐而焚之。伯有奔雍梁，醒而后知之；遂奔许。大夫聚谋，子皮曰："《仲虺之志》云：'乱者取之，亡者侮之。'推亡固存，国之利也。罕、驷、丰同生，伯有（汰）〔汏〕侈，故不免。"

人谓子产：就直助强。子产曰："岂为我徒？国之祸难，谁知所敝？或主强直，难乃不生。姑成吾所。"辛丑，子产敛伯有氏之死者而殡之，不及谋而遂行。印段从之，子皮止之。众曰："人不我顺，何止焉？"子皮曰："夫子礼于死者，况生者乎？"遂自止之。壬寅，子产入。癸卯，子石入。皆受盟于子晳氏。

乙巳，郑伯及其大夫盟于大宫，盟国人于师之梁之外。伯有闻郑人之盟己也，怒；闻子皮之甲不与攻己也，喜，曰："子皮与我矣！"癸丑晨，自墓门之渎入，因马师颉介于襄库，以伐旧北门。驷带率国人以伐之。皆召子产。子产曰："兄弟而及此，吾从天所与。"伯有死于羊肆。子产襚之，枕之股而哭之，敛而殡诸伯有之臣在市侧者，既而葬诸斗城。子驷氏欲攻子产。子皮怒之，曰："礼，国之干也。杀有礼，祸莫大焉！"乃止。

于是游吉如晋还，闻难不入，复命于介。八月甲子，奔晋。驷带追之，及酸枣，与子上（盟）用两珪质于河。使公孙鉏入盟大夫。己巳，复归。

书曰"郑人杀良霄"，不称"大夫"，言自外入也。

于子蟜之卒也，将葬，公孙挥与裨灶晨会事焉。过伯有氏，其门上生莠。子羽曰："其莠犹在乎？"于是岁在降娄，降娄中而旦，裨灶指之曰："犹可以终岁。岁不及此次也已。"及其亡也，岁在娵訾之口，其明年乃及降娄。

仆展从伯有，与之皆死。羽颉出奔晋，为任大夫。鸡泽之会，郑乐成奔楚，遂适晋。羽颉因之，与之比而事赵文子，言伐郑之说焉。以宋之盟故，不可。

子皮以公孙鉏为马师。

楚公子围杀大司马蒍掩而取其室。申无宇曰："王子必不免！善人，国之主也。王子相楚国，将善是封殖；而虐之，是祸国也。且司马，令尹之偏而王之四体也。绝民之主，去身之偏，艾王之体，以祸其国，无不祥大焉，何以得免？"

为宋灾故，诸侯之大夫会以谋归宋财。冬十月，叔孙豹会晋赵武、齐公孙蛮、宋向戌、卫北宫佗、郑罕虎及小邾之大夫，会于澶渊。既而无归于宋，故不书其人。君子曰："信其不可不慎乎！澶渊之会，卿不书，不信也。夫诸侯之上卿会而不信，宠名皆弃，不信之不可也如是！《诗》曰：'文王陟降，在帝左右。'信之谓也。又曰：'淑慎尔止，无载尔伪。'不信之谓也。"书曰"某人某人会于澶渊，宋灾故"，尤之也。不书鲁大夫，讳之也。

郑子皮授子产政。辞曰："国小而偪，族大宠多，不可为也。"子皮曰："虎帅以听，谁敢犯子？子善相之！国无小，小能事大，国乃宽。"

子产为政，有事伯石，赂与之邑。子大叔曰："国，皆其国也，奚独赂焉？"子产曰："无欲实难。皆得其欲，以从其事而要其成。非我有成，其在人乎？何爱于邑？邑将焉往？"子大叔曰："若四国何？"子产曰："非相违也，而相从也，四国何尤焉？《郑书》有之曰：'安定国家，必大焉先。'姑先安大，以待其所归。"既，伯石惧而归邑，卒与之。伯有既死，使大史命伯石为卿，辞；大史退，则请命焉；复命之，又辞。如是三，乃受策入拜。子产是以恶其为人也，使次己位。

子产使都鄙有章，上下有服，田有封洫，庐井有伍。大人之忠俭者，从而与之；泰侈者，因而毙之。

丰卷将祭，请田焉。弗许，曰："唯君用鲜，众给而已。"子张怒，退而徵役。子产奔晋，子皮止之而逐丰卷。丰卷奔晋。子产请其田里，三年而复之，反其田里及其入焉。

从政一年，舆人诵之，曰："取我衣冠而褚之，取我田畴而伍之。孰杀子产？吾其与之。"及三年，又诵之，曰："我有子弟，子产诲之。我有田畴，子产殖之。子产而死，谁其嗣之？"

【译文】

鲁襄公三十年春天，周历正月，楚王派遣薳罢前来聘问。夏季四月，蔡世子般杀死他的君上固。五月初五日，宋国发生火灾，宋国伯姬死亡。周天子杀死他的弟弟佞夫。王子瑕逃亡到晋国。秋季七月，叔弓到宋国，安葬宋共姬。郑国的良霄出逃到许国，从许国进入到郑国，郑国人杀死良霄。冬季十月，安葬蔡景公。晋国人、齐国人、宋国人、卫国人、郑国人、曹国人、莒国人、邾国人、滕国人、薛国人、杞国人、小邾国人在澶渊聚会，是为了宋国火灾的缘故。

鲁襄公三十年春季，周历正月，楚王派遣薳罢来鲁国聘问，是为了通报楚国新君的继位。穆叔问道："王子围执政的情况怎么样？"薳罢回答说："我等小人吃饭听使唤，还害怕不能完成使命而不能免于罪过，哪里能参与政事？"再三地询问薳罢，他还是不说。穆叔告诉大夫说："楚国的令尹将要兴起大事变，薳罢将参与，他协助令尹隐

匿内情了。"

子产辅助郑伯到晋国，叔向询问郑国的政事。子产回答说："我能否见到，就在这一年了。驷氏、良氏正在争斗，不知道怎么调和。假如有所调和，我能够见到，这就可以知道了。"叔向说："不是已经和解了吗？"子产回答说："伯有奢侈而又刚愎自用，子皙喜欢居于别人之上，两个人互不相让。虽然他们和解了，还是积聚了憎恶，争斗的到来不会有几天了。"

二月二十二日，晋悼夫人赐给修筑杞国城墙的役卒吃饭。绛县人中间有一个人年纪很大了，没有儿子而自己去筑城，参加吃饭。有人怀疑他的年龄，让他谈谈他的年龄。他说："臣是小人，不知道记录年龄。臣生的那一年，是正月初一甲子日，经过四百四十五个甲子日了，最末一个甲子日到今天是三分之一周甲。"官吏跑到朝廷询问，师旷说："这是鲁国的叔仲惠伯在承匡会见郤成子的那一年。这一年，狄人攻打鲁国。叔孙庄叔当时在鹹地打败狄人，俘虏了长狄的侨如和虺、豹，并都用来给他儿子取名。满七十三岁了。"史赵说："亥字是'二'字头'六'字身，把'二'拿下来当做身子，这就是他的日子数。"士文伯说："那么是二万六千六百六十天了。"赵孟问起老人的县大夫，原来就是他的下属。他把老人召来，向他道歉，说："武没有才能，担任了国君的重要职责，由于晋国多有忧患，没有能任用您，让您辱居草野已经很久了，这是武的罪过。谨由于没有才能向您道歉。"于是让他做官，派他辅助自己执政。老人以年老辞谢。给了他土地，让他为国君主持免除徭役的事务，做绛地县师，而撤销了征发他的舆尉的职务。

这时，鲁国的使者正在晋国，回去把这些事告诉了大夫们。季武子说："晋国不可以轻视啊。有赵孟做执政大夫，有伯瑕做辅佐，有史赵、师旷可以咨询，有叔向、女齐做国君的师保。晋国朝廷上君子很多，难道可以轻视吗？尽力奉事他们然后才可以。"

夏季四月某日，郑伯和他的大夫结盟。君子因此知道郑国的祸难没有结束。

蔡景侯为太子般在楚国娶妻，又和儿媳妇私通。太子杀死了景侯。

起初，周灵王的弟弟儋季死，他的儿子儋括将要进见灵王而叹息。单国的公子愆期做灵王侍卫，经过朝廷，听到他的叹息声，就说："啊！一定是想要占有这里吧！"愆期进去把儋括的情况报告灵王，而且说："一定得杀了他！他不悲哀而愿望大，目光不定而抬脚高，心在其他地方了。不杀，一定有祸害。"灵王说："小孩子知道什么！"等到灵王去世，儋括想要立王子佞夫。佞夫不知道。四月二十八日，儋括包围蒍邑，赶走了成愆。成愆逃亡到平畤。五月初四日，尹言多、刘毅、单蔑、甘过、巩成杀了佞夫。括、瑕、廖逃亡到晋国。《春秋》记载说："天王杀死他的弟弟佞夫"，是由于罪过在周天子。

有人在宋国太庙里大喊，说："譆譆！出出！"鸟在亳社上鸣叫，声音好像在说："譆譆"。五月初五日，宋国发生大火灾。宋伯姬被火烧死，是因为等待保姆。君子认为："宋伯姬奉行的是闺女而不是媳妇的守则。闺女应当等待保姆，媳妇就可以根据情况行事。"

六月，郑国的子产到陈国参加结盟，回来，复命。告诉大夫们说："陈国，是要灭亡的国家，不能结为友好，他们聚集粮食，修理城郭，依靠这两条，却不安抚他们的百姓。他们的国君根基不固，公子奢侈，太子卑微，大夫骄傲，政事各行其是，凭这种情况处于大国之间，能不灭亡吗？不超过十年了。"

秋季七月，叔弓到宋国，是由于安葬共姬。

郑国的伯有嗜好喝酒，修建了地下室，并在夜里喝酒，击钟奏乐，朝见的人来到，他还没有喝完。朝见的人说："主人在哪里？"他手下的人说："我们的主人在山沟里。"朝见的人都从朝堂分路回去。不久以后朝见郑伯，又要派子晳去楚国，回家以后又喝酒。七月十一日，子晳带领驷氏的甲士攻打伯有并放火烧了他的家。伯有逃亡到雍梁，酒醒以后才明白是怎么回事，于是就逃亡到许国。

郑国的大夫们聚在一起商量。子皮说："《仲虺之志》说：'动乱的就攻取它，灭亡的就欺侮它。摧毁灭亡的而巩固存在的，这是国家的利益。'罕氏、驷氏、丰氏是同胞兄弟，伯有骄傲奢侈，所以不免于祸难。"有人对子产说："要靠拢正直的帮助强大的。"子产说："难道他们是我的同党？国家的祸难，谁知道怎么止息？假如有人主持国政，力量既强大为人又正直，祸难就不会发生。姑且保住我不偏袒的地位吧。"七月十二日，子产收了伯有氏死者的尸体加以殡葬，等不到和大夫们商量就出走。印段跟从着他。子皮不让他走。众人说："人家不顺从我们，为什么不让他走？"子皮说："这位对死去的人有礼，何况对活着的人呢？"于是就亲自劝阻子产。七月十三日，子产进入国都。十四日，印段进入国都。两人都在子晳家里接受了盟约。十六日，郑伯和他的大夫们在太庙结盟，和国人在师之梁门外结盟。

伯有听说郑国人为他而结盟，很生气，听说子皮的甲士没有参与攻打他，很高兴，说："子皮亲附我了。"二十四日，清晨，伯有从墓门的排水洞进城，依靠马师颉用襄库的皮甲装备士兵，带着他们攻打旧北门。驷带率领国人攻打伯有。两家都召请子产相助。子产说："兄弟之间到了这个地步，我服从上天所保佑的一家。"伯有死在卖羊的街市上，子产给伯有的尸体穿上衣服，头枕在伯有的大腿上而为他号哭，收尸并把棺材停放在住在街市旁边的伯有家臣的家里。不久把他埋葬在斗城。子驷氏想要攻打子产，子皮对他们发怒说："礼仪，是国家的支柱。杀有礼的人，没有比这再大的祸患了。"于是就停止了。

这时游吉去晋国回来，听说发生祸难，不进入，让副手回来复命。八月初六日，逃亡到晋国。驷带追赶他，到达酸枣。游吉和驷带结盟，把两块玉圭沉在黄河里表示诚信。让公孙肸进入国都和大夫结盟。十一日，游吉再次回到郑国。

《春秋》记载说："郑人杀良霄"，不称他为大夫，这是说伯有从国外进来的。

在子蟜死了以后，将要安葬，公孙挥和裨灶早晨会商丧事。路过伯有氏，他的门上长了狗尾草。公孙挥说："他的狗尾草还在吗？"当时岁星在降娄，降娄星在天空中部天就亮了。裨灶指着降娄星说："还可以等岁星绕日一周，不过活不到岁星再到这个位次就是了。"等到伯有被杀，岁星正在娵訾的口上。下一年，才到达降娄。

仆展跟随伯有，和他一起死去。羽颉逃奔到晋国，做了任邑的大夫。

鸡泽的会盟，郑国的乐成逃亡到楚国，于是又到了晋国。羽颉依靠他，和他勾结，事奉赵文子，提出攻打郑国的建议。由于在宋国盟誓的缘故，赵文子不同意。子皮让公孙鉏做了马师。

楚国的公子围杀了大司马蒍掩并占有他的家产。申无宇说："王子一定不能免于祸难。善人，是国家的栋梁。王子辅佐楚国，应该培养善人，现在反而对他们暴虐，这是危害国家。况且司马，是令尹的辅佐，也是国君的手足。断绝百姓的栋梁，去掉自己的辅佐，斩断国君的肢体，以危害他的国家，没有比这更大的不吉利了！怎么能够免于祸难呢？"

为了宋国火灾的缘故，诸侯的大夫会见，以商量赠送宋国财货。冬季十月，鲁国的叔孙豹会合晋国的赵武、齐国的公孙蛮、宋国的向戌、卫国的北宫佗、郑国的罕虎以及小邾国的大夫，在澶渊会见。会见完了没有赠送给宋国什么东西，所以《春秋》没有记载与会者的姓名。

君子说："信用恐怕不能不谨慎吧！澶渊的会见，不记载卿的名字，这是由于不守信用的缘故。诸侯的上卿，会见了又不守信用，他们尊贵的姓名都被抛弃了，不守信用是这样的不可以啊！《诗》说：'文王或升或降，都在天帝的左右。'这说的是守信用。又说：'好好地谨慎你的举止，不要表现你的虚伪。'这说的是不守信用。"《春秋》记载说："某人某人会于澶渊，宋灾故"，这是责备他们。不记载鲁国的大夫，这是由于替他隐瞒。

郑国的子皮把政权交付给子产，子产推辞说："国家小而逼近大国，公族庞大而受宠的人众多，我不能治理好。"子皮说："虎率领公族听从您，谁敢触犯您？您好好地辅助国政。国家不在于小，小国能够事奉大国，国家就可以得到宽舒和缓了。"

子产治理政事，有事情需要伯石去办，赠送给他城邑。子太叔说："国家是大家的国家，为什么独独送给他城邑？"子产说："要没有欲望实在是难的。都满足他们的欲望，去办他们的事情，并取得成功。这不是我的成功，难道是别人的成功吗？对城邑有什么吝惜的，它会跑到哪里去呢？"子大叔说："四方的邻国将会怎么看？"子产说："这样做不是为了互相违背，而是为了互相顺从，四方的邻国对我们有什么可责怪的呢？《郑书》上有这样的话：'安定国家，一定要优先安定大族。'姑且先安定大族，以等待它的结果。"不久，伯石害怕而交回封邑，最后还是给了他。伯有死了以后，郑伯让太史去命令伯石做卿，伯石推辞。太史退出，伯石又请求太史重新任命。太史再来任命，他又推辞。像这样一连三次，这才接受策书入朝拜谢。子产因此讨厌伯石的为人，就让他居于仅次于自己的地位。

子产让城市和边远地区一切事物都有一定的规章，上下尊卑各有职责，田地有疆界和沟渠，使百姓聚居区五家为一组互相保护。对忠诚俭朴的卿大夫，就听从和亲近他；对骄横奢侈的，就依法惩治他。

丰卷将要祭祀,请求打猎获取祭品。子产不答应,说:"只有国君祭祀才用新杀的动物,一般人只用普遍的祭品就可以了。"丰卷发怒,退出以后就招集兵卒。子产要逃亡到晋国,子皮阻止他而驱逐了丰卷。丰卷逃亡到晋国。子产请求郑君不要没收他的田地住宅,三年后让丰卷回国,把他的田地住宅和一切收入都还给了他。

子产执政一年,众人歌唱道:"收取我的衣帽来贮藏,收取我的耕地重安排。谁杀死子产,我将给他帮忙!"到了三年,众人又唱道:"我有子弟,子产来教诲;我有田地,子产来栽培,子产如果死去,谁来继位?"

襄公三十一年

【原文】

三十有一年:春,王正月。

夏,六月辛巳,公薨于楚宫。

秋,九月癸巳,子野卒。

己亥,仲孙羯卒。

冬,十月,滕子来会葬。

癸酉,葬我君襄公。

十有一月,莒人弑其君密州。

三十一年春,王正月,穆叔至自会,见孟孝伯,语之曰:"赵孟将死矣。其语偷,不似民主;且年未盈五十,而谆谆焉如八、九十者:弗能久矣。若赵孟死,为政者其韩子乎!吾子盍与季孙言之?可以树善,君子也。晋君将失政矣。若不树焉,使早备鲁;既而政在大夫,韩子懦弱,大夫多贪,求欲无厌,齐、楚未足与也,鲁其惧哉!"孝伯曰:"人生几何,谁能无偷?朝不及夕,将安用树?"穆叔出而告人曰:"孟孙将死矣。吾语诸赵孟之偷也,而又甚焉!"又与季孙语晋故,季孙不从。

及赵文子卒,晋公室卑,政在侈家。韩宣子为政,不能图诸侯。鲁不堪晋求,谗慝弘多,是以有平丘之会。

齐子尾害闾丘婴,欲杀之,使帅师以伐阳州。我问师故。夏五月,子尾杀闾丘婴以说于我师。工偻洒、渻灶、孔虺、贾寅出奔莒。出群公子。

公作楚宫。穆叔曰:"《大誓》云:'民之所欲,天必从之。'君欲楚也夫,故作其宫。若不复适楚,必死是宫也。"六月辛巳,公薨于楚宫。叔仲带窃其拱璧以与御人,纳诸其怀而从取之,由是得罪。

立胡女敬归之子子野,次于季氏。秋九月癸巳,卒,毁也。

己亥,孟孝伯卒。

立敬归之娣齐归之子公子裯。穆叔不欲,曰:"大子死,有母弟则立之,无则立

长；年钧择贤，义钧则卜：古之道也。非適嗣，何必娣之子？且是人也，居丧而不哀，在感而有嘉容，是谓不度。不度之人，鲜不为患。若果立之，必为季氏忧。"武子不听，卒立之。比及葬，三易衰，衰衽如故衰。于是昭公十九年矣，犹有童心，君子是以知其不能终也。

冬十月，滕成公来会葬，惰而多涕。子服惠伯曰："滕君将死矣。怠于其位而哀已甚，兆于死所矣，能无从乎？"癸酉，葬襄公。

公薨之月，子产相郑伯以如晋，晋侯以我丧故，未之见也。子产使尽坏其馆之垣而纳车马焉。士文伯让之，曰："敝邑以政刑之不修，寇盗充斥，无若诸侯之属辱在寡君者何，是以令吏人完客所馆，高其闬闳，厚其墙垣，以无忧客使。今吾子坏之，虽从者能戒，其若异客何？以敝邑之为盟主，缮完葺墙，以待宾客。若皆毁之，其何以共命？寡君使（匄）〔丐〕请命。"对曰："以敝邑褊小，介于大国，诛求无时，是以不敢宁居，悉索敝赋，以来会时事。逢执事之不闲，而未得见，又不获闻命，未知见时。不敢输币，亦不敢暴露。其输之，则君之府实也，非荐陈之，不敢输也。其暴露之，则恐燥湿之不时而朽蠹，以重敝邑之罪。侨闻文公之为盟主也，宫室卑庳，无观台榭，以崇大诸侯之馆，馆如公寝；库厩缮修，司空以时平易道路，圬人以时塓馆宫室；诸侯宾至，甸设庭燎，仆人巡宫，车马有所，宾从有代，巾车脂辖，隶人、牧、圉各瞻其事，百官之属各展其物；公不留宾，而亦无废事；忧乐同之，事则巡之；教其不知，而恤其不足。宾至如归，无宁灾患；不畏寇盗，而亦不患燥湿。今铜鞮之宫数里，而诸侯舍于隶人，门不容车，而不可逾越；盗贼公行，而（夭）〔天〕厉不戒。宾见无时，命不可知。若又勿坏，是无所藏币以重罪也。敢请执事，将何所命之？虽君之有鲁丧，亦敝邑之忧也。若获荐币，修垣而行，君之惠也，敢惮勤劳？"

文伯复命，赵文子曰："信。我实不德，而以隶人之垣以嬴诸侯，是吾罪也。"使士文伯谢不敏焉。晋侯见郑伯，有加礼，厚其宴好而归之。乃筑诸侯之馆。

叔向曰："辞之不可以已也如是夫！子产有辞，诸侯赖之。若之何其释辞也？《诗》曰：'辞之辑矣，民之协矣；辞之绎矣，民之莫矣。'其知之矣。"

郑子皮使印段如楚，以适晋告，礼也。

莒犁比公生去疾及展舆。既立展舆，又废之。犁比公虐，国人患之。十一月，展舆因国人以攻莒子，弑之，乃立。去疾奔齐，齐出也。展舆，吴出也。书曰"莒人弑其君买朱鉏"，言罪之在也。

吴子使屈狐庸聘于晋，通路也。赵文子问焉，曰："延州来季子其果立乎？巢陨诸樊，阍戕戴吴，天似启之，何如？"对曰："不立。是二王之命也，非启季子也。若天所启，其在今嗣君乎？甚德而度：德不失民，度不失事，民亲而事有序，其天所启也。有吴国者，必此君之子孙实终之。季子守节者也，虽有国，不立。"

十二月，北宫文子相卫襄公以如楚，宋之盟故也。过郑，印段迓劳于棐林，如聘礼而以劳辞。文子入聘，子羽为行人，冯简子与子大叔逆客。事毕而出，言于卫侯曰："郑有礼，其数世之福也。其无大国之讨乎？《诗》云：'谁能执热，逝不以濯？'礼之于政，如热之有濯也。濯以救热，何患之有？"

子产之从政也，择能而使之：冯简子能断大事。子大叔美秀而文。公孙挥能知四国之为，而辨于其大夫之族姓、班位、贵贱、能否，而又善为辞令。裨谌能谋，谋于野则获，谋于邑则否。郑国将有诸侯之事，子产乃问四国之为于子羽，且使多为辞令；与裨谌乘以适野，使谋可否；而告冯简子，使断之；事成，乃授子大叔使行之，以应对宾客。是以鲜有败事，北宫文子所谓"有礼"也。

郑人游于乡校以论执政。然明谓子产曰："毁乡校，何如？"子产曰："何为？夫人朝夕退而游焉，以议执政之善否。其所善者，吾则行之；其所恶者，吾则改之，是吾师也，若之何毁之？我闻忠善以损怨，不闻作威以防怨。岂不遽止？然犹防川：大决所犯，伤人必多，吾不克救也；不如小决使道。不如吾闻而药之也。"然明曰："蔑也今而后知吾子之信可事也。小人实不才。若果行此，其郑国实赖之，岂唯二三臣？"仲尼闻是语也，曰："以是观之，人谓子产不仁，吾不信也。"

子皮欲使尹何为邑，子产曰："少，未知可否。"子皮曰："愿。吾爱之，不吾叛也。使夫往而学焉，夫亦愈知治矣。"子产曰："不可！人之爱人，求利之也。今吾子爱人则以政，犹未能操刀而使割也，其伤实多。子之爱人，伤之而已，其谁敢求爱于子？子于郑国，栋也。栋折榱崩，侨将厌焉，敢不尽言？子有美锦，不使人学制焉。大官、大邑，身之所庇也，而使学者制焉，其为美锦不亦多乎？侨闻学而后入政，未闻以政学者也。若果行此，必有所害。譬如田猎，射御贯则能获禽，若未尝登车射御，则败绩厌覆是惧，何暇思获？"子皮曰："善哉！虎不敏。吾闻君子务知大者远者，小人务知小者近者。我小人也。衣服附在吾身，我知而慎之；大官、大邑所以庇身也，我远而慢之。微子之言，吾不知也。他日我曰：子为郑国、我为吾家以庇焉，其可也。'今而后知不足。自今请虽吾家，听子而行。"子产曰："人心之不同，如其面焉。吾岂敢谓子面如吾面乎？抑心所谓危，亦以告也。"子皮以为忠，故委政焉，子产是以能为郑国。

卫侯在楚，北宫文子见令尹围之威仪，言于卫侯曰："令尹（似）〔以〕君矣，将有他志。虽获其志，不能终也。《诗》云：'靡不有初，鲜克有终。'终之实难，令尹其将不免。"公曰："子何以知之？"对曰："《诗》云：'敬慎威仪，惟民之则。'令尹无威仪，民无则焉。民所不则，以在民上，不可以终。"公曰："善哉！何谓威仪？"对曰："有威而可畏谓之威，有仪而可象谓之仪。君有君之威仪，其臣畏而爱之，则而象之，故能有其国家，令闻长世。臣有臣之威仪，其下畏而爱之，故能守其官职，保族宜家。顺是以下皆如是，是以上下能相固也。《卫诗》曰：'威仪棣棣，不可选也。'言君臣、上下、父子、兄弟、内外、大小皆有威仪也。《周诗》曰：'朋友攸摄，摄以威仪。'言朋友之道，必相教训以威仪也。《周书》数文王之德，曰：'大国畏其力，小国怀其德。'言畏而爱之也。《诗》云：'不识不知，顺帝之则。'言则而象之也。纣囚文王七年，诸侯皆从之囚，纣于是乎惧而归之，可谓爱之。文王伐崇，再驾而降为臣，蛮夷帅服，可谓畏之。文王之功，天下诵而歌舞之，可谓则之。文王之行，至今为法，可谓象之。有威仪也！故君子在位可畏，施舍可爱，进退可度，周旋可则，容止可观，作事可法，德行可象，声气可乐，动作有文，言语有章，以临其下，谓之有威仪也。"

【译文】

鲁襄公三十一年春天，周历正月。夏季六月二十八日，襄公死在楚宫里。秋季九月十一日，子野死。九月十七日，仲孙羯死。冬季十月，滕子前来鲁国参加葬礼。十月二十一日，安葬我国国君襄公。十一月，莒国人杀死他的君上密州。

鲁襄公三十一年春季，周历正月，穆叔从澶渊参加会见回来，进见孟孝伯，对他说："赵孟会要死了。他的话毫无远虑，不像百姓的主人。而且年纪不满五十，却絮絮叨叨好像八九十岁的人，不能活得很久了。如果赵孟死去，晋国执政的人恐怕是韩起吧！您何不跟季孙谈谈这件事，可以及早建立友善关系，韩起是个君子。晋国国君将要失去治国权力了，如果不去建立友善关系，让韩起早些为鲁国做点预备工作，不久以后晋国政权落到大夫手里，韩起懦弱，大夫大多贪婪，要求和欲望没有个满足，齐国、楚国却不足以亲附，鲁国恐怕就危险了！"孟孝伯说："人一辈子能有多久？谁能没有点苟且偷安？早晨活着到不了晚上，哪里用得着去建立友好关系？"穆叔出去，告诉别人说："孟孝伯会要死了。我告诉他赵孟的苟且偷安，但他又超过赵孟。"穆叔又跟季孙谈晋国的事情，季孙不听从。等到赵文子死，晋国公室地位下降，政权落在奢豪的家族手里。韩宣子执政，不能谋求晋国做诸侯霸主。鲁国承受不了晋国的需索，谗毁邪恶的小人很多，因此有了平丘之会。

齐国的子尾恐怕闾丘婴害己，想要杀掉他，就派他率兵攻打阳州。我国询问齐国出兵的缘故。夏季五月，子尾杀了闾丘婴，来向我军解释。工偻洒、渻灶、孔虺、贾寅逃亡到莒国。子尾驱逐了公子们。

鲁襄公建造楚国式的宫殿。穆叔说："《大誓》说：'百姓所要求的，上天必然听从。'国君想要楚国了，所以建造楚国式的宫殿。如果不再去楚国，必定死在这座宫殿里。"六月二十八日，襄公死在楚宫里。

叔仲带偷了襄公的大璧，给了侍女，放在她的怀里，又跟着拿了过来，因此而得罪。

立了胡国女人敬归的儿子子野，住在季氏那里。秋季九月十一日，子野死，是由于哀痛过度。

九月十七日，孟孝伯死。

立了敬归的妹妹齐归的儿子公子裯为国君，穆叔不愿意，说："太子死了，有同母的弟弟，就立他；没有，就立年长的。年龄相当就选择贤能，贤能相当就占卜，这是古代的常规。死去的子野并不是嫡子，何必非要立他母亲妹妹的儿子？况且这个人，在丧事中却不悲哀，父亲死了反而有喜悦的脸色，这叫做不孝。不孝的人，很少不制造祸患。如果真的立了他，必定造成季氏的忧患。"季武子不听，终于立了他。等到安葬襄公时，他三次更换丧服，丧服的衣襟脏得好像旧丧服。当时昭公十九岁了，还有孩子脾气，君子因此知道他不能善终。

冬季十月，滕成公前来鲁国参加葬礼，表现得不恭敬而眼泪很多。子服惠伯说："滕国的国君会要死了！在他的吊丧的位上表现懈怠，而悲哀太过分，在葬礼中已有预兆了，能不跟着死吗？"

十月二十一日，安葬了襄公。

鲁襄公死去的那个月，子产辅佐郑伯到晋国，晋侯由于我国有丧事，没有会见他们。子产让人把宾馆的围墙全部拆毁了而把车马安放在里边。士文伯责备他，说："敝邑由于政事和刑罚不修明，盗贼到处都是，这对于屈驾来问候寡君的诸侯的臣属说来，是无可奈何的事，因此才派官吏修缮宾客所住的馆舍，大门修得高，围墙筑得厚，不让宾客使者担忧。现在您拆毁了它，虽然您的随从能够戒备，让别国的宾客又怎么办呢？由于敝邑是盟主，修缮围墙，以接待宾客。如果把它都拆毁了，那么将怎么供应宾客的需要呢？寡君派士前来请问拆毁围墙的用意。"

子产回答说："由于敝邑狭小，处在大国之间，而大国索要贡物没有一定的时候，因此敝国国君不敢安居，搜索敝邑的全部财富，前来朝见，行聘问之礼。碰上执事没有工夫，没有能够见到，又没有得到命令，不知道进见的日期，我们不敢献上财礼，也不敢让它日晒夜露。如果献上，那么它就是君王府库中的财物，不经过在庭院中陈列的仪式，我们不敢献纳。如果让它日晒夜露，又怕忽而干燥忽而潮湿因而朽坏，加重敝邑的罪过。侨听说文公做盟主的时候，宫室低小，没有供观望的台榭，而把接待诸侯的宾馆修得又高又大。宾馆好像君王的寝宫一样，对宾馆内的仓库、马厩修缮完好，司空按时整修道路，泥瓦工匠按时粉刷宾馆墙壁。诸侯的宾客到来，甸人在庭院中燃起火把，仆人巡视客馆。车马的安置有一定的处所，宾客的随从有人替代，管理车辆的官员给车轴加油，掌管洒扫的和看守牲口的，各自照管分内的事务。百官各人陈列他的礼物。文公不让宾客耽搁，也就没有荒废事情。和宾客同忧共乐，有为难的事就加以安抚，对宾客所不知道的就加以指教，所缺乏的加以周济。宾客来到就好像回到家里一样，岂但没有灾患？不怕抢劫偷盗，也不怕干燥和潮湿。现在铜鞮宫占地数里，而诸侯住在像奴隶住的房子里。大门进不去车子，而又不能翻墙而入。盗贼公然横行，而天灾不能防止。宾客进见没有准确时间，君王接见的命令也不知道什么时候发布。假如还不拆毁围墙，这就没有地方收藏财礼，而要加重我们的罪过了。谨敢请教执事，对我们将有什么指示？虽然君王遇到鲁国的丧事，但这也是敝邑的忧伤。如果能够进献财礼，我们愿把围墙修好了走路，这就是君王的恩惠，怎么敢害怕辛勤劳苦？"

士文伯复命，赵文子说："确实是这样！我们实在德行不好，用容纳奴隶的围墙来接待诸侯，这是我们的罪过啊。"派士文伯去为自己不明事理表示歉意。

晋侯接见郑伯，礼仪比常规更加恭敬，宴会和礼物更加丰厚，然后让他回去。于是就建造接待诸侯的宾馆。叔向说："辞令不能废弃就像这样吧！子产善于辞令，诸侯因为他的辞令而得利，为什么要放弃辞令呢？《诗》说：'辞令和顺，百姓团结；辞令让人高兴，百姓安定。'诗人懂得辞令的作用了。"

郑国的子皮派印段去楚国，先到晋国报告这件事，这是合于礼的。

莒国的犁比公生子去疾和展舆。已经立了展舆为世子，又废了他。犁比公暴虐，国人为此感到担忧。十一月，展舆依靠国人攻打莒犁比公，杀死了他，就自立为国君。去疾逃亡到齐国，因为他是齐国女子生的。展舆是吴国女子生的。《春秋》记载说："莒人弑其君买朱鉏"，这是说罪过在莒犁比公。

吴王派屈狐庸到晋国聘问，这是为了沟通两国往来的道路。赵文子询问他，说："延州来季子终于能够立为国君吗？巢地死了诸樊，守门人杀了戴吴，上天似乎为季子打开了做国君的大门，怎么样？"屈狐庸回答说："他不会被立为国君的。这是二位国王的命运不好，不是为季子打开大门。如果上天打开了大门，恐怕是为了现在的国君吧！他很有德行并且行为合于法度，有德行就不会失掉百姓，合于法度就不会办错事情。百姓亲附而事情有秩序，恐怕是上天为他打开的大门。保有吴国的，最终一定是这位国君的子孙。季子，是保持节操的人。即使把国家给他，他也是不肯做国君的。"

十二月，卫国大夫北宫文子辅佐卫襄公去楚国，这是由于在宋国结盟的缘故。经过郑国，印段到棐林去慰劳他们，按照聘问的礼仪并使用慰劳的辞令。北宫文子进入郑国国都聘问。郑国大夫子羽做行人，冯简子和子太叔迎接客人。北宫文子事情完毕以后出来，对卫侯说："郑国合于礼仪，这是几代的福气。恐怕不会有大国的讨伐了吧！《诗》说：'天气真苦热，谁能不洗澡。'礼仪对于政事，就像天热得到洗澡。洗澡用来消除炎热，有什么可担心的呢？"

子产参与政事，选择贤能的人使用。冯简子能决断大事；子太叔美秀而有文采；子羽能了解四方诸侯的政令，并辨识各国大夫的家族姓氏、官职爵位、地位贵贱、才能高低，又善于辞令；裨谌能出谋划策，在野外策划就正确，在城里策划就不行。郑国将要有外交上的事情，子产就向子羽询问四方诸侯的政令，并且让他起草各种外交文书；和裨谌一起坐车到野外，让他策划是否可行；再把结果告诉冯简子，让他决断。事情策划完成，就交给子太叔执行，和宾客应对。因此，很少把事情办坏。这就是北宫文子所说的合于礼。

郑国人在乡校里游玩聚会，来议论执政者措施的得失。然明对子产说："毁了乡校，怎么样？"子产说："为什么？人们早晚工作的余暇到那里游玩，来议论执政者措施的好坏。他们认为好的，我就推行它；他们讨厌的，我就改掉它，这是我的老师。为什么要毁掉它？我听说用忠于为善来减少怨恨，没有听说用摆出权威来防止怨恨。依靠权威难道不能很快制止议论？但是就像堵住河水一样；溃决大口子，伤人必然很多，我不能挽救。不如把河开个小口子，让河水得到疏导而畅通，不如让我听取这些议论，把它当做治病的药石。"然明说："蔑从今以后知道您确实是可以事奉的。小人实在没有才能。如果终于这样做下去，对郑国确实有利，岂独有利于我们这些大臣？"

孔子听到这些话，说："从这里看来，别人说子产不仁，我不相信。"

子皮想让尹何做他的封邑的大夫。子产说："年轻,不知道行不行。"子皮说："他谨慎老实,我喜欢他,他不会背叛我。让他去学习一下,他也就更懂得怎么管理政事了。"子产说："不行。一个人喜欢另一个人,总是谋求对那个人有利。现在您喜欢一个人却把政事交给他,这好像一个人不会拿刀而让他去割东西,他的伤害一定要多的。您喜欢他,不过伤害他罢了,有谁敢在您这里求得喜欢?您在郑国是栋梁。栋梁折断,椽子就会崩毁,侨将会压在底下,怎敢不把话全都说出来?您有美丽的彩绸,不会让别人用它来学习裁制的。大的官职、大的封邑,是自身的庇护,却让学习的人去裁制。它比美丽的彩绸,不是重要得多吗?侨听说学习以后才参加管理政事,没有听说通过管理政事来学习的。如果终于这样做,一定有害处。譬如打猎,熟习射箭驾车,就能获得猎物,如果过去没有登车射过箭驾过车,那么一心害怕车翻人压,哪里有工夫想到猎获禽兽?"子皮说："好啊!虎不聪明。我听说君子致力于了解大的、远的事情,小人致力于了解小的、近的事情。我,是小人啊。衣服穿在我身上,我知道并且慎重对待它;大的官职、大的封邑是用来庇护自身的,我却疏远并且轻视它。如果不是您这番话,我是不知道这些得失的。过去我说:'您治理郑国,我治理我的家族,来庇护我自己,那就可以了。'从今以后我知道不够。从现在我请求,即使是我家族的事情,也要听从您的话去办理。"子产说："人心不相同,正像人的面孔不相同一样。我怎么敢说您的面孔像我的面孔呢?不过心里认为危险的,就把它告诉您了。"子皮认为子产忠诚,所以把郑国的政事全都委托给他,子产因此能够治理郑国。

卫侯在楚国,北宫文子见到令尹围的仪表,对卫侯说:"令尹像国君了,将要有别的想法。虽然能够实现他的想法,但是不能善终。《诗》说:'什么都有个开头,但很少能有好的终结。'善终实在很难,令尹恐怕不能免于祸难。"卫侯说:"您怎么知道的?"北宫文子回答说:"《诗》说:'要谨慎自己的威仪,因为它是百姓效法的准则。'令尹没有威仪,百姓就没有效法的准则。百姓不效法的人,而居于百姓之上,就不能善终。"卫侯说:"好啊!什么叫威仪?"

北宫文子回答说:"有威严并能使人害怕叫做威,有仪表并能让人仿效叫做仪。国君有国君的威仪,他的臣子害怕并爱护他,把他作为准则而仿效他,所以能保有他的国家,好名声长久流传于世。臣子有臣子的威仪,他的下面害怕而爱护他,所以能保住他的官职,保护家族,家庭和睦。顺着这个次序以下都像这样,因此上下能够互相巩固。《卫诗》说:'威仪安和,好处不能计算。'这是说君臣、上下、父子、兄弟、内外、大小都有威仪。《周诗》说:'朋友间互相辅助,所用的是威仪。'这是说朋友之道,一定要用威仪互相教导。《周书》列举文王的美德,说:'大国害怕他的力量,小国怀念他的恩德。'这是说害怕他而又爱护他。《诗》说:'无识无知,顺从天帝的准则。'这是说把他作为准则并仿效他。纣囚禁周文王七年,诸侯都跟随他去坐牢,纣王于是害怕而将文王放了回去。可以说是爱护文王了。文王攻打崇国,两次发兵,崇国就降服称臣,蛮夷相继归服,可以说是害怕他。文王的功业,天下赞诵并歌舞它,可以说是以他为准则了。文王的措施,到今天仍作为规范,可以说是仿效他了。这是因为有威仪的缘故。所以君子在官位上可使人害怕，施舍可使人爱他，进退可以作为法度，周旋可以作为准则，仪容举止值得观看，做事情可供学习，德行可以仿效，声音气度可使人高兴；动作有修养，说话有条理，有这些来对待下面。这就叫做有威仪。"

昭公

昭公元年

【原文】

　　元年：春，王正月，公即位。
　　叔孙豹会晋赵武、楚公子围、齐国弱、宋向戌、卫齐恶、陈公子招、蔡公孙归生、郑罕虎、许人、曹人于虢。
　　三月，取郓。
　　夏，秦伯之弟鍼出奔晋。
　　六月丁巳，邾子华卒。
　　晋荀吴帅师败狄于大卤。
　　秋，莒去疾自齐入于莒，莒展（舆）出奔吴。
　　叔弓帅师疆郓田。
　　葬邾悼公。
　　冬，十有一月己酉，楚子麇卒。
　　〔楚〕公子比出奔晋。
　　元年春，楚公子围聘于郑，且娶于公孙段氏。伍举为介。将入馆，郑人恶之，使行人子羽与之言，乃馆于外。既聘，将以众逆。子产患之，使子羽辞曰："以敝邑褊小，不足以容从者，请墠听命。"令尹命大宰伯州犁对曰："君辱贶寡大夫围，谓围：'将使丰氏抚有而室。'围布几筵，告于庄、共之庙而来。若野赐之，是委君贶于草莽也，是寡大夫不得列于诸卿也。不宁唯是，又使围蒙其先君，将不得为寡君老，其蔑以复矣。唯大夫图之。"子羽曰："小国无罪，恃实其罪。将恃大国之安靖己，而无乃包藏祸心以图之。小国失恃，而惩诸侯使莫不憾者，距违君命，而有所壅塞不行是惧。不然，敝邑，馆人之属也，其敢爱丰氏之祧？"伍举知其有备也，请垂櫜而入。许之。
　　正月乙未入，逆而出。遂会于虢，寻宋之盟也。祁午谓赵文子曰："宋之盟，楚人得志于晋。今令尹之不信，诸侯之所闻也。子弗戒，惧又如宋。子木之信称于诸侯，犹诈晋而驾焉，况不信之尤者乎！楚重得志于晋，晋之耻也。子相晋国，以为盟主，于今七年矣。再合诸侯，三合大夫，服齐、狄，宁东夏，平秦乱，城淳于，师徒不顿，国家不罢，民无谤讟，诸侯无怨，天无大灾，子之力也！有令名矣，而终之以耻，午也是惧，吾子其不可以不戒！"文子曰："武受赐矣。然宋之盟，子木有祸人之心，武有仁人之心，是楚所以驾于晋也。今武犹是心也，楚又行僭，非所害也。武将信以为本，循而行之。譬如农夫，是穮是蔉，虽有饥馑，必有丰年。且吾闻之：'能信不为人下。'吾未能也。《诗》曰：'不僭不贼，鲜不为则。'信也。能为人则者，不为人下矣。吾不能是难，楚不为患！"楚令尹围请"用牲，读旧书加于牲上而已"，晋人许之。

鲁昭公

三月甲辰，盟。楚公子围设服离卫。叔孙穆子曰："楚公子美矣君哉！"郑子皮曰："二执戈者前矣！"蔡子家曰："蒲宫有前，不亦可乎？"楚伯州犁曰："此行也，辞而假之寡君。"郑行人挥曰："假不反矣。"伯州犁曰："子姑忧子皙之欲背诞也。"子羽曰："当璧犹在，假而不反，子其无忧乎？"齐国子曰："吾代二子愍矣！"陈公子招曰："不忧何成？二子乐矣。"卫齐子曰："苟或知之，虽忧何害？"宋合左师曰："大国令，小国共。吾知共而已。"晋乐王鲋曰："《小旻》之卒章善矣！吾从之。"

退会，子羽谓子皮曰："叔孙绞而婉，宋左师简而礼，乐王鲋字而敬，子与子家持之，皆保世之主也。齐、卫、陈大夫其不免乎：国子代人忧，子招乐忧，齐子虽忧弗害。夫弗及而忧，与可忧而乐，与忧而弗害，皆取忧之道也，忧必及之。《大誓》曰：'民之所欲，天必从之。'三大夫兆忧，〔忧〕能无至乎？其是之谓矣。"

季武子伐莒，取郓。莒人告于会。楚告于晋曰："寻盟未退而鲁伐莒、渎齐盟，请戮其使！"

乐桓子相赵文子，欲求货于叔孙，而为之请。使请带焉，弗与。梁其胫曰："货以藩身，子何爱焉？"叔孙曰："诸侯之会，卫社稷也。我以货免，鲁必受师，是祸之也，何卫之为？人之有墙，以蔽恶也；墙之隙坏，谁之咎也？卫而恶之，吾又甚焉。虽怨季孙，鲁国何罪？叔出季处，有自来矣，吾又谁怨？然鲋也贿，弗与，不已。"召使者，裂裳帛而与之，曰："带其褊矣。"

赵孟闻之，曰："临患不忘国，忠也；思难不越官，信也；图国忘死，贞也；谋主三者，义也。有是四者，又可戮乎？"乃请诸楚曰："鲁虽有罪，其执事不辟难，畏威而敬命矣。子若免之，以劝左右，可也。若子之群吏处不辟污，出不逃难，其何患之有？患之所生：污而不治，难而不守，所由来也。能是二者，又何患焉？不靖其能，其谁从之？鲁叔孙豹可谓能矣，请免之以靖能者！子会而赦有罪，又赏其贤，诸侯其谁不欣焉望楚而归之，视远如迩？疆埸之邑，一彼一此，何常之有？王伯之令也，引其封疆而树之官，举之表旗而著之制令，过则有刑，犹不可壹，于是乎虞有三苗，夏有观、扈，商有姺、邳，周有徐、奄。自无令王，诸侯逐进，狎主齐盟，其又可壹乎？恤大舍小，足以为盟主，又焉用之？封疆之削，何国蔑有？主齐盟者，谁能辩焉？吴、濮有衅，楚之执事岂其顾盟？莒之疆事，楚勿与知，诸侯无烦，不亦可乎？莒、鲁争郓，为日久矣。苟无大害于其社稷，可无亢也。去烦宥善，莫不竞劝。子其图之！"固请诸楚，楚人许之，乃免叔孙。

令尹享赵孟，赋《大明》之首章。赵孟赋《小宛》之二章。事毕，赵孟谓叔向曰："令尹自以为王矣，何如？"对曰："王弱，令尹强，其可哉！虽可，不终。"赵孟曰："何故？"对曰："强以克弱而安之，强不义也。不义而强，其毙必速。《诗》曰：'赫赫宗周，褒姒灭之。'强不义也。令尹为王，必求诸侯。晋少懦矣，诸侯将往。若获诸侯，其虐滋甚，民弗堪也，将何以终？夫以强取，不义而克，必以为道。道以淫虐，弗可久已矣！"

夏四月，赵孟、叔孙豹、曹大夫入于郑，郑伯兼享之。子皮戒赵孟，礼终，赵孟赋《瓠叶》。子皮遂戒穆叔，且告之。穆叔曰："赵孟欲一献，子其从之。"子皮曰："敢乎？"穆叔曰："夫人之所欲也，又何不敢？"及享，具五献之笾豆于幕下。赵孟辞，私于子产曰："武请于冢宰矣！"乃用一献。赵孟为客。礼终乃宴。穆叔赋《鹊巢》，赵孟曰："武不堪也！"又赋《采蘩》，曰："小国为蘩，大国省穑而用之，其何实非命？"子皮赋《野有死麕》之卒章，赵孟赋《常棣》，且曰："吾兄弟比以安，龙也可使无吠！"穆叔、子皮及曹大夫兴，拜，举兕爵，曰："小国赖子，知免于戾矣！"饮酒乐，赵孟出，曰："吾不复此矣！"

天王使刘定公劳赵孟于颍，馆于雒汭。刘子曰："美哉禹功，明德远矣！微禹，吾其鱼乎！吾与子弁冕、端委以治民、临诸侯，禹之力也。子盍亦远绩禹功而大庇民乎？"对曰："老夫罪戾是惧，焉能恤远？吾侪偷食，朝不谋夕，何其长也？"刘子归，以语王曰："谚所谓老将知而耄及之者，其赵孟之谓乎！为晋正卿以主诸侯，而侪于隶人，朝不谋夕，弃神、人矣。神怒，民叛，何以能久？赵孟不复年矣。神怒，不歆其祀；民叛，不即其事：祀、事不从，又何以年？"

叔孙归，曾夭御季孙以劳之。旦及日中不出。曾夭谓曾阜曰："旦及日中，吾知罪矣。鲁以相忍为国也。忍其外，不忍其内，焉用之？"阜曰："数月于外，一旦于是，庸何伤？贾而欲赢，而恶嚣乎？"阜谓叔孙曰："可以出矣。"叔孙指楹，曰："虽恶是，其可去乎？"乃出见之。

郑徐吾犯之妹美，公孙楚聘之矣，公孙黑又使强委禽焉。犯惧，告子产。子产曰：

"是国无政,非子之患也。唯所欲与。"犯请于二子,请使女择焉。皆许之。子皙盛饰入,布币而出。子南戎服入,左右射,超乘而出。女自房观之,曰:"子皙信美矣。抑子南夫也。夫夫妇妇,所谓顺也。"适子南氏。子皙怒,既而櫜甲以见子南,欲杀之而取其妻。子南知之,执戈逐之,及衝,击之以戈。子皙伤而归,告大夫曰:"我好见之,不知其有异志也,故伤。"

大夫皆谋之。子产曰:"直钧,幼贱有罪,罪在楚也。"乃执子南而数之,曰:"国之大节有五,女皆奸之。畏君之威,听其政,尊其贵,事其长,养其亲,五者所以为国也。今君在国,女用兵焉,不畏威也;奸国之纪,不听政也;子皙上大夫,女嬖大夫而弗下之,不尊贵也;幼而不忌,不事长也;兵其从兄,不养亲也。君曰:'余不女忍杀,宥女以远。'勉速行乎,无重而罪!"

五月庚辰,郑放游楚于吴。将行子南,子产咨于大叔。大叔曰:"吉不能亢身,焉能亢宗?彼国政也,非私难也。子图郑国,利则行之,又何疑焉?周公杀管叔而蔡蔡叔,夫岂不爱?王室故也。吉若获戾,子将行之,何有于诸游?"

秦后子有宠于桓,如二君于景。其母曰:"弗去,惧选!"癸卯,鍼适晋,其车千乘。书曰:"秦伯之弟鍼出奔晋。"罪秦伯也。

后子享晋侯,造舟于河,自雍及绛。归取酬币,终事八反。司马侯问焉,曰:"子之车尽于此而已乎?"对曰:"此之谓多矣。若能少此,吾何以得见?"女叔齐以告公,且曰:"秦公子必归。臣闻君子能知其过,必有令图。令图,天所赞也。"

后子见赵孟。赵孟曰:"吾子其曷归?"对曰:"鍼惧选于寡君,是以在此,将待嗣君。"赵孟曰:"秦君何如?"对曰:"无道。"赵孟曰:"亡乎?"对曰:"何为?一世无道,国未艾也。国于天地,有与立焉。不数世淫,弗能毙也。"赵孟曰:"(天)〔天〕乎?"对曰:"有焉。"赵孟曰:"其几何?"对曰:"鍼闻之:国无道而年穀和熟,天赞之也。鲜不五稔。"赵孟视荫,曰:"朝夕不相及,谁能待五?"后子出,而告人曰:"赵孟将死矣。主民,翫岁而愒日,其与幾何?"

郑为游楚乱故,六月丁巳,郑伯及其大夫盟于公孙段氏。罕虎、公孙侨、公孙段、印段、游吉、驷带私盟于闺门之外,实薰隧。公孙黑强与于盟,使大史书其名,且曰"七子"。子产弗讨。

晋中行穆子败无终及群狄于大原,崇卒也。将战,魏舒曰:"彼徒我车,所遇又阨,以什共车,必克。困诸阨,又克。请皆卒,自我始。"乃毁车以为行,五乘为三伍。荀吴之嬖人不肯即卒,斩以徇。为五陈以相离:两于前,伍于后,专为右角,参为左角,偏为前拒,以诱之。翟人笑之。未陈而薄之,大败之。

莒展舆立,而夺群公子秩。公子召去疾于齐。秋,齐公子鉏纳去疾,展舆奔吴。

叔弓帅师疆郓田,因莒乱也。于是莒务娄、瞀胡及公子灭明以大庞与常仪靡奔齐。

君子曰:"莒展之不立,弃人也夫!人可弃乎?《诗》曰'无竞维人',善矣。"

晋侯有疾,郑伯使公孙侨如晋聘,且问疾。叔向问焉,曰:"寡君之疾病,卜人曰'实沈、台骀为祟',史莫之知。敢问此何神也?"子产曰:

昔高辛氏有二子，伯曰阏伯，季曰实沈，居于旷林，不相能也，日寻干戈以相征讨。后帝不臧，迁阏伯于商丘，主辰，商人是因，故辰为商星；迁实沈于大夏，主参，唐人是因，以服事夏、商，其季世曰唐叔虞。当武王邑姜方震大叔，梦帝谓己："余命而子曰'虞'，将与之唐，属诸参，而蕃育其子孙。"及生，有文在其手曰"虞"，遂以命之。及成王灭唐，而封大叔焉，故参为晋星。由是观之，则实沈参神也。

昔金天氏有裔子曰昧，为玄冥师，生允格、台骀。台骀能业其官，宣汾、洮，障大泽，以处大原。帝用嘉之，封诸汾川，沈、姒、蓐、黄实守其祀。今晋主汾而灭之矣。由是观之，则台骀汾神也。

抑此二者不及君身。山川之神，则水旱疠疫之灾，于是乎禜之。日月星辰之神，则雪霜风雨之不时，于是乎禜之。若君身，则亦出入、饮食、哀乐之事也，山川、星辰之神又何为焉？

侨闻之：君子有四时，朝以听政，昼以访问，夕以修令，夜以安身。于是乎节宣其气，勿使有所壅闭湫底以露其体，兹心不爽而昏乱百度。今无乃壹之，则生疾矣。侨又闻之：内官不及同姓，其生不殖。美先尽矣，则相生疾，君子是以恶之。故《志》曰："买妾不知其姓，则卜之。"违此二者，古之所慎也。男女辨姓，礼之大司也。今君内实有四姬焉，其无乃是也乎？若由是二者，弗可为也已！四姬有省犹可，无则必生疾矣。

叔向曰："善哉！肸未之闻也。此皆然矣。"

叔向出，行人挥送之。叔向问郑故焉，且问子晳，对曰："其与几何！无礼而好陵人，怙富而卑其上，弗能久矣。"

晋侯闻子产之言，曰："博物君子也！"重贿之。

晋侯求医于秦，秦伯使医和视之。曰："疾不可为也。是谓近女，（室）〔生〕疾如蛊。非鬼非食，惑以丧志。良臣将死，天命不佑。"公曰："女不可近乎？"对曰："节之！先王之乐，所以节百事也，故有五节；迟速本末以相及，中声以降；五降之后，不容弹矣。于是有烦手淫声，慆堙心耳，乃忘平和，君子弗听也。物亦如之，至于烦，乃舍也已，无以生疾。君子之近琴瑟，以仪节也，非以慆心也。天有六气，降生五味，发为五色，徵为五声。淫生六疾。六气曰阴、阳、风、雨、晦、明也，分为四时，序为五节，过则为菑：阴淫寒疾，阳淫热疾，风淫末疾，雨淫腹疾，晦淫惑疾，明淫心疾。女，阳物而晦时，淫则生内热惑蛊之疾。今君不节不时，能无及此乎？"

出，告赵孟。赵孟曰："谁当良臣？"对曰："主是谓矣。主相晋国，于今八年，晋国无乱，诸侯无阙，可谓良矣！和闻之：国之大臣，荣其宠禄，任其（宠）〔大〕节；有菑祸兴，而无改焉，必受其咎。今君至于淫以生疾，将不能图恤社稷，祸孰大焉？主不能御，吾是以云也。"赵孟曰："何谓蛊？"对曰："淫溺惑乱之所生也。于文，皿虫为蛊。谷之飞亦为蛊。在《周易》，女惑男、风落山谓之'蛊'。皆同物也。"赵孟曰："良医也！"厚其礼而归之。

楚公子围使公子黑肱、伯州犁城犨、栎、郏，郑人惧。子产曰："不害。令尹将行大事，而先除二子也。祸不及郑，何患焉？"

冬，楚公子围将聘于郑，伍举为介。未出竟，闻王有疾而还，伍举遂聘。十一月己酉，公子围至，入问王疾，缢而弑之，遂杀其二子幕及平夏。右尹子干出奔晋，宫厩尹子皙出奔郑。杀大宰伯州犁于郏。葬王于郏，谓之郏敖。使赴于郑，伍举问应为后之辞焉，对曰："寡大夫围。"伍举更之曰："共王之子围为长。"

子干奔晋，从车五乘。叔向使与秦公子同食，皆百人之饩。赵文子曰："秦公子富。"叔向曰："（底）〔厎〕禄以德，德钧以年，年同以尊。公子以国，不闻以富。且夫以千乘去其国，强御已甚。《诗》曰：'不侮鳏寡，不畏强御。'秦、楚，匹也。"使后子与子干齿，辞曰："铖惧选，楚公子不获，是以皆来，亦唯命。且臣与羁齿，无乃不可乎？史佚有言曰：'非羁，何忌？'"

楚灵王即位，薳罢为令尹，薳启疆为大宰。郑游吉如楚葬郏敖，且聘立君；归，谓子产曰："具行器矣。楚王（汏）〔汰〕侈而自说其事，必合诸侯。吾往无日矣。"子产曰："不数年未能也。"

十二月，晋既烝，赵孟适南阳，将会孟子馀。甲辰朔，烝于温；庚戌，卒。郑伯如晋吊，及雍乃复。

【译文】

鲁昭公元年春天，周历正月，昭公登上公位。叔孙豹与晋国赵武、楚国公子围、齐国国弱、宋国向戌、卫国齐恶、陈国公子招、蔡国公孙归生、郑国罕虎、以及曹人、许人在虢地会见。三月，攻占了莒国的郓城。夏天，秦景公的弟弟铖逃亡到晋国。六月九日，邾国君主华死了。晋国荀吴领兵在大卤打败狄族人。秋天，莒国的去疾从齐国回到莒国。莒国的展舆逃亡到吴国。叔弓领兵划定郓地田土的疆界。安葬邾悼公。冬十一月初四日，楚王郏敖死了。楚公子比逃亡到晋国。

元年春天，楚国的公子围到郑国聘问，并且到公孙段家迎娶，伍举做副使。将要进入郑都住进宾馆时，郑国人讨厌他们，派行人子羽和他们商量，于是让他们住宿在城外。聘问的礼仪完毕之后，准备率领部下进城迎娶。子产担心这件事，又派子羽辞谢说："由于敝邑狭小，不足以容纳您的随从人员，请让我们就地开辟举行亲迎之礼的场所，听从您的吩咐。"令尹公子围命令太宰伯州犁回答说："承蒙贵君赐给寡大夫公子围恩惠，对公子围说：'将让公孙段把女儿嫁给你做妻子。'公子围摆设供桌，在庄王、共王的神庙中告祭之后才来到郑国。假如现在在郊野外赐给他，那就是把贵君的恩惠抛弃在野草中了！这也是使敝国大夫不能列入诸卿的行列里了！不仅如此，又让我大夫公子围欺骗了他的先君，将不能再做寡君的大臣，恐怕也无法回去了。希望大夫您考虑一下。"子羽说："小国没有罪过，依赖大国而没有戒备才是它的罪过。本打算依赖大国的力量安定自己，却恐怕大国包藏祸心来打小国的主意！怕的是小国失去依赖而使诸侯有了戒惧之心，使它们无不怨恨大国，违抗君命，而君命将因此受到阻碍不能通行！不然的话，敝邑只是贵国的宾馆仆人之类，哪里敢吝惜公孙段家的宗庙呢?"伍举知道郑国有了防备,请求倒挂弓袋进城,郑国同意了。

正月十五日,公子围进入郑都,迎娶之后出城。接着在虢地与叔孙豹等会见,这是为了重温宋国盟会的友好。

祁午对赵文子说:"宋国会盟时,楚国人从晋国那里抢先歃血而很得意。现在令尹不守信用,这是诸侯所知道的。您如果不戒备,恐怕又和在宋国盟会那样。子木的信誉为诸侯所称道,尚且还欺骗晋国且驾凌其上,何况是最不守信用的人呢?如果楚人再次从晋国那儿占到上风,那是晋国的耻辱。您辅佐晋国作为盟主,到现在七年了,两次会合诸侯,三次聚集大夫,征服齐国和狄人,使华夏东部安宁,使秦国造成的动乱平息,在淳于修筑城墙,军队不疲惫,国家不穷乏,老百姓没有怨言,诸侯不生怨恨,上天没有降下大灾,这都是您的功劳!已经有了美好的名声,却要以耻辱结束它,我为您担心害怕的就是这个,您不能不警惕!"赵文子说:"我领受您的好意了。然而在宋国的盟会,子木有害人之心,我有爱人之意,这是楚国所以凌驾于晋国之上的原因。现在我还是这样的心,楚国再干不守信用的事,也不是它所能伤害的了。我将以信义为根本,并遵循这条道路前进。就像农夫,只要勤于除草培土,即使发生一时的灾荒,也必获丰收的年成。而且我听说:'能守信义就不会居人之下。'只是我还未能做到。《诗》上说:'不弄假不为害,很少不能做典范。'这就是坚守信义的缘故。能够做别人典范的,就不会被别人压在下面了。我难在不能做到这一点,楚国不是我所担心的。"

楚国令尹公子围请求用牲,只是宣读一下过去宋国盟会时的盟书,把它放到牺牲上就完事。晋国人答应了这个请求。三月二十五日,晋、楚结盟,楚公子围设置国君的仪仗服饰,安排两个卫兵侍立。叔孙豹说:"楚公子很威风,像个国君啊!"郑国的子皮说:"两个持戈的卫兵站到前面了!"蔡国的子家说:"楚君的蒲宫有一对持戈的卫兵侍立在前,不也可以吗?"楚国的伯州犁说:"这些都是这次来的时候,向我们国君请准而借来的。"郑国的行人子羽说:"借了不会还了。"伯州犁说:"您暂且去担心你们子晳想要违背君命,放荡作乱吧!"子羽说:"公子弃疾还在,借而不还,您难道没有忧虑吗?"齐国的国子说:"我替公子围、伯州犁感到忧虑!"陈国的公子招说:"不忧虑哪能成功?这两位可高兴啦。"卫国的齐子说:"假如有人预先知道,虽然有忧虑又有什么害处呢?"宋国的合左师说:"大国发令,小国服从。我知道服从就是了。"晋国的乐王鲋说:"《诗·小旻》的最后一章很好,我服从它的意思。"

盟会退下,子羽对子皮说:"叔孙豹言辞恰切而委婉,宋国左师言语简明而合于礼仪,乐王鲋的话慈爱而恭谨,您与子家的话持平公正,都是可以世代保持爵位的大夫。齐国、卫国和陈国的大夫恐怕不能免除祸难了吧!国子替人忧虑,子招喜欢忧虑,齐子虽然忧虑但不当做危害。凡忧虑没有到达自身而替人忧虑,以及应该忧虑反而高兴,和虽然忧虑而不当做危害,都是招致忧虑的途径,忧虑一定落到他们身上。《大誓》说:'百姓所要求的,上天一定听从他。'三位大夫开启了忧虑的征兆,忧虑能不到达吗?凭言语可以了解事情的结果,大概说的就是这种情况。"

鲁国的季武子攻打莒国，占取了郓地，莒国人向盟会控告。楚国对晋国说："重温旧盟的会还没结束，而鲁国就进攻莒国，亵渎了神圣的盟约，请求杀了它的使者。"乐王鲋辅佐赵孟，想要向叔孙豹索取财货，便替叔孙豹向赵文子说情。派人向叔孙豹要他的衣带，叔孙豹不给。梁其胫说："财货是用来保护身体的，您为什么对它这样吝惜呢？"叔孙豹说："诸侯的会盟，是为了保卫国家的。我用财货来免除祸难，鲁国就必定遭到进攻，这是为它带来祸患，还有什么可保卫的？人之所以在房子周围修墙壁，是用来遮挡坏人的。墙壁出现裂缝坍坏了，是谁的过错呢？保卫反而使它受祸害，我的过错又超过了这个。虽然埋怨季武子，但鲁国有什么罪？叔孙出使在外，季孙居内守国，一向就是这样，我又怨谁？不过乐王鲋喜欢财物，不给他，不会罢休。"于是召见使者，撕下一条做裙子的帛给他，说："衣带恐怕太窄小了。"

赵孟听到这事，说："面对患难而不忘国家，这是忠；想到危难而不避离职守，这是信；为国家打算而舍生忘死，这是贞；谋事能坚守以上三条，这是义。有了这四点，难道可以杀戮吗？"就向楚国替他请求说："鲁国虽然有罪，它的朝臣不避祸难，慑于贵国的威严而恭敬地听奉命令了。您如果赦免他，就可以劝勉您的左右。如果您的官吏们在朝廷内不躲避烦劳，出使在外不逃避祸难。那还有什么祸患？祸患之所以产生，就是从有烦劳而不治事，有祸难而不坚守职责而来的。能做到这两方面，那又担心什么呢？不安抚能做到的人，那谁还会跟从他？叔孙豹可说是能做到的人了，请求赦免他以安抚能做到的人。您参加盟会而赦免有罪的人，又奖赏那些贤能的人，诸侯谁不心悦诚服地向往楚国并归顺它，把遥远看成近在眼前呢？边境上的城邑，一时属这边，一时归那边，哪有什么经常不变？三王五伯施行政令时，划定疆界，并设置边境管理机构，竖起标志，制定章程法令，逾犯法令就有惩罚，还不能统一。在这种情况下，虞舜时代有三苗，夏禹时代有观氏扈氏，商代有姺氏邳氏，周代有徐国奄国。自从没有圣明的君主，诸侯竞相扩张，交替主持结盟，难道又能够统一不变吗？担忧大的祸乱而不计较小的过错，足以做盟主，又哪里用得着管这些？边境被侵削，哪国没有？主持结盟的，谁能治理得了？吴国、百濮两国有隙可乘，楚国的执事难道还顾忌盟约？莒国边境上的事，楚国不要过问，诸侯没有烦劳，不也很好吗？莒、鲁两国争夺郓地，日子很久了，如果对它们的国家没有大的害处，可以不要去庇护。免除烦劳，赦免好人，没有不竞相勉力的。您还是考虑一下这件事！"由于赵孟坚定地向楚国请求，楚国人答应了，就赦免了叔孙豹。

令尹设宴招待赵孟，吟诵《大明》诗的第一章，赵孟吟诵《小宛》诗的第二章。宴会完了之后，赵孟对叔向说："令尹自以为是王了，怎么样？"叔向回答说："楚王弱，令尹强，大概可以成功吧！虽然可以成功，但不会善终。"赵孟问："什么原因？"叔向回答说："用强大制服弱小并对此心安理得，这种强就是不义。不合道义而强大，它的败亡必然很快。《诗》上说：'显赫的西周，褒姒灭亡了它。'就是因为它强大而不合道义。令尹做了国王，必定会谋求诸侯的支持。晋国渐渐衰弱了，诸侯都会去归顺他。如果获得了诸侯的支持，它的暴虐会更加厉害，老百姓不能忍受，它将凭什么有好结果呢？凭强横夺取王位，不合道义而取胜，就一定会以此为正道。沿着荒淫暴虐的路走下去，不可长久的了！"

　　夏四月，赵孟、叔孙豹和曹国大夫进入郑国，郑简公准备同时设宴招待他们。子皮向赵孟通报宴享的日期，通报的礼节完成后，赵孟吟诵《瓠叶》这首诗。子皮接着通知叔孙豹，并且把赵孟吟诗的情况告诉了他。叔孙豹说："赵孟希望献酒一次的宴享，您还是听从他。"子皮说："我敢吗？"叔孙豹说："是那个人的愿望，又有什么不敢的？"等到宴享，在东房准备了进酒五次的笾、豆等食具。赵孟辞谢，并私下跟子产说："我已经向上卿子皮请求过了。"于是改用一献的规格。赵孟做主客，享礼完毕就宴饮。穆叔吟诵《鹊巢》一诗，赵孟说："我不敢当。"又吟诵《采蘩》，并说："小国就像蘩，大国节省爱惜地使用它。不管什么命令都会服从。"子皮吟了《野有死麕》的末章，赵孟吟了《常棣》，并说："我们像兄弟一样亲密而安好，可以使长毛狗不叫。"叔孙豹、子皮、以及曹国大夫站起来，行拜礼，举起酒杯说："我们小国靠着您，知道可免除罪过了。"都喝酒喝得很高兴。赵孟走出来说："我不会再这样喝酒了。"

　　周天子派刘定公到颍地慰劳赵孟，让他住在洛水边上。刘定公说："禹的功绩真美好！光明的德行流播广远。要是没有禹，我们大概喂鱼了吧！我和您戴着礼帽，穿着礼服，来治理百姓。与诸侯交往，靠的是禹的力量。您何不也远继禹的功勋而庇护广大的老百姓呢？"赵孟回答说："我老头子只害怕犯下罪过，哪能担忧长远的事情？我们这类人苟且度日，早晨不替晚上打算，哪能考虑长远的事呢？"刘定公回去，把这些报告给周天子，说："俗话所谓老了会明智些，可是昏乱又到了他身上，说的是赵孟这类人吧！作为晋国的正卿来主管诸侯事务，却等同于一般仆隶，早晨不替晚上打算，这等于抛弃了神灵和百姓，神灵发怒，百姓叛离，靠什么能长久？赵孟不能再过年了。神灵发怒，不享用他的祭祀；百姓叛离，不替他从事工作。祭祀和工作都不能进行，又怎么能过得了年？"

　　叔孙豹会盟归国，曾夭为季孙驾车去慰劳他。从早晨等到中午，叔孙豹不出来。曾夭对曾阜说："从早等到中午，我们知道自己的罪过了。鲁国以互相忍让治理国家，在国外能忍在国内不能忍，那又有什么用呢？"曾阜说："叔孙几个月在外辛劳，你们在这里等一个早晨，有什么妨碍呢？商人如果想赚钱，难道还厌恶喧闹吗？"曾阜对叔孙豹说："可以出去了。"叔孙豹指着堂上的大柱子说："即使讨厌这个，难道可以去掉吗？"就出去接见他们。

　　郑国徐吾犯的妹妹很美丽，子南已经下了聘礼，子晳又派人硬是给她送去彩礼。徐吾犯很害怕，报告子产。子产说："这是国家政令混乱，不是您的忧患，只要她愿意嫁给谁就把她嫁给谁。"徐吾犯向两位请求，让女儿在两人中选择，都答应了。子晳装扮华丽进去，陈放好聘礼然后出来。子南穿着战袍进去，左右开弓，一跃登车而出。姑娘从偏房里观看他们，说："子晳确实漂亮，不过子南像个男子汉。丈夫要像个男人，妻子要像个女人，这就是所谓顺。"就嫁给了子南。子晳恼怒，不久他就把铠甲穿在里面去见子南，想杀死他而强娶他的妻子。子南知道了，拿起戈追赶子晳，追到十字路口，用戈击打他，子晳负伤而归，告诉大夫们说："我好意去见他，不料他有别的想法，所以被他打伤。"

　　大夫们都商议这件事。子产说："理由相等，年轻低贱的有罪，所以罪在子南。"于是逮捕子南而一一列举他的罪过，说："国家的大节有五条，你都违犯了。敬畏国家的威严，听从国家的政令，尊重贵人，事奉长辈，恭养亲属，这五条是用来治理国家的根本。如今君主处在国都，你却在此动用兵器，是不敬畏威严。触犯国家的法纪，是不听从政令。子晳为上大夫，你是下大夫，却不谦让他，是不尊重贵人。年纪小却不恭敬，是不事奉长辈。用兵器追杀堂兄，是不恭养亲属。国君说了：'我不忍杀你，赦免你把你流放到远方。'尽你的力量，赶快走吧！不要加重你的罪过！"五月初二日，郑国流放子南到吴国。将要让子南动身时，子产向太叔征求意见。太叔说："我连自身都不能保护，哪能保护宗族呢？他的事是属于国政，不是私家的祸难。你替郑国打算，有好处就实行它，又疑虑什么呢？周公杀管叔，流放蔡叔，难道他不爱这两个兄弟？是为了王室的缘故啊！我如果犯法获罪，您也将实行惩罚，对我们游家人又有什么顾虑的呢？"

　　秦景公的弟弟鍼得到桓公的宠信，在景公即位时和景公如同两君并列。他的母亲说："如果不离开秦国，恐怕会被放逐。"五月二十五日，鍼前往晋国，他带去的车有一千辆。《春秋》记载说："秦景公的弟弟鍼逃亡到晋国。"是归罪秦景公。

　　鍼宴享晋平公，在黄河上并身为桥，每隔十里停放一些车辆，从雍城一直到绛城。回去取酬酒的礼物，到结束宴享时往返了八次。司马侯询问鍼说："您的车子全部在这里了吗？"鍼回答说："这可说很多了！如果能少于这些，我怎么会见到您呢？"司马侯把这些话报告给晋平公，并且说："秦公子必然返回秦国。我听说君子能知道自己的过错，一定会有好的打算。好的打算，是上天愿意帮助的。"

　　秦后子进见赵孟。赵孟说："您什么时候回国？"后子回答说："我害怕被国君放逐，因此留在这里，将等待继位的国君。"赵孟问："秦君怎么样？"回答说："没有道义。"赵孟说："会亡国吗？"回答说："怎么会亡国呢？一代君主无道，国家的命脉没有断绝。国家建立在天地之间，必然有辅助它建立的人。不是连续几代君主荒淫，是不会灭亡的。"赵孟问："国君会短命吗？"回答说："会的。"赵孟又问："大约多长时间？"回答说："我听说，国家无道却粮食丰收，是上天在帮助它。少则不过五年。"赵孟一边看着太阳的影子，一边说："早晨到不了晚上，谁能等待五年？"后子出来，告诉别人说："赵孟快要死了，主持百姓的大事，既轻抛时光又急不可待，还能活多久呢？"

　　郑国因为游楚作乱的缘故，六月初九，郑简公和他的大夫们在公孙段家举行盟誓，罕虎、子产、公孙段、印段、游吉、驷带等人也在闺门外私下结盟，实际上在薰隧。公孙黑硬参加了结盟，让太史写上他的名字，而且同其他六人并称"七子"。子产没有声讨他。

　　晋国的荀吴在太原打败了无终和各部狄人，这是因为他重视步兵的缘故。战斗开始前，魏舒说："对方是步兵我们是战车，两军相遇的地方又狭窄险要，只要用十人对付一辆车，我们就必定被打败。假如被敌人围困在险要地方，我们又会被战胜。请全部改成步兵，从我开始。"于是丢弃战车改成步兵行列，五辆战车改编成三伍。荀吴的宠臣不肯编入步兵，就将他斩了来示众。编成五种战阵来互相配合，两阵在前，伍阵在后，专阵作为右翼，参阵作为左翼，偏阵作为前锋，以诱惑敌人。狄族人讥笑他们。没等狄族部队摆好战阵就逼近进攻，大胜他们。

莒国的展舆即位后，取消了很多公子的俸禄。公子们到齐国去请去疾。这年秋天，齐国的公子鉏把去疾送回莒国，展舆逃亡到吴国。

鲁国的叔弓领兵划定郓地的田界，是趁莒国发生动乱时进行的。在这时莒国的务娄、瞀胡和公子灭明率领大厖和常仪靡逃亡到齐国，君子说："莒国展舆不能立为君主，是丢掉了人才的缘故啊！人才可以丢掉的吗？《诗》上说：'要强大只有得贤人。'说得好啊！"

晋平公有病，郑简公派子产到晋国去聘问，并且探问病情。叔向询问子产说："寡君的病加重，卜人说：'是实沈、台骀在降祸。'史官不知道他们，请问这是什么神？"子产回答说："从前帝高辛有两个儿子，长子叫阏伯，小儿子叫实沈，住在旷林，互不认为对方有才能，每天动用武器互相攻打。帝尧认为他们不好，把阏伯迁到商丘，主管用辰星定时节。商朝人沿袭下来，所以辰星又叫商星。把实沈迁到大夏，主管用参星定时节，唐国人沿袭下来，以归服事奉夏、商两朝，它的末代君主叫唐叔虞。正当武王夫人邑姜怀着太叔时，梦见天帝对自己说：'我给你的儿子取名叫虞，将赐封给他唐国，把他托给参星，而蕃殖养育他的子孙。'到生下来，在他手掌里有纹路像'虞'字，就用来替他取名字，等到成王灭了唐国，就封给了太叔，所以参星是晋国的星宿。由此看来，则实沈就是参星之神了。从前金天氏有后代叫昧，做水官的长官，生了允格、台骀。台骀能继承父亲的官业，疏通汾水洮水，为大泽修筑堤防，因而居住在广大的高原平地。帝颛顼因此嘉奖他，把他封在汾川，沈国、姒国、蓐国和黄国奉守着他的祭祀。现在晋国主宰了汾水一带而灭掉了这些国家。由此看来，则台骀就是汾水之神了。但这两位神与贵君的身体无关。山川之神，有时降下水旱瘟疫的灾祸，于是就祭祀他来除灾求福；日月星辰之神，有时降下霜雪风雨失常的灾祸，于是就祭祀他来除灾求福。至于国君的身体好坏，则是属于起居、饮食、哀乐的事，山川星辰之神又能怎样呢？我听说，君子有四段时间：早晨用来处理政事，白天用来咨询访问，晚上用来研究政令，夜里用来安养身体。在这时可以调节宣通体气，不要让它有闭塞不通的地方，致使自己身体衰弱，造成精神不爽朗，而使百事昏乱。现在恐怕是体气凝滞在一处，就生病了。我又听说，姬妾不能娶同姓，否则他的子孙不能兴旺。美女集于一人，也会使他生病，君子因此讨厌这个。所以古书记载说：'买姬妾不知道她的姓，就占卜一下。'违背这两条，是古人很慎重的事。男女婚嫁要辨别姓氏，这是重要的礼仪。现在国君宫内姬妾有四个同姓姬的，恐怕这个就是病因吧！如果由于这两条，病就必能治了。四个姬姓女子有节制还可以，不能的话就必定生病了。"叔向说："说得好啊！我没有听说过这些，这些都是对的。"

叔向出来，行人子羽送他。叔向询问郑国的政事，并且问到子晳。子羽回答说："他还能活多久？没有礼仪而又喜欢陵驾他人之上，依仗富有而轻视他的上级，不能长久了。"

晋平公听到子产的话，说："是个通晓事物道理的君子啊！"重重地送给他财礼。

晋平公向秦国求医，秦景公派医和去看病，医和说："病无法治了，这是叫做：亲近女人，得病像蛊症。不是由于鬼神，不是由于饮食，是因为惑乱而丧失意志。良臣将要死去，天命不能保佑。"晋平公问："女人不可亲近吗？"医和回答说："要节制。先王的音乐，是用来节制百事的，所以有五声的节奏，快和慢，开头和结尾互相顾及，声音中和然后降下来。五声降下停止之后，不应当再弹了。在这时再弹则有烦琐的手法和靡靡之音，使人心壅蔽，听觉阻塞，就会忘记了平正和谐，因此君子是不听的。事情也像音乐一样，一到烦琐，就得放手，不要因此得病。君子接近琴瑟，是用来调适礼节的，不是用来使心壅蔽的。天有六种气候，降到地上产生五种口味，生发出五种颜色，表现为五种声音，过了就产生六种疾病。所谓六气，是指阴、阳、风、雨、晦、明。划分为四段时间，排次为五声的节奏。六气过度就成灾祸，阴过度生寒病，阳过度生热病，风过度手脚生病，雨过度肠胃生病，昏暗过度生惑乱病，光明过度精神生病。女人，是属于阳性之事而时间在晚上，过度了就会产生内热惑乱的疾病。现在您不加节制不守时间，能不达到这种地步吗？"

医和出来，告诉赵孟晋平公的病情。赵孟问："良臣对谁而言？"医和回答说："指的是您。您辅佐晋国，到现在八年了，晋国没有动乱，诸侯朝聘没有缺失，可说是良臣了。我听说，国家的大臣，以君王的宠信爵禄为荣，以国家的大节为重任，如果有灾祸发生而不改变自己的做法，必定受到它的祸害。如今国君由于没有节制而生病，将不能再为国家图谋考虑，什么灾祸比这个更大呢？您不能加以制止，所以我才这样说。"赵孟问："什么叫做蛊？"医和回答说："蛊是过度沉迷和惑乱所产生的根源。在文字上，皿上有虫叫做蛊。谷物中的飞虫也叫做蛊。在《周易》中，女人迷惑男人，大风吹落山木叫做蛊。这都是属于同类。"赵孟说："是个好医生啊！"重重地赠送给他礼物，送他回国。

楚国的公子围派公子黑肱、伯州犁修筑犨、栎、郏等城，郑国人害怕。子产说："没有妨害。是令尹打算干大事而先要除掉两位。灾祸不会连及郑国，担心什么呢？"

冬天，楚国的公子围要到郑国聘问，伍举担任副使。没有走出国境，听说楚王有病就返回来，伍举就到郑国聘问。十一月初四日，公子围到达，进宫探问楚王的病情，把楚王勒死了，随即又杀掉他的两个儿子幕和平夏。右尹子干逃亡到晋国，宫厩尹子晳逃亡到郑国。公子围把太宰伯州犁杀死在郏地。把楚王埋葬在郏地，称他为郏敖。派使者到郑国报丧，伍举向使者问关于继承人的措辞，使者回答说："你就称'寡大夫围'。"伍举更改说："共王的儿子围是老大。"

子干逃亡到晋国，带着兵车五辆。叔向让他与秦公子鍼享受相同食禄，都是一百人的口粮。赵孟说:"秦公子富有。"叔向说:"取得食禄要靠德行,德行相等根据年龄,年龄相同时考虑地位。公子的食禄按照他的国家来定,没听说按照富有来定。况且带着千辆兵车离开他的国家,强暴也太过分了。《诗》上说:'不欺侮鳏夫寡妇,不害怕强暴。'秦、楚两国是匹敌的国家。"于是让铖与子干并列。铖辞谢说:"我害怕被放逐,楚公子不得信任,因此都来到晋国,也就唯命是听吧!不过朝臣与旅居的客人并列,恐怕不可以吧?史佚有话说:'不敬重客人,还敬重谁呢?'"楚灵王即位,远罢做令尹,远启强做太宰。郑国的游吉前往楚国参加郏敖的葬礼,并且聘问新立的国君。回国,对子产说:"准备好行装吧!楚王骄傲奢侈而又自我欣赏他的作为,必然要会合诸侯,我们不用几天就要去了。"子产说:"没有几年是不能办到的。"

十二月,晋国已经举行了烝祭。赵孟去到南阳,准备祭祀孟子余。初一日,在温地家庙举行烝祭,初七死去。郑简公前往晋国吊唁,到达雍地就返回了。

昭公二年

【原文】

　　二年:春,晋侯使韩起来聘。
　　夏,叔弓如晋。
　　秋,郑杀其大夫公孙黑。
　　冬,公如晋,至河乃复。
　　季孙宿如晋。
　　二年春,晋侯使韩宣子来聘,且告为政而来见,礼也。观书于大史氏,见《易》、《象》与《鲁春秋》,曰:"周礼尽在鲁矣。吾乃今知周公之德与周之所以王也。"公享之。季武子赋《緜》之卒章。韩子赋《角弓》,季武子拜,曰:"敢拜子之弥缝敝邑,寡君有望矣。"武子赋《节》之卒章。既享,宴于季氏。有嘉树焉,宣子誉之。武子曰:"宿敢不封殖此树,以无忘《角弓》!"遂赋《甘棠》。宣子曰:"起不堪也,无以及召公。"

　　宣子遂如齐纳币。见子雅;子雅召子旗,使见宣子。宣子曰:"非保家之主也,不臣。"见子尾;子尾见彊,宣子谓之如子旗。大夫多笑之,唯晏子信之,曰:"夫子,君子也。君子有信,其有以知之矣。"

　　自齐聘于卫,卫侯享之。北宫文子赋《淇澳》,宣子赋《木瓜》。

　　夏四月,韩须如齐逆女。齐陈无宇送女,致少姜。少姜有宠于晋侯,晋侯谓之"少齐"。谓陈无宇非卿,执诸中都。少姜为之请,曰:"送从逆班。畏大国也,犹有所易,是以乱作。"

　　叔弓聘于晋,报宣子也。晋侯使郊劳,辞曰:"寡君使弓来继旧好,固曰'女无敢为宾'。彻命于执事,敝邑弘矣,敢辱郊使?请辞。"致馆,辞曰:"寡君命下臣来继旧好,好合使成,臣之禄也。敢辱大馆?"叔向曰:"子叔子知礼哉!吾闻之曰:'忠信,礼之器也。卑让,礼之宗也。'辞不忘国,忠信也;先国后己,卑让也。《诗》曰:'敬慎威仪,以近有德。'夫子近德矣。"

秋,郑公孙黑将作乱,欲去游氏而代其位,伤疾作而不果。驷氏与诸大夫欲杀之。子产在鄙闻之,惧弗及,乘遽而至;使吏数之,曰:"伯有之乱,以大国之事而未尔讨也。尔有乱心无厌,国不女堪。专伐伯有,而罪一也;昆弟争室,而罪二也;薰隧之盟,女矫君位,而罪三也。有死罪三,何以堪之?不速死,大刑将至!"再拜稽首,辞曰:"死在朝夕,无助天为虐。"子产曰:"人谁不死?凶人不终,命也。作凶事,为凶人。不助天,其助凶人乎?"请以印为褚师,子产曰:"印也若才,君将任之;不才,将朝夕从女。女罪之不恤,而又何请焉?不速死,司寇将至。"七月戊寅,缢。尸诸周氏之衢,加木焉。

晋少姜卒。公如晋,及河;晋侯使士文伯来辞,曰:"非伉俪也。请君无辱。"公还,季孙宿遂致服焉。

叔向言陈无宇于晋侯曰:"彼何罪?君使公族逆之,齐使上大夫送之,犹曰不共;君求以贪!国则不共,而执其使;君刑已颇,何以为盟主?且少姜有辞。"冬十月,陈无宇归。

十一月,郑印段如晋吊。

【译文】

鲁昭公二年春天,晋平公派韩起前来鲁国聘问。夏天,叔弓到晋国去。秋天,郑国杀了它的大夫子晳。冬天,昭公前往晋国,到达黄河边就返回来了。季孙宿前往晋国。

昭公二年春天,晋平公派韩宣子来鲁国聘问,并且通告他掌握了国政,因此而来进见,是合乎礼的。韩宣子在太史那里参观藏书,看到了《易》、《象》和《鲁春秋》,说:"周礼都在鲁国了,我今天才知道周公的盛德以及周朝之所以称王天下的原因了。"鲁昭公宴享他,席间季武子吟《绵》诗的末章,韩宣子吟《角弓》。季武子叩拜,说:"谨拜谢您光临敝邑,我们国君有希望了。"又吟了《节南山》的末章。宴享结束,又在季武子家里宴饮,在那里有一棵好树,韩宣子赞美它。季武子就说:"我怎敢不培植好这棵树,来表示不忘记您赋《角弓》。"于是吟了《甘棠》诗。韩宣子说:"我担当不起,没法赶得上召公。"

韩宣子不久到齐国去奉献订婚彩礼。进见子雅,子雅召来了儿子子旗,让他拜见韩宣子。宣子说:"不是保有家族的大夫,不像个臣子。"韩宣子进见子尾,子尾让儿子子强来拜见,韩宣子说他像子旗一样。大夫大多讥笑他,只有晏子认为他讲的对,说:"韩宣子是个君子。君子有诚信,他的见解是有根据的。"韩宣子又从齐国到卫国去聘问。卫襄公宴享他,北宫文子吟《淇澳》一诗,宣子吟了《木瓜》一诗。

夏四月,韩须到齐国迎接齐女。齐国的陈无宇送少姜,把她送到晋国。少姜受到晋平公的宠爱,晋平公称她为少齐。认为陈无宇不是卿,在中都把他拘捕起来。少姜替他请求说:"送亲的人地位应依从于迎亲的人,只是因为害怕大国,才有所改变,因此发生混乱。"

叔弓到晋国聘问,是对韩宣子来访的回报。晋平公派使臣到郊外慰劳,他辞谢说:"寡君派我来继续发展过去的友好关系,坚持说:'你不能作为宾客!'只要把君命禀报给执事,敝邑就大为光彩了,岂敢烦劳郊使!"让他到宾馆去住,又辞谢说:"寡君命令下臣前来继续过去的友好关系,友好结合,使命完成,就是我的福分,岂敢烦劳大宾馆!"叔向说:"叔弓懂得礼啊!我听说:'忠信,是礼的载体;卑让,是礼的主体。'言辞不忘国家,这是忠信;先国后己,这是卑让。《诗》上说:'严肃慎重你的威仪,以亲近有德君子。'他老人家接近有德了。"

秋天,郑国子晳打算发动叛乱,想要除掉游氏而取代他的地位,但伤痛发作而未能实现。驷氏和大夫们想要杀了他。子产正在边境城邑,听说了此事,害怕赶不上,就乘驿车赶到,派官吏历数子晳的罪状,说:"伯有那次叛乱,因为正与大国有事,没有讨伐你。你有叛乱之心,没有满足,国家不能容忍你。专权而攻打伯有,是你的第一条罪状;兄弟争夺妻室,是你的第二条罪状;薰隧之盟时,你假托君位,是你的第三条罪状。有三条死罪,怎么能容忍你?不快点去死,死刑将落到你的头上。"子晳拜了两拜,磕头推脱说:"我的死就在早晚之间,不要帮着上天来惩处我了。"子产说:"人谁不死?恶人不得善终,这是天命。做了恶事,就是恶人,不帮助天,难道帮助恶人吗?"子晳请求让他儿子印做市官,子产说:"印如果有才能,君王将任用他;没有才能,早晚将步你的后尘。你不担心自己的罪过,却又请求什么?不赶快去死,刑法官将要到来。"七月初一日,子晳自缢。暴尸在周氏的大路上示众,尸体上放有写着罪状的木牌。

晋平公的爱妾少姜死了。昭公到晋国去,走到黄河边,晋平公派士文伯来辞谢,说:"不是正式配偶,请您不必屈驾了!"昭公返回,季孙宿就到晋国去送丧服。

叔向对晋平公谈到陈无宇说:"他有什么罪?您派公族大夫去迎亲,齐国派上大夫送亲,还说不恭敬,您的要求也太过分了。我国倒是不恭,却抓了他们的使者。您的刑罚太偏,靠什么做盟主?况且少姜还替陈无宇说过话。"冬十月,陈无宇被释放回国。

十一月,郑国的印段前往晋国吊唁。

昭公三年

【原文】

三年:春,王正月丁未,滕子原卒。

夏，叔弓如滕。

五月，葬滕成公。

秋，小邾子来朝。

八月，大雩。

冬，大雨雹。

北燕伯款出奔齐。

三年春，王正月，郑游吉如晋，送少姜之葬。梁丙与张趯见之，梁丙曰："甚矣哉，子之为此来也！"子大叔曰："将得已乎！昔文、襄之霸也，其务不烦诸侯，令诸侯三岁而聘、五岁而朝、有事而会、不协而盟。君薨，大夫吊，卿共葬事；夫人，士吊，大夫送葬。足以昭礼、命事、谋阙而已，无加命矣。今嬖宠之丧，不敢择位，而数于守适，唯惧获戾，岂敢惮烦？少齐有宠而死，齐必继室。今兹吾又将来贺，不唯此行也。"张趯曰："善哉！吾得闻此数也。然自今子其无事矣。譬如火焉，火中，寒暑乃退。此其极也，能无退乎？晋将失诸侯，诸侯求烦不获。"二大夫退，子大叔告人曰："张趯有知，其犹在君子之后乎？"

"丁未，滕子原卒。"同盟，故书名。

齐侯使晏婴请继室于晋。曰："寡君使婴曰：'寡人愿事君，朝夕不倦。将奉质币以无失时，则国家多难，是以不获。不腆先君之适以备内官，焜燿寡人之望；则又无禄，早世殒命，寡人失望。君若不忘先君之好，惠顾齐国，辱收寡人，徼福于大公、丁公，照临敝邑，镇抚其社稷，则犹有先君之适及遗姑姊妹若而人。君若不弃敝邑，而辱使董振择之，以备嫔嫱，寡人之望也！'"

韩宣子使叔向对曰："寡君之愿也。寡君不能独任其社稷之事，未有伉俪；在缞绖之中，是以未敢请。君有辱命，惠莫大焉！若惠顾敝邑，抚有晋国，赐之内主；岂唯寡君，举群臣实受其贶，其自唐叔以下实宠嘉之。"

既成昏，晏子受礼，叔向从之宴，相与语。叔向曰："齐其何如？"晏子曰："此季世也，吾弗知齐其为陈氏矣。公弃其民，而归于陈氏。齐旧四量：豆、区、釜、钟。四升为豆，各自其四，以登于釜，釜十则钟。陈氏三量皆登一焉，钟乃大矣。以家量贷，而以公量收之。山木如市，弗加于山；鱼盐蜃蛤，弗加于海。民参其力，二入于公，而衣食其一。公聚朽蠹，而三老冻馁。国之诸市，屦贱踊贵。民人痛疾，而或燠休之，其爱之如父母，其归之如流水。欲无获民，将焉辟之？箕伯、直柄、虞遂、伯戏，其相胡公、大姬已在齐矣！"

叔向曰："然。虽吾公室，今亦季世也。戎马不驾，卿无军行；公乘无人，卒列无长。庶民罢敝，而宫室滋侈。道殣相望，而女富溢尤。民闻公命，如逃寇雠。栾、郤、胥、原、狐、续、庆、伯，降在皂隶，政在家门，民无所依。君日不悛，以乐慆忧。公室之卑，其何日之有？谗鼎之铭曰：'昧旦丕显，后世犹怠。'况日不悛，其能久乎？"

晏子曰："子将若何？"叔向曰："晋之公族尽矣。肸闻之，公室将卑，其宗族枝叶先落，则公〔室〕从之。肸之宗十一族，唯羊舌氏在而已。肸又无子；公室无度，幸而得死，岂其获祀？"

初，景公欲更晏子之宅，曰："子之宅近市，湫隘嚣尘，不可以居，请更诸爽垲者。"辞曰："君之先臣容焉。臣不足以嗣之，于臣侈矣。且小人近市，朝夕得所求，小人之利也。敢烦里旅？"公笑曰："子近市，识贵贱乎？"对曰："既利之，敢不识乎？"公曰："何贵何贱？"于是景公繁于刑，有鬻踊者，故对曰："踊贵屦贱。"既已告于君，故与叔向语而称之。景公为是省于刑。君子曰："仁人之言，其利博哉！晏子一言而齐侯省刑。《诗》曰：'君子如祉，乱庶遄已。'其是之谓乎！"

及晏子如晋，公更其宅。反，则成矣。既拜，乃毁之，而为里室皆如其旧，则使宅人反之，（且）〔曰："〕谚曰：'非宅是卜，唯邻是卜。'二三子先卜邻矣。违卜不祥。君子不犯非礼，小人不犯不祥，古之制也。吾敢违诸乎？"卒复其旧宅，公弗许。因陈桓子以请，乃许之。

夏四月，郑伯如晋，公孙段相，甚敬而卑，礼无违者。晋侯嘉焉，授之以策，曰："子丰有劳于晋国，余闻而弗忘。赐女州田，以胙乃旧勋。"伯石再拜稽首，受策以出。君子曰："礼，其人之急也乎！伯石之（汏）〔汰〕也，一为礼于晋，犹荷其禄，况以礼终始乎？《诗》曰：'人而无礼，胡不遄死？'其是之谓乎！"

初，州县，栾豹之邑也。及栾氏亡，范宣子、赵文子、韩宣子皆欲之。文子曰："温，吾县也。"二宣子曰："自郤称以别，三传矣。晋之别县不唯州，谁获治之？"文子病之，乃舍之。二〔宣〕子曰："吾不可以正议而自与也。"皆舍之。及文子为政，赵获曰："可以取州矣。"文子曰："退！二子之言，义也。违义，祸也。余不能治余县，又焉用州？其以徼祸也？君子曰：'弗知实难。'知而弗从，祸莫大焉！有言州必死！"

丰氏故主韩氏，伯石之获州也，韩宣子为之请之，为其复取之之故。

五月，叔弓如滕葬滕成公，子服椒为介。及郊，遇懿伯之忌，敬子不入。惠伯曰："公事有公利，无私忌。椒请先入。"乃先受馆。敬子从之。

晋韩起如齐逆女。公孙虿为少姜之有宠也，以其子更公女而嫁公子。人谓宣子："子尾欺晋，晋胡受之？"宣子曰："我欲得齐而远其宠，宠将来乎？"

秋七月，郑罕虎如晋，贺夫人，且告曰："楚人日征敝邑，以不朝立王之故。敝邑之往，则畏执事其谓寡君：'而固有外心。'其不往，则宋之盟云。进退罪也！寡君使虎布之。"宣子使叔向对曰："君若辱有寡君，在楚何害？修宋盟也。君苟思盟，寡君乃知免于戾矣。君若不有寡君，虽朝夕辱于敝邑，寡君猜焉。君实有心，何辱命焉？君其往也！苟有寡君，在楚犹在晋也。"

张趯使谓大叔曰："自子之归也，小人粪除先人之敝庐，曰：'子其将来。'今子皮实来，小人失望。"大叔曰："吉贱，不获来，畏大国，尊夫人也。且孟曰'而将无事'，吉庶几焉。"

小邾穆公来朝，季武子欲卑之。穆叔曰："不可。曹、滕、二邾实不忘我好，敬以逆之犹惧其贰，又卑一睦，焉逆群好也？其如旧而加敬焉！《志》曰：'能敬无灾。'又曰：'敬逆来者，天所福也。'"季孙从之。

"八月，大雩"，旱也。

齐侯田于莒，卢蒲嫳见，泣，且请曰："余发如此种种，余奚能为！"公曰："诺！吾告二子。"归而告之。子尾欲复之。子雅不可，曰："彼其发短而心甚长，其或寝处我矣！"九月，子雅放卢蒲嫳于北燕。

燕简公多嬖宠，欲去诸大夫而立其宠人。冬，燕大夫比以杀公之外嬖。公惧，奔齐。书曰："北燕伯款出奔齐。"罪之也。

十月，郑伯如楚，子产相。楚子享之，赋《吉日》。既享，子产乃具田备，王以田江南之梦。

齐公孙灶卒。司马灶见晏子，曰："又丧子雅矣。"晏子曰："惜也！子旗不免，殆哉！姜族弱矣，而妫将始昌。二惠竞爽犹可，又弱一个焉，姜其危哉！"

【译文】

鲁昭公三年春天，周历正月初九，滕成公死了。夏天，叔弓去到滕国。五月，为滕成公举行葬礼。秋天，小邾穆公来鲁国朝聘。八月，举行求雨大祭。冬天，下大冰雹。燕简公款逃亡到晋国。

鲁昭公三年春天，周历正月，郑国的游吉到晋国去，为少姜送葬。晋大夫梁丙和张趯接见他。梁丙说："过礼了！您为这件事而来。"游吉说："我能不来吗？过去文公、襄公做霸主时，他们的事务不烦劳诸侯。命令诸侯三年聘问一次，五年朝觐一次，有事才会见，不和睦才盟誓。君王死去，大夫吊丧，卿参与丧事。夫人死了，士吊丧，大夫送葬。只要足以表明礼仪，发布命令，商量补救缺失就行了，没有多余的命令。现在宠姬的丧事，不敢选择适当职位的人来参加丧礼，因而礼数超过正夫人。惟恐得罪贵国，哪里还敢怕烦劳？少姜得宠而死，齐国必定另嫁女子来做继室，今年我又将前来祝贺，不只是这一趟啊。"张趯说："好啊，我能听到这样的礼数！但从现在起，您将没事了。就好像大火星，它居于天空正中，寒气暑气就消退。这次就是他的顶峰，能不消退吗？晋国将失去诸侯，诸侯想自找麻烦还得不到呢。"两位大夫退出，游吉告诉别人说："张趯有真知灼见，大概还在君子的行列里吧！"

正月初九日，滕成公死了。因为是鲁国的盟国，所以《春秋》记载他的名字。

齐景公派晏婴向晋国请求嫁女子去做继室。说："寡君派遣我来时说：'寡人愿意事奉君主，早晚都不倦怠，想要奉献财礼，以按时朝聘，只是国家多难，因此未能得到机会。敝先君的嫡女，在君主内宫充数，照亮了寡人的希望，却又没有福分，过早地死去，寡人失去了希望。君主如果不忘记先君的友好，加恩顾念齐国，屈尊收容寡人，为寡人向大公、丁公求福，光辉照临敝邑，安抚我们的国家，那么还有先君的嫡女及留下的姑姐妹若干人。君主如果不嫌弃敝邑，而派使者慎重地加以选择，以充姬妾，实在是寡人的愿望。'"韩宣子派叔向回答说："这正是寡君的愿望。寡君不能单独承担国家大事，又没有正夫人。由于在服丧期间，所以没敢请婚。贵君有命令，没有比这更大的恩惠了。如果加恩顾念敝邑，安抚晋国，赐给晋国内主，岂止是寡君，连所有臣下都将受到恩赐。也许从先祖唐叔以下的人都会尊崇赞许他。"

已经订婚之后，晏子接受晋国宴享，叔向陪他饮宴，互相谈话。叔向问："齐国怎么样？"晏子说：'现在是末世，我难说齐国不会成为陈氏的了。国君抛弃他的人民，而迫使他们归向陈氏。齐国过去有豆、区、釜、钟四种量器，四升为一豆，豆和区各自进四，而达到釜，十釜就是一钟。陈氏的豆、区、釜三种量器，都比齐国量器增大一成，钟的容量就大了。陈氏用私家量器借出，而用公家量器收进。山上的木材运往市场，价格不比在山上高；鱼盐蜃蛤运往市场，价格不比在海边贵。假如老百姓把力气分为三份，有两份交给了国君，只有一份维持衣食。国君聚敛的财货腐烂虫蛀，而三老却挨冻受饿。国内的各个市场，鞋子便宜假腿昂贵。百姓有痛苦疾病，只要有人去抚慰他们。他们就像爱父母一样爱他，像流水一样归附他，想要不得到百姓拥护，又哪里能躲避？箕伯、直柄、虞遂、伯戏等陈氏的祖先，以及他们的后代胡公、大姬，都已在齐国了。"

叔向说："是这样。即使是我们公室，现在也是末世了。国君的战马已不驾车，卿已不率领军队，公室的车乘左右没有好的人才，军队没有好的长官。百姓疲困，宫室却更加奢侈。道路上饿死的人触目皆是，而宠姬的家里更加富裕。老百姓听到国君的命令，就像躲避强盗仇敌。栾、郤、胥、原、狐、续、庆、伯等八家旧臣子孙已沦为低贱仆隶，政权落在私家，老百姓无所依靠。国君天天不思悔改，以欢乐掩盖忧患。公室的卑微衰落，还有多少日子呢？谗鼎的铭文说：'每天清晨起来，功绩就会伟大显赫，后代却还懒得去做。'何况天天不思悔改，难道能长久吗？"

晏子说："您怎么办？"叔向说："晋国的公族完了。我听说，公室将要衰落，它的宗族像树的枝叶一样首先凋零，公室就跟着凋零了。我的宗族有十一族，唯有羊舌氏还在。我又没有好儿子，公室又没有法度，得到善终就是幸运，难道还能获得祭祀吗？"

起初，齐景公要更新晏子的住宅，说："您的住房靠近市场，低湿狭小，喧闹多尘，不可用来居住，请您换到高爽干燥的房子里去。"晏子辞谢说："君王的先臣住在这里，我还不足以继承他们，住在这里对我来说已算奢侈了。而且小臣靠近市场，早晚可以得到所要的东西，这是小臣的便利，岂敢麻烦里旅？"景公笑着说："您靠近市场，知道价格高低吗？"晏子回答说："既然以它为利，岂能不知道？"景公问："什么贵什么便宜？"当时景公滥用刑罚，市场有出卖假腿的，所以回答说："假腿贵鞋子便宜。"晏子已经告诉景公，所以和叔向谈话时称引此事。景公因此减省刑罚。君子说："仁人的话，它的利益多么广博啊！晏子一句话而齐景公减省刑罚。《诗》上说：'君子如果喜悦，祸乱可能很快平息。'说的就是这种情况吧？"

等到晏子前往晋国，景公便更新他的住宅。他回国时，已经完成了。晏子拜谢以后，就拆毁了它，重新修建邻居的房屋，都像原来的一样，随即让原来的住户返回来住，说："俗话讲：'不选择房子，只选择邻居。'这几位已先占卜选择过邻居了。违背占卜不吉利。君子不触犯非礼的事，小人不触犯不吉利的事，这是古代的制度。我敢违背它吗？"终于恢复他的旧宅。起初景公不允许，晏子托陈桓子去请求，才准许了。

夏四月，郑简公前往晋国，公孙段担任相礼，非常恭敬而且谦卑，没有违背礼仪的地方。晋平公赞赏他，授给他策书，说："子丰对晋国有功劳，我听说了没有忘记。赐给你州县田土，以酬报你家过去的功勋。"公孙段拜了两拜磕头，接受了策书出来。君子说："礼仪，大约是人所急需的吧！公孙段这样骄傲，一旦在晋国讲究点礼仪，尚且蒙受它的福禄，何况始终讲求礼仪呢？《诗》上说：'人如果没有礼仪，为什么不赶快去死？'说的大概就是这个吧？"

起初，州县是栾豹的封邑。等到栾氏败亡，范宣子、赵文子、韩宣子都想要这块地方。赵文子说："温县是我的县。"两位宣子说："从郤称划分州县、温县以来，已经传了三家了。再说晋国把一县划分为二的不只是州县，谁还能得到以前的地域去治理？"赵文子感到内疚，就放弃了。两位宣子说："我们不能因为说话得理而把好处给自己。"就都放弃了。等到赵文子执政，他儿子赵获说："可以取得州地了。"赵文子说："退下！两位宣子的话，合乎道义。违背道义，就是祸患。我不能治理我的封邑，又哪里用得着州地？难道用来招灾祸？君子说：'不懂得道义是很艰危的。'懂得了却不照着去做，灾祸没有比这更大的了。有再说州地的一定处死！"

丰氏原来住在韩宣子家里，公孙段得到州地，是韩宣子替他请求的，这是为了他将来可以再次取得州地的缘故。

五月，叔弓前往滕国，参加滕成公的葬礼，子服椒做副使。到达郊外，碰上子服椒父亲懿伯的忌日，叔弓不肯进城。子服椒说："公事有公家的利益，没有私家的忌讳，请允许我先进去。"就先进城接受了宾馆的招待，叔弓跟着进了城。

晋国的韩宣子到齐国迎接齐女。公孙蛮因为少姜在晋国受到宠幸的缘故，把自己的女儿换下齐景公的女儿，而把齐景公的女儿嫁给别的公子。有人对韩宣子说："公孙蛮欺骗晋国，你们晋国为何接受？"宣子说："我想要得到齐国却疏远它的宠臣，宠臣能来吗？"

秋天七月，郑国子皮前往晋国，祝贺夫人，并且报告说："楚国人天天责问敝国，因为敝国没有去朝贺他们新立的国君。敝国如果前去朝贺，则害怕执事会说寡君本来就有外心；如果不去，则担心违背宋国盟约的规定。可说进退都是罪过。寡君派我陈述这个难处。"韩宣子派叔向回答说："贵君如果心存寡君，在楚国又有什么妨害？那是为了重修宋国的盟会。贵君如果想到盟约，寡君就知道免于罪过了。贵君如果心中没有寡君，即使从早到晚光临敝国，寡君还是有猜疑。贵君确实心存寡君，何必烦劳来告诉我们？君还是去楚国吧！如果心存寡君，在楚国就好像在晋国一样。"

张趯派人对游吉说："自从您回到郑国以来，我就打扫先人的旧房子，说：'您大概会来的！'现在实际来的是子皮，小人感到失望。"游吉说："我地位低下，不能前来，这是敬畏大国，尊敬夫人的缘故。而且张趯说过：'你将没事了。'我也许可以没

事了吧！'，

小邾穆公前来朝见，季武子打算用低一级的礼仪接待他，叔孙豹说："不可以。曹国、滕国和两个邾国，确实没忘记和我国的友好，恭敬地迎接他，还担心他们有二心，又降低一个和睦国家的地位，怎么能迎接其他友好国家呢？还是像过去一样并且更加恭敬！古书说：'能恭敬没有灾祸。'又说：'恭敬地迎接来宾，是上天降福的原因。'"季武子听从了他的意见。

八月，举行求雨大祭，是因为天旱的缘故。

齐景公在莒国打猎，卢蒲嫳来进见，边哭边请求说："我头发短得像这样了，我还能干什么？"景公说："好的。我告诉子尾、子雅两位。"回去就告诉了。子尾想要让他复职，子雅不赞成，说："他头发短但心计很长，也许要坐卧到我们的皮上了。"九月，子雅把卢蒲嫳放逐到北燕。

燕简公有很多宠爱的人，打算去掉大夫们而立他宠幸的人。冬天，燕国大夫联合起来杀了简公的宠臣。简公害怕了，逃亡到齐国。《春秋》记载说："北燕伯款出奔齐。"就是归罪于他。

十月，郑简公到楚国，子产辅助。楚灵王宴享他们，吟诵了《吉日》一诗。宴享结束，子产就准备打猎的用具，楚灵王与郑简公到江南的云梦去打猎。

齐国的子雅死了，司马灶见到晏子说："又失去了子雅了！"晏子说："可惜啊！子旗也不能免除灾祸，危险啊！姜家衰落了，而妫家将开始兴旺。惠公的两个后代都强劲高明还可以，现在又丧失了一个，姜家危险啊！"

昭公四年

【原文】

四年：春，王正月，大雨雹。

夏，楚子、蔡侯、陈侯、郑伯、许男、徐子、滕子、顿子、胡子、沈子、小邾子、宋世子佐、淮夷会于申。

楚人执徐子。

秋七月，楚子、蔡侯、陈侯、许男、顿子、胡子、沈子、淮夷伐吴，执齐庆封，杀之。遂灭赖。

九月，取鄫。

冬，十二月乙卯，叔孙豹卒。

四年春，王正月，许男如楚，楚子止之，遂止郑伯。复田江南，许男与焉。

使椒举如晋求诸侯，二君待之。椒举致命曰："寡君使举曰：'日君有惠，赐盟于宋，曰："晋楚之从交相见也。"以岁之不易，寡人愿结欢于二三君。'使举请闲。君若苟无四方之虞，则愿假宠以请于诸侯。"晋侯欲勿许，司马侯曰："不可。楚王方侈，天或者欲逞其心以厚其毒，而降之罚，未可知也。其使能终，亦未可知也。晋、楚唯天所相，不可与争。君其许之，而修德以待其归。若归于德，吾犹将事之，况诸侯乎？若适淫虐，楚将弃之，吾又谁与争？"〔公〕曰："晋有三不殆，其何敌之有？国险而多马，齐、楚多难。有是三者，何乡而不济？"对曰："恃险与马，而虞邻国之难，是三殆也。四岳、三涂、阳城、大室、荆山、中南，九州之险也，是不一姓。冀之北土，马之所生，无兴国焉。恃险与马，不可以为固也，从古以然。是以先王务修德音以亨神人，不闻其务险与马也。邻国之难，不可虞也。或多难以固其国，启其疆土；或无难以丧其国，失其守宇。若何虞难？齐有仲孙之难而获桓公，至今赖之。晋有里、丕之难而获文公，是以为盟主。卫、邢无难，敌亦丧之。故人之难不可虞也。恃此三者而不修政德，亡于不暇，又何能济？君其许之！纣作淫虐，文王惠和，殷是以陨，周是以兴，夫岂争诸侯？"乃许楚使。使叔向对曰："寡君有社稷之事，是以不获春秋时见。诸侯，君实有之，何辱命焉？"椒举遂请昏，晋侯许之。

楚子问于子产曰："晋其许我诸侯乎？"对曰："许君。晋君少安，不在诸侯。其大夫多求，莫匡其君。在宋之盟又曰如一。若不许君，将焉用之？"王曰："诸侯其来乎？"对曰："必来！从宋之盟，承君之欢，不畏大国，何故不来？不来者，其鲁、卫、曹、邾乎？曹畏宋，邾畏鲁，鲁、卫偪于齐而亲于晋，唯是不来。其馀君之所及也，谁敢不至？"王曰："然则吾所求者无不可乎？"对曰："求逞于人不可。与人同欲，尽济。"

大雨雹。季武子问于申丰曰："雹可御乎？"对曰："圣人在上，无雹；虽有，不为灾。古者日在北陆而藏冰，西陆朝觌而出之。其藏冰也，深山穷谷，固阴沍寒，于是乎取之。其出之也，朝之禄位，宾、食、丧、祭，于是乎用之。其藏之也，黑牡、秬黍以享司寒。其出之也，桃弧、棘矢以除其灾。其出入也时。食肉之禄，冰皆与焉。大夫命妇，丧浴用冰。祭寒而藏之，献羔而启之。公始用之，火出而毕赋，自命夫命妇至于老疾，无不受冰。山人取之，县人传之，舆人纳之，隶人藏之。夫冰以风壮，而以风出。其藏之也周，其用之也遍，则冬无愆阳，夏无伏阴，春无凄风，秋无苦雨，雷出不震，无菑霜雹，疠疾不降，民不夭札。今藏川池之冰弃而不用，风不越而杀，雷不发而震，雹之为菑谁能御之？《七月》之卒章，藏冰之道也。"

夏，诸侯如楚，鲁、卫、曹、邾不会。曹、邾辞以难，公辞以时祭，卫侯辞以疾。郑伯先待于申。六月丙午，楚子合诸侯于申。椒举言于楚子曰："臣闻诸侯无归，礼以为归。今君始得诸侯，其慎礼矣。霸之济否，在此会也。夏启有钧台之享，商汤有景亳之命，周武有孟津之誓，成有岐阳之蒐，康有酆宫之朝，穆有涂山之会，齐桓有召陵之师，晋文有践土之盟。君其何用？宋向戌、郑公孙侨在，诸侯之良也，君其选焉。"王曰："吾用齐桓。"

王使问礼于左师与子产。左师曰："小国习之，大国用之，敢不荐闻？"献公合诸侯之礼六。子产曰："小国共职，敢不荐守？"献伯、子、男会公之礼六。君子谓合左师善守先代，子产善相小国。

王使椒举侍于后以规过。卒事不规。王问其故，对曰："礼，吾〔所〕未见者有六焉，又何以规？"

宋大子佐后至。王田于武城，久而弗见。椒举请辞焉。王使往，曰："属有宗祧之事于武城，寡君将堕币焉，敢谢后见。"

徐子，吴出也，以为贰焉，故执诸申。

楚子示诸侯侈。椒举曰："夫六王二公之事，皆所以示诸侯礼也，诸侯所由用命也。夏桀为仍之会，有缗叛之。商纣为黎之蒐，东夷叛之。周幽为大室之盟，戎狄叛之。皆所以示诸侯（汏）〔汰〕也，诸侯所由弃命也。今君以（汏）〔汰〕，无乃不济乎！"王弗听。

子产见左师曰："吾不患楚矣。（汏）〔汰〕而愎谏，不过十年。"左师曰："然。不十年侈，其恶不远。〔恶〕远（恶）而后弃。善亦如之，德远而后兴。"

秋七月，楚子以诸侯伐吴。宋大子、郑伯先归，宋华费遂、郑大夫从。使屈申围朱方，八月甲申克之，执齐庆封而尽灭其族。

将戮庆封，椒举曰："臣闻无瑕者可以戮人。庆封唯逆命，是以在此，其肯从于戮乎？播于诸侯，焉用之？"王弗听，负之斧钺以徇于诸侯，使言曰："无或如齐庆封弑其君、弱其孤以盟其大夫！"庆封曰："无或如楚共王之庶子围弑其君、兄之子麇而代之，以盟诸侯！"王使速杀之。

遂以诸侯灭赖。赖子面缚衔璧，士袒，舆榇从之，造于中军。王问诸椒举，对曰："成王克许，许僖公如是；王亲释其缚，受其璧，焚其榇。"王从之。迁赖于鄢。

楚子欲迁许于赖，使斗韦龟与公子弃疾城之而还。

申无宇曰："楚祸之首，将在此矣。召诸侯而来，伐国而克，城竟莫校，王心不违，民其居乎？民之不处，其谁堪之？不堪王命，乃祸乱也。"

九月，取鄫，言易也。莒乱，著丘公立而不抚鄫，鄫叛而来，故曰"取"。凡克邑不用师徒曰"取"。

郑子产作丘赋，国人谤之，曰："其父死于路，己为虿尾，以令于国，国将若之何？"子宽以告。子产曰："何害？苟利社稷，死生以之。且吾闻为善者不改其度，故能有济也。民不可逞，度不可改。《诗》曰：'礼义不愆，何恤于人言！'吾不迁矣！"浑罕曰："国氏其亡乎？君子作法于凉，其敝犹贪。作法于贪，敝将若之何？姬在列者，蔡及曹、滕其先亡乎？偪而无礼。郑先卫亡，偪而无法。政不率法，而制于心。民各有心，何上之有？"

冬，吴伐楚，入棘、栎、麻，以报朱方之役。楚沈尹射奔命于夏汭，（咸）〔箴〕尹宜咎城钟离，薳启强城巢，然丹城州来。东国水，不可以城。彭生罢赖之师。

初，穆子去叔孙氏；及庚宗，遇妇人，使私为食而宿焉。问其行，告之故；哭而送之。适齐，娶于国氏，生孟丙、仲壬。梦天压己，弗胜；顾而见人，黑而上偻，深目而豭喙，号之曰："牛，助余！"乃胜之。旦而皆召其徒，无之。且曰："志之！"

及宣伯奔齐，馈之；宣伯曰："鲁以先子之故，将存吾宗，必召女。召，女何如？"对曰："愿之久矣！"鲁人召之，不告而归。既立，所宿庚宗之妇人献以雉。问其姓，对曰："余子长矣，能奉雉而从我矣。"召而见之，则所梦也。未问其名，号之曰："牛！"曰："唯。"皆召其徒使视之。遂使为竖，有宠；长，使为政。公孙明知叔孙于齐。归，未逆国姜；子明取之。故怒。其子长而后使逆之。

田于丘蕕，遂遇疾焉。竖牛欲乱其室而有之，强与孟盟，不可。叔孙为孟钟，曰："尔未际，飨大夫以落之。"既具，使竖牛请日。入，弗谒；出，命之日。及宾至，闻钟声。牛曰："孟有北妇人之客。"怒，将往，牛止之。宾出，使拘而杀诸外。牛又强与仲盟，不可。仲与公御莱书观于公，公与之环，使牛入示之。入，不示；出，命佩之。牛谓叔孙："见仲而何？"叔孙曰："何为？"曰："不见？既自见矣，公与之环而佩之矣。"遂逐之，奔齐。疾急，命召仲，牛许而不召。

杜泄见，告之饥渴，授之戈。对曰："求之而至，又何去焉？"竖牛曰："夫子疾病，不欲见人。"使置馈于个而退。牛弗进，则〔實〕（置）虚，命彻。十二月癸丑，叔孙不食；乙卯，卒。牛立昭子而相之。

公使杜泄葬叔孙。竖牛赂叔仲昭子与南遗，使恶杜泄于季孙而去之。杜泄将以路葬，且尽卿礼。南遗谓季孙曰："叔孙未乘路，葬焉用之？且冢卿无路，介卿以葬，不亦左乎？"季孙曰："然。"使杜泄舍路；不可，曰："夫子受命于朝而聘于王，王思旧勋而赐之路，复命而致之君。君不敢逆王命而复赐之，使三官书之。吾子为司徒，实书名。夫子为司马，与工正书服；孟孙为司空，以书勋。今死而弗以，是弃君命也。书在公府而弗以，是废三官也。若命服，生弗敢服，死又不以，将焉用之？"乃使以葬。

季孙谋去中军，竖牛曰："夫子固欲去之。"

【译文】

鲁昭公四年春天，周王历正月，下大冰雹。夏天，楚灵王、蔡侯、陈侯、郑简公、许男、徐子、滕子、顿子、胡子、小邾子、宋太子佐、淮夷等在申地会盟。楚国人拘捕了徐子。秋天七月，楚灵王、蔡侯、陈侯、许男、顿子、胡子、沈子、淮夷攻打吴国，逮捕齐国的庆封，杀了他。接着灭亡了赖国。九月占领了鄫邑。冬十二月二十八日，叔孙豹死了。

鲁昭公四年春天，周历正月，许男前往楚国，楚灵王留下他，接着留下郑简公，再次在江南打猎，许男参加了。

楚灵王派椒举前往晋国商请求得诸侯的拥护，郑、许两国君主在等待他。椒举传达楚灵王的命辞说："寡君派遣我来时说：过去君对敝国有恩惠，赐给在宋国结盟，说：'晋、楚的从属国，应互相朝见。'因为年来多难，寡人希望与几位国君重结旧好，寡君派我前来请求您得空听取这一要求。君如果没有来自四方边境的忧患，那么希望凭借您的恩宠来向诸侯请求。"晋平公打算不答应，司马侯说："不行。楚王正胡作妄为，上天也许是想使他的愿望得逞，以加重他的罪行而降给他惩罚，这是不可预料的。或许要让他得到善终，也是不可预料的。晋、楚两国只有靠天的帮助，不可互相争夺。您还是答应他，修明德政来等待他的结局。假如他归向德行，我们还将要事奉他，何况诸侯呢？假如他走向荒淫暴虐，楚国将抛弃他，我们又用得着和谁去争？"

晋平公说："晋国有三条可免于危险，还有什么可以相匹敌的？国家地势险要而多产马匹，齐、楚两国多祸难，有这三条，走向哪儿不成功？"司马侯回答说："依仗地势险要和马匹，而把邻国的祸难当成喜乐，是三条危险。四岳、三涂、阳城、大室、中南，都是九州中的险要之处，这些都不属于一国所有。冀州的北方，是产马的地方，却没有兴盛的国家。依仗险要和马匹，不可以建立巩固的国家，自古已是这样。因此先王致力于修明德行声誉来取悦神灵和人民，没听说他们致力于险要和马匹的。邻国的灾祸，不能感到高兴。有的祸难多而使国家得到巩固，开辟了疆土；有的没有祸难而灭亡了国家，丧失了疆土，怎么能幸灾乐祸？齐国有仲孙之难却得到桓公，至今齐国还依赖他的余荫。晋国有里克、丕郑之难却使得文公归国，因此成为盟主。卫国、邢国没有祸难，外敌也灭亡了它。所以别人的祸难，不能引以为乐。仗着这三条，却不修政事德行，挽救灭亡还来不及，又怎么能成功？您还是答应他！殷纣施行淫乱暴虐，文王仁惠宽和，殷朝因而衰落，周朝因此兴盛，难道在于争夺诸侯？"于是答应了楚国使者的请求，并派叔向回答说："寡君有国家大事，因而未能在春秋两季按时进见。至于诸侯，君王本就拥有他们，何必委屈赐命呢？"椒举随即又为楚王求婚，晋平公答应了。

楚灵王问子产说："晋国会允许诸侯归服我吗？"子产回答说："会允许君王的。晋君贪图小的安逸，志向不在诸侯。他的大夫们又有很多欲望，没有人匡助国君。在宋国盟会时又说过晋、楚两国友好如一，如果不允许您，又哪里用得着在宋国的盟约？"楚灵王说："诸侯将会来吗？"子产回答说："一定会来。遵从在宋国的盟约，取得您的欢心，不害怕晋国，为什么不来？不来的国家，大概是鲁、卫、曹、邾等国吧。曹国害怕宋国，邾国害怕鲁国，鲁国、卫国为齐国所逼迫而亲近晋国，因此不来。其余的国家，是您力所能及的，谁敢不到？"楚王说："那么我所要求的，没有不可以达到的了？"子产回答说："从别人那儿求得快意，不可能达到；和别人欲望相同，都能成功。"

鲁国下大冰雹，季武子问申丰说："冰雹可以防止吗？"申丰回答说："圣人在上，没有冰雹，即使有，不成灾。古时候，太阳在北陆的位置而藏冰，在西陆的位置早晨出现就取出冰来。藏冰的时候，深山穷谷，寒气凝固，就在那里凿取。取冰的时候，朝廷上有禄位的人，以及宴宾、用膳、丧事、祭典，就在那里取用。当收藏的时候，黑色的公羊、黑色的黍子，用来祭享司寒之神。当取用的时候，桃木的弓、荆棘的箭，用来禳除灾祸。收藏和取用都按一定的时节，吃肉而有禄位的人，都能分享冰。大夫及其妻子死了，擦洗身子都用冰。祭祀司寒之神而收藏冰，奉献羔羊祭品而打开冰室，国君最先使用冰。大火星出现而颁发完毕，从大夫及其妻子，以至于年老生病的人，没有不享受用冰的。山人凿取冰，县人运输冰，舆人交纳冰，隶人收藏冰。冰因风寒而坚实，同时因风暖而取用。它的收藏周密，它的使用普遍，那就冬天没有过分的温暖，夏天没有伏藏的阴寒，春天没有凄风，秋天没有苦雨，雷鸣不伤人，霜雹不成灾，瘟疫不流行，百姓不夭折。现在收藏着山川河池的冰，抛弃而不使用，风不扬而草木凋零，雷不鸣而伤人，冰雹成灾，谁能防止？《七月》这首诗的末章，就是藏冰的道理。"

夏天，诸侯去到楚国会盟，鲁、卫、曹、邾四国没有参加。曹国、邾国以国内有祸难推辞，鲁昭公用当时正有祭祀推辞，卫襄公用有病来拒绝。郑简公先在申地等待。六月十六日，楚王在申地会合诸侯。椒举对楚王说："我听说诸侯不归服别的，而只归服于礼。现在您刚得到诸侯，对礼要谨慎啊！霸业的成功与否，全在这次会合了。夏启有钧台的宴享，商汤有景亳的命令，周武王有孟津的盟誓，周成王有岐阳的阅兵，周康王有酆宫的朝觐，周穆王有涂山的会盟，齐桓公有召陵的陈兵，晋文公有践土的盟约，您大概采用哪一种？宋国的向戌、郑国的子产在这里，他们是诸侯中的优秀人物，您可加以选择。"楚王说："我采用齐桓公的方式。"

楚灵王派人向向戌和子产询问礼仪，向戌说："小国学习礼仪，大国使用礼仪，岂敢不进献我所听到的？"就呈献公侯会合诸侯的六种礼仪。子产说："小国供奉职守，岂敢不效忠尽职？"于是进献伯、子、男会见公侯的六种礼仪。君子认为向戌善于保持前代的礼仪，子产善于辅佐小国。当时楚王派椒举侍从在身后，以便规正错误。到事情结束，椒举没有什么规正。楚王问他原因，他回答说："礼仪，我未曾见到过的就是这六种，又怎么能纠正？"

宋国的太子佐晚到，楚王在武城打猎，很久没有接见。椒举请求向他加以解释，楚王就派人前去说："在武城正好有宗庙祭祀的事，寡君将要输送财礼，谨就不能及时接见向您致歉！"

徐子，是吴女所生的，楚王认为他有二心，所以在申地逮捕了他。

楚灵王在诸侯面前表现出骄纵，椒举说："那六王二公的事迹，都是用以向诸侯显示礼仪的，也是诸侯听从命令的原因。夏桀举行仍地的会见，缗国背叛了他。商纣举行黎丘的田猎，东夷背叛了他。周幽王举行大室的盟会，戎狄背叛了他。这都是在诸侯面前表现出骄纵的缘故，也就是诸侯背弃命令的原因。现在您太骄纵了，恐怕难以成功吧！"楚王不听。

子产见到向戌说："我不担心楚国了，骄纵而拒谏，过不了十年。"向戌说："是这样。骄纵不到十年，他的罪恶还不远，罪恶远扬然后被抛弃。美好的德行也像这样，德行远扬然后兴盛。"

秋七月，楚灵王率领诸侯攻打吴国。宋太子和郑简公先回国，宋国的华费遂、郑国的大夫随军出征。派屈申包围朱方，八月的一天，攻下了朱方，俘虏了齐国的庆封，并全部灭了他的族人。将要杀死庆封，椒举说："我听说没有缺点的人才能处罚别人。庆封只是违抗君命，因此才留在这里，他会甘心服从杀戮吗？这事将传扬到诸侯中去，哪里能用这种方法？"楚王不听，让庆封背着斧钺，在诸侯中巡行示众，迫使他说："不要有人像齐国的庆封那样，杀了自己的国君，削弱国君的遗孤，来和他的大夫会盟！"而庆封说："不要有人像楚共王的庶子围那样，杀死自己的国君，也就是哥哥的儿子麇而取代他，来和诸侯会盟。"楚王派人赶忙杀了他。

楚灵王于是带领诸侯灭亡赖国。赖君用绳子套住头，口衔玉璧，士兵光着上身，抬着棺材跟着他，来到中军。楚王向椒举询问，椒举回答说："成王攻下许国时，许僖公也像这样。成王亲自解开他的绳索，接受他的玉璧，烧掉他的棺材。"楚灵王听从了。把赖国迁到鄢地。楚灵王想把许国迁移到赖国境内，派鬭韦龟和公子弃疾在那里筑城然后回国。申无宇说："楚国祸难的开端，将会在这里了。召集诸侯，诸侯就到，攻打别国就攻下，在边境筑城没有人反抗，国君的心愿都能如意，百姓难道能安居乐业吗？老百姓不能安居乐业，谁还受得了？不能忍受国君的命令，就是祸乱。"

九月，取得鄫地，这是说占取很容易。莒国发生动乱，著丘公即位而不安抚鄫地，鄫地人背叛而来，所以经文说"取"。凡是攻下城邑不用军队就说"取"。

郑国子产制定丘赋法，国内的人公开指责他说："他的父亲死在路上，他自己做了蝎子尾巴，凭这个在国内发号施令，国家将怎么办？"子宽把这些话告诉了子产，子产说："担心什么？如果对国家有利，生死都由它去。而且我听说干好事的人不改变他的原则，所以能有成就。老百姓不可放纵，原则不可以改变。《诗》说：'礼义没有过失，何必担忧别人说话？'我不会改变了。"子宽说："国氏恐怕会先灭亡了吧！君子在凉薄的基础上制订赋法。其后果尚且是贪婪；在贪婪的基础上制订赋法。后果将会怎么样？姬姓列在诸侯中的，蔡国和曹国、滕国大概会先灭亡吧！因为它们靠近大国而没有礼仪。郑国在卫国之前灭亡，是因为它逼近大国而没有法规。政治不遵循法度，而由意志来决定；老百姓各人有各人的意志，还有什么朝廷呢？"

冬天，吴国攻打楚国，进入棘、栎、麻等地，来报复朱方那次战役。楚国的沈尹射奔走到夏汭应命，箴尹宜咎在钟离筑城，薳启强在巢地筑城，然丹在州来筑城。楚国东部多水患，不可以筑城，彭生就停止了赖地军队的筑城行动。

当初，叔孙豹离开叔孙家，到达庚宗，碰到一个女人。让她偷偷为自己弄些食物并且睡在她那里。女人问到他的行程，叔孙豹告诉了她原因，那女人就哭着送他。到了齐国，在国氏那里娶了妻子，生了孟丙、仲壬。晚上梦见天压着自己，不能承受，回头看见一个人，脸黑，颈肩向前弯曲，眼睛下抠，嘴巴像猪。叔孙豹喊他说："牛，来帮我！"才顶住了天。早晨把自己的奴仆都叫来，没有那样的人，只好说："记下这个人。"等到宣伯逃亡到齐国，叔孙豹送给他吃的，宣伯说："鲁国因为先人的缘故，将保存我们的宗族，一定会召你回去。如果召你，怎么样？"叔孙豹回答说："希望很久了。"鲁国人召他回去，他不告诉宣伯就走了。已经立为卿之后，在庚宗同宿的那个女人献给他野鸡。叔孙豹问她的儿子，她回答说："我的儿子长大了，能捧着野鸡跟着我了。"喊来见面，就是梦见的那个人。叔孙豹没有问他的名字，称他叫"牛"，他答应说："嗯。"叔孙豹又把徒仆都叫来，让他们见面，于是让牛做了僮仆。牛受到宠信，长大后让他主管家务。公孙明在齐国结识了叔孙豹,叔孙豹回国,没有去接国姜,公孙明强娶了她。所以叔孙豹迁怒于她的儿子,等他们长大后才接回鲁国。

叔孙豹在丘蕕打猎,就在那儿染上了疾病。竖牛想要搅乱他的家室而占有它,强行与孟丙盟誓,孟丙不同意。叔孙豹为孟丙铸了一口钟,说:"你还没有正式与人交际,宴享大夫们来为这口钟举行落成典礼吧!"已经准备好宴享,派竖牛请叔孙豹定日子。竖牛进去,没有禀告此事;出来时假传命令定了个日子。等宾客来到时,叔孙豹听到钟声,竖牛说:"孟丙那儿有北边女人的客人。"叔孙豹发怒,想要前去,竖牛制止了他。宾客离去,叔孙豹派人把孟丙抓起来杀死在外面。竖牛又强行与仲壬盟誓,仲壬也不答应。仲壬和昭公的卫士菜书在昭公处游玩,昭公赐给仲壬一个玉环。仲壬让竖牛进去给叔孙豹看,竖牛进去,不给叔孙豹看,出来时,假传命令让仲壬佩戴玉环。竖牛对叔孙豹说:"让仲壬谒见国君是为什么?"叔孙豹说:"什么意思?"竖牛说:"您不让他见,他自己已经去见了,国君赐给他玉环已经佩戴上了。"于是叔孙豹驱逐了仲壬,仲壬逃亡到齐国。叔孙病危,命令召回仲壬,竖牛答应但不去召他。

杜泄见叔孙豹,叔孙豹告诉他自己又饥又渴,并授给他戈。杜泄回答说:"您找竖牛,他自己来了,又何必除掉他呢?"竖牛说:"老人家病重,不想见人。"让来探望的人把送来的食品放在厢房里就让他们退去。竖牛并不把食品送进去,就倒掉食物放个空盘在那里,然后命人撤去。十二月二十六日,叔孙豹不能进食,二十八日死了。竖牛立了昭子而辅佐他。

昭公派杜泄安葬叔孙豹。竖牛贿赂叔仲昭子和南遗,让他们在季孙那里说杜泄的坏话而除掉他。杜泄打算用大路车安葬,并且全部按卿的礼仪。南遗对季孙说:"叔孙豹没有乘坐路车,安葬怎么能用它?况且正卿没有路车,次卿用来安葬,不也是不正当吗?"季孙说:"是这样。"让杜泄放弃路车,杜泄不同意,说:"他老人家从朝廷上接受命令而到天子那里聘问,天子念他过去的功勋而赐给他路车,他回朝廷复命就送给了国君,国君不敢违背天子的命令然后又赐给他,并让三个部门的官员记载这件事。您做司徒,记载名位。他老人家做司马,让工正记载车服器用。孟孙做司空,因而记载功勋。现在他死了却不用路车,这是违背君命。记载的文书藏在公府却不用路车,这是废弃三官。如果天子命赐的车服,活着不敢使用,死了又不用来安葬,还哪里用得着它?"于是让他用路车安葬叔孙豹。

季孙策划去掉中军,竖牛说:"他老头子本来就想去掉。"

昭公五年

【原文】

五年:春,王正月,舍中军。

楚杀其大夫屈申。

公如晋。

夏，莒牟夷以牟娄及防、兹来奔。

秋，七月，公至自晋。

戊辰，叔弓帅师败莒师于蚡泉。

秦伯卒。

冬，楚子、蔡侯、陈侯、许男、顿子、沈子、徐人、越人伐吴。

五年春，王正月，舍中军，卑公室也。毁中军于施氏，成诸臧氏。初，作中军，三分公室而各有其一。季氏尽征之，叔孙氏臣其子弟，孟氏取其半焉。及其舍之也，四分公室，季氏择二，二子各一，皆尽征之而贡于公。以书使杜泄告于殡，曰："子固欲毁中军。既毁之矣，故告。"杜泄曰："夫子唯不欲毁也，故盟诸僖闳，诅诸五父之衢。"受其书而投之，帅士而哭之。

叔仲子谓季孙曰："带受命于子叔孙曰：'葬鲜者自西门。'"季孙命杜泄，杜泄曰："卿丧自朝，鲁礼也。吾子为国政未改礼，而又迁之？群臣惧死，不敢自也。"既葬而行。

仲至自齐，季孙欲立之。南遗曰："叔孙氏厚则季氏薄。彼实家乱，子勿与知，不亦可乎？"南遗使国人助竖牛以攻诸大库之庭，司宫射之，中目而死。竖牛取东鄙三十邑以与南遗。

昭子即位，朝其家众，曰："竖牛祸叔孙氏，使乱大从，杀适立庶；又披其邑，将以赦罪。罪莫大焉！必速杀之！"竖牛惧，奔齐。孟、仲之子杀诸塞关之外，投其首于宁风之棘上。

仲尼曰："叔孙昭子之不劳，不可能也。周任有言曰：'为政者不赏私劳，不罚私怨。'《诗》云：'有觉德行，四国顺之。'"

初，穆子之生也，庄叔以《周易》筮之，遇"明夷䷣"之"谦䷎"，以示卜楚丘。曰："是将行而归为子祀。以谗人入，其名曰牛。卒以馁死。'明夷'，日也。日之数十，故有十时，亦当十位。自王已下，其二为公，其三为卿。日上其中，食日为二，旦日为三。'明夷'之'谦'，明而未融，其当旦乎？故曰'为子祀'。日之'谦'当鸟，故曰'明夷于飞'。明而未融，故曰'垂其翼'。象日之动，故曰'君子于行'。当三在旦，故曰'三日不食'。'离'，火也；'艮'，山也。'离'为火，火焚山，山败。于人为言，败言为谗，故曰：'有攸往。主人有言。'言必谗也。纯'离'为牛，世乱谗胜，胜将适'离'，故曰'其名曰牛'。'谦'不足，飞不翔，垂不峻，翼不广。故曰：其为子后乎！吾子，亚卿也，抑少不终。"

楚子以屈申为贰于吴，乃杀之；以屈生为莫敖，使与令尹子荡如晋逆女。过郑，郑伯劳子荡于（氾）〔汜〕，劳屈生于菟氏。晋侯送女于邢丘。子产相郑伯，会晋侯于邢丘。

公如晋，自郊劳至于赠贿，无失礼。晋侯谓女叔齐曰："鲁侯不亦善于礼乎？"对曰:"鲁侯焉知礼!"公曰:"何为?自郊劳至于赠贿,礼无违者。何故不知?"对曰:"是仪也,不可谓礼。礼,所以守其国、行其政令、无失其民者也。今政令在家,不能取也;有子家羁,弗能用也;奸大国之盟,陵虐小国;利人之难,不知其私;公室四分,民食于他,思莫在公,不图其终;为国君,难将及身,不恤其所:礼之本末,将于此乎在?而屑屑焉习仪以亟,言善于礼,不亦远乎?"君子谓叔侯于是乎知礼。

晋韩宣子如楚送女,叔向为介。郑子皮、子大叔劳诸索氏。大叔谓叔向曰:"楚王(汏)〔汰〕侈已甚,子其戒之!"叔向曰:"(汏)〔汰〕侈已甚,身之灾也,焉能及人?若奉吾币帛,慎吾威仪,守之以信,行之以礼,敬始而思终,终无不复。从而不失仪,敬而不失威,道之以训辞,奉之以旧法,考之以先王,度之以二国,虽(汏)〔汰〕侈,若我何?"

及楚,楚子朝其大夫,曰:"晋,吾仇敌也。苟得志焉,无恤其他。今其来者,上卿、上大夫也。若吾以韩起为阍,以羊舌肸为司宫,足以辱晋,吾亦得志矣。可乎?"大夫莫对。薳启强曰:"可。苟有其备,何故不可?耻匹夫不可以无备,况耻国乎!是以圣王务行礼,不求耻人;朝聘有珪,享覜有璋;小有述职,大有巡功;设机而不倚,爵盈而不饮;宴有好货,飧有陪鼎;入有郊劳,出有赠贿:礼之至也!国家之败,失之道也,则祸乱兴。城濮之役,晋无楚备,以败于邲。邲之役,楚无晋备,以败于鄢。自鄢以来,晋不失备,而加之以礼,重之以睦,是以楚弗能报而求亲焉。既获姻亲,又欲耻之以召寇雠,备之若何?谁其重此?若有其人,耻之可也;若其未有,君亦图之!晋之事君,臣曰可也:求诸侯而麇至;求昏而荐女,君亲送之,上卿及上大夫致之。犹欲耻之,君其亦有备矣;不然,奈何?韩起之下,赵成、中行吴、魏舒、范鞅、知盈;羊舌肸之下,祁午、张趯、籍谈、女齐、梁丙、张骼、辅跞、苗贲皇:皆诸侯之选也。韩襄为公族大夫,韩须受命而使矣;箕襄、邢带、叔禽、叔椒、子羽,皆大家也。韩赋七邑,皆成县也。羊舌四族,皆强家也。晋人若丧韩起、杨肸,五卿、八大夫辅韩须、杨石,因其十家九县,长毂九百,其余四十县,遗守四千,奋其武怒,以报其大耻;伯华谋之,中行伯、魏舒帅之:其蔑不济矣!君将以亲易怨,实无礼以速寇,而未有其备,使群臣往遗之禽,以逞君心,何不可之有?"王曰:"不穀之过也,大夫无辱。"厚为韩子礼。王欲敖叔向以其所不知,而不能,亦厚其礼。

韩起反,郑伯劳诸圉。辞不敢见,礼也。

郑罕虎如齐,娶于子尾氏。晏子骤见之。陈桓子问其故,对曰:"能用善人,民之主也。"

"夏,莒牟夷以牟娄及防、兹来奔。"牟夷非卿而书,尊地也。莒人愬于晋,晋侯欲止公。范献子曰:"不可。人朝而执之,诱也。讨不以师,而诱以成之,惰也。为盟主而犯此二者,无乃不可乎?请归之,间而以师讨焉。"乃归公。秋七月,公至自晋。

莒人来讨,不设备。戊辰,叔弓败诸蚡泉,莒未陈也。

冬十月,楚子以诸侯及东夷伐吴,以报棘、栎、麻之役。薳射以繁扬之师会于夏汭。越大夫常寿过帅师会楚子于琐。闻吴师出,薳启强帅师从之;遂不设备,吴人败诸鹊岸。

楚子以驲至于罗汭。吴子使其弟蹶由犒师；楚人执之，将以衅鼓。王使问焉，曰："女卜来吉乎？"对曰："吉！寡君闻君将治兵于敝邑，卜之以守龟，曰：'余亟使人犒师，请行以观王怒之疾徐而为之备，尚克知之。'龟兆告吉，曰：'克可知也。'君若骤焉好逆使臣，滋敝邑休怠而忘其死，亡无日矣。今君奋焉震电冯怒，虐执使臣将以衅鼓，则吴知所备矣。敝邑虽羸，若早修完，其可以息师。难易有备，可谓吉矣！且吴社稷是卜，岂为一人？使臣获衅军鼓，而敝邑知备，以御不虞，其为吉孰大焉？国之守龟，其何事不卜？一臧一否，其谁能常之？城濮之兆，其报在邲。今此行也，其庸有报志？"乃弗杀。

楚师济于罗汭，沈尹赤会楚子，次于莱山。薳射帅繁扬之师先入南怀，楚师从之，及汝清。吴不可入，楚子遂观兵于坻箕之山。

是行也，吴早设备，楚无功而还，以蹶由归。楚子惧吴，使沈尹射待命于巢，薳启强待命于雩娄，礼也。

秦后子复归于秦，景公卒故也。

【译文】

鲁昭公五年春天。周历正月，废弃中军。楚国杀了它的大夫屈申。昭公去到晋国。夏天，莒国的牟夷带了牟娄以及防地、兹地前来投奔。秋七月，昭公从晋国回到国内。十四日，叔弓率领军队在蚡泉打败莒国军队。秦景公死去。冬天，楚灵王、蔡侯、陈侯、许男、顿子、沈子、徐国人、越国人等攻打吴国。

鲁昭公五年春天，周历正月，废除中军，这是为了降低公室的地位。在施氏家讨论废除中军，在臧氏家达成协议。开始成立中军时，将公室军队一分为三而三家各拥有其中一军。季孙氏全部采用征兵或征税的办法，叔孙氏将其中的丁壮作为家奴，孟孙氏则将其中的一半作为家奴。等到废除中军时，将公室军队一分为四，季孙氏择取四分之二，另两位各取四分之一，都全部实行征兵或征税的办法，而向昭公缴纳贡赋。季孙氏把废除中军的事写成书策，让杜泄向叔孙豹的灵柩告祭说："您本来想要废除中军，已经废除了，因此向您禀告。"杜泄说："他老人家只因为不想废除，所以在僖公庙门盟誓，在五父之衢诅咒。"接了书策丢在地上，领着手下人为叔孙豹哭泣。叔仲子对季孙氏说："我在子叔孙那儿接受命令，说：安葬没有寿终正寝的人从西门出去。"季孙氏命令杜泄照办，杜泄说："卿的丧礼要从朝门出去，这是鲁国的礼仪。您掌管国政，没有修改礼仪，却又加以改变，群臣害怕死罪，不敢服从。"安葬完毕后杜泄就走了。

仲壬从齐国回到鲁国，季孙氏想要立他。南遗说："叔孙氏强大季孙氏就弱小。他们确是家乱，您不要参与干预，不也可以吗？"南遗让国内人们帮助竖牛在大库的庭院里攻打仲壬，司宫用箭射他，射中眼睛而死。竖牛夺取东部边境城邑三十个，把它们送给南遗。

昭子即位，召集他的家臣朝见，说："竖牛为害叔孙氏，致使动乱不断发生，杀死嫡长，立了庶子，又分裂他们的封邑，打算以此逃脱罪责，罪过实在没有比这再大的了，一定要尽快杀了他。"竖牛害怕，逃亡到齐国。孟丙、仲壬的儿子把他杀死在塞关之外，把他的脑袋扔在宁风的荆棘丛中。孔子说："叔孙昭子不报答竖牛，是难能这样的。周任有话说：'掌握政权的人不奖赏个人酬报，不惩罚个人怨恨。'《诗》上说：'具有正直的德行，四方国家都来归顺。'"

当初，叔孙豹出生的时候，他父亲庄叔用《周易》为他占卜，遇到《明夷》卦变成《谦》卦，拿给卜楚丘看。卜楚丘说："这是将要离开国家，但能回来为您祭祀。带着个说别人坏话的人回国，他的名字叫牛。最后将因为饥饿而死。《明夷》，是代表太阳。太阳的数目是十，所以有十时，也与十日的位次相当。从王以下，第二是公，第三是卿。太阳上升到中天相当于王，食时相当于公，清早相当于卿。《明夷》变到《谦》，天已明亮但太阳不高，大概相当清早吧，所以说'能为您祭祀'。太阳（《明夷》）变到《谦》时，和鸟相配，所以说'明夷飞翔'。天已明亮但太阳不高，所以说'垂下它的翅膀'。象征太阳的运行，所以说'君子要出行'。相当第三位处在清早的时候，所以说'三天不吃饭'。《离》是火，《艮》是山。《离》为火，火烧山，山毁坏。《艮》卦对人来说就是言语，说坏话就是谗言，所以说'有人离开，主人有话'。这个话一定是谗言。与《离》相配的是牛，世道混乱谗言取胜，取胜就将变到《离》卦，所以说'他的名字叫牛'。谦而不够，飞而不能翱翔，翅膀下垂而不能高举，两翼伸展而不宽广，所以说'大概是您的继承人吧。'您是次卿，但继承人将不得善终。

楚灵王认为屈申有心归向吴国，就杀了他。让屈生做莫敖，派他和令尹子荡到晋国去迎接晋女。经过郑国，郑简公在汜地慰劳子荡，在菟氏慰劳屈生。晋平公送女儿到邢丘。子产辅佐郑简公在邢丘会见晋平公。

鲁昭公到晋国去，从郊外慰劳到赠送财礼，都没有违失礼。晋平公对女叔齐说："鲁侯不也是擅长礼吗？"女叔齐回答说："鲁侯哪里懂得礼？"晋平公说："为什么？从郊外慰劳一直到赠送财礼，没有失礼的地方，怎么不懂？"女叔齐回答说："那是仪式，不能叫礼。礼是用来保有国家，施行政令，不失去百姓的。现在施行政令的权力在大夫手中，无力收回；有子家羁这样的人，但不能任用；违犯大国的盟约，欺凌小国；把别人的祸难看成对自己有利，却不知道对他自己也有危害。公室的军队一分为四，老百姓靠别的大夫吃饭，心思都不在国君，国君也不考虑他的结果。作为国君，祸难将到他身上，却不担忧自己的处境。礼的全部将在于这些，却琐屑地急于学习礼仪。说他擅长礼，不也太离远了吗？"君子认为女叔齐在这方面是懂得礼的。

晋国的韩起护送晋女前往楚国，叔向担任副使。郑国的子皮、子太叔在索氏慰劳他们，子太叔对叔向说："楚王骄纵太甚，你要谨慎点。"叔向说："骄纵太甚，是自身的灾祸，哪能累及别人？只要献上我的财礼，谨慎我的威仪，恪守信义，奉行礼节，一开始就恭敬同时想到结果，结果没有不如意到来的。顺从但不失度，恭敬但不失尊严，遵循先贤的训导，奉守过去的法度，用先王的事迹来考核，用两国的实情来衡量，虽然骄纵，能把我怎么样？"

韩起到达楚国，楚灵王让大夫们上朝，说："晋国，是我们的仇敌。如果我们能在他面前得意，就用不着担心其他。现在他们来的人是上卿、上大夫，假如我们让韩起做守门人，让叔向做司宫，足以羞辱晋国，我们也得意了，可以吗？"

大夫们没有人回答。芋启强说："可以。如果有那种防备，为什么不可以？羞辱普通人尚且不可以没有防备，何况羞辱一个国家呢？因此圣王致力于推行礼义，不谋求羞辱别人。朝觐聘问有珪，宴享进见有璋，小国有述职的义务，大国有巡守的权力，摆设了几桌但不倚靠，酒杯斟满了但不喝，宴客有美好的礼品，吃饭有增加的菜肴，入境有郊外的慰劳。出境有赠送的财礼，这都是表现礼义的最好方式。国家的败亡，也就是违背了这种方式，所以祸乱就发生了。城濮那次战役，晋国得胜而没有戒备楚国，以致在邲地吃了败仗。邲地那次战役，楚国得胜而没有戒备晋国，以致在鄢地吃了败仗。自从鄢地战役以来，晋国没有丧失戒备，同时又以礼义、和睦对待楚国，因此楚国不仅不能报复，反而向晋国寻求亲睦。已经获得婚姻亲睦关系，又想羞辱他们，来招致侵扰仇怨，那么对晋国的戒备又怎么样呢？谁能承担这个重任呢？如果有承担重任的人，羞辱他们也可以；如果没有，君王您也要考虑一下。晋国的事奉君王，我认为算可以了。要求得到诸侯，诸侯就一齐到来，要求结成婚姻，就进献女子，国君亲自送她，上卿及上大夫送到我国。还想羞辱他们，君王恐怕也要有所戒备，不然，能把他们怎么样呢？韩起的下面，有赵成、中行吴、魏舒、范鞅、知盈；叔向的下面，有祁午、张趯、籍谈、女齐、梁丙、张骼、辅跞、苗贲皇，他们都是诸侯应该选拔的人才。韩襄做了公族大夫，韩须接受命令出使了。箕襄、邢带、叔禽、叔椒、子羽，都是大家族。韩氏的七个赋邑，都是强盛的县邑。羊舌氏四个家族，都是强大的家族。晋国人如果丧失韩起、叔向，五卿八大夫辅助韩须、杨石，依靠他们的十家九县、战车九百辆，加上其余四十县，留守的战车四千辆，振奋他们的勇武愤怒，来报复他们的奇耻大辱，伯华为他们谋划，中行伯和魏舒做他们的将帅，大概是没有不成功的了。君王您将会以亲睦换仇怨，以毫无礼义招来侵暴，却没有戒备，使群臣送上门去当俘虏，来满足您的心意，有什么不可以呢？"楚灵王说："是我的过错，大夫们不烦再说了。"于是隆重地礼待韩起。楚王本想问叔向不知道的事以便傲视他，但做不到，也对他厚加礼待。

韩起回国，郑简公到圉地慰劳他。韩起推辞不肯见面，是合乎礼的。

郑国的子皮去到齐国，在子尾氏那儿娶妻。晏子屡次进见他，陈桓子问他原因，晏子回答说："能任用好人，是百姓的主人。"

夏天，莒国的牟夷带了牟娄及防地、兹地前来投奔。牟夷不是卿而记载他的名字，是因为重视土地。

莒国人向晋国控诉，晋平公打算扣留昭公，范献子说："不行。人家来朝聘却拘留他，是引诱。讨伐不用军队，而用引诱的方式取得成功，这是惰慢。作为盟主而犯了这两条，恐怕不可以吧？请让他回去，找机会再用军队讨伐他。"就让昭公回国。秋七月，昭公从晋国回到鲁国。

莒国人前来攻打，没有设防。十四日，叔弓在蚡泉打败了他们，是因为莒国还没有摆好阵势。

冬十月，楚灵王率诸侯以及东夷攻打吴国，以报复棘地、栎地、麻地那次战役。远射带领繁扬的军队在夏汭会师，越国大夫常寿过率领军队在琐地和楚王会合。听到吴军出兵，远启强领兵追击吴军。仓猝间没有设防，吴国军队在鹊岸打败了他。

楚灵王坐驿车到达罗汭。吴王派他的弟弟蹶由犒劳楚军，楚人逮捕了他，准备杀了他用血祭鼓。楚王派人问他说："你占卜过到这里来吉利吗？"蹶由回答说："吉利。寡君听说您将在敝国用兵，用守龟占卜这事，说：'我赶紧派人犒劳军队，请求前去以观察楚王发怒的大小而做好准备，希望能让我知道吉凶！'占卜的龟兆告知我们吉利，说：'成功可以预知。'君王如果高兴友好地迎接使臣，滋长敝邑的懈怠，而使我们忘记了将死，那么灭亡也就没几天了。现在您勃然大发雷霆，虐待逮捕使臣，并打算用来祭鼓，那么吴国知道防备了。敝邑虽然疲弱，如果早日把城郭修缮完备，也许可以阻止贵军。祸难平安都有防备，可说吉利了。而且吴国占卜的是国家，难道是为了使臣一人？使臣得以祭军鼓，而敝邑知道了怎么防备，以抵御意外，作为吉利哪个比这更大呢？国家的守龟，什么事不能占卜？一时吉利一时凶险，谁能保证一定？城濮之战占卜的龟兆，它的应验在邲地，我今天此行吉利的预兆，难道也将应验？"于是楚王没有杀他。

楚军从罗汭渡河，沈尹赤和楚王会合，驻扎在莱山。远射率领繁扬的军队首先进入南怀，楚军跟着进入，到达汝清。不能进入吴国。楚王就在坻箕之山检阅军队。

这次行动，吴国早有防备，楚军无功而返，带着蹶由回去了。楚王害怕吴国，让沈尹射在巢地待命，远启强在雩娄待命，这是合乎礼的。

秦景公的弟弟鍼又回到秦国，是因为景公死去的缘故。

昭公六年

【原文】

六年：春，王正月，杞伯益姑卒。

葬秦景公。

夏，季孙宿如晋。

葬杞文公。

宋华合比出奔卫。

秋，九月，大雩。

楚薳罢帅师伐吴。

冬，叔弓如楚。

齐侯伐北燕。

六年春，王正月，杞文公卒。吊如同盟，礼也。

大夫如秦葬景公，礼也。

三月，郑人铸刑书。叔向使诒子产书，曰：

始吾有虞于子，今则已矣。昔先王议事以制，不为刑辟，惧民之有争心也。犹不可禁御，是故闲之以义，纠之以政，行之以礼，守之以信，奉之以仁；制为禄位，以劝其从；严断刑罚，以威其淫。惧其未也，故诲之以忠，耸之以行，教之以务，使之以和，临之以敬，莅之以强，断之以刚；犹求圣哲之上、明察之官、忠信之长、慈惠之师。民于是乎可任使也，而不生祸乱。民知有辟，则不忌于上；并有争心，以徵于书，而徼幸以成之：弗可为矣！

夏有乱政而作《禹刑》，商有乱政而作《汤刑》，周有乱政而作《九刑》：三辟之兴，皆叔世也。今吾子相郑国，作封洫，立谤政，制参辟，铸刑书，将以靖民，不亦难乎？《诗》曰："仪式刑文王之德，日靖四方。"又曰："仪刑文王，万邦作孚。"如是，何辟之有？民知争端矣，将弃礼而徵于书，锥刀之末，将尽争之。乱狱滋丰，贿赂并行。终子之世，郑其败乎！肸闻之："国将亡，必多制。"其此之谓乎！

复书曰："若吾子之言，侨不才，不能及子孙。吾以救世也。既不承命，敢忘大惠？"

士文伯曰："火见，郑其火乎？火未出，而作火以铸刑器，藏争辟焉。火如象之，不火何为！"

"夏，季孙宿如晋。"拜莒田也。晋侯享之，有加笾。武子退，使行人告曰："小国之事大国也，苟免于讨，不敢求贶；得贶不过三献。今豆有加，下臣弗堪，无乃戾也？"韩宣子曰："寡君以为欢也。"对曰："寡君犹未敢；况下臣，君之隶也，敢闻加贶？"固请彻加，而后卒事。晋人以为知礼，重其好货。

宋寺人柳有宠，大子佐恶之。华合比曰："我杀之！"柳闻之，乃坎，用牲，埋书，而告公曰："合比将纳亡人之族，既盟于北郭矣。"公使视之，有焉，遂逐华合比。合比奔卫。于是华亥欲代右师，乃与寺人柳比，从为之徵，曰："闻之久矣。"公使代之。见于左师，左师曰："女夫也必亡！女丧而宗室，于人何有？人亦于女何有？《诗》曰：'宗子维城。毋俾城坏，毋独斯畏。'女其畏哉！"

六月丙戌，郑灾。

楚公子弃疾如晋，报韩子也。过郑，郑罕虎、公孙侨、游吉从郑伯以劳诸柤，辞不敢见；固请，见之。见如见王，以其乘马八匹私面；见子皮如上卿，以马六匹；见子产，以马四匹；见子大叔，以马二匹。禁刍牧採樵，不入田，不樵树，不采蓺，不抽屋，不强匄，誓曰："有犯命者，君子废，小人降！"舍不为暴，主不恩宾，往来如是。郑三卿皆知其将为王也。

韩宣子之适楚也，楚人弗逆。公子弃疾及晋竟，晋侯亦将弗逆；叔向曰："楚辟，我衷，若何效辟？《诗》曰：'尔之教矣，民胥效矣。'从我而已，焉用效人之辟？《书》曰：'圣作则。'无宁以善人为则，而取人之辟乎？匹夫为善，民犹则之，况国君乎？"晋侯说，乃逆之。

秋九月，大雩。旱也。

徐仪楚聘于楚，楚子执之。逃归。惧其叛也，使薳泄伐徐。吴人救之。令尹子荡帅师伐吴，师于豫章，而次于乾谿。吴人败其师于房钟，获宫厩尹弃疾。子荡归罪于薳泄而杀之。

冬，叔弓如楚。聘，且吊败也。

十一月，齐侯如晋，请伐北燕也。士匄相士鞅逆诸河，礼也。晋侯许之。十二月，齐侯遂伐北燕，将纳简公。晏子曰："不入。燕有君矣，民不贰。吾君贿，左右谄谀，作大事不以信，未尝可也。"

【译文】

鲁昭公六年春天，周历正月，杞伯益姑死了。安葬秦景公。夏天，季孙宿去到晋国。安葬杞伯益姑。宋国的华合比逃亡到卫国。秋九月，举行求雨大祭。楚国的子荡率领军队攻打吴国。冬天，叔弓前往楚国。齐景公攻打北燕。

鲁昭公六年春天，周历正月，杞文公死了，昭公像对待同盟国一样吊唁，是合乎礼的。大夫前往秦国参加景公的葬礼，是合乎礼的。

三月，郑国人把刑书铸造在鼎上。叔向派人给子产送信，说："起初我对您寄有希望，现在没有了。过去先王讨论具体事情的轻重来掌握判罪，不制订刑法，为的是怕百姓有争执之心。那样还不能禁止犯罪，所以就用道义来防止，用政令来纠正，用礼仪来施行，用信用来保持，用仁惠来奉养，制定俸禄爵位来鼓励那些服从的人，严厉地判定刑罚来威慑那些放纵的人。还担心那样不能奏效，所以用忠心来教诲他们，用善行来鼓励他们，用专门知识教育他们，用和悦使用他们，用严肃对待他们，用坚强面临他们，用刚毅裁断他们。同时还要求助圣哲的卿相、明察的官长、忠诚的长老、仁爱的老师，这样老百姓才可以听从使用，而不发生祸乱。老百姓知道有刑法，就对主上官吏不敬重，都怀有争执之心，来从刑法中征引根据，从而侥幸地取得成功，事情就不好办了。

夏朝有违犯政令的人就制定《禹刑》，商朝有违犯政令的人就制定《汤刑》，周朝有违犯政令的人就制定《九刑》，三种刑法的产生，都在很晚的时候了。如今您辅相郑国，划定田界水沟，建立挨骂的政令，制定三种刑法，把刑法铸在鼎上，想要以此安定百姓，不也是很困难吗？《诗》上说：'效法文王的德行，每天安抚四方。'又说：'效法文王，万国信赖。'像这样，要有什么刑法呢？老百姓知道了争执的根据，将会抛弃礼义而征引刑法，一字一句都将争执不休。作乱的案件更加繁多，贿赂到处通行，到您执政结束时。郑国恐怕会衰败吧！我听说，国家将灭亡时，必定多制定法律，大概说的就是这种情况吧！"子产回信说："像您所说的，我无能，不能顾及子孙，我是用来挽救当世的。既然不能接受您的命令，岂敢忘记您的大恩！"

士文伯说："大火星出现，郑国恐怕会有火灾吧！大火星还未出来而使用火来铸刑器，包藏了引起争端的刑法。大火星如果象征这个，怎么会不发生火灾？"

夏天，季孙宿前往晋国，是为了拜谢莒国的土地。晋侯宴享他，有外加的笾豆。季孙宿退出，派行人报告说："小国事奉大国，如果能免于被讨伐，就不敢求得赏赐。得到赏赐也不超过三献。如今有增加的笾豆，下臣不敢当，恐怕获得罪过。"韩宣子说："寡君用来引起您的欢心。"季孙宿回答说："寡君还不敢当，何况下臣！我是君主的仆隶，岂敢听到有外加的赏赐？"坚决请求撤去增加的笾豆然后才完成享礼。晋国人认为他懂得礼仪，加重送给他财礼。

宋国的寺人柳受到宠信，太子佐讨厌他。华合比说："我杀掉他。"寺人柳听说了，就挖一个坑，放进去祭祀的牺牲，埋下盟书，然后报告宋平公说："合比将要接纳逃亡在外的族人，已经在北城订下盟誓了。"平公派人去看，有这回事，于是驱逐华合比，合比逃亡到卫国。当时华亥想要取代华合比的右师一职，就和寺人柳勾结，跟着为他作证，说："听到很久了。"平公让他代替华合比。华亥进见左师，左师说："你这个人哪，一定会逃亡！你毁坏了你的宗族，你对别人怎么样，别人对你也会怎么样。《诗》说：'宗族就是城墙，不要让城墙毁坏，不要使自己孤独而害怕。'你大概会害怕的吧！"

六月初七日，郑国发生火灾。

楚国的公子弃疾去到晋国，是为了回报韩宣子来楚国送嫁。经过郑国，郑国的子皮、子产、子太叔跟着郑简公在柤地慰劳他。公子弃疾辞谢不肯见面，郑简公坚决请求，这才见他。弃疾进见郑简公，就如同进见楚王，又用他驾车的八匹马按私人见面的礼节进见；见子皮如同见上卿，用六匹马；见子产，用四匹马；见子太叔，用两匹马。禁止打草放牧采摘砍柴，不进入农田，不砍伐栽种的花木，不采摘种植的菜果，不抽取屋上木料为用，不强行索要物品。告诫随从人员说："有违犯命令的，君子撤职，小人降等。"住宿期间不为非作歹，主人不必担心客人。来去都像这样，郑国的三个卿都知道他将要做楚王了。

韩宣子前往楚国的时候，楚人不迎接。公子弃疾到达晋国边境，晋平公也打算不迎接。叔向说："楚国邪僻我们正直，为什么效法邪僻？《诗》上说：'你的这些教导，老百姓都要学习。'遵从自己的正直就行了，为何学习别人的邪僻？《尚书》说：'圣人做榜样！'宁可以好人为榜样，却学习别人的邪僻吗？普通人做好事，老百姓还要学习他，何况国君呢？"晋平公听了很高兴，就迎接公子弃疾。

秋九月，举行求雨大祭，是因为天旱。

徐国的仪楚到楚国聘问，楚灵王逮捕了他，他逃回徐国。楚王害怕徐国背叛，就派薳泄攻打徐国。吴国人救援徐国，令尹子荡领兵攻打吴国，从豫章出兵，驻扎在乾溪。吴国人在房钟击败了子荡的军队，俘虏了宫厩尹弃疾。子荡归罪于薳泄而杀了他。

冬天，叔弓前往楚国聘问，并且慰问战争失败。

十一月，齐景公前往晋国，是为了请求讨伐北燕。士匄辅佐士鞅，在黄河边迎接齐景公，是合乎礼的。晋平公答应了齐景公的请求。十二月，齐景公就攻打北燕，打算送燕简公回去。晏子说："送不回去。燕国有了国君了，老百姓没有二心。我们国君贪财，左右的人阿谀奉承，兴办大事不凭信义，没有成功的可能。"

昭公七年

【原文】

　　七年：春，王正月，暨齐平。
　　三月，公如楚。
　　叔孙婼如齐莅盟。
　　夏，四月甲辰朔，日有食之。
　　秋，八月戊辰，卫侯恶卒。
　　九月，公至自楚。
　　冬，十有一月癸未，季孙宿卒。
　　十有二月癸亥，葬卫襄公。
　　七年春，王正月，暨齐平。齐求之也。癸巳，齐侯次于虢。燕人行成，曰："敝邑知罪，敢不听命？先君之敝器请以谢罪！"公孙晳曰："受服而退、俟衅而动可也。"二月戊午，盟于濡上。燕人归燕姬，赂以瑶罋、玉椟、斝耳。不克而还。
　　楚子之为令尹也，为王旌以田。芋尹无宇断之，曰："一国两君，其谁堪之？"及即位，为章华之宫，纳亡人以实之。无宇之阍入焉。无宇执之，有司弗与，曰："执人于王宫，其罪大矣！"执而谒诸王。王将饮酒，无宇辞曰："天子经略，诸侯正封，古之制也。封略之内，何非君土？食土之毛，谁非君臣？故《诗》曰：'普天之下，莫非王土。率土之滨，莫非王臣。'天有十日，人有十等。下所以事上，上所以共神也。故王臣公，公臣大夫，大夫臣士，士臣皂，皂臣舆，舆臣隶，隶臣僚，僚臣仆，仆臣台。马有圉，牛有牧，以待百事。今有司曰：'女胡执人于王宫？'将焉执之？周文王之法曰：'有亡，荒阅。'所以得天下也。吾先君文王作仆区之法，曰：'盗所隐器，与盗同罪。'所以封汝也。若从有司，是无所执逃臣也；逃而舍之，是无陪台也：王事无乃阙乎？昔武王数纣之罪以告诸侯曰：'纣为天下逋逃主，萃渊薮。'故夫致死焉。君王始求诸侯而则纣，无乃不可乎？若以二文之法取之，盗有所在矣。"王曰："取而臣以往。盗有宠，未可得也。"遂赦之。
　　楚子成章华之台，愿与诸侯落之。大宰薳启强曰："臣能得鲁侯。"薳启强来召公，辞曰："昔先君成公命我先大夫婴齐曰：'吾不忘先君之好，将使衡父照临楚国，镇抚其社稷，以辑宁尔民。'婴齐受命于蜀。奉承以来，弗敢失陨而致诸宗祧。日我先君共王引领北望，日月以冀，传序相授，于今四王矣！嘉惠未至，唯襄公之辱临我丧。孤与其二三臣悼心失图，社稷之不皇，况能怀思君德？今君若步玉趾，辱见寡君，宠灵楚国，以信蜀之役，致君之嘉惠，是寡君既受贶矣，何蜀之敢望？其先君鬼神实嘉赖之，岂唯寡君？君若不来，使臣请问行期，寡君将承质币而见于蜀，以请先君之贶。"

公将往，梦襄公祖。梓慎曰："君不果行。襄公之适楚也，梦周公祖而行。今襄公实祖，君其不行。"子服惠伯曰："行！先君未尝适楚，故周公祖以道之。襄公适楚矣，而祖以道君。不行何之？"

三月，公如楚。郑伯劳于师之梁。孟僖子为介，不能相仪；及楚，不能答郊劳。

夏四月甲辰朔，日有食之。晋侯问于士文伯曰："谁将当日食？"对曰："鲁、卫恶之。卫大，鲁小。"公曰："何故？"对曰："去卫地，如鲁地。于是有灾，鲁实受之。其大咎，其卫君乎？鲁将上卿。"公曰："《诗》所谓'彼日而食，于何不臧'者，何也？"对曰："不善政之谓也。国无政，不用善，则自取谪于日月之灾，故政不可不慎也。务三而已：一曰择人，二曰因民，三曰从时。"

晋人来治杞田，季孙将以成与之。谢息为孟孙守，不可，曰："人有言曰：'虽有挈瓶之知，守不假器，礼也。'夫子从君，而守臣丧邑，虽吾子亦有猜焉。"季孙曰："君之在楚，于晋罪也。又不听晋，鲁罪重矣！晋师必至！吾无以待之，不如与之；间晋而取诸杞。吾与子桃。成反，谁敢有之？是得二成也。鲁无忧而孟孙益邑，子何病焉？"辞以无山，与之莱、柞；乃迁于桃。晋人为杞取成。

楚子享公于新台，使长鬣者相。好以大屈，既而悔之。芘启强闻之，见公，公语之；拜贺。公曰："何贺？"对曰："齐与晋、越欲此久矣。寡君无适与也，而传诸君。君其备御三邻，慎守宝矣。敢不贺乎？"公惧，乃反之。

郑子产聘于晋。晋侯有疾。韩宣子逆客，私焉，曰："寡君寝疾，于今三月矣，并走群望，有加而无瘳。今梦黄熊入于寝门，其何厉鬼也？"对曰："以君之明，子为大政，其何厉之有？昔尧殛鲧于羽山，其神化为黄熊以入于羽渊，实为夏郊，三代祀之。晋之盟主，其或者未之祀也乎？"韩子祀夏郊。晋侯有间，赐子产莒之二方鼎。

子产为丰施归州田于韩宣子，曰："日君以夫公孙段为能任其事，而赐之州田。今无禄早世，不获久享君德。其子弗敢有，不敢以闻于君，私致诸子。"宣子辞。子产曰："古人有言曰：'其父析薪，其子弗克负荷。'施将惧不能任其先人之禄，其况能任大国之赐？纵吾子为政而可，后之人若属有疆场之言，敝邑获戾，而丰氏受其大讨。吾子取州，是免敝邑于戾而建置丰氏也。敢以为请！"宣子受之，以告晋侯。晋侯以与宣子。宣子为初言，病有之，以易原县于乐大心。

郑人相惊以伯有，曰："伯有至矣！"则皆走，不知所往。铸刑书之岁二月，或梦伯有介而行，曰："壬子，余将杀带也。明年壬寅，余又将杀段也。"及壬子，驷带卒，国人益惧。齐、燕平之月壬寅，公孙段卒，国人愈惧。其明月，子产立公孙泄及良止以抚之，乃止。子大叔问其故。子产曰："鬼有所归，乃不为厉。吾为之归也。"大叔曰："公孙泄何为？"子产曰："说也。为身无义而图说，从政有所反之，以取媚也。不媚，不信。不信，民不从也。"

及子产适晋，赵景子问焉，曰："伯有犹能为鬼乎？"子产曰："能。人生始化曰魄，既生魄，阳曰魂。用物精多，则魂魄强，是以有精爽至于神明。匹夫匹妇强死，其魂魄犹能冯依于人以为淫厉，况良霄，——我先君穆公之胄，子良之孙，子耳之子，敝邑之卿，从政三世矣！郑虽无腆，抑谚曰'蕞尔国'；而三世执其政柄，其用物也弘矣，其取精也多矣，其族又大，所冯厚矣；而强死，能为鬼，不亦宜乎！"

子皮之族饮酒无度，故马师氏与子皮氏有恶。齐师还自燕之月，罕朔杀罕欣魋。罕朔奔晋。韩宣子问其位于子产，子产曰："君之羁臣，苟得容以逃死，何位之敢择？卿违，从大夫之位；罪人以其罪降：古之制也。朔于敝邑，亚大夫也；其官，马师也；获戾而逃。唯执政所寘之！得免其死，为惠大矣，又敢求位？"宣子为子产之敏也，使从嬖大夫。

秋八月，卫襄公卒。晋大夫言于范献子曰："卫事晋为睦。晋不礼焉，庇其贼人而取其地，故诸侯贰。《诗》曰：'鹡鸰在原，兄弟急难。'又曰：'死丧之威，兄弟孔怀。'兄弟之不睦，于是乎不吊；况远人，谁敢归之？今又不礼于卫之嗣，卫必叛我。是绝诸侯也。"献子以告韩宣子。宣子说，使献子如卫吊，且反戚田。

卫齐恶告丧于周，且请命。王使（臣）〔郕〕简公如卫吊，且追命襄公曰："叔父陟恪，在我先王之左右，以佐事上帝。余敢忘高圉、亚圉？"

九月，公至自楚。孟僖子病不能（相）礼，乃讲学之，苟能礼者从之。及其将死也，召其大夫，曰："礼，人之干也。无礼，无以立。吾闻将有达者曰孔丘，圣人之后也，而灭于宋。其祖弗父何，以有宋而授厉公。及正考父佐戴、武、宣，三命兹益共，故其鼎铭云：'一命而偻，再命而伛，三命而俯。循墙而走，亦莫余敢侮。饘于是，鬻于是，以糊余口。'其共也如是。臧孙纥有言曰：'圣人有明德者，若不当世，其后必有达人。'今其将在孔丘乎！我若获没，必属说与何忌于夫子，使事之而学礼焉，以定其位。"故孟懿子与南宫敬叔师事仲尼。仲尼曰："能补过者，君子也。《诗》曰：'君子是则是效。'孟僖子可则效已矣。"

单献公弃亲用羁。冬十月辛酉，襄、顷之族杀献公而立成公。

十一月，季武子卒。晋侯谓伯瑕曰："吾所问日食，从矣，可常乎？"对曰："不可！六物不同，民心不壹，事序不类，官职不则，同始异终，胡可常也？《诗》曰：'或燕燕居息，或憔悴事国。'其异终也如是。"公曰："何谓六物？"对曰："岁、时、日、月、星、辰，是谓也。"公曰："多语寡人辰，而莫同。何谓辰？"对曰："日月之会是谓辰，故以配日。"

卫襄公夫人姜氏无子，嬖人婤姶生孟絷。孔成子梦康叔谓己："立元！余使羁之孙圉与史苟相之。"史朝亦梦康叔谓己："余将命而子苟与孔烝鉏之曾孙圉相元。"史朝见成子，告之梦，梦协。晋韩宣子为政，聘于诸侯之岁，婤姶生子，名之曰元。孟絷之足不良能行。孔成子以《周易》筮之，曰："元尚享卫国，主其社稷。"遇"屯☷"。又曰："余尚立絷，尚克嘉之。"遇"屯☷"之"比☷"，以示史朝。史朝曰："'元

亨'，又何疑焉？"成子曰："非长之谓乎？"对曰："康叔名之，可谓长矣。孟非人也，将不列于宗，不可谓长。且其繇曰：'利建侯。'嗣吉，何建？建非嗣也。二卦皆云，子其建之！康叔命之，二卦告之，筮袭于梦，武王所用也，弗从何为？弱足者居。侯主社稷，临祭祀，奉民人，事鬼神，从会朝，又焉得居？各以所利，不亦可乎！"故孔成子立灵公。

十二月癸亥，葬卫襄公。

【译文】

鲁昭公七年春天，周历正月，燕国与齐国议和。三月，昭公前往楚国。叔孙婼前往齐国参加盟会。夏天，四月甲辰初一日，又发生日全蚀。秋天，八月二十六日，卫襄公死了。九月，昭公从楚国回到鲁国。冬天，十一月十三日，季孙宿死了。十二月二十三日，为卫襄公举行葬礼。

鲁昭公七年春天，周历正月，北燕与齐国议和，这是由于齐国的要求。十八日，齐景公临时住在虢地，燕国人来求和，说："敝邑知道罪过，岂敢不听从命令？先君的破旧器物，请允许用来谢罪。"公孙晳说："接受归服而撤军，等待时机再行动，可以这样。"二月十四日，在濡水边上结盟。燕国人把燕姬嫁给齐景公，又送上玉瓶、玉箱和玉杯，于是没有去攻克燕而回国了。

楚灵王做令尹的时候，特制了国王的旌旗用来打猎。芋尹无宇砍断了旗帜，说："一国两君，谁受得了？"等到即位时，建造了章华宫，收容逃亡者安置在里面。无宇的守门人逃进去了，无宇去抓他，管理人员不肯给，说："到王宫中抓人，那罪过太大了。"

抓住无宇去见楚灵王。楚灵王正要喝酒，无宇申诉说："天子经营天下，诸侯治理封土，这是自古以来的制度。疆界之内，哪里不是君王的领土？吃着领土上的五谷，哪个不是君王的下臣？所以《诗》上说：'普天之下，没有哪里不是王土；沿着王土边境之内，没有哪个不是王臣。'天有十日，人有十等，在下人是事奉在上的，在上的人是供奉神灵的。因此王以公为臣仆，公以大夫为臣仆，大夫以士为臣仆，士以皂为臣仆，皂以舆为臣仆，舆以隶为臣仆，隶以僚为臣仆，僚以仆为臣仆，仆以台为臣仆。马有马倌，牛有牧者，用来应付各种事情。现在官员却说：'你为什么在王宫抓人？'那又到哪里去抓他呢？周文王的法令说：'有逃亡的，大搜捕。'这就是所以得天下的原因。我们的先君楚文王制定仆区法，说：'隐藏盗贼的赃物，与盗贼同罪。'因此封疆直达汝水边上。要是听从官员的，那就是没有地方去逮捕逃亡的奴隶了。逃亡了就放弃他，那就没有陪台了。那么君王的政事恐怕会有缺失了吧！过去武王列举纣的罪行，把它通报给诸侯说：'纣是天下逃犯的窝主，聚集的渊薮。'所以诸侯拼命地讨伐他。君王刚刚求得诸侯拥戴却效法纣，恐怕不可以吧？如果用两位文王的方法逮捕他，那盗贼就有可逮的地方了。"楚灵王说："抓了你的奴隶走吧！有个盗贼正得恩宠，还不能逮到呢。"就赦免了无宇。

楚灵王建成章华台，希望与诸侯一起举行始登仪式。太宰䓗启强说："我能请到鲁君。"䓗启强来召请鲁昭公，致辞说："过去贵国先君成公命令我们的先大夫婴齐说：'我不忘记先君的友好，将派衡父光临楚国，镇抚国家，以安定百姓。'婴齐在蜀地接受了赐命，奉持回来，不敢违反丢弃，而告祭给宗庙。往日我们先君共王伸长脖子朝北望，每天每月都在企盼，世代相传，到现在已有四代国君了。恩赐没有来到，只有襄公屈驾光临我国的丧事。我与手下的几个臣子心情不定，失去主意，治理国家尚且没有空暇，哪里能怀念您的恩德！现在如果您移步屈尊，来见寡君，赐给楚国恩宠福泽，以实现蜀地的那次盟誓，送来君主的恩惠，这就是寡君已受到恩赐了，哪里敢奢望蜀地那样的盟会？敝邑先君的灵魂也会嘉许和依赖它，哪里只是寡君？君主如果不来，使臣我就要请问您领兵出动的日期，寡君将捧着进见的财礼到蜀地相见，以请问贵国先君的恩赐。"

昭公打算去楚国，梦见襄公为自己祭祀路神。梓慎说："国君您去不成。襄公到楚国去的时候，梦见周公为他祭祀路神而出行，现在襄公在祭路神，您还是不要去。"子服惠伯说："去吧！先君从未到过楚国，所以周公为他祭路神而引导他；襄公去过楚国了，又祭路神来引导您。不去，到哪里去？"

三月，昭公前往楚国。郑简公在师之梁慰劳昭公。孟僖子做副使，不能辅助礼仪。到达楚国，不能答谢郊外的慰劳。

夏四月甲辰初一日，日食。晋平公问士匄说："谁将承受日食的灾祸？"回答说："鲁国、卫国将因日食而遭受凶险，卫国受的大，鲁国受的小。"晋平公问："什么原因。"士匄回答说："这次日食离开卫国分野前往鲁国分野，在这时发生灾祸，鲁国承受了它。那大的灾祸大概是卫君承受吧！鲁国将由上卿承当。"晋平公说："《诗》上所说的'那天发生日食，为什么不好？'是什么意思？"士匄回答说："说的是不能办好政事。国家没有好的政治，不使用善人，就会从日月所降的灾祸里自取罪罚，所以政治不可不慎重啊！努力干好三件事即可：一是选择人才，二是依靠百姓，三是顺应时势。"

晋国派人来管理杞国的田地，季孙打算把成地给他们。谢息替孟孙镇守成地，不同意，说："人们有句话说：'即使只有汲水人的智慧，看守的器具也不外借，这是合乎礼的。'他老人家跟着国君，守臣却丢了城邑，即使您也会怀疑我的。"季孙说："君主在楚国，对晋国来说就是罪过，又不听从晋国，鲁国的罪过更加重了。晋国军队一定会到来，我没有办法对付他们，不如给他们。等晋国有机可乘再从杞国取回来。我把桃地给您，成地取回时，谁敢占有它？这样就等于得到两个成地。鲁国没有忧患而孟孙增加了封邑，您担心什么呢？"谢息推辞说桃地没有山，就把莱山、柞山给他，于是谢息迁到桃地。晋国人为杞国取得成地。

楚灵王在新台宴享昭公，派高大健壮的人司礼，友好地送给他大屈弓，完了之后又后悔。䓗启强听说这事，进见昭公。昭公告诉他这件事，他下拜祝贺。昭公问："为何祝贺？"䓗启强回答说："齐国与晋国、越国想要这弓很久了，寡君没有专门给谁，而传给了您。您可防备抵御这三个邻国，谨慎地守住这宝物了，岂敢不祝贺？"昭公害怕，就把弓还给了楚灵王。

郑国的子产到晋国聘问。晋平公有病，韩宣子迎接客人，私下问他说："寡君卧病，到现在三个月了，遍祭名山大川，病情却有加无减。今天梦见黄熊进入寝宫门，那是什么恶鬼？"子产回答说："凭君王的英明，您做正卿，会有什么恶鬼？过去尧把鲧杀死在羽山，他的魂灵变为黄熊，而进入羽渊，为夏朝所郊祭，三代都祭祀它。晋国作为盟主，大概是没有祭祀它吧！"韩宣子祭祀夏郊之神，晋平公病情好转，赐给子产两个莒国的方鼎。

子产替丰施把州地的田土归还给韩宣子，说："过去贵君认为那公孙段是能够继承其父志的，就赐给他州地田土。现在没有福分早逝了，不能长久地享有贵君恩德。他的儿子不敢占有，也不敢把这事禀告贵君，所以私下送给您。"韩宣子推辞，子产说："古人有句话说：'他的父亲劈柴，他的儿子不能背。'丰施害怕将不能承当其父亲的福禄，何况承当大国的恩赐？即使是您执政而可以这样，后人如果碰巧有关于田界的闲话，敝邑获罪，丰施就将受到大讨伐了。您取回州田，这是避免敝邑的罪过，而又扶持了丰家。斗胆以此作为请求！"韩宣子接受了州田，把这事报告给晋平公。晋平公把州田给了韩宣子。宣子因为当初说过的话，对占有州田不安心，拿它和乐大心换了原县。

郑国人拿伯有互相吓唬，说："伯有来了！"就都奔跑，不知跑到什么地方去好。铸刑书的那年二月，有人梦见伯有披甲行走，并且说："三月初二，我将杀死驷带。明年正月二十七日，我又将杀死公孙段。"等到三月初二，驷带死了，国人更加害怕。齐国和燕国议和的那个月二十七日，公孙段死了，国人更加害怕了。下一月，子产立了公孙泄和良止来安抚伯有的鬼魂，才平息下来。子大叔问其原因，子产说："鬼有所依归，才不作恶，我替它找到归宿了。"子大叔又问："立公孙泄干什么？"子产说："是为了使他们高兴。因为他们立身没有道义而希图高兴，执政的人对礼仪有违背的地方，就是用来取得欢心。不取得欢心，就不会被信任。不被信任，老百姓就不会服从。"

等到子产去晋国，赵景子问他说："伯有还能做鬼吗？"子产说："能。人降生时首先变成的叫做魄，已经生成了魄，阳气附身叫做魂。用来养生的东西又好又多，魂魄就强，因此有精神，以达到神明。普通男女不得善终，他们的魂魄尚且能依附于人，而大肆作祟，何况伯有是我们先君穆公的后代，是子良的孙子，子耳的儿子，是敝国的卿，执政已经三代了。郑国虽然弱小，抑或如俗话所说的'蕞尔国'，但伯有三代执掌政权，他的养生之物也算广了，他汲取的精华也算多了，他的家族又大，所依恃的势力很强，那么虽然是不得善终，能够做鬼，不也是当然之理吗？"

子皮的族人喝酒无节制，以致马师氏和子皮氏关系不好。齐国军队从燕国回去的那个月，马师氏罕朔杀死子皮的弟弟罕魑。罕朔逃亡到晋国。韩宣子向子产询问他的官位安排，子产说："君王的寄居之臣，如果能容身而逃避一死，还敢选择什么官位？卿逃离本国，随大夫的班位，有罪的人根据他的罪行降等，这是自古以来的规矩。罕朔在敝国是亚大夫，他的职务是马师，犯罪而逃亡，听凭您如何处置他。能免他一死，恩惠已经很大了，又岂敢要求官位？"韩宣子认为子产说法恰当，就让罕朔随下大夫的班位。

秋八月，卫襄公死了。晋国大夫对范献子说："卫国事奉晋国求得亲睦，而晋国对卫国不加礼待，庇护它的叛乱者而夺取它的土地，所以诸侯有了二心。《诗》上说：'鹡鸰在原野，遇到急难兄弟要相助。'又说：'死亡多可怕，兄弟之间很怀念。'兄弟不和睦，于是就互不关心，何况疏远的人，谁敢前来归服？现在又对卫国的继承人不加礼遇，卫国必定背叛我国，这是断绝和诸侯的关系。"献子把这些话报告给韩宣子，宣子很高兴，派献子到卫国去吊唁，而且归还戚地的田土。

卫国的齐恶到周天子那儿报告丧事，并且请求赐予恩命。周天子派郕简公前往卫国吊唁，并且追命襄公说："叔父升天，在我先王的左右，以辅佐事奉上帝。我岂敢忘了先祖高圉、亚圉？"

九月，昭公从楚国回到国内。孟僖子忧虑自己不精通礼仪，就学习训练礼仪，只要有擅长礼仪的人就跟他学习。等到他临死时，召集他手下的大夫说："礼仪，是人的躯干。没有礼仪，就没有立身的根本。我听说有个将要显达的人叫孔丘，是圣人的后代，但家族在宋国灭亡了。他的祖先弗父何把宋国交给了宋厉公。到正考父辅佐戴公、武公和宣公，做了诸侯的正卿而更加恭敬，所以他的鼎铭说：'一命屈背，二命弯腰，三命俯下身。沿着墙根快快跑，也没有人敢欺侮我。稠粥在这里头煮，稀粥在这里头煮，用来糊口饱肚。'他的恭敬就像这样。臧孙纥有句话说：'圣人是有光明德行的人，如果不能君临一世，他的后代必有显达的人。'现在大概将落在孔丘身上吧！我如果得到善终，一定把孟懿子和南宫敬叔托付给他老人家，让他们师事他，向他学习礼仪，来确定他们的地位。"所以孟懿子和南宫敬叔师事孔丘。孔丘说："能弥补过错的人就是君子。《诗》中说：'君子可以学习，可以效法。'孟僖子可以效法了。"

单献公摒弃亲族而使用客居的人。冬十月二十日，襄公、顷公的族人杀了献公而立成公。

十一月，季武子死了。晋平公对士文伯说："我所询问的日食的事，应验了。可以经常像这样占验吗？"士文伯回答说："不行。六种事物不相同，百姓的心思不一致，事情的顺序不相类，官位职务不相等，开始相同结果不同，怎么可能经常呢？《诗》中说：'有的舒服地安居休息，有的尽心尽力为国服务。'它的结果不同就像这样。"晋平公问："什么叫做六物？"回答说："说的是岁、时、日、月、星、辰。"晋平公说："很多人对我谈起辰，但没有人说法相同。什么叫做辰？"士文伯回答说："日月相会就叫辰，所以又用来和日相配。"

卫襄公夫人姜氏没有儿子，宠姬婤姶生了孟絷。孔成子梦见康叔对自己说："立元为国君，我派羁的孙子围和史苟辅佐他。"史朝也梦见康叔对自己说："我将命令你的儿子史苟和孔成子的曾孙围辅佐元。"史朝见孔成子，告诉他梦的事，两人的梦相吻合。晋国的韩宣子执政向诸侯聘问的那一年，婤姶生了儿子，取名叫元。孟絷的脚不很便于走路，孔成子用《周易》为他占筮，说："元希望享有卫国，主祭它的土神和谷神。"遇到《屯》卦。又说："我希望立孟絷，但愿神能赞许他。"遇到《屯》卦变成《比》卦。拿了给史朝看，史朝说："卦辞为'元亨'，又疑虑什么呢？"孔成子说："'元'不是说的为大的吗？"史朝回答说："康叔为他取名，可以说是为大的了。孟絷不是健全的人，将不会列在宗主里，不能说是为大的。而且那繇辞说'利建侯'，嫡子嗣位而吉利，还建立什么侯？建立就不是继承。两次卦辞都那样说，您还是立元吧。康叔命令他，两卦告诉是他，占筮和梦境重合，武王所用过的，为什么不听从？脚不强健的待在家里，君侯主持国家，亲临祭祀，奉养人民，事奉鬼神，参加会盟朝觐，又哪能待在家？各自按照他有利的行事，不也可以吗？"所以孔成子立了灵公。十二月二十三日，安葬卫襄公。

昭公八年

【原文】

　　八年：春，陈侯之弟招杀陈世子偃师。
　　夏，四月辛丑，陈侯溺卒。
　　叔弓如晋。
　　楚人执陈行人干徵师，杀之。
　　陈公子留出奔郑。
　　秋，蒐于红。
　　陈人杀其大夫公子过。
　　大雩。
　　冬，十月壬午，楚师灭陈。执陈公子招，放之于越。杀陈孔奂。
　　葬陈哀公。

　　八年春，石言于晋魏榆。晋侯问于师旷曰："石何故言？"对曰："石不能言，或冯焉。不然，民听滥也。抑臣又闻之曰：'作事不时，怨讟动于民，则有非言之物而言。'今宫室崇侈，民力凋尽，怨讟并作，莫保其性，石言不亦宜乎？"于是晋侯方筑虒祁之宫，叔向曰："子野之言君子哉！君子之言，信而有徵，故怨远于其身。小人之言，僭而无徵，故怨咎及之。《诗》曰：'哀哉不能言，匪舌是出，唯躬是瘁。哿矣能言，巧言如流，俾躬处休。'其是之谓乎！是宫也成，诸侯必叛，君必有咎，夫子知之矣。"

　　陈哀公元妃郑姬生悼大子偃师，二妃生公子留，下妃生公子胜。二妃嬖，留有宠，属诸〔司〕徒招与公子过。哀公有（废）〔痦〕疾。三月甲申，公子招、公子过杀悼大子偃师而立公子留。夏四月辛亥，哀公缢。干徵师赴于楚，且告有立君。公子胜愬之于楚，楚人执而杀之。公子留奔郑。

书曰"陈侯之弟招杀陈世子偃师",罪在招也。"楚人执陈行人干徵师杀之",罪不在行人也。

叔弓如晋,贺虒祁也。游吉相郑伯以如晋,亦贺虒祁也。史赵见子大叔,曰:"甚哉其相蒙也!可吊也,而又贺之?"子大叔曰:"若何吊也?其非唯我贺,将天下实贺。"

秋,大蒐于红,自根牟至于商、卫,革车千乘。

七月甲戌,齐子尾卒。子旗欲治其室。丁丑,杀梁婴。八月庚戌,逐子成、子工、子车,——皆来奔,——而立子良氏之宰。其臣曰:"孺子长矣,而相吾室,欲兼我也。"授甲,将攻之。陈桓子善于子尾,亦授甲,将助之。或告子旗,子旗不信;则数人告,将往;又数人告于道,遂如陈氏。桓子将出矣,闻之而还,游服而逆之。请命,对曰:"闻彊氏授甲将攻子,子闻诸?"曰:"弗闻。""子盍亦授甲?无宇请从。"子旗曰:"子胡然?彼孺子也,吾诲之犹惧其不济,吾又宠秩之,——其若先人何?子盍谓之?《周书》曰:'惠不惠,茂不茂。'康叔所以服弘大也。"桓子稽颡曰:"顷、灵福子,吾犹有望。"遂和之如初。

陈公子招归罪于公子过而杀之。九月,楚公子弃疾帅师奉孙吴围陈,宋戴恶会之。冬十一月壬午,灭陈。舆嬖袁克杀马、毁玉以葬。楚人将杀之,请寘之;既又请私,私于幄,加绖于颡而逃。

使穿封戌为陈公,曰:"城麇之役不谄。"侍饮酒于王,王曰:"城麇之役,女知寡人之及此,女其辟寡人乎?"对曰:"若知君之及此,臣必致死礼以息楚。"

晋侯问于史赵曰:"陈其遂亡乎?"对曰:"未也。"公曰:"何故?"对曰:"陈,颛顼之族也;岁在鹑火,是以卒灭。陈将如之。今在析木之津,犹将复由。且陈氏得政于齐而后陈卒亡。自幕至于瞽瞍无违命,舜重之以明德,寘德于遂。遂世守之。及胡公不淫,故周赐之姓,使祀虞帝。臣闻盛德必百世祀。虞之世数未也,继守将在齐,其兆既存矣!"

【译文】

鲁昭公八年春天,陈哀公的弟弟公子招杀了陈国太子偃师。夏天,四月初三,陈哀公死了。叔弓去到晋国。楚国人逮捕了陈国外交官干征师,杀了他。陈国公子留逃亡到郑国。秋天,在红地举行阅兵典礼。陈国人杀了他们的大夫公子过。举行求雨大祭。冬天,十月十七日,楚军灭亡了陈国,抓住了陈国公子招,把他流放到越国。杀了陈国的孔奂。安葬陈哀公。

鲁昭公八年春天,在晋国的魏榆有石头说话。晋平公问师旷说:"石头为什么说话?"师旷回答说:"石头不能说话,有东西凭依着它。不然,就是百姓听错了。不过我又听人说:'发动事情不合时节,怨恨在老百姓中产生,就有不能说话的东西说话。'如今宫室高大奢侈,老百姓的财力衰竭,怨言到处兴起,没有人能保证自己的生存,石头说话,不也适宜吗?"在这时晋平公正修建虒祁宫,叔向说:"子野的话,真是君子啊！君子的话，真实而有根据，所以怨恨远离他的身体。小人的话，虚假而没有证明，所以怨恨灾祸落到他的身上。《诗》上说：'可悲啊不能说话！不是舌头有毛病，只是一说话就祸及自身。可喜啊能够说话！机敏的话像流水，难使自己安居休息。'说的大概就是这个吧？这座宫殿一落成，诸侯必定背叛，君王必定有灾殃，师旷知道这一点了。"

陈哀公的元妃郑姬，生了悼太子偃师，二妃生了公子留，三妃生了公子胜。二妃受到宠幸，公子留也因而得宠，被托付给司徒招和公子过。哀公患有顽疾，三月十六日，公子招和公子过杀了悼太子偃师，立了公子留。夏天四月十三日，哀公上吊而死。干征师到楚国去报丧，并且报告又立了新君。公子胜向楚国控告公子招和公子过，楚国人抓住干征师杀了。公子留逃亡到郑国。《春秋》记载说："陈侯之弟招杀陈世子偃师"，是由于罪过在公子招；记载说"楚人执陈行人干征师杀之"，是由于罪过不在行人干征师。

叔弓前往晋国，是为了祝贺虒祁宫落成。游吉陪同郑简公前往晋国，也是为了祝贺虒祁宫。史赵见到游吉，说："那样互相欺骗太过分了啊！值得哀伤的事，却又去祝贺。"游吉说："为何值得哀伤？不只是我国祝贺，天下都将来祝贺。"

秋天，在红地大阅兵，从根牟直到宋国、卫国边境，陈列战车一千辆。

七月初八日，齐国的子尾死了，子旗想要接管他的家政。十一日，杀了子尾家臣梁婴。八月十四日，驱逐子成、子工、子车，三人都逃亡前来，子旗就为子良氏立了家臣头领。子良的家臣说："小子已经长大了，但你们却来帮忙管我们的家政，是想兼并我们。"就发放武器，打算攻打子旗。陈无宇和子尾要好，也发放武器，准备帮助他们。有人报告子旗，子旗不以为真，就又有几人向他报告。子旗打算去子良家，又有几个人在路上向他报告，于是去了陈无宇家。无宇正准备出动了，听说子旗来就转回去，穿上宴游的便服去迎接他。子旗请问陈无宇的意图，陈无宇回答说："听说子良家发放武器准备攻打您，您听说了吗？"子旗说："没听说。""那您何不也发放武器，无宇我请求跟着您！"子旗说："您怎么这样？他是个孩子，我教导他还担心他不能成功，我又宠爱他并为他立了家臣头领。像您说的那样怎么对得起他的先人？您何不对他说一说？《周书》说'施恩给不仁惠的人，鼓励不勤勉的人。'这就是康叔所以做事宽大的原因。"陈无宇叩头说："顷公、灵公保佑您，我还有希望受您的恩赐。"于是让两家和好如初。

陈国的公子招把罪责归在公子过身上而杀了他。九月，楚国的公子弃疾领兵奉事孙吴围攻陈国，宋国的戴恶和他们会合。冬天十月十七日，灭亡了陈国。宠大夫袁克杀马毁玉来为陈哀公殉葬。楚国人打算杀了他，他请求赦免自己，接着又请求让他小便。袁克在帐幕中小便，把麻带缠在头上逃跑了。

楚灵王派穿封戌做陈县公，说："在城麇的那次事件中他不谄媚。"穿封戌服侍楚王饮酒，楚王说："城麇那次事件中，你要是知道寡人能到这一步，你大概会避让我吧？"穿封戌回答说："如果知道君王能到这一步，下臣一定会效死恪守君臣之礼来安定楚国。"

晋平公问史赵说:"陈国大概就这样灭亡了吧?"史赵回答说:"没有。"平公说:"为什么?"史赵回答说:"陈国,是颛顼的后代。岁星在鹑火时,颛顼氏由此终结灭亡,陈国将会像它一样。如今岁星在析木的天河中,还会复活。况且陈氏要在齐国取得政权,然后陈国才终结灭亡。这一族从幕一直到瞽瞍,都没有违背天命。舜又增加了光明的德行,德行一直加到遂的身上,遂的后代保持了它。到胡公不淫这一代,周朝就因而赐给他姓,让他祭祀虞帝。我听说德行盛大一定享有百代的祭祀,现在虞帝的祭祀,不到百代,将在齐国继续保持下去,它的预兆已经存在了。"

昭公九年

【原文】

　　九年:春,叔弓会楚子于陈。
　　许迁于夷。
　　夏,四月,陈灾。
　　秋,仲孙貜如齐。
　　冬,筑郎囿。
　　九年春,叔弓、宋华亥、郑游吉、卫赵黡会楚子于陈。
　　二月庚申,楚公子弃疾迁许于夷,实城父。取州来、淮北之田以益之,伍举授许男田。然丹迁城父人于陈,以夷濮西田益之。迁方城外人于许。
　　周甘人与晋阎嘉争阎田。晋梁丙、张趯率阴戎伐颍。王使詹桓伯辞于晋,曰:"我自夏以后稷,魏、骀、芮、岐、毕,吾西土也。及武王克商,蒲姑、商奄,吾东土也。巴、濮、楚、邓,吾南土也。肃慎、燕、亳,吾北土也。吾何迩封之有?文、武、成、康之建母弟以蕃屏周,亦其废队是为,岂如弁髦而因以蔽之?先王居梼杌于四裔,以御螭魅,故允姓之奸居于瓜州。伯父惠公归自秦,而诱以来,使偪我诸姬,入我郊甸,则戎焉取之。戎有中国,谁之咎也?后稷封殖天下,今戎制之,不亦难乎?伯父图之!我在伯父,犹衣服之有冠冕,木水之有本原,民人之有谋主也。伯父若裂冠毁冕,拔本塞原,专弃谋主,虽戎狄,其何有余一人?"叔向谓宣子曰:"文之伯也,岂能改物?翼戴天子,而加之以共。自文以来,世有衰德而暴蔑宗周,以宣示其侈,诸侯之贰不亦宜乎?且王辞直,子其图之!"宣子说。王有姻丧,使赵成如周吊,且致阎田与襚,反颍俘。王亦使宾滑执甘大夫襄以说于晋,晋人礼而归之。
　　夏四月,陈灾。郑神灶曰:"五年陈将复封,封五十二年而遂亡。"子产问其故,对曰:"陈,水属也。火,水妃也,而楚所相也。今火出而火陈,逐楚而建陈也。妃以五成,故曰五年。岁五及鹑火,而后陈卒亡,楚克有之,天之道也,故曰五十二年。"

晋荀盈如齐逆女，还。六月，卒于戏阳。殡于绛，未葬；晋侯饮酒，乐。膳宰屠蒯趋入，请佐公使尊，许之。而遂酌以饮工，曰："女为君耳，将司聪也。辰在子卯，谓之疾日；君彻宴乐，学人舍业：为疾故也。君之卿佐，是谓股肱。股肱或亏，何痛如之！女弗闻而乐，是不聪也。"又饮外嬖嬖叔，曰："女为君目，将司明也。服以旌礼，礼以行事，事有其物，物有其容。今君之容，非其物也；而女不见，是不明也。"亦自饮也，曰："味以行气，气以实志，志以定言，言以出令。臣实司味。二御失官而君弗命，臣之罪也！"公说，彻酒。

初，公欲废知氏而立其外嬖，为是悛而止。秋八月，使荀跞佐下军以说焉。

孟僖子如齐殷聘，礼也。

冬，筑郎囿。书，时也。季平子欲其速成也，叔孙昭子曰："《诗》曰：'经始勿亟，庶民子来。'焉用速成？其以勤民也？无囿犹可，无民其可乎？"

【译文】

鲁昭公九年春天，叔弓在陈地和楚灵王会盟。许国迁到夷地。夏天四月，陈国发生火灾。秋天，仲孙貜前往齐国。冬天，修建郎囿。

鲁昭公九年春天，叔弓、宋国华亥、郑国游吉、卫国赵鷹等在陈地与楚灵王会盟。

二月某日，楚公子弃疾把许国迁移到夷地，其实就是城父。并且拿州来、淮北的土田增补给许国，伍举把土田授给许男。然丹把城父的人迁到陈地，拿夷地、濮地西部的土田增补给城父人。把方城山外的人迁移到许地。

周朝的甘地人与晋国的阎嘉争夺阎地田土。晋国的梁丙、张趯率领阴戎攻打颍邑。周天子派詹桓伯到晋国责难说："我们从夏代起由于后稷的功劳，魏、骀、芮、岐、毕等地成为我们的西部领土。到武王征服商朝，蒲姑、商奄，成为我们的东部领土。巴、濮、楚、邓等地，成为我们的南部领土。肃慎、燕、亳等地，成为我们的北方领土。我们有什么近处的封地？文王、武王、成王、康王建立同母兄弟的诸侯国，来护卫周王室，也是为了防止周王室的崩塌坠落，难道能像黑布帽子和儿童头上的髦发，利用完了就丢掉？先王使梼杌等住在四方边远的地区，以抵御螭魅，所以允姓中的奸邪之人住在瓜州。伯父惠公从秦国回来，就引诱他们前来，致使他们逼迫我们姬姓各国，进入我们的郊区，戎人于是就占取了这些地方。戎人占据中原，是谁的罪责呢？后稷培植繁荣了天下，现在戎人控制它，不也很难办吗？伯父考虑吧！我们在伯父来说，就好像衣服有帽子，树木有根，水流有源，人民有谋主。伯父如果毁烂帽子，拔掉根本，堵塞水源，专横地抛弃谋主，即使是戎狄，他们眼里哪里会有我这个天子？"

叔向对韩宣子说："文公做诸侯霸主，难道能改变礼制？他辅佐拥戴天子而更加恭敬。自从文公以来，代代德行衰减而且损害蔑视周室，来宣扬显示他们的凌人盛气，诸侯有了二心，不也应该吗？况且天子的话理由正当，您考虑一下吧！"韩宣子很高兴。

周天子有姻亲的丧事，晋国派赵成前往周都吊唁，并且送去阎田和寿衣，遣返在颍地战役中抓到的俘虏。周天子也派宾滑抓住甘地大夫襄来讨好晋国,晋国人礼貌地把他送回去。

夏四月,陈国发生火灾。郑国的裨灶说:"五年之后陈国将重新受封,受封五十二年然后就灭亡。"子产问其中的缘故,裨灶回答说:"陈国,属于水;火,是水的配偶,而楚国管理它。现在大火星出现而陈国发生火灾,是驱逐楚国而建立陈国。水与火都以五来配成,所以说五年。岁星周天五次到达鹑火,然后陈国终于灭亡,楚国战胜而据有它,这是天道,所以说五十二年。"

晋国的苟盈前往齐国迎接夫人,回来后,六月死在戏阳。棺柩停放在绛地,还未出葬。晋平公喝酒,并奏乐。膳宰屠蒯急步走进,请求帮助平公斟酒,平公允许了他。屠蒯就斟酒给乐师喝,说:"你作为君王的耳朵,是要负责它的灵敏。日子在甲子乙卯,大家认为它是忌日,国君撤除宴饮音乐,学音乐的人停止学业,是因为忌讳的缘故。君主的卿佐,就等于是手足。手足要是受损,什么伤痛比得上呢?你不让君主听说这些却照常奏乐,这是不聪敏。"又斟酒给宠臣嬖叔喝,说:"你作为君主的眼睛,是要负责它的明亮。服饰是用来表明礼仪的,礼仪是用来办理事务的,事务有它的类别,类别有它的表现。今天君主的仪表,不是应有的类别,但你不让他看到这一点,这是不明亮。"屠蒯又自斟自饮,说:"味道用来疏通气血,气血用来充实意志,意志用来使言语坚定,言语用来发布命令。下臣我负责口味,两个侍奉君主的人失责,而君主没有下令治罪,这是我的罪过。"晋平公听了很高兴,撤除酒宴。

起初,晋平公想要废掉苟盈而立他的宠臣,因为这次事件而改变了想法,于是作罢。秋天的八月,就让苟跞辅佐下军来让他高兴。

孟僖子前往齐国进行礼仪隆重的聘问,这是合乎礼的。

冬天,鲁国修造郎囿,《春秋》加以记载,是因为合乎时节。季平子想要郎囿迅速修成,叔孙昭子说:"《诗》中讲过:'营造开始不要着急,老百姓却像儿子一样前来帮工。'哪里用得着速成,而让老百姓受劳苦呢?没有园林还是可以的,没有老百姓难道可以吗?"

昭公十年

【原文】

十年:春,王正月。
夏,齐栾施来奔。
秋,七月,季孙意如、叔弓、仲孙貜帅师伐莒。
戊子,晋侯彪卒。
九月,叔孙婼如晋。葬晋平公。

十有二月甲子，宋公成卒。

十年春，王正月，有星出于婺女。郑裨灶言于子产曰："七月戊子，晋君将死。今兹岁在颛顼之虚，姜氏、任氏实守其地，居其维首；而有妖星焉，告邑姜也。邑姜，晋之妣也。天以七纪，戊子逢公以登，星斯于是乎出，吾是以讥之。"

齐惠栾、高氏皆耆酒，信内多怨，彊于陈、鲍氏而恶之。

夏，有告陈桓子曰："子旗、子良将攻陈、鲍。"亦告鲍氏。桓子授甲而如鲍氏，遭子良醉而骋，遂见文子，则亦授甲矣。使视二子，则皆（从）〔将〕饮酒。桓子曰："彼虽不信，闻我授甲，则必逐我。及其饮酒也，先伐诸？"陈、鲍方睦，遂伐栾、高氏。子良曰："先得公，陈、鲍焉往？"遂伐虎门。

晏平仲端委立于虎门之外；四族召之，无所往。其徒曰："助陈、鲍乎？"曰："何善焉？""助栾、高乎？"曰："庸愈乎？""然则归乎？"曰："君伐，焉归？"公召之，而后入。公卜使王黑以灵姑銔率，吉；请断三尺焉而用之。五月庚辰，战于稷，栾、高败，又败诸庄。国人追之，又败诸鹿门。栾施、高彊来奔。陈、鲍分其室。

晏子请桓子："必致诸公！让，德之主也。〔让之〕谓懿德。凡有血气，皆有争心，故利不可强，思义为愈。义，利之本也。蕴利生孽，姑使无蕴乎！可以滋长。"桓子尽致诸公，而请老于莒。

桓子召子山，私具幄幕、器用、从者之衣屦而反棘焉。子商亦如之，而反其邑。子周亦如之，而与之夫于。反子城、子公、公孙捷而皆益其禄。凡公子、公孙之无禄者，私分之邑。国之贫约孤寡者，私与之粟。曰："《诗》云'陈锡载周'，能施也。桓公是以霸。"公与桓子莒之旁邑，辞。穆孟姬为之请高唐，陈氏始大。

秋七月，平子伐莒，取郠。献俘，始用人于亳社。臧武仲在齐，闻之，曰："周公其不飨鲁祭乎？周公飨义，鲁无义。《诗》曰：'德音孔昭，视民不佻。'佻之谓甚矣，而壹用之，将谁福哉？"

戊子，晋平公卒。郑伯如晋，及河，晋人辞之。游吉遂如晋。九月，叔孙婼、齐国弱、宋华定、卫北宫喜、郑罕虎、许人、曹人、莒人、邾人、〔滕人、〕薛人、杞人、小邾人如晋，葬平公也。

郑子皮将以币行，子产曰："丧焉用币？用币必百两，百两必千人。千人至，将不行。不行，必尽用之。幾千人而国不亡？"子皮固请以行。

既葬，诸侯之大夫欲因见新君。叔孙昭子曰："非礼也。"弗听。叔向辞之，曰："大夫之事毕矣，而又命孤。孤斩焉在衰绖之中，其以嘉服见，则丧礼未毕；其以丧服见，是重受吊也：大夫将若之何？"皆无辞以见。

子皮尽用其币，归，谓子羽曰："非知之实难，将在行之。夫子知之矣，我则不足。《书》曰：'欲败度，纵败礼。'我之谓矣。夫子知度与礼矣！我实纵欲，而不能自克也。"

昭子至自晋，大夫皆见。高彊见而退。昭子语诸大夫曰："为人子不可不慎也哉！昔庆封亡，子尾多受邑，而稍致诸君；君以为忠，而甚宠之。将死，疾于公宫，辇而归，君亲推之。其子不能任，是以在此。忠为令德，其子弗能任，罪犹及之，难不慎也？丧夫人之力，弃德、旷宗以及其身，不〔亦〕害乎？《诗》曰'不自我先，不自我后'，其是之谓乎！"

冬十二月，宋平公卒。初，元公恶寺人柳，欲杀之。及丧，柳炽炭于位，将至，则去之。比葬，又有宠。

【译文】

鲁昭公十年春天，周历正月。夏天，齐国栾施逃亡前来鲁国。秋七月，季孙意如、叔弓、仲孙貜率领军队讨伐莒国。七月初三，晋平公死。九月，叔孙诺去到晋国，安葬晋平公。十二月初二日，宋平公死。

鲁昭公十年春天，周历正月，有一颗星出现在婺女宿。郑国的裨灶对子产说："七月初三日，晋国国君将死。今年岁星处在玄枵，姜氏、任氏守着它的分野，婺女宿处于玄枵星次的首端，而有妖星出现在那里，是预告邑姜将要发生灾祸。邑姜，是晋国先祖的母亲。天用七数记星，戊子日，齐地先君逢公也在这一天升天，妖星在这时出现，我因此卜问这一天象。"

齐国的子旗、子良都嗜好酒，听信妻室的话，别人怨恨很多，势力比陈氏、鲍氏强而又讨厌他们。

夏天，有人报告陈桓子说："子旗、子良将进攻陈氏、鲍氏。"也报告了鲍氏。陈桓子把盔甲发放给部下就到鲍氏家去，路上碰见子良喝醉了酒正在骑马狂奔，于是见到鲍文子，他也已经发放了盔甲。派人去察看子旗、子良二人，却都在准备喝酒。陈桓子说："那个人说的虽然不确实，但子旗、子良听说我们发放了盔甲，就必定会驱逐我们。趁他们喝酒时，抢先攻打他们吧！"陈、鲍两家正是关系和睦的时候，于是攻打子旗、子良。

子良说："先得到国君的支持，看陈氏、鲍氏往哪里跑。"就攻打虎门。晏子身穿朝服站在虎门之外。四个家族召请他，他哪也不去。他的部下说："帮助陈氏、鲍氏吗？"晏子说："有什么好处呢？"部下又说："帮助子旗、子良吗？"晏子说："难道胜过帮助陈氏、鲍氏吗？""那么回去吧？"晏子说："国君被攻打，回哪里去？"齐景公召见晏子然后才进宫去。景公卜问派王黑用灵姑钾领兵作战，是吉兆。请求将旗杆砍断三尺然后使用它。五月的一天，在稷地交战，子旗、子良战败，又在庄地被打败。国都的人追赶他们，又在鹿门打败他们。子旗、子良逃亡前来鲁国。陈氏、鲍氏瓜分了他们的家产。

晏子对陈桓子说："一定要把他们的家产交给国君。谦让，是德行的主要内容，谦让就叫美德。凡是有血气的人，都有争夺之心，所以利益不可以强取，想着道义胜过争夺利益。道义，是利益的根本，积蓄利益过多就会产生祸害。暂且让它不要积蓄吧，可以慢慢增长。"陈桓子把子旗、子良的家产全部交给齐景公，而请求告老隐退到莒地。

陈桓子召见子山，私下准备了帐幕、器具、随从穿的衣服鞋子送给他，又把棘地还给他。对子商也像这样，而把封邑归还给他。对子周也像这样，而又给了他夫于的土地。让子城、子公、公孙捷返回国内，都增加了他们的俸禄。凡是公子、公孙中没有俸禄的，私下分给他们封邑。国内贫困孤寡的人，私下送给他们粮食。说：'《诗》中说的'广泛地赐福人民因而缔造了周朝'，就是能够施行恩德的缘故，齐桓公也因这个缘故而成为霸主。"齐景公把莒地旁边的城邑给陈桓子，陈桓子辞谢了。穆孟姬为他请求高唐做封邑，陈桓子家族开始昌盛。

秋七月，平子攻打莒国，占取郠地，奉献俘虏，首次在亳社用人祭祀。臧武子在齐国，听到这件事，说："周公大概不会享用鲁国的祭祀了吧！周公享用合乎道义的祭祀，而鲁国没有道义。《诗》中说：'美好的名声非常显耀，给人民做榜样而使他们不轻薄。'这件事轻薄得可说过分了，而一概用这种方法祭祀的话，上天将降福给谁呢？"

七月初三日，晋平公死。郑简公前往晋国，到达黄河边，晋国人辞谢他，于是游吉去到晋国。

九月，叔孙婼、齐国国弱、宋国华定，卫国北宫喜、郑国子皮、许人、曹人、莒人、滕人、邾人、薛人、杞人、小邾人等前往晋国，是为了安葬晋平公。

郑国子皮准备带财礼去，子产说："吊丧哪需用财礼？用财礼必须要用百辆车，百辆车必须要一千人。一千人到晋国，将不会即时返回。不返回，必定将财物全部用掉。有了几次一千人的消耗，国家能不垮掉吗？"子皮坚决请求带财礼去。已经安葬晋平公，诸侯的大夫想要趁此机会进见新的国君。叔孙婼说："这是不合乎礼的。"但大家不听。叔向拒绝大家，说："大夫们的事情已完成了，而又命令寡君。寡君悲痛地处在服丧期间，如果用礼服相见，而又没完成丧礼；如果用丧服相见，则是再次接受吊唁，大夫们打算怎么办？"大家都没有理由去进见。子皮全部用完了财礼，回国，对子羽说："懂得道理实不难，难在实行它。夫子懂得道理了，我则不够。《尚书》上说'欲望败坏法度，纵欲败坏礼仪。'说的就是我了。夫子懂得法度与礼仪了，我实在是纵欲而不能自我克制啊！"

叔孙婼从晋国回到鲁国，大夫们都去见他，子良进见以后就退出。叔孙婼对大夫们谈论说："做人的儿子，不可不谨慎啊！过去庆封逃亡，子尾接受很多封邑而慢慢送给国君，国君认为他忠心而非常宠幸他。临死之前，他是在国君的宫中生的病，用辇车送他回去，国君亲自为他推车。他的儿子不能继承，因此住在这里。忠心作为一种美德，他的儿子不能继承，罪罚尚且要到达他身上，怎么能不谨慎？失去他父亲的功劳，丢掉德行，荒废宗庙的祭祀，而罪罚就到达他身上，不也是祸害吗？《诗》说：'不在我前头，也不在我后头。'说的就是这个意思吧！"

冬十二月，宋平公死。起初，宋元公厌恶寺人柳，想要杀他。等到举行宋平公丧礼时，寺人柳在元公的座位上燃炭火烤热，元公将到时就撤掉炭火。等到安葬完，寺人柳又受到宠幸。

昭公十一年

【原文】

十有一年:春,王二月,叔弓如宋。

葬宋平公。

夏,四月丁巳,楚子虔诱蔡侯般杀之于申。

楚公子弃疾帅师围蔡。

五月甲申,夫人归氏薨。

大蒐于比蒲。

仲孙貜会邾子,盟于祲祥。

秋,季孙意如会晋韩起、齐国弱、宋华亥、卫北宫佗、郑罕虎、曹人、杞人于厥慭。

九月己亥,葬我小君齐归。

冬,十有一月丁酉,楚师灭蔡,执蔡世子有以归,用之。

十一年春,王二月,叔弓如宋,葬平公也。

景王问于苌弘曰:"今兹诸侯何实吉?何实凶?"对曰:"蔡凶。此蔡侯般弑其君之岁也,岁在豕韦,弗过此矣。楚将有之,然壅也。岁及大梁,蔡复,楚凶,天之道也。"

楚子在申,召蔡灵侯。灵侯将往,蔡大夫曰:"王贪而无信,唯蔡于感。今币重而言甘,诱我也。不如无往。"蔡侯不可。(五)〔三〕月丙申,楚子伏甲而飨蔡侯于申,醉而执之。夏四月丁巳,杀之;刑其士七十人。公子弃疾帅师围蔡。

韩宣子问于叔向曰:"楚其克乎?"对曰:"克哉!蔡侯获罪于其君,而不能其民,天将假手于楚以毙之,何故不克?然肸闻之:不信以幸,不可再也。楚王奉孙吴以讨于陈,曰:'将定而国。'陈人听命,而遂县之。今又诱蔡而杀其君,以围其国;虽幸而克,必受其咎,弗能久矣。桀克有缗以丧其国,纣克东夷而陨其身,楚小位下而亟暴于二王,能无咎乎?天之假助不善,非祚之也,厚其凶恶而降之罚也。且譬之如天,其有五材而将用之,力尽而敝之,是以无拯,不可没振。"

五月甲申,齐归薨。大蒐于比蒲,非礼也。

孟僖子会邾庄公,盟于祲祥,修好,礼也。

泉丘人有女,梦以其帷幕孟氏之庙,遂奔僖子,其僚从之。盟于清丘之社,曰:"有子,无相弃也!"僖子使助薳氏之簉。反自祲祥,宿于薳氏,生懿子及南宫敬叔于泉丘人。其僚无子,使字敬叔。

楚师在蔡。晋荀吴谓韩宣子曰:"不能救陈,又不能救蔡,物以无亲。晋之不能,亦可知也已。为盟主而不恤亡国，将焉用之？"

秋，会于厥慭，谋救蔡也。郑子皮将行，子产曰："行不远，不能救蔡也。蔡小而不顺，楚大而不德，天将弃蔡以壅楚，盈而罚之。蔡必亡矣！且丧君而能守者鲜矣。三年，王其有咎乎？美恶周必复，王恶周矣。"

晋人使狐父请蔡于楚，弗许。

单子会韩宣子于戚，视下，言徐。叔向曰："单子其将死乎！朝有著定，会有表；衣有襘，带有结。会朝之言，必闻于表著之位，所以昭事序也。视不过结、襘之中，所以道容貌也。言以命之，容貌以明之，失则有阙。今单子为王官伯，而命事于会，视不登带，言不过步，貌不道容，而言不昭矣。不道，不共；不昭，不从：无守气矣！"

九月，葬齐归，公不戚。晋士之送葬者，归以语史赵。史赵曰："必为鲁郊！"侍者曰："何故？"曰："归姓也。不思亲，祖不归也。"叔向曰："鲁公室其卑乎！君有大丧，国不废蒐。有三年之丧，而无一日之戚。国不恤丧，不忌君也；君无戚容，不顾亲也。国不忌君，君不顾亲，能无卑乎？殆其失国。"

冬十一月，楚子灭蔡，用隐大子于冈山。申无宇曰："不祥！五牲不相为用，况用诸侯乎？王必悔之！"

十二月，单成公卒。

楚子城陈、蔡、不羹，使弃疾为蔡公。王问于申无宇曰："弃疾在蔡，何如？"对曰："择子莫如父，择臣莫如君。郑庄公城栎而寘子元焉，使昭公不立。齐桓公城穀而寘管仲焉，至于今赖之。臣闻五大不在边，五细不在庭；亲不在外，羁不在内。今弃疾在外，郑丹在内，君其少戒！"王曰："国有大城，何如？"对曰："郑京、栎实杀曼伯，宋萧、亳实杀子游，齐渠丘实杀无知，卫蒲、戚实出献公。若由是观之，则害于国。末大必折，尾大不掉，君所知也。"

【译文】

鲁昭公十一年春天，周历二月，叔弓前往宋国。安葬宋平公。夏天，四月初七，楚灵王诱骗蔡灵侯把他杀死在申地。楚公子弃疾率军包围蔡国。五月初四，昭公母亲齐归死了。昭公在比蒲举行大规模阅兵。仲孙貜会见邾子，在祲祥举行盟誓。秋天，季孙意如在厥慭会见晋国韩宣子、齐国国弱、宋国华亥、卫国北宫文子、郑国子皮、曹人、杞人。九月二十一日，安葬我鲁国小君齐归。冬天，十一月二十日，楚军灭亡蔡国，逮捕蔡国太子有回国，杀了他用来祭祀。

鲁昭公十一年春天，周历二月，叔弓前往宋国，是为了参加宋平公的葬礼。

周景王向苌弘询问说："今年在诸侯中哪个吉利？哪个不吉利？"苌弘回答说："蔡国不吉利。这是蔡灵侯杀死他做国君的父亲的年份，岁星在室宿，蔡君不能过这一关了。楚国将会据有蔡国，但那是积累罪过。岁星到达大梁，蔡国将复国，楚国不吉利，这是上天显示的迹象。"

楚灵王在申地，召见蔡灵侯。灵侯打算前去，蔡国大夫说："楚王贪婪而不讲信用,只是怨恨蔡国,现在财礼送得重,话又说得甜,是诱骗我们,不如不去。"蔡灵侯不同意。三月十五日,楚灵王在申地埋伏甲士而宴享蔡灵侯,把他灌醉然后逮捕了他。夏四月初七日,杀了他,同时杀死他的七十个士人。楚公子弃疾率领军队包围了蔡国。

韩宣子问叔向说:"楚国会成功吗?"叔向回答说:"会成功吧!蔡灵侯由于杀他的父亲而获罪,因此得不到他的百姓的拥护,上天将要借楚国的手来处死他,怎么不成功?但我听说,不讲信用而侥幸得到成功,不会有第二次的。过去楚王事奉孙吴以讨伐陈国,说:'将安定你们的国家。'陈国人听从命令,结果被吞并成一个县。如今又诱骗蔡国而杀了它的国君,包围它的国家,即使侥幸取得成功,也一定受到它的灾祸,不会长久了。夏桀战胜有缗国而丧失了国家,殷纣战胜东夷而丧失了性命。楚国小,地位又低下,却屡屡比桀、纣二王还横暴,能够没有灾祸吗?上天借助不善的人,不是赐福给他,而是加深他

楚灵王送礼物给蔡灵侯,骗蔡灵侯赴会,选自明刊本《新镌锈像列国志》。

的罪恶来降给他惩罚。而且比方说天,有五种材物而让人加以利用,材力用尽就丢弃它,因此楚国不可拯救了,到最后也不可兴盛了。"

五月,昭公母亲齐归死了,昭公在比蒲举行盛大阅兵,是不合乎礼的。

仲孙貜会见邾庄公,在祲祥结盟,缔结友好,这是合乎礼的。

泉丘人有个女子,梦见用自己的帷帐覆盖孟氏的祖庙,就私奔到仲孙貜那里,她的同伴也跟去。在清丘的社庙盟誓说:"有了儿子,不要抛弃我们。"仲孙貜让她们住在䢵氏那地方做妾。从祲祥返回,住在䢵氏她们那里,和泉丘那个女人生了懿子及南宫敬叔。她的同伴没有生儿子,就让她抚养南宫敬叔。楚军驻在蔡国,晋国荀吴对韩宣子说:"不能救陈国,又不能救蔡国,人们因此不来亲附,晋国的无能,也就可以知道了。作为盟主却不救助灭亡的盟国,又哪里用得着盟主?"

秋天,在厥慭会见,是为了商议救援蔡国。郑国子皮打算去参加,子产说:"走不远的,无法救援蔡国了。蔡国小却不顺从,楚国大却不道德,上天将抛弃蔡国来使楚国积累罪过,罪过积满就惩罚它,蔡国肯定灭亡了。而且丧失国君却能保住国家的很少。过三年,楚王大约有灾祸了吧?好运和恶运循环往复,楚王的恶运开始循环了。"

晋国人派狐父向楚国请求放过蔡国，楚国不答应。

单成公到戚地会见韩宣子，眼睛朝下看，说话很慢。叔向说："单子恐怕将死了吧！朝见有规定的位置，会见有一定的标志，衣服有交叉的领子，衣带有系扎的结。朝会时说话的声音，一定要能让每个固定位置上的人听到，这是为了显示事情的次序。视线不超过带结和衣领交叉的中间，这是为了引导容貌的端正。言语是用以发布命令的，容貌是用以表明态度的，不当就有缺陷。如今单子作为天子的百官之长，在会见时发布命令，却视线不超过衣带之上，说话的声音传不过一步之外，形貌表现不出威仪，而言语也就不明显突出了。表现不出威仪，别人就不恭敬；说话不突出，别人就不服从。单子没有保持身体的元气了。"

九月，安葬齐归，昭公不伤心。晋国前来送葬的士人，回去把这事告诉史赵，史赵说："昭公一定会被赶到鲁国的郊野去。"侍从的人问："什么原因？"史赵说："他是归氏的儿子，不想念母亲，祖先不会保他的。"叔向说："鲁国的公室大概要衰落了吧！国君有大丧事，国家不停止阅兵。有三年的服丧，却没有一天的悲伤。国家不忧丧事，是不敬畏君主；君主没有悲伤的表情，是不顾念亲人。国家不敬畏国君，国君不顾念亲人，能不衰落吗？恐怕将失去国家。"

冬十一月，楚灵王灭亡蔡国，在冈山杀了蔡灵侯的太子用来祭祀。申无宇说："不吉利。五种牲畜都不互相用来祭祀，何况用诸侯呢？君王一定会后悔。"

十二月，单成公死。

楚灵王修筑陈国、蔡国、不羹等地的城墙。派公子弃疾担任蔡公。楚王向申无宇询问说："弃疾在蔡地做蔡公，怎么样？"申无宇回答说："选择儿子没有人比得上父亲，选择臣子没有人比得上国君。郑庄公修建栎城而把子元安置在那里，结果使昭公不能立为国君。齐桓公修筑谷城而将管仲安置在那里，到现在齐国还依赖它。我听说五种大人物不安置在边远的地方，五种小人物不处在朝廷里。亲近的人不在宫外，客居的人不在宫内。如今弃疾在外，郑丹在内，君王还是稍微警惕点。"楚灵王说："国家有大城，怎么样？"申无宇回答说："郑国有京、栎两座大城，结果杀死曼伯；宋国有萧、亳两座大城，结果杀死子游；齐国有渠丘城，结果杀死无知，卫国有蒲、戚两座大城，结果驱逐献公。如果从这些来看，就对国家有害。树梢太大肯定会折断，尾巴太大就不能摇摆，这是您知道的。"

昭公十二年

【原文】

十有二年：春，齐高偃帅师纳北燕伯于阳。

三月壬申，郑伯嘉卒。

夏，宋公使华定来聘。

公如晋，至河乃复。

五月，葬郑简公。

楚杀其大夫成熊。

秋，七月。

冬，十月，公子慭出奔齐。

楚子伐徐。

晋伐鲜虞。

十二年春，齐高偃纳北燕伯款于唐，因其众也。

三月，郑简公卒。将为葬除，及游氏之庙，将毁焉。子大叔使其除徒执用以立，而无庸毁，曰："子产过女而问何故不毁，乃曰：'不忍庙也。诺，将毁矣。'"既如是，子产乃使辟之。司墓之室有当道者，毁之则朝而塴，弗毁则日中而塴，子大叔请毁之，曰："无若诸侯之宾何？"子产曰："诸侯之宾能来会吾丧，岂惮日中？无损于宾而民不害，何故不为？"遂弗毁，日中而葬。君子谓子产于是乎知礼。礼，无毁人以自成也。

夏，宋华定来聘，通嗣君也。享之，为赋《蓼萧》。弗知，又不答赋。昭子曰："必亡！宴语之不怀，宠光之不宣，令德之不知，同福之不受，将何以在？"

齐侯、卫侯、郑伯如晋，朝嗣君也。公如晋，至河乃复。取郠之役，莒人愬于晋，晋有平公之丧未之治也，故辞公。公子慭遂如晋。

晋侯享诸侯。子产相郑伯，辞于享，请免丧而后听命；晋人许之：礼也。

晋侯以齐侯宴，中行穆子相。投壶，晋侯先，穆子曰："有酒如淮，有肉如坻。寡君中此，为诸侯师。"中之。齐侯举矢，曰："有酒如渑，有肉如陵。寡人中此，与君代兴！"亦中之。伯瑕谓穆子曰："子失辞。吾固师诸侯矣，壶何为焉，其以中俊也？齐君弱吾君，归弗来矣。"穆子曰："吾军帅强御，卒乘竞劝。今犹古也，齐将何事？"公孙傁趋进，曰："日旰君勤，可以出矣！"以齐侯出。

楚子谓"成虎，若敖之馀也"，遂杀之。或谮成虎于楚子，成虎知之而不能行。书曰"楚杀其大夫成虎"，怀宠也。

六月，葬郑简公。

晋荀吴伪会齐师者，假道于鲜虞，遂入昔阳。秋八月壬午，灭肥，以肥子绵皋归。

周原伯绞虐其舆臣。使曹逃。冬十月壬申朔，原舆人逐绞而立公子跪寻。绞奔郑。

甘简公无子，立其弟过。过将去成、景之族。成、景之族赂刘献公，丙申，杀甘悼公而立成公之孙鳅。丁酉，杀献大子之傅庾皮之子过，杀瑕辛于市，及宫嬖绰、王孙没、刘州鸠、阴忌、老阳子。

季平子立而不礼于南蒯。南蒯谓子仲："吾出季氏而归其室于公，子更其位，我以费为公臣。"子仲许之。南蒯语叔仲穆子，且告之故。

季悼子之卒也，叔孙昭子以再命为卿。及平子伐莒，克之，更受三命。叔仲子欲构二家，谓平子曰："三命逾父兄，非礼也。"平子曰："然。"故使昭子。昭子曰："叔孙氏有家祸，杀适立庶，如婼也及此。若因祸以毙之，则闻命矣；若不废君命，则固有著矣。"昭子朝而命吏曰："婼将与季氏讼，书辞无颇。"季孙惧而归罪于叔仲子，故叔仲小、南蒯、公子憖谋季氏。憖告公，而遂从公如晋。南蒯惧不克，以费叛如齐。子仲还，及卫，闻乱，逃介而先；及郊，闻费叛，遂奔齐。

　　南蒯之将叛也，其乡人或知之过之，而叹且言曰："恤恤乎！湫乎！攸乎！深思而浅谋，迩身而远志，家臣而君图，有人矣哉！"

　　南蒯枚筮之，遇"坤䷁"之"比䷇"，曰"黄裳元吉"，以为大吉也。示子服惠伯，曰："即欲有事，何如？"惠伯曰："吾尝学此矣。忠信之事则可，不然必败。外强内温，忠也；和以率贞，信也：故曰'黄裳元吉'。黄，中之色也；裳，下之饰也；元，善之长也。中不忠，不得其色；下不共，不得其饰；事不善，不得其极。外内倡和为忠，率事以信为共，供养三德为善，非此三者弗当。且夫《易》，不可以占险，将何事也？且可饰乎？中美能黄，上美为元，下美则裳，参成可筮。犹有阙也，筮虽吉，未也！"

　　将适费，饮乡人酒。乡人或歌之曰："我有圃，生之杞乎！从我者子乎，去我者鄙乎，倍其邻者耻乎！已乎已乎，非吾党之士乎！"

　　平子欲使昭子逐叔仲小。小闻之，不敢朝。昭子命吏谓小"待政于朝"，曰："吾不为怨府。"

　　楚子狩于州来，次于颍尾，使荡侯、潘子、司马督、嚣尹午、陵尹喜帅师围徐以惧吴。楚子次于乾谿，以为之援。雨雪，王皮冠，秦复陶，翠被，豹舄，执鞭以出，仆析父从。右尹子革夕，王见之。去冠、被，舍鞭，与之语，曰："昔我先王熊绎，与吕伋、王孙牟、燮父、禽父并事康王，四国皆有分，我独无有。今吾使人于周，求鼎以为分，王其与我乎？"对曰："与君王哉！昔我先王熊绎辟在荆山，筚路蓝缕以处草莽，跋涉山川以事天子，唯是桃弧、棘矢以共御王事。齐，王舅也；晋及鲁、卫，王母弟也。楚是以无分，而彼皆有。今周与四国服事君王，将唯命是从，岂其爱鼎？"王曰："昔我皇祖伯父昆吾，旧许是宅。今郑人贪赖其田而不我与。我若求之，其与我乎？"对曰："与君王哉！周不爱鼎，郑敢爱田？"王曰："昔诸侯远我而畏晋，今我大城陈、蔡、不羹，赋皆千乘，子与有劳焉，诸侯其畏我乎？"对曰："畏君王哉！是四国者，专足畏也，又加之以楚，敢不畏君王哉！"

　　工尹路请曰："君王命剥圭以为鏚柲，敢请命。"王入视之。析父谓子革："吾子，楚国之望也！今与王言如响，国其若之何？"子革曰："摩厉以须，王出，吾刃将斩矣。"王出，复语。左史倚相趋过，王曰："是良史也，子善视之！是能读《三坟》、《五典》、《八索》、《九丘》。"对曰："臣尝问焉，昔穆王欲肆其心周行，天下将皆必有车辙马迹焉。祭公谋父作《祈招》之诗以止王心，王是以获没于（祇）〔祗〕宫。臣问其诗而不知也。若问远焉，其焉能知之？"王曰："子能乎？"对曰："能！其诗曰：'祈招之愔愔，式昭德音。思我王度，式如玉，式如金。形民之力，而无醉饱之心。'"

王揖而入，馈不食，寝不寐，数日不能自克，以及于难。

仲尼曰："古也有志：'克己复礼，仁也。'信善哉！楚灵王若能如是，岂其辱于乾谿？"

晋伐鲜虞，因肥之役也。

【译文】

鲁昭公十二年春天，齐国高偃率军队把北燕伯款送到唐地。三月二十七日，郑简公死了。夏天，宋公派华定来鲁国聘问。鲁昭公前往晋国，到达黄河就返回来了。五月，安葬郑简公。楚国杀了它的大夫成熊。秋天七月。冬天十月，公子憖逃亡到齐国。楚灵王攻打徐国。晋国讨伐鲜虞。

鲁昭公十二年春天，齐国高偃把北燕伯款送入唐地，是因为那里的群众希望他去的缘故。

三月，郑简公死。打算为安葬而清道，到达游氏祖庙，准备拆除它。子太叔让那些清道的徒役手持工具站在那里，而不要拆除，说："子产经过你们这里时，如果问为什么不拆，就说：'不忍心拆祖庙啊！不过准备拆了。'"照这样之后，子产就让避开了游氏祖庙。有个守墓人的家挡住了送葬的路，拆除它，就可以在早晨下葬；不拆，就要到中午才能下葬。子太叔请求拆了它，说："不拆的话，把诸侯的来宾怎么办？"子产说："诸侯的来宾能来参加我国的丧事，难道会怕等到中午？对来宾没有妨害，而老百姓不受损害，为什么不这样做？"就没有拆除，到中午才下葬。君子认为：子产在这件事上懂得礼。礼，就是不损伤别人来成全自己的事。

夏天，宋国的华定前来鲁国聘问，是为了通报新君继位。鲁国宴享他，为他吟诵《蓼萧》一诗，他不知道这首诗，又不赋诗答谢。叔孙婼说："他必定会逃亡。宴享的笑语不怀念，宠信荣耀不发扬，美好的德行不知道，共同的福禄不接受，他将凭什么在职位上待到最后？"

齐景公、卫灵公、郑定公去到晋国，是为了朝见新继位的国君。鲁昭公前往晋国，走到黄河边就返回了。占取郓地的那次战役，莒国人向晋国控诉，晋国有平公的丧事，没有受理这件事，所以辞谢昭公。于是公子憖前往晋国。晋昭公设宴款待诸侯，子产辅佐郑定公，推辞参加宴享，请求服丧期满然后听从命令。晋国人答应了他们，这是合于礼的。

晋昭公和齐景公宴饮，荀吴相礼。投壶，晋昭公先投，荀吴说："有酒像淮河，有肉像高坡，寡君投中，做诸侯的大哥。"投中了。齐景公举起箭，说："有酒像渑水，有肉像山陵。寡人投中，与君交替兴盛。"也投中了。伯瑕对荀吴说："您的话不适当。我们本来就做了诸侯的老大，投壶投中了有什么觉得特别的？齐君以为我们国君软弱，回国以后不会再来了。"荀吴说："我们军队统帅强悍勇猛，士兵争相劝勉，现在还像从前一样，齐国能干什么呢？"公孙傁快步走进，说："太晚了，君累了，可以出去了。"和齐景公一同出去。

楚灵王认为成虎是若敖的余党，于是杀了他。有人在楚灵王那里诬陷成虎，成虎知道这事但不能出走。《春秋》记载说："楚国杀了它的大夫成虎。"这是为了表明成虎因为怀念恩宠而不能出走。

六月，安葬郑简公。

晋国的荀吴假装会合齐军的样子，向鲜虞借路，于是进入昔阳。秋八月初十，灭亡肥国，带了肥国君主绵皋回国。

周朝的原伯绞虐待他的众臣子，致使他们成群结队逃走。冬十月初一，原地群众驱赶原伯绞，而立了公子跪寻。原伯绞逃往郊地。

甘简公没有儿子，立了他的弟弟甘过。甘过打算去掉成公、景公的族人，族人们贿赂刘献公。二十五日，杀了甘悼公甘过，而立了成公的孙子鳅。二十六日，杀了献太子的师傅庚皮的儿子庚过，在集市上杀了瑕辛，又连及杀了宫嬖绰、王孙没、刘州鸠、阴忌和老阳子。

季平子即位，对南蒯不加礼待，南蒯对公子憖说："我赶走季氏，把他的家产归还公室，您取代他的地位，我以费邑为领地作为公臣。"公子憖答应了他。南蒯告诉叔仲小，并且告诉他其中的缘故。

季悼子死的时候，叔孙婼以再命的身份做了卿。到季平子攻打莒国，攻下了，叔孙婼改受三命的封爵。叔仲小想要离间季孙、叔孙两家的关系，对季平子说："三命超过了父兄，不合乎礼。"季平子说："是这样。"所以让叔孙婼辞却。叔孙婼："叔孙氏有家祸，杀死嫡子立了庶子，所以我才到了这一步。如果是趁家祸来弄倒我，那么我听到命令了；如果不废弃君主的命令，那么本来就有我的位次。"叔孙婼上朝，命令官吏说："我打算和季氏打官司，诉讼词不要偏颇。"季平子害怕，就归罪给叔仲小，所以叔仲小、南蒯、公子婼打季氏的主意。公子婼告诉昭公，于是跟随昭公去了晋国。南蒯害怕不能成功，在费邑叛变，前往齐国。公子婼回国，到达卫国，听到发生动乱，丢下副使先逃回国。到达国都郊外时，听说费邑叛变，就逃亡到齐国。

南蒯准备叛变的时候，他的同乡有人知道，走过他门口而叹息，并且说："真让人担心啊！真让人忧愁啊！想得很深远但计划很短浅，身为近臣却志向高远，作为家臣却有国君的谋划，有这样的人才啊！"南蒯泛泛地占卜吉凶，得到《坤》卦变为《比》卦，卦辞说"黄裳元吉"，认为是大吉大利。南蒯拿给子服惠伯看，说："如果想要干事情，会怎么样？"惠伯说："我曾学过这个，如果是忠信的事就可以，不然肯定失败。外表坚强内心温顺，这是忠诚；用和顺来进行占卜，这是信用，所以说'黄色裙裳大吉大利'。黄，是中心的颜色；裳，是下身的服饰；元，是善德的首位。内心不忠，不符合那中心颜色；在下位不恭敬，不符合那服饰；办事不用善德，不符合那准则。外表内心一致就是忠，凭信用办事就是恭，培养三种德行就是善，不是这三种德行就不符合这个卦。况且《周易》不能用来占卜冒险的事，您打算干什么事呢？而且可以符合那服饰吗？中间美就是黄，上边美就是元，下边美则是裳，三者都完成就可以占卜。如果有缺失，占卜即使吉利，也不足为凭。"

南蒯将去费邑时，招待同乡人喝酒，有个同乡唱歌说："我有菜圃，却长着杞树啊！跟从我的是大男人啊！离开我的鄙陋不通啊！背弃亲邻的可耻啊！算了吧算了吧，不是我们同党的人啊！"

季平子想让叔孙婼驱逐叔仲小，叔仲小听说了，不敢上朝。叔孙婼命令官吏告诉叔仲小到朝廷等待政事，并说："我不做怨恨积聚的府库。"

楚灵王在州来打猎，驻扎在颍尾，派荡侯、潘子、司马督、嚣尹午、陵尹喜率军队包围徐国来威胁吴国。楚灵王住在乾溪，作为他们的援兵。天下雪，楚王头戴皮帽，身穿秦国送的复陶衣，披着翠羽披肩，脚穿豹皮靴，手持马鞭而出，仆析父跟随在后。

右尹子革晚上求见，楚灵王接见他，脱去帽子、披肩，放下鞭子，和他谈话说："过去我们先王熊绎，和吕伋、王孙牟、燮父、禽父一起事奉康王，四国都有分得的珍宝器物，我国独独没有。现在我派人到成周，请求分得鼎，周王会给我吗？"右尹子革回答说："会给君王吧！从前我们先王熊绎处在偏僻的荆山，乘柴车穿破衣，而开垦荒野，跋涉山林之间以事奉天子，只有桃木弓、棘木箭来供奉天子的政事。齐国，是天子的舅父；晋国和鲁国、卫国，是天子的同胞兄弟。楚国因此没有分得颁赐，而他们都有。如今周朝和四国服从事奉君王您，将唯命是从，难道还舍不得鼎？"楚灵王说："过去我们皇祖伯父昆吾住在许国，如今郑国人贪图那里田土的利益而不给我们。我们如果求取，将会给我们吗？"子革回答说："会给君王吧！周王都不吝惜鼎，郑国岂敢吝惜田土？"

楚灵王说："从前诸侯认为我国偏远而只害怕晋国，如今我们大规模修筑陈国、蔡国和两个不羹等城池，它们兵车都有一千辆，这中间有您的功劳，诸侯会害怕我国吗？"子革回答说："会害怕君王吧！单这四个城邑，就足以让人害怕了，又加上楚国全国，岂敢不怕君王呢？"

工尹路请求说："君王命令削圭玉来装饰斧柄，谨敢请求发布命令。"楚灵王进去察看。析父对子革说："您是楚国的希望，今天和君王谈话像回音应和一样对答如流，国家将怎么办？"子革说："磨利了刀刃等着，君王出来，我的刀刃将砍去非分之想。"楚灵王出来，又开始谈话。

左史倚相快步走过，楚灵王说："这是个好史官，您要好好对待他。这个人能读《三坟》、《五典》、《八索》、《九丘》。"子革回答说："我曾经向他询问过，过去周穆王想要放纵自己的欲望，周游天下，打算在天下都必留下车印马迹。祭公谋父作《祈招》一诗，来制止穆王的欲望，穆王因此能在祗宫得到善终。我问他这首诗，他却不知道，如果问更远的事，又哪能知道呢？"楚灵王说："您知道吗？"子革回答说："能知道。那首诗说：'祈求明德安祥和悦，以宣扬美好的声誉。想念我们君王的仪度，好像美玉，如同刚金。表现人民的力量，而没有纵欲的私心。'"楚灵王向子革作揖，进入内室，送给他食物不吃，睡觉睡不着，一连几天，不能克制自己，因而后来遭到祸难。孔子说："古时候有记载说：克制自己回归礼义，就是仁。说得确实好啊！楚灵王能够像这样的话，难道会在乾溪受到屈辱？"

晋国攻打鲜虞，是趁着灭亡肥国的战役而顺路进攻。

昭公十三年

【原文】

十有三年：春，叔弓帅师围费。

夏，四月，楚公子比自晋归于楚，弑其君虔于乾谿。

楚公子弃疾杀公子比。

秋，公会刘子、晋侯、齐侯、宋公、卫侯、郑伯、曹伯、莒子、邾子、滕子、薛伯、杞伯、小邾子于平丘。

八月甲戌，同盟于平丘。公不与盟。

晋人执季孙意如以归。

公至自会。

蔡侯庐归于蔡。陈侯吴归于陈。

冬，十月，葬蔡灵公。

公如晋，至河乃复。

吴灭州来。

十三年春，叔弓围费，弗克，败焉。平子怒，令见费人执之，以为囚俘。冶区夫曰："非也。若见费人，寒者衣之，饥者食之，为之令主而共其乏困；费来如归，南氏亡矣。民将叛之，谁与居邑？若悍之以威，惧之以怒，民疾而叛，为之聚也。若诸侯皆然，费人无归，不亲南氏，将焉入矣？"平子从之。费人叛南氏。

楚子之为令尹也，杀大司马蔿掩而取其室。及即位，夺蔿居田，迁许而质许围。蔡洧有宠于王，——王之灭蔡也，其父死焉。——王使与于守而行。申之会，越大夫戮焉。王夺斗韦龟中犨，又夺成然邑，而使为郊尹。蔓成然故事蔡公。故蔿氏之族及蔿居、许围、蔡洧、蔓成然皆王所不礼也，因群丧职之族，启越大夫常寿过作乱，围固城，克息舟，城而居之。

观起之死也，其子从在蔡，事朝吴，曰："今不封蔡，蔡不封矣。我请试之。"以蔡公之命召子干、子晳，及郊而告之情，强与之盟；入袭蔡。蔡公将食，见之而逃。观从使子干食，坎、用牲、加书而速行。己徇于蔡，曰："蔡公召二子，将纳之，与之盟而遣之矣，将师而从之。"蔡人聚，将执之；辞曰："失贼成军，而杀余何益？"乃释之。朝吴曰："二三子若能死亡，则如违之，以待所济。若求安定，则如与之，以济所欲。且违上，何适而可？"众曰："与之！"乃奉蔡公，召二子而盟于邓，依陈、蔡人以国。楚公子比、公子黑肱、公子弃疾、蔓成然、蔡朝吴帅陈、蔡、不羹、许、叶之师，因四族之徒以入楚。

及郊，陈、蔡欲为名，故请为武军。蔡公知之，曰："欲速！且役病矣。请藩而已。"乃藩为军。蔡公使须务牟与史猈先入，因正仆人杀大子禄及公子罢敌。公子比为王，公子黑肱为令尹，次于鱼陂。公子弃疾为司马，先除王宫，使观从从师于乾谿，而遂告之，且曰："先归复所。后者劓！"师及訾梁而溃。

王闻群公子之死也，自投于车下，曰："人之爱其子也，亦如余乎？"侍者曰："甚焉！小人老而无子，知挤于沟壑矣。"王曰："余杀人子多矣，能无及此乎？"右尹子革曰："请待于郊，以听国人。"王曰："众怒不可犯也！"曰："若入于大都而乞师于诸侯？"王曰："皆叛矣！"曰："若亡于诸侯，以听大国之图君也？"王曰："大福不再，祗取辱焉！"然丹乃归于楚。

王沿夏，将欲入鄢。芋尹无宇之子申亥曰："吾父再奸王命，王弗诛，惠孰大焉？君不可忍，惠不可弃，吾其从王！"乃求王，遇诸棘（围）〔闱〕，以归。夏五月癸亥，王缢于芋尹申亥氏。申亥以其二女殉而葬之。

观从谓子干曰："不杀弃疾，虽得国，犹受祸也。"子干曰："余不忍也。"子玉曰："人将忍子。吾不忍俟也。"乃行。

国每夜骇曰："王入矣！"乙卯夜，弃疾使周走而呼曰："王至矣！"国人大惊。使蔓成然走告子干、子皙曰："王至矣！国人杀君司马，将来矣！君若早自图也，可以无辱。众怒如水火焉，不可为谋。"又有呼而走至者，曰："众至矣！"二子皆自杀。

丙辰，弃疾即位，名曰熊居。葬子干于訾，实訾敖。杀囚，衣之王服而流诸汉，乃取而葬之，以靖国人。使子旗为令尹。

楚师还自徐，吴人败诸豫章，获其五帅。

平王封陈、蔡，复迁邑，致群赂，施舍，宽民，宥罪，举职。召观从，王曰："唯尔所欲。"对曰："臣之先佐开卜。"乃使为卜尹。

使枝如子躬聘于郑，且致犨、栎之田。事毕，弗致。郑人请曰："闻诸道路，将命寡君以犨、栎，敢请命。"对曰："臣未闻命。"既复，王问犨、栎，降服而对，曰："臣过失命，未之致也。"王执其手，曰："子毋勤！姑归。不榖有事，其告子也。"

他年，芋尹申亥以王柩告。乃改葬之。

初，灵王卜，曰："余尚得天下！"不吉。投龟，诟天而呼曰："是区区者而不余畀，余必自取之！"民患王之无厌也，故从乱如归。

初，共王无冢適；有宠子五人，无適立焉。乃大有事于群望，而祈曰："请神择于五人者，使主社稷。"乃遍以璧见于群望，曰："当璧而拜者，神所立也，谁敢违之？"既，乃与巴姬密埋璧于大室之庭；使五人齐，而长入拜。康王跨之，灵王肘加焉，子干、子皙皆远之。平王弱，抱而入，再拜，皆厌纽。斗韦龟属成然焉，且曰："弃礼违命，楚其危哉！"

子干归。韩宣子问于叔向曰："子干其济乎？"对曰："难。"宣子曰："同恶相求，如市贾焉，何难？"对曰："无与同好，谁与同恶？取国有五难：有宠而无人，一也；有人而无主，二也；有主而无谋，三也；有谋而无民，四也；有民而无德，五也。子干在晋十三年矣，晋、楚之从，不闻达者，可谓无人。族尽亲叛，可谓无主。无衅而动，可谓无谋。为羁终世，可谓无民。亡无爱徵，可谓无德。王虐而不忌；楚君子干，涉五难以弑旧君，谁能济之？有楚国者，其弃疾乎！君陈、蔡，城外属焉。苟愿不作，盗贼伏隐，私欲不违，民无怨心。先神命之，国民信之。芈姓有乱，必季实立，楚之常也。获神，一也；有民，二也；令德，三也；宠贵，四也；居常，五也：有五利以去五难，谁能害之？子干之官，则右尹也；数其贵宠，则庶子也；以神所命，则又远之。其贵亡矣，其宠弃矣，民无怀焉，国无与焉，将何以立？"宣子曰："齐桓、晋文，不亦是乎？"对曰："齐桓，卫姬之子也，有宠于僖；有鲍叔牙、宾须无、隰朋以为辅佐，有莒、卫以为外主，有国、高以为内主；从善如流，下善齐肃；不藏贿，不从欲，施舍不倦，求善不厌：是以有国，不亦宜乎？我先君文公，狐季姬之子也，有宠于献；好学而不贰；生十七年，有士五人，有先大夫子余、子犯以为腹心，有魏犨、贾佗以为股肱；有齐、宋、秦、楚以为外主，有栾、郤、狐、先以为内主；亡十九年，守志弥笃。惠、怀弃民，民从而与之。献无异亲，民无异望；天方相晋，将何以代文？此二君者，异于子干。共有宠子，国有奥主；无施于民，无援于外；去晋而不送，归楚而不逆：何以冀国？"

晋成虒祁，诸侯朝而归者皆有贰心。为取郠故，晋将以诸侯来讨。叔向曰："诸侯不可以不示威。"乃并徵会，告于吴。秋，晋侯会吴子于良；水道不可，吴子辞；乃还。七月丙寅，治兵于邾南，甲车四千乘。羊舌鲋摄司马，遂合诸侯于平丘。

子产、子大叔相郑伯以会。子产以幄幕九张行。子大叔以四十，既而悔之；每舍，损焉；及会，亦如之。

次于卫地，叔鲋求货于卫，淫刍荛者。卫人使屠伯馈叔向羹，与一箧锦，曰："诸侯事晋，未敢携贰；况卫在君之宇下，而敢有异志？刍荛者异于他日，敢请之。"叔向受羹反锦，曰："晋有羊舌鲋者，渎货无厌，亦将及矣。为此役也，子若以君命赐之，其已。"客从之。未退而禁之。

晋人将寻盟，齐人不可。晋侯使叔向告刘献公，曰："抑齐人不盟，若之何？"对曰："盟以厎信。君苟有信，诸侯不贰，何患焉？告之以文辞，董之以武师，虽齐不许，君庸多矣。天子之老，请帅王赋：'元戎十乘，以先启行。'迟速唯君！"

叔向告于齐，曰："诸侯求盟，已在此矣。今君弗利，寡君以为请。"对曰："诸侯讨贰，则有寻盟。若皆用命，何盟之寻？"叔向曰："国家之败，有事而无业，事则不经；有业而无礼，经则不序；有礼而无威，序则不共；有威而不昭，共则不明。不明弃共，百事不终，所由倾覆也。是故明王之制，使诸侯岁聘以志业，间朝以讲礼，再朝而会以示威，再会而盟以显昭明。志业于好，讲礼于等，示威于众，昭明于神，自古以来未之或失也。存亡之道，恒由是兴。晋礼主盟，惧有不治；奉承齐牺而布诸君，求终事也。君曰'余必废之'，何齐之有？唯君图之，寡君闻命矣！"齐人惧，对曰："小国言之，大国制之，敢不听从？既闻命矣，敬共以往，迟速唯君！"

叔向曰："诸侯有间矣。不可以不示众。"八月辛未，治兵，建而不旆；壬申，复施之。诸侯畏之。

邾人、莒人愬于晋,曰:"鲁朝夕伐我,几亡矣。我之不共,鲁故之以。"晋侯不见公,使叔向来辞,曰:"诸侯将以甲戌盟。寡君知不得事君矣,请君无勤!"子服惠伯对曰:"君信蛮夷之诉,以绝兄弟之国,弃周公之后,亦唯君。寡君闻命矣!"叔向曰:"寡君有甲车四千乘在,虽以无道行之,必可畏也;况其率道,其何敌之有?牛虽瘠,偾于豚上,其畏不死?南蒯、子仲之忧,其庸可弃乎?若奉晋之众,用诸侯之师,因邾、莒、杞、鄫之怒,以讨鲁罪,间其二忧,何求而弗克?"鲁人惧,听命。

"甲戌,同盟于平丘",齐服也。令诸侯日中造于除。癸酉,退朝。子产命外仆速张于除;子大叔止之,使待明日。及夕,子产闻其未张也,使速往,乃无所张矣。

及盟,子产争承,曰:"昔天子班贡,轻重以列。列尊贡重,周之制也。卑而贡重者,甸服也。郑伯,男也;而使从公侯之贡,惧弗给也。敢以为请!诸侯靖兵,好以为事。行理之命无月不至,贡之无艺,小国有阙,所以得罪也。诸侯修盟,存小国也。贡献无及,亡可待也。存亡之制,将在今矣!"自日中以争,至于昏,晋人许之。

既盟,子大叔咎之曰:"诸侯若讨,其可渎乎?"子产曰:"晋政多门,贰偷之不暇,何暇讨?国不竞亦陵,何国之为!"

公不与盟。晋人执季孙意如,以幕蒙之,使狄人守之。司铎射怀锦,奉壶饮冰以蒲伏焉。守者御之,乃与之锦而入。晋人以平子归,子服湫从。

子产归,未至,闻子皮卒,哭,且曰:"吾已!无为为善矣。唯夫子知我!"

仲尼谓:"子产于是行也,足以为国基矣。《诗》曰:'乐只君子,邦家之基。'子产,君子之求乐者也。"且曰:"合诸侯,艺贡事,礼也。"

鲜虞人闻晋师之悉起也,而不警边,且不修备。晋荀吴自著雍以上军侵鲜虞,及中人,驱冲竞,大获而归。

楚之灭蔡也,灵王迁许、胡、沈、道、房、申于荆焉。平王即位,既封陈、蔡,而皆复之,礼也。隐大子之子庐归于蔡,礼也。悼大子之子吴归于陈,礼也。

冬十月,葬蔡灵公,礼也。

公如晋。荀吴谓韩宣子曰:"诸侯相朝,讲旧好也。执其卿而朝其君,有不好焉,不如辞之。"乃使士景伯辞公于河。

吴灭州来。令尹子期请伐吴;王弗许,曰:"吾未抚民人,未事鬼神,未修守备,未定国家,而用民力,败不可悔。州来在吴,犹在楚也。子姑待之。"

季孙犹在晋。子服惠伯私于中行穆子曰:"鲁事晋,何以不如夷之小国?鲁,兄弟也;土地犹大,所命能具。若为夷弃之,使事齐、楚,其何瘳于晋?亲亲,与大,赏共,罚否,所以为盟主也。子其图之!谚曰:'臣一主二。'吾岂无大国?"穆子告韩宣子,且曰:"楚灭陈、蔡,不能救;而为夷执亲,将焉用之?"乃归季孙。

惠伯曰:"寡君未知其罪,合诸侯而执其老。若犹有罪,死命可也!若曰无罪而惠免之,诸侯不闻,是逃命也,何免之为?请从君惠于会。"宣子患之,谓叔向曰:"子能归季孙乎?"对曰:"不能。鲋也能。"乃使叔鱼。叔鱼见季孙,曰:"昔鲋也得罪于晋君，自归于鲁君。微武子之赐，不至于今。虽获归骨于晋，犹子则肉之，敢不尽情？归子而不归，鲋也闻诸吏：将为子除馆于西河。其若之何？"且泣。平子惧，先归。惠伯待礼。

【译文】

　　鲁昭公十三年春天，叔弓率领军队包围费邑。夏四月，楚国的公子比从晋国回到楚国，在乾溪杀了他们的君主楚灵王。楚公子弃疾杀了公子比。秋天，昭公在平丘会见刘献公、晋昭公、齐景公、宋元公、卫灵公、郑定公、曹伯、莒子、邾子、滕子、薛伯、杞伯、小邾子等。八月初七日，在平丘共同盟誓。昭公没参加盟誓。晋国人拘捕季平子带回国。昭公从盟会回到鲁国。蔡平公回到蔡国，陈惠公回到陈国。冬十月，安葬蔡灵公。昭公前往晋国，到达黄河就回国了。吴国灭亡州来。

　　鲁昭公十三年春天，叔弓包围费邑，没有攻下，被费邑人打败了。季平子发怒，命令看见费邑人就抓住他们作为俘虏囚禁起来。冶区夫说："不对。如果看见费邑人，受寒的人给他衣穿，挨饿的人给他饭吃，做他们的好主子，供给他们缺乏的东西。费邑人像回家一样前来亲附，南氏就灭亡了。百姓将要背叛他，他还与谁居守费邑呢？如果用威势吓唬他，用愤怒威胁他，百姓怀恨而背叛您，就是替他聚集百姓了。如果诸侯都像这样，费邑人没有归附的地方，不亲附南氏，还会归入到哪里去呢？"季平子听从了他的话，费邑人背叛了南蒯。

　　楚灵王做令尹时，杀了大司马䓕掩，然后夺取了他的家财。到即位以后，夺取了䓕居的田土，迁走许地的人而把许围作为人质。蔡洧在楚灵王面前很得恩宠，楚灵王灭亡蔡国的时候，他的父亲死于这次事件中，楚灵王让他参与守卫蔡国然后出发到乾溪。申地盟会中，越国大夫受到屈辱。楚灵王夺取了䖂韦龟的封邑中犫，又夺取了成然的封邑而让他做郊邑尹。成然过去事奉蔡公，所以䓕氏的族人以及䓕居、许围、蔡洧、成然等，都是楚灵王所不加礼遇的人，他们利用一群丧失职位的人的亲族，策动越国大夫常寿过作乱，包围固城，攻克息舟，筑城而驻扎在那里。

　　观起死的时候，他的儿子观从在蔡国，事奉朝吴，说："现在不重封蔡国，蔡国就不能恢复了。请让我试一下。"就用蔡公的名义召见子干、子皙，他们到达郊外，就告诉他们实情，强行与他们结盟，然后进入都城袭击蔡宫。蔡公正准备吃饭，看见他们就逃走了，观从让子干吃饭，然后挖坑，埋入牺牲，把盟书放在上面，就迅速让他走了。自己则在蔡国公开宣示说："蔡公召见子干、子皙二人，打算把他们送回楚国，已经和他们结盟并且派遣他们走了，正打算率军队跟上去。"蔡国人围拢来，准备抓住观从。观从解释说："作乱的人已经逃跑，乱军已经组成，杀我又有什么好处？"就放了他。朝吴说："你们几位如果能为楚灵王献身或逃亡，就应当违背蔡公，来等待事情的结果。如果要求安定，就应当赞助他，以成全他的愿望。况且违背主上，将何所适从呢？"众人说："赞助他。"于是事奉蔡公，召见子干、子皙二人在邓地盟誓，利用复国的心理发动依靠陈国人、蔡国人。

楚国的公子比、公子黑肱、公子弃疾、蔓成然、蔡国的朝吴率领陈国、蔡国、不羹许国、叶国等地的军队，依靠四族的众人进入楚国。到达郊外，陈国、蔡国想要表明出兵的名义，所以请求修筑壁垒。蔡公知道了，说："我们希望迅速攻入，而且役人已经疲惫，请编起篱笆就算了。"就编篱笆围成军营。蔡公派须务牟和史犇首先进入楚都，依靠贴身仆人杀死了太子禄和公子罢敌。公子比做了王，公子黑肱做令尹，驻扎在鱼陂。公子弃疾做司马，先清除楚国王宫。派观从到乾溪去劝降楚军，乘便告诉他们形势，并且说："先回去的恢复官位俸禄，后回去的受劓刑。"军队到达訾梁就溃散了。

楚灵王听到各位公子死亡的消息，自己从车上摔下来，说："别人爱他自己的儿子，也像我一样吗？"侍从的人说："有比您更过分的，小人年老而没有儿子，知道将被弃尸沟壑了。"楚王说："我杀别人的儿子也算多了，能不落到这一步吗？"右尹子革说："请君王在郊外等待，以听从国内人民的意见。"楚王说："众怒不可触犯。"子革说："或许可以进驻一个大都邑然后向诸侯请求救兵。"楚王说："都已经叛离我们了。"子革说："或许可以逃亡到诸侯那里，以听从大国为君王谋划。"楚王说："大福不会两次降临，只是自取辱没罢了。"子革于是回到楚国去了。楚灵王沿着夏水，打算进入鄢地。芋尹无宇的儿子申亥说："我父亲两次违犯王命，君王没有诛杀，恩惠还有什么比这个更大的呢？对君王不可狠心违背，恩惠不可抛弃，我还是跟着君王。"就寻找楚灵王。在棘闹遇到楚王而一起回申亥家。夏五月二十五日，楚灵王在申亥家自缢身亡，申亥以自己的两个女儿作为殉葬而埋葬了他。

观从对子干说："不杀公子弃疾，即使得到国家，还是会遭到祸乱。"子干说："我不能狠心。"观从说："人家将忍心的，我不忍心待下去了。"就走了。

都城常常在夜里有人惊叫说："君王进入国都了！"十七日晚上，公子弃疾派人到处奔走呼喊说："君王到了！"国都内的人大为惊恐。又派蔓成然跑去报告子干、子晳说："君王到了，国都的人杀了您的司马，将要杀来了。您如果早点考虑自己，可以不致蒙受羞辱。众人的愤怒好像水火，是没法子可想的。"又有人喊叫着跑来说："国都的众人到了！"子干、子晳二人就都自杀。十八日，弃疾即位，改名叫熊居。把子干埋葬在訾地，称为訾敖。杀死一个囚犯，给他穿上国君的衣服而将他放在汉水中漂流，然后捞取尸体埋葬，来安定国内的人。让蔓成然做令尹。

楚国军队从徐国回来，吴国人在豫章打败了楚军，俘获了他们的五个将帅。

楚平王重建陈国、蔡国，让迁走的邑人返回来，把诸侯贡献的财货颁赐给有功人员，广泛施舍，减轻人民负担，赦免罪人，举拔被废弃的官员。召见观从，平王说："只要你所希望的，我都听从你。"观从回答说："我的先人辅佐卜师。"就让他做了卜尹。派枝如子躬到郑国聘问，并且送还犨地、栎地的田土。聘问结束，没有送还。郑国人请求说："听路途传闻，打算把犨地、栎地赐给寡君，斗胆请求命令。"枝如子躬回答说："下臣没有听到命令。"回国复命以后，楚平王问到犨地、栎地的事，枝如子躬脱去上衣回答说："下臣有罪，违背君命，没有送还。"平王握住他的手，说："您不

要委屈自己，暂且回去，我有事的话，将告诉您的。"

过了几年，芊尹申亥把楚灵王的棺柩所在报告给平王，于是改葬灵王。

当初，楚灵王卜问说："我希望得到天下。"占卦不吉利，就把龟甲扔掉，责骂上天而喊道："这么一个小小的东西都不给我，我一定自己争取到它。"老百姓忧虑灵王的不满足，所以跟随叛乱的人就像回家一样。

起初，楚共王没有嫡长子，有五个宠爱的庶子，他们中间不知立哪个好。于是大规模祭祀各名山大川，祈求说："请神灵在五个人中选择，让他主持国家。"就在望祭中将玉璧展现给名山大川的神灵，说："面对玉璧而拜祭的人，就是神灵所立的人，谁敢违背？"望祭结束，就和巴姬秘密地将玉璧埋在祖庙的庭院里，让五个人斋戒，然后依长幼的次序进去拜祭。康王两腿跨在玉璧上，灵王胳臂压在玉璧上，子干、子晳都离得很远。平王年幼，抱着进来，两次拜祭，都压在璧纽上。囡韦龟把蔓成然嘱托给平王，并且说："抛弃礼义违背天命，楚国将危险啊！"

子干回国，韩宣子问叔向说："子干大概会成功吧？"叔向回答说："难。"宣子说："憎恶相同而互相需求，好像商人追求利润一样，有什么难的？"

叔向回答说："没有人与他爱好相同，谁会与他有共同的憎恶呢？取得国家政权有五件难事：有宠贵的地位却没有贤人，这是一；有了贤人却没有内主，这是二；有内主却没有谋略，这是三；有谋略却没有民众，这是四；有民众却没有德行，这是五。子干在晋国十三年了，晋、楚两国追随他的人，没听说过有贤达的人，可说是无人。族人灭尽，亲人叛离，可说是无主。没有可乘之机就行动，可说是无谋。一生客居别国，可说是无民。逃亡在外而谁也没有怀念的表现，可说是无德。楚王暴虐但并不令人畏惧，楚国如果以子干为国君，具有以上五件难事而杀死原有君主，谁能帮助他成功？拥有楚国的人，恐怕是公子弃疾吧？统治着陈、蔡两地，方城山以外的地方也属于他。苛暴邪恶的事没有发生，盗贼潜伏隐藏，人民的个人愿望不加违背，老百姓没有怨恨之心。先祖神灵任命他，国内人民信任他，芈姓一旦有王位纷乱，一定是小儿子立为国君，这是楚国的常规。得到神灵保佑，这是一；拥有民众，这是二；具有美德，这是三；受宠而显贵，这是四；处于常规，这是五。有五个有利条件来去掉五件难事，谁能危害他？子干的官职，就是个右尹；要说地位宠贵，不过是庶子；按神灵所命令的，则又远离玉璧。他的显贵丧失了，他的宠信丢掉了，老百姓对他不怀念，朝廷内没有人帮助他，将凭什么立为国君？"

韩宣子说："齐桓公、晋文公不也是这样吗？"叔向回答说："齐桓公是卫姬的儿子，受到齐僖公的宠爱，有鲍叔牙、宾须无、隰朋作为辅佐，有莒国、卫国作为外援，有国氏、高氏作为内应。追随善德好像流水一样，谦恭地对待善人专一虔诚，不收取贿赂，不放纵欲望，施舍不知疲倦，追求善德不满足，因此而享有国家，不也是应该的吗？我们的先君文公，是狐季姬的儿子，得到献公的宠爱。喜爱学习而不三心二意，出生十七年，得到五个人才。有先大夫子余、子犯作为心腹，有魏犨、贾佗作为左右手，有齐国、宋国、秦国、楚国作为外援，有栾氏、郤氏、狐氏、先氏作为内应。流亡十九年，保守志向更加坚定。惠公、怀公抛弃人民，人民就跟从而且赞助文公。献公没有别的亲人，老百姓没有别的希望，上天正佑助晋国，将用谁代替文公？这两位国君，和子干不一样。共王有宠爱的儿子，国内有高深莫测的君主，对百姓没有施予，在外没有援助，离开晋国而不送行，回到楚国而不迎接，凭什么希冀享有楚国？"

晋国的虒祁宫落成，诸侯中前去朝见而回国的都有了二心。因为鲁国占取郠地的缘故，晋国打算率诸侯前来讨伐。叔向说："对诸侯必须显示一下威力。"就遍召诸侯会见，并且告诉吴国。秋天，晋昭公到良地会见吴王，水路不通，吴王辞谢不见，晋昭公就回国了。二月二十九日，晋国在邾国南部进行军事演习，出动战车四千辆，羊舌鲋代理司马，就在平丘会合诸侯。

子产、子太叔陪同郑定公参加会见。子产带了九顶帐幕出发。子太叔带了四十顶，然后又感到后悔，每次住宿都减少一些，等到会见时，也和子产一样多了。

驻扎在卫国境内，羊舌鲋向卫国索取财货，放纵手下割草打柴的人。卫国人派屠伯送给叔向肉羹，给他一箱锦缎，说："诸侯事奉晋国，不敢怀有二心，何况卫国在君王的屋檐下，岂敢有别的想法？割草打柴的人行为和往日不一样，请求制止他们。"叔向接受肉羹退回锦缎，说："晋国有羊舌鲋这个人，贪求财货不满足，也将要遭到祸难了。对于这件事情，您如果以君王的名义赐给他这箱锦缎，就将了结了。"屠伯听从了叔向的话，还没退出去，羊舌鲋就禁止了割草打柴人的胡作非为。

晋国人打算重温过去的盟约，齐国人不答应。晋昭公派叔向告诉周朝卿士刘献公说："齐国人不肯结盟，怎么办？"刘献公回答说："盟约是用来表明信用的，君侯如果有信用，诸侯没有二心，担心什么呢？用文辞警告他们，用威武的军队监督他们，即使齐国不答应，君侯的功效也大了。天子的卿士请求率领天子的军队，'十辆大兵车，在前面开路。'进攻时间的早晚只听君侯的。"叔向转告齐国，说："诸侯请求结盟，已经在这里了。现在君侯不认为有利，寡君以此作为请求。"齐国人回答说："诸侯讨伐有二心的国家，才有重温旧盟的必要。如果都听从命令，还重温什么旧盟？"叔向说："国家的衰败，在于有朝聘会盟之事而不遵守贡赋的职责，事情也就不能经常；遵守贡赋的职责而不讲礼节，经常了也不会有次序；有礼节而没有威严，有了次序也不会恭敬；有了威严而不发扬，即使恭敬也不能昭告神灵。不能昭告神灵而又失去恭敬，什么事也不会有结果，这就是国家倾覆的原因。所以英明君主的制度，是让诸侯每年聘问以记住贡赋的职责，隔两年朝觐一次以复习礼仪，两次朝觐然后会见一次以显示威严，两次会见然后结盟以昭告神灵表明信义。在友好中记住贡赋的职责，在等级次序中复习礼仪，向民众显示威严，向神灵表明信义，自古以来，从没有缺失。国家存亡的道理，常常由这里产生。晋国按礼仪主持结盟，害怕办理不好，才奉献盟祭的牺牲，展示于君侯之前，为的是获得事情的圆满结果。君侯却说'我一定废除它。'那还有什么结盟的呢？请君侯考虑一下，寡君听到命令了。"齐国人害怕，回答说："小国说一说，大国加以裁夺，岂敢不听从？已经听到命令了，一定会恭敬地前去赴会，早晚听凭君侯决定。"

叔向说:"诸侯与我们有隔阂了,不可不向他们显示一下威力。"八月初四日,举行练兵演习,竖起旌旗但不缀饰飘带。初五日,又加上飘带。诸侯对此感到害怕。

邾国人、莒国人向晋国控告说:"鲁国总是攻打我们,差不多要被它灭亡了。我们不能进贡,就是鲁国的缘故。"晋昭公不接见鲁昭公,派叔向前来辞谢说:"诸侯将在初七日结盟,寡君知道不能事奉君侯了,请君侯不必劳驾。"子服惠伯回答说:"君侯相信蛮夷的控诉,来断绝兄弟之国,抛弃周公的后代,也只好听凭君侯。寡君听到命令了。"叔向说:"寡君有战车四千辆在那里,即使用兵无道,也必定令人畏惧。何况遵循道义,有什么可以抵挡的呢?牛即使瘦,仆倒在小猪上,难道还怕压不死?南蒯、子仲的忧虑,难道可以丢开吗?如果率领晋国的大众,使用诸侯的军队,凭借邾、莒、杞、鄫等国的愤怒,来讨伐鲁国的罪行,乘你们忧虑南蒯、子仲二人的机会,要什么得不到?"鲁国人害怕,只好听从命令。

初七日,诸侯在平丘一起会盟,这是因为齐国服从了。晋国命令诸侯中午到达盟会场地。初六日,朝见晋国退回,子产就命令外仆赶快到盟会场地去张设帐幕,子太叔制止了外仆,让他等到第二天。到傍晚时,子产听说外仆没有张设帐幕,派他迅速前往,但就没有地方可以张设了。

到盟会时,子产争论贡赋的轻重次第,说:"过去天子确定贡赋次第,按地位决定轻重,地位尊贵的贡赋重,这是周朝的制度。地位卑下而贡赋重的,这是甸服。郑定公的爵位,是男服,却让我们跟着公侯缴纳贡赋,担心不能如数供给,大胆以此作为请求。诸侯息养兵卒,喜欢用师行事,使者传达的命令没有哪个月不到来,贡赋没有限度,小国有所缺少,这就是获罪的原因。诸侯重修旧盟,是为了使小国得以生存。贡赋没有限度,小国灭亡的日子很快到来。决定存亡的规定,将在于今天了。"从中午开始争论,到了晚上,晋国人才答应了。

已经结盟之后,子太叔怪罪子产说:"诸侯如果来讨伐,难道可以轻易对付吗?"子产说:"晋国政权由许多豪门掌握,他们三心二意苟且偷安还忙不赢,有什么空闲来讨伐?国家不争强也会受欺凌,那还算个什么国家?"

鲁昭公没有参加结盟。晋国人逮捕季平子,用幕布蒙住他,派狄人看守。司铎射怀里揣着锦缎,捧着水壶去给他喝冰水,而偷偷爬过去。看守阻挡他,就送给他锦缎然后进去了。晋国人带了季平子回国,子服惠伯跟着去了。

子产回国,还未到达,听说子皮死了,边哭边说:"我完了!没有人替我出好主意了。只有他老人家了解我。"孔子说,"子产在这次盟会的行动中,足以做国家的基石了。《诗》说:'君子欢乐,做国家的墙脚。'子产,就是君子中追求欢乐的人。"并且说:"会合诸侯,制定贡赋的限度,是合乎礼的。"

鲜虞人听说晋国军队全部出动,因而不对边境加以警戒,并且不修治武器装备。晋国荀吴从著雍率上军侵袭鲜虞,到达中人那地方,驾着冲车与鲜虞人追逐,俘获很多战利品回国。

楚国灭亡蔡国的时候,楚灵王将许国、胡国、沈国、道地、房地、申地的人民迁到楚国境内。楚平王即位时，既已重建陈国。蔡国，就都让他们迁回原地，这是合于礼的。让隐太子的儿子公子庐回到蔡国，这是合于礼的。让悼太子的儿子公子吴回到陈国，这也是合于礼的。冬十月，安葬蔡灵公，这是合于礼的。

鲁昭公前往晋国。荀吴对韩宣子说："诸侯互相朝聘，是重温过去的友好。逮捕他们的卿却让他们的君主来朝聘，这是不友好的，不如辞谢他们。"就派士景伯到黄河边去辞谢鲁昭公。

吴国灭亡州来，令尹子期请求攻打吴国，楚平王不答应，说："我没有安抚人民，没有事奉鬼神，没有修治守卫国家的装备，没有安定国家及家族，却去使用百姓的力量，失败了来不及后悔。州来在吴国，就像在楚国一样，您暂且等等吧。"

季平子还在晋国，子服惠伯私下对荀吴说："鲁国事奉晋国，凭哪一点不如夷人的小国？鲁国，是兄弟国家，土地还很辽阔，你们命令进贡的物品都能具备。如果为了夷人而抛弃它，让它事奉齐国或楚国，对于晋国难道有什么好处？亲近亲族国家，赞助土地辽阔的国家，赏赐能供奉赋贡的国家，惩罚不能供奉的国家，这就是能作为盟主的原因。您还是考虑一下吧！俗话说：'一臣两主。'我们难道没有别的大国可以事奉？"荀吴告诉韩宣子，并且说："楚国灭亡陈、蔡，我们不能救援，却替夷人逮捕亲人，这有什么用？"就把季平子放回去。惠伯说："寡君不知道自己的罪过。会合诸侯却抓了他们的卿，如果有罪，奉命而死可以。如果说无罪而恩准释放，诸侯没听说，这是逃避命令，算是什么释放？请求在诸侯盟会上接受君侯的恩惠。"韩宣子担心这件事，对叔向说："您能使季平子回去吗？"叔向回答说："不能。羊舌鲋能。"于是派羊舌鲋去。羊舌鲋见到季平子说："过去我得罪晋君，只好自己归附贵君。如果没有您祖父武子的恩赐，我到不了今天。虽然我这把老骨头得以回到晋国，还是等于您让我得到再生，岂敢不尽心回报？让您回去却不回去，我从官吏那儿听说，将在西河替您修所房子，那将怎么样？"羊舌鲋边说边哭起来。季平子害怕，先回国了。惠伯留下等待按礼节相送。

昭公十四年

【原文】

十有四年：春，意如至自晋。

三月，曹伯滕卒。

夏，四月。

秋，葬曹武公。

八月，莒子去疾卒。

冬，莒杀其公子意恢。

十四年春，"意如至自晋"，尊晋罪己也。尊晋罪己，礼也。

南蒯之将叛也，盟费人。司徒老祁、虑癸伪废疾，使请于南蒯曰："臣愿受盟而疾兴，若以君灵不死，请待间而盟。"许之。二子因民之欲叛也，请朝众而盟，遂劫南蒯曰："群臣不忘其君，畏子以及今，三年听命矣。子若弗图，费人不忍其君，将不能畏子矣。子何所不逞欲？请送子。"请期五日。遂奔齐。侍饮酒于景公，公曰："叛夫！"对曰："臣欲张公室也。"子韩晳曰："家臣而欲张公室，罪莫大焉！"司徒老祁、虑癸来归费，齐侯使鲍文子致之。

夏，楚子使然丹简上国之兵于宗丘，且抚其民：分贫振穷，长孤幼，养老疾，收介特，救灾患，宥孤寡；赦罪戾，诘奸慝，举淹滞；礼新叙旧，禄勋合亲，任良物官。使屈罢简东国之兵于召陵，亦如之。好于边疆，息民五年，而后用师；礼也。

秋八月，莒著丘公卒。郊公不慼，国人弗顺，欲立著丘公之弟庚（与）〔舆〕。蒲馀侯恶公子意恢而善于庚（与）〔舆〕，郊公恶公子铎而善于意恢。公子铎因蒲馀侯而与之谋，曰："尔杀意恢，我出君而纳庚（与）〔舆〕。"许之。

楚令尹子旗有德于王，不知度，与养氏比而求无厌。王患之。九月甲午，楚子杀斗成然而灭养氏之族。使斗辛居郧，以无忘旧勋。

冬十二月，蒲馀侯兹夫杀莒公子意恢，郊公奔齐。公子铎逆庚（与）〔舆〕于齐，齐隰党、公子锄送之，有赂田。

晋邢侯与雍子争鄐田，久而无成。士景伯如楚，叔鱼摄理。韩宣子命断旧狱，罪在雍子。雍子纳其女于叔鱼，叔鱼蔽罪邢侯。邢侯怒，杀叔鱼与雍子于朝。宣子问其罪于叔向，叔向曰："三人同罪，施生戮死可也。雍子自知其罪而赂以买直，鲋也鬻狱，邢侯专杀，其罪一也。己恶而掠美为昏，贪以败官为墨，杀人不忌为贼。《夏书》曰：'昏、墨、贼，杀。'皋陶之刑也。请从之。"乃施邢侯而尸雍子与叔鱼于市。

仲尼曰："叔向，古之遗直也。治国制刑，不隐于亲。三数叔鱼之恶，不为末减，（曰）〔由〕义也夫，可谓直矣！平丘之会，数其贿也，以宽卫国，晋不为暴。归鲁季孙，称其诈也，以宽鲁国，晋不为虐。邢侯之狱，言其贪也，以正刑书，晋不为颇。三言而除三恶，加三利。杀亲益荣，犹义也夫！"

【译文】

鲁昭公十四年春天，季平子从晋国回到鲁国。三月，曹武公滕死了。夏四月。秋天，安葬曹武公。八月，莒国著丘公去疾死了。冬天，莒国杀了它的公子意恢。

鲁昭公十四年春天，季平子从晋国回到鲁国，《春秋》这样记载是尊重晋国而归罪本国。尊重晋国归罪本国，这是合乎礼的。

南蒯将要叛变的时候，和费地人结盟。司徒老祁、虑癸假装发病，派人向南蒯请求说："下臣愿意接受盟约但疾病发作，要是托君主的福不死，请等病好转再结盟。"南蒯答应了。这两人趁老百姓想要背叛南蒯的机会，请求让民众前来朝见而结盟。于是劫持南蒯说："下臣们没有忘记他们的君主，只是害怕您到现在，服从您的命令三年了。您如果不考虑，费邑人不忍心他们的君主，将不再害怕您了。您什么地方不能满足欲望呢？请让我们把您送走吧！"南蒯请求给五天期限，于是逃奔到齐国。南蒯侍奉齐景公喝酒，齐景公说："叛徒！"南蒯回答说："下臣想要扩大公室势力啊！"子韩皙说："作为家臣却想要扩大公室势力，罪过没有比这大的了。"司徒老祁、虑癸前来把费邑归还鲁国，齐景公让鲍文子来送还费邑。

夏天，楚平王派然丹在宗丘选拔检阅西部地区的部队，同时安抚那里的百姓。施予救济贫困，抚育幼小孤儿，奉养老弱病残，收容单身民众，救助受灾人家，宽免鳏夫寡妇的赋税，赦免罪人的刑罚，追究查办奸恶，推举埋没的人才。礼待新人安排旧人，奖赏功勋合好亲族，任用贤良物色官员。派屈罢到召陵选拔检阅东部地区的军队，做法也和西部一样。与四边接壤的邻国友好，让老百姓休养生息五年，然后再用兵，这是合于礼义的。

秋八月，莒国著丘公死了。儿子郊公不悲伤。国内人民不顺从他，想要立著丘公的弟弟庚舆。蒲余侯讨厌公子意恢而喜欢庚舆，郊公讨厌公子铎而与意恢相好，公子铎利用蒲余侯而和他商议说："你杀了意恢，我赶走国君而接纳庚舆。"蒲余侯答应了他。

楚国的令尹子旗对楚平王有恩，而不知道限度，和养氏勾结，贪求索取没有满足。楚平王对此很担心。九月初三日，楚平王杀了子旗，灭掉养氏家族。让子旗的儿子斗辛住在郧地，以示不忘记他父亲过去的功勋。

冬十二月，蒲余侯兹夫杀死莒国的公子意恢，郊公逃亡到齐国。公子铎从齐国接回庚舆，齐国的隰党、公子钼送他们，莒国有土田送给齐国。

晋国的邢侯和雍子争夺鄐地的土田，调解很久都没有结果。士景伯去了楚国，叔鱼代理他的法官职务。韩宣子命令他审理旧案，罪过在雍子一方。雍子把他的女儿嫁给叔鱼，叔鱼判定邢侯有罪。邢侯发怒，在朝廷上杀了叔鱼和雍子。韩宣子向叔向询问如何定他们的罪，叔向说："三个人罪行相同，活着的杀了然后陈尸，死了的暴露尸体就可以了。雍子知道自己的罪过，却用贿赂的手段换取胜诉；叔鱼呢，接受贿赂而徇私枉法；邢侯则擅自杀人，他们的罪行是一样的。自己丑恶却掠取美名叫做昏乱，贪婪而败坏职守叫做污秽，杀人没有畏惧叫做残酷。《夏书》说：'昏乱、污秽、残酷的人，处死。'这是皋陶的刑法，请依从。"于是杀了邢侯陈尸，把雍子和叔鱼的尸体暴露在集市上。

孔子说："叔向，继承了古代遗留的正直作风。治理国家，掌握刑法，不庇护亲人。三次数说叔鱼的罪恶，不给他减轻，是出于道义啊，可说是正直了！平丘的盟会，指出他的贪财，以宽免卫国，晋国做到了不残暴。让鲁国的季孙意如回国，举出他的欺诈，以宽免鲁国，晋国做到了不欺凌。邢侯这次案件，说明他的贪婪，以使法律公正，晋国做到了不偏颇。三次说话而免除了三次恶政，增加了三项好的政绩，杀了亲人增加了荣誉，是出于道义啊！"

昭公十五年

【原文】

十有五年：春，王正月，吴子夷末卒。

二月癸酉，有事于武宫。龠入，叔弓卒。去乐，卒事。

夏，蔡朝吴出奔郑。

六月丁巳朔，日有食之。

秋，晋荀吴帅师伐鲜虞。

冬，公如晋。

十五年春，将禘于武公，戒百官。梓慎曰："禘之日，其有咎乎！吾见赤黑之祲，非祭祥也，丧氛也。其在莅事乎！"二月癸酉，禘。叔弓莅事，龠入而卒。去乐，卒事，礼也。

楚费无极害朝吴之在蔡也，欲去之，乃谓之曰："王唯信子，故处子于蔡。子亦长矣，而在下位，辱；必求之，吾助子请。"又谓其上之人曰："王唯信吴，故处诸蔡；二三子莫之如也，而在其上，不亦难乎？弗图，必及于难！"夏，蔡人逐朝吴，朝吴出奔郑。王怒，曰："余唯信吴，故寘诸蔡。且微吴，吾不及此。女何故去之？"无极对曰："臣岂不欲吴？然而前知其为人之异也。吴在蔡，蔡必速飞；去吴，所以翦其翼也。"

六月乙丑，王大子寿卒。

秋八月戊寅，王穆后崩。

晋荀吴帅师伐鲜虞，围鼓。鼓人或请以城叛，穆子弗许。左右曰："师徒不勤而可以获城，何故不为？"穆子曰："吾闻诸叔向曰：'好恶不愆，民知所适，事无不济。'或以吾城叛，吾所甚恶也。人以城来，吾独何好焉？赏所甚恶，若所好何？若其弗赏，是失信也，何以庇民？力能则进，否则退，量力而行。吾不可以欲城而迩奸，所丧滋多。"使鼓人杀叛人而缮守备。围鼓三月，鼓人或请降。使其民见，曰："犹有食色，姑修而城！"军吏曰："获城而弗取，勤民而顿兵，何以事君？"穆子曰："吾以事君也。获一邑而教民怠，将焉用邑？邑以贾怠，不如完旧。贾怠无卒，弃旧不祥。鼓人能事其君，我亦能事吾君。率义不爽，好恶不愆，城可获而民知义所，有死命而无二心，不亦可乎？"鼓人告食竭力尽，而后取之。克鼓而反，不戮一人，以鼓子鸢鞮归。

冬，公如晋，平丘之会故也。

十二月，晋荀跞如周葬穆后，籍谈为介。既葬，除丧，以文伯宴，樽以鲁壶。王曰："伯氏！诸侯皆有以镇抚王室，晋独无有，何也？"文伯揖籍谈。对曰："诸侯之封也，皆受明器于王室，以镇抚其社稷，故能荐彝器于王。晋居深山，戎狄之与邻，而远于王室，王灵不及，拜戎不暇，其何以献器？"王曰："叔氏，而忘诸乎！叔父唐叔，成王之母弟也，其反无分乎？密须之鼓与其大路，文所以大蒐也；阙巩之甲，武所以克商也：唐叔受之以处参虚，匡有戎狄。其后襄之二路、鏚钺、秬鬯、彤弓、虎贲，文公受之，以有南阳之田，抚征东夏，非分而何？夫有勋而不废，有绩而载，奉之以土田，抚之以彝器，旌之以车服，明之以文章，子孙不忘，所谓福也。福祚之不登，叔父焉在？且昔而高祖孙伯黡司晋之典籍，以为大政，故曰籍氏。及辛有之二子董之晋，于是乎有董史。女，司典之后也，何故忘之？"籍谈不能对。宾出，王曰："籍父其无后乎！数典而忘其祖。"

籍谈归，以告叔向。叔向曰："王其不终乎！吾闻之：'所乐必卒焉。'今王乐忧，若卒以忧，不可谓终。王一岁而有三年之丧二焉，于是乎以丧宾宴，又求彝器，乐忧甚矣，且非礼也。彝器之来，嘉功之由，非由丧也。三年之丧，虽贵遂服，礼也。王虽弗遂，宴乐以早，亦非礼也。礼，王之大经也。一动而失二礼，无大经矣。言以考典，典以志经。忘经而多言、举典，将焉用之？"

【译文】

鲁昭公十五年春天，周历正月，吴君夷末死了。二月十五日，在鲁武公庙有祭祀。奏篪的人一进入，叔弓就死了。撤去音乐，完成祭祀。夏天，蔡国的朝吴出奔到郑国。六月丁巳初一日，发生日食。秋天，晋国的荀吴率军队攻打鲜虞。冬天，昭公前往晋国。

鲁昭公十五年春天，将要对鲁武公举行禘祭，告戒百官做好准备。梓慎说："禘祭的那一天，恐怕会有灾祸吧！我看见红黑色的妖气，那不是祭祀的吉兆，是丧事的凶气。恐怕会发生在主持祭祀的人身上吧！"二月十五日，举行禘祭，叔弓主持祭礼，奏篪的人一进入他就死了。撤去音乐，把禘祭举行完毕，这是合乎礼的。

楚国的费无极认为朝吴留在蔡国有危害，想要赶走他，就对朝吴说："君王只相信您，所以把您安置在蔡国。您也算是年长了，却处在低下的职位上，这是耻辱，一定要争取高位，我帮助您请求。"又对朝吴的上级官员说："君王唯独相信朝吴，所以把他安置在蔡国，您几位不如他，而处在他的上级职位上，不也为难吗？不做打算，必定遭受祸难。"夏天，蔡国人赶走朝吴，朝吴逃亡到郑国。楚平王发怒，说："我只因为相信朝吴，所以把他安置在蔡国。而且如果没有朝吴，我到不了今天这地位。你们为什么赶走他？"费无极回答说："我难道不想要朝吴？但是早知道他为人怀有异心。朝吴留在蔡国，蔡国肯定很快飞走。赶走朝吴，就是为了剪去它的翅膀。"

六月初九日，周景王的太子寿死了。

秋八月二十二日，景王穆后死了。

晋国的荀吴率军队攻打鲜虞，包围鼓国。鼓国有人请求带着城邑叛降，荀吴不答应。左右的人说："军队不辛劳，却可以获得城邑，为什么不干？"穆子说："我从叔向那儿听说：'喜爱和厌恶没有过错，老百姓知道目标，事情没有不成功的。'若有人带了我们的城邑叛变，是我们所最厌恶的。别人带了城邑前来叛降，我们为何偏偏喜欢呢？奖赏最厌恶的，对所喜爱的怎么办？如果不奖赏，这又是失信，凭什么保护百姓？力量能达到就进，否则就退，估量能力而办事。我不能想要城邑却靠拢奸恶，那样丧失的会更多。"让鼓国人杀了叛降的人并修缮防守设备。

包围鼓国三个月，鼓国有人请求投降。荀吴让鼓国人来会见，说："你们还有吃了饭的脸色，暂且去修缮你们的城墙。"军吏说："得到城邑却不占取，苦了百姓毁了兵器，凭什么事奉国君？"荀吴说："这就是我事奉国君的方法。得到一个城邑而教老百姓懈怠，将哪里用得着这个城邑？用城邑买来懈怠，不如保全原来的不懈怠。买来懈怠没有好结果，抛弃原来的勤勉不吉利。鼓国人能事奉他们的君主，我也能事奉我们的君主。遵循道义没有差错，喜爱和厌恶都不过分，城邑可以得到而老百姓懂得道义所在，肯为君命献身而没有二心，不也可以吗？"鼓国人报告城内粮食吃完，力量耗尽，然后占领了它。荀吴攻下鼓国返国，不杀一个人，带了鼓君鸢鞮回国。

冬天，鲁昭公前往晋国，这是由于平丘那次盟会的缘故。

十二月，晋国的荀跞去到成周，参加穆后的葬礼，籍谈做副使。安葬完毕，减除丧服，周景王与荀跞宴饮，用鲁国进献的酒壶斟酒。景王说："伯氏，诸侯都献有用来镇守辅佐王室的贡器，晋国唯独没有，为什么？"荀跞向籍谈作揖，籍谈回答说："诸侯受封的时候，都在王室接受了明器，来镇守安定他们的国家，所以能进献彝器给天子。晋国处在深山，与戎狄为邻，远离王室，天子的福泽不能到达，让戎狄顺服还来不及，怎么来进献彝器？"

周景王说："叔氏，你忘了吧？叔父唐叔，是成王的同胞兄弟，难道反而没有分得宝器吗？密须的鼓和它的大路车，是文王用来举行大检阅的；阙巩的皮甲，是武王用来攻克商朝的，唐叔接受它们而住在晋国，匡正统有戎狄。那以后周襄王所赐的大路、戎路之车、斧钺、黑黍酿的香酒、红色弓、勇士等，晋文公接受这些，因而拥有南阳的田土，安抚征伐东边各国，这不是分得宝器又是什么？有了功勋就不废弃，有了战绩就记载下来，用土田来奉养他，用彝器来安抚他，用车服来表彰他，用旌旗来显耀他，子孙后代不忘记，这就是所说的福泽。福泽不记住，叔父的心在哪里？而且过去你的远祖孙伯黡，掌管晋国的典籍，来参与国家的重大政事，所以叫做籍氏。等到辛有的次子董到了晋国，于是有了董氏的史官。你，是掌管典籍的史官的后代，为什么忘了这些呢？"籍谈不能回答。客人出去了，周景王说："籍父恐怕没有能承袭禄位的后代吧！列举典籍却忘了祖宗。"

籍谈回国，把情况告诉叔向。叔向说："天子恐怕不能善终吧！我听说：人必定死在他所喜欢的事上。如今天子以悲忧为欢乐，如果因为悲忧而死，不可说是善终，天子一年间有两次三年之丧，而在这个时候与吊丧的宾客宴饮，又求取彝器，以忧为乐也算是过分了，而且不合乎礼。彝器的来源，是由于嘉奖功勋，不是由于丧事。三年的服丧，即使贵为天子也要如期服完，这是礼。天子即使不服完，宴饮欢乐也太早了，这也是不合乎礼的。礼，是做天子的大原则，一次举动而违背了两种礼，这就没有了大原则。言语用来稽考典籍。典籍用来记载原则,忘记了原则而言语很多,举出典籍,又有什么用呢?"

昭公十六年

【原文】

　　十有六年:春,齐侯伐徐。
　　楚子诱戎蛮子,杀之。
　　夏,公至自晋。
　　秋,八月己亥,晋侯夷卒。
　　九月,大雩。
　　季孙意如如晋。
　　冬,十月,葬晋昭公。
　　十六年春,王正月,公在晋,晋人止公。不书,讳之也。
　　齐侯伐徐。
　　楚子闻蛮氏之乱也与蛮子之无质也,使然丹诱戎蛮子嘉,杀之,遂取蛮氏。既而复立其子焉,礼也。
　　二月丙申,齐师至于蒲隧,徐人行成。徐子及郯人、莒人会齐侯,盟于蒲隧,赂以甲父之鼎。叔孙昭子曰:"诸侯之无伯,害哉!齐君之无道也,兴师而伐远方,会之有成而还,莫之亢也。无伯也夫!《诗》曰:'宗周既灭,靡所止戾。正大夫离居,莫知我肄。'其是之谓乎!"
　　三月,晋韩起聘于郑,郑伯享之。子产戒曰:"苟有位于朝,无有不共恪!"孔张后至,立于客间;执政御之,适客后;又御之,适县间。客从而笑之。
　　事毕,富子谏曰:"夫大国之人,不可以不慎也!幾为之笑而不陵我?我皆有礼,夫犹鄙我;国而无礼,何以求荣?孔张失位,吾子之耻也。"子产怒,曰:"发命之不衷,出令之不信,刑之颇类,狱之放纷,会朝之不敬,使命之不听,取陵于大国,罢民而无功,罪及而弗知:侨之耻也。孔张,君之昆孙,子孔之后也,执政之嗣也,为嗣大夫;承命以使,周于诸侯:国人所尊,诸侯所知。立于朝而祀于家,有禄于国,有赋于军,丧、祭有职,受脤、归脤。其祭在庙,已有著位。在位数世,世守其业而忘其所,侨焉得耻之?辟邪之人而皆及执政,是先王无刑罚也。子宁以他规我。"
　　宣子有环,其一在郑商。宣子谒诸郑伯,子产弗与,曰:"非官府之守器也,寡君不知。"子大叔、子羽谓子产曰:"韩子亦无幾求,晋国亦未可以贰。晋国、韩子,不可偷也。若属有谗人交斗其间,鬼神而助之,以兴其凶怒,悔之何及?吾子何爱于一环?其以取憎于大国也?盍求而与之?"子产曰:"吾非偷晋而有二心。将终事之,是

以弗与，忠信故也。侨闻君子非无贿之难，立而无令名之患。侨闻为国非不能事大字小之难，无礼以定其位之患。夫大国之人，令于小国而皆获其求，将何以给之？一共一否，为罪滋大。大国之求，无礼以斥之，何餍之有？吾且为鄙邑，则失位矣。若韩子奉命以使而求玉焉，贪淫甚矣，独非罪乎？出一玉以起二罪，吾又失位，韩子成贪，将焉用之？且吾以玉贾罪，不亦锐乎！"

韩子买诸贾人。既成贾矣，商人曰："必告君大夫！"韩子请诸子产曰："日起请夫环，执政弗义，弗敢复也。今买诸商人，商人曰'必以闻'，敢以为请！"子产对曰："昔我先君桓公，与商人皆出自周，庸次比耦以艾杀此地，斩之蓬蒿藜藋而共处之，世有盟誓以相信也，曰：'尔无我叛，我无强贾，毋或匄夺。尔有利市宝贿，我勿与知。'恃此质誓，故能相保以至于今。今吾子以好来辱，而谓敝邑强夺商人，是教敝邑背盟誓也，毋乃不可乎！吾子得玉而失诸侯，必不为也。若大国令而共无艺，郑鄙邑也，亦弗为也。侨若献玉，不知所成。敢私布之！"韩子辞玉，曰："起不敏，敢求玉以徼二罪？敢辞之！"

夏四月，郑六卿饯宣子于郊。宣子曰："二三君子请皆赋，起亦以知郑志。"子齹赋《野有蔓草》，宣子曰："孺子善哉，吾有望矣！"子产赋郑之《羔裘》，宣子曰："起不堪也！"子大叔赋《褰裳》，宣子曰："起在此，敢勤子至于他人乎？"子大叔拜，宣子曰："善哉！子之言是。不有是事，其能终乎？"子游赋《风雨》，子旗赋《有女同车》，子柳赋《萚兮》。宣子喜曰："郑其庶乎！二三君子以君命贶起，赋不出郑志，皆昵燕好也。二三君子，数世之主也，可以无惧矣！"宣子皆献马焉，而赋《我将》。子产拜，使五卿皆拜，曰："吾子靖乱，敢不拜德！"

宣子私觐于子产以玉与马，曰："子命起舍夫玉，是赐我玉而免吾死也，敢〔不〕藉手以拜！"

公至自晋，子服昭伯语季平子曰："晋之公室，其将遂卑矣。君幼弱，六卿强而奢傲，将因是以习；习实为常，能无卑乎？"平子曰："尔幼，恶识国？"

秋八月，晋昭公卒。

九月，大雩，旱也。

郑大旱，使屠击、祝款、竖柎有事于桑山。斩其木，不雨。子产曰："有事于山，蓺山林也。而斩其木，其罪大矣！"夺之官邑。

冬十月，季平子如晋葬昭公。平子曰："子服回之言犹信。子服氏有子哉！"

【译文】

鲁昭公十六年春天，齐景公攻打徐国。楚平王引诱戎蛮子杀了他。夏天，鲁昭公从晋国到达鲁国。秋八月二十日，晋昭公夷死了。九月，举行求雨大祭。季平子前往晋国。冬十月，安葬晋昭公。

鲁昭公十六年春天，周历正月，昭公在晋国，晋国人扣留了他。《春秋》不记载，是为了隐讳。

齐景公讨伐徐国。楚平王听到蛮氏发生动乱和蛮君没有信用，派然丹引诱戎蛮的君长嘉而杀了他，于是占取了蛮氏。不久以后又立了他的儿子，这是合乎礼的。

二月十四日，齐军到达蒲隧，徐国人求和。徐君和郯人、莒人会见齐景公，在蒲隧订立盟约，把甲父鼎送给齐景公。叔孙婼说："诸侯没有霸主，有危害啊！齐君没有道义，出兵攻打远方国家，会见了他们，订立和约而回国，没有人能抵御，是没有霸主啊！《诗》中说：'宗周已经灭亡，无所止息安定。执政大夫离居分散，没有人知道我们的劳苦。'大概说的就是这种状况吧！"

三月，晋国的韩宣子到郑国聘问，郑定公宴请他。子产告诫说："如果在朝廷的宴会上有个席位，不要有不恭敬的表现。"孔张后到，站在宾客中间，宴会的工作人员挡住他；去站到客人后面，又挡住他；只好站到悬挂的乐器间隙里。客人们因此笑他。宴礼结束，富子进谏说："大国的人，不可不慎重接待，岂有被他们耻笑而不欺负我们的？我们都做到有礼，他们尚且要鄙视我们，国家如果没有礼仪，凭什么求得荣誉？孔张没有站到合适的位置上，这是您的耻辱。"子产发怒说："发布命令不恰当，订出法令不讲信用，刑法偏颇有缺陷，诉讼官司放任混乱，盟会朝觐不讲究礼敬，派遣命令没有人听从，招致大国的欺压，使百姓疲困而没有功劳，罪过发生却不知道，这才是我的耻辱。孔张，是国君哥哥的孙子，也就是子孔的后代，执政的继承人。作为嗣大夫，奉命出使，遍使诸侯，国内人民尊敬他，诸侯知道他。他在朝廷有地位，在家里有祭祀的祖庙，在国家有俸禄，对军队有贡赋，丧礼、祭典中有职务，接受祭肉和馈送祭肉，国君的祭祀他在宗庙里辅助，已经有了固定的位置。他家在官位已有几代，世世代代保守自己的家业，如今却忘记了他应在的位置，我怎么能为他感到耻辱？有了邪辟的人就都把罪责推到当政的人身上，这是等于先王没有刑罚了。您还是用别的事来规正我吧！"

韩宣子有副玉环，其中一只在郑国的商人手中。宣子向郑定公请求，子产不给，说："不是公家府库的藏器，寡君不了解。"子太叔、子羽对子产说："韩宣子也没有多少要求，对晋国也不可以有二心，晋国和韩宣子都不可以薄待。要是正好有说坏话的人在中间挑拨，鬼神如果帮助他，来挑起他们的凶恶怨怒，后悔怎么来得及？您何必舍不得一个玉环，而因此招来大国的憎恨，何不找来给他？"子产说："我不是怠慢晋国而有二心，将要始终事奉它，所以才不给，这是为了忠诚守信的缘故。我听说君子不担心没有财货，而担心立身没有美名。我又听说治理国家不担心不能事奉大国抚养小国，而担心没有礼仪来确定国家的地位。大国的人对小国发命令，如果都要得到要求的东西，将拿什么供给他们？一次供给一次不供给，招来的罪过就更大。对大国的要求，如果不按礼来斥退它，会有什么满足？我们将成为他们的边邑，那样就失去了国家的地位了。如果韩宣子奉命出使却求取玉环，那么贪婪没有节制也太过分了，难道不是罪过吗？拿出一只玉环来引起两种罪过，我国又失去了地位，韩宣子成为贪婪，哪里用得着这样呢？况且我们用玉买来罪过，不也太不合算吗？"

韩宣子从商人手中购买玉环，已经成交了，商人说："一定要报告给君主的大夫。"

韩宣子向子产请求说:"往日我请求那玉环,您认为不合道理,不敢再请求了。如今从商人手中购买,商人说一定要报告,冒昧地向您请求这件事。"子产回答说:"过去我们先君桓公和商人们都从周朝出来,更递相代,共同配合,来开垦这块土地,斩除蓬蒿藜藿等杂草而一块住在这里。世世代代订有盟誓,以互相信赖,说:'你们不要背叛我,我不强买你们的商品,也不乞求,不掠夺。你们有赢利的买卖和珍宝财货,我不干预过问。'靠着这诚信的盟誓,所以能相安无事直到今天。现在您友好来访,却告诉敝国去强夺商人的财货,这是教敝国背叛盟誓,恐怕不可以吧!您得到玉环而失去诸侯,肯定不会干。如果大国有命令,让我们供给财物而没有定准,把郑国当成它的边邑,我们也是不干的。我如果献上玉环,不知道那样做的好处,因此冒昧地私下向您表白。"韩宣子退掉玉环,说:"我不聪明,岂敢求取玉环来求得两种罪过?谨让我退回去。"

夏天四月,郑国六位大卿在郊外为韩宣子饯行,宣子说:"诸位君子请都吟诵一首诗,我也凭这了解郑国的打算。"子齹赋《野有蔓草》,韩宣子说:"年轻人好啊!我有希望了。"子产吟诵《郑风》中的《羔裘》一诗,韩宣子说:"我不敢当。"子太叔吟诵《褰裳》,韩宣子说:"我在这里,岂敢劳驾您到别人那儿去!"子太叔拜谢,韩宣子说:"您吟诵这首诗,好啊!没有这回事的话,恐怕不能始终友好啊!"子游吟诵《风雨》,子旗吟诵《有女同车》,子柳吟诵《萚兮》,韩宣子高兴地说:"郑国差不多会治理好了吧!诸位君子用国君的名义款待我,吟诵诗篇不超出《郑风》,都亲密友好。各位君子都是几代相传的大夫,可以不必忧惧了。"韩宣子都给他们献了马,并吟诵《我将》诗。子产拜谢,让其他五位卿都行拜礼,说:"您平定动乱,岂敢不拜谢您的恩德?"韩宣子私下带着玉和马进见子产,说:"您命令我舍弃那个玉环,这等于是赐给我玉而免除我一死,岂敢不借此来拜谢您?"

鲁昭公从晋国回到国内,子服昭伯告诉季孙意如说:"晋国的公室恐怕将终究衰微了。国君年幼力弱,六卿强大而奢侈骄傲,将会因此形成习惯,习惯而成常规,能不衰微吗?"季孙意如说:"你还小,哪里知道国家的事?"

秋天八月,晋昭公死了。九月,举行求雨大祭,是因为天旱。

郑国大旱,派屠击、祝款、竖柎在桑山举行祭祀。砍去山上的树木,不下雨。子产说:"在山上举行祭祀,是应当培植山林,却砍去山上的树木,他们的罪过大了。"取消了他们的官职封邑。

冬天十月,季孙意如前往晋国参加晋昭公的葬礼,他说:"子服昭伯的话还可信,子服家有个好儿子啊!"

昭公十七年

【原文】

　　十有七年：春，小邾子来朝。
　　夏，六月甲戌朔，日有食之。
　　秋，郯子来朝。
　　八月，晋荀吴帅师灭陆浑之戎。
　　冬，有星孛于大辰。
　　楚人及吴战于长岸。

　　十七年春，小邾穆公来朝。公与之燕。季平子赋《采叔》，穆公赋《菁菁者莪》。昭子曰："不有以国，其能久乎？"

　　夏六月，甲戌朔，日有食之。祝史请所用币。昭子曰："日月食之，天子不举，伐鼓于社；诸侯用币于社，伐鼓于朝：礼也。"平子御之，曰："止也！唯正月朔，慝未作，日有食之，于是乎有伐鼓用币，礼也。其余则否。"大史曰："在此月也。日过分而未至，三辰有灾，于是乎百官降物；君不举，辟移时；乐奏鼓，祝用币，史用辞。故《夏书》曰：'辰不集于房，瞽奏鼓，啬夫驰，庶人走。'此月朔之谓也。当夏四月，是谓孟夏。"平子弗从。昭子退，曰："夫子将有异志，不君君矣。"

　　秋，郯子来朝，公与之宴。昭子问焉，曰："少皞氏鸟名官，何故也？"郯子曰："吾祖也。我知之。昔者黄帝氏以云纪，故为云师而云名；炎帝氏以火纪，故为火师而火名；共工氏以水纪，故为水师而水名；大皞氏以龙纪，故为龙师而龙名。我高祖少皞挚之立也，凤鸟适至，故纪于鸟，为鸟师而鸟名。凤鸟氏，历正也；玄鸟氏，司分者也；伯赵氏，司至者也；青鸟氏，司启者也；丹鸟氏，司闭者也。祝鸠氏，司徒也；鴡鸠氏，司马也；鸤鸠氏，司空也；爽鸠氏，司寇也；鹘鸠氏，司事也：五鸠，鸠民者也。五雉，为五工正，利器用，正度量，夷民者也。九扈，为九农正，扈民无淫者也。自颛顼以来，不能纪远，乃纪于近。为民师而命以民事，则不能故也。"仲尼闻之，见于郯子而学之，既而告人曰："吾闻之：'天子失官，〔官〕学在四夷。'犹信！"

　　晋侯使屠蒯如周，请有事于雒与三涂。苌弘谓刘子曰："客容猛，非祭也，其伐戎乎？陆浑氏甚睦于楚，必是故也。君其备之！"乃警戒备。九月丁卯，晋荀吴帅师涉自棘津，使祭史先用牲于雒。陆浑人弗知，师从之。庚午，遂灭陆浑，数之，以其贰于楚也。陆浑子奔楚，其众奔甘鹿。周大获。宣子梦文公携荀吴而授之陆浑，故使穆子帅师；献俘于文宫。

　　冬，有星孛于大辰，西及汉。申须曰："彗，所以除旧布新也。天事恒象。今除于火，火出必布焉，诸侯其有火灾乎？"梓慎曰："往年吾见之，是其徵也。火出而见，今兹火出而章，必火；〔火〕入而伏。其居火也久矣，其与不然乎？火出，于夏为三月，于商为四月，于周为五月。夏数得天，若火作，其四国当之，在宋、卫、陈、郑乎！宋，大辰之虚也；陈，大皞之虚也；郑，祝融之虚也：皆火房也。星孛（天）〔及〕汉；汉，水祥也。卫，颛顼之虚也，故为帝丘，其星为大水；水，火之牡也。其以丙子若壬午作乎！水火所以合也。若火入而伏，必以壬午，不过其见之月。"

郑裨灶言于子产曰："宋、卫、陈、郑将同日火。若我用瓘斝玉瓒，郑必不火。"子产弗与。

吴伐楚。阳匄为令尹，卜：战不吉。司马子鱼曰："我得上流，何故不吉？且楚故，司马令龟，我请改卜。"令曰："鲂也以其属死之，楚师继之，尚大克之？"吉。战于长岸，子鱼先死，楚师继之，大败吴师。获其乘舟馀皇，使随人与后至者守之：环而堑之，及泉，盈其隧炭，陈以待命。

吴公子光请于其众，曰："丧先王之乘舟，岂唯光之罪？众亦有焉。请藉取之以救死！"众许之。使长鬣者三人潜伏于舟侧，曰："我呼〔馀〕皇，则对。师夜从之！"三呼，皆迭对。楚人从而杀之。楚师乱，吴人大败之，取馀皇以归。

【译文】

鲁昭公十七年春天，小邾穆公前来朝见。夏六月甲戌初一日，发生日食。秋天，郑君前来朝见。八月，晋国的荀吴率军队灭亡了陆浑之戎。冬天，在大火星旁有彗星出现。楚国人与吴国在长岸交战。

鲁昭公十七年春天，小邾穆公前来朝见，昭公和他宴饮。季孙意如吟诵《采菽》，穆公吟诵《菁菁者莪》。叔孙婼说："没有治理国家的人才，难道能长久吗？"

夏六月甲戌初一日，发生日食，祝史请求用来祭祀的祭品。叔孙婼说："发生日食，天子不举行宴享，在土神庙击鼓；诸侯在土神庙用祭品祭祀，在朝廷上击鼓，这是礼制。"季孙意如禁止这样做，说："算了吧。只有周正六月初一，阴气没有兴起，发生日食，在这时击鼓用祭品，这是礼制。其余的时候就不这样。"太史说："就是在这个月。太阳过了春分而没有到夏至，日、月、星发生灾变，在这时候百官脱去朝服穿上素服，国君不举行宴享，避离正寝，躲过日食的时间，乐工击鼓，祝史用祭品，史官使用辞令。所以《夏书》说：'日月交会不处在正常的位置上，乐师击鼓，啬夫驰车，百姓奔跑。'这就是说的本月初一。正当夏历四月，这就叫做孟夏。"季孙意如不听。叔孙婼退出来说："那个人将有别的心思，不把国君当做君主了。"

秋天，郑子来鲁国朝见，昭公和他一起宴饮。叔孙婼问他说："少皞氏用鸟名作官名，是什么原因？"郑子说："他是我的祖先，我知道这个。从前黄帝因为云的吉兆而治理政事，所以设立官长就以云名作官名。炎帝因为火的吉兆而治理政事，所以设立官长就以火名作官名。共工因为水的吉兆而治理政事，所以设立官长就以水名作官名。太皞氏因为龙的吉兆而治理政事，所以设立官长就以龙名作官名。到我们远祖少皞挚即位时，凤凰恰好飞到，所以就由鸟而治政，设立官长就以鸟名作官名。凤鸟氏，就是掌管历法的官。玄鸟氏，是掌管春分、秋分的官。伯赵氏，是掌管夏至、冬至的官。青鸟氏，是掌管立春、立夏的官。丹鸟氏，是掌管立秋、立冬的官。祝鸠氏，就是司徒。鴡鸠氏，就是司马。鸤鸠氏，就是司空。爽鸠氏，就是司寇。鹘鸠氏，就是司事。这五个鸠氏，是聚集百姓的。五雉，则是五种管理工匠的官长，是改进器物用具，校正度量衡器，安定百姓的官。九扈，则是九种管理农业的官长，是禁止老百姓放纵的官。从颛顼以来，不能治理远方，就从近处百姓开始治理，设立管理百姓的官长而拿百姓的事务来命名，就不能照过去那样了。"孔子听说这件事，进见郯子向他学习。后来告诉别人说："我听说，天子失去了关于立官的礼制，就在四方小国那儿学，这还是可信的。"

晋顷公派屠蒯前往周朝，请求祭祀洛水和三塗山。苌弘对刘子说："来客面容凶猛，不是要祭祀山川，恐怕是进攻戎人吧！陆浑氏和楚国非常友好，肯定是这个缘故。您还是防备点吧！"于是为防备戎人而加强警戒。九月二十四日，晋国的荀吴率军队从棘津徒步过河，让祭史先用牲祭祀洛水。陆浑人不知道，军队就跟着进攻。二十七日，就灭亡了陆浑，指责他们对晋国有二心而亲附楚国。陆浑君逃亡到楚国。他的部众逃亡到甘鹿。周朝俘获了许多逃亡的陆浑戎人。韩宣子梦见晋文公拉着荀吴而把陆浑交付给他，所以就派荀吴领兵，到文公庙祭献俘虏。

冬天，有彗星出现在大火星旁，光芒向西延伸到银河。申须说："扫帚是用来除旧布新的。天上的事情常常有所象征，现在对大火星进行扫除，大火星再出现时必定布散成灾，诸侯恐怕会发生火灾吧！"梓慎说："去年我见到它，这就是它的征兆了。去年大火星出现而见到彗星，今年大火星出现而彗星更加明亮。一定是在大火星消失时潜伏起来，与大火星处在一起很久了，难道不是这样吗？大火星出现，在夏历是三月，在商历是四月，在周历是五月。夏代的历数符合天时，如果发生火灾，恐怕是四个国家承当，也就是宋、卫、陈、郑四国吧！宋国，是大火星的分野；陈国，是太皞的分野；郑国，是祝融的分野，都是大火星居处的地方。彗星的光芒到达银河，银河，是水的征象。卫国，是颛顼的分野，所以称为帝丘。和卫国相配的星是大水，水，是火的雄性配偶。大概会在丙子日或者壬午日发生火灾吧！那是水火相会合的日子。如果大火星消失而彗星潜伏，一定在壬午日，不会超过它出现的那个月。"郑国的裨灶对子产说："宋、卫、陈、郑四国将同一天发生火灾，如果我们用瓘斝、玉瓒祭祀，郑国一定不会发生火灾。"子产不赞成。

吴国攻打楚国，阳匄做令尹，卜问战争的胜负，结果不吉利。司马子鱼说："我们处在上游，怎么会不吉利？而且按楚国旧例，是由司马在占卜前报告所要卜问的事情，我请求重新占卜。"报告说："我率领我的部属拼死一战，楚国的大军跟上去，希望大获全胜。"占卜结果吉利。于是在长岸交战，子鱼首先战死，楚军跟上去，大败吴军。缴获他们一条叫余皇的乘船，派随国人和后到的人看守它，围绕着船挖一道堑壕，深及泉水，里面填满木炭，摆好阵势等待命令。吴国的公子光向他的部众请求说："丢掉了先王的乘船，难道只是我的罪过，你们大家也有份的。请让我凭借你们的力量夺取

回来以挽救死罪。"部众答应了他。于是派遣三个高大健壮的人偷偷埋伏在船旁,说:"我喊余皇,你们就回答,军队在晚上再跟上去。"喊了三声,埋伏的人都交替回答,楚国人循声跟上去把他们杀了。楚军大乱。吴国人大败楚军,夺取余皇船带回去。

昭公十八年

【原文】

十有八年:春,王三月,曹伯须卒。

夏,五月壬午,宋、卫、陈、郑灾。

六月,邾人入鄅。

秋,葬曹平公。

冬,许迁于白羽。

十八年春,王二月乙卯,周毛得杀毛伯过而代之。苌弘曰:"毛得必亡!是昆吾稔之日也,侈故肆之。而毛得以济侈于王都,不亡何待?"

三月,曹平公卒。

夏五月,火始昏见。丙子,风。梓慎曰:"是谓融风,火之始也。七日,其火作乎!"戊寅,风甚。壬午,大甚。宋、卫、陈、郑皆火。梓慎登大庭氏之库以望之,曰:"宋、卫、陈、郑也。"数日,皆来告火。

裨灶曰:"不用吾言,郑又将火。"郑人请用之,子产不可。子大叔曰:"宝,以保民也。若火,国几亡。可以救亡,子何爱焉?"子产曰:"天道远,人道迩,非所及也,何以知之?灶焉知天道?是亦多言矣,岂不或信?"遂不与。亦不复火。

郑之未灾也,里析告子产曰:"将有大祥,民震动,国几亡。吾身泯焉,弗良及也。国迁,其可乎?"子产曰:"虽可,吾不足以定迁矣。"及火,里析死矣,未葬;子产使舆三十人迁其柩。

火作,子产辞晋公子、公孙于东门,使司寇出新客,禁旧客勿出于宫。使子宽、子上巡群屏摄,至于大宫。使公孙登徙大龟,使祝史徙祐于周庙,告于先君。使府人、库人各儆其事。商成公儆司宫,出旧宫人,置诸火所不及。司马、司寇列居火道,行火所焮。城下之人,伍列登城。明日,使野司寇各保其徵,郊人助祝史除于国北,禳火于玄冥、回禄,祈于四鄘。书焚室而宽其征,与之材。三日哭,国不市。使行人告于诸侯。

宋、卫皆如是。陈不救火,许不吊灾,君子是以知陈、许之先亡也。

六月,鄅人藉稻,邾人袭鄅。鄅人将闭门,邾人羊罗摄其首焉,遂入之,尽俘以归。鄅子曰:"余无归矣!"从帑于邾。邾庄公反鄅夫人而舍其女。

秋,葬曹平公。往者见周原伯鲁焉,与之语,不说学。归以语闵子马,闵子马曰:

"周其乱乎？夫必多有是说，而后及其大人。大人患失而惑，又曰'可以无学，无学不害'。不害而不学，则苟而可；于是乎下陵上替，能无乱乎？夫学，殖也，不学将落。原氏其亡乎！"

七月，郑子产为火故，大为社，祓禳于四方，振除火灾，礼也。乃简兵大蒐，将为蒐除。子大叔之庙在道南，其寝在道北，其庭小；过期三日，使除徒陈于道南庙北，曰："子产过女而命速除，乃毁于而乡！"子产朝，过而怒之。除者南毁。子产及衝，使从者止之，曰："毁于北方。"

火之作也，子产授兵登陴。子大叔曰："晋无乃讨乎？"子产曰："吾闻之：小国忘守则危，况有灾乎？国之不可小，有备故也。"既，晋之边吏让郑曰："郑国有灾，晋君、大夫不敢宁居，卜筮走望，不爱牲玉。郑之有灾，寡君之忧也。今执事㨗然授兵登陴，将以谁罪？边人恐惧，不敢不告！"子产对曰："若吾子之言，敝邑之灾，君之忧也。敝邑失政，天降之灾，又惧谗慝之间谋之以启贪人，荐为敝邑不利以重君之忧。幸而不亡，犹可说也；不幸而亡，君虽忧之，亦无及也。郑有他竟，望走在晋。既事晋矣，其敢有二心？"

楚左尹王子胜言于楚子曰："许于郑，仇敌也，而居楚地以不礼于郑。晋、郑方睦，郑若伐许而晋助之，楚丧地矣。君盍迁许？许不专于楚。郑方有令政，许曰：'余旧国也。'郑曰：'余俘邑也。'叶在楚国，方城外之蔽也。土不可易，国不可小，许不可俘，雠不可启。君其图之！"楚子说。冬，楚子使王子胜迁许于析，实白羽。

【译文】

鲁昭公十八年春天，周历三月，曹平公死了。夏天，五月十三日，宋国、卫国、陈国、郑国发生火灾。六月，邾国人进入鄅国。秋天，安葬曹平公。冬天，许国迁移到白羽。

鲁昭公十八年春天，周历二月十五，周朝的毛得杀了毛伯过而取代他的地位。苌弘说："毛得必定逃亡，这一天是昆吾恶贯满盈的日子，是因为他骄横的缘故。而毛得在周王的都城里以骄横成事，不逃亡还等待什么？"

三月，曹平公死。

夏天，五月，大火星在黄昏开始出现。初七日开始刮风。梓慎说："这叫做融风，是火灾的开始。过七天，火灾恐怕会发生了吧！"初九日，风厉害起来。十四日，刮得更加厉害。宋国、卫国、陈国、郑国都发生火灾。梓慎登上大庭家的库房眺望，说："是宋国、卫国、陈国、郑国起火。"一连几天都有来报告火灾的。裨灶说："不采用我说的办法，郑国又会发生火灾。"郑国人请求采用他的话，子产不同意。子太叔说："宝物是用来安定人民的，如果有火灾，国家都差不多会灭亡。可以用来挽救灭亡，你何必舍不得呢？"子产说："天象幽远，人世间的道理切近，两者并不相干，凭什么知道它们的关系？裨灶怎么会知道天象？这个人也是话太多了，难道不会偶尔言中？"终究没有采用他的办法，也没再发生火灾。

郑国没有发生火灾的时候，里析报告子产说："将发生大灾变，百姓会震惊骚动，国家差不多会灭亡。我自己那时已经死了，不能等到发生灾变。迁移国都，可以吗？"子产说："即使可以，我无法决定迁都的事。"等到火灾发生，里析死了，还没安葬，子产派三十个舆人迁走他的棺柩。

火灾发生，子产在东门辞退晋国的公子公孙，让司寇把新来的客人送出去，禁止老客从客馆中出来。派子宽、子上巡视各祭神之处，直到大宫。派公孙登搬走占卜用的大龟。派祝史把安放神主的石匣搬迁到周庙，并向先君报告。派府人、库人各自警戒他们的职责范围。派商成公警戒管理后宫的官员，把先公的宫女迁出来，安置到大火烧不到的地方。司马、司寇分布在火道上，巡视火烧到的地方。城下的人列队登城。第二天，派野司寇分别管束他们征来的徒役，郊人帮助祝史在国都北面清除地面设置祭坛，祭祀水神、火神以攘除火灾，又在四边城墙上祈祷。记载烧毁的房屋以宽免他们的赋税，发给他们建房材料。郑国臣民哭了三天，国都内停止买卖。派行人向诸侯报告灾情。宋国、卫国都像这样。陈国不救火，许国不慰问灾民，君子因此推知陈国、许国将首先灭亡。

六月，鄅国国君巡视藉田的稻子，邾国人偷袭鄅国。鄅国人打算关闭城门，邾国人羊罗把关门人的头砍下用手提着，于是进入城内，全部俘虏了鄅国臣民带回去。鄅国国君说："我没有地方可回了。"跟随妻子儿女到了邾国，邾庄公归还他的夫人，而留下他的女儿。

秋天，安葬曹平公。鲁国前去参加葬礼的人在那儿见到周朝的原伯鲁，和他说话，他说到不喜欢学习。回国后把这事告诉闵子马，闵子马说："周朝恐怕要发生动乱了吧！一定有很多人有这种说法，然后才影响到他们当权的人。当权的人担心失去官位而不明事理，又说：'可以不要学习，不学习没有害处。'没有害处而不学习，就苟且马虎而满足，于是在下的人凌驾于在上的，在上的人荒废懈怠，能不发生动乱吗？学习，就好像种植，不学习就将堕落，原氏恐怕要灭亡了吧！"

七月，郑国子产因为火灾的缘故，大修社庙，祭祀四方之神以除灾求福，救治火灾，这是合乎礼的。于是挑选士兵举行大规模检阅，准备为检阅清除场地。子太叔的家庙在路南，他的住房在路北，他的庭院很小。超过拆迁期限三天，他让清除场地的徒卒排列在路南庙北，说："子产经过你们这里而命令赶快拆除时，就朝你们面向的南边拆除。"子产上朝，经过那里而对此感到愤怒，清除场地的徒卒就朝南边毁庙。子产赶到交叉街口，派随从人员制止他们，说："朝北边拆毁。"

火灾发生的时候，子产发放兵器登上城墙，子太叔说："这样晋国恐怕会来讨伐吧？"子产说："我听说，小国忘记防守就危险，何况有火灾呢？国家不可轻视，就是有防备的缘故。"

发放兵器不久，晋国的边境官员责备郑国说："郑国有了火灾，晋国的君主、大夫都不敢安居，卜问占筮，遍祭山川，不吝惜牺牲玉帛。郑国有火灾，是寡君的忧虑。现在执事气势汹汹地发放兵器登上城墙，打算拿来治谁的罪？边境上的人感到害怕，不敢不向您报告。"子产回答说:'正像您说的,敝邑的灾害,是贵君的忧虑。敝邑政治不当,上天降下灾祸,又担心进谗言的人挑拨离间,邪恶的人打敝邑的主意,而引起贪婪的人的贪心,频繁造成敝邑的不利,来加重贵君的忧虑。幸而不被灭亡,还可以值得庆幸;不幸而被灭亡,贵君即使为敝邑忧虑,也来不及了。郑国也与其他国家边境相邻,但能仰望投奔的只有晋国。已经事奉晋国了,岂敢有二心?'

楚国左尹王子胜对楚平王说:"许国对于郑国,是仇敌,而处在楚国领土中,因而对郑国不礼貌。晋国和郑国正和睦友好,郑国如果攻打许国,而晋国又帮助它,楚国就丧失土地了。君王何不迁走许国?许国不专属于楚国,郑国方能施行好的政治。许国说:'郑国是我们的旧都所在地。'郑国说:'许国是我们俘获的城邑。'叶地在楚国来说,是方城山外的屏障。领土不可轻视,国家不可小看,许国不可俘获,仇恨不可引起。君王考虑一下吧!"楚平王很高兴。冬天,楚平王派王子胜把许国迁到析地,也就是白羽。

昭公十九年

【原文】

　　十有九年:春,宋公伐邾。

　　夏,五月戊辰,许世子止弑其君买。

　　己卯,地震。

　　秋,齐高发帅师伐莒。

　　冬,葬许悼公。

　　十九年春,楚工尹赤迁阴于下阴,令尹子瑕城郏。叔孙昭子曰:"楚不在诸侯矣,其仅自完也,以持其世而已。"

　　楚子之在蔡也,郹阳封人之女奔之,生大子建。及即位,使伍奢为之师。费无极为少师,无宠焉,欲谮诸王,曰:"建可室矣。"王为之聘于秦。无极与逆,劝王取之。正月,楚夫人嬴氏至自秦。

　　郹夫人,宋向戌之女也,故向宁请师。二月,宋公伐邾,围虫。三月,取之,乃尽归郹俘。

　　夏,许悼公疟。五月戊辰,饮大子止之药卒。大子奔晋。书曰"弑其君"。君子曰:"尽心力以事君,舍药物可也。"

　　郑人、郹人、徐人会宋公。乙亥,同盟于虫。

　　楚子为舟师以伐濮。费无极言于楚子曰:"晋之伯也,迩于诸夏;而楚辟陋,故弗能与争。若大城城父而寘大子焉,以通北方,王收南方,是得天下也。"王说,从之。故大子建居于城父。

令尹子瑕聘于秦，拜夫人也。

秋，齐高发帅师伐莒，莒子奔纪鄣。使孙书伐之。

初，莒有妇人，莒子杀其夫；已为嫠妇。及老，托于纪鄣，纺焉以度而去之。及师至，则投诸外。或献诸子占，子占使师夜缒而登。登者六十人，缒绝，师鼓噪；城上之人亦噪。莒共公惧，启西门而出。七月丙子，齐师入纪。

是岁也，郑驷偃卒。子游娶于晋大夫，生丝，弱，其父兄立子瑕。子产憎其为人也，且以为不顺，弗许，亦弗止。驷氏耸。

他日，丝以告其舅。冬，晋人使以币如郑，问驷乞之立故。驷氏惧，驷乞欲逃，子产弗遣；请龟以卜，亦弗予。大夫谋对，子产不待而对客曰："郑国不天，寡君之二三臣札瘥夭昏。今又丧我先大夫偃，其子幼弱，其一二父兄惧队宗主，私族于谋而立长亲。寡君与其二三老曰：'抑天实剥乱是，吾何知焉？'谚曰'无过乱门'，民有乱兵，犹惮过之，而况敢知天之所乱？今大夫将问其故，抑寡君实不敢知，其谁实知之？平丘之会，君寻旧盟曰：'无或失职！'若寡君之二三臣，其即世者，晋大夫而专制其位，是晋之县鄙也，何国之为？"辞客币而报其使，晋人舍之。

楚人城州来。沈尹（戌）〔戍〕曰："楚人必败！昔吴灭州来，子旗请伐之，王曰：'吾未抚吾民。'今亦如之，而城州来以挑吴，能无败乎？"侍者曰："王施舍不倦，息民五年，可谓抚之矣。"（戌）〔戍〕曰："吾闻抚民者，节用于内而树德于外，民乐其性而无寇仇。今宫室无量，民人日骇，劳罢死转，忘寝与食，非抚之也！"

郑大水，龙斗于时门之外洧渊，国人请为禜焉。子产弗许，曰："我斗，龙不我觌也。龙斗，我独何觌焉？禳之，则彼其室也。吾无求于龙，龙亦无求于我。"乃止也。

令尹子瑕言蹶由于楚子，曰："彼何罪？谚所谓'室于怒，市于色'者，楚之谓矣。舍前之忿可也。"乃归蹶由。

【译文】

鲁昭公十九年春天，宋元公攻打邾国。夏五月初五日，许国的太子止杀了他的君主许悼公。十六日，发生地震。秋天，齐国的高发领兵攻打莒国。冬天，安葬许悼公。

鲁昭公十九年春天，楚国的工尹赤把阴城迁到下阴，令尹子瑕在郏地筑城。叔孙婼说："楚国的意图不在诸侯了，恐怕仅仅能保全自己，以保持它的世代相传罢了。"

楚平王先前在蔡国的时候，郹阳封人的女儿私奔他，生了太子建。等到楚王即位，派伍奢做他的师傅，费无极做少师。费无极在太子建那儿不受宠信，想要在楚王面前说坏话诬陷他，就说："太子建可以娶妻了。"楚王为他到秦国行聘娶亲，费无极参加了迎亲，劝楚王自己娶了那个秦国女子。正月，楚夫人嬴氏从秦国来到楚国。

鄢夫人是宋国向戍的女儿，所以向宁请求宋公发兵攻打邾国。二月，宋元公攻打邾国，包围虫地。三月，占取虫地，就把邾国原来抓来的鄢国俘虏全部放了回去。

夏天，许悼公患了疟疾。五月初五日，喝了太子止的药，死了。太子止逃亡到晋国。《春秋》记载说："弑其君。"君子说："尽心尽力地事奉君主，不进献药物是可以的。"

郑国人、郯国人和徐国人会见宋元公，五月十二日，一起在虫地结盟。

楚平王组成水军去攻打濮，费无极对楚平王说："晋国能做霸主，是因为接近中原各国，而楚国偏僻鄙陋，所以不能与它相争。如果扩大城父的城墙而把太子安置在那里镇守，以交结北方诸侯，君王收取南方，这样就得到天下了。"楚王很高兴，听从了他的话。所以太子建居处城父。

令尹子瑕到秦国聘问，是为了拜谢秦国把嬴氏嫁给楚国做夫人。

秋天，齐国的高发率领军队攻打莒国，莒共公逃亡到纪鄣，齐国又派孙书攻打纪鄣。当初，莒国有个女人，莒共公杀了她的丈夫，已经成了寡妇。等到年老，寄居在纪鄣。她纺线搓绳量了城墙的高度然后收藏起来。等到齐军到来，就把绳子扔到城外。有人把绳子献给孙书，孙书命令军队在晚上用绳子吊着攀登城墙。登上城的有六十人，绳子断了，军队击鼓呐喊，登上城的人也呐喊。莒共公害怕，打开西门逃出去。七月十四日，齐军进入纪鄣。

这一年，郑国的子游死了。子游娶晋国大夫的女儿为妻，生了丝，还年幼，他的父兄们立了子瑕为继承人。子产厌恶子瑕的为人，而且认为立他不是名正言顺，就不答应，也不制止，子游家族的人很害怕。过了些日子，驷丝把情况告诉他的舅父。冬天，晋国人派使者带了财礼前往郑国，询问立子瑕的原因。子瑕家族的人害怕，子瑕想要逃走，子产不放行，请求龟甲用来占卜，子产也不给。大夫们商议答复的办法，子产不等他们商量的结果就回答客人说："郑国不能得到上天的保佑，寡君的几位臣子夭折病亡。如今又失去了我们的先大夫子游，他的儿子幼小，他的几个父兄害怕断了宗庙祭主，和家族的人商议立了年长的亲子。寡君和他的几位老臣说：'也许上天确实打乱了这个家族的继承常规，我对此知道什么呢？'俗话说：'不要经过动乱人家的门口。'老百姓动刀枪作乱，尚且害怕经过那里，何况敢知道上天搅乱的东西？现在大夫将要询问它的缘故，寡君确实不敢知道，还有谁能知道它？平丘那次盟会，君主重温过去的盟约说：'不要有人失职。'如果寡君的几位臣子，其中有去世的，晋国大夫都要专断地控制它的职位继承，这就是把我国当成晋国的边远县邑了，还成什么国家？"辞谢客人的财礼而回报他们的使者。晋国人放弃了这件事。

楚国人在州来筑城，沈尹戍说："楚国人一定失败。从前吴国灭亡州来，子旗请求攻打吴国，君王说：'我没有安抚我的百姓。'现在也像从前一样，却在州来筑城去挑动吴国，能不失败吗？"侍从说："君王施舍恩德不厌倦，让老百姓休养生息五年了，可说安抚他们了。"沈尹戍说："我听说安抚老百姓的君王，在朝廷内节约费用，在朝廷外树立德行，老百姓乐于他们的生活，而没有仇敌。现在宫室的费用没有限量，老百姓每天为劳苦疲困、死了无人安葬而担惊受怕，忘掉了睡觉吃饭，这不算是安抚他们了。"

郑国涨大水，有龙在时门外的洧渊里相斗，国人请求举行禜祭，子产不答应，说："我们斗争，龙没有来看我们；龙相斗，我们偏要看什么呢？祭祀而驱除它，但那儿本是它的家。我们对龙没有所求,龙也对我们无所求。"于是作罢。

令尹子瑕向楚平王谈起蹶由说:"他有什么罪?俗话所说的'在家里生气,到大街上给人看脸色',说的就是楚国了。可以抛弃以前的怨恨了。"于是就把蹶由放回吴国。

昭公二十年

【原文】

二十年:春,王正月。
夏,曹公孙会自鄸出奔宋。
秋,盗杀卫侯之兄絷。
冬,十月,宋华亥、向宁、华定出奔陈。
十有一月辛卯,蔡侯庐卒。
二十年春,王二月己丑,日南至。梓慎望氛,曰:"今兹宋有乱,国几亡,三年而后弭。蔡有大丧。"叔孙昭子曰:"然则戴、桓也。(汏)〔汰〕侈无礼已甚,乱所在也。"

费无极言于楚子曰:"建与伍奢将以方城之外叛,自以为犹宋、郑也,齐、晋又交辅之,将以害楚,其事集矣。"王信之,问伍奢。伍奢对曰:"君一过多矣,何信于谗?"王执伍奢,使城父司马奋扬杀大子。未至,而使遣之。三月,大子建奔宋。王召奋扬,奋扬使城父人执己以至。王曰:"言出于余口,入于尔耳,谁告建也?"对曰:"臣告之。君王命臣曰:'事建如事余。'臣不佞,不能苟贰。奉初以还,不忍后命,故遣之。既而悔之,亦无及已。"王曰:"而敢来,何也?"对曰:"使而失命,召而不来,是再奸也。逃无所入。"王曰:"归,从政如他日。"

无极曰:"奢之子材,若在吴,必忧楚国,盍以免其父召之?彼仁,必来。不然,将为患。"王使召之,曰:"来,吾免而父。"棠君尚谓其弟员曰:"尔适吴,我将归死。吾知不逮,我能死,尔能报。闻免父之命,不可以莫之奔也;亲戚为戮,不可以莫之报也。奔死免父,孝也;度功而行,仁也;择任而往,知也;知死不辟,勇也。父不可弃,名不可废,尔其勉之!相从为愈。"伍尚归。奢闻员不来,曰:"楚君、大夫其旰食乎!"楚人皆杀之。

员如吴,言伐楚之利于州于。公子光曰:"是宗为戮而欲反其仇,不可从也。"员曰:"彼将有他志。余姑为之求士,而鄙以待之。"乃见鱄设诸焉而耕于鄙。

宋元公无信多私,而恶华、向。华定、华亥与向宁谋曰:"亡愈于死,先诸?"华亥伪有疾,以诱群公子。公子问之,则执之。夏六月丙申,杀公子寅、公子御戎、公子朱、公子固、公孙援、公孙丁,拘向胜、向行于其廪。公如华氏请焉,弗许,遂劫之。癸卯,取大子栾与母弟辰、公子地以为质。公亦取华亥之子无慼、向宁之子罗、华定之子启，与华氏盟，以为质。

卫公孟絷狎齐豹，夺之司寇与鄑。有役则反之，无则取之。公孟恶北宫喜、褚师圃，欲去之。公子朝通于襄夫人宣姜，惧而欲以作乱。故齐豹、北宫喜、褚师圃、公子朝作乱。

初，齐豹见宗鲁于公孟，为骖乘焉。将作乱而谓之曰："公孟之不善，子所知也。勿与乘！吾将杀之。"对曰："吾由子事公孟，子假吾名焉，故不吾远也。虽其不善，吾亦知之；抑以利故，不能去：是吾过也。今闻难而逃，是僭子也。子行事乎，吾将死之以周事子，而归死于公孟，其可也。"

丙辰，卫侯在平寿。公孟有事于盖获之门外。齐子氏帷于门外而伏甲焉，使祝蛙寘戈于车薪以当门，使一乘从公孟以出。（使）华齐御公孟，宗鲁骖乘。及闳中，齐氏用戈击公孟，宗鲁以背蔽之，断肱，以中公孟之肩。皆杀之。

公闻乱，乘，驱自阅门入。庆比御公，公南楚骖乘。使华寅乘贰车。及公宫，鸿骝魋驷乘于公。公载宝以出。褚师子申遇公于马路之衢，遂从。过齐氏，使华寅肉袒执盖以当其阙。齐氏射公，中南楚之背。公遂出，寅闭郭门，逾而从公。公如死鸟。析朱鉏宵从窦出，徒行从公。

齐侯使公孙青聘于卫。既出，闻卫乱，使请所聘。公曰："犹在竟内，则卫君也。"乃将事焉，遂从诸死鸟，请将事。辞曰："亡人不佞，失守社稷，越在草莽，吾子无所辱君命。"宾曰："寡君命下臣于朝，曰：'阿下执事。'臣不敢贰！"主人曰："君若惠顾先君之好，（昭）〔照〕临敝邑，镇抚其社稷，则有宗祧在。"乃止。卫侯固请见之。不获命，以其良马见，为未致使故也。卫侯以为乘马。宾将掫，主人辞曰："亡人之忧，不可以及吾子。草莽之中，不足以辱从者。敢辞！"宾曰："寡君之下臣，君之牧圉也。若不获扞外役，是不有寡君也。臣惧不免于戾，请以除死！"亲执铎，终夕与于燎。

齐氏之宰渠子召北宫子。北宫氏之宰不与闻谋，杀渠子，遂伐齐氏，灭之。丁巳晦，公入，与北宫喜盟于彭水之上。秋七月戊午朔，遂盟国人。八月辛亥，公子朝、褚师圃、子玉霄、子高鲂出奔晋。闰月戊辰，杀宣姜。卫侯赐北宫喜谥曰"贞子"，赐析朱鉏谥曰"成子"，而以齐氏之墓予之。

卫侯告宁于齐，且言子石。齐侯将饮酒，遍赐大夫曰："二三子之教也！"苑何忌辞，曰："与于青之赏，必及于其罚。在《康诰》曰：父子兄弟，罪不相及。况在群臣？臣敢贪君赐以干先王？"

琴张闻宗鲁死，将往吊之。仲尼曰："齐豹之盗，而孟絷之贼，女何吊焉？君子不食奸，不受乱，不为利疚于回，不以回待人，不盖不义，不犯非礼。"

宋华、向之乱，公子城、公孙忌、乐舍、司马强、向宜、向郑、楚建、郳甲出奔郑。其徒与华氏战于鬼阎，败子城。子城适晋。

华亥与其妻，必盟而食所质公子者而后食。公与夫人每日必适华氏，食公子而后归。华亥患之，欲归公子。向宁曰："唯不信，故质其子。若又归之，死无日矣！"公请于华费遂,将攻华氏。对曰:"臣不敢爱死。无乃求去忧而滋长乎?臣是以惧,敢不听命?"公曰:"子死亡有命。余不忍其询。"

冬十月,公杀华、向之质而攻之。戊辰,华、向奔陈,华登奔吴。向宁欲杀大子,华亥曰:"干君而出,又杀其子,其谁纳我?且归之有庸!"使少司寇径以归,曰:"子之齿长矣,不能事人。以三公子为质,必免。"公子既入,华径将自门行;公遽见之,执其手,曰:"余知而无罪也。入,复而所!"

齐侯疥,遂痁,期而不瘳。诸侯之宾问疾者多在,梁丘据与裔款言于公曰:"吾事鬼神丰,于先君有加矣。今君疾病为诸侯忧,是祝、史之罪也。诸侯不知,其谓我不敬。君盍诛于祝固、史嚚以辞宾?"

公说,告晏子。晏子曰:"日宋之盟,屈建问范会之德于赵武,赵武曰:'夫子之家事治;言于晋国,竭情无私。其祝、史祭祀,陈信不愧。其家事无猜,其祝、史不祈。'建以语康王,康王曰:'神人无怨,宜夫子之光辅五君以为诸侯主也。'"公曰:"据与款谓寡人能事鬼神,故欲诛于祝、史。子称是语何故?"对曰:"若有德之君,外内不废,上下无怨,动无违事;其祝、史荐信,无愧心矣。是以鬼神用飨,国受其福,祝、史与焉。其所以蕃祉老寿者,为信君使也,其言忠信于鬼神。其适遇淫君外内颇邪、上下怨疾,动作辟违,从欲厌私,高台深池,撞钟舞女,斩刈民力,输掠其聚,以成其违,不恤后人;暴虐淫从,肆行非度,无所还忌,不思谤讟,不惮鬼神;神怒民痛,无悛于心;——其祝、史荐信,是言罪也;其盖失数美,是矫诬也;进退无辞,则虚以求媚。是以鬼神不飨其国以祸之,祝、史与焉。所以夭昏孤疾者,为暴君使也,其言僭嫚于鬼神。"公曰:"然则若之何?"对曰:"不可为也:山林之木,衡鹿守之;泽之萑蒲,舟(鲛)〔鲛〕守之;薮之薪蒸,虞候守之;海之盐蜃,祈望守之。县鄙之人,入从其政;偪(介)〔尒〕之关,暴征其私;承嗣大夫,强易其贿。布常无艺,徵敛无度;宫室日更,淫乐不违。内宠之妾,肆夺于市;外宠之臣,僭令于鄙。私欲养求,不给则应。民人苦病,夫妇皆诅;祝有益也,诅亦有损。聊、摄以东,姑、尤以西,其为人也多矣。虽其善祝,岂能胜亿兆人之诅?君若欲诛于祝、史,修德而后可。"公说,使有司宽政,毁关去禁,薄敛已责。

十二月,齐侯田于沛。招虞人以弓,不进。公使执之,辞曰:"昔我先君之田也,旃以招大夫,弓以招士,皮冠以招虞人。臣不见皮冠,故不敢进。"乃舍之。仲尼曰:"守道不如守官。"君子韪之。

齐侯至自田。晏子侍于遄台,子犹驰而造焉。公曰:"唯据与我和夫!"晏子对曰:"据亦同也,焉得为和?"公曰:"和与同异乎?"对曰:"异。和如羹焉,水、火、醯、醢、盐、梅以(烹)〔亨〕鱼肉,燀之以薪,宰夫和之,齐之以味;济其不及,以泄其过。君子食之,以平其心。君臣亦然。君所谓可而有否焉,臣献其否以成其可;君所谓否而有可焉,臣献其可以去其否:是以政平而不干,民无争心。故《诗》曰:'亦有和羹,既戒既平。鬷嘏无言,时靡有争。'先王之济五味、和五声也,以平其心、成其政也。声亦如味,一气,二体,三类,四物,五声,六律,七音,八风,九歌,以相成也；清浊，小大，短长，疾徐，哀乐，刚柔，迟速，高下，出入，周疏，以相济也。君之听之，以平其心。心平，德和，故《诗》曰：'德音不瑕'。今据不然。君所谓可，据亦曰可；君所谓否，据亦曰否。若以水济水，谁能食之？若琴瑟之专壹，谁能听之？同之不可也如是！"

饮酒乐。公曰："古而无死，其乐若何？"晏子对曰："古而无死，则古之乐也，君何得焉？昔爽鸠氏始居此地，季荝因之，有逢伯陵因之，蒲姑氏因之，而后大公因之。古（者）〔若〕无死，爽鸠氏之乐，非君所愿也。"

郑子产有疾，谓子大叔曰："我死，子必为政。唯有德者能以宽服民，其次莫如猛。夫火烈，民望而畏之，故鲜死焉；水懦弱，民狎而玩之，则多死焉：故宽难。"疾数月而卒。大叔为政，不忍猛而宽。郑国多盗，取人于萑苻之泽。大叔悔之，曰："吾早从夫子，不及此。"兴徒兵以攻萑苻之盗，尽杀之。盗少止。

仲尼曰："善哉！政宽则民慢，慢则纠之以猛。猛则民残，残则施之以宽。宽以济猛，猛以济宽，政是以和。《诗》曰：'民亦劳止，汔可小康；惠此中国，以绥四方。'施之以宽也。''毋从诡随，以谨无良；式遏寇虐，惨不畏明。'纠之以猛也。'柔远能迩，以定我王。'平之以和也。又曰：'不竞不絿，不刚不柔。布政优优，百禄是遒。'和之至也！"及子产卒，仲尼闻之，出涕曰："古之遗爱也！"

【译文】

鲁昭公二十年春天，周历正月。夏天，曹国的公孙会从鄸城逃亡到宋国。秋天，作乱的人杀死了卫灵公的哥哥公孟絷。冬天十月，宋国的华亥、向宁、华定逃亡到陈国。十一月初七日，蔡平公庐死了。

鲁昭公二十年春天，周历二月初一日，冬至。梓慎观察天上的云气，说："今年宋国有动乱，国家差不多会灭亡，三年后才止息下来。蔡国有重大丧事。"叔孙婼说："那么就发生在戴、桓两族了！他们骄奢无礼太甚，是动乱发生的地方。"

费无极对楚平王说："太子建和伍奢将率领方城山外的人叛乱，自以为像宋国、郑国一样，齐晋两国又交相辅助他，将因此危害楚国。他们的事快要成功了。"楚平王相信费无极说的话，问伍奢，伍奢回答说："君王犯一次过错已经严重了，怎么还相信谗言？"楚王逮捕了伍奢，派城父的司马奋扬去杀太子建。奋扬还没到达，先派人送走了太子建。三月，太子建逃亡到宋国。楚平王召回奋扬，奋扬让城父人拘捕自己回到朝廷。楚平王问："话从我的口里说出，进入你的耳朵，是谁通报太子建的？"奋扬回答说："是下臣通报他的。君王命令我说：'事奉太子要像事奉我一样。'下臣无能，也不能苟且背叛。奉行当初的命令来侍奉太子，就不忍心执行后来杀他的命令，所以送走了他。完了之后为此后悔，也来不及了。"楚王说："那你敢于前来，为什么？"奋扬回答说："执行使命却违背命令，召我而不回来，这样就是两次违犯命令。即使逃跑也没有去的地方。"楚平王说："回城父去吧。"于是治理政事还像往日一样。

费无极说："伍奢的儿子有才能，如果留在吴国，一定会成为楚国的忧患，何不以

赦免他父亲为名义召回他们。他们仁爱，一定会来。不然的话，将成为祸患。"楚平王派人召他们，说："回国来，我赦免你们父亲。"棠邑大夫伍尚对他的弟弟伍员说："你前往吴国，我打算回国为父亲去死。我的才智不及你，我能去死，你能报仇。听到赦免父亲的命令，不可不为它奔走；亲人被杀，不可不替他报仇。奔向死亡使父亲免祸，这是孝；估量功效而行事，这是仁；选择应尽的责任去完成，这是智；明知会死而不逃避，这是勇。父亲不能抛弃，名誉不可毁坏，你还是努力吧！听从我的意见为好。"伍尚回到楚国，伍奢听到伍员没来，说："楚国的君王、大夫将不能按时吃饭了吧！"

伍员杀府，清杨柳青年画。

楚国人把伍奢、伍尚都杀了。

伍员前往吴国，向州于说明攻打楚国的好处。公子光说："这是宗族的人被杀戮而想要报他们的私仇，不可听从。"伍员说："他会有异心，我姑且替他寻找勇士，住在郊外等待他。"就拜见鱄设诸，自己在郊野种地。

宋元公没有信用多有私心，讨厌华氏和向氏。华定、华亥和向宁商议说："逃亡比死要强，先下手吧！"华亥假装有病，来引诱公子们。公子来探问他的病情，就抓起来。夏六月初九日，杀了公子寅、公子御戎、公子朱、公子固、公孙援、公孙丁，把向胜、向行拘禁在他们的谷仓里。宋元公到华氏那里去请求，华氏不答应，于是劫持了宋元公。十六日，又捕取太子栾和他的同母兄弟公子辰、公子地作为人质。宋元公也捕取华亥的儿子华无慼、向宁的儿子向罗、华定的儿子华启，与华氏结盟，把他们作为人质。

卫国的公孟絷轻慢齐豹，夺取了他的司寇官职和鄄地，有事需要他时就归还给他，没事就又夺取过来。公孟絷还讨厌北宫喜和褚师圃，想要除掉他们。公子朝和襄公的夫人宣姜私通，因为害怕，想要趁机挑起动乱。所以齐豹、北宫喜、褚师圃、公子朝等人发动了祸乱。

起初,齐豹把宗鲁介绍给公孟絷,做了他的骖乘。将发动祸乱时,就对宗鲁说:"公孟絷不善良,这是你所知道的,你不要和他乘车,我打算杀了他。"宗鲁回答说:"我由于您而事奉公孟絷,您又借给我好的名声,所以他不疏远我。虽然他不善良,我也知道这一点,但因为利害关系,不能离开他,这是我的过错。现在听到有祸难就逃走,这是使您没有了信用。您干您的事吧,我打算为此而死,以做到始终事奉您,而回去死在公孟絷那里,也许是可以的。"

六月二十九日,卫灵公在平寿,公孟絷在盖获之门外祭祀。齐豹在门外张设帷帐埋伏武装的士兵,派祝蛙把戈藏在柴车中来挡住城门,派一辆车跟着公孟絷出来,又派华齐为公孟絷驾车,宗鲁做车右。到达曲门中,齐豹用戈击杀公孟絷,宗鲁用背部挡戈掩护公孟絷,被击断胳膊,因而击中公孟絷的肩部,齐豹就把他们都杀了。

卫灵公听到发生动乱,坐上车子,驱车从阅门进入国都,庆比为卫灵公驾车,公南楚做车右,派华寅乘坐副车。到达公宫时,鸿骊魋也坐上了卫灵公的车子而一车有了四人。卫灵公用车装了宝物出来,褚师子申在马道的交叉口碰上灵公,就跟着走。经过齐豹那儿,派华寅光着上身拿着车盖,以挡住车上的空隙。齐豹用箭射击卫灵公,射中公南楚的背部,灵公于是逃出国都。华寅关闭城门,翻越城墙跟上卫灵公。卫灵公前往死鸟那地方,析朱锄晚上从城墙的孔洞里爬出,步行跟上卫灵公。

齐景公派公孙青到卫国聘问,已经走出国境,听到卫国动乱,派人请示聘问的事情,齐景公说:"卫灵公还在卫国境内,就是卫国的国君。"就打算按常规行事,于是跟着到了死鸟那地方。准备请求举行聘礼时,卫灵公推辞说:"逃亡的人无能,没有守住国家,沦落在乡野,您用不着执行贵君的命令了。"客人说:"寡君在朝廷上命令下臣说:'你要顺从亲附卫君。'下臣不敢违背。"主人说:"贵君如果顾念先君的友好关系,让您光临敝国,安定抚慰我们的国家,那么有宗庙在那里。"于是取消了举行聘礼。卫灵公坚决请求见公孙青,没有办法,公孙青拿自己的好马做进见礼物,这是因为没有执行使命的缘故。卫灵公把公孙青送的马作为驾车的马。客人打算巡夜打更,主人推辞说:"逃亡人的忧虑,不能连累您;沦落乡野之中的人,不值得屈辱您。冒昧地谢绝您。"客人说:"寡君的下臣,就是贵君牧马放牛的人,如果得不到在外守御的差事,这就是心目中没有寡君。下臣害怕不能免于罪过,请求以此免除一死。"亲自拿着大铃,整晚参加燃火守夜。

齐豹的家臣渠子召请北宫喜,北宫喜的家臣没有听说其中的原委,策划杀了渠子,于是攻打齐豹,灭亡了他。六月三十日,卫灵公返回国都,与北宫喜在彭水边上结盟。秋七月初一日,就与国都的臣民盟誓。八月二十五日,公子朝、褚师圃、子玉霄、子高鲂等逃亡到晋国。闰八月十二日,杀死宣姜。后来卫灵公赐给北宫喜谥号叫贞子,赐给析朱锄谥号叫成子,并把齐豹的墓地给了他们。

卫灵公向齐国通报平安,并且说到公孙青的有礼。齐景公准备喝酒,就把酒赏赐给每位大夫,说:"是各位教导的结果。"苑何忌辞谢不喝,说:"沾了公孙青的赏赐,必然受到他的罪罚。在《康诰》上说：父子兄弟，罪过互不连累，何况在群臣之间？下臣岂敢贪图君王的赏赐来冒犯先王？"

琴张听说宗鲁死了，打算前去吊唁他。孔子说："他使齐豹成为强盗，使公孟絷被害，你怎么去吊唁他？君子不吃奸人的俸禄，不容忍叛乱，不为了利益而被奸邪所污辱，不用邪恶对待别人，不掩盖不合礼义的事，不犯非礼的错误。"

宋国华氏、向氏作乱的时候，公子城、公孙忌、乐舍、司马强、向宜、向郑、楚建、邳甲等人逃亡到郑国。他们的徒党在鬼阎与华氏交战，华氏打败公子城，公子城前往晋国。

华亥和他的妻子一定要盥洗干净，让作为人质的公子们吃完饭然后才自己吃。宋元公和夫人每天一定到华氏那里去，让公子吃完饭然后才回去。华亥担心这种情况，想要送回各位公子，向宁说："正因为不讲信用，所以才拿他的儿子做人质，如果又送回他们，我们的死期就没有多少日子了。"宋元公向华费遂请求，打算攻打华氏，华费遂回答说："下臣不敢爱惜一死，但恐怕为求去掉忧患反而滋长忧患吧！下臣因此恐惧，岂敢不听从命令？"宋元公说："儿子们死生有命，我不忍心他们受耻辱。"

冬十月，宋元公杀了华氏、向氏的人质并进攻华氏、向氏。十三日，华氏、向氏逃亡到陈国，华登逃亡到吴国。向宁想要杀掉太子。华亥说："触犯国君而出逃，又杀掉他的太子，谁还会容纳我们？况且放他们回去会有功效。"派少司寇华径带着三位公子回去，华亥说："您的年龄大了，不能再事奉他人，把三位公子送回去作为凭信，一定可以负罪。"公子们已经进入宫中，华径将要从宫门走掉，宋元公连忙接见他，握住他的手说："我知道你是无罪的，进来吧，恢复你的职位。"

齐景公生了疥疮，接着又患了疟疾，一年都没好，诸侯派来慰问病情的宾客有很多在齐国。梁丘据和裔款对景公说："我们事奉鬼神很丰厚，比先君有所增加了。如今君王病情严重，造成诸侯的忧虑，这是祝史的罪过。诸侯不知道情况，大概会说我们不敬奉鬼神，君王何不杀了祝固、史嚚以辞谢各国宾客呢？"

齐景公听了很高兴，告诉晏子。晏子说："从前在宋国的盟会，屈建向赵武询问范会的德行，赵武说：'他老人家的家族事务治理得很好，在朝廷说话，竭尽忠心而没有个人打算。他的祝史祭祀鬼神，陈述实情而内心无愧。他的家族事务无猜无忌，他的祝史对鬼神也无所祈求。'屈建把这些告诉康王，康王说：'神和人都对范会没有怨恨，范会辅佐五位君主而使他们成为诸侯的霸主，就是适宜的了。'"齐景公说："梁丘据和裔款说寡人能事奉鬼神，所以想要杀祝史，您举出这些话，是什么原因？"晏子回答说："假如是有德行的君主，内外政务都不荒废，上上下下都没有怨恨，行动没有违背礼仪的事，他的祝史向鬼神进说实情，就没有惭愧之心了。因此鬼神享用祭品，国家蒙受鬼神所赐的福，祝史也分沾到了。他们之所以多福长寿，是作为诚信君主的使者的缘故，他们的话对鬼神忠诚信实。如果恰好碰上荒淫无度的君主，内外政务处理不当，朝野上下都有怨恨，行动邪僻悖礼，放纵欲望满足私心。兴建高台深池，奏乐歌舞，剥削民力，掠夺他们的积蓄，用来养成自己的过错，而不体恤后人。暴虐放纵，肆意行动没有法度，无所顾忌，不考虑人民的批评怨恨，不害怕鬼神降祸，神灵发怒人民痛心，而内心仍不悔改。他的祝史进说实情，这等于是数说君主的罪过；如果掩盖过失称举美善，这等于是虚假欺骗。左右都不好说话，就只好用空话来讨好鬼神，因此鬼神不享用他们国家的祭品而降祸给他们，祝史也分沾到了。他们之所以生病短寿，是作为暴君使者的缘故，他们的话对鬼神欺诈轻慢。"

齐景公说："那么该怎么办？"晏子回答说："不可挽救了。山林的树木，衡鹿看守；沼泽的水草，舟鲛看守；洼地的柴禾，虞候看守；海洋的盐蛤，祈望看守。边远县邑的人，进入国都应征服劳役；迫近国都的关卡，横暴征收私人财物；世袭的大夫，强行收买货物。颁布政令没有准则，征收税赋没有节制，宫室每天更换，放纵享乐不肯离去。后宫的宠妾，在市场上肆意掠夺；朝廷的宠臣，在边远县邑假托君命掠取，个人欲望用来养身和追求玩好的东西，不供给就进行报复。人民痛苦怨恨，丈夫妻子都在诅咒。祷告是有好处，诅咒则有损害。聊地、摄地以东，姑水、尤水以西，那地方的人可多了，即使他们善于祷告，难道能胜过亿兆人的诅咒？君主如果想要杀了祝史，培养德行然后才可以。"齐景公听了很高兴，让官吏放宽政令，撤除关卡，废除禁令，减轻赋税，免去债务。

十二月，齐景公到沛地打猎，用弓招呼虞人，虞人没有前来，景公派人逮了他。虞人申诉说："过去我们先王打猎，用旗帜召唤大夫，用弓召唤士，用皮帽召唤虞人。下臣没有看到皮帽，所以不敢前来。"景公就放了他。孔子说："守着道义不如守着官位，君子都认为虞人做得对。"

齐景公从打猎的地方回宫，晏子在遄台陪侍，梁丘据驱车赶到。景公说："只有梁丘据与我和谐啊！"晏子回答说："梁丘据只是趋同罢了，怎么能算是和谐？"景公说："和谐与趋同不一样吗？"晏子回答说："不一样。和谐就好像做羹汤，用水、火、醋、酱、盐、梅来烹调鱼和肉，用柴烧煮，厨工加以调和，用各种调味品加以调剂，味道不足的添加调料，味道过重的用水冲淡。君子食用羹汤，能使内心和畅。君臣之间也是这样的。君王所认为可行的事而其中有不可行的因素，臣下指出其不可行的因素来促成可行的事；君王所认为不可行的事而其中有可行的因素，臣下指出其可行的因素来去掉不可行的因素，所以政事平允而不违犯礼义，老百姓没有争夺之心。所以《诗》中说：'也有调和的汤羹，已经告诫厨工，已经调理适中。进献汤羹给神灵，神灵默默来享用，因此朝野无所争。'先王调配五味，调和五声，是用来平静内心，完成政教的。声音也和味道一样，是用一种声气、两种体式、三类体裁、四方之物、五种声音、六种乐律、七种音阶、八面之风、九种赞歌等相辅相成的，是用清浊、大小、长短、缓急、哀乐、刚柔、快慢、高低、出入、疏密等互相调剂的。君子听了，内心平静。内心平静，德行就和柔。所以《诗》中说'道德品行没有缺点。'如今梁丘据不是这样。君说可行的，他也说可行；君说不可行的，他也说不可行。就好像用水调配水的味道，谁愿吃它？就好像琴瑟专弹一种声音，谁愿听它？趋同的不可取就像这个道理一样。"

齐景公喝酒喝得很高兴，说："如果自古以来没有死亡，那种快乐会怎么样？"晏子回答说："假如自古以来没有死亡，那么那种快乐就是古人的快乐，您怎能得到它？过去爽鸠氏首先居住在这里，其次是季荝承袭下来，有逢伯陵承袭下来，蒲姑氏承袭下来，然后是姜太公承袭下来。如果自古没有死亡，那是爽鸠氏的快乐，不是您所希望的。"

郑国的子产有病，对子太叔说："我死了，您必然执政。只有有德的人才能用宽厚使人民服从，其他的人不如用严厉的政治。火猛烈，老百姓看着就害怕，所以很少死于火；水柔弱，老百姓轻视而玩弄它，就有很多人死于水。所以宽厚难以治理百姓。"子产病了几个月就死去了。子太叔执政，不忍心严厉而实行宽厚的政治。郑国盗贼很多，在萑苻泽一带掠取人们财物。太叔后悔自己不严厉，说："我早点听从他老人家的，不会到这种地步。"就发动步兵去攻打萑苻泽的盗贼，全部杀了他们，盗贼才渐渐敛迹。

孔子说："好啊！政治宽和百姓就轻慢，轻慢就用严厉加以纠正。严厉百姓就受到伤害，受到伤害则实行宽和的政治。用宽和补救严厉，用严厉补救宽和，政治因此平和。《诗》中说：'百姓也已辛劳，应当使他们稍稍安康，抚爱这中原各国，来安定四面八方。'这是实行宽和政治。'不要放纵诡谲欺诈，以便谨防不良，以便制止侵暴，不要畏惧他们高明顽强。'这是用严厉纠正轻慢。'爱抚远近百姓，用以安定我王。'这是用宽和来平定国家。《诗》上又说：'不强急不宽缓，不刚劲不柔弱，施行德政从容平和，各种福禄都聚合。'这是宽和政治的最高境界。"等到子产死去，孔子听到了，流泪说："他有着古代遗留的仁爱啊！"

昭公二十一年

【原文】

二十有一年：春，王三月，葬蔡平公。

夏，晋侯使士鞅来聘。

宋华亥、向宁、华定自陈入于宋南里以叛。

秋，七月壬午朔，日有食之。

八月乙亥，叔辄卒。

冬，蔡侯朱出奔楚。

公如晋，至河乃复。

二十一年春，天王将铸无射，泠州鸠曰："王其以心疾死乎？夫乐，天子之职也。夫音，乐之舆也；而钟，音之器也。天子省风以作乐，器以钟之，舆以行之。小者不窕，大者不摦，则和于物；物和则嘉成。故和声入于耳而藏于心，心亿则乐。窕则不咸，撼则不容，心是以感，感实生疾。今钟撼矣，王心弗堪，其能久乎？"

三月，葬蔡平公。蔡大子朱失位，位在卑。大夫送葬者归，见昭子；昭子问蔡故，以告。昭子叹曰："蔡其亡乎！若不亡，是君也必不终。《诗》曰：'不解于位，民之攸塈。'今蔡侯始即位，而适卑，身将从之。"

夏，晋士鞅来聘，叔孙为政。季孙欲恶诸晋，使有司以齐鲍国归费之礼为士鞅。士鞅怒，曰："鲍国之位下，其国小，而使鞅从其牢礼，是卑敝邑也。将复诸寡君！"鲁人恐，加四牢焉，为十一牢。

宋华费遂生华貙、华多僚、华登。貙为少司马。多僚为御士，与貙相恶，乃谮诸公曰："貙将纳亡人。"亟言之。公曰："司马以吾故亡其良子。死亡有命，吾不可以再亡之。"对曰："君若爱司马，则如亡。死如可逃，何远之有？"公惧，使侍人召司马之侍人宜僚，饮之酒而使告司马。司马叹曰："必多僚也！吾有谗子而弗能杀，吾又不死；抑君有命，可若何？"乃与公谋逐华貙，将使田孟诸而遣之。公饮之酒，厚酬之，赐及从者。司马亦如之。张匄尤之，曰："必有故！"使子皮承宜僚以剑而讯之，宜僚尽以告。张匄欲杀多僚，子皮曰："司马老矣。登之谓甚，吾又重之，不如亡也！"

五月丙申，子皮将见司马而行，则遇多僚御司马而朝。张匄不胜其怒，遂与子皮、臼任、郑翩杀多僚，劫司马以叛，而召亡人。壬寅，华、向入。乐大心、丰愆、华牼御诸横。华氏居卢门，以南里叛。六月庚午，宋城旧鄘及桑林之门而守之。

秋七月壬午朔，日有食之。公问于梓慎曰："是何物也？祸福何为？"对曰："二至、二分、日有食之，不为灾。日月之行也：分，同道也；至，相过也。其他月则为灾，阳不克也，故常为水。"于是叔辄哭日食。昭子曰："子叔将死，非所哭也。"八月，叔辄卒。

冬十月，华登以吴师救华氏。齐乌枝鸣戍宋。厨人濮曰："《军志》有之：'先人有夺人之心，后人有待其衰。'盍及其劳且未定也伐诸！若入而固，则华氏众矣，悔无及也！"从之。丙寅，齐师、宋师败吴师于鸿口，获其二帅公子苦雒、偃州员。华登帅其馀以败宋师。

公欲出，厨人濮曰："吾小人，可藉死。而不能送亡，君请待之。"乃徇曰："扬徽者，公徒也！"众从之。公自扬门见之，下而巡之，曰："国亡君死，二三子之耻也，岂专孤之罪也？"齐乌枝鸣曰："用少，莫如齐致死。齐致死，莫如去备。彼多兵矣，请皆用剑！"从之。华氏北，复即之。厨人濮以裳裹首而荷以走，曰："得华登矣！"遂败华氏于新里。

翟偻新居于新里，既战，说甲于公而归。华妵居于公里，亦如之。

十一月癸未，公子城以晋师至。曹翰胡会晋荀吴、齐苑何忌、卫公子朝救宋。丙戌，与华氏战于赭丘。郑翩愿为鹳，其御愿为鹅。子禄御公子城，庄堇为右。干犨御吕封人华豹，张匄为右。相遇，城还。华豹曰："城也！"城怒而反之，将注，豹则关矣，曰："平公之灵尚辅相余！"豹射，出其间。将注，则又关矣，曰："不狎，鄙！"抽矢。城射之，殪。张匄抽殳而下。射之，折股。扶伏而击之，折轸。又射之，死。

干犨请一矢,城曰:"余言女于君。"对曰:"不死伍乘,军之大刑也!干刑而从子,君焉用之?子速诸!"乃射之,殪。大败华氏,围诸南里。

华亥搏膺而呼,见华貙,曰:"吾为栾氏矣!"貙曰:"子无我迋。不幸而后亡。"使华登如楚乞师。华貙以车十五乘、徒七十人,犯师而出,食于睢上,哭而送之,乃复入。

楚薳越帅师将逆华氏,大宰犯谏曰:"诸侯唯宋事其君。今又争国,释君而臣是助,无乃不可乎?"王曰:"而告我也后,既许之矣。"

蔡侯朱出奔楚。费无极取货于东国,而谓蔡人曰:"朱不用命于楚,君王将立东国。若不先从王欲,楚必围蔡。"蔡人惧,出朱而立东国。朱愬于楚。楚子将讨蔡,无极曰:"平侯与楚有盟,故封。其子有二心,故废之。灵王杀隐大子,其子与君同恶,德君必甚。又使立之,不亦可乎!且废置在君,蔡无他矣。"

公如晋,及河。鼓叛晋,晋将伐鲜虞,故辞公。

【译文】

鲁昭公二十一年春天,周历三月,安葬蔡平公。夏天,晋顷公派士鞅来鲁国聘问。宋国的华亥、向宁、华定从陈国进入宋国的南里而叛变。秋七月初一日,发生日食。八月二十五日,叔辄死了。冬天,蔡侯朱出逃楚国。鲁昭公前往晋国,到达黄河边就返回了。

鲁昭公二十一年春天,周景王打算铸造无射钟,乐官泠州鸠说:"天子恐怕会因心病而死吧!音乐,是天子所执掌的。声音,是音乐的载车;而钟,是声音的器具。天子审察风俗来制作音乐,用器具汇合它,用声音表现它,声音小的不纤细空虚,大的不粗犷难听,那么就与万物和谐。与万物和谐则合成美好的音乐。所以和谐的声音进入耳朵而藏在心里,心里安适则欢乐。声音纤细空虚就不能传遍各处,粗犷不中听就难以被人接受,内心因此撼动不安。撼动不安就会生病。现在钟声粗犷不中听,天子的心不能承受,难道能长久吗?"

三月,安葬蔡平公。蔡太子朱站错了位置,站到了低于他身份的位置。送葬的鲁国大夫回国后,见到叔孙婼。叔孙婼问到蔡国的事情,大夫把上述情况告诉他,叔孙婼叹气说:"蔡国大概会灭亡了吧!如果不亡,这个国君一定不会善终。《诗》中说:'君主在职位上不懈怠,老百姓就能得到休养生息。'现在蔡君刚即位,就站到了卑下的位置。他自己将跟着走向卑微。"

夏天,晋国的士鞅来鲁国聘问,叔孙婼负责接待。季孙意如想使叔孙婼得罪晋国,就让官员用齐国的鲍国返回费城时的礼节接待士鞅。士鞅发怒,说:"鲍国的地位低,他的国家小,却让我随他的七牢之礼,这是看不起敝国。我将把这事报告给寡君。"鲁国人害怕,增加四牢,成为十一牢。

宋国的华费遂生了华貙、华多僚、华登三个儿子。华貙做少司马,多僚做御士,而与华貙互相讨厌,多僚就在宋元公面前诬陷华貙,说:"华貙打算收容逃亡的人。"

屡次说这样的话。宋元公说:"华费遂由于我的缘故失去了他的好儿子华登。虽然死和逃亡都由命中注定,但我不能因此第二次使他失去儿子。"华多僚回答说:"君主如果爱惜我父大司马,就应当逃亡。死亡如果可以逃离,有什么远不远的?"宋元公害怕,派侍从人员召来华费遂的侍从宜僚,给他酒喝而让他报告华费遂。华费遂叹息说:"一定是多僚搞鬼。我有一个进谗言的儿子却不能杀,我又不死,而君王有命令,可怎么办?"就与宋元公商议放逐华貙,打算让他到孟诸打猎而送走他。宋元公用酒招待华貙,送给他丰厚的礼物,并赏赐到随从人员。华费遂也像这样。张匄对此感到过分,说:"一定有缘故。"让华貙拿剑抵住宜僚而追问他,宜僚把内情全部说出来。张匄想杀掉多僚,华貙说:"父亲老了,华登逃亡对他的伤害可说是厉害了,我又再伤害一次,不如逃亡。"五月十四日,华貙打算见华费遂一面就出发,却碰上多僚为他父亲驾车上朝。张匄忍不住愤怒,就和

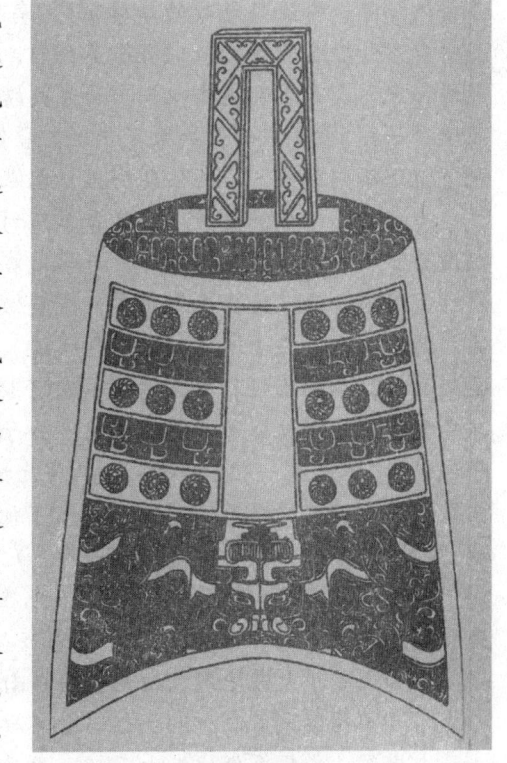

周代铜钟器形

华貙、白任、郑翩杀了多僚,劫持华费遂而叛变,召集逃亡的人。二十日,华氏、向氏回国。乐大心、丰愆、华牼在横地抵御他们。华氏住在卢门,率领南里的人叛变。六月十九日,宋国修筑旧城以及桑林门用以据守。

秋七月初一,发生日食。鲁昭公问梓慎说:"这是什么事呢?是祸还是福?"梓慎回答说:"两至两分期间发生日食,不造成灾祸。日月的运行,在春分秋分时,黄道与赤道同交于一点;在冬至夏至时,互相超过相交点。其他月份发生日食则造成灾祸,阳气不胜阴气,所以常常造成水灾。"在这时叔辄为日食哭泣,叔孙婼说:"叔辄快要死了,因为不是他应该哭的。"八月,叔辄死。

冬十月,华登凭借吴国军队救援华氏。齐国的乌枝鸣驻守宋国。厨邑大夫濮说:"《军志》有这样的说法:'比敌人先下手可以摧垮敌人的士气,比敌人后下手只有等待衰败。'何不趁他们疲劳而且没有安定的时候攻打他们呢!如果华登进入宋国而且稳固下来,那么华氏的人就多了,后悔也来不及了。"乌枝鸣听从了他。十七日,齐军、宋军在鸿口打败吴军,俘虏了公子苦雒、偃州员两个将领。华登率领其余人马击败宋军。宋元公想要出逃,厨大夫濮说:"我是个低微小臣,可以为君主垫死但不能护送逃亡,君主请等待一下。"就巡行全军说:"挥舞旗帜的,是国君的战士。"大家听从他举起了旗帜。宋元公从扬门看到这情景,下城巡视,说:"国家灭亡君主死难,这是你们

各位的耻辱,哪里只是我的罪孽呢!"乌枝鸣说:"用少量兵力作战不如一齐拼命,一齐拼命不如撤去守备。他们有很多兵器,让我们都用剑来作战。"宋元公听从了。华氏败逃,宋军、齐军又追击他们。厨大夫濮用裙子包着斩获的脑袋扛着奔跑,喊道:"杀了华登了!"于是在新里打败了华氏。瞿偻新住在新里,战斗开始以后,到宋元公那里脱下铠甲而归附他。华貙住在公里,也像瞿偻新那样。

十一月初四日,公子城带领晋军来到宋国。曹国翰胡会合晋国荀吴、齐国苑何忌、卫国公子朝救援宋国。初七日,与华氏在赭丘交战。郑翩希望摆成鹳阵,他的御者想要摆成鹅阵。子禄为公子城驾车,庄堇做车右。干犨为吕地封人华豹驾车,张匄做车右。两车相遇,公子城返回。华豹喊道:"这就是公子城!"公子城发怒而转回来。将要架上箭,华豹已经拉紧了弓弦。公子城说:"先君平公的在天之灵,可要帮助我!"华豹发射,箭穿过公子城他们中间。公子城想要搭上箭,华豹又已经拉开了弓弦。公子城说:"不一来一往,卑鄙。"华豹就抽下箭。公子城射他,华豹被射死了。张匄抽出殳从车上下来,公子城射他,射断了他的大腿。张匄伏在地上爬过来用殳攻击公子城,打断了车轸。公子城又射他一箭,死了。干犨请求一箭射死自己,公子城说:"我向国君为你说话。"干犨回答说:"不死在同乘一辆战车的人中间,是违犯军队的大法。违犯军法而跟从您,君王怎么会任用我?您快点射死我吧!"公子城就射他一箭,死了。宋军、齐军大败华氏,把他包围在南里。华亥拍着胸脯呼喊,进见华貙,说:"我们成了晋国的栾氏了。"华貙说:"你不要吓唬我,万一不幸然后逃亡。"派华登到楚国去请求援军。华貙率领战车十五辆、步兵七十人冲破宋军、齐军的包围而出,在睢水边吃饭,哭着送走华登,就又进入南里。

楚国的薳越率军队打算迎接华氏。太宰犯劝谏说:"诸侯中只有宋国的臣民事奉他们的君主,现在又争夺国家政权,丢开君主却帮助臣下,恐怕不行吧?"楚王说:"你告诉我的话太晚了,已经答应他们了。"

蔡侯朱逃奔楚国。费无极从东国那儿取得财物,就对蔡国人说:"蔡侯朱对楚国不奉行命令,君王将要立东国为国君。如果不先顺从君王的愿望,楚国一定包围蔡国。"蔡国人害怕,赶走蔡侯朱而立了东国。蔡侯朱向楚国控诉。楚平王打算讨伐蔡国。费无极说:"蔡平侯与楚国有盟约,所以才封他。他的儿子有了二心,所以废黜他。楚灵王杀死隐太子,隐太子的儿子与君王同样憎恶灵王,一定会非常感激您的恩德。又让他立为国君,不也可以吗?而且废和立都在于君王您,蔡国没有别的念头了。"

鲁昭公前往晋国。到达黄河边,鼓地人背叛晋国,晋国打算攻打鲜虞,所以辞谢了昭公。

昭公二十二年

【原文】

二十有二年：春，齐侯伐莒。

宋华亥、向宁、华定自宋南里出奔楚。

大蒐于昌间。

夏，四月乙丑，天王崩。

六月，叔鞅如京师，葬景王。王室乱。

刘子、单子以王猛居于皇。

秋，刘子、单子以王猛入于王城。

冬，十月，王子猛卒。

十有二月癸酉朔，日有食之。

二十二年春，王二月甲子，齐北郭启帅师伐莒。莒子将战，苑羊牧之谏曰："齐帅贱，其求不多，不如下之。大国不可怒也。"弗听，败齐师于寿馀。齐侯伐莒，莒子行成。司马灶如莒莅盟，莒子如齐莅盟，盟于稷门之外。莒于是乎大恶其君。

楚薳越使告于宋，曰："寡君闻君有不令之臣为君忧，无宁以为宗羞？寡君请受而戮之。"对曰："孤不佞，不能媚于父兄，以为君忧，拜命之辱！抑君臣日战，君曰'余必臣是助'，亦唯命。人有言曰：'唯乱门之无过。'君若惠保敝邑，无亢不衷以奖乱人，孤之望也。唯君图之！"楚人患之。诸侯之戍谋曰："若华氏知困而致死，楚耻无功而疾战，非吾利也。不如出之以为楚功，其亦（能）无〔能〕为也已。救宋而除其害，又何求？"乃固请出之，宋人从之。己巳，宋华亥、向宁、华定、华豸区、华登、皇奄伤、省臧、士平出奔楚。

宋公使公孙忌为大司马，边卬为大司徒，乐祁为司城，仲几为左师，乐大心为右师，乐輓为大司寇，以靖国人。

王子朝、宾起有宠于景王。王与宾孟说之，欲立之。刘献公之庶子伯蚠事单穆公，恶宾孟之为人也，愿杀之；又恶王子朝之言，以为乱，愿去之。宾孟适郊，见雄鸡自断其尾；问之，侍者曰："自惮其牺也。"遄归告王，且曰："鸡其惮为人用乎？人异于是。牺者，实用人。人牺实难，己牺何害？"王弗应。

夏四月，王田北山，使公卿皆从。将杀单子、刘子。王有心疾，乙丑，崩于荣锜氏。戊辰，刘子挚卒，无子。单子立刘蚠。五月庚辰，见王；遂攻宾起，杀之；盟群王子于单氏。

晋之取鼓也，既献而反鼓子焉。又叛于鲜虞。六月，荀吴略东阳，使师伪籴者负甲以息于昔阳之门外；遂袭鼓，灭之；以鼓子鸢鞮归，使涉佗守之。

丁巳，葬景王。王子朝因旧官、百工之丧职秩者与灵、景之族以作乱，帅郊、要、饯之甲以逐刘子。壬戌，刘子奔扬。单子逆悼王于庄宫以归。

王子还夜取王以如庄宫。癸亥，单子出。王子还与召庄公谋，曰："不杀单旗，不捷。与之重盟，必来。背盟而克者多矣。"从之。樊顷子曰："非言也，必不克！"遂奉王以追单子，及领，大盟而复。杀挚荒以说。刘子如刘。单子亡。乙丑，奔于平畤，群王子追之。单子杀还、姑、发、弱、鬻、延、定、稠。子朝奔京。丙寅，伐之。京人奔山。刘子入于王城。辛未，巩简公败绩于京。乙亥，甘平公亦败焉。

叔鞅至自京师，言王室之乱也。闵马父曰："子朝必不克。其所与者，天所废也！"

单子欲告急于晋，秋七月戊寅，以王如平畤，遂如圃车，次于皇。刘子如刘。单子使王子处守于王城。盟百工于平宫。辛卯，鄩肸伐皇，大败；获鄩肸。壬辰，焚诸王城之市。八月辛酉，司徒丑以王师败绩于前城。百工叛。己巳，伐单氏之宫，败焉。庚午，反伐之。辛未，伐东圉。

冬十月丁巳，晋籍谈、荀跞帅九州之戎及焦、瑕、温、原之师，以纳王于王城。庚申，单子、刘蚠以王师败绩于郊，前城人败陆浑于社。

十一月乙酉，王子猛卒，不成丧也。己丑，敬王即位，馆于子旅氏。十二月庚戌，晋籍谈、荀跞、贾辛、司马督帅师军于阴、于侯氏、于溪泉，次于社。王师军于氾、于解，次于任人。闰月，晋箕遗、乐徵、右行诡济师取前城，军其东南；王师军于京楚。辛丑，伐京，毁其西南。

【译文】

鲁昭公二十二年春天，齐景公攻打莒国。宋国的华亥、向宁、华定从宋国南里出逃到楚国。鲁国在昌间举行大阅兵。夏四月十八日，周天子去世。六月，叔鞅前往京都，参加周景王的葬礼。王室发生动乱。刘蚠、单旗带着王子猛住在皇地。秋天，刘蚠、单旗带领王子猛进入王城。冬十月，王子猛死去。闰十二月初一，发生日食。

鲁昭公二十二年春天，周历二月十六日，齐国的北郭启领兵攻打莒国。莒君打算迎战，苑羊牧之劝谏说："齐国将帅地位低贱，他的要求不多，不如向他们低头，大国是不可以激怒的。"莒君不听，在寿余打败齐军。齐景公就攻打莒国，莒君求和。司马灶前往莒国参加结盟，莒君前往齐国参加结盟，在稷门之外签订盟约。莒国人从此非常厌恶他们的国君。

楚国的远越派人告诉宋元公说："寡君听说君有个不好的臣下成为君的忧患，也许会因此成为宗庙的羞耻，寡君请求接受他加以诛戮。"宋元公回答说："寡人无能，不能从父兄辈那儿取得欢心，因此造成君王的忧虑，拜谢君王赐命的屈辱。只是我君臣间每天争战，君王要说'我一定帮助臣下'，也只有唯命是听。人们有话说：'不要经过动乱人家的门口。'君王如果赐恩保护敝国，不去庇护不善良的人，不因而鼓励作乱的人，这是寡人的愿望。希望君王考虑！"楚国人担心这件事。诸侯驻守宋国的将领商议说："如果华氏知道处于困境而拼死战斗，楚国耻于无功而迅速宣战，这对我们没有好处。不如放华氏出去以作为楚国的功绩，华氏也不能有所作为了。救援了宋国而除掉了他们的祸害，还要求什么呢？"就坚决请求放出华氏，宋国人听从了。二月二十一日，宋国的华亥、向宁、华定、华貙、华登、皇奄伤、省臧、士平出逃到楚国。宋元公派公孙忌做大司马，边卬做大司徒，乐祁做司城，仲几做左师，乐大心做右师，乐挽做大司寇，以安定国内人民。

  王子朝、宾起在周景王面前很得宠信，景王和宾起喜欢王子朝，想要立他做太子。刘献公的庶子伯蚠事奉单穆公，厌恶宾起的为人，愿意杀掉他；又讨厌王子朝的话，认为会引起动乱，愿意除掉他。宾起去到郊外，看见公鸡自己啄断自己的尾毛，就问这件事，侍者说："公鸡害怕自己将养成祭祀的牺牲。"宾起立即回去报告周景王，并且说："鸡大概是害怕被人用为祭品吧！人与此不同，牺牲实是被人使用的，被别人用做牺牲实在困难，自己用为牺牲妨碍什么呢？"周景王没答话。夏四月，景王在北山打猎，让公卿们都跟随，打算杀掉单旗、刘蚠。景王有心脏病，十八日，死在荣锜氏那里。二十二日，刘子挚死了，他没有嫡子，单旗立了刘蚠。五月初四日，进见周景王，于是攻打宾起，杀了他，和王子们在单氏那里结盟。

  晋国占取鼓地时，在宗庙献俘之后，就让鼓子回国，鼓子又背叛晋国归顺鲜虞。六月，荀吴巡视东阳，派军队伪装籴粮的人背着铠甲在昔阳城门外休息，就乘机袭击鼓国，灭亡了它，带着鼓子鸢鞮回去，派涉佗据守鼓地。

  六月十一日，安葬周景王。王子朝利用过去的官吏和百工中失去官职俸禄的人以及灵王、景王的族人发起叛乱，率领郊地、要地、饯地的甲士驱逐刘蚠。十六日，刘蚠逃亡到扬地。单旗在庄宫迎接悼王带回自己家，王子还在晚上夺取悼王又送到庄宫。十七日，单旗逃出王都，王子还与召庄公商议说："不杀掉单旗，不能取胜。和他再次结盟，他必定来。违背盟约而取胜的人很多。"召庄公听从了。樊顷子说："这不成话，肯定不能取胜。"王子还就奉从景王去追赶单旗。到达领那个地方，隆重举行结盟而返回，杀了挚荒来向单旗解释。刘蚠去到刘地，单旗逃亡。十九日，逃亡到平畤，王子们追赶他。单旗杀了王子还、姑、发、弱、鬷、延、定、稠等八人，王子朝逃亡到京地。二十日，单旗攻打京地，京地人逃亡到山里，刘蚠进入王城。二十五日，巩简公在京地被王子朝打败。二十九日，甘平公也被打败在那里。

  叔鞅从京都回到鲁国，叙述王室的动乱。闵马父说："王子朝肯定不能取胜，他所借助的人，是上天所废弃的人。"单旗想要向晋国告急，在秋七月初三，带着周天子前往平畤，随即去到圉车，驻在皇地。刘蚠前往刘地，单旗派王子处驻守王城，和百工在平宫结盟。十六日，鄩肸攻打皇地，大败，单旗俘获鄩肸。十七日，把鄩肸烧死在王城的集市上。八月十六日，司徒丑带领的周天子军队在前城被打败，百工背叛。二十四日，百工攻打单旗的住宅，被挫败。二十五日，单旗反攻。二十六日，攻打东圉。冬十月十三日，晋国的籍谈、荀跞率领九州的戎人以及焦地、瑕地、温地、原地的军队，把周悼王送回王城。十六日，单旗、刘蚠带领的周天子军队在郊地被打败，前城人在社地打败陆浑。十一月十二日，王子猛死了，但没有举行天子规格的丧礼。十六日,周敬王即位,住在子旅氏家里。十二月初七日,晋国的籍谈、荀跞、贾辛、司马督率军分别驻扎在阴地、侯氏、溪泉以及社地。周天子的军队分驻在氾、解、任人等地。闰十二月,晋国的箕遗、乐征、右行诡等率军渡河攻取前城,驻扎在它的东南面。周天子的军队驻扎在京楚。二十九日,攻打京地,攻破它的西南部。

昭公二十三年

【原文】

二十有三年:春,王正月,叔孙婼如晋。
癸丑,叔鞅卒。
晋人执我行人叔孙婼。
晋人围郊。
夏,六月,蔡侯东国卒于楚。
秋,七月,莒子庚舆来奔。
戊辰,吴败顿、胡、沈、蔡、陈、许之师于鸡父。胡子髡、沈子逞灭。获陈夏啮。
天王居于狄泉。
尹氏立王子朝。
八月乙未,地震。
冬,公如晋;至河,有疾,乃复。
二十三年春,王正月壬寅朔,二师围郊。癸卯,郊、鄩溃。丁未,晋师在平阴,王师在泽邑。王使告间;庚戌,还。

邾人城翼,还,将自离姑。公孙钽曰:"鲁将御我。"欲自武城还,循山而南;徐钽、丘弱、茅地曰:"道下,遇雨将不出,是不归也。"遂自离姑。武城人塞其前,断其后之木而弗殊;邾师过之,乃推而蹙之。遂取邾师,获钽、弱、地。

邾人诉于晋,晋人来讨。叔孙婼如晋,晋人执之。书曰"晋人执我行人叔孙婼",言使人也。晋人使与邾大夫坐,叔孙曰:"列国之卿,当小国之君,固周制也。邾又夷也。寡君之命介子服回在,请使当之:不敢废周制故也。"乃不果坐。

韩宣子使邾人聚其众,将以叔孙与之。叔孙闻之,去众与兵而朝。士弥牟谓韩宣子曰:"子弗良图,而以叔孙与其雠,叔孙必死之!鲁亡叔孙,必亡邾。邾君亡国,将焉归?子虽悔之,何及?所谓盟主,讨违命也。若皆相执,焉用盟主?"乃弗与,使各居一馆。士伯听其辞而诉诸宣子,乃皆执之。

士伯御叔孙,从者四人,过邾馆以如吏。先归邾子。士伯曰:"以寡茨之难,从者之病,将馆子于都。"叔孙旦而立,期焉。乃馆诸箕。舍子服昭伯于他邑。

范献子求货于叔孙,使请冠焉。取其冠法,而与之两冠,曰:"尽矣。"为叔孙故,申丰以货如晋。叔孙曰："见我，吾告女所行货。"见，而不出。吏人之与叔孙居于箕者，请其吠狗，弗与。及将归，杀而与之食之。叔孙所馆者，虽一日，必葺其墙屋，去之如始至。

夏四月乙酉，单子取訾，刘子取墙人、直人。六月壬午，王子朝入于尹。癸未，尹圉诱刘佗杀之。丙戌，单子从阪道，刘子从尹道伐尹。单子先至而败，刘子还。己丑，召伯奂、南宫极以成周人戍尹。庚寅，单子、刘子、樊齐以王如刘。甲午，王子朝入于王城，次于左巷。秋七月戊申，鄩罗纳诸庄公。尹辛败刘师于唐。丙辰，又败诸鄩。甲子，尹辛取西闱。丙寅，攻蒯，蒯溃。

莒子庚舆虐而好剑；苟铸剑，必试诸人。国人患之。又将叛齐。乌存帅国人以逐之。庚舆将出，闻乌存执殳而立于道左，惧将止死。苑羊牧之曰："君过之！乌存以力闻可矣，何必以弑君成名！"遂来奔。齐人纳郊公。

吴人伐州来。楚薳越帅师及诸侯之师，奔命救州来。吴人御诸钟离。子瑕卒，楚师熸。

吴公子光曰："诸侯从于楚者众，而皆小国也。畏楚而不获已，是以来。吾闻之曰：'作事威克其爱，虽小必济。'胡、沈之君幼而狂，陈大夫啮壮而顽，顿与许、蔡疾楚政。楚令尹死，其师熸，帅贱、多宠，政令不壹；七国同役而不同心，帅贱而不能整，无大威命：楚可败也。若分师先以犯胡、沈与陈，必先奔；三国败，诸侯之师乃摇心矣。诸侯乖乱，楚必大奔。请先者去备薄威，后者敦陈整旅。"吴子从之。

戊辰晦，战于鸡父。吴子以罪人三千先犯胡、沈与陈，三国争之。吴为三军以系于后，中军从王，光帅右，掩馀帅左。吴之罪人或奔或止，三国乱。吴师击之，三国败；获胡、沈之君及陈大夫。舍胡、沈之囚，使奔许与蔡、顿，曰："吾君死矣！"师噪而从之。三国奔，楚师大奔。书曰"胡子髡、沈子逞灭，获陈夏啮"，君臣之辞也。不言"战"，楚未陈也。

八月丁酉，南宫极震。苌弘谓刘文公曰："君其勉之！先君之力可济也。周之亡也，其三川震。今西王之大臣亦震，天弃之矣！东王必大克。"

楚大子建之母在郹，召吴人而启之。冬十月甲申，吴大子诸樊入郹，取楚夫人与其宝器以归。楚司马薳越追之不及，将死，众曰："请遂伐吴以徼之。"薳越曰："再败君师，死且有罪。亡君夫人，不可以莫之死也！"乃缢于薳澨。

公为叔孙故如晋，及河，有疾而复。

楚囊瓦为令尹，城郢。沈尹〔戌〕曰："子常必亡郢。苟不能卫，城无益也。古者天子守在四夷；天子卑，守在诸侯。诸侯守在四邻；诸侯卑，守在四竟。慎其四竟，结其四援，民狎其野，三务成功。民无内忧而又无外惧，国焉用城？今吴是惧而城于郢，守已小矣。卑之不获，能无亡乎？昔梁伯沟其公宫而民溃，民弃其上，不亡何待？夫正其疆场，修其土田，险其走集，亲其民人，明其伍候，信其邻国，慎其官守，守其交礼；不僭不贪，不懦不耆；完其守备，以待不虞：又何畏矣！《诗》曰：'无念尔祖，聿修厥德。'无亦监乎？若敖、蚡冒至于武、文，土不过同；慎其四竟，犹不城郕。今土数圻而郑是城，不亦难乎？"

【译文】

鲁昭公二十三年春，周历正月，叔孙婼前往晋国。十二日，叔鞅死了。晋国人逮捕我鲁国行人叔孙婼。晋国人包围郊地。夏六月，蔡君东国死在楚国。秋七月，莒君庚舆逃奔前来。二十九日，吴国在鸡父打败顿国、胡国、沈国、蔡国、陈国和许国的军队。胡君髡、沈君逞战死，陈国夏啮被俘。周天子住在狄泉。尹氏立了王子朝。八月二十六日，发生地震。冬天，鲁昭公前往晋国，到达黄河边，因有病，就返回了。

鲁昭公二十三年春天，周历正月初一，周天子和晋国两支军队包围郊地。初二日，郊地、鄩地溃败。初六日，晋军驻在平阴，周王的军队驻在泽邑。周王派人向晋军报告王室的动乱基本平定，初九日，晋军撤回。

邾国人到翼地筑城，回去时打算从离姑走。公孙鉏说："鲁国将会阻挡我们。"想要经由武城返回，没着山路向南走。徐鉏、丘弱、茅地说："那儿道路低洼，碰上下雨，将走不出去，这样就回不去了。"于是从离姑走。武城人堵住他们前进的道路，又在他们后面砍断树木但不完全断开，邾国军队经过那里，就把树木推倒，于是击败邾军，俘获徐鉏、丘弱和茅地。

邾国人向晋国控告。晋国人前来讨伐鲁国。叔孙婼去到晋国，晋人逮捕了他。《春秋》记载说："晋人执我行人叔孙婼。"是说晋国逮捕外交使者。晋人让叔孙婼与邾国大夫对质，叔孙婼说："各国卿相与小国的国君相当，这本是周王的制度。何况邾国又是夷族呢。寡君任命的副使子服回在这里，请让他去顶当吧，这是不敢废弃周王制度的缘故。"叔孙婼就始终于没有去对质。

韩宣子让邾国人聚集他们的兵力，打算把叔孙婼交给他们。叔孙婼听说了，去掉侍卫和武器去朝见晋君。士弥牟对韩宣子说："您不好好谋划，而把叔孙婼交给他的仇人，叔孙婼必定死在他们手里。鲁国失去叔孙婼，必然灭亡邾国。邾君灭亡了国家，将回到哪里去？您到时即使后悔，怎么来得及？所谓盟主，就是要讨伐违背命令的诸侯。如果都互相逮捕，哪里用得着盟主？"就不交给邾国，让叔孙婼和子服回各自住一个宾馆。士弥牟听了他们两人的辩辞就告诉韩宣子，就把他们都抓起来。士弥牟为叔孙婼驾车，带着四个随从，经过邾国人住的宾馆而到官吏那儿去。先让邾君回国。士弥牟说："因为柴草困难，侍从人员劳苦，打算让您住到别的城邑去。"叔孙婼一大早就站着，等待命令。于是让他住在箕邑，让子服回住在别的城邑里。

范献子向叔孙婼索取财货，派人向他请求帽子。叔孙婼取来他帽子的式样，就给了他两顶帽子，说："全在这里了。"为了叔孙婼的缘故，申丰带着财货前往晋国。叔孙婼说："来见我，我告诉你送财货的办法。"申丰来见他，就不让申丰出去。和叔孙婼住在箕邑的监视官员请求他的一条爱叫的狗，没给他们。等到将要回国时，杀掉狗和他们一块吃了。叔孙婼所住的房子，即使住一天也必定修理墙屋，离开时就好像刚到的时候一样。

夏四月十四日，单旗攻取譬地，刘鸷攻取墙人、直人两地。六月十二日，王子朝进入尹地。十三日，尹圉诱杀了刘佗。十六日，单旗从山路，刘鸷从大路攻打尹地，单旗先行到达而失败，刘鸷返回。十九日，召伯奂、南宫极率领成周人戍守尹地。二十日，单旗、刘鸷、樊齐带着周王前往刘地。二十四日，王子朝进入王城，驻扎在左巷。秋七月初九日。郇罗送王子朝到庄宫。尹辛在唐地打败刘鸷军，十七日，又在寻地击败了他。二十五日，尹辛占取西闱。二十七日，攻打蒯地，蒯地溃败。

莒君庚舆暴虐而喜爱剑，只要铸了新剑，必定用人试剑，国内人们引以为患。庚舆又打算背叛齐国，乌存率领国人驱逐他。庚舆将要出国都，听到乌存手持殳杖站在路的左边，害怕会被挡住杀死。苑羊牧之说："君主过去吧。乌存凭勇力闻名就可以了，怎么一定要用杀死国君来成名呢？"庚舆就前来投奔鲁国。齐国人把郊公送回莒国。

吴国人攻打州来，楚国薳越率楚军及诸侯的军队奉命奔赴援救州来，吴国人在钟离抵抗他们。令尹子瑕死了，楚军士气衰竭。吴国的公子光说："诸侯追随楚国的很多，但都是小国，是畏惧楚国而不得已，所以前来攻打我们。我听说：'兴起大事如果威严胜过慈爱，即使弱小也必定成功。'胡国、沈国的君主年幼而狂躁，陈国大夫夏啮年壮却顽钝，顿国、许国和蔡国则憎恨楚国的政治。楚令尹死了，他们的军队士气衰竭，将帅出身低贱而大多得宠，政令也不统一。他们七个国家虽然共同参战但不同心，将帅低贱而不能整齐军队。没有大的威严发布命令，楚国是可以打败的。如果分出军队来先攻击胡国、沈国与陈国，他们必定首先逃跑。这三个国家败逃，诸侯的军队就军心动摇了。诸侯背离混乱。楚军肯定全部逃奔。请让先头部队除去武备减少威严，后续部队巩固阵营整肃师旅。"吴王听从了。七月二十九日，在鸡父交战。吴王用三千名罪犯首先攻击胡军、沈军与陈军，三军队争着俘虏吴国的罪犯。吴国整编了三军紧跟在后。中军跟从吴王，公子光率领右军，公子掩馀率领左军。吴国的罪犯有的逃跑有的停下，三国军队大乱。吴军进攻他们，打败了三国军队，俘获了胡国、沈国的君主和陈国的大夫。吴国释放了胡国、沈国的俘虏，让他们逃奔到许国、蔡国和顿国的军队里，喊道："我们国君死了！"吴军击鼓呐喊跟着他们，三国的军队逃奔，楚国的军队全面溃散。《春秋》记载说："胡子髡、沈子逞灭，获陈夏啮。"这是对国君和臣下使用的不同措辞。不说"战"，是因为楚国没有摆好战阵。

八月二十七日，南宫极死于地震。苌弘对刘鸷说："君努力吧，先君所致力的事业是可以成功的。西周灭亡的时候，那三江流域都发生地震。如今西王王子朝的大臣也死于地震，这是上天抛弃了他，东王必定大胜。"

楚国太子建的母亲住在郧地，召来吴国人并为他们打开城门。冬十月十六日，吴太子诸樊进入郧城，掳走了楚夫人和她的宝器回国。楚国司马薳越追赶他，没有追上，打算自杀，部下说："请让我们乘机攻打吴国以求夺回夫人和她的宝器。"薳越说："如果第二次使君王的军队失败，我即使死还是有罪。丢了君王夫人，不能不为此而死。"就在薳澨自缢而死。

鲁昭公因为叔孙婼的缘故前往晋国，到达黄河边，有病而返回。

楚国的囊瓦做令尹，在郢都增修城墙。沈尹戌说："囊瓦一定会丢掉郢都，如果不能保卫，增修城墙也于事无补。古时候天子的守卫在于四方夷族，天子的威望降低时，守卫在于诸侯。诸侯的守卫在于四方邻国，诸侯的威望降低时，守卫仅在于四方边境。谨慎地守卫四境，结交四邻作为外援，老百姓在自己的家园安居乐业，春夏秋三时的农事都有收获，老百姓既没有内忧，又没有外患，国家哪里用得着修筑城墙？现在害怕吴国而在郢都增修城墙，守卫的地方已经很小了。诸侯威望降低时守卫在于四境的程度都达不到，能不灭亡吗？过去梁伯在他的公宫四周挖壕沟而老百姓溃散，老百姓抛弃了他们的君主，不灭亡还指望什么？如能划定疆界，修治田土，加固边境营垒，亲近百姓，明确边境伺望侦察的组织，取信邻国，使官吏慎守职责，遵循外交礼节，既无差失也不过滥，既不软弱也不强霸，完善防守装备，来对付不测事件，又害怕什么呢？《诗》中说：'怀念你的祖先，发扬他们的美德。'不也可以引为借鉴吗？若敖、蚡冒直到楚文王、楚武王，他们那时的领土不过百里见方，谨慎守卫四方边境，尚且不在郢都增修城墙。如今领土数千里见方，却增修郢城，岂不是难以守卫了吗？"

昭公二十四年

【原文】

二十〔有〕四年：春，王二月丙戌，仲孙貜卒。

婼至自晋。

夏，五月乙未朔，日有食之。

秋，八月，大雩。

丁酉，杞伯郁釐卒。

冬，吴灭巢。

葬杞平公。

二十四年春，王正月辛丑，召简公、南宫嚚以甘桓公见王子朝。刘子谓苌弘曰："甘氏又往矣！"对曰："何害？同德度义。《大誓》曰：'纣有亿兆夷人，亦有离德。余有乱（臣）十人，同心同德。'此周所以兴也。君其务德，无患无人。"戊午，王子朝入于邬。

晋士弥牟逆叔孙于箕。叔孙使梁其踁待于门内，曰："余左顾而欬，乃杀之。右顾而笑，乃止。"叔孙见士伯，士伯曰："寡君以为盟主之故，是以久子。不腆敝邑之礼，将致诸从者，使弥牟逆吾子。"叔孙受礼而归。二月，"婼至自晋"，尊晋也。

三月庚戌，晋侯使士景伯莅问周故。士伯立于乾祭而问于介众。晋人乃辞王子朝，不纳其使。

夏五月乙未朔，日有食之。梓慎曰："将水。"昭子曰："旱也。日过分而阳犹不克，克必甚，能无旱乎？阳不克莫，将积聚也。"

六月壬申，王子朝之师攻瑕及杏，皆溃。

郑伯如晋，子大叔相。见范献子，献子曰："若王室何？"对曰："老夫其国家不能恤，敢及王室？抑人亦有言曰：'嫠不恤其纬，而忧宗周之陨，为将及焉。'今王室实蠢蠢焉，吾小国惧矣；然大国之忧也，吾侪何知焉？吾子其早图之！《诗》曰：'缾之罄矣，惟罍之耻。'王室之不宁，晋之耻也。"献子惧而与宣子图之，乃徵会于诸侯，期以明年。

秋八月，大雩，旱也。

冬十月癸酉，王子朝用成周之宝珪（沈）于河。甲戌，津人得诸河上。阴不佞以温人南侵，拘得玉者，取其玉。将卖之，则为石。王定而献之，与之东訾。

楚子为舟师以略吴疆。沈尹（戍）〔戌〕曰："此行也，楚必亡邑。不抚民而劳之，吴不动而速之，吴踵楚而疆场无备，邑能无亡乎？"

越大夫胥犴劳王于豫章之汭，越公子仓归王乘舟。仓及寿梦帅师从王，王及圉阳而还。

吴人踵楚，而边人不备，遂灭巢及钟离而还。沈尹（戍）〔戌〕曰："亡郢之始，于此在矣。王壹动而亡二姓之帅，几如是而不及郢？《诗》曰：'谁生厉阶？至今为梗！'其王之谓乎！"

【译文】

鲁昭公二十四年春天，周历二月二十五日，仲孙貜死了。叔孙婼从晋国回到鲁国。夏五月初一日，发生日食。秋八月，举行求雨大祭。九月初五日，杞君郁釐死了。冬天，吴国灭亡巢国。安葬杞平公郁釐。

鲁昭公二十四年春天，周历正月初五日，召简公、南宫嚚带着甘桓公进见王子朝。刘盆对苌弘说："甘氏又到王子朝那儿去了。"苌弘回答说："这有什么妨碍？同心同德在于符合道义，《太誓》说：'殷纣王有亿兆平民，但离心离德；我有治世贤臣十人，同心同德。'这就是周朝所以兴起的原因。君王还是务求修德，不要担心没有人才。"二十二日，王子朝进入邬地。

晋国的士弥牟到箕地迎接叔孙婼，叔孙婼派梁其踁躲在门内等待。说："我朝左看并且咳嗽，就杀了他；朝右看并且笑，就不要动。"叔孙婼接见士弥牟，士弥牟说："寡君因为做盟主的缘故，所以把您久留在此。敝国的一份薄礼，将要送给您的随从，派我来迎接您。"叔孙婼接受礼物就回到鲁国去了。二月，"婼至自晋"，《春秋》这样记载，是为了表示尊重晋国。

三月十五日，晋君派士弥牟到周都探问周朝发生的事故，士弥牟站在乾祭门外，向广大百姓询问。晋国人就辞却了王子朝，不接纳他的使者。

夏五月初一日，发生日食。梓慎说："将发生水灾。"叔孙婼说："是旱灾的天象。

太阳运行过了春分点但阳气还不胜阴气，一旦胜阴气必然很厉害，能不天旱吗？阳气迟迟没有胜过阴气，是要积聚阳气。"

六月初八日，王子朝的军队攻打瑕地和杏地，两地都溃败。

郑定公前往晋国，子太叔辅相，进见范献子。范献子说："对王室怎么办？"子太叔回答说："老夫我连国家都无法担忧，岂敢担心到王室？不过人们有话说：'寡妇不担忧她织布的纬线，却担心宗周的衰落，因为会连及自己。'现在王室确实动乱不止，我们小国害怕了。但是大国的忧虑，我们怎么知道呢？您还是早点打算吧！《诗》上说：'酒瓶空了，是酒缸子的耻辱。'王室不安宁，是晋国的耻辱。"范献子害怕，就和韩宣子商量。于是召集诸侯会见。时间约定在第二年。

秋八月，举行求雨大祭，是因为发生旱灾。

冬十月十一日，王子朝使用成周的宝珪沉到黄河里祭河神。十二日，渡河的船夫在黄河中得到那块宝珪。阴不佞率领温地人往南侵袭王子朝，拘捕了得到宝珪的船夫，夺取他的宝珪，打算卖了它，却变成石头。周敬王安定以后阴不佞献上宝珪，敬王赐给他东訾。

楚平王组织水军用以巡行吴国边界，沈尹戌说："这次行动，楚国肯定会丢失城邑。不安抚老百姓却使他们劳苦，吴国没有出动却去招引它，如果吴国紧追楚国不放，而楚国边界又没有防备，城邑能不丢失吗？"

越国大夫胥犴到豫章河湾慰劳楚平王，越国的公子仓送给楚王一艘乘船。公子仓与寿梦率领军队跟随楚平王，楚平王到达圉阳而返回。

吴国人紧追楚军，而边防军队没有防备，于是吴国灭亡了巢和钟离两城而回国。沈尹戌说："丢失郢都的开端，就在于此了。君王一次行动而丢掉两姓的元帅，几次像这样的行动灾祸不就到了郢都？《诗》中说：'谁生出了祸端？到今天还在造成灾祸。'恐怕说的就是君王吧！"

昭公二十五年

【原文】

二十有五年：春，叔孙婼如宋。

夏，叔诣会晋赵鞅、宋乐大心、卫北宫喜、郑游吉、曹人、邾人、滕人、薛人、小邾人于黄父。

有鹳鹆来巢。

秋，七月上辛，大雩；季辛，又雩。

九月己亥，公孙于齐，次于阳州。齐侯唁公于野井。

冬，十月戊辰，叔孙婼卒。

十有一月己亥，宋公佐卒于曲棘。

十有二月，齐侯取郓。

二十五年春，叔孙婼聘于宋。桐门右师见之，语，卑宋大夫而贱司城氏。昭子告其人曰："右师其亡乎？君子贵其身而后能及人，是以有礼。今夫子卑其大夫而贱其宗，是贱其身也，能有礼乎？无礼必亡！"

宋公享昭子，赋《新宫》。昭子赋《车辖》。明日宴，饮酒，乐。宋公使昭子右坐，语，相泣也。乐祁佐，退而告人曰："今兹君与叔孙其皆死乎？吾闻之：'哀乐而乐哀，皆丧心也。'心之精爽，是谓魂魄。魂魄去之，何以能久？"

季公若之姊为小邾夫人，生宋元夫人，生子以妻季平子。昭子如宋聘，且逆之。公若从，谓曹氏勿与，鲁将逐之。曹氏告公，公告乐祁。乐祁曰："与之！如是，鲁君必出。政在季氏三世矣，鲁君丧政四公矣。无民而能逞其志者，未之有也。国君是以镇抚其民。《诗》曰：'人之云亡，心之忧矣！'鲁君失民矣，焉得逞其志？靖以待命犹可，动必忧！"

夏，会于黄父，谋王室也。赵简子令诸侯之大夫输王粟、具戍人，曰："明年将纳王。"

子大叔见赵简子，简子问揖让周旋之礼焉。对曰："是仪也，非礼也。"简子曰："敢问何谓礼？"对曰：

吉也闻诸先大夫子产曰："夫礼，天之经也，地之义也，民之行也。"天地之经，而民则实之。则天之明，因地之性，生其六气，用其五行。气为五味，发为五色，章为五声。淫则昏乱，民失其性。是故为礼以奉之：为六畜、五牲、三牺，以奉五味；为九文、六采、五章，以奉五色；为九歌、八风、七音、六律，以奉五声。为君臣上下以则地义，为夫妇外内以经二物，为父子、兄弟、姑姊、甥舅、昏媾、姻亚以象天明，为政事、庸力、行务以从四时。为刑罚、威狱，使民畏忌，以类其震曜杀戮；为温慈、惠和，以效天之生殖长育。民有好、恶、喜、怒、哀、乐，生于六气，是故审则宜类以制六志：哀有哭泣，乐有歌舞，喜有施舍，怒有战斗；喜生于好，怒生于恶。是故审行信令，祸福赏罚，以制死生：生，好物也；死，恶物也。好物，乐也；恶物，哀也。哀乐不失，乃能协于天地之性，是以长久。

简子曰："甚哉，礼之大也！"对曰："礼，上下之纪，天地之经纬也，民之所以生也，是以先王尚之。故人之能自曲直以赴礼者，谓之成人。大，不亦宜乎！"简子曰："鞅也请终身守此言也！"

宋乐大心曰："我不输粟。我于周为客。若之何使客？"晋士伯曰："自践土以来。宋何役之不会，而何盟之不同？曰'同恤王室'，子焉得辟之？子奉君命以会大事，而宋背盟，无乃不可乎？"右师不敢对，受牒而退。士伯告简子曰："宋右师必亡！奉君命以使，而欲背盟以干盟主，无不祥大焉！"

有鸜鹆来巢，书所无也。师己曰："异哉！吾闻文、（武）〔成〕之世童谣有之，曰：'鸜之鹆之，公出辱之。鸜鹆之羽，公在外野，往馈之马。鸜鹆跦跦，公在乾侯，徵褰与襦。鸜鹆之巢，远哉遥遥；稠父丧劳，宋父以骄。鸜鹆鸜鹆，往歌来哭！'童谣有是，今鸜鹆来巢，其将及乎？"

秋，书再雩，旱甚也。

初，季公鸟娶妻于齐鲍文子，生甲。公鸟死，季公亥与公思展与公鸟之臣申夜姑相其室。及季姒与饔人檀通，而惧，乃使其妾抶己，以示秦遄之妻，曰："公若欲使余，余不可；而抶余。"又诉于公甫，曰："展与夜姑将要余！"秦姬以告公之。公之与公甫告平子。平子拘展于卞而执夜姑，将杀之；公若泣而哀之，曰："杀是，是杀余也！"将为之请，平子使竖勿内。日中不得请，有司逆命，公之使速杀之。故公若怨平子。

季、郈之鸡斗。季氏介其鸡，郈氏为之金距。平子怒，益宫于郈氏，且让之。故郈昭伯亦怨平子。

臧昭伯之从弟会，为谗于臧氏而逃于季氏。臧氏执旃。平子怒，拘臧氏老。将禘于襄公，万者二（人）〔八〕，其众万于季氏。臧孙曰："此之谓不能庸先君之庙。"大夫遂怨平子。

公若献弓于公为，且与之出射于外，而谋去季氏。公为告公果、公贲，公果、公贲使侍人僚柤告公。公寝，将以戈击之，乃走。公曰："执之！"亦无命也。惧而不出，数月不见。公不怒。又使言，公执戈以惧之，乃走。又使言，公曰："非小人之所及也！"公果自言。公以告臧孙，臧孙以难；告郈孙，郈孙以可，劝。告子家懿伯，懿伯曰："谗人以君侥幸。事若不克，君受其名，不可为也。舍民数世以求克事，不可必也。且政在焉，其难图也！"公退之。辞曰："臣与闻命矣，言若泄，臣不获死！"乃馆于公。

叔孙昭子如阚。公居于长府。九月戊戌，伐季氏，杀公之于门，遂入之。平子登台而请曰："君不察臣之罪，使有司讨臣以干戈，臣请待于沂上以察罪。"弗许。请囚于费，弗许。请以五乘亡，弗许。子家子曰："君其许之。政自之出久矣！隐民多取食焉，为之徒者众矣；日入愿作，弗可知也。众怒不可蓄也，蓄而弗治，将蕴；蕴畜，民将生心；生心，同求将合。君必悔之！"弗听。郈孙曰："必杀之！"公使郈孙逆孟懿子。

叔孙氏之司马鬷戾言于其众曰："若之何？"莫对。又曰："我家臣也，不敢知国。凡有季氏与无，于我孰利？"皆曰："无季氏，是无叔孙氏也。"鬷戾曰："然则救诸！"帅徒以往，陷西北隅以入。公徒释甲执冰而踞，遂逐之。

孟氏使登西北隅以望季氏，见叔孙氏之旌，以告。孟氏执郈昭伯，杀之于南门之西，遂伐公徒。

子家子曰："诸臣伪劫君者而负罪以出，君止。意如之事君也，不敢不改。"公曰："余不忍也！"与臧孙如墓谋，遂行。

己亥，公孙于齐，次于阳州。齐侯将唁公于平阴，公先至于野井。齐侯曰："寡人之罪也。使有司待于平阴，为近故也。"书曰："公孙于齐，次于阳州。齐侯唁公于野井。"礼也。将求于人，则先下之，礼之善物也。齐侯曰："自莒疆以西，请致千社以待君命。寡人将帅敝赋以从执事，唯命是听。君之忧，寡人之忧也。"公喜。子家子曰："天禄不再。天若胙君，不过周公，以鲁足矣。失鲁而以千社为臣，谁与之立？且齐君无信，不如早之晋。"弗从。

臧昭伯率从者将盟，载书曰："戮力壹心，好恶同之！信罪之有无，缱绻从公，无通外内！"以公命示子家子。子家子曰："如此，吾不可以盟。羁也不佞，不能与二三子同心，而以为皆有罪。或欲通外内，且欲去君。二三子好亡而恶定，焉可同也？陷君于难，罪孰大焉！通外内而去君，君将速入，弗通何为？而何守焉？"乃不与盟。

昭子自阚归，见平子。平子稽颡，曰："子若我何？"昭子曰："人谁不死？子以逐君成名，子孙不忘，不亦伤乎？将若子何！"平子曰："苟使意如得改事君，所谓生死而肉骨也！"

昭子从公于齐，与公言。子家子命："适公馆者，执之！"公与昭子言于幄内。曰："将安众而纳公。"公徒将杀昭子，伏诸道。左师展告公，公使昭子自铸归。

平子有异志。冬十月辛酉，昭子齐于其寝，使祝宗祈死。戊辰，卒。左师展将以公乘马而归，公徒执之。

壬申，尹文公涉于巩，焚东訾，弗克。

十一月，宋（公）元公将为公故如晋，梦大子栾即位于庙，己与平公服而相之。且召六卿，公曰："寡人不佞，不能事父兄，以为二三子忧，寡人之罪也！若以群子之灵，获保首领以没，唯是楄柎所以藉幹者，请无及先君！"仲几对曰："君若以社稷之故，私降昵宴，群臣弗敢知。若夫宋国之法，死生之度，先君有命矣；群臣以死守之，弗敢失队。臣之失职，常刑不赦。臣不忍其死，君命祗辱。"宋公遂行。己亥，卒于曲棘。

十二月庚辰，齐侯围郓。

初，臧昭伯如晋；臧会窃其宝龟偻句，以卜为信与僭，僭吉。臧氏老将如晋问，会请往。昭伯问家故，尽对。及内子与母弟叔孙，则不对；再三问，不对。归，及郊，会逆；问，又如初。至，次于外而察之，皆无之。执而戮之，逸，奔郈。郈鲂假使为贾正焉。计于季氏；臧氏使五人以戈楯伏诸桐汝之间，会出，逐之；反奔，执诸季氏中门之外。平子怒，曰："何故以兵入吾门？"拘臧氏老，季、臧有恶。及昭伯从公，平子立臧会。会曰："偻句不余欺也！"

楚子使薳射城州屈，复茄人焉；城丘皇，迁訾人焉。使熊相禖郭巢，季然郭卷。子大叔闻之，曰："楚王将死矣！使民不安其土，民必忧；忧将及王，弗能久矣。"

【译文】

鲁昭公二十五年春天，叔孙婼去到宋国。夏天，叔诣在晋国黄父与晋国的赵鞅、宋国乐大心、卫国北宫喜、郑国子太叔、曹国人、邾国人、滕国人、薛国人以及小邾人会见。有八哥鸟来鲁国筑巢。秋七月初三日，举行求雨大祭。二十三日，又祭。九

月十二日,鲁昭公逃亡到齐国,驻在阳州。齐景公到野井慰问昭公。冬十月十一日,

斗鸡,敦煌壁画。

叔孙婼死了。十一月十三日,宋元公佐死在曲棘。十二月,齐景公攻取郓地。

鲁昭公二十五年春,叔孙婼到宋国聘问,桐门右师乐大心接见他,两人交谈时,乐大心很瞧不起宋国大夫及司城氏。叔孙婼告诉他的随从说:"右师恐怕会逃亡了吧!君子能尊重自己然后能及于别人,因此有礼仪。如今这位先生瞧不起他国家的大夫以及他的宗族,这就是轻视他自己,能有礼仪吗?没有礼仪必然逃亡。"

宋元公宴享叔孙婼,吟诵《新宫》一诗,叔孙婼吟诵了《车辖》。第二天设宴,喝酒喝得很开心,宋元公让叔孙婼坐在右边,谈话间互相流泪。乐祁作陪,退席后告诉别人说:"今年君主与叔孙婼大概都会死去吧!我听说,哀伤时高兴而高兴时却哀伤,都是有丧事的心态。心的神明,就叫魂魄。魂魄离了身,怎么会长久?"

季公若的姐姐是小邾国君的夫人,生了宋元公夫人,宋元公夫人生了女儿又嫁给季孙意如。叔孙婼前往宋国聘问,同时就是为季孙氏迎亲。季公若跟随前去,对宋元公夫人说不要把女儿嫁给季孙意如,因为鲁国将要驱逐季孙氏。宋元公夫人告诉宋元公,宋元公告诉乐祁,乐祁就说:"嫁给他。像这样做,鲁君必然被赶出来。政权在季氏手中已三代了,鲁君丧失政权已经历四公了。没有老百姓而能满足他的愿望的事,是没有的,所以国君要安抚他的百姓。《诗》中说:'人才的丧失,是内心的忧虑。'鲁君失去人民了,怎么能满足他的心愿?安静地等待命运安排还可以,有所行动肯定带来忧患。"

夏天,诸侯在晋国黄父会谈,是为了商量王室的安定问题。赵鞅命令诸侯的大夫给周王输送粮食,安排戍守的卫兵,说:"明年将要护送周王回都。"子太叔进见赵鞅,赵鞅向他询问宾主会见及应酬的礼节,子太叔回答说:"这是仪式,不是礼节。"赵鞅说:"请问什么叫做礼节?"子太叔回答说:"我从先大夫子产那儿听说:所谓礼,是天的规则,地的义理,人的行为。天地的规范,而人民效法它。效法上天的光明,顺应

大地的本性，产生天地的六气，使用天地的五行。气化为五种味道，表现为五种颜色，显示为五种声音。过分了就昏乱，百姓就失去他们的本性，所以制定礼来遵从它们。制定六畜、五牲、三牺来遵从五味，制定九文、六彩、五章来遵从五色，制定九歌、八风、七音、六律来遵从五声，制定君臣、上下的关系来效法大地的义理，制定夫妇外内的关系来取法二物，制定父子、兄弟、姑姊、甥舅、婚姻、姻亲关系来象征上天的光明，制定君臣事务、百姓劳作、行动目的来顺从四时，制定刑罚、牢狱使百姓畏惧来模仿雷电的杀戮，制定温和、慈爱的措施来效法上天的繁殖生长万物。老百姓有好恶、喜怒、哀乐的情感，产生于六气，所以要谨慎适当地规范它，以制约这六种情感。悲哀就有哭泣，欢乐就有歌舞，高兴就有施舍，愤怒就有争斗。高兴产生于爱好，愤怒产生于憎恶。所以要使行为谨慎，政令有信用，用祸福赏罚来制约死生。生，是好事；死，是坏事。好事，就欢乐；坏事，就悲哀。悲哀与欢乐不失于礼，才能与天地的本性相协调，因此也就长久。"赵鞅说："礼的深广可真到了极点啊！"子太叔回答说："礼，是君臣上下的纲纪，天地的秩序，老百姓生活的准则，所以先王崇尚它。因此能够使自己直接达到或约束自己达到礼的人，叫做完人。礼的深广，不也是适当的吗？"赵鞅说："我赵鞅将一辈子遵守您说的这些话。"

宋国乐大心说："我不输送粮食，对周朝来说我是客，怎么能支使客人？"晋国的士弥牟说："自从践土那次结盟以来，宋国哪次战役没有参与，哪次结盟不同在一起？说过要共同忧恤王室，您怎能躲避责任呢？您奉行君命，来会谈大事，却让宋国背弃盟约，恐怕不可以吧？"乐大心不敢回答，接受了简札退出去。士弥牟告诉赵鞅说："宋国的右师乐大心必定败亡，奉君命出使，却打算背弃盟约而触犯盟主，不吉利没有比这再大的了。"

"有鸜鹆来巢"，这是记载所没有发生过的事。师己说："怪异啊！我听说文公、成公时代有童谣这样说：'鸜鹆啊鸜鹆，国君出国受羞辱。鸜鹆有毛羽，国君住在郊野中，臣下前去把马送。鸜鹆在跳跃，国君住在乾侯里，求取套裤与短衣。鸜鹆有巢，路远遥遥，裯父失位又辛劳，宋父以此而骄傲。鸜鹆啊鸜鹆，去时唱歌，回来哀哭。'童谣有这样的说法，现在鸜鹆又来做窝，恐怕将赶上灾祸了吧？"

秋天，记载两次雩祭，是因为天旱很厉害。

起初，季公鸟娶齐国鲍文子的女儿为妻，生了儿子甲。公鸟死了，季公亥、公思展和公鸟的家臣申夜姑管理他的家务。到公鸟的夫人季姒与饔人檀私通，季姒害怕，就让她的侍妾鞭打自己，去给秦遄的妻子看，并说："公亥想要让我陪他睡觉，我不答应就鞭打我。"又向公甫控诉说："公思展和申夜姑想胁迫我。"秦遄的妻子把事情告诉公之，公之和公甫告诉季孙意如，季孙意如把公思展拘禁在卞地又逮捕了申夜姑，打算杀了他们。季公亥哭得很伤心，说："杀了这个人，这等于杀了我。"想要替他们求情。季孙意如让仆人不要放公亥进来，因此到中午也没得到请求的机会。有关官吏领取了季孙意如的命令，公之也让他赶快杀掉公思展和申夜姑，所以季公亥怨恨季孙意如。

季氏、郈氏两家的鸡相斗,季氏给鸡披上铠甲,郈氏给鸡做了金属的距趾套。季孙意如发怒,从郈氏那儿侵占土地增建房屋,并且责备郈氏,因此郈昭伯也怨恨季孙意如。

臧昭伯的堂弟臧会对臧氏进行诬陷,就逃到季氏那儿去了,臧氏逮捕了他。季孙意如发怒,拘留了臧氏的家臣。将要在襄公庙里举行禘祭,跳万舞的只有两人,其他多数人到季氏那里跳万舞去了。臧昭伯说:"这就叫做不能在先君庙里酬报先君的功绩。"大夫们于是怨恨季孙意如。季公亥向公为献弓,并且和他到郊外去射箭,同时商量除掉季氏。公为告诉了公果、公贲,公果和公贲派侍从僚柤报告昭公。昭公正在睡觉,打算用戈去敲击僚柤,僚柤就跑了。昭公说:"抓住他。"但没有正式下命令。僚柤害怕而不敢出来,几个月不露面,昭公也不发怒。又让僚柤去说,昭公拿着戈吓唬他,他就跑走。又派他去说,昭公说:"这不是奴仆管得到的事。"公果自己去说。昭公把这事告诉臧昭伯,臧昭伯认为难办。告诉郈孙,郈孙认为可行,鼓励昭公行动。又告诉子家懿伯,懿伯说:"奸佞之人凭借君主侥幸行事,事情如果不成功,君主背上坏名声,不可以这样做。丧失民心已经几代了,因此要求得事情成功,不可能有把握。而且政权在季氏手中,恐怕难以谋取。"昭公让懿伯退下,懿伯解释说:"下臣已经听到命令了,话要是泄漏出去,我会不得好死。"就住在公宫里。

叔孙婼前往阚地,鲁昭公住在长府。九月十一日,攻打季氏,在门口杀死公之,就攻进季氏家中。季孙意如登上殿台请求说:"君主没有审察下臣的罪过,就派官吏使用武力讨伐下臣,下臣请求在沂水边等待君主审察我的罪过。"昭公不答应。季孙意如请求囚禁在费地,也不答应。又请求带五辆车逃亡,也不答应。子家子说:"君主还是答应他吧!政令从他那儿颁发已经很久了,穷困的百姓很多人从他那儿获得吃的,做他的徒党的人可多了。太阳落山后邪恶的事是否发生,还不知道呢。众人的怨怒不可以让它积蓄,积蓄起来而不平息,就会越来越盛。盛怒积蓄起来,老百姓将产生叛乱之心。产生了叛乱之心,欲望相同的人就将结合在一起。君主一定会后悔的。"昭公不听从。郈孙说:"一定要杀了他。"

鲁昭公派郈孙迎接孟懿子,叔孙氏的司马鬷戾对他的部下说:"怎么办?"没有人回答。鬷戾又说:"我是家臣,不敢过问国家大事。有季氏与没有季氏,哪种情况对我们有利?"部下都说:"没有季氏,这等于没有叔孙氏。"鬷戾说:"那么就去援救他吧!"率领部下前去,攻陷西北角进入公宫。昭公的士卒脱下铠甲,拿着箭筒盖蹲坐在地,鬷戾的军队赶走了他们。孟懿子派人登上西北角,以观察季氏家的情况,看到了叔孙氏的旗帜,报告孟懿子。孟懿子逮捕了郈孙,在南门的西边把他杀了,于是攻打鲁昭公的军队。子家子说:"下臣们假装劫持君主的样子,然后背着罪名逃出,君主留下来。季孙意如事奉君主的态度,不敢不改变。"昭公说:"我不忍心这样。"就和臧昭伯到先君墓前商议,于是出走。

九月十二日,鲁昭公逃亡到齐国,住在阳州。齐景公准备到平阴去慰问昭公,昭公先行到了野井。齐景公说:"这是寡人的罪过。派官吏到平阴等候您,是因为就近的缘故。"《春秋》记载说："公孙于齐，次于阳州，齐侯唁公于野井"这是合于礼的。将要向别人有所求，就要首先居人之下，这是合乎礼的好事。齐景公说："从莒国边境以西，请让我奉送给您一千社，以等候君的命令。寡人将率领敝国军队跟从您，一切听从您的命令。君主的忧患，也就是寡人的忧患。"昭公很高兴。子家子说："上天的福禄不会两次降给您，上天如果赐福给君主，也不会超过周公，把鲁国赐给君主就足够了。失去鲁国而带着千社做别国臣下，谁还替您恢复君位？而且齐国没有信用，不如早去晋国。"昭公不听从。

臧昭伯率领随从将要结盟，盟书说："并力同心，爱憎一致，明确罪过的有无，紧紧跟从国君，不要内外勾结。"用昭公的命令给子家子看。子家子说："像这样，我不可以盟誓。我无能，不能和各位同心，而认为都有罪过。我或者要沟通内外，并且想要离开国君。各位喜欢逃亡而厌恶安定，怎么可以同心？使君主陷入危难，罪行有什么比这更大？沟通内外而离开国君，国君将可以快点进入鲁国，为什么不可以沟通？将死守什么呢？"就没有参加盟誓。

叔孙婼从阚地回国，进见季孙意如。季孙意如磕头说："您将把我怎么样？"叔孙婼说："人生哪个不死？你因为驱逐国君成名，子孙后代都不会忘记，不也可悲吗？我会把你怎么样？"季孙意如说："如果能让我得到机会改变事奉国君的态度，那真是所说的使死人再生，让白骨长肉了。"叔孙婼跟随昭公到达齐国，和昭公讨论。子家子命令把到昭公宾馆去的人抓起来。昭公和叔孙婼在帐幕内商议，说："准备安定民众而护送君主回国。"昭公的士卒打算杀掉叔孙婼，埋伏在路边。左师展报告昭公，昭公让叔孙婼从铸地回国，季孙意如有了异心。冬十月初四日，叔孙婼在他的寝宫斋戒，让祝主为自己祈祷死去，十一日，果然死了。左师展准备与昭公驾车马回国，昭公的士卒逮捕了他。

十月十五日，尹文公在巩地渡过洛水，火攻东訾，没有取胜。

十一月，宋元公为了昭公的缘故打算去晋国，梦见太子栾在宗庙中即位，自己和宋平公穿着礼服辅佐他。早晨，召见六卿，对他们说："寡人无能，不能事奉父兄，因而造成各位的忧虑，这是我的罪过。如果能托诸位的福，得以保全脑袋而死，那么用来装载我骸骨的棺木，请不要达到先君的规格。"仲几回答说："君主如果因为国家的缘故，私自减损欢宴的享受，下臣们不敢过问。至于宋国的法制，以及死生的礼度，先君早有成命了。下臣们冒死遵守它，不敢违背废弃。下臣失职，按正常的法制是不可赦免的。下臣不忍那样去死，只能是不从君的命令。"宋元公就动身起程。十三日，死在曲棘。

十二月十四日，齐景公包围郓城。

起初，臧昭伯去到晋国，臧会偷了他的宝龟偻句，用来卜问办事诚实还是虚假，结果是虚假吉利。臧氏家臣准备前往晋国问候臧昭伯，臧会请求前往。昭伯问到家事，臧会一一回答。问及妻子和同母弟弟叔孙时，臧会就不回答。两次三番问，还是不回答。后来臧昭伯回国，到达都城郊外，臧会去迎接他，臧昭伯又问，还像当初一样不回答。回到国都，住在外面访查妻子及同母弟弟的事，都没有什么事。昭伯逮捕臧会要杀了他，臧会逃脱，逃亡到郈地，郈鲂假让他在那里做了贾正。臧会有次到季氏家送账簿，臧氏就派五个人带着戈和盾埋伏在桐汝的里门后。臧会出来，就追赶他，臧会返身逃跑，在季氏家的中门外逮住了他。季孙意如发怒，说："为什么带着武器进入我的家门？"拘禁了臧氏的家臣，季、臧两家因此关系恶化。到臧昭伯跟从鲁昭公逃亡时，季孙意如立了臧会。臧会说："偻句宝龟没有欺骗我呀！"

楚平王派远射在州屈筑城，使茄地人回到那里居住。又在丘皇筑城。把訾地人迁到那里。派熊相禖在巢地修筑外城，派季然在卷地修筑外城。子太叔听到这件事，说："楚王将会死了，使老百姓不能安居他们的故土，老百姓必定忧伤。忧伤将到达楚王的身上，不会长久了。"

昭公二十六年

【原文】

　　二十有六年：春，王正月，葬宋元公。
　　三月，公至自齐，居于郓。
　　夏，公围成。
　　秋，公会齐侯、莒子、邾子、杞伯，盟于鄟陵。
　　公至自会，居于郓。
　　九月庚申，楚子居卒。
　　冬，十月，天王入于成周。
　　尹氏、召伯、毛伯以王子朝奔楚。
　　二十六年春，王正月庚申，齐侯取郓。
　　葬宋元公如先君，礼也。
　　三月，公至自齐，处于郓，言鲁地也。
　　夏，齐侯将纳公，使无受鲁货。申丰从女贾，以币锦二两缚一如瑱，适齐师，谓子犹之人高龁："能货子犹，为高氏后，粟五千庾。"高龁以锦示子犹，子犹欲之；龁曰："鲁人买之，百两一布。以道之不通，先入币财。"子犹受之，言于齐侯曰："群臣不尽力于鲁君者，非不能事君也。然据有异焉：宋元公为鲁君如晋，卒于曲棘；叔孙昭子求纳其君，无疾而死。不知天之弃鲁耶？抑鲁君有罪于鬼神，故及此也？君若待于（曲）棘，使群臣从鲁君以卜焉：若可，师有济也，君而继之，兹无敌矣；若其无成，君无辱焉。"齐侯从之，使公子鉏帅师从公。

　　成大夫公孙朝谓平子曰："有都以卫国也，请我受师。"许之。请纳质；弗许，曰："信女足矣！"告于齐师曰："孟氏，鲁之敝室也。用成已甚，弗能忍也；请息肩于齐。"齐师围成。成人伐齐师之饮马于淄者,曰:"将以厌众。"鲁成备而后告曰:"不胜众。"

师及齐师战于炊鼻。齐子渊捷从泄声子,射之,中楯瓦,繇胸,大辆,匕入者三寸。声子射其马,斩鞅,殪。改驾,人以为鬷戾也,而助之。子车曰:"齐人也!"将击子车;子车射之,殪。其御曰:"又之。"子车曰:"众可惧也,而不可怒也。"子囊带从野泄,叱之;泄曰:"军无私怒。报乃私也。将亢子。"又叱之,亦叱之。冉竖射陈武子,中手;失弓而骂。以告平子,曰:"有君子白皙、鬒须眉,甚口。"平子曰:"必子强也。无乃亢诸?"对曰:"谓之'君子',何敢亢之?"

林雍羞为颜鸣右,下。苑何忌取其耳,颜鸣去之。苑子之御曰:"视下!"顾。苑子刜林雍,断其足,(鋻)〔鏧〕而乘于他车以归。颜鸣三入齐师,呼曰:"林雍乘!"

四月,单子如晋告急。五月戊午,刘人败王城之师于尸氏。戊辰,王城人、刘人战于施谷,刘师败绩。

秋,盟于邲陵,谋纳公也。

七月己巳,刘子以王出。庚午,次于渠。王城人焚刘。丙子,王宿于褚氏。丁丑,王次于萑谷。庚辰,王入于胥靡。辛巳,王次于滑。晋知跞、赵鞅帅师纳王,使女宽守(关)〔阙〕塞。

九月,楚平王卒。令尹子常欲立子西,曰:"大子壬弱;其母非適也,王子建实聘之。子西长而好善。立长则顺,建善则治。王顺国治,可不务乎?"子西怒曰:"是乱国而恶君王也。国有外援,不可渎也。王有適嗣,不可乱也。败亲,速雠,乱嗣,不祥!我受其名。赂吾以天下,吾滋不从也,楚国何为?必杀令尹!"令尹惧,乃立昭王。

冬十月丙申,王起师于滑。辛丑在郊,遂次于尸。十一月辛酉,晋师克巩。召伯盈逐王子朝。王子朝及召氏之族、毛伯得、尹氏固、南宫嚚奉周之典籍以奔楚。阴忌奔莒以叛。召伯逆王于尸,及刘子、单子盟。遂军圉泽,次于隄上。癸酉,王入于成周。甲戌,盟于襄宫。晋师〔使〕成公般戍成周而还。十二月癸未,王入于庄宫。

王子朝使告于诸侯曰:

昔(成)〔武〕王克殷,成王靖四方,康王息民,并建母弟以蕃屏周,亦曰:"吾无专享文、武之功,且为后人之迷败倾覆而溺入于难,则振救之。"至于夷王,王愆于厥身,诸侯莫不并走其望,以祈王身。至于厉王,王心戾虐,万民弗忍,居王于彘。诸侯释位,以间王政;宣王有志,而后效官。至于幽王,天不吊周,王昏不若,用愆厥位。携王奸命,诸侯替之,而建王嗣,用迁郏鄏,则是兄弟之能用力于王室也。至于惠王,天不靖周,生颓祸心,施于叔带。惠、襄辟难,越去王都,则有晋、郑咸黜不端,以绥定王家,则是兄弟之能率先王之命也。在定王六年,秦人降妖,曰:"周其有颓王,亦克能修其职;诸侯服享,二世共职。王室其有间王位,诸侯不图,而受其乱灾。"至于灵王,生而有颊;王甚神圣,无恶于诸侯。灵王、景王,克终其世。

今王室乱,单旗、刘狄剥乱天下,壹行不若,谓:"先王何常之有?唯余心所命,其谁敢（请）〔讨〕之？"帅群不吊之人，以行乱于王室，侵欲无厌，（规）〔玩〕求无度，贯渎鬼神，慢弃刑法，倍奸齐盟，傲很威仪，矫诬先王。晋为不道，是摄是赞，思肆其罔极。兹不穀震荡播越，窜在荆蛮，未有攸厎。若我一二兄弟甥舅奖顺天法，无助狡猾，以从先王之命，毋速天罚，赦图不穀，则所愿也。敢尽布其腹心及先王之经，而诸侯实深图之！

昔先王之命曰："王后无适则择立长，年钧以德，德钧以卜。"王不立爱，公卿无私，古之制也。穆后及大子寿早夭即世，单、刘赞私立少，以间先王。亦唯伯仲叔季图之！闵马父闻子朝之辞，曰："文辞以行礼也。子朝干景之命、远晋之大以专其志，无礼甚矣！文辞何为？"

齐有彗星，齐侯使禳之。晏子曰："无益也，祇取诬焉。天道不谄，不贰其命，若之何禳之！且天之有彗也，以除秽也；君无秽德，又何禳焉？若德之秽，禳之何损？《诗》曰：'惟此文王，小心翼翼；昭事上帝，聿怀多福。厥德不回，以受方国。'君无违德，方国将至，何患于彗？《诗》曰：'我无所监，夏后及商。用乱之故，民卒流亡。'若德回乱，民将流亡，祝、史之为无能补也！"公说，乃止。

齐侯与晏子坐于路寝。公叹曰："美哉室！其谁有此乎？"晏子曰："敢问何谓也？"公曰："吾以为在德。"对曰："如君之言，其陈氏乎！陈氏虽无大德而有施于民。豆、区、釜、钟之数，其取之公也薄，其施之民也厚。公厚敛焉；陈氏厚施焉，民归之矣。《诗》曰：'虽无德与女，式歌且舞。'陈氏之施，民歌舞之矣。后世若少惰，陈氏而不亡，则国其国也已！"公曰："善哉！是可若何？"对曰："唯礼可以已之。在礼：家施不及国，民不迁，农不移，工贾不变，士不滥，官不滔，大夫不收公利。"公曰："善哉！我不能矣。吾今而后知礼之可以为国也！"对曰："礼之可以为国也久矣，与天地并！君令臣共，父慈子孝，兄爱弟敬，夫和妻柔，姑慈妇听，礼也。君令而不违，臣共而不贰；父慈而教，子孝而箴；兄爱而友，弟敬而顺；夫和而义，妻柔而正；姑慈而从，妇听而婉：礼之善物也。"公曰："善哉！寡人今而后闻此礼之上也！"对曰："先王所禀于天地以为其民也，是以先王上之。"

【译文】

鲁昭公二十六年春天，周历正月，安葬宋元公。三月，昭公从齐国回到鲁国，住在郓地。夏天，昭公包围成邑。秋天，昭公在鄟陵与齐景公、莒君、邾君、杞悼公会见并盟誓。昭公从会盟回到鲁国，住在郓地。九月初九日，楚平王熊居死了。冬十月，周天子进入成周。尹氏、召伯、毛伯带着王子朝逃亡到楚国。

鲁昭公二十六年春天，周历正月初五日，齐景公攻取郓地。

安葬宋元公，像安葬宋国生君一样，这是合乎礼的。

三月，昭公从齐国回到鲁国，住在郓地，这是说郓地本是鲁国领土。夏天，齐景公打算送昭公回国，命令不要接受鲁国的财礼。申丰跟着女贾，用礼锦两匹，捆在一起像镇圭的样子，去到齐国军队里，对梁丘据的家臣高龁说："你如能收买梁丘据，就让你做高氏的宗主，送给你粮食五千庾。"高龁把锦给梁丘据看。梁丘据想要它。高龁说："鲁国人买了这样的锦，百匹一堆，因道路不通，先把这些送给您做礼物。"梁丘据接受了，对齐景公说："群臣对鲁君不尽力，不是不能事奉君主。但我有些奇怪，宋元公为了鲁君去到鲁国，死在曲棘。叔孙婼谋求接回他的君主，没有生病就死了。不知是上天抛弃鲁国呢？还是鲁君得罪了鬼神，所以到达这种地步呢？君如能在棘地等待，就派臣下们跟从鲁君去作战试探。如果可以，部队有成功，君就跟着前进，就所向无敌了。如果部队没有成功，君主就不要屈驾了。"齐景公听从了他，派公子鉏率领军队跟着鲁昭公前进。

成邑大夫公孙朝对季孙意如说："国家立有都市，是用来保卫国都的，请允许我迎战齐军。"答应了他。公孙朝请求送上人质，季孙意如没答应，说："相信你就足够了。"公孙朝告诉齐军说："孟氏，是鲁国的破落户。鲁国使用成邑的人力物力太过分了，我们不能忍受，请让我们在齐国卸下负担得到休息。"齐军包围成邑，成邑人攻击在淄水饮马的齐军，说："这是用来压压大家的愤怒。"等鲁国做好准备后就告诉齐国说："我们顶不住众人。"于是鲁军与齐军在炊鼻开战。齐国的子渊捷追击泄声子，用箭射他，射中盾脊，箭从车轭穿过车辕，箭头陷入盾脊三寸。泄声子射子渊捷的马，射断马颈上的皮带，马死。子渊捷改乘战车，鲁人以为是䱸庚而帮助他。子渊捷说："我是齐国人。"鲁人打算攻击子渊捷，子渊捷用箭射他，射死了。他的御者说："再射。"子渊捷说："众人可以使他们害怕，但不能激怒他们。"齐大夫子囊带追击泄声子，叱骂他。泄声子说："军中没有个人怨怒，我要回骂就是个人怨怒了，我将抵抗你。"子囊带又骂他，泄声子也骂子囊带。冉竖射陈武子，射中他的手，陈武子掉了弓就骂。冉竖把这事告诉季孙意如说："有个君子皮肤白皙，眉毛胡子又黑又密，很会骂人。"季孙意如说："一定是子强，是不是抵抗他了？"冉竖回答说："称他做君子，哪里敢抵抗他？"林雍耻于做颜鸣的车右，下车，苑何忌割取了他的耳朵。颜鸣跑开了。苑何忌的御者说："看下面！"回头看着林雍的脚。苑何忌砍林雍，砍断了他的一只脚。林雍一只脚跳着坐上别的车逃回来。颜鸣三次冲进齐军，喊道："林雍来坐车！"

四月，单旗前往晋国告急。五月初五日，刘国人在尸氏打败王城的军队。十五日，王城人和刘国人在施谷交战，刘军失败。

秋天，诸侯在邿陵会盟，是为了商议送鲁昭公回国。

七月十七日，刘蚠带了周敬王逃出。十八日，驻在渠地。王城人焚烧刘地。二十四日。周敬王住在褚氏。二十五日，驻在萑谷。二十八日，进入胥靡。二十九日，驻扎在滑地。晋国的知跞、赵鞅领兵接纳周敬王，派女宽把守阙塞。

九月，楚平王死了，令尹子常打算立子西，说："太子壬年幼，他的母亲不是嫡妻，而是壬子建所聘娶的。子西年长而喜欢行善，立年长的就顺乎情理，立善良的就安定。君王顺理国家安定，能不那样做吗？"子西发怒说："这是扰乱国家而使君王背上恶名。国家有外援，不可以轻慢，君王有嫡子继位，不可以扰乱。损害亲人会招来仇敌，扰乱继承制度不吉利，我也将背上它的恶名。用整个天下来收买我，我也不会

听从，楚国有什么用？一定要杀了令尹！"令尹害怕，就立了昭王。

冬十月十六日，周敬王从滑地发兵。二十一日，到达郊地，于是驻扎在尸氏。十一月十一日，晋军攻下巩地。召伯盈追击王子朝，王子朝和召氏的族人、毛伯得、尹氏固以及南宫嚚保护着周朝的典籍逃往楚国。阴忌逃往莒邑叛变。召伯盈在尸地迎接周敬王，和刘蚠、单旗结盟，于是驻扎在圉泽，住在隄上。二十三日，周敬王进入成周。二十四日，在襄王庙盟誓。晋军派成公般戍守成周，就回去了。十二月初四日，敬王进入庄宫。

王子朝派人通告诸侯说："过去武王征服殷朝，成王平定四方，康王使人民得到休养生息，都分封同母兄弟，以佐助护卫周朝。又说：'我无意独享文王、武王的功绩，并且在后世子孙迷乱失败，政权倾覆而陷入灾难时，就将拯救他们。'到了夷王，身缠恶疾，诸侯无不遍祭名山大川，来为夷王的身体健康祈祷。到了厉王，由于内心凶残，广大百姓无法忍受，就把厉王迁居到彘地。诸侯放下自己的职位，来参与王朝的政事。宣王胸有大志，然后把天子的职位奉还给他。到了幽王，上天不忧悯周朝，天子昏乱不循常礼，因而失掉他的王位。携王触犯天命，诸侯废弃了他，另立王位继承人，因而迁到郏鄏，这就是由于兄弟能为王室效力。到了惠王，上天不安抚周朝，使王子颓产生祸心，延及到叔带，于是惠王、襄王为躲避祸难，离开国都而流亡。这时就有晋国、郑国都来铲除不正派的人，以安定王室，这就是由于兄弟能遵从先王的命令。在定王六年的时候，秦国人降下妖孽，说'周朝将有个嘴上长胡须的天子，也能治理好他的政事，诸侯服从而享有国家，两代谨守自己的职位。王室将有人介入王位，诸侯不为此谋划，就会遭受其动乱的灾祸。'到了灵王，生下来就有胡须，他非常神明圣哲，对诸侯没有做不好的事。灵王、景王在他们的朝代都得到了善终。

"现在王室动乱，单旗、刘蚠扰乱天下，专门倒行逆施，说'先王即位有什么常规？只看我心里想立谁，谁敢讨伐我？'领着一群不善之人，在王室制造混乱。他们侵夺的欲望没有满足，谋求没有限度，习惯于亵渎鬼神，轻慢地抛弃刑法，背弃触犯盟誓，在法令礼仪面前倨傲凶狠，诬蔑先王。晋国行为不合道义，辅佐帮助他们，想放纵他们没有准则限度的欲望。现在我动荡流离，逃藏在楚蛮之地，没有归宿。如果我们几位兄弟甥舅能辅助顺从上天的法度，不要帮助狡猾之徒，以遵从先王的命令。不要招致上天的惩罚，免除我的忧虑并为我谋划，则正是我的愿望。冒昧地表明我的内心及先王的治国之经，望各位君侯深入考虑。过去先王的命令说：'王后没有嫡子，就选立年长的庶子。年龄相等则论德行，德行相当则按占卜的结果。'天子不立偏爱的人，公卿没有私心，这是古代的制度。穆后和太子寿夭折去世，单旗、刘蚠帮助偏爱的人，立了年幼的新王，而违犯先王的制度，望各位君侯考虑这件事！"

闵马父听到王子朝的言论，说："文辞是用来施行礼义的。王子朝违犯景王的命令，疏远强大的晋国，一意专行他想做天子的欲望，无礼到极点了，文辞有什么用？"

齐国有彗星出现，齐景公让人举行禳祭驱灾。晏子说："没有好处的，只是自欺欺人。天道不可怀疑，它的命令没有差错，为什么要禳祭驱灾？况且天上有扫帚星，是用来扫除污秽的。君主没有污秽的德行，又何必禳祭呢？如果德行污秽，禳祭怎么能减轻？《诗》中说：'这位文王小心翼翼，光明地事奉天帝，向往众多福禄。他的德行不违背天意，因而受到四方国家的拥护。'君主没有违背天意的德行，四方国家都将到来，对彗星担心什么？《诗》中说：'我没有什么借鉴，只有夏朝和殷商，因为政治混乱的缘故，老百姓终于流亡。'如果德行逆乱，百姓就将流亡，祝史的祭祀祈祷，是不能弥补的。"齐景公听了很高兴，就停止禳祭。

齐景公和晏子坐在寝宫里，景公感叹说："这房子多漂亮啊！谁将据有这里呢？"晏子说："请问说的是什么？"齐景公说："我认为在于德行。"晏子回答说："照您说的，恐怕是陈氏吧！陈氏虽然没有大的德行，但对老百姓有恩。豆、区、釜、钟的容量，从公田征税时减少，施舍给老百姓时就加重。您向百姓征收的多，陈氏对百姓施舍的多，老百姓归向他了。《诗》说：'即使没有恩德给予你，也能载歌载舞。'陈氏的施舍，老百姓已经为他载歌载舞了。后代如果稍稍懈怠，陈氏如果不灭亡，那将以他的封邑为国家了。"景公说："说得好啊！这该怎么办？"晏子回答说："只有礼可以阻止，合乎礼，大夫的施舍赶不上国家，老百姓不迁徙，农民不离乡，工匠商人不改行，士不失职，官府不怠慢，大夫不占公家的利益。"齐景公说："好啊！但我做不到了。我从今以后知道礼可以用来治理国家了。"晏子回答说："礼可用来治理国家由来已久了，礼和天地同时存在。君主发令臣下恭敬，父亲慈爱儿子孝顺，兄长仁爱弟弟尊敬，丈夫和蔼妻子温柔，婆婆慈祥媳妇顺从，这是合乎礼的。君主发令而没有违误，臣下恭敬而没有二心，父亲慈爱而教育儿子，儿子孝顺而规谏父亲，兄长仁爱而友善，弟弟尊敬而服从，丈夫和蔼而合乎义理，妻子温柔而品行端正，婆婆慈祥而又听从规谏，媳妇顺从而又婉词规谏，这是礼中的美好事物了。"齐景公说："好啊！寡人从今以后听到这种礼就当崇尚它了。"晏子回答说："先王从天地那里接受了礼来治理他的百姓，因此先王崇尚礼。"

昭公二十七年

【原文】

二十有七年：春，公如齐。
公至自齐，居于郓。
夏，四月，吴弑其君僚。
楚杀其大夫郤宛。
秋，晋士鞅、宋乐祁犁、卫北宫喜、曹人、邾人、滕人会于扈。
冬，十月，曹伯午卒。
邾快来奔。公如齐。

公至自齐，居于郓。

二十七年春，公如齐。公至自齐，处于郓。言在外也。

吴子欲因楚丧而伐之，使公子掩馀、公子烛庸帅师围潜，使延州来季子聘于上国，遂聘于晋，以观诸侯。楚莠尹然、（工）〔王〕尹麇帅师救潜，左司马沈尹（戌）〔戍〕帅都君子与王马之属以济师，与吴师遇于穷。令尹子常以舟师及沙汭而还。左尹郤宛、工尹寿帅师至于潜。吴师不能退。

吴公子光曰："此时也，弗可失也。"告鱄设诸曰："上国有言曰：'不索，何获？'我，王嗣也。吾欲求之。事若克，季子虽至，不吾废也。"鱄设诸曰："王可弑也。母老子弱，是无若我何？"光曰："我，尔身也。"

夏四月，光伏甲于堀室而享王。王使甲坐于道，及其门。门、阶、户、席，皆王亲也，夹之以铍。羞者献体改服于门外。执羞者坐行而入，执铍者夹承之，及体以相授也。光伪足疾，入于堀室。鱄设诸寘剑于鱼中以进，抽剑刺王，铍交于胸，遂弑王。阖庐以其子为卿。

季子至，曰："苟先君无废祀，民人无废主，社稷有奉，国家无倾，乃吾君也，吾谁敢怨？哀死事生，以待天命；非我生乱，立者从之：先人之道也。"复命哭墓，复位而待。吴公子掩馀奔徐，公子烛庸奔钟吾。楚师闻吴乱而还。

郤宛直而和，国人说之。鄢将师为右领，与费无极比而恶之。令尹子常赂而信谗；无极谮郤宛焉，谓子常曰："子恶欲饮子酒。"又谓子恶："令尹欲饮酒于子氏。"子恶曰："我贱人也，不足以辱令尹。令尹将必来辱，为惠已甚；吾无以酬之，若何？"无极曰："令尹好甲兵。子出之，吾择焉。"取五甲五兵，曰："寘诸门。令尹至，必观之，而从以酬之。"及飨日，帷诸门左。无极谓令尹曰："吾几祸子！子恶将为子不利，甲在门矣。子必无往！且此役也，吴可以得志；子恶取赂焉而还，又误群帅，使退其师，曰：'乘乱不祥。'吴乘我丧，我乘其乱，不亦可乎？"令尹使视郤氏，则有甲焉；不往，召鄢将师而告之。将师退，遂令攻郤氏，且爇之。

子恶闻之，遂自杀也。国人弗爇。令曰："不爇郤氏，与之同罪！"或取一编菅焉，或取一秉秆焉，国人投之，遂弗爇也。令尹炮之，尽灭郤氏之族党，杀阳令终与其弟完及佗，与晋陈及其子弟。晋陈之族呼于国曰："鄢氏、费氏自以为王，专祸楚国，弱寡王室，蒙王与令尹以自利也；令尹尽信之矣，国将如何！"令尹病之。

秋，会于扈，令戍周，且谋纳公也。宋、卫皆利纳公，固请之。范献子取货于季孙，谓司城子梁与北宫贞子曰："季孙未知其罪，而君伐之。请囚，请亡，于是乎不获，君又弗克而自出也。夫岂无备而能出君乎？季氏之复，天救之也，休公徒之怒，而启叔孙氏之心，不然，岂其伐人而说甲执冰以游！叔孙氏惧祸之滥而自同于季氏，天之道也。鲁君守齐，三年而无成。季氏甚得其民，淮夷与之，有十年之备，有齐、楚之援，有天之赞，有民之助，有坚守之心，有列国之权；而弗敢宣也，事君如在国。故鞅以为难。二子皆图国者也；而欲纳鲁君，鞅之愿也。请从二子以围鲁；无成，死之。"二子惧，皆辞，乃辞小国，而以难复。

孟懿子、阳虎伐郓。郓人将战，子家子曰："天命不慆久矣！使君亡者，必此众也。天既祸之，而自福也，不亦难乎？犹有鬼神，此必败也。乌呼！为无望也夫！其死于此乎？"公使子家子如晋，公徒败于且知。

楚郤宛之难，国言未已，进胙者莫不谤令尹。沈尹（戍）〔戌〕言于子常曰："夫左尹与中厩尹莫知其罪，而子杀之，以兴谤讟，至于今不已。（戍）〔戌〕也惑之：仁者杀人以掩谤，犹弗为也；今吾子杀人以兴谤，而弗图，不亦异乎！夫无极，楚之谗人也，民莫不知：去朝吴，出蔡侯朱，丧大子建，杀连尹奢，屏王之耳目使不聪明。不然，平王之温惠共俭有过成、庄，无不及焉；所以不获诸侯，迩无极也。今又杀三不辜以兴大谤，几及子矣。子而不图，将焉用之？夫鄢将师矫子之命，以灭三族——国之良也，而不惩位。吴新有君，疆场日骇。楚国若有大事，子其危哉！知者除谗以自安也；今子爱谗以自危也，甚矣其惑也！"子常曰："是瓦之罪，敢不良图！"九月己未，子常杀费无极与鄢将师，尽灭其族，以说于国。谤言乃止。

冬，公如齐。齐侯请飨之，子家子曰："朝夕立于其朝，又何飨焉？其饮酒也。"乃饮酒，使宰献，而请安。子仲之子曰重，为齐侯夫人，曰："请使重见。"子家子乃以君出。

十二月，晋籍秦致诸侯之戍于周。鲁人辞以难。

【译文】

鲁昭公二十七年春天，昭公去到齐国。昭公从齐国回到鲁国，住在郓地。夏四月，吴国杀了他们的君主僚。楚国杀了他们的大夫郤宛。秋天，晋国士鞅、宋国乐祁犁、卫国北宫喜、曹国人、邾国人、滕国人在扈地会盟。冬十月，曹悼公午死了。邾国的臣子快前来投奔我国。昭公去到齐国。昭公从齐国回到鲁国，住在郓地。

鲁昭公二十七年春天，昭公去到齐国。昭公从齐国回到鲁国，住在郓地，这是说住在国都之外。

吴王僚想趁楚国有丧事而进攻，派公子掩余、公子烛庸率军队包围潜地，派延州来季子到中原各国聘问。于是到晋国聘问，以观察诸侯的态度。楚国的薳尹然、王尹麇领兵救援潜地，左司马沈尹戌率领都邑亲兵及王室马卒以增援部队，与吴军在穷相遇。令尹子常率水军到达沙汭而返回，左尹郤宛、工尹寿领兵到达潜地，吴军无法退却。

吴国的公子光说："这是一个时机，不可丧失。"告诉鱄设诸说："中原国家有话说：'不去追求，怎能得到？'我是王位继承人，我想要追求继位。事情如果成功，季子即使到来，也不能废掉我。"鱄设诸说："君王可以杀掉，但母亲年老儿子幼弱，我拿他们怎么办？"公子光说："我就是你自己。"夏四月，公子光在地下室埋伏甲士而设宴款待吴王。吴王让甲士坐在通道两旁直到宴会厅的门口，门口的台阶上和门里的坐席上，都有吴王的亲兵，用铍在两边护卫吴王。进献食物的人在门外解衣露体换掉衣服，端食物的人跪行进入宴会厅，手持铍的卫士用铍夹着他们，铍抵着他们的身体，把食物送上去。公子光假装脚有毛病，进入地下室。鲌设诸把剑放在鱼中献上去。抽出剑来刺杀吴王，卫士们的铍交叉刺进鲌设诸的胸部，结果还是杀死了吴王。公子光即位做了吴王，也就是阖庐，他让鲌设诸的儿子做了卿。

季子回到吴国，说："只要先君的祭祀没有废弃，人民不废弃君主，土神谷神得到敬奉，国家不颠覆，这个人就是我的国君，我敢怨恨谁呢？哀痛死者事奉活着的，以等待天命。不是我生出祸乱，谁立为君主就服从他，这是先人的立身之道。"就在吴王墓前哭泣复命，恢复原有的官位等待命令。吴公子掩余逃亡到徐国，公子烛庸逃亡到

专诸刺吴王僚，汉画像石，山东嘉祥武氏祠。

钟吾。楚国军队听到吴国发生内乱就撤回去了。

郤宛正直而温和，国内的人们都喜欢他。鄢将师做右领，和费无极勾结而憎恨郤宛。令尹子常贪财货而信谗言，费无极在他面前诬陷郤宛，对子常说："郤宛想要请您喝酒。"又对郤宛说："令尹想要到您家里喝酒。"郤宛说："我是个卑贱的人，不值得令尹屈驾光临。令尹如果一定要屈驾光临，给我的恩惠就太大了，我没有用来回报的东西，怎么办？"费无极说："令尹喜欢铠甲兵器，您拿出来，我从中挑选一下。"就选取了五件铠甲五件兵器，说："把它放在门边，令尹到来时，一定会观看，就趁机会回献给他。"到宴享的那天，郤宛在门的左边用帷帐把铠甲兵器遮盖起来。费无极对令尹说："我差点让您遭祸。郤宛打算害您，兵器都藏在门口了，您一定不要去。而且这次潜地的战役，本来可以得志于吴国，但郤宛获得贿赂就收兵，又蛊惑将领们，让他们退兵，说：'乘人之乱不吉利。'其实吴国利用我们有丧，我们利用他们的动乱，不也可以吗？"令尹派人去察看郤宛家，看到那里有铠甲兵器，就不去参加宴享，召见鄢将师而把情况告诉他。鄢将师退下，就下令攻打郤宛，并且放火烧他的家。郤宛听到消息，就自杀了。国内的人们不肯放火，鄢将师命令说："不烧郤家，与他同罪。"有的人从郤家房子上取下一张草席，有的人取下一把禾秆，人们都拿来扔了，于是没有烧起来。令尹烧了郤氏的家，全部灭掉了他的族人和同党，杀了阳令终以及他的弟弟完和佗，以及晋陈和他的子弟。晋陈的族人在国都里呼喊道："鄢氏、费氏以王自居，专

横跋扈危害楚国，削弱孤立王室，欺蒙君王和令尹来为自己谋利。令尹完全相信他们了，国家将怎么办？"令尹对此很忧心。

秋天，诸侯在扈地会见，这是为了讨论派诸侯戍守成周，并且商议护送鲁昭公回国。宋国、卫国都认为护送昭公回国有利，坚决请求护送的任务。范献子从季孙那儿获得财货，就对司城子梁和北宫喜说："季孙意如还不知道自己的罪过，而君主却攻打他，他请求坐牢，请求逃亡，在当时都没获准，君主又没有战胜他，就自己出奔了。难道季孙没有准备就能赶走国君吗？季氏恢复原来的权势，是上天挽救了他，平息了昭公部属的愤怒，启发了叔孙氏的心志。不然的话，难道去攻打别人却脱下铠甲手拿箭筒盖而游荡吗？叔孙氏害怕灾祸延及自己，就自愿和季氏结成同盟，这是上天的意志。鲁君依靠齐国，三年却一无所获。季氏很得他的百姓拥护，淮夷信赖他，有十年的守备，有齐国楚国的支援，有上天的佑助，有老百姓的帮助，有坚守的决心，有诸侯的权势，但没有敢宣扬，事奉国君仍像在国内一样。所以我认为攻打季氏困难。您二位都是为国家着想的人，想要护送鲁君回国，这也是我的愿望，请让我跟从您二位去包围鲁国，如果不成功，我就为此而死。"子梁和北宫喜很害怕，都辞谢了。于是就辞退小国，答复晋国说事情难办。

孟懿子、阳虎攻打郓地，郓地人想迎战，子家羁说："天命从来就无可疑惑。让君主逃亡的，肯定就是这些人。上天已经降祸给君主，而想要自己求福，不也难吗？如果还有鬼神，这一仗必然失败。哎呀！没有希望了吧！恐怕会死在这里了吧！"鲁昭公派子家羁去到晋国，昭公的部属在且知被打败。

楚国的郤宛之难，国内议论纷纷，进献胙肉的人无不批评指责令尹。沈尹戌对令尹子常说："左尹和中厩尹，没有人知道他们的罪过，而您却杀了他们，因而引起了批评指责，到现在没有止息。我很疑惑，仁爱的人杀人来制止指责，他还不干。如今您杀人而引起指责却不考虑，不也令人感到奇怪吗？费无极是楚国的谗人，老百姓没有人不知道。他铲除朝吴，赶走蔡侯朱，赶跑太子建，杀死连尹奢，遮蔽君王的耳目，使君王耳目失灵。如果不是这样，平王的温和仁惠，恭谨节俭，有超过成王、庄王而没有不及他们的地方，之所以得不到诸侯，是因为亲近费无极的缘故。现在又杀了三个无罪的人，因而引起极大的批评指责，几乎危及您的地位了。您如果不想办法补救这件事，那哪里还用得着您？鄢将师假传您的命令，而灭掉了郤氏、阳氏、晋陈氏三个家族。这三个家族是国家的优秀人才，在位没有过失。吴国刚刚立了新君，边界一天天紧急。楚国如果发生战事，您恐怕就危险了啊！聪明的人铲除谗人来稳定自己，现在您亲爱谗人而使自己受到危害，您的糊涂太过分了！"子常说："这是我的过错，哪里敢不好好打算？"九月十四日，子常杀了费无极和鄢将师，全部灭了他们的族人，来向全国解说，批评指责就平息了。

冬天，鲁昭公去到齐国，齐景公请求宴享他。子家羁说："一天到晚站在他的朝廷上，又何必宴享呢？还是喝酒吧。"于是就喝酒，让宰臣向昭公献酒，而景公自己请求退席安歇。子仲的女儿名叫重，是齐景公的夫人。景公说："请让重来见昭公。"子家羁就带着昭公出去了。十二月,晋国的籍秦把诸侯戍守的军队送往周都。鲁国人以祸难为由推辞派兵。

昭公二十八年

【原文】

二十有八年:春,王三月,葬曹悼公。

公如晋,次于乾侯。

夏,四月丙戌,郑伯宁卒。

六月,葬郑定公。

秋,七月癸巳,滕子宁卒。

冬,葬滕悼公。

二十八年春,公如晋,将如乾侯。子家子曰:"有求于人而即其安,人孰矜之?其造于竟。"弗听。使请逆于晋,晋人曰:"天祸鲁国!君淹恤在外,君亦不使一个辱在寡人,而即安于甥舅,其亦使逆君?"使公复于竟而后逆之。

晋祁胜与邬臧通室。祁盈将执之,访于司马叔游。叔游曰:"《郑书》有之:'恶直丑正,实蕃有徒。'无道立矣,子惧不免。《诗》曰:'民之多辟,无自立辟。'姑已,若何?"盈曰:"祁氏私有讨,国何有焉?"遂执之。祁胜赂荀跞,荀跞为之言于晋侯,晋侯执祁盈。祁盈之臣曰:"钧将皆死,慭使吾君闻胜与臧之死也以为快!"乃杀之。夏六月,晋杀祁盈及杨食我。食我,祁盈之党也,而助乱,故杀之。遂灭祁氏、羊舌氏。

初,叔向欲娶于申公巫臣氏,其母欲娶其党。叔向曰:"吾母多而庶鲜,吾惩舅氏矣。"其母曰:"子灵之妻杀三夫、一君、一子,而亡一国两卿矣,可无惩乎?吾闻之:'甚美必有甚恶。'是郑穆少妃姚子之子,子貉之妹也。子貉早死,无後,而天钟美于是,将必以是大有败也。昔有仍氏生女,黰黑而甚美,光可以鉴,名曰'玄妻'。乐正后夔取之,生伯封,实有豕心,贪惏无餍,忿颣无期,谓之'封豕'。有穷后羿灭之,夔是以不祀。且三代之亡,共子之废,皆是物也。女何以为哉?夫有尤物足以移人,苟非德义,则必有祸。"叔向惧,不敢取。平公强使取之,生伯石。

伯石始生,子容之母走谒诸姑,曰:"长叔姒生男。"姑视之,及堂,闻其声而还,曰:"是豺狼之声也,狼子野心。非是,莫丧羊舌氏矣!"遂弗视。

秋,晋韩宣子卒,魏献子为政。分祁氏之田以为七县,分羊舌氏之田以为三县。司马弥牟为邬大夫,贾辛为祁大夫,司马乌为平陵大夫,魏戊为梗阳大夫,知徐吾为涂水大夫,韩固为马首大夫,孟丙为盂大夫,乐霄为铜鞮大夫,赵朝为平阳大夫,僚安为杨氏大夫。谓贾辛、司马乌为有力于王室,故举之。谓知徐吾、赵朝、韩固、魏戊，馀子之不失职、能守业者也。其四人者，皆受县而后见于魏子，以贤举也。

魏子谓成鱄："吾与戊也县，人其以我为党乎？"对曰："何也？戊之为人也，远不忘君，近不偪同，居利思义，在约思纯，有守心而无淫行。虽与之县，不亦可乎？昔武王克商，光有天下，其兄弟之国者十有五人，姬姓之国者四十人，皆举亲也。夫举无他，唯善所在，亲疏一也。《诗》曰：'唯此文王，帝度其心。莫其德音，其德克明。克明克类，克长克君。王此大国，克顺克比；比于文王，其德靡悔。既受帝祉，施于孙子。'心能制义曰'度'，德正应和曰'莫'，照临四方曰'明'，勤施无私曰'类'，教诲不倦曰'长'，赏庆刑威曰'君'，慈和遍服曰'顺'，择善而从之曰'比'，经纬天地曰'文'。九德不愆，作事无悔，故袭天禄，子孙赖之。主之举也，近文德矣，所及其远哉！"

贾辛将适其县，见于魏子。魏子曰："辛来！昔叔向适郑；鬷蔑恶，欲观叔向，从使之收器者而往，立于堂下，一言而善。叔向将饮酒，闻之，曰：'必鬷明也！'下，执其手以上，曰：'昔贾大夫恶，娶妻而美，三年不言不笑。御以如皋，射雉，获之，其妻始笑而言，贾大夫曰："才之不可以已！我不能射，女遂不言不笑夫！"今子少不飏；子若无言，吾几失子矣。言之不可以已也如是！'遂如故知。今女有力于王室，吾是以举女。行乎，敬之哉！毋堕乃力！"

仲尼闻魏子之举也，以为义，曰："近不失亲，远不失举，可谓义矣。"又闻其命贾辛也，以为忠："《诗》曰：'永言配命，自求多福。'忠也。魏子之举也义，其命也忠，其长有后于晋国乎！"

冬，梗阳人有狱，魏戊不能断，以狱上。其大宗赂以女乐，魏子将受之。魏戊谓阎没、女宽曰："主以不贿闻于诸侯。若受梗阳人，贿莫甚焉。吾必谏！"皆许诺，退朝，待于庭。馈人，召之。比置，三叹。既食，使坐；魏子曰："吾闻诸伯叔，谚曰：'唯食忘忧。'吾子置食之间三叹，何也？"同辞而对曰："或赐二小人酒，不夕食；馈之始至，恐其不足，是以叹。中置，自咎曰：'岂将军食之而有不足？'是以再叹。及馈之毕，愿以小人之腹为君子之心，属厌而已。"献子辞梗阳人。

【译文】

鲁昭公二十八年春，周历三月，安葬曹悼公。昭公前往晋国，临时住在乾侯。夏四月十四日，郑定公宁死了。六月，安葬郑定公。秋七月二十三日，滕悼公宁死了。冬天，安葬滕悼公。

鲁昭公二十八年春天，昭公前往晋国，打算到乾侯去，子家羁说："对晋国人有所求，却跑到别的地方安稳地住着，人家谁还怜惜您？还是到我国与晋国的边境上去吧。"昭公不听，派人到晋国请求迎接。晋国人说："上天降祸给鲁国，君主在外避难，又不派一个使臣来屈尊问候寡人，而跑去安稳地住在甥舅之国，难道还要派人来迎接君主？"让昭公回到边境上然后去迎接他。

晋国的祁胜和邬臧交换妻子通奸，祁盈打算逮捕他们，向司马叔游征求意见。叔游说:'《郑书》有话说:'嫉恨陷害正直,实在有很多那样的人。'无道的人在位,您当忧惧难免于灾祸。《诗》中说:'老百姓中有许多邪恶,自己不要站到邪恶中去。'暂且停下,怎么样?"祁盈说:"祁家内部的讨伐,与国家有什么关系呢?"就逮捕了祁胜和邬臧。祁胜贿赂荀跞,荀跞为他向晋顷公说情。晋顷公逮捕了祁盈,祁盈的家臣说:"同样都将被杀死,宁肯让我的主人听到祁胜和邬臧的死而感到痛快点。"就杀了祁胜和邬臧。夏六月,晋国杀了祁盈和杨食我。杨食我,是祁盈的党羽,帮助作乱,所以杀了他。于是灭掉了祁氏、羊舌氏。

　　起初,叔向想要娶申公巫臣的女儿为妻,而他的母亲想要他娶自己娘家的女人。叔向说:"我母亲多而庶兄弟少,对娶舅家女我引以为戒了。"他的母亲说:"巫臣的妻子杀死三个丈夫、一个国君、一个儿子,又亡掉了一个国家和两个卿,可不引为鉴戒吗?我听说,很美丽的东西必定有很丑恶的一面。巫臣的妻子这个人是郑穆公少妃姚子的女儿,子貉的妹妹。子貉死得早,没有后代,而上天把美丽聚集在这个人身上,必然是要用她来造成极大的败亡。过去有仍氏生了女儿,头发乌黑稠密而很漂亮,光泽可以用来照人,名字叫做玄妻。乐正后夔娶了她,生下伯封,有猪一样的性情,贪婪而没有满足,蛮横而没有限度,把他叫做封豕。有穷国的后羿灭掉了他,乐正后夔因此断了祭祀。而且三代的灭亡,共子的废立,都是由于这种女人,你为什么要娶这样的女人呢?有了姿色出众的女人,足以让人迷乱不定,如果不是有德义的人,就一定造成灾祸。"叔向害怕,不敢娶巫臣的女儿。晋平公硬叫叔向娶了她,生了伯石。伯石刚生下,子容的母亲跑去告诉婆婆,说:"大弟媳生了个男孩。"婆婆去看,走到堂前,听到小孩的哭声就往回走,说:"这是豺狼的声音。豺狼似的孩子将来会有野心,不是这个人,没有人会毁掉羊舌氏了。"于是就不去看小孩。

　　秋天,晋国的韩宣子死了,魏献子掌政,把祁氏的田地划分为七个县,把羊舌氏的田地划分为三个县。任命司马弥牟做邬大夫,贾辛做祁大夫,司马乌做平陵大夫,魏戊做梗阳大夫,知徐吾做涂水大夫,韩固做马首大夫,孟丙做盂地大夫,乐霄做铜鞮大夫,赵朝做平阳大夫,僚安做杨氏大夫。魏献子认为贾辛、司马乌是对王室有功,所以举荐他们。认为知徐吾、赵朝、韩固、魏戊是庶子中没有失职、能够守住家业的人。其余四个人,都接受县大夫的职位后才与魏献子见面,是由于贤能而被举拔的。

　　魏献子对成鱄说:"我给了魏戊一个县,人家恐怕会认为我偏私吧?"成鱄回答说:"怎么会呢?魏戊的为人,远不忘国君,近不压同僚,处在有利的地位时想到道义,处在穷困中就想到纯洁清廉,有保持操守的思想而没有失度的行为,虽然给他一个县,不也是可以的吗?从前武王战胜商朝,广有天下,他的兄弟中封国的有十五人,同姓中封国的有四十人,这都是举拔亲属。举拔没有别的标准,只要是善之所在,亲疏是一样的。《诗》中说:'这位文王,天帝使他的心能规范于道义,使他的政令清静。他的德行能光照四方,能遍施无党,能为君为长。他做这大国的君王,能慈爱和顺使臣民亲附。亲附文王,他的德行没有遗恨,已经承受了天帝的福禄,能一直绵延到子子孙孙。'内心能规范于道义叫做度,德行正直响应和谐叫做莫,光照四方叫做明,勤于施恩没有偏私叫做类，教导人民不知倦怠叫做长，奖赏得当惩罚威严叫做君，慈爱祥和使人人归服叫做顺，择善而从叫做比，使天道人事有秩序叫做文。这九种德行没有过失，兴办事业没有悔恨，所以能承袭上天的福禄。子子孙孙都以之为利。您的举拔，已经接近文德了，影响将是很深远的啊！"

贾辛将要前往他的县邑，进见魏献子。魏献子说："辛，你来！从前叔向前往郑国，鬷蔑面貌丑陋，想要看看叔向，就跟着派他们收拾食具的人前去。站在堂下，一说话就说得很中听。叔向正要喝酒，听到他说的话，说：'那一定是鬷蔑。'下堂，握住他的手上堂，说：'从前贾大夫相貌很丑，娶的妻子却很漂亮。他妻子三年不说不笑，贾大夫为她驾车去到沼泽地边，射猎野鸡，射中了，他妻子才开始说笑。贾大夫说："才干不能够埋没。我不能射箭的话，你就不说不笑了啊！"如今您年纪轻，相貌不太出众，如果您不说话，我差点失去您了。话不能不说的道理就像这样！'于是两人如同旧交一样，现在您对王室有功，我因此举拔您。去上任吧！敬守职责吧！不要毁坏了你的功劳。"

孔子听到魏献子举拔的情况，认为合乎道义，说，"近不失去亲族，远不失去应当举拔的人，可说是合乎道义了。"又听到他叮嘱贾辛的话，认为是尽心尽责："《诗》中说：'长久地顺应天命，自己追求各种福禄。'这是忠。魏献子的举拔人才合乎道义，他的命令又尽心尽责，大概他在晋国会长期有后代继享禄位吧！"

冬天，梗阳人有诉讼案件，魏戊不能断案，把案子上交给魏献子。诉讼双方中的大宗用女乐人贿赂魏献子，魏献子打算接受。魏戊对阎没、女宽说："主君以不贪财货而闻名于诸侯，如果接受梗阳人的贿赂，贪求财货没有比这再厉害的了。你们二位一定要劝谏！"两人都答应了。退朝以后，在庭院里等候魏献子。送饭菜进来，魏献子召他们一起吃饭。等到摆上饭菜时，两人三次叹息。吃完饭后，魏献子让他们坐，说："我从伯父叔父那儿听说过，有句俗话说：'只有吃饭时忘记了忧愁。'你们在上菜的中间三次叹息，是什么原因？"阎没、女宽同声回答说："有人赐给我们两个小人酒喝，没有吃晚饭。饭菜刚端上来时，担心它不够吃，因此叹息。到端上一半时，我们责备自己说：'难道将军让我们吃饭却有不够吃的？'因此第二次叹息。到饭菜全部上完，我们愿意拿自己的肚子作为君子的心，刚刚满足就行了。"魏献子就拒绝了梗阳人的贿赂。

昭公二十九年

【原文】

二十有九年：春，公至自乾侯，居于郓。齐侯使高张来唁公。
公如晋，次于乾侯。

夏，四月庚子，叔诣卒。

秋，七月。

冬，十月，郓溃。

二十九年春，公至自乾侯，处于郓。齐侯使高张来唁公，称"主君"。子家子曰："齐卑君矣，君祗辱焉！"公如乾侯。

三月己卯，京师杀召伯盈、尹氏固及原伯鲁之子。尹固之复也，有妇人遇之周郊，尤之曰："处则劝人为祸，行则数日而反，是夫也，其过三岁乎？"

夏五月庚寅，王子赵车入于郲以叛，阴不佞败之。

平子每岁贾马，具从者之衣屦而归之于乾侯。公执归马者，卖之，乃不归马。

卫侯来献其乘马曰"启服"，垫而死。公将为之椟，子家子曰："从者病矣，请以食之。"乃以帏裹之。

公赐公衍羔裘，使献龙辅于齐侯，遂入羔裘。齐侯喜，与之阳穀。公衍、公为之生也，其母偕出。公衍先生，公为之母曰："相与偕出，请相与偕告。"三日，公为生；其母先以告，公为为兄。公私喜于阳穀而思于鲁，曰："务人为此祸也，且后生而为兄，其诬也久矣！"乃黜之，而以公衍为大子。

秋，龙见于绛郊。魏献子问于蔡墨曰："吾闻之：虫莫知于龙；以其不生得也，谓之知。信乎？"对曰："人实不知，非龙实知。古者畜龙，故国有豢龙氏，有御龙氏。"献子曰："是二氏者，吾亦闻之，而〔不〕知其故。是何谓也？"对曰：

昔有飂叔安，有裔子曰董父，实甚好龙，能求其耆欲以饮食之；龙多归之。乃扰畜龙，以服事帝舜。帝赐之姓曰董，氏曰豢龙，封诸鬷川；鬷夷氏其後也。故帝舜氏世有畜龙。及有夏孔甲，扰于有帝；帝赐之乘龙，河、汉各二，各有雌雄。孔甲不能食，而未获豢龙氏。有陶唐氏既衰，其后有刘累，学扰龙于豢龙氏，以事孔甲，能饮食之；夏后嘉之，赐氏曰御龙，以更豕韦之後。龙一雌死，潜醢以食夏后。夏后飨之，既而使求之。惧而迁于鲁县，范氏其後也。

献子曰："今何故无之？"对曰：

夫物，物有其官，官修其方，朝夕思之。一日失职，则死及之。失官不食。官宿其业，其物乃至；若泯弃之，物乃坻伏，郁湮不育。故有五行之官，是为五官，实列受氏姓，封为上公，祀为贵神。社稷五祀，是尊是奉。木正曰句芒，火正曰祝融，金正曰蓐收，水正曰玄冥，土正曰后土。龙，水物也；水官弃矣，故龙不生得。不然，《周易》有之：在"乾☰"之"姤☴"，曰"潜龙勿用"，其"同人☲"曰"见龙在田"，其"大有☲"曰"飞龙在天"，其"夬☱"曰"亢龙有悔"，其"坤☷"曰"见群龙无首，吉"，"坤"之"剥"曰"龙战于野"。若不朝夕见，谁能物之？

献子曰："社稷五祀，谁氏之五官也？"对曰：

少皞氏有四叔，曰重，曰该，曰修，曰熙，实能金、木及水。使重为句芒，该为蓐收，修及熙为玄冥，世不失职，遂济穷桑，此其三祀也。颛顼氏有子曰犁，为祝融；共工氏有子曰句龙，为后土：此其二祀也。后土为社。稷，田正也。有烈山氏之子曰

柱为稷，自夏以上祀之。周弃亦为稷，自商以来祀之。

冬，晋赵鞅、荀寅帅师城汝滨，遂赋晋国一鼓铁，以铸刑鼎，著范宣子所为刑书焉。仲尼曰："晋其亡乎？失其度矣！夫晋国将守唐叔之所受法度，以经纬其民；卿大夫以序守之，民是以能尊其贵，贵是以能守其业。贵贱不愆，所谓度也。文公是以作执秩之官，为被庐之法，以为盟主。今弃是度也而为刑鼎，民在鼎矣，何以尊贵？贵何业之守？贵贱无序，何以为国？且夫宣子之刑，夷之蒐也，晋国之乱制也，若之何以为法！"蔡史墨曰："范氏、中行氏其亡乎？中行寅为下卿而干上令，擅作刑器以为国法，是法奸也。又加范氏焉，易之，亡也！其及赵氏，赵孟与焉；然不得已，若德，可以免。"

【译文】

鲁昭公二十九年春，昭公从乾侯回到鲁国，住在郓地。齐景公派高张来慰问昭公。昭公又前往晋国，驻扎在乾侯。夏四月初五日，叔诣死了。秋七月。冬十月，郓地溃败。

鲁昭公二十九年春天，昭公从乾侯回到鲁国，住在郓地，齐景公派高张来慰问昭公，称昭公为主君。子家羁说："齐国轻视您了，您只是得到羞辱。"昭公就又前往乾侯。

三月十三日，京都杀了召伯盈、尹氏固及原伯鲁的儿子。尹氏固三年前逃亡归来时，有个女人在周都城郊外碰到他，责备他说："住在都城就唆使别人制造祸乱，逃出去又几天就回来了，这个人啊，难道能活过三年吗？"夏五月二十五日，王子赵车进入鄄地而叛乱，阴不佞打败了他。

季孙意如每年都买马，并备办侍从的衣服鞋子送到乾侯去。昭公拘禁了送马的人并卖掉马，于是季孙意如不再送马。卫灵公来给昭公献他的名叫启服的坐骑，掉进壕沟死了，昭公打算给马做棺材，子家羁说："侍从们很疲弱了，请把马给他们吃了。"于是就用破帷幕把马裹起来。

昭公赐给公衍羔羊皮衣，让他向齐景公进献龙辅玉，公衍就把羔羊皮衣也献上去了。齐景公很高兴，把阳谷那块地方给了他。公衍、公为出生的时候，他们的母亲一同出去住进产房。公衍先出生，公为的母亲说："我们一同出来，请一同去报喜。"过三天，公为出生，他的母亲先行报喜，公为做了哥哥。昭公自己对阳谷很喜欢而又想到鲁国，就说："是公为引起这场祸的，而且后出生却做了兄长，欺骗很久了。"于是废了公为，立公衍为太子。

秋天，龙出现在绛城郊外，魏献子向蔡墨询问说："我听说过，虫类动物没有比龙更聪明的了，因为它不能被活捉。说它聪明，可信吗？"蔡墨回答说："实为人不聪明，并非龙聪明。古时候养龙，所以国家有豢龙氏，有御龙氏。"魏献子说："这两人我也听说过，但不了解他们的来由，这是指的什么呢？"蔡墨回答说："从前有飂国的叔安，有个后代叫董父，实在是非常喜欢龙，能够找到龙的嗜好来喂养它们，龙多有归服他

人物御龙帛画，战国中期，长沙子弹库楚墓出土。

的。于是驯化畜养龙，来服侍帝舜。帝舜赐给他姓董，赐给他氏号叫豢龙，封他在鬷川，鬷夷氏就是他的后代，所以帝舜氏代代有养龙的。到了夏代，孔甲顺服天帝，天帝赐给他驾车的龙，黄河、汉水中各两条，各有一雌一雄。孔甲不能喂养，又没有找到豢龙氏。陶唐氏衰落之后，其后代有个叫刘累的，向豢龙氏学习驯龙，以事奉孔甲，能饲养龙。夏君嘉赏他，赐给他氏号叫御龙，以代替豕韦的后代。一条雌龙死了，刘累暗地里做成肉酱拿来给夏君吃。夏君享用了之后，又让他找来吃。刘累害怕而迁移到鲁县，范氏就是他的后代。"

魏献子说："现在为什么没有龙呢？"蔡墨回答说："物类，每种都有管理的官吏。官吏学习其相应的管理方法。从早到晚想着自己的职责。一旦失职，死亡就会到来。丢了官位就不得食俸禄。官吏安守他的事业，那种东西才会到来。如果要泯灭抛弃它们，它们就会潜伏，滞塞而不能生长。所以有管理五行的官吏，这就叫五官，都列位接受姓氏的封赐，被封爵为上公，被祭祀为尊神。土神谷神和五官之神，尊崇他们，敬奉他们。木官之长叫句芒，火官之长叫祝融，金官之长叫蓐收，水官之长叫玄冥，土官之长叫后土。龙，是水中的灵物，水官废弃了，所以龙不能被人活捉。不是这样的话，为什么《周易》有记载：在《乾》卦变到《姤》卦时，说'潜伏的龙不被使用'，其《同人》卦说'见到龙在土田里'，其《大有》卦说'会飞的龙在天上'，其《夬》卦说'僵直的龙有懊悔'，其《坤》卦说'看见群龙没有首领，吉利'，《坤》卦变到《剥》卦时说'龙在荒野搏斗'。如果不是早晚都见到龙，谁能分别描绘它们？"魏献子说："土神谷神和五官之神，是哪家帝王的五官呢？"蔡墨回答说："少皞氏有四个弟弟，分别叫重、该、修、熙，能管理金、木和水。让重做句芒，该做蓐收，修和熙做玄冥。世世代代不失职，终于帮助少皞氏在穷桑即帝位，这就是其中的三祀。颛顼氏有个儿子叫犁，做祝融；共工氏有个儿子叫句龙，做后土，这就是其中的两祀。后土做了土神；谷神则是管田地的官长。有烈山氏的儿子叫柱，做了谷神，从夏朝以前祭祀他。周朝的弃也做了谷

句芒，选自明蒋应镐绘图本。

神，从商朝以来祭祀他。"

  冬天，晋国的赵鞅、荀寅率军队在汝水边上筑城。就从国内征收了一鼓铁，用来铸造刑鼎，把范宣子所制定的刑书铸在上面。孔子说："晋国恐怕要灭亡了吧！它失掉法度了。晋国应该遵守唐叔所授传的法度，以使它的老百姓有秩序，卿大夫根据自己的职位维护它，老百姓因此才能尊敬他们的上级贵人，上级贵人因此才能保守他们的功业。贵与贱没有错乱这就是所说的法度。晋文公为此设立执秩之官，在被庐修订法令，因此做了盟主。如今丢掉了这种法度，而铸造刑鼎，老百姓了解鼎上的刑律了，怎么还会尊敬上级贵人？上级贵人还有什么功业可守？贵与贱失去次序，用什么治理国家？而且范宣子的刑书，是在夷地检阅军队时制定的，是晋国的乱法，怎么能把它作为法令？"蔡墨说："范氏、中行氏恐怕要灭亡了吧！中行寅作为下卿，却触犯上级的命令，擅自铸造刑器，把它作为国家的法律，这是法律的罪人。又加上范氏，改变被庐制订的法令，要灭亡了。还将涉及到赵氏，因为赵孟参与到中间了。但赵孟是不得已，如果有德，可以因而免于祸难。"

昭公三十年

【原文】

  三十年：春，王正月，公在乾侯。
  夏，六月庚辰，晋侯去疾卒。
  秋，八月，葬晋顷公。

冬，十有二月，吴灭徐，徐子章羽奔楚。

三十年春，王正月，公在乾侯。不先书"郓"与"乾侯"，非公，且徵过也。

夏六月，晋顷公卒；秋八月，葬。郑游吉吊，且送葬。魏献子使士景伯诘之，曰："悼公之丧，子西吊，子蟜送葬。今吾子无贰，何故？"对曰："诸侯所以归晋君，礼也。礼也者，小事大、大字小之谓。事大在共其时命，字小在恤其所无。以敝邑居大国之间，共其职贡，与其备御不虞之患，岂忘共命？先王之制：诸侯之丧，士吊，大夫送葬；唯嘉好、聘享、三军之事，于是乎使卿。晋之丧事，敝邑之闲，先君有所助执绋矣；若其不闲，虽士、大夫有所不获数矣。大国之惠，亦庆其加而不讨其乏，明底其情，取备而已，以为礼也。灵王之丧，我先君简公在楚，我先大夫印段实往，敝邑之少卿也；王吏不讨，恤所无也。今大夫曰：'女盍从旧？'旧有丰有省，不知所从。从其丰，则寡君幼弱，是以不共；从其省，则吉在此矣。唯大夫图之！"晋人不能诘。

吴子使徐人执掩余，使钟吾人执烛庸。二公子奔楚。楚子大封而定其徙，使监马尹大心逆吴公子，使居养，莠尹然、左司马沈尹（戌）〔戍〕城之；取于城父与胡田以与之：将以害吴也。子西谏曰："吴光新得国而亲其民，视民如子，辛苦同之，将用之也。若好吴边疆，使柔服焉，犹惧其至；吾又（疆）〔彊〕其雠以重怒之，无乃不可乎？吴，周之胄裔也，而弃在海滨，不与姬通；今而始大，比于诸华，——光又甚文，将自同于先王。不知天将以为虐乎，使翦丧吴国而封大异姓乎？其抑亦将卒以祚吴乎？其终不远矣。我盍姑亿吾鬼神而宁吾族姓，以待其归，将焉用自播扬焉？"王弗听。

吴子怒。冬十二月，吴子执钟（吴）〔吾〕子，遂伐徐，防山以水之。己卯，灭徐。徐子章禹断其发，携其夫人以逆吴子。吴子唁而送之，使其迩臣从之，遂奔楚。楚沈尹（戌）〔戍〕师师救徐，弗及；遂城夷，使徐子处之。

吴子问于伍员曰："初而言伐楚，余知其可也，而恐其使余往也，又恶人之有余之功也。今余将自有之矣，伐楚何如？"对曰："楚执政众而乖，莫适任患。若为三师以肄焉：一师至，彼必皆出；彼出则归，彼归则出，楚必道敝。亟肄以罢之，多方以误之，既罢而后以三军继之，必大克之！"阖庐从之。楚于是乎始病。

【译文】

鲁昭公三十年春天，周历正月，昭公住在乾侯。夏六月二十二日，晋顷公去疾死去。秋八月，安葬晋顷公。冬十二月，吴国灭亡徐国，徐君章羽逃亡到楚国。

鲁昭公三十年春天，周历正月，昭公住在乾侯。《春秋》在这以前不记载"公在郓"和"公在乾侯"，是为了责备昭公，并且表明过错由来。

夏六月，晋顷公死了。秋八月，安葬晋顷公。郑国的游吉前去吊唁，并且送葬。魏献子派士景伯诘问游吉，说："悼公的丧事，你们派子西吊唁，子蟜送葬，现在您没有两个人，什么原因？"游吉回答说："诸侯之所以归顺晋君，是因为晋君有礼。所谓礼，就是说小国事奉大国，大国抚爱小国。事奉大国在于随时奉行它的命令，抚爱小

国在于体恤它的匮乏。以敝国处在大国之间的地位，供应大国经常的贡赋，参与它们对意外灾患的防备，哪里敢忘掉奉行命令？按先王的礼制，诸侯的丧事，士吊唁，大夫送葬，只有友好朝会、聘问宴享、军事行动时，才派遣卿。晋国的丧事，敝国在安闲时，先君曾亲自送葬。如果不得安闲，即使派遣士和大夫也有可能做不到。大国的仁惠，只赞许小国礼节的加重，而不声讨它的匮乏，明察它表达的忠情，求得礼仪的具备就够了，就可以认为合乎礼了。周灵王的丧事，我们先君简公在楚国，我国先大夫印段前去参加葬礼，他是敝国的少卿。天子的官吏没有责备，就是体恤敝国的匮乏。如今大夫说：'你为什么不遵从旧例？'旧例有时隆重有时简省，不知遵从什么。遵从隆重，则寡君年幼，因此无法奉行命令。遵从简省，则游吉我在这里了。望大夫考虑！"晋国人无法再诘问。

吴王派徐国人拘捕掩余，让钟吾人拘捕烛庸，两个公子逃亡到楚国。楚王封给大块土地，安顿他们迁居的地方，派监马尹大心迎接吴国公子，让他们住在养地，派莠尹然、左司马沈尹戌为他们筑城，又从城父和胡地划取田地给他们，打算以此危害吴国。子西劝谏说："吴公子光刚刚取得国家权位，就亲爱他的百姓，视民如子，辛苦同享，这是将要使用老百姓。如果和吴国边界的人民友好，使他们顺服，还害怕他们入侵。我们又让他们的仇敌强大来加重他们的愤怒，恐怕不可以吧！吴国是周朝的后代，而被抛弃在海边，不和姬姓国家往来，现在才开始强大，能与中原各华夏国家相比。公子光又非常有文略，想要使自己与先王齐同，不知是上天将要利用他残害吴国，使他灭亡吴国而扩大异姓国家的领土呢，还是打算最后保佑吴国，它的结果不会太远了。我们何不暂且安定我们的鬼神，安抚我们的百姓，来等待它的归属，哪里用得着自己兴师动众呢？"楚王不听从。

吴王发怒。冬十二月，吴王拘捕了钟吾子，于是攻打徐国，在山中修筑堤坝蓄水来冲灌徐国。二十三日，灭亡徐国。徐君章羽剪断头发，带着他的夫人，来迎接吴王。吴王安慰后送走了他，让他的近臣跟着他，章羽就逃亡到楚国。楚国的沈尹戌率军救援徐国，没有赶上，于是在夷地筑城，让徐君住在那里。

吴王问伍员说："起初你说攻打楚国，我知道那是可以的，但担心王僚让我去，又讨厌别人占有我的功劳。现在我打算自己拥有这份功劳了。攻打楚国怎么样？"伍员回答说："楚国当权的人又多又互相格格不入，没有人出来承担忧患。如果组成三军来突然袭击并旋即撤退，一军到达那儿，他们就必然都出来应战，他们出动我们就撤回，他们退回我们就出动，楚国军队必定疲于奔命。多次突袭并快速撤退来使他们疲敝，用多种战术使他们失误，他们疲敝之后再以三军继续攻击，一定大胜他们。"吴王阖庐听从了伍员的计谋，楚军从此开始疲顿。

昭公三十一年

【原文】

　　三十有一年：春，王正月，公在乾侯。
　　季孙意如会晋荀跞于适历。
　　夏，四月丁巳，薛伯榖卒。
　　晋侯使荀跞唁公于乾侯。
　　秋，葬薛献公。
　　冬，黑肱以滥来奔。
　　十有二月辛亥朔，日有食之。
　　三十一年春，王正月，公在乾侯。言不能外内也。
　　晋侯将以师纳公，范献子曰："若召季孙而不来，则信不臣矣；然后伐之，若何？"晋人召季孙。献子使私焉，曰："子必来，我受其无咎。"季孙意如会晋荀跞于适历，荀跞曰："寡君使跞谓吾子：'何故出君？有君不事，周有常刑。子其图之！'"季孙练冠麻衣，跣行，伏而对曰："事君，臣之所不得也，敢逃刑命？君若以臣为有罪，请囚于费，以待君之察也，亦唯君；若以先臣之故，不绝季氏，而赐之死；若弗杀弗亡，君之惠也，死且不朽；若得从君而归，则固臣之愿也，敢有异心？"
　　夏四月，季孙从知伯如乾侯。子家子曰："君与之归！一惭之不忍，而终身惭乎？"公曰："诺！"众曰："在一言矣，君必逐之！"荀跞以晋侯之命唁公，且曰："寡君使跞以君命讨于意如，意如不敢逃死，君其入也！"公曰："君惠顾先君之好，施及亡人，将使归粪除宗祧以事君，则不能见夫人。己所能见夫人者，有如河！"荀跞掩耳而走，曰："寡君其罪之恐，敢与知鲁国之难？臣请复于寡君。"退而谓季孙："君怒未怠，子姑归祭。"子家子曰："君以一乘入于鲁师，季孙必与君归。"公欲从之。众从者胁公，不得归。
　　薛伯榖卒。同盟，故书。
　　秋，吴人侵楚，伐夷，侵潜、六。楚沈尹（戌）〔戍〕帅师救潜，吴师还。楚师迁潜于南冈而还。吴师围弦。左司马（戌）〔戍〕、右司马稽帅师救弦，及豫章；吴师还。始用子胥之谋也。
　　冬，邾黑肱以滥来奔。贱而书名，重地故也。君子曰："名之不可不慎也如是！夫有所有名，而不如其已。以地叛，虽贱，必书地以名其人，终为不义，弗可灭已。是故君子动则思礼，行则思义，不为利回，不为义疚。或求名而不得，或欲盖而名章，惩不义也。齐豹为卫司寇，守嗣大夫，作而不义，其书为'盗'。邾庶其、莒牟夷、邾黑肱以土地出，求食而已，不求其名：贱而必书。此二物者，所以惩肆而去贪也。若艰难其身以险危大人，而有名章彻，攻难之士将奔走之。若窃邑叛君以徼大利而无名，贪冒之民将置力焉，是以《春秋》书齐豹曰'盗'，三叛人名，以惩不义，数恶无礼，其善志也。故曰：《春秋》之称微而显，婉而辨。上之人能使昭明，善人劝焉，淫人惧焉，是以君子贵之。"

十二月辛亥朔，日有食之。是夜也，赵简子梦童子裸而转以歌，旦占诸史墨，曰："吾梦如是，今而日食，何也？"对曰："六年及此月也，吴其入郢乎？终亦弗克。入郢必以庚辰，日月在辰尾。庚午之日，日始有谪。火胜金，故弗克。"

【译文】

鲁昭公三十一年春天，周历正月，昭公住在乾侯。季孙意如在适历与晋国的荀跞会见。夏四月初三日，薛献公谷死了。晋定公派荀跞到乾侯慰问昭公。秋天，安葬薛献公。冬天，邾国的黑肱带着滥地前来投奔。十二月初一日，发生日食。

鲁昭公三十一年春天，周历正月，昭公住在乾侯，这是说明他既不能得到外援，又不能回到国内。

晋定公打算靠军队送昭公回国，范献子说："如果召见季孙意如而他不来，那就确实没有臣道了，然后再去攻打他，怎么样！"晋国人召见季孙，范献子派人私下见他，说："您一定要来，我保证没有灾祸。"季孙意如在适历与晋国的荀跞会见，荀跞说："寡君让我问您，为什么把国君赶出来？有君不事奉，周王将有一定的刑罚，您请考虑这件事！"季孙意如戴着布丧帽，穿着麻衣，赤脚行走，趴在地上回答说："事奉国君，是下臣我求之不得的事，岂敢逃避刑罚？君如果认为下臣有罪，请把我囚禁在费地，以等待君的明察，一切听从君的命令。如果因为先臣的缘故，不断绝季氏的后代，而赐我一死，死将不朽。如果不杀也不让逃亡，则是君的恩惠。如果能跟从寡君回国，那本来是下臣的愿望，哪敢有别的想法？"

夏四月，季孙意如跟着荀跞前往乾侯。子家羁说："君主和他回国吧。一次羞愧都不能忍受，能忍受终身的羞愧吗？"昭公说："好的。"部下们说："就在您一句话了，君主一定要赶走季孙。"荀跞以晋定公的名义慰问昭公，并且说："寡君让我用您的命令谴责意如，意如不敢逃避死罪，君主还是回国吧！"昭公说："君惠顾先君的友好关系，恩惠施及逃亡的人，打算让我回国扫除宗庙以事奉君，但我不能见那个人。我自己要是会去见那个人，有像河神之类的神为证！"荀跞捂着耳朵跑开，说："寡君惟恐得罪，岂敢介入了解鲁国的灾难？请让我向寡君回报。"退下去对季孙意如说："君主的愤怒没有缓解，您暂且回去代他祭祀。"子家羁说："君主乘一辆车进入鲁军，季孙意如一定和君主回国。"昭公想要采纳它，但随从们胁迫昭公，未能回国。

薛献公谷死了，因为是同盟国，所以记载。

秋天，吴国人侵袭楚国，攻打夷地，侵袭潜地和六地。楚国沈尹戍领兵救潜，吴军撤退。楚军把潜地人迁到南冈就收兵。吴军包围弦地，左司马戌和右司马稽率军救援弦地，到达豫章，吴军退走。这是开始使用伍员的计谋了。

冬天，邾国的黑肱带着滥地前来投奔，他地位低贱而《春秋》记载他的名字，是看重土地的缘故。君子说："名义的不可不慎重就像这样。有的地方有名义反而不如没有。带了土地叛变，虽然低贱也必定记载地名，用以称说那个人，终于因为不合道义，不可磨灭了。所以君子行动就想到礼仪，办事就想到道义，不为图利而违背礼仪，不为行义而内心痛苦。有人求名却得不到，有人想要隐名反而名声显赫，这是惩罚不义。齐豹做卫国司寇，保有世袭大夫的地位，但因办事不合道义，被记载为'盗'。邾国庶其、莒国牟夷、邾国黑肱带了土地出逃，只是求取食禄而已，并不追求名位，虽然低贱也一定记载他们的名字。这两件事，就是惩罚放纵、去掉贪婪的做法。如果让自己经受艰难，来使上面的人处于危险境地，却名声显赫，那么攻伐作难的人，将会卖力去干。如果窃取城邑背叛君主以求得大利却不记载他的名字，那么贪财夺利的人将为此卖力。因此《春秋》记载齐豹称他作'盗'，三个叛臣也记载名字，以惩罚不义的人，数说他们的罪恶和无礼，真是好笔法啊。所以说：《春秋》的称说隐微而意义显明，婉约而是非分明。上面的人能使《春秋》大义显明，让好人从中得到鼓励，坏人从中受到震慑，所以君子重视《春秋》。"

十二月初一日，发生日食。这天晚上，赵鞅梦见一个小孩赤裸身体边跳边唱，早上就让史墨占梦，说："我做了个这样的梦，今天就发生日食，是什么原因？"史墨回答说："六年后到这个月，吴国恐怕会进入郢都吧！但最后还是不能取胜。进入郢都，必定在庚辰那天，日月处在苍龙七宿之尾宿。庚午那天，太阳开始有云气变化。火战胜金，所以不能取胜。"

昭公三十二年

【原文】

　　三十有二年：春，王正月，公在乾侯。取阚。
　　夏，吴伐越。
　　秋，七月。
　　冬，仲孙何忌会晋韩不信、齐高张、宋仲几、卫世叔申、郑国参、曹人、莒人、薛人、杞人、小邾人，城成周。
　　十有二月己未，公薨于乾侯。
　　三十二年春，王正月，公在乾侯。言不能外内，又不能用其人也。
　　夏，吴伐越，始用师于越也。史墨曰："不及四十年，越其有吴乎？越得岁而吴伐之，必受其凶！"
　　秋八月，王使富辛与石张如晋，请城成周。天子曰："天降祸于周，俾我兄弟并有乱心，以为伯父忧。我一二亲昵甥舅，不皇启处，于今十年；勤戍五年。余一人无日忘之，闵闵焉如农夫之望岁，惧以待时。伯父若肆大惠，复二文之业，弛周室之忧，徼文、武之福以固盟主，宣昭令名，则余一人有大愿矣！昔成王合诸侯城成周以为东都，崇文德焉。今我欲徼福假灵于成王，修成周之城，俾成人无勤，诸侯用宁，蝥贼远屏，晋之力也。其委诸伯父，使伯父实重图之，俾我一人无徵怨于百姓，而伯父有荣施，先王庸之！"范献子谓魏献子曰："与其成周，不如城之。天子实云，虽有后事，晋勿与知可也。从王命以纾诸侯，晋国无忧，是之不务，而又焉从事？"魏献子曰："善！"使伯音对曰："天子有命，敢不奉承以奔告于诸侯？迟速衰序，于是焉在。"

冬十一月，晋魏舒、韩不信如京师，合诸侯之大夫于狄泉，寻盟，且令城成周。魏子南面。卫彪傒曰："魏子必有大咎！干位以令大事，非其任也。《诗》曰：'敬天之怒，不敢戏豫。敬天之渝，不敢驰驱。'况敢干位以作大事乎？"

己丑，士弥牟营成周。计丈数，揣高卑；度厚薄，仞沟洫；物土方，议远迩；量事期，计徒庸，虑（财）〔材〕用，书糇粮：以令役于诸侯。属役赋丈，书以授帅，而效诸刘子。韩简子临之，以为成命。

十二月，公疾。遍赐大夫，大夫不受。赐子家子双琥、一环、一璧、轻服，受之。大夫皆受其赐。己未，公薨。子家子反赐于府人，曰："吾不敢逆君命也。"大夫皆反其赐。书曰"公薨于乾侯"，言失其所也。

赵简子问于史墨曰："季氏出其君，而民服焉，诸侯与之。君死于外，而莫之或罪。〔何〕也？"对曰："物生有两，有三，有五，有陪贰。故天有三辰，地有五行，体有左右，各有妃耦；王有公，诸侯有卿，皆有贰也。天生季氏以贰鲁侯，为日久矣；民之服焉，不亦宜乎？鲁君世从其失，季氏世修其勤，民忘君矣。虽死于外，其谁矜之？社稷无常奉，君臣无常位，自古以然。故《诗》曰：'高岸为谷，深谷为陵。'三后之姓，于今为庶，（王）〔主〕所知也。在《易》卦，雷乘'乾'曰'大壮䷡'，天之道也。昔成季友，桓之季也，文姜之爱子也；始震而卜，卜人谒之，曰：'生有嘉闻，其名曰友，为公室辅。'及生，如卜人之言，有文在其手曰'友'，遂以名之。既而有大功于鲁，受费以为上卿。至于文子、武子，世增其业，不（费）〔废〕旧绩。鲁文公薨，而东门遂杀适立庶，鲁君于是乎失国，政在季氏，于此君也四公矣。民不知君，何以得国？是以为君慎器与名，不可以假人！"

【译文】

鲁昭公三十二年春，周历正月，昭公住在乾侯。占取阚地。夏天，吴国攻打越国。秋七月。冬天，孟懿子与晋国韩不信、齐国高张、宋国仲几、卫国世叔申、郑国国参、以及曹国人、莒国人、薛国人、杞国人、小邾人等会合修筑成周的城墙。十二月十四日，鲁昭公在乾侯去世。

鲁昭公三十二年春天，周历正月，昭公住在乾侯，这样记载是说他既得不到外援又不能回到国内，而又不会使用他身边的人。

夏天，吴国攻打越国，这是首次对越国用兵。史墨说："不到四十年，越国也许会占有吴国吧！越国得到岁星而吴国攻打它，必然承受岁星的凶灾。"

秋八月，周王派富辛和石张前往晋国，请求修筑成周的城墙。周天子说："上天降祸给周朝，使我的兄弟都怀有乱心，而成为伯父的忧虑。我的几个亲近的甥舅之国无暇安居，到现在已经十年了，辛苦戍守也有五年了，寡人没有哪天忘记过这些，内心忧虑就像农夫盼望丰年，惶恐地等待收获的时节。伯父如果布施大恩，恢复文侯、文公的大业，解除周室的忧虑，祈求文王、武王的福禄，以巩固盟主的地位，发扬光大晋国的美名，那就是寡人的最大愿望了。从前成王会合诸侯修筑成周都城，以作为东都，从此文德大兴。现在我想要向成王求取福佑，增修成周的城墙，使卫戍将士不再劳苦，诸侯因此安宁，乱贼排除到远地，这都要依靠晋国的力量。我将把这委托给伯父，愿伯父慎重考虑。使寡人不会招来百姓的怨恨，而伯父有光荣的功绩，先王会酬报伯父的。"范献子对魏献子说："与其戍守成周，不如为它筑城墙，天子也这样说了。即使今后有事故，晋国可以不参与。服从天子命令而使诸侯减轻负担，晋国没有了忧患，这样的事不干，又去干什么呢？"魏献子说："好！"就派伯音回答说："天子有命令，岂敢不奉承而奔走通告给诸侯？工程的快慢和任务分配的等级次序，都在这次确定。"

冬十一月，晋国魏献子、韩不信前往周都，在狄泉会合诸侯的大夫，重温旧盟，并且下令增修成周的城墙。魏献子面朝南边而坐，卫国的彪傒就说："魏献子必有大灾，超越本位而命令大事，这不是他应该承担的。《诗》中说：'敬畏上天的愤怒，不敢游戏轻忽；敬畏上天的变态，不敢遨游懈怠'。何况敢逾越本位来兴起大事呢？"

十四日，士弥牟经管成周的增修方案，他计算城墙丈数，估算高低，度量厚薄，测量沟壑，物色取土方向，商定运输远近，估计工程日期，计划劳力人数，考虑器材费用，记载所需口粮，以命令诸侯服劳役，交付工程任务颁布修城长度，并记载下来交给统领的大夫，然后都送到刘文公那里汇总。韩不信加以监督审查，以作为确定的方案。

十二月，鲁昭公生病，赏赐所有大夫，大夫们不接受。赐给子家羁一对琥玉、一个玉环、一块玉璧、轻软的衣服，他接受了。于是大夫们都接受了他的赏赐。十四日，昭公去世。子家羁把昭公的赐物还给财物管理官员，说："我当时是不敢违背国君的命令。"大夫们也都归还了昭公的赐物。《春秋》记载说："公薨于乾侯。"是说他的死不得其所。

赵鞅问史墨说："季孙意如把他的君主赶出国外，但老百姓服从他，诸侯赞成他，君主死在国外也没有人向他问罪，为什么呢？"史墨回答说："事物的出现有的成对，有的成三，有的成五，有的有相辅相成的一面。所以天有日月星三辰，地有五行，身体有左右，各有配偶。君王有公，诸侯有卿，都有副佐的人。上天降生季氏，来辅佐鲁君，时间已经很长了。老百姓服从他，不也是应该的吗？鲁君世代放纵他们的过错，季氏世代修治他们的勤政，老百姓已经忘记国君了。鲁君虽然死在国外，有谁怜悯他？社稷没有不变的祭祀。君臣没有不变的地位，自古以来就是这样。所以《诗》说：'高高的山崖变成河谷，深深的河谷变作山陵。'虞、夏、商三代君主的子孙，到今天成了平民，这是主人所知道的。在《易》卦中，《震》卦驾临《乾》卦之上就叫《大壮》，这是天道。过去的成季友，是桓公的小儿子，文姜的宠儿，刚刚怀孕就占卜，卜人报告说：'生下来会有好名声，他的名字叫友，将成为公室的辅佐。'到出生时，就像卜人说的，在他手上有个'友'字。就用来给他取名。后来对鲁国有大功，受封费地做了上卿。一直到文子、武子，世世代代都扩大了他们的家业，没有废弃过去的业绩。鲁文公去世，东门遂杀了嫡子立了庶子，鲁君从此失去国政，政权落在季氏手中，到这一代国君已历经四代了。老百姓不知道国君，国君怎么能得到国家呢？因此做君主的要慎重对待器物与名位，不可以用来借给他人。"

定公

定公元年

【原文】

元年：春，王。

三月，晋人执宋仲几于京师。

夏，六月癸亥，公之丧至自乾侯。

戊辰，公即位。

秋，七月癸巳，葬我君昭公。

九月，大雩。

立炀宫。

冬，十月，陨霜杀菽。

元年春，王正月辛巳，晋魏舒合诸侯之大夫于狄泉，将以城成周。魏子莅政。卫彪傒曰："将建天子，而易位以令，非义也。大事奸义，必有大咎！晋不失诸侯，魏子其不免乎？"是行也，魏献子属役于韩简子及原寿过，而田于大陆，焚焉；还，卒于宁。范献子去其柏椁，以其未复命而田也。

孟懿子会城成周。庚寅，栽。宋仲几不受功，曰："滕、薛、郳，吾役也。"薛宰曰："宋为无道，绝我小国于周，以我适楚，故我常从宋。晋文公为践土之盟，曰：'凡我同盟，各复旧职！'若从践土，若从宋，亦唯命！"仲几曰："践土固然。"薛宰曰："薛之皇祖奚仲，居薛以为夏车正。奚仲迁于邳。仲虺居薛，以为汤左相。若复旧

鲁定公

职,将承王官,何故以役诸侯?"仲幾曰:"三代各异物,薛焉得有旧?为宋役,亦其职也。"士弥牟曰:"晋之从政者新,子姑受功。归,吾视诸故府。"仲幾曰:"纵子忘之,山川鬼神其忘诸乎?"士伯怒,谓韩简子曰:"薛徵于人,宋徵于鬼。宋罪大矣!且己无辞而抑我以神,诬我也。'启宠纳侮',其此之谓矣。必以仲幾为戮!"乃执仲幾以归。三月,归诸京师。

城三旬而毕,乃归诸侯之戍。

齐高张后,不从诸侯。晋女叔宽曰:"周苌弘、齐高张皆将不免。苌叔违天,高子违人。天之所坏,不可支也;众之所为,不可奸也。"

夏,叔孙成子逆公之丧于乾侯。季孙曰:"子家子亟言于我,未尝不中吾志也。吾欲与之从政。子必止之,且听命焉。"子家子不见叔孙,易幾而哭。叔孙请见子家子,子家子辞,曰:"羁未得见,而从君以出。君不命而薨,羁不敢见。"叔孙使告之曰:"公衍、公为实使群臣不得事君。若公子宋主社稷,则群臣之愿也。凡从君出而可以入者,将唯子是听。子家氏未有后,季孙愿与子从政。此皆季孙之愿也,使不敢以告。"对曰:"若立君,则有卿士、大夫与守龟在,羁弗敢知。若从君者,则貌而出者,入可也;寇而出者,行可也。若羁也,则君知其出也,而未知其入也,羁将逃也!"

丧及坏隤,公子宋先入,从公者皆自坏隤反。六月癸亥,公之丧至自乾侯。戊辰,公即位。

季孙使役如阚公氏,将沟焉;荣(驾)〔驾〕鹅曰:生不能事,死又离之,以自旌也?纵子忍之,后必或耻之。"乃止。季孙问于荣(驾)〔驾〕鹅曰:"吾欲为君谥,使子孙知之。"对曰:"生弗能事,死又恶之,以自信也?将焉用之?"乃止。

秋七月癸巳,葬昭公于墓道南。孔子之为司寇也,沟而合诸墓。

昭公出故,季平子祷于炀公。九月,立炀宫。

周巩简公弃其子弟,而好用远人。

【译文】

鲁定公元年春天。周历三月,晋国人在京都拘捕了宋国的仲幾。夏六月二十一日,昭公的灵柩从乾侯到达国都。二十六日,鲁定公即位。秋七月二十二日,安葬我国君昭公。九月,举行求雨大祭。重新建立炀公庙。冬十月,降霜冻死了豆类作物。

鲁定公元年春天，周历正月初七日，晋国的魏献子在狄泉会合诸侯的大夫，将以诸侯的力量增修成周的城墙。魏献子主持工程事务，卫国的彪傒说："将要为天子建城，而超越本位发号施令，不合乎道义。大事违背道义，必有大灾。晋国要是不失去诸侯，魏献子恐怕不能免于灾祸吧！"这次行动中，魏献子把工程事务交付给韩不信和原寿过，而自己到大陆打猎，放火烧猎，返回时，死在宁地。范献子取消他的柏木外棺，这是由于他没有完成使命来回报就打猎去了。

孟懿子参加增修成周城墙的工程，十六日，开始设立筑城夹板。宋国的仲几不接受工程任务，说："滕国、薛国、郳国，是为我国服役的。"薛国宰臣说："宋国没有道义，把我们小国与周朝隔开，带着我们去追随楚国，所以我们长期跟着宋国。晋文公在践土订立盟约，说：'凡是我的同盟，各自恢复原来的职位。'或者遵从践土的盟约，或者服从宋国，都唯命是从。"仲几说："践土的盟约本来就是这样。"薛国宰臣说："薛国始祖奚仲住在薛地而做了夏朝的车正。奚仲迁到邳地，仲虺住在薛地而做了汤王的左相。如果恢复原来的职位，将要继承天子授予的官职，为什么要为诸侯服役？"仲几说："三代的事各不相同，薛国哪能恢复过去的官职？为宋国服役，也是你们的职责。"士弥牟说："晋国执政的人刚到任，您暂且接受工程任务，回去后，我到故府查看一下盟约。"仲几说："纵使您忘了，山川鬼神难道也忘了吗？"士弥牟发怒，对韩不信说："薛国取证于人，宋国取证于鬼，宋国的罪过大了。而且自己无言以答却用鬼神压我，是欺诈我们。'给予宠信却招来侮辱'，大概说的就是这种情况了。一定要拿仲几来加以惩处。"就拘捕仲几带回国。三月，把他送到周都。

筑城工程三十天就完工了，于是让诸侯的卫戍部队回国。齐国的高张晚到，没有赶上诸侯的筑城工程。晋国的女叔宽说："周朝的苌弘、齐国的高张都将不免于祸难。苌弘违背上天，高张违背众人。上天所要毁坏的，不可能保住；众人所要干的，不可以违犯。"

夏天，叔孙成子到乾侯迎接昭公的灵柩。季孙意如说："子家羁多次和我谈话，每次都很合我的心意。我想要帮助他从政，您一定要留住他，并且听从他的意见。"子家羁不与叔孙成子见面，改变时间去为昭公哭丧。叔孙成子请求进见子家羁，子家羁辞谢了，说："我没有机会见到您，就跟着国君出国了。国君没有命令就去世了，我不敢见您。"叔孙成子派人告诉子家羁说："实在是公衍、公为让群臣不能事奉国君，如果公子宋主持国政，那是群臣的愿望。凡是跟随国君出国而可以回国的人，都将听从您的命令。子家氏没有继承人，季孙意如愿意帮助您从政，这都是季孙意如的愿望，派我来向您报告。"子家羁回答说："如果要立君主，那么有卿士、大夫和守龟在，我不敢知道。至于跟从国君的人，如果是表面跟随出国的人，可以回国；如果是与季孙结仇而出去的，可以离开。至于我，则国君是知道我出国，而不知道我回国的。我打算逃亡。"

昭公灵柩到达坏隤，公子宋先进入国内，跟随昭公的人都从坏隤折回去了。六月二十一日，昭公的灵柩从乾侯回到鲁国。二十六日，定公即位。季孙意如派役人前往阚公氏造墓，打算挖壕沟把昭公墓与先公的墓隔开。荣驾鹅说："君主活着时不能事奉，死了又隔离他，用来表明自己的清白吗？即使您忍心这样做，今后一定有人认为可耻。"季孙意如就停止了。

季孙意如又向荣驾鹅询问说："我想要给国君制定谥号，让子孙后代了解他。"荣驾鹅回答说："活着时不能事奉，死了又丑化他，来展现自己的贤良，哪里用得着这样？"季孙意如就停止了。秋七月二十二日，把昭公安葬在墓道南边。孔子做司寇的时候，在昭公墓外挖壕沟使它和先公的墓地合在一起。

因昭公出国的缘故，季孙意如向炀公祈祷。九月，建立炀公庙。

周朝的巩简公丢开他的子弟，而喜欢任用疏远的异族人。

定公二年

【原文】

二年：春，王正月。

夏，五月壬辰，雉门及两观灾。

秋，楚人伐吴。

冬，十月，新作雉门及两观。

二年夏，四月辛酉，巩氏之群子弟贼简公。

桐叛楚。吴子使舒鸠氏诱楚人，曰："以师临我。我伐桐。为我使之无忌。"秋，楚囊瓦伐吴，师于豫章。吴人见舟于豫章，而潜师于巢。冬十月，吴军楚师于豫章，败之；遂围巢，克之，获楚公子繁。

邾庄公与夷射姑饮酒。私出，阍乞肉焉；夺之杖以敲之。

【译文】

鲁定公二年春天，周历正月。夏五月二十五日，鲁宫雉门以及两边的台观发生火灾。秋天，楚国人攻打吴国。冬十月，新修雉门及两观。

鲁定公二年夏四月二十四日，巩家的子弟们杀死了巩简公。

桐国人背叛楚国，吴王阖庐派舒鸠氏诱骗楚国人，说："以军队逼近我国，我国就去攻打桐地，这样做是为了使桐地人对我们没有猜忌。"秋天，楚国的囊瓦攻打吴国，驻扎在豫章。吴国人让水师出现在豫章，而在巢地潜伏军队。冬十月，吴军在豫章攻击楚军，打败了他们。于是包围巢地，攻克了它，俘获了楚公子繁。

邾庄公和夷射姑喝酒，夷射姑出去小便，守门人向他讨肉，他夺过守门人的手杖来打他。

定公三年

【原文】

三年：春，王正月，公如晋，至河乃复。

二月辛卯，邾子穿卒。

夏，四月。

秋，葬邾庄公。

冬，仲孙何忌及邾子盟于拔。

三年春，二月辛卯。邾子在门台，临廷。阍以瓶水沃廷；邾子望见之，怒。阍曰："夷射姑旋焉。"命执之。弗得。滋怒，自投于床，废于炉炭，烂，遂卒。先葬以车五乘，殉五人。庄公卞急而好洁，故及是。

秋九月，鲜虞人败晋师于平中，获晋观虎，恃其勇也。

冬，盟于郯，修邾好也。

蔡昭侯为两佩与两裘以如楚，献一佩一裘于昭王。昭王服之，以享蔡侯；蔡侯亦服其一。子常欲之，弗与；三年止之。

唐成公如楚，有两肃爽马。子常欲之，弗与；亦三年止之。唐人或相与谋，请代先从者，许之。饮先从者酒，醉之；窃马而献之子常。子常归唐侯。自拘于司败，曰："君以弄马之故，隐君身，弃国家。群臣请相夫人以偿马，必如之。"唐侯曰："寡人之过也。二三子无辱！"皆赏之。

蔡人闻之，固请而献佩于子常。子常朝，见蔡侯之徒，命有司曰："蔡君之久也，官不共也。明日礼不毕，将死！"蔡侯归，及汉，执玉而沈，曰："余所有济汉而南者，有若大川！"蔡侯如晋，以其子元与其大夫之子为质焉，而请伐楚。

【译文】

鲁定公三年春，周历正月，定公前往晋国，到达黄河边，就返回了。二月二十九日，邾庄公穿死了。夏四月。秋，安葬邾庄公。冬，仲孙何忌和邾君在拔地会盟。

鲁定公三年春天的二月二十九日，邾庄公在门台上，面对着外廷。守门人把一瓶水浇在廷上，邾庄公看见廷上有水，发怒。守门人说："夷射姑在这里小便。"邾庄公命令逮捕夷射姑，没有抓到，更加愤怒，自己从坐床上跳下，掉到了火炉的炭上，皮肤溃烂，就死了。先用车子五辆和五个人殉葬。邾庄公性子急躁而好干净，所以才落到这种地步。

秋九月，鲜虞人在平中打败晋国军队，俘获了晋国的观虎，是因为他自恃勇敢所致。

冬天，仲孙何忌和邾君在郏地会盟，是为了重修和邾国的友好关系。

蔡昭侯做了两件玉佩和两件皮衣带着前往楚国，献了一个玉佩和一件皮衣给楚昭王。楚昭王穿戴着它来宴享蔡昭侯，蔡昭侯也穿戴了另一件皮衣和玉佩。囊瓦想要蔡昭侯的皮衣玉佩，没给他，就把蔡昭侯扣留了三年。唐成公去到楚国，他有两匹肃爽马，囊瓦想要，没给，也把唐成公扣留了三年。唐国有人共同商量，请求替代原来的随从人员，楚国同意了。唐国的那些人让唐成公原来的随从喝酒，把他们灌醉了，偷取肃爽马献给囊瓦，囊瓦送还了唐成公。偷马的人在司寇面前把自己捆绑起来，说："君主因为玩赏马的缘故，使自己遭到幽禁，丢掉了国家。下臣们请求帮助马官来偿还马，一定会像那两匹肃爽马一样。"唐成公说："这是寡人的过错，你们几位不要委屈自己了！"就都赏赐他们。蔡国人听说这事，就坚决请求，把玉佩献给囊瓦。囊瓦上朝，接见蔡昭侯的随从们，命令有关官员说："蔡君久留不归，是你们下官没有供给礼物。到明天礼物还不完备，将处死你们。"蔡昭侯回国，到达汉水，拿出玉沉到水里，说："我如果再渡过汉水南去楚国的话，有如大河之类的神为证！"蔡昭侯去到晋国，拿自己的儿子元和大夫的儿子做人质，请求攻打楚国。

定公四年

【原文】

四年：春，王二月癸巳，陈侯吴卒。

三月，公会刘子、晋侯、宋公、蔡侯、卫侯、陈子、郑伯、许男、曹伯、莒子、邾子、顿子、胡子、滕子、薛伯、杞伯、小邾子、齐国夏于召陵，侵楚。

夏，四月庚辰，蔡公孙姓帅师灭沈，以沈子嘉归，杀之。

五月，公及诸侯盟于皋鼬。

杞伯成卒于会。

六月，葬陈惠公。

许迁于容城。

秋，七月，公至自会。

刘卷卒。

葬杞悼公。

楚人围蔡。

晋士鞅、卫孔圉帅师伐鲜虞。

葬刘文公。

冬，十有一月庚午，蔡侯以吴子及楚人战于柏举，楚师败绩。

楚囊瓦出奔郑。

庚辰，吴入郢。

四年春三月，刘文公合诸侯于召陵，谋伐楚也。

晋荀寅求货于蔡侯，弗得；言于范献子曰："国家方危，诸侯方贰，将以袭敌，不亦难乎？水潦方降，疾疟方起，中山不服。弃盟取怨，无损于楚，而失中山不如辞蔡侯。吾自方城以来，楚未可以得志，祇取勤焉。"乃辞蔡侯。

晋人假羽旄于郑，郑人与之。明日，或旆以会，晋于是乎失诸侯。

将会，卫子行敬子言于灵公曰："会同难，啧有烦言，莫之治也。其使祝佗从！"公曰："善！"乃使子鱼；子鱼辞，曰："臣展四体以率旧职，犹惧不给而烦刑书；若又共二，徼大罪也。且夫祝，社稷之常隶也。社稷不动，祝不出竟，官之制也。君以军行，祓社衅鼓，祝奉以从，于是乎出竟。若嘉好之事，君行师从，卿行旅从，臣无事焉。"公曰："行也！"

及皋鼬，将长蔡于卫，卫侯使祝佗私于苌弘曰："闻诸道路，不知信否。若闻蔡将先卫，信乎？"苌弘曰："信！蔡叔，康叔之兄也。先卫，不亦可乎！"子鱼曰：

以先王观之，则尚德也。昔武王克商，成王定之，选建明德以藩屏周，故周公相王室以尹天下，于周为睦。分鲁公以大路、大旂，夏后氏之璜，封父之繁弱，殷民六族——条氏、徐氏、萧氏、索氏、长勺氏、尾勺氏，使帅其宗氏、辑其分族、将其类丑以法则周公；用即命于周，是使之职事于鲁，以昭周公之明德。分之土田陪敦，祝、宗、卜、史，备物、典策，官司、彝器，因商奄之民，命以《伯禽》而封于少皞之虚。分康叔以大路、少帛、綪茷、旃旌、大吕，殷民七族——陶氏、施氏、繁氏、锜氏、樊氏、饥氏、终葵氏；封畛土略，自武父以南及圃田之北竟，取于有阎之土以共王职，取于相土之东都以会王之东蒐。聃季授土，陶叔授民，命以《康诰》而封于殷虚。皆启以商政，疆以周索。分唐叔以大路，密须之鼓，阙巩，沽洗，怀姓九宗，职官五正，命以《唐诰》而封于夏虚，启以夏政，疆以戎索。三者皆叔也，而有令德，故昭之以分物；不然，文、武、成、康之伯犹多，而不获是分也：唯不尚年也。

管蔡启商，惎间王室，王于是乎杀管叔而蔡蔡叔，以车七乘、徒七十人。其子蔡仲改行帅德，周公举之，以为己卿士，见诸王而命之以蔡。其命书云："王曰：'胡！无若尔考之违王命也！'"若之何其使蔡先卫也？

武王之母弟八人，周公为大宰，康叔为司寇，聃季为司空，五叔无官，岂尚年哉？曹，文之昭也；晋，武之穆也。曹为伯甸，非尚年也。今将尚之，是反先王也。

晋文公为践土之盟。卫成公不在；夷叔，其母弟也，犹先蔡。其载书云："王若曰：晋重，鲁申，卫武，蔡甲午，郑捷，齐潘，宋王臣，莒期"。藏在周府，可覆视也。吾子欲复文、武之略而不正其德，将如之何？

苌弘说，告刘子，与范献子谋之，乃长卫侯于盟。

反自召陵，郑子大叔未至而卒。晋赵简子为之临，甚哀，曰："黄父之会，夫子语我九言，曰：'无始乱，无怙富，无恃宠，无违同，无敖礼，无骄能，无复怒，无谋非德，无犯非义。'"

沈人不会于召陵，晋人使蔡伐之。夏，蔡灭沈。秋，楚为沈故，围蔡。

伍员为吴行人以谋楚。楚之杀郤宛也，伯氏之族出；伯州犁之孙嚭，为吴大宰以谋楚。楚自昭王即位，无岁不有吴师。蔡侯因之，以其子乾与其大夫之子为质于吴。

冬，蔡侯、吴子、唐侯伐楚，舍舟于淮汭，自豫章与楚夹汉。左司马（戍）〔戌〕谓子常曰："子沿汉而与之上下。我悉方城外以毁其舟，还塞大隧、直辕、冥阨。子济汉而伐之，我自后击之，必大败之！"既谋而行。武城黑谓子常曰："吴用木也。我用革也，不可久也。不如速战！"史皇谓子常："楚人恶子而好司马。若司马毁吴舟于淮，塞城口而入，是独克吴也。子必速战！不然，不免。"乃济汉而陈。自小别至于大别，三战。子常知不可，欲奔；史皇曰："安，求其事；难，而逃之：将何所入？子必死之，初罪必尽说。"

十一月庚午，二师陈于柏举。阖庐之弟夫概王晨请于阖庐曰："楚瓦不仁，其臣莫有死志；先伐之，其卒必奔。而后大师继之，必克！"弗许。夫概王曰："所谓'臣义而行，不待命'者，其此之谓也。今日我死，楚可入也！"以其属五千，先击子常之卒。子常之卒奔，楚师乱，吴师大败之。子常奔郑。史皇以其乘广死。

吴从楚师，及清发。将击之，夫概王曰："困兽犹斗，况人乎？若知不免而致死，必败我。若使先济者知免，后者慕之，蔑有斗心矣。半济而后可击也。"从之。又败之。楚人为食，吴人及之；奔。食而从之，败诸雍澨。五战及郢。

己卯，楚子取其妹季芈畀我以出，涉雎。鍼尹固与王同舟。王使执燧象以奔吴师。

庚辰，吴人郢。以班处宫。子山处令尹之宫，夫概王欲攻之；惧而去之。夫概王入之。

左司马（戍）〔戌〕及息而还，败吴师于雍澨，伤。初，司马臣阖庐；故耻为禽焉，谓其臣曰："谁能免吾首？"吴句卑曰："臣贱，可乎？"司马曰："我实失子。可哉！"三战皆伤，曰："吾不〔可〕用也已！"句卑布裳，刭而裹之；藏其身而以其首免。

楚子涉雎，济江，入于云中。王寝，盗攻之，以戈击王；王孙由于以背受之，中肩。王奔郧，钟建负季芈以从。由于徐苏而从。

郧公辛之弟怀将弑王，曰："平王杀吾父；我杀其子，不亦可乎！"辛曰："君讨臣，谁敢雠之？君命，天也；若死天命，将谁雠？《诗》曰：'柔亦不茹，刚亦不吐。不侮矜寡，不畏强御。'唯仁者能之。违强陵弱，非勇也；乘人之约，非仁也；灭宗废祀，非孝也；动无令名，非知也。必犯是，余将杀女！"

斗辛与其弟巢以王奔随。吴人从之，谓随人曰："周之子孙在汉川者，楚实尽之。天诱其衷，致罚于楚。而君又窜之，周室何罪？君若顾报周室，施及寡人，以奖天衷，君之惠也。汉阳之田，君实有之。"楚子在公宫之北，吴人在其南。子期似王，逃王而己为王，曰："以我与之，王必免。"随人卜："与之？不吉。"乃辞吴曰："以随之辟小而密迩于楚，楚实存之。世有盟誓，至于今未改。若难而弃之，何以事君？执事之患不唯一人，若鸠楚竟，敢不听命？"吴人乃退。（鑢）〔铩〕金初（官）〔宦〕于子期氏，实与随人要言。王使见；辞，曰："不敢以约为利。"王割子期之心，以与随人盟。

初，伍员与申包胥友。其亡也，谓申包胥曰："我必复楚国。"申包胥曰："勉之！子能复之，我必能兴之。"及昭王在随，申包胥如秦乞师，曰："吴为封豕长蛇，以荐食上国，虐始于楚。寡君失守社稷，越在草莽，使下臣告急，曰：'夷德无厌，若邻于君，疆场之患也。逮吴之未定，君其取分焉。若楚之遂亡，君之土也。若以君灵抚之，世以事君。'"秦伯使辞焉，曰："寡人闻命矣。子姑就馆，将图而告。"对曰："寡君越在草莽，未获所伏，下臣何敢即安？"立，依于庭墙而哭，日夜不绝声、勺饮不入口七日。秦哀公为之赋《无衣》。九顿首而坐，秦师乃出。

【译文】

鲁定公四年春天，周历二月初六日，陈惠公吴死了。三月，定公与刘文公、晋定公、宋景公、蔡昭侯、卫灵公、陈君、郑献公、许男斯、曹隐公、莒君、邾君、顿君、胡君、滕君、薛君、杞君、小邾君、齐国的国夏等在召陵会合，讨伐楚国。夏四月二十四日，蔡国的公孙姓率领军队灭亡沈国，带了沈君嘉回国，杀了他。五月，定公和诸侯在皋鼬盟誓。杞悼公成死在会盟当中。六月，安葬陈惠公。许国人迁徙到容城。秋七月，定公从会盟回到鲁国。刘文公死了。安葬杞悼公。楚国人包围蔡国。晋国的士鞅、卫国的孔圉领兵攻打鲜虞。安葬刘文公。冬十一月十八日，蔡昭侯和吴王在柏举与楚国人交战，楚国军队失败。楚国的囊瓦出逃到郑国。二十八日，吴国人进入郢都。

鲁定公四年春三月，刘文公在召陵会合诸侯，这是为了商议攻打楚国。

晋国的荀寅向蔡昭侯索要财货，没有得到，就对范献子说："国家正在危急之中，诸侯正在三心二意，打算在这时袭击敌人，不也很难吗？水涝正在发生，疟疾正在流行，中山人没有归服，背弃盟约得到怨恨，对楚国没有损害，而又失去中山，像这样不如拒绝蔡昭侯。我们自从方城战役以来，还未能够在楚国面前得志，只是自取劳苦。"于是拒绝了蔡昭侯的请求。

晋国人向郑国借羽毛和牦牛尾，郑国人给了他们。第二天，有人用羽旄装饰了旗帜用去参加会谈。晋国从此失去了诸侯拥戴。

将要举行会谈，卫国的子行敬子对卫灵公说："会谈有困难，意见纷纷而不统一，没有谁能治理得了。还是派祝佗随行吧。"卫灵公说："好的。"就派遣祝佗随行。祝佗辞谢不去，说："下臣竭尽全力以奉行先人留下的职责，还害怕不能完成使命而触犯刑法，如果让我奉行两职，将招致大罪。况且祝史是土神、谷神的固定臣仆，土神、谷神不动，祝史不出国境，这是关于官职的制度。君主率领军队出行，祭祀神庙杀牲衅鼓，祝史奉土神、谷神随行，在这种情况下才走出国境。至于朝会结盟的事，君主出行有一师人马跟着，卿出行有一旅跟着，下臣我没有事。"卫灵公说："去吧！"

到达皋鼬，打算让蔡国先于卫国歃血，卫灵公派祝佗私下对苌弘说："在路上听到消息，不知是否真的。似乎听说蔡国将先于卫国歃血，确实吗？"苌弘说："确实。蔡叔是康叔的兄长，先于卫国，不也可以吗？"祝佗说："从先王的传统看，是崇尚德行的。过去武王战胜商朝，成王平定它，选拔建立有光明德行的人，来辅佐保卫周王室。所以周公辅助王室，以治理天下，在周朝最为亲睦。分赐给鲁公大路车、大旗、夏后氏的璜玉、封父的繁弱弓，以及六个家族的殷民：条氏、徐氏、萧氏、索氏、长勺氏、尾勺氏，让他们率领其大宗，聚集其分族，统帅其下属奴隶，来效法周公，以服从周朝的命令。这就是让他在鲁国治理政事，以发扬周公的光明德行。分赐给鲁国土田和附庸国，以及太祝、宗人、太卜、太史、服用器物、典籍简册、百官职掌、宗庙彝器。依靠商奄的百姓，用《伯禽》告诫他，而把他封在少皞的故城。分赐给康叔大路车、少帛旗、大红旗、旃旌旗、大吕钟，还有七个家族的殷民：陶氏、施氏、繁氏、锜氏、樊氏、饥氏、终葵氏，封土划定疆界，从武父以南直到圃田的北界，从有阎氏分取土地，以供奉天子赋予的职责，取得了相土的东都，以协助天子在东方的巡视。聃季授予土地，陶叔授予百姓，用《康诰》来告诫他，而把他封在殷朝的故城。鲁公和康叔都启用商代的政治制度。而按照周朝的法制来划分土地疆界。分赐给唐叔大路车、密须的鼓、阙巩的甲、沽洗钟、九个怀姓的宗族、五个官长的职位。用《唐诰》来告诫他，而把他封在夏朝的故城。唐叔启用夏朝的政治制度，用戎人的制度来划分土地疆界。周公、康叔、唐叔三人都是天子的弟弟，因有美德，故用分赐物品来宣明他们的德行。如果不是这样，文王、武王、成王、康王的兄长还很多，却没有获得这种分赐，这只是不崇尚年龄的缘故。管叔、蔡叔诱导殷商遗民，图谋侵犯王室。天子于是杀了管叔放逐蔡叔，给了蔡叔七辆车、七十个徒仆。他的儿子蔡仲，改变做法遵循德政，周公举拔他，作为自己的卿士，让他晋见天子，天子把蔡地赐封给他。封书说：'天子说：胡！不要像你父亲那样违背天子的命令！'为什么让蔡国先于卫国呢？武王的同母兄弟八人，周公做太宰，康叔做司寇，聃季做司空，五个叔父没有官职，难道是崇尚年龄吗？曹国的先祖是文王的儿子，晋国的先祖是武王的儿子。曹国以伯爵而作为甸服，这不是崇尚年龄。如今要崇尚年龄，这是背弃先王。晋文公召集践土的盟会，卫成公不在，夷叔是卫成公的同母兄弟，还是在蔡国之先。那次盟书上说'天子这样说：晋国重耳、鲁国申、卫国叔武、蔡国甲午、郑国捷、齐国潘、宋国王臣、莒国期。'盟书藏在周朝的府库里，可以查阅。您想要恢复文王、武王的治略，却不端正自己的德行，将打算怎么办？"苌弘很高兴，报告刘文公，和范献子商量，就让卫灵公在盟誓时排在蔡国之先。

　　从召陵返回，郑国的子太叔没有回到国内就死了。晋国的赵鞅临丧吊唁，很悲伤。说："黄父那次会盟。先生教我九句话，叫做：'不要引起动乱，不要依仗富裕，不要凭借宠信，不要违背同僚，不要傲视礼仪，不要恃才骄傲，不要重复发怒，不要策划不道德的事。不要去干不正义的事。'"

　　沈国人没有到召陵参加盟会，晋国派蔡国去讨伐它。夏天，蔡国灭亡了沈国。

　　秋天，楚国为了沈国的缘故包围蔡国。伍子胥作为吴国的外交官而策划对付楚国。楚国杀死郤宛的时候，伯氏的族人逃离出国。伯州犁的孙子嚭做了吴国太宰以谋划对付楚国。楚国自从昭王即位，每年都遭到吴军攻击，蔡昭侯趁此机会，把自己的儿子乾和他的大夫的儿子送到吴国做人质。

冬天，蔡昭侯、吴王、唐侯攻打楚国，把船停在淮河水湾里。从豫章起与楚军隔汉水对峙。左司马戌对囊瓦说："您沿着汉水与敌人上下周旋，我带领方城山外的全部兵力去摧毁他们的船。然后回兵封锁大隧、直辕、冥阨等地，您渡过汉水进攻他们，我从背后攻打他们，必定把他们打得大败。"订好计谋之后就出发。武城黑对囊瓦说："吴军的战车使用木头，我们使用皮革，不能打持久战，不如速战速决。"史皇对囊瓦说："楚国人讨厌您而喜欢司马戌，如果司马戌在淮河摧毁了吴军船只，封锁了城口而回，那就是他单独战胜吴国了。您一定要迅速作战，不然的话不能免于祸难。"于是渡过汉水摆开战阵，从小别山直到大别山。三次交战，囊瓦知道不能取胜，想要奔逃。史皇说："太平时您寻求当政，国难时却逃避它，打算逃到哪里去？您一定要拼一死战，以前的罪责必然会全部解脱。"

十一月十八日，两军在柏举摆开战阵。吴王的弟弟夫概王清早向吴王请求说："楚国的囊瓦不仁，他的臣下没有人有拼死战斗的心，首先进攻他，他的士兵一定会逃跑，然后大军接着攻打，必定战胜。"吴王不答应。夫概王说："所谓'下臣符合道义就行动，不必等待命令'，说的就是这个吧。今天我去决一死战，楚国就可以攻入了。"就带领他的部属五千人首先攻击囊瓦的士卒，囊瓦的士卒逃跑，楚军大乱，吴军大败他们。囊瓦逃亡郑国。史皇带着他的乘广战车战死。吴军追击楚军，追到清发，打算攻打他们。夫概王说："被困的野兽还要挣扎，何况人呢？如果他们知道不免于死而拼命战斗，一定会打败我们。如果让他们先过河的人知道可以免于一死，后面的人羡慕他们，就没有斗志了。等他们渡过一半时才可以攻打。"听从了他的计策，又打败了楚军。楚军做饭，吴军追上他们，楚军逃跑了。吴军吃了他们的饭又追击他们，在雍澨打败了楚军。五次交战之后，到达呈郢都。

二十七日，楚王带着他的妹妹季芈畀我逃出郢都，渡过了睢河。铖尹固和楚王同坐一船，楚王让他驱使火象奔进吴军。

二十八日，吴军进入郢都，按地位等次住进王宫。子山住在令尹的宫室里，夫概王想要打他，他害怕就离开了，夫概王住了进去。

左司马戌到达息地就返回攻击，在雍澨打败了吴军，负了伤。当初，司马戌曾臣事阖庐，所以耻于被吴军俘虏，就对自己的臣下说："谁能使我的头免于落到吴军手里？"吴句卑说："我地位卑贱，可以吗？"司马戌说："我实在看错您了，可以啊！"司马戌三次交战都负了伤，说："我不行了。"吴句卑铺开裙子，割下司马戌的头包起来，藏好他的身子，就带着他的头逃脱了。

楚王渡过睢水，渡过长江，进入云梦泽中。楚王睡觉，有强盗攻击，用戈刺击楚王。王孙由于用背去挡戈，被击中肩部。楚王逃奔郧地，钟建背着季芈跟随，由于慢慢苏醒后也跟上去。郧公辛的弟弟怀打算杀楚王，说："楚平王杀了我的父亲，我杀掉他的儿子，不也可以吗？"郧公辛说："君王讨伐臣下，谁敢记仇？君王的命令，就是天命，如果死于天命，将仇恨哪个？《诗》中说：'软的不吃，硬的不吐。不欺鳏寡，不怕恶霸。'只有仁义的人能这样。逃避强暴，欺陵软弱，这不是勇敢；乘人之困，这不是仁慈；灭亡家族，废弃祭祀，这不是孝顺；行动没有好的名声，这不是聪明。如果一定要犯这些过错，我将杀掉你！"

斗辛和他的弟弟斗巢带着楚昭王逃奔到随国。吴国人追赶他们，对随国人说："周朝子孙在汉川的人，楚国全部灭掉了他们。上天实行它的意愿，把惩罚降给楚国，而君侯却把他们窝藏起来，周王室有什么罪过呢？君侯如果顾念报答周王室，而延及到寡人身上，以助成天意，那是君的恩惠。汉水以北的田土，您可拥有它。"楚昭王在随宫的北面，吴国人在他的南面。子期相貌像楚昭王，让昭王逃跑，而自己装作楚王，说："把我交给他们，昭王一定能脱身。"随国人就交出子期进行占卜，不吉利，就拒绝吴国人说："因为随国偏僻弱小而紧靠楚国，楚国确实保存了我们，世代都有盟誓，到现在还未改变。如果有难就背弃楚国，凭什么事奉君主？您的忧患不只是楚王一人，如果安定楚国全境。岂敢不听从您的命令？"吴国人就退兵。镕金当初在子期家做过家臣，这次保护昭王实际上是他与随国有过约定。楚昭王让他进见，镕金辞谢，说："不敢乘人之危谋取利

申包胥泣于秦延，求秦出兵救楚，选自明刊本《新镌绣像列国志》。

禄。"楚昭王割破子期的胸部，用他的血和随国人盟誓。

当初，伍员和申包胥友好。伍员逃亡的时候，对申包胥说："我一定要颠覆楚国。"申包胥说："那你努力吧！您能颠覆它，我一定能使它复兴。"到楚昭王逃到随国时，申包胥前往秦国请求救兵，说："吴国是大猪、长蛇，而屡屡侵吞中原国家，作恶就从楚国开始。寡君失守国家，流浪在乡野，派下臣前来告急，说：'夷人的德性没有满足，如果与君为邻，那将是贵国边境的祸患。趁吴国还未安定，君去分取楚国吧。如果楚国终于灭亡，就是君的领土了。如果靠君的福气安抚楚国，将世世代代事奉君侯。'"秦哀公派人推辞楚国，说："寡人听到命令了，您暂且住到宾馆去，我们将商议以后告诉您。"申包胥回答说："寡君流浪乡野，没有得到安身之处，下臣哪里敢享受安逸？"站着，靠在庭院的墙上哭泣，哭声日夜不停，滴水不进达七天之久。秦哀公为他吟诵了《无衣》这首诗，申包胥连磕九个头才坐下。秦国于是出兵。

定公五年

【原文】

　　五年：春，王三月辛亥朔，日有食之。
　　夏，归粟于蔡。
　　於越入吴。
　　六月丙申，季孙意如卒。
　　秋，七月壬子，叔孙不敢卒。
　　冬，晋士鞅帅师围鲜虞。
　　五年春，王人杀子朝于楚。
　　夏，归粟于蔡，以周亟，矜无资。
　　越入吴，吴在楚也。
　　六月，季平子行东野；还，未至，丙申卒于房。阳虎将以玙璠敛，仲梁怀弗与，曰："改步改玉。"阳虎欲逐之，告公山不狃。不狃曰："彼为君也，子何怨焉？"
　　既葬，桓子行东野，及费。子洩为费宰，逆劳于郊，桓子敬之；劳仲梁怀，仲梁怀弗敬。子洩怒，谓阳虎："子行之乎！"
　　申包胥以秦师至。秦子蒲、子虎帅车五百乘以救楚。子蒲曰："吾未知吴道。"使楚人先与吴人战，而自稷会之，大败夫概王于沂。
　　吴人获薳射于柏举，其子帅奔徒以从子西，败吴师于军祥。
　　秋七月，子期、子蒲灭唐。
　　九月，夫概王归，自立也；以与王战而败，奔楚，为堂谿氏。
　　吴师败楚师于雍澨，秦师又败吴师。吴师居麇，子期将焚之；子西曰："父兄亲暴骨焉，不能收，又焚之，不可！"子期曰："国亡矣！死者若有知也，可以歆旧祀？岂惮焚之？"焚之而又战，吴师败。又战于公壻之谿，吴师大败，吴子乃归。囚闉舆罢。闉舆罢请先，遂逃归。
　　叶公诸梁之弟后臧从其母于吴，不待而归；叶公终不正视。
　　乙亥，阳虎囚季桓子及公父文伯，而逐仲梁怀。冬十月丁亥，杀公何貌。己丑，盟桓子于稷门之内。庚寅，大诅。逐公父歜及秦遄，皆奔齐。
　　楚子入于郢。初，斗辛闻吴人之争宫也，曰："吾闻之：'不让则不和。不和，不可以远征。'吴争于楚，必有乱；有乱则必归。焉能定楚？"王之奔随也，将涉于成臼；蓝尹亹涉其帑，不与王舟。及宁，王欲杀之。子西曰："子常唯思旧怨以败，君何效焉？"王曰："善！使复其所，吾以志前恶。"王赏斗辛、王孙由于、王孙圉、钟建、斗巢、申包胥、王孙贾、宋木、斗怀。子西曰："请舍怀也！"王曰："大德灭小怨，道也。"申包胥曰："吾为君也，非为身也。君既定矣，又何求？且吾尤子旗，其又为诸？"遂逃赏。

王将嫁季芈，季芈辞曰："所以为女子，远丈夫也。钟建负我矣！"以妻钟建，以为乐尹。

王之在随也，子西为王舆服以保路，国于脾泄。闻王所在，而後从王。王使由于城麇，复命。子西问高厚焉，弗知。子西曰："不能，如辞。城不知高厚小大，何知？"对曰："固辞不能，子使余也。人各有能有不能。王遇盗于云中，余受其戈，其所犹在。"袒而视之背，曰："此余所能也。脾泄之事，余亦弗能也。"

晋士鞅围鲜虞，报观虎之（役）〔败〕也。

【译文】

鲁定公五年春三月初一日，发生日食。夏天，鲁国送粮食给蔡国。越国进入吴国。六月十七日，季孙意如死了。秋七月初四日，叔孙不敢死了。冬天，晋国的范献子领兵包围鲜虞。

鲁定公五年春天，周敬王的人在楚国杀死王子朝。夏天，鲁国送粮食给蔡国，用以救急，并对他们没有粮资表示怜悯。越国进入吴国，是因为吴国人正在楚国。

六月，季孙意如出巡东野，返回，还没到达鲁都，于十七日死在房地。阳虎打算用玙璠玉随葬，仲梁怀不给，说："改变了步子，用玉也要改变。"阳虎想要赶走他，告诉公山不狃。不狃说："他是为了国君，您怨什么呢？"安葬之后，桓子出巡东野，到达费地。不狃做费地邑宰，到郊外迎接慰劳桓子，桓子很尊敬他。慰劳仲梁怀，仲梁怀不恭敬。不狃发怒，对阳虎说："您把他赶走吗？"

申包胥带着秦国军队到达，秦国的子蒲、子虎率五百辆兵车救援楚国。子蒲说："我不了解吴国的战术。"就让楚国人先和吴军交战，而秦军则从稷地前去会合，在沂地大胜夫概王。吴国人在柏举俘获了远射，远射的儿子率领逃跑的士兵跟随子西，在军祥打败了吴军。秋七月，子期、子蒲灭亡了唐国。九月，夫概王回国，是为了自立为王。由于和吴王作战失败了，逃亡到楚国，成为堂溪氏。

吴军在雍澨打败楚军，秦国军队又打败吴军。吴军驻在麇地，子期准备放火烧他们，子西说："父兄亲戚的尸骨暴露在那里，不能收葬，又去烧他们，不可以。"子期说："国家要灭亡了，死者如果有知，能够享受过去那样的祭祀，怎么会怕烧掉尸骨？"于是放火焚烧吴军，又进行战斗，吴军失败。又在公壻溪交战，吴军大败，吴王就回国了。吴军囚禁了闉舆罢，闉舆罢请求先去吴国，就逃回了楚国。叶公诸梁的弟弟后臧跟着他的母亲在吴国，不顾他的母亲就回到楚国，叶公诸梁始终不正眼看他。

九月二十八日，阳虎囚禁桓子和公父文伯，驱逐了仲梁怀。冬十月初十日，杀了公何藐。十二日，和桓子在稷门内盟誓。十三日，举行大诅祭。驱逐公父歜和秦遄，他们都逃奔到齐国。

楚昭王回到郢都。当初，斗辛听说吴国人争夺楚宫，说："我听说：不礼让就不和睦，不和睦就不可以征战远地。吴国人在楚国争夺，必然发生内乱。发生内乱就必然撤回，怎么能平定楚国？"

楚昭王逃亡到随国时，准备渡过成白河。蓝尹亹让他的妻子儿女渡河，不给昭王船只。到安定时，昭王想要杀了他。子西说："囊瓦只因想报旧怨而失败，君王何必仿效他？"楚昭王说："好。让他回到他的原有职位上去，我要用来记住以前的坏事。"昭王奖赏斗辛、王孙由于、王孙圉、钟建、斗巢、申包胥、王孙贾、宋木、斗怀，子西说："请去掉斗怀。"昭王说："大恩抵消小怨，这是符合道义的。"申包胥说："我是为了国君，不是为了自己。国君已经安定了，我又贪求什么呢？而且我指责子旗，难道又像他那样吗？"就躲开赏赐。楚昭王打算让季芈出嫁，季芈推辞说："做女人的规矩，就是要远离男人。钟建背过我了。"于是把她嫁给钟建，让钟建做了乐尹。

楚昭王在随国的时候，子西仿制了国君的车子服饰来安定溃逃的路人，在脾泄建了临时国都，听到昭王所在的地方，然后跟去。昭王派由于到麇地筑城，由于回都报告执行使命情况，子西向他问城墙的高度厚度，由于不知道。子西说："不能干，就应当辞去不干。不知道城墙的高度厚度，城的大小又怎么知道？"由于回答说："我坚决推辞干不了，是您一定派遣我去的。人各有能干的和不能干的事。君王在云梦泽中遇到强盗，我挡住了强盗的戈，受伤的痕迹还在。"就脱去衣服露出背部给子西看，说："这就是我能干的事。脾泄的差事，我也是不能干的。"

晋国的范献子包围鲜虞，是对观虎的战败被俘进行报复。

定公六年

【原文】

六年：春，王正月癸亥，郑游速帅师灭许，以许男斯归。

二月，公侵郑。公至自侵郑。

夏，季孙斯、仲孙何忌如晋。

秋，晋人执宋行人乐祁犁。

冬，城中城。

季孙斯、仲孙忌帅师围郓。

六年春，郑灭许，因楚败也。

二月，公侵郑取匡，为晋讨郑之伐胥靡也。往不假道于卫；及还，阳虎使季、孟自南门入，出自东门，舍于豚泽。卫侯怒，使弥子瑕追之；公叔文子老矣，辇而如公，曰："尤人而效之，非礼也。昭公之难，君将以文之舒鼎、成之昭兆、定之鞶鉴，'苟可以纳之，择用一焉'；'公子与二三臣之子，诸侯苟忧之，将以为之质'。此群臣之所闻也。今将以小忿蒙旧德，无乃不可乎？大姒之子，唯周公、康叔为相睦也；而效小人以弃之,不亦诬乎?天将多阳虎之罪以毙之。君姑待之,若何?"乃止。

夏,季桓子如晋,献郑俘也。阳虎强使孟懿子往报夫人之币,晋人兼享之。孟孙立于房外,谓范献子曰:"阳虎若不能居鲁而息肩于晋,所不以为中军司马者,有如先君!"献子曰:"寡君有官,将使其人,鞅何知焉?"献子谓简子曰:"鲁人患阳虎矣!孟孙知其衅,以为必适晋,故强为之请以取入焉。"

四月己丑,吴大子终纍败楚舟师,获潘子臣、小惟子及大夫七人。楚国大惕,惧亡。子期又以陵师败于繁扬。令尹子西喜曰:"乃今可为矣!"于是乎迁郢于鄀,而改纪其政,以定楚国。

周儋翩率王子朝之徒,因郑人将以作乱于周。郑于是乎伐冯、滑、胥靡、负黍、狐人、阙外。六月,晋阎没戍周,且城胥靡。

秋八月,宋乐祁言于景公曰:"诸侯唯我事晋。今使不往,晋其憾矣!"乐祁告其宰陈寅,陈寅曰:"必使子往!"他日,公谓乐祁曰:"唯寡人说子之言,子必往!"陈寅曰:"子立后而行,吾室亦不亡。唯君亦以我为知难而行也。"见溷而行。赵简子逆,而饮之酒于绵上;献杨楯六十于简子。陈寅曰:"昔吾主范氏;今子主赵氏,又有纳焉。以杨楯贾祸,弗可为也已。然子死晋国,子孙必得志于宋。"范献子言于晋侯曰:"以君命越疆而使,未致使而私饮酒,不敬二君,不可不讨也!"乃执乐祁。

阳虎又盟公及三桓于周社,盟国人于亳社,诅于五父之衢。

冬,十二月,天王处于姑莸,辟儋翩之乱也。

【译文】

鲁定公六年春天,周历正月十八日,郑国的游速率军队灭亡了许国,带了许国君斯回国。二月,鲁定公偷袭郑国。定公偷袭郑国回到鲁国。夏天,季桓子、孟懿子前往晋国。秋天,晋国人拘捕了宋国外交官乐祁犁。冬天,在内城修筑城墙。季桓子、孟懿子领兵包围郓地。

鲁定公六年春天,郑国灭亡了许国,是趁楚国失败而灭掉的。

二月,鲁定公偷袭郑国,夺取匡地,这是替晋国讨伐郑国的攻打胥靡。去时没有向卫国借路,到返回时,阳虎让季桓子、孟献子从南门进,从东门出,驻扎在豚泽。卫灵公发怒,派遣弥子瑕追击他们。公叔文子已经年老退休了,坐了人力车去到卫灵公那里,说:"指责别人却又效法他,不合乎礼。鲁昭公有难的时候,您准备拿出我文公的舒鼎,成公的宝龟,定公的鞶鉴,如果可以用来使鲁昭公回国,您将从中选用一件。您的公子和几位下臣的儿子,诸侯如果为鲁昭公操心,也准备用来作为人质。这些都是群臣听到了的。如今将要因为小小的怨忿而掩盖过去的恩德,恐怕不行吧?太姒的儿子当中,只有周公、康叔是互相和睦的,而如今要效法小人来抛弃他们建立的两国和睦关系,不是大错特错吗?上天将会加重阳虎的罪过而使他垮台,您暂且等待一下,怎么样?"卫灵公就停止追击。

夏天,季桓子前往晋国,是去奉献郑国的俘虏。阳虎硬派孟懿子前去回报晋夫人聘问鲁国的财礼，晋国人在宴享季桓子时一并宴享他。孟懿子站在房外，对范献子说："阳虎如果不能待在鲁国，而到晋国来歇脚，贵国要是不任用他做中军司马，有如先君之神灵为证！"范献子说："寡君有官职要封，将使用合适的人，我知道什么？"范献子对赵鞅说："鲁国人担心阳虎了，孟懿子了解其征兆，他认为阳虎必然来到晋国，所以极力替他向晋国请求，以达到进入晋国的目的。"

四月十五日，吴国的太子终累打败了楚国的水军，俘获了潘子臣、小惟子和大夫七人。楚国大为担心，害怕被灭亡。子期率领陆军在繁扬又被打败。令尹子西高兴地说："如今楚国可以治理了。"于是把郢都迁到鄀地，改变治理政事的办法，来稳定楚国。

周朝的儋翩率领王子朝的士卒，依靠郑国人打算在成周发动叛乱，郑国趁此机会就攻打冯地、滑地、胥靡、负黍、狐人、阙外等地。六月，晋国的阎没戍守成周，并且在胥靡筑城。

秋八月，宋国的乐祁对宋景公说："诸侯中只有我国事奉晋国，现在使者不去晋见，晋国恐怕会不满意了。"乐祁把这话告诉他的家宰陈寅，陈寅说："一定会派您去。"过了几天，宋景公对乐祁说："只有寡人高兴您的建议，您一定要去！"陈寅说："您立了继承人再去，我们的家室也不会灭亡，君主也会认为我们是明知有祸难而前往的。"乐祁就让儿子溷进见景公然后出发。赵鞅前来迎接，在绵上招待他喝酒。乐祁向赵鞅献上六十副杨木盾。陈寅说："过去我们奉范氏为主，现在您奉赵氏为主，又有礼物献给他，用杨木盾招祸，没有办法了。不过您为出使晋国而死，子孙一定会在宋国得志。"范献子对晋定公说："奉君命越过别国疆界而出使，没有报告使命就私自饮酒，对两国国君不恭敬，不可不讨伐。"于是就拘捕了乐祁。

阳虎又在周社和鲁定公及孟孙、叔孙、季孙盟誓，和国内的人们在亳社盟誓。在五父之衢举行诅祭。

冬天十二月。周敬王住在姑莸，是躲避儋翩发动的祸乱。

定公七年

【原文】

　　七年：春，王正月。
　　夏，四月。
　　秋，齐侯、郑伯盟于鹹。
　　齐人执卫行人北宫结以侵卫。齐侯、卫侯盟于沙。
　　大雩。
　　齐国夏帅师伐我西鄙。

九月，大雩。
冬，十月。
七年：春，二月，周儋翩入于仪栗以叛。
齐人归郓、阳关，阳虎居之以为政。
夏四月，单武公、刘桓公败尹氏于穷谷。
秋，齐侯、郑伯盟于鹹，徵会于卫。卫侯欲叛晋，诸大夫不可。使北宫结如齐，而私与齐侯曰："执结以侵我！"齐侯从之，乃盟于琐。
齐国夏伐我。阳虎御季桓子，公敛处父御孟懿子，将宵军齐师。齐师闻之，堕，伏而待之。处父曰："虎不图祸，而必死！"苦夷曰："虎陷二子于难，不待有司，余必杀汝！"虎惧，乃还，不败。
冬十一月戊午，单子、刘子逆王于庆氏。晋籍秦送王。己巳，王入于王城，馆于公族党氏，而後朝于庄宫。

【译文】

鲁定公七年春天，周历正月。夏四月。秋天，齐景公、郑献公在咸地会盟。齐国人拘捕卫国外交官北宫结而侵袭卫国。齐景公、卫灵公在沙地会盟。举行求雨大祭。齐国的国夏率军队攻打我鲁国西部边城。九月，举行求雨大祭。冬十月。

鲁定公七年春二月，周朝的儋翩进入仪栗而叛乱。

齐国人归还郓地、阳关，阳虎居守在那里主持政事。

夏四月，单武公、刘桓公在穷谷打败尹氏。

秋天，齐景公、郑献公在咸地会盟，在卫国召集诸侯会见。卫灵公想要背叛晋国，大夫们不赞成，卫灵公就派北宫结前往齐国，而私下对齐景公说："拘捕北宫结来侵袭我国。"齐景公听从了他的话，于是在琐地结盟。

齐国的国夏攻打我鲁国。阳虎为季桓子驾车，公敛处父为孟懿子驾车，打算晚上出兵攻击齐军。齐军听到消息，拆散军队，埋伏起来等待鲁军。处父说："阳虎不考虑灾祸，一定会死。"苦夷说："阳虎使季桓子、孟懿子二位陷入祸难。不等法官惩处，我一定杀了你。"阳虎害怕，就退兵，没有吃败仗。

冬十一月二十三日，单武公、刘桓公到庆氏那儿迎接周敬王，晋国籍秦护送周敬王。十二月初五日，周敬王进入王城，住在公族党氏家中，然后朝拜庄王庙。

定公八年

【原文】

八年：春，王正月，公侵齐。公至自侵齐。

二月，公侵齐。

三月，公至自侵齐。

曹伯露卒。

夏，齐国夏帅师伐我西鄙。

公会晋师于瓦。公至自瓦。

秋，七月戊辰，陈侯柳卒。

晋士鞅帅师侵郑，遂侵卫。

葬曹靖公。

九月，葬陈怀公。

季孙斯、仲孙何忌帅师侵卫。

冬，卫侯、郑伯盟于曲濮。

从祀先公。

盗窃宝玉、大弓。

八年春，王正月，公侵齐，门于阳州。士皆坐列，曰："颜高之弓六钧。"皆取而传观之。阳州人出，颜高夺人弱弓；籍丘子鉏击之，与一人俱毙；偃，且射子鉏，中颊；殪。颜息射人中眉，退曰："我无勇。吾志其目也。"师退，冉猛伪伤足而先。其兄会乃呼曰："猛也殿！"

二月己丑，单子伐穀城，刘子伐仪栗。辛卯，单子伐简城，刘子伐盂，以定王室。

赵鞅言于晋侯曰："诸侯唯宋事晋。好逆其使，犹惧不至；今又执之，是绝诸侯也！"将归乐祁，士鞅曰："三年止之，无故而归之，宋必叛晋。"献子私谓子梁曰："寡君惧不得事宋君，是以止子。子姑使溷代子。"子梁以告陈寅，陈寅曰："宋将叛晋，是弃溷也。不如待之！"乐祁归，卒于大行。士鞅曰："宋必叛！不如止其尸以求成焉。"乃止诸州。

公侵齐，攻廪丘之郭。主人焚衝，或濡马褐以救之，遂毁之。主人出，师奔。阳虎伪不见冉猛者，曰："猛在此，必败！"猛逐之，顾而无继，伪颠。虎曰："尽客气也！"

苫越生子，将待事而名之。阳州之役获焉，名之曰阳州。

夏，齐国夏、高张伐我西鄙。晋士鞅、赵鞅、荀寅救我。公会晋师于瓦。范献子执羔，赵简子、中行文子皆执雁。鲁于是始尚羔。

晋师将盟卫侯于鄟泽，赵简子曰："群臣谁敢盟卫君者？"涉佗、成何曰："我能盟之。"卫人请执牛耳，成何曰："卫，吾温、原也，焉得视诸侯？"将歃，涉佗捘卫侯之手，及捥。卫侯怒，王孙贾趋进，曰："盟以信礼也。有如卫君，其敢不唯礼是事而受此盟也？"

卫侯欲叛晋，而患诸大夫。王孙贾使次于郊。大夫问故，公以晋诟语之，且曰："寡人辱社稷，其改卜嗣，寡人从焉！"大夫曰："是卫之祸，岂君之过也？"公曰："又有患焉，谓寡人：'必以而子与大夫之子为质！'"大夫曰："苟有益也，公子则往，

群臣之子敢不皆负羁绁以从？"将行，王孙贾曰："苟卫国有难，工商未尝不为患，使皆行而后可。"公以告大夫，乃皆将行之。行有日，公朝国人，使贾问焉，曰："若卫叛晋，晋五伐我，病何如矣？"皆曰："五伐我，犹可以能战！"贾曰："然则如叛之，病而后质焉，何迟之有？"乃叛晋。晋人请改盟，弗许。

秋，晋士鞅会成桓公，侵郑，围虫牢，报伊阙也。遂侵卫。

九月，师侵卫，晋故也。

季寤、公钼极、公山不狃皆不得志于季氏，叔孙辄无宠于叔孙氏，叔仲志不得志于鲁，故五人因阳虎。阳虎欲去三桓，以季寤更季氏，以叔孙辄更叔孙氏，己更孟氏。冬十月，顺祀先公而祈焉。辛卯，禘于僖公。壬辰，将享季氏于蒲圃而杀之，戒都车，曰："癸巳至！"成宰公敛处父告孟孙，曰："季氏戒都车，何故？"孟孙曰："吾弗闻。"处父曰："然则乱也，必及于子。先备诸！"与孟孙以壬辰为期。

阳虎前驱；林楚御桓子，虞人以铍、盾夹之；阳越殿。将如蒲圃，桓子咋谓林楚曰："而先皆季氏之良也，尔以是继之。"对曰："臣闻命后。阳虎为政，鲁国服焉；违之徵死，死无益于主。"桓子曰："何后之有？而能以我适孟氏乎？"对曰："不敢爱死，惧不免主。"桓子曰："往也！"孟氏选圉人之壮者三百人，以为公期筑室于门外。林楚怒马及衢而骋。阳越射之，不中。筑者阖门，有自门间射阳越，杀之。阳虎劫公与武叔，以伐孟氏。公敛处父帅成人，自上东门入，与阳氏战于南门之内，弗胜。又战于棘下，阳氏败。

阳虎说甲如公宫，取宝玉、大弓以出；舍于五父之衢，寝而为食。其徒曰："追其将至！"虎曰："鲁人闻余出，喜于徵死，何暇追余？"从者曰："嘻，速驾！公敛阳在。"公敛阳请追之，孟孙弗许。阳欲杀桓子，孟孙惧而归之。子言辨舍爵于季氏之庙而出。阳虎入于讙、阳关以叛。

郑驷歂嗣子大叔为政。

【译文】

鲁定公八年春天，周历正月，定公侵袭齐国。定公侵袭齐国回到鲁国。二月，定公再次侵袭齐国。三月，定公侵袭归来。曹靖公死了。夏天，齐国的国夏领兵攻打我鲁国西部边城。定公在瓦地会见晋国军队。定公从瓦地回到国内。秋七月初七日，陈怀公柳死了。晋国的范献子率军队偷袭郑国，随即侵袭卫国。安葬曹靖公。九月，安葬陈怀公。季桓子、孟懿子领兵侵袭卫国。冬天，卫灵公、郑献公在曲濮结盟。阳虎等按次序祭祀先公。盗贼偷走了宝玉、大弓。

鲁定公八年春天，周历正月，定公侵袭齐国，攻打阳州的城门。士卒们都坐成一排排，说："颜高的弓要一百八十斤力才能张开。"都拿来传观。阳州人冲出城来，颜高夺过别人的弱弓应战，籍丘子钼攻击他，颜高和另一个人都倒在地上。颜高仰卧在地，一面射击子钼，射中面颊，死了。颜息射人射中眉毛，退下来说："我没有勇力，我本来是拿他的眼睛当靶子的。"部队撤退，冉猛假装伤了脚而走在前面，他的哥哥冉会就喊道:"冉猛,到后面去压阵!"

三月二十六日,单武公攻打谷城,刘桓公攻打仪栗。二十八日,单武公攻打简城,刘桓公攻打盂地,以安定王室。

赵鞅对晋定公说:"诸侯中只有宋国事奉晋国,友好地迎接他们的使者,还怕不到来,如今又拘禁他们的使者,这是断绝诸侯的做法。"打算送回乐祁,范献子说:"扣留了他三年,无缘无故又放回去,宋国一定会背叛晋国。"范献子私下对乐祁说:"寡君担心不能事奉宋君,所以留住您。您暂时让乐溷来替代您。"乐祁把这事告诉陈寅,陈寅说:"宋国将要背叛晋国,这等于是抛弃了乐溷,不如等待一下。"乐祁回国,死在太行。范献子说:"宋国必定背叛,不如留下乐祁的尸首来求和。"于是就把尸首留在州地。

鲁定公侵袭齐国,攻打廪丘的外城。廪丘人焚烧冲车,鲁军有人打湿了麻布短衣去救火,于是就摧毁了外城。廪丘人出城反击,鲁军奔逃。阳虎假装没看见冉猛,说:"冉猛如果在这里,一定能打败他们。"冉猛就去追逐敌人,回头看到没有人跟上,就假装跌倒。阳虎说"都是假意!"

苦越生了儿子,打算等待发生大事再给他取名。阳州这次战役获得了战绩,就给儿子取名叫阳州。

夏天,齐国的国夏、高张攻打我鲁国西部边城。晋国的范献子、赵鞅、荀寅援救我国。定公在瓦地会见晋国军队,范献子手持羊羔,赵鞅、荀寅都手持大雁作为礼物。鲁国从此开始以羊羔为贵重礼。

晋军打算在邰泽和卫灵公结盟,赵鞅说"大臣们谁敢和卫灵公结盟?"涉佗、成何说:"我们能去和他结盟。"卫国人请涉佗两人执牛耳,成何说:"卫国,就好像我国的温、原两地一样,怎么能做诸侯对待?"将要歃血,涉佗推卫灵公的手,血流到了手腕上,卫灵公发怒。王孙贾快步上前,说:"结盟是用来伸张礼义的,能做到像我卫君一样,难道谁敢不唯礼是从?如今却接受这样的结盟!"

卫灵公想要背离晋国,但又担心大夫们不同意。王孙贾让卫灵公临时住在郊外,大夫们询问原因,卫灵公把在晋国受的耻辱告诉他们,并且说:"寡人让国家蒙受羞辱,如果改卜新君继位,寡人服从。"大夫说:"这是卫国的祸难,哪里是君主的过错?"卫灵公说:"还有可担忧的事呢,晋国人对寡人说:一定要拿你的儿子和大夫们的儿子作为人质。"大夫说:"如果有好处,公子就去,下臣们的儿子谁敢不背着马笼头和缰绳跟着?"公子们将要动身,王孙贾说:"如果卫国有难,工匠商人未尝不成为灾患,要让他们都走才行。"卫灵公把这告诉大夫,就打算都让他们走。动身的日期定下后,卫灵公接见国内要人,派王孙贾问他们,说:"如果卫国背离晋,晋国五次攻打我国,灾难会是什么样子?"人们都说:"五次攻打我国,还是可以凭能力迎战。"王孙贾说:"那么应当背离晋国,有了灾难然后交人质,有什么迟的?"于是背离晋国。晋国人请求另行结盟,卫国不答应。

秋天,晋国的范献子会合成桓公一起侵袭郑国。包围虫牢,是为了报复伊阙那次战役。随即又侵袭卫国。

九月，鲁军侵袭卫国，是因为要协同晋国。

季寤、公钮极、公山不狃都在季氏那里不得志，叔孙辄在叔孙氏那里不受宠信，叔仲志在鲁国不得志，所以五个人都投靠阳虎。阳虎想要除掉三桓，用季寤代替季氏，用叔孙辄代替叔孙氏，自己代替孟氏。冬十月，阳虎等按位次祭祀先公并为此祈祷。初二日，在僖公庙举行禘祭。初三日，打算在蒲圃宴享季桓子而杀了他，就命令都邑的战车说："癸巳那天都要赶到。"成地的宰臣公敛处父告诉孟孙说："季氏命令都邑战车备战，什么原因？"孟孙说："我没听说。"处父说："那么就是要叛乱，一定会延及到您，先防备着吧！"就和孟懿子约定以初三为戒备的日期。

阳虎驱车先往蒲圃：林楚为季桓子驾车，警备人员持铍和盾夹护两边，阳越压阵，将前往蒲圃：季桓子突然对林楚说："你的先人都是季氏的好家臣，你要用这次行动继承他们的传统。"林楚回答说："我听到您的命令晚了。阳虎掌权，鲁国人服从他，违背他会招致死亡，死了对主人也没有好处。"季桓子说："有什么晚的？你能带我去孟懿子那里吗？"林楚回答说："不敢爱惜死，只是怕不能使主人免除灾难。"季桓子说："去吧！"孟懿子挑选了三百个强壮的奴隶，在门外为公期修筑房子。林楚奋力策马，到了大路上就奔驰起来，阳越射他，没有射中，筑房子的人关上门，有人从门缝中用箭射阳越，射死了他。阳虎劫持定公和武叔，以此攻打孟氏。公敛处父率领成地人从上东门进入，和阳氏在南门里边交战，没有取胜。又在棘下交战，阳氏失败。阳虎脱下铠甲去到公宫，偷取宝玉、大弓而出逃，住在五父之衢，睡了一觉才做饭。他的随从说："追兵恐怕将要到了。"阳虎说："鲁国人听到我出逃，高兴我的自找灭亡，哪有空闲追我？"随从的人说："哇！赶快驾车，公敛处父在那里！"公敛处父请求追击，孟懿子不同意。公敛处父想要杀掉季桓子，孟懿子害怕就把他遣归了。季寤在季氏的祖庙里——摆酒祭告然后出逃。阳虎进于讙地、阳关而叛变。

郑国的驷歂继承子太叔治理政事。

定公九年

【原文】

九年：春，王正月。

夏，四月戊申，郑伯虿卒。

得宝玉、大弓。

六月，葬郑献公。

秋，齐侯、卫侯次于五氏。

秦伯卒。

冬，葬秦哀公。

九年春，宋公使乐大心盟于晋，且逆乐祁之尸；辞，伪有疾。乃使向巢如晋盟，且逆子梁之尸。子明谓桐门右师出，曰："吾犹衰绖，而子击钟，何也？"右师曰："丧不在此故也。"既而告人曰："己衰绖而生子，余何故舍钟？"子明闻之，怒，言于公曰："右师将不利戴氏。不肯适晋，将作乱也。不然无疾。"乃逐桐门右师。

郑驷歂杀邓析而用其竹刑。君子谓子然于是不忠。苟有可以加于国家者，弃其邪可也。《静女》之三章，取彤管焉。《竿旄》"何以告之"，取其忠也。故用其道，不弃其人。《诗》云："蔽芾甘棠，勿翦勿伐，召伯所茇。"思其人犹爱其树，况用其道而不恤其人乎？子然无以劝能矣！

夏，阳虎归宝玉、大弓，书曰"得"，器用也。凡获器用曰"得"，得用焉曰"获"。

六月，伐阳关。阳虎使焚莱门，师惊。犯之而出，奔齐，请师以伐鲁，曰："三加，必取之！"齐侯将许之，鲍文子谏曰："臣尝为隶于施氏矣。鲁未可取也。上下犹和，众庶犹睦，能事大国，而无天灾，若之何取之？阳虎欲勤齐师也：齐师罢，大臣必多死亡，己于是乎奋其诈谋。夫阳虎有宠于季氏而将杀季孙，以不利鲁国，而求容焉。亲富不亲仁，君焉用之？君富于季氏而大于鲁国，兹阳虎所欲倾覆也。鲁免其疾，而君又收之，无乃害乎？"

齐侯执阳虎，将东之；阳虎愿东。乃囚诸西鄙。尽借邑人之车，锲其轴，麻约而归之。载葱灵，寝于其中而逃。追而得之，囚于齐。又以葱灵逃，奔〔宋，遂奔〕晋，适赵氏。仲尼曰："赵氏其世有乱乎！"

秋，齐侯伐晋夷仪。敝无存之父将室之，辞，以与其弟，曰："此役也不死，反必娶于高、国。"先登，求自门出，死于霤下。东郭书让登，犁弥从之，曰："子让而左，我让而右，使登者绝而后下。"书左，弥先下。书与王猛息，猛曰："我先登！"书敛甲，曰："曩者之难，今又难焉！"猛笑曰："吾从子，如骖之靳。"

晋车千乘在中牟。卫侯将如五氏，卜过之龟焦。卫侯曰："可也。卫车当其半，寡人当其半，敌矣！"乃过中牟。中牟人欲伐之；卫褚师圃亡在中牟，曰："卫虽小，其君在焉，未可胜也。齐师克城而骄，其帅又贱；遇，必败之。不如从齐。"乃伐齐师，败之。齐侯致禚、媚、杏于卫。

齐侯赏犁弥，犁弥辞曰："有先登者，臣从之。皙帻而衣狸制。"公使视东郭书，曰："乃夫子也。——吾贶子。"公赏东郭书；辞，曰："彼，宾旅也。"乃赏犁弥。

齐师之在夷仪也，齐侯谓夷仪人曰："得敝无存者，以五家免。"乃得其尸。公三襚之，与之犀轩与直盖，而先归之。坐引者，以师哭之，亲推之三。

【译文】

鲁定公九年春天，周历正月。夏四月二十二日，郑献公虿死去。鲁定公得到了宝玉、大弓。六月，安葬郑献公。秋天，齐景公、卫灵公驻扎在五氏。秦哀公死了。冬天,安葬秦哀公。

鲁定公九年春天,宋景公派乐大心跟晋国结盟,并且接回乐祁的尸体。乐大心推辞,装着有病,于是派向巢前往晋国结盟,同时接回乐祁的尸体。乐溷叫乐大心出国迎接,说:"我还在服丧,您却敲钟作乐,为什么?"乐大心说:"是因为丧事不在这里。"不久又告诉别人说:"自己服丧却生了孩子,我为什么不能敲钟?"乐溷听到了,发怒,对宋景公说:"乐大心将不利于戴氏,不肯去晋国,是打算作乱。不然的话,没有病为何装病?"于是就驱逐乐大心。

郑国的驷歂杀了邓析,而又采用他的《竹刑》。君子认为:"驷歂在这件事上不忠。如果有人对国家有利,可以放过他的不正当行为。《静女》三章诗,是取其中的彤管。《竿旄》中说的'用什么劝告他',是取它的忠心。所以采用一个人的学说,就不抛弃这个人。《诗》中说:'高大繁茂的甘棠树,不要砍伐不要剪除,召伯曾在这里止宿。'思念那个人尚且爱惜那棵树,何况采用那个人的学说却不怜惜那个人?驷歂没有办法勉励有才能的人了。"

夏天,阳虎归还宝玉和大弓,《春秋》记载说"得",因为是器物用具的缘故,凡获得器物用具就说"得",得到活物就说"获"。

六月,鲁军攻打阳关。阳虎派人焚烧莱门,鲁军惊恐,阳虎反攻鲁军而突围出城,逃往齐国,请求齐军以攻打鲁国,说:"进攻三次一定可以攻取它。"齐景公打算答应他,鲍文子劝谏说:"下臣曾经在施氏那里做家臣,知道鲁国是不可攻取的。君臣上下很融洽,老百姓很和睦,能事奉大国,又没有天灾,怎么能攻取它?阳虎是想要使齐军疲劳,齐军疲劳了,大臣必然有很多人死伤逃亡,于是他自己就可实现阴谋。阳虎在季氏面前有过宠信,却打算杀害季桓子,以危害鲁国,而在他国求得容身。亲近富有而不亲近仁义,君怎么能用他?君比季氏富有,比鲁国强大,这就是阳虎想要颠覆的原因,鲁国免除了它的祸患,而君又收容他,恐怕有害吧!"齐景公拘捕了阳虎,将把他关押到东部去。阳虎希望到东部去,于是就把他囚禁到西部边城。阳虎把城里人的车子都借来,切割车轴,用麻缠上还回去。阳虎把葱灵车装上衣物,睡在衣物中逃走。齐军追上去抓住他,关押到齐国都城。阳虎又利用葱灵车逃跑,逃到宋国,随即逃到晋国,去了赵氏家中。孔子说:"赵氏恐怕会世世代代有祸乱了吧!"

秋天,齐景公攻打晋国的夷仪。敝无存的父亲打算为他娶妻,敝无存辞谢了,把她给了他弟弟,说:"这一仗如果没死,能返回,一定在高氏、国氏那儿娶个妻子。"他首先登城,又寻求办法从城门出来,结果死在城门橝雷下。东郭书抢先登城,犁弥跟着他,说:"您抢先登上去往左,我抢先登上去往右,让登城的人全都上来后再下去。"东郭书往左,犁弥抢先下了城墙。战后东郭书和犁弥一起歇息,犁弥说:"我先登上城墙。"东郭书收拾铠甲,说:"先前为难我,现在又为难我。"犁弥笑着说:"我跟着您就像骖马有游环。"

晋国的一千辆兵车部署在中牟,卫灵公将要去五氏,为经过中牟而占卜,龟甲灼焦了。卫灵公说:"可以经过!卫国的战车对付他们的一半,寡人对付他们的一半,相当了。"就通过中牟。中牟人想要攻打他们,卫国的褚师圃逃亡在中牟,他说:"卫国虽小,但它的国君在那里,不能战胜的。齐军攻下夷仪城而骄傲,他们的将帅又地位低贱,和他们交战,一定能打败他们,不如追击齐军。"于是就攻打齐军,打败了他们。齐景公把禚、媚、杏等地割让给卫国。

齐景公封赏犁弥,犁弥推辞说:"有人先登城,我只是跟着他,那个人头戴白色帻巾,身披狸皮斗篷。"齐景公派他去看东郭书是不是,他看到东郭书说:"就是这位先生,我为您带来了赏赐。"齐景公赏赐东郭书,他推辞说:"他是客人。"于是就赏赐犁弥。

齐军在夷仪的时候,齐景公对夷仪人说:"找到敝无存的,赏给五户的食禄并免去服劳役。"就找到了他的尸体。齐景公三次为死尸穿衣服,给予犀皮车和长柄车盖,让灵车先行回国。齐景公让拉灵车的人跪坐,自己带着军队哭丧,亲自推灵车三次。

定公十年

【原文】

十年:春,王三月,及齐平。

夏,公会齐侯于夹谷。公至自夹谷。

晋赵鞅帅师围卫。

齐人来归郓、讙、龟阴田。

叔孙州仇、仲孙何忌帅师围郈。

秋,叔孙州仇、仲孙何忌帅师围郈。

宋乐大心出奔曹。

宋公子地出奔陈。

冬,齐侯、卫侯、郑游速会于安甫。

叔孙州仇如齐。

宋公之弟辰暨仲佗、石彄出奔陈。

十年春,及齐平。

夏,公会齐侯于祝其,实夹谷。孔丘相。犁弥言于齐侯曰:"孔丘知礼而无勇。若使莱人以兵劫鲁侯,必得志焉。"齐侯从之。孔丘以公退,曰:"士兵之!两君合好,而裔夷之俘以兵乱之,非齐君所以命诸侯也。裔不谋夏,夷不乱华,俘不干盟,兵不偪好。于神为不祥,于德为愆义,于人为失礼,君必不然!"齐侯闻之,遽辟之。

将盟,齐人加于载书曰:"齐师出竟而不以甲车三百乘从我者,有如此盟!"孔丘使兹无还揖对,曰:"而不反我汶阳之田,吾以共命者,亦如之!"齐侯将享公。孔丘谓梁丘据曰:"齐、鲁之故,吾子何不闻焉?事既成矣,而又享之,是勤执事也。且牺象不出门，嘉乐不野合。飨而既具，是弃礼也；若其不具，用秕稗也。用秕稗，君辱；弃礼，名恶。子盍图之？夫享所以昭德也；不昭，不如其已也。"乃不果享。

齐人来归郓、讙、龟阴之田。

晋赵鞅围卫，报夷仪也。初，卫侯伐邯郸午于寒氏，城其西北而守之；宵熸。及晋围卫，午以徒七十人门于卫西门，杀人于门中，曰："请报寒氏之役！"涉佗曰："夫子则勇矣。然我往，必不敢启门！"亦以徒七十人，旦门焉；步左右，皆至而立，如植。日中不启门，乃退。反役，晋人讨卫之叛故，曰："由涉佗、成何。"于是执涉佗以求成于卫，卫人不许。晋人遂杀涉佗，成何奔燕。君子曰："此之谓弃礼，必不钧。《诗》曰：'人而无礼，胡不遄死？'涉佗亦遄矣哉！"

初，叔孙成子欲立武叔，公若藐固谏曰："不可！"成子立之而卒。公南使贼射之，不能杀。公南为马正，使公若为郈宰。武叔既定，使郈马正侯犯杀公若；弗能。其圉人曰："吾以剑过朝，公若必曰：'谁之剑也？'吾称子以告，必观之。吾伪固而授之末，则可杀也。"使如之。公若曰："尔欲吴王我乎？"遂杀公若。

侯犯以郈叛。武叔懿子围郈，弗克。秋，二子及齐师复围郈，弗克。叔孙谓郈工师驷赤曰："郈非唯叔孙氏之忧，社稷之患也。将若之何？"对曰："臣之业，在《扬水》卒章之四言矣。"叔孙稽首。驷赤谓侯犯曰："居齐、鲁之际而无事，必不可矣！子盍求事于齐以临民？不然，将叛。"侯犯从之。齐使至，驷赤与郈人为之宣言于郈中曰："侯犯将以郈易于齐，齐人将迁郈民。"众凶惧。驷赤谓侯犯曰："众言异矣！子不如易于齐，与其死也；犹是郈也，而得纾焉。何必此？齐人欲以此偪鲁，必倍与子地。且盍多舍甲于子之门，以备不虞。"侯犯曰："诺！"乃多舍甲焉。

侯犯请易于齐，齐有司观郈。将至，驷赤使周走呼曰："齐师至矣！"郈人大骇，介侯犯之门甲，以围侯犯。驷赤将射之，侯犯止之，曰："谋免我！"侯犯请行，许之。驷赤先如宿，侯犯殿。每出一门，郈人闭之。及郭门，止之，曰："子以叔孙氏之甲出，有司若诛之，群臣惧死。"驷赤："叔孙氏之甲有物，吾未敢以出。"犯谓驷赤曰："子止而与之数。"驷赤止而纳鲁人，侯犯奔齐。齐人乃致郈。

宋公子地嬖蘧富猎，十一分其室，而以其五与之。公子地有白马四；公嬖向魋，魋欲之。公取而朱其尾、鬣以与之。地怒，使其徒抶魋而夺之。魋惧，将走，公闭门而泣之，目尽肿。母弟辰曰："子分室以与猎也，而独卑魋，亦有颇焉。子为君礼，不过出竟，君必止子。"公子地出奔陈，公弗止。辰为之请，弗听。辰曰："是我迋吾兄也。吾以国人出，君谁与处？"冬，母弟辰暨仲佗、石彄出奔陈。

武叔聘于齐。齐侯享之，曰："子叔孙！若使郈在君之他竟，寡人何知焉？属与敝邑际，故敢助君忧之。"对曰："非寡君之望也。所以事君，封疆社稷是以，敢以家隶勤君之执事？夫不令之臣，天下之所恶也，君岂以为寡君赐？"

【译文】

鲁定公十年，周历三月，鲁国和齐国议和。夏天，定公在夹谷会见齐景公。定公从夹谷回到鲁国。晋国的赵鞅领兵包围卫国。齐国人来归还郓地、谨地、龟阴的田土。武叔、孟懿子率军队包围邱地。秋天，武叔、孟懿子领兵包围邱地。宋国乐大心逃亡到晋国。宋公子地出逃到陈国。冬天，齐景公、卫灵公、郑国游速在安甫会盟。武叔前往齐国。宋景公的弟弟辰和仲佗、石彄出逃到陈国。

鲁定公十年春天，鲁国和齐国言和。

夏天，鲁定公在祝其会见齐景公，实际上就是在夹谷。孔子担任辅相。犁弥对齐景公说："孔丘懂得礼仪但没有勇武，如果叫莱地人用武力劫持鲁君，一定可以实现愿望。"齐景公听从了。孔子奉定公退出，说："战士们拿起武器去攻打！两国君主友好会见，边远夷人的俘虏却用武力扰乱，这不是齐君用来命令诸侯的办法。边远国家不能觊觎中原，夷人不能扰乱华夏民族，俘虏不能侵犯盟会，武力不能胁迫友好，否则对神灵来说是不吉利的，在德行而言是违失道义的，对人来说是失去礼仪的，君主肯

鲁国在夹谷与齐会盟，选自《孔子圣迹图》。

定不会这样的。"齐景公听说了，立即让莱地人避开。

将要盟誓，齐国人在盟约上加了一句话说："齐军出境而鲁国不派三百辆甲车跟随我们的话，有如这盟约中所说的加以追究！"孔子派兹无还作揖回答说："你们如果不归还我汶阳的田地，以使我们用来奉行贵国的命令，也像这盟约所说的那样！"

齐景公打算宴享鲁定公，孔子对梁丘据说："齐国、鲁国的旧礼，您怎么没听说过呢？事情已经完成了，又来宴享，这是让办事的人受苦。而且礼器不出国门，雅乐不在郊野合奏。如果宴享时这些东西全都具备，那是背弃礼制；如果不具备，用物又粗劣卑微。用物粗劣卑微，是屈辱君主；背弃礼制，则名声不好，您何不考虑一下？享礼，是用来显示德行的，德行不能显示，不如作罢。"于是终于没有宴享定公。

齐国人前来归还郓地、谨地和龟阳的田土。

晋国人赵鞅包围卫国，是对夷仪战役的报复。起初，卫灵公在寒氏攻打邯郸午，攻陷邯郸城的西北并据守在那里，但到晚上部队就溃散了。到晋国包围卫国时，午带领七十个徒卒攻打卫国西门，把守门人杀死在门里，说："让我报复寒氏那次战役。"涉佗说："先生倒是勇敢，但我去攻门，肯定不敢开门。"也带了七十个徒卒清早去攻门，走向城门左右，到那儿就都站住，像栽的树一样。到中午卫国人还不敢打开城门，就退回来。收兵回国，晋国人责问卫国背叛的原因，卫国人说："是由于涉佗、成何。"于是就逮捕涉佗来向卫国求和，卫国人不答应，晋国人就杀了涉佗，成何逃往燕国。君子说："这就叫做背弃礼义，两人的罪过肯定不一样。《诗》中说：'人如果没有礼仪，何不快点死去？'涉佗也算是死得快了啊！"

起初，叔孙成子想要立武叔，公若藐坚决劝止说："不可以。"叔孙成子立了武叔就死了。公南派杀手射公若，没能杀到。公南做马正，让公若做郈地宰臣。武叔已经稳定之后，派郈地马正侯犯去杀公若，没能成功，他的马倌说："我带剑经过朝宫，公若必定问是谁的剑，我说出您来告诉他，他一定要观剑。我就装作固陋不懂礼节而把剑尖递给他，就可以杀掉他。"武叔就让他像说的那样去做。公若说："你想要把我当吴王吗？"于是就杀了公若。侯犯带领郈地人叛变，武叔包围郈地，没有攻下。

秋天，武叔、公南二人和齐军再次包围郈地，没有攻下。武叔对郈地工师驷赤说："郈地不只是叔孙家的忧虑，也是国家的祸患，打算怎么办？"驷赤回答说："下臣的事在《扬水》诗末章的四个字里了。"武叔磕头。驷赤对侯犯说："处在齐、鲁之间而不事奉他们，肯定不行，您何不请求事奉齐国以统治百姓？不这样，他们将叛变。"侯犯听从了。

齐国使者来到郈地，驷赤和郈地人为此在城中散布言论说："侯犯打算用郈地和齐国交换，齐国人将迁走郈地百姓。"众人喧嚷恐惧。驷赤对侯犯说："大家的说法各不相同，与其死，您不如和齐国交换。换来的还像是这郈地，同时又缓解了局势，何必死守在这里？齐国人想要利用这里威逼鲁国，一定会加倍换给你土地。而且何不多放些铠甲在您门口，以防备意外？"侯犯说："好。"就在门口放了很多铠甲。侯犯请求和齐国交换郈地，齐国官员要视察郈地，将到来的时候，驷赤派人到处奔跑呼喊："齐军到了！"郈地人大为震惊，穿上侯犯放在门口的铠甲，来包围侯犯。驷赤准备射那些人，侯犯制止他说："想办法让我脱身。"侯犯请求出走，大家答应了他。驷赤先去到宿地，侯犯随后，每走出一道门，郈地人就关上门。到了外城门，守门的挡住他，说："您带着叔孙氏的铠甲出走，官员如果责问这件事，臣下们害怕会死。"驷赤说："叔孙氏的铠甲有标志，我们不敢带走。"侯犯对驷赤说："您留下和他们点数。"驷赤留下而接纳了鲁国人。侯犯逃奔到齐国，齐国人就把郈地交给了鲁国。

宋国的公子地宠爱蘧富猎，把自己的家产分成十一份，而把其中的五份给了他。公子地有白马四匹，宋景公宠爱向魋，向魋想要那些马。宋景公弄来马而染红它们的尾巴和鬃毛，把它们给了向魋。公子地发怒，叫他的仆卒鞭打向魋并夺回马。向魋害怕，打算逃跑，宋景公关上门为向魋哭泣，眼睛全肿了。宋君同母弟弟辰对公子地说：

"您分出家产给遽富猎,却单单瞧不起向魋,也有偏心。您对国君有礼,出走而不到走出国境,国君肯定会挽留您。"公子地出逃陈国,宋景公没有留他。辰替他请求,不听。辰说:"这是我欺骗我兄长。我带领国内人们出国,君主和谁在一起?"冬天,同母弟弟辰和仲佗、石驱出逃到陈国。

武叔到齐国聘问,齐景公宴享他,说:"子孙叔!如果让邱地处在君之外的其他边境,寡人知道什么呢?这里正好与敝国交界,所以敢帮着君分忧。"武叔回答说:"这不是寡君的希望。之所以事奉君,是为了国家,岂敢拿家臣的事来让执事受苦?不善良的臣下,是天下人憎恶的对象,君难道用这个作为对寡君的赐予?"

定公十一年

【原文】

十有一年:春,宋公之弟辰及仲佗、石弨、公子地自陈入于萧以叛。
夏,四月。
秋,宋乐大心自曹入于萧。
冬,及郑平。
叔还如郑莅盟。
十一年春,宋公母弟辰暨仲佗、石弨、公子地入于萧以叛。秋,乐大心从之。大为宋患,宠向魋故也。
冬,及郑平,始叛晋也。

【译文】

鲁定公十一年春天,宋景公的同母弟弟辰和仲佗、石弨公子地从陈国进入萧地而叛变。夏四月。秋天,宋国乐大心从曹国进入萧地。冬天,鲁国和郑国言和。叔还前往郑国参加结盟。

鲁定公十一年春天,宋景公同母弟弟辰和仲佗、石弨、公子地进入萧地而叛变。秋天,乐大心追随他们叛变,给宋国造成很大的祸害,这是宠爱向魋的缘故。

冬天,鲁国和郑国言和,这是背离晋国的开始。

定公十二年

【原文】

十有二年:春,薛伯定卒。

夏，葬薛襄公。

叔孙州仇帅师堕郈。

卫公孟彄帅师伐曹。

季孙斯、仲孙何忌帅师堕费。

秋，大雩。

冬，十月癸亥，公会齐侯，盟于黄。

十有一月丙寅朔，日有食之。

公至自黄。

十有二月，公围成。公至自围成。

十二年夏，卫公孟彄伐曹，克郊。还，滑罗殿。未出，不退于列。其御曰："殿而在列，其为无勇乎？"罗曰："与其素厉，宁为无勇。"

仲由为季氏宰，将堕三都。于是叔孙氏堕郈。季氏将堕费，公山不狃、叔孙辄帅费人以袭鲁。公与三子入于季氏之宫，登武子之台。费人攻之，弗克。入及公侧，仲尼命申句须、乐顾下，伐之。费人北；国人追之，败诸姑蔑。二子奔齐，遂堕费。将堕成，公敛处父谓孟孙："堕成，齐人必至于北门。且成，孟氏之保障也；无成，是无孟氏也。子（伪）〔为〕不知，我将不（坠）〔堕〕。"

冬十二月，公围成，弗克。

【译文】

鲁定公十二年春天，薛襄公定死了。夏天，安葬薛襄公。武叔率领军队摧毁郈城。卫国的公孟彄领兵攻打曹国。季桓子、孟懿子领兵毁坏费邑。秋天，举行求雨大祭。冬十月二十七日，鲁定公会合齐景公在黄地结盟。十一月初一日，发生日食，鲁定公从黄地回到鲁国。十二月，定公包围成地。定公包围成地后回到国都。

鲁定公十二年夏，卫国公孟彄攻打曹国，攻占郊地。军队返回时，滑罗殿后。还未走出曹国，滑罗就不离开队列了。他的驾车人说："殿后却走在队列中，恐怕是缺少勇气吧？"滑罗说："与其空得勇猛之名，不如表现得缺少勇气。"

仲由做季氏的宰臣，打算摧毁三都，于是叔孙氏就毁掉郈城。季氏准备毁掉费邑，公山不狃、叔孙辄率领费邑人侵袭鲁国都城。鲁定公和孟懿子、武叔、季桓子三人进入季氏宫中，登上武子之台。费邑人攻打他们，没有攻下。攻进宫的人到了定公一侧，孔子命令申句须、乐顾下台，去攻击他们，费邑人败走。国都的人们追击他们，在姑蔑打败他们。公山不狃、叔孙辄两人逃亡到齐国，于是就摧毁了费邑。准备毁掉成邑，公敛处父对孟孙说："毁掉成邑，齐国人肯定会从北门到来。而且成邑是孟氏的保障，没有它，那就等于没有孟氏。您假装不知道，我打算不毁掉成邑。"

冬十二月，定公包围成邑，没有攻下。

定公十三年

【原文】

十有三年：春，齐侯、卫侯次于垂葭。

夏，筑蛇渊囿。

大蒐于比蒲。

卫公孟彄帅师伐曹。

秋，晋赵鞅入于晋阳以叛。

冬，晋荀寅、士吉射入于朝歌以叛。

晋赵鞅归于晋。

薛弑其君比。

十三年春，齐侯、卫侯次于垂葭，实（郧）〔郹〕氏。使师伐晋。将济河，诸大夫皆曰"不可"，邴意兹曰："可。锐师伐河内，传必数日而后及绛。绛不三月，不能出河，则我既济水矣。"乃伐河内。齐侯皆敛诸大夫之轩，唯邴意兹乘轩。

齐侯欲与卫侯乘，与之宴而驾乘广，载甲焉；使告曰："晋师至矣！"齐侯曰："比君之驾也，寡人请摄。"乃介而与之乘，驱之。或告曰："无晋师。"乃止。

晋赵鞅谓邯郸午曰："归我卫贡五百家，吾舍诸晋阳。"午许诺；归，告其父兄。父兄皆曰："不可！卫是以为邯郸；而寘诸晋阳，绝卫之道也。不如侵齐而谋之。"乃如之，而归之于晋阳。赵孟怒，召午而囚诸晋阳；使其从者说剑而入，涉宾不可。乃使告邯郸人曰："吾私有讨于午也。二三子，唯所欲立！"遂杀午。赵稷、涉宾以邯郸叛。

夏六月，上军司马籍秦围邯郸。邯郸午，荀寅之甥也；荀寅，范吉射之姻也。而相与睦，故不与围邯郸，将作乱。董安于闻之，告赵孟曰："先备诸！"赵孟曰："晋国有命：'始祸者死！'为后可也。"安于曰："与其害于民，宁我独死！请以我说。"赵孟不可。

秋七月，范氏、中行氏伐赵氏之宫。赵鞅奔晋阳，晋人围之。范皋夷无宠于范吉射，而欲为乱于范氏。梁婴父嬖于知文子，文子欲以为卿。韩简子与中行文子相恶，魏襄子亦与范昭子相恶。故五子谋将逐荀寅而以梁婴父代之，逐范吉射而以范皋夷代之。荀跞言于晋侯曰："君命大臣：'始祸者死！'载书在河。今三臣始祸，而独逐鞅，刑已不钧矣。请皆逐之！"

冬十一月，荀跞、韩不信、魏曼多奉公以伐范氏、中行氏，弗克。二子将伐公，齐高强曰："三折肱知为良医。唯伐君为不可，民弗与也。我以伐君在此矣！三家未睦，可尽克也。克之，君将谁与？若先伐君，是使睦也。"弗听，遂伐公。国人助公，二子败；从而伐之。丁未，荀寅、士吉射奔朝歌。

韩、魏以赵氏为请。十二月辛未，赵鞅入于绛，盟于公宫。

初，卫公叔文子朝而请享灵公；退，见史鳅而告之。史鳅曰："子必祸矣！子富而君贪，罪其及子乎！"文子曰："然。吾不先告子，是吾罪也。君即许我矣，其若之何？"史鳅曰："无害。子臣，可以免。富而能臣，必免于难。上下同之。（戌）〔戍〕也骄，其亡乎？富也不骄者鲜，吾唯子之见。骄而不亡者，未之有也。（戌）〔戍〕必与焉！"及文子卒，卫侯始恶于公叔（戌）〔戍〕，以其富也。公叔（戌）〔戍〕又将去夫人之党，夫人愬之曰："戍将为乱。"

【译文】

鲁定公十三年春，齐景公、卫灵公临时住在垂葭。夏天，修筑蛇渊囿。在比蒲举行大规模阅兵。卫国公孟彄领兵攻打曹国。秋天，晋国赵鞅进入晋阳而叛变。冬天，晋国的荀寅、范吉射进入朝歌而叛变。赵鞅归顺晋国。薛国杀了他们的国君比。

鲁定公十三年春天，齐景公、卫灵公临时住在垂葭，实际上就是郹氏。派兵攻打晋国，准备渡过黄河，大夫们都说不行，郹意兹说："可以。以精锐部队攻打河内，敌人送信的传车一定会几天才能到达绛地。绛地人没有三个月到不了黄河，那我们已经凯旋渡河了。"于是就攻打河内。齐景公把大夫们的车子都收起来，只有郹意兹乘车。齐景公想要和卫灵公一起坐车，和他一起宴饮，然后驾起乘广车，装上铠甲。使者报告说："晋军到了。"齐景公说："等到君套好了车，寡人请求代理驾车。"就穿上铠甲和卫灵公同乘，驱车前进。有人报告说："没有晋军。"就停了下来。

晋国赵鞅对邯郸午说："把卫国的五百家贡户归还我，我要把他们安置到晋阳。"邯郸午答应了。邯郸午回家，告诉他的父兄，父兄都说："不行。卫国是用这五百户帮助邯郸的，却把他们迁到晋阳去，这是断了与卫国的来往。不如侵袭齐国以寻求办法。"就像说的那样做，从而把五百户迁到了晋阳。赵鞅发怒，召见邯郸午，把他囚禁在晋阳。赵鞅让他的随从解下剑再进去，涉宾不肯。赵鞅就派人告诉邯郸人说："我私人对邯郸午将进行惩罚，您几位尽管立想要立的人。"就杀了邯郸午。赵稷、涉宾带领邯郸人叛变。

夏六月，上军司马籍秦包围邯郸。邯郸午，是荀寅的外甥，荀寅，是范吉射的亲家，彼此和睦，所以没参与包围邯郸，将要发起叛乱。董安于听说了，报告赵鞅说："先防备他们吧！"赵鞅说："晋国有命令，首先发起祸乱的处死，我们事发后对付他们就可以了。"董安于说："与其害民，宁愿我一人死，请拿我做解释。"赵鞅不同意。秋七月，范氏、中行氏攻打赵氏的宫室，赵鞅逃到晋阳，晋国人包围那里。

范皋夷不受范吉射宠爱，就想要在范氏家族中作乱。梁婴父被荀跞所宠信，荀跞想让他做卿。韩不信和荀寅关系恶劣，魏曼多和范吉射也互相不和。所以范皋夷等五人策划，打算赶走荀寅而让梁婴父代替他，驱逐范吉射而让范皋夷取代他。荀跞对晋定公说："君命令大臣，首先发动祸乱的处死，盟书还在黄河里。如今范氏、中行氏、赵氏三位大臣首先挑起祸乱，却只驱逐赵鞅，处罚已经不公平了，请都赶走。"

冬十一月，荀跞、韩不信、魏曼多奉晋定公攻打范氏、中行氏，没有取胜。这两个人打算还击晋定公，齐国的高强说："多次折断胳膊懂得做个好医生了。只有攻打国君是不可取胜的，因为老百姓不赞成。我就因攻打国君而逃到这里了。那三家不和睦，完全可以战胜他们，打败了他们，君主将依靠哪个？如果先攻打国君，那是促使他们和睦。"不听，于是攻打晋定公。国内人们帮助晋定公，范氏、中行氏失败，三家跟着又攻打他们。十八日，荀寅、范吉射逃往朝歌。韩不信、魏曼多因赵鞅的事向晋定公请求。十二月十二日，赵鞅进入绛地，在公宫盟誓。

起初，卫国的公叔发上朝请求设宴招待卫灵公，退朝后，见到史鱼酋就告诉了他。史鱼酋说："您一定遭祸了！您富有而君主贪心，罪祸将落到您头上了吧！"公叔发说："是这样。我没有先告诉您，是我的罪过。国君已经答应我了，该怎么办？"史鱼酋说："没有妨害，您尽臣子之礼，可以免祸。富有而能尽臣礼，肯定可以免于祸难，上上下下都是这样。您儿子戍骄纵，恐怕会逃亡吧！富有而不骄纵的少有，我只见到您。骄纵而不逃亡的人，是没有的。公叔戍必定会陷进去。"到公叔发死了，卫灵公开始厌恶公叔戍，就因为他富有。公叔戍又打算去掉卫灵公夫人的党羽，夫人控告他说："公叔戍将作乱。"

定公十四年

【原文】

　　十有四年：春，卫公叔（戍）〔戌〕来奔。卫赵阳出奔宋。
　　二月辛巳，楚公子结、陈公孙佗人帅师灭顿，以顿子牂归。
　　夏，卫北宫结来奔。
　　五月，於越败吴于槜李。
　　吴子光卒。
　　公会齐侯、卫侯于牵。
　　公至自会。
　　秋，齐侯、宋公会于洮。
　　天王使石尚来归脤。
　　卫世子蒯聩出奔宋。卫公孟彄出奔郑。
　　宋公之弟辰自萧来奔。
　　大蒐于比蒲。
　　邾子来会公。
　　城莒父及霄。

十四年春，卫侯逐公叔戌与其党，故赵阳奔宋，戌来奔。

梁婴父恶董安于，谓知文子曰："不杀安于，使终为政于赵氏，赵氏必得晋国。盍以其先发难也讨于赵氏？"文子使告于赵孟曰："范、中行氏虽信为乱，安于则发之，是安于与谋乱也。晋国有命：'始祸者死！'二子既伏其罪矣，敢以告！"赵孟患之，安于曰："我死而晋国宁、赵氏定，将焉用生？人谁不死？吾死莫矣！"乃缢而死。赵孟尸诸市，而告于知氏曰："主命戮罪人，安于既伏其罪矣。敢以告。"知伯从赵孟盟。而后赵氏定，祀安于于庙。

顿子牂欲事晋，背楚而绝陈好。二月，楚灭顿。

夏，卫北宫结来奔。公叔戌之故也。

吴伐越，越子勾践御之，陈于槜李。勾践患吴之整也，使死士再禽焉；不动。使罪人三行，属剑于颈，而辞曰："二君有治，臣奸旗鼓。不敏于君之行前，不敢逃刑，敢归死！"遂自刭也。师属之目。越子因而伐之，大败之。

灵姑浮以戈击阖庐，阖庐伤将指；取其一屦。还，卒于陉，去槜李七里。夫差使人立于庭；苟出入，必谓己曰："夫差！而忘越王之杀而父乎？"则对曰："唯，不敢忘！"三年，乃报越。

晋人围朝歌。公会齐侯、卫侯于脾、上梁之间，谋救范、中行氏。析成鲋、小王桃甲率狄师以袭晋，战于绛中，不克而还。士鲋奔周，小王桃甲入于朝歌。

秋，齐侯、宋公会于洮，范氏故也。

卫侯为夫人南子召宋朝。会于洮，大子蒯聩献盂于齐，过宋野。野人歌之，曰："既定尔娄猪，盍归吾艾豭？"大子羞之，谓戏阳速曰："从我而朝少君！少君见我，我顾，乃杀之！"速曰："诺！"乃朝夫人。夫人见大子。大子三顾，速不进。夫人见其色，啼而走，曰："蒯聩将杀余！"公执其手以登台。大子奔宋。尽逐其党，故公孟驱出奔郑，自郑奔齐。

大子告人曰："戏阳速祸余。"戏阳速告人曰："大子则祸余。大子无道，使余杀其母。余不许，将戕于余；若杀夫人，将以余说。余是故许而弗为，以纾余死。谚曰：'民保于信。'吾以信义也！"

冬十二月，晋人败范、中行氏之师于潞，获籍秦、高强。又败郑师及范氏之师于百泉。

【译文】

鲁定公十四年春，卫国的公叔戌逃亡前来。卫国的赵阳出逃宋国。二月二十三日，楚国的公子结、陈国的公孙佗人率军队灭亡了顿国，带了顿国君主牂回国。夏天，卫国北宫结逃亡来到鲁国。五月，越国在槜李打败吴国。吴王阖庐死了。鲁定公在牵地会见齐景公、卫灵公。定公从会见的地方回到鲁国。秋天，齐景公、宋景公在洮地盟会。周敬王派石尚来鲁国赠送脤肉。卫国太子蒯聩出逃宋国。卫国公孟驱出逃到郑国。宋景公的弟弟辰从萧地逃亡来到鲁国。在比蒲举行大规模阅兵。邾国君主前来会见鲁定公。在莒父和霄地筑城。

鲁定公十四年春天，卫灵公驱逐公叔戍和他的同党，所以赵阳逃往宋国，公叔戍逃亡来到鲁国。

梁婴父讨厌董安于，对荀跞说："不杀董安于，让他始终在赵氏家族主持政事，赵氏必然得到晋国。何不利用他首先发难的借口讨伐赵氏呢？"荀跞派人向赵鞅报告说："范氏、中行氏虽然确实发动了叛乱，但实际上是董安于引起的，这等于是安于参与策划叛乱。晋国有命令，首先制造祸乱的处死，他们二人已经伏罪了，大胆以实情相告。"赵鞅对此很担心。董安于说："我死而晋国安宁，赵氏稳定，哪里还用活着？人哪个不死，我死得算晚了。"就自缢而死。赵鞅把他的尸体陈列街头，向荀跞报告说："您命令诛杀罪人，董安于已经伏罪了。谨以此相告。"荀跞跟赵鞅结盟，然后赵氏才安定，在家庙里祭奠董安于。

顿国君主牂想要事奉晋国，背叛楚国而断绝和陈国的友好关系。二月，楚国灭亡顿国。

夏天，卫国北宫结逃亡来到鲁国，是因为公叔戍的缘故。

吴国攻打越国，越王勾践抵御吴国，在槜李摆开战阵。勾践担心吴军阵容严整，便派敢死兵两次擒拿吴军，吴军不动。又派罪人排成三队，把剑架在脖子上，致辞说："两国君王治兵交战，下臣违犯军令，在君王的军队前表现出无能，不敢逃避处罚，大胆归向死亡。"于是自刎。吴军注视着他们，越王就乘机攻打，大败吴军。灵姑浮用戈攻击吴王，吴王伤了大脚趾，灵姑浮夺取了他的一只鞋。吴王返回，死在陉地，离槜李七里。夫差派人站在庭院里，如果自己出来时，一定要对自己说："夫差，你忘了越王杀死你的父亲吗？"就回答说："嗯，不敢忘！"三年才报复了越国。

晋国人包围朝歌，鲁定公在脾地、上梁之间和齐景公、卫灵公会见，商量救援范氏和中行氏。析成鲋、小王桃甲率领狄军来袭击晋国，在绛中交战，没有取胜而返回，析成鲋逃亡到成周，小王桃甲进入朝歌。秋天，齐景公、宋定公在洮地会见，是为了营救范氏的缘故。

卫灵公为了夫人南子召见宋朝，在洮地会见，卫太子蒯聩到齐国去献盂地，经过宋国乡野。乡野的人对他唱道："已经安定了你们的母猪，为什么不归还我们的老公猪？"太子感到羞耻，对戏阳速说："跟我去朝见夫人，夫人接见我，我回头看时，就杀了她。"戏阳速说："好的。"就朝见夫人。夫人接见太子，太子三次回头看，戏阳速不进去。夫人看到太子的脸色，哭叫着逃跑，说："蒯聩想要杀我！"卫灵公抓住她的手登上高台。卫太子逃往宋国，卫灵公全部赶跑他的同党，所以公孟驱出逃郑国，从郑国逃到齐国。蒯聩告诉别人说："戏阳速害我。"戏阳速告诉别人说："是太子害我。太子没有道义，叫我杀他的母亲。我不答应，会残杀我。如果杀了夫人，将用我解脱自己。因此我答应他但不去干，以让自己死得慢点。俗话说：'百姓用信义保全自己。'我就是用的信义。"

冬十二月，晋国人在潞地打败范氏、中行氏，俘虏了籍秦、高强。又在百泉打败

了郑国军队和范氏的家兵。

定公十五年

【原文】

　　十有五年：春，王正月，邾子来朝。

　　鼷鼠食郊牛，牛死；改卜牛。

　　二月辛丑，楚子灭胡，以胡子豹归。

　　夏，五月辛亥，郊。

　　壬申，公薨于高寝。

　　郑罕达帅师伐宋。

　　齐侯、卫侯次于渠蒢。

　　邾子来奔丧。

　　秋，七月壬申，姒氏卒。

　　八月庚辰朔，日有食之。

　　九月，滕子来会葬。

　　丁巳，葬我君定公；雨，不克葬。戊午，日下昃，乃克葬。辛巳，葬定姒。

　　冬，城漆。

　　十五年春，邾隐公来朝。子贡观焉：邾子执玉高，其容仰；公受玉卑，其容俯。子贡曰："以礼观之：二君者皆有死亡焉。夫礼，死生存亡之体也。将左右周旋、进退俯仰于是乎取之，朝、祀、丧、戎于是乎观之。今正月相朝而皆不度，心已亡矣！嘉事不体，何以能久？高、仰，骄也；卑、俯，替也。骄近乱，替近疾。君为主，其先亡乎！"

　　吴之入楚也，胡子尽俘楚邑之近胡者。楚既定，胡子豹又不事楚，曰："存亡有命，事楚何为？多取费焉。"二月，楚灭胡。

　　夏五月壬申，公薨。仲尼曰："赐不幸言而中。是使赐多言者也！"

　　郑罕达败宋师于老丘。

　　齐侯、卫侯次于蘧挐，谋救宋也。

　　秋七月壬申，姒氏卒。不称"夫人"，不赴，且不祔也。

　　葬定公，雨，不克襄事，礼也。

　　葬定姒。不称"小君"，不成丧也。

　　冬，城漆。书，不时告也。

【译文】

　　鲁定公十五年春，周历正月，邾国君主前来朝见。鼷鼠咬食准备用来郊祭的牛，牛死了，通过占卜换了一头牛。二月十九日，楚昭王灭亡胡国，带了胡君豹回国。夏五月初一日，举行郊祭。二十二日，鲁定公死在正寝。郑国的罕达率军队攻打宋国。齐景公、卫灵公临时驻扎在渠蒢。邾君前来奔丧。秋七月二十三日，定公夫人姒氏死了。八月初一日，发生日食。九月，滕君前来参加葬礼。初九日，安葬我国君定公，下雨，安葬没有完成。初十日，太阳偏西时才完成安葬。十月初三日，安葬姒氏。冬天，修筑漆城。

鲁定公十五年春天，邾隐公前来朝见，子贡在朝上观礼。邾隐公献玉时把玉举得很高，他的脸仰着；定公接受玉时姿势很低，他的脸俯着。子贡说："按照礼来看，两位君主都有死亡的迹象。礼是生死存亡的本体，人的一举一动，应酬揖让，进退俯仰都从这里取得准则，朝觐、祭祀、服丧、征战都在这里观察得失。如今在正月互相朝见，却都不合礼法，说明心志已经衰亡了。好事做得不合礼仪，靠什么能够长久？高和仰，这是骄傲；低和俯，这是衰落。骄傲离祸乱不远，衰落接近于疾病，定公是主人，恐怕会先死吧！"

吴军进入楚国的时候，胡君全部俘虏了靠近胡国的楚国城邑的居民。楚国安定之后，胡君豹又不事奉楚国，说："存亡自有天命，事奉楚国干什么？那样只是多花去一些费用而已。"二月，楚国灭掉了胡国。

夏五月二十二日，定公去世。孔子说："子贡不幸而言中，这使得子贡成了多嘴的人。"

郑国的罕达在老丘打败宋军。齐景公、卫灵公临时驻扎在渠蒢，是为了谋求救援宋国。

秋七月二十三日，姒氏死了。《春秋》不称她夫人，是因为没有发讣告，而且没有举行袝祭。

安葬定公，下雨，没能完成丧事，这是合乎礼的。安葬姒氏，《春秋》没称她为小君，是因为没办成夫人规格的葬礼。

冬天，鲁国修筑漆城。《春秋》加以记载，是因为没有按时祭告。

哀公

哀公元年

【原文】

元年：春，王正月，公即位。

楚子、陈侯、随侯、许男围蔡。

鼷鼠食郊牛。改卜牛。

夏，四月辛巳，郊。

秋，齐侯、卫侯伐晋。

冬，仲孙何忌帅师伐邾。

元年春，楚子围蔡，报柏举也。里而栽，广丈，高倍。夫屯昼夜九日，如子西之素。蔡人男女以辨。使疆于江、汝之间而还。蔡于是乎请迁于吴。

吴王夫差败越于夫椒，报檇李也。遂入越。越子以甲楯五千保于会稽，使大夫种因吴大宰嚭以行成。吴子将许之，伍员曰：不可！臣闻之："树德莫如滋，去疾莫如尽。"昔有过浇杀斟灌以伐斟鄩，灭夏后相。后缗方娠，逃出自窦，归于有仍，生少康焉。为仍牧正，惎浇，能戒之。浇使椒求之，逃奔有虞，为之庖正，以除其害。虞思于是妻之以二姚，而邑诸纶，有田一成，有众一旅，能布其德而兆其谋，以收夏众，抚其官职。使女艾谍浇，使季杼诱豷。遂灭过、戈，复禹之绩，祀夏配天，不失旧物。今吴不如过，而越大于少康，或将丰之，不亦难乎？勾践能亲而务施，施不失人，亲不弃劳。与我同壤而世为仇雠。于是乎克而弗取，将又存之，违天而长寇雠；后虽悔之，不可食已！姬之衰也，日可俟也！介在蛮夷而长寇雠，以是求伯，必不行矣。

弗听。退而告人曰："越十年生聚，而十年教训，二十年之外，吴其为沼乎！"三月，越及吴平。"吴入越"不书，吴不告庆，越不告败也。

夏四月，齐侯、卫侯救邯郸，围五鹿。

吴之入楚也，使召陈怀公。怀公朝国人而问焉，曰："欲与楚者右，欲与吴者左。陈人从田，无田从党。"逢滑当公而进，曰："臣闻国之兴也以福，其亡也以祸。今吴未有福，楚未有祸，楚未可弃，吴未可从。而晋，盟主也；若以晋辞吴，若何？"公曰："国胜君亡，非祸而何？"对曰："国之有是多矣，何必不复？小国犹复，况大国乎？臣闻：国之兴也，视民如伤，是其福也；其亡也，以民为土芥，是其祸也。楚虽无德，亦不艾杀其民。吴日敝于兵，暴骨如莽，而未见德焉。天其或者正训楚也，祸之适吴，其何日之有？"陈侯从之。及夫差克越，乃修先君之怨。秋八月，吴侵陈，修旧怨也。

鲁哀公

齐侯、卫侯会于乾侯，救范氏也。师及齐师、卫孔圉、鲜虞人伐晋，取棘蒲。

吴师在陈，楚大夫皆惧，曰："阖庐惟能用其民，以败我于柏举。今闻其嗣又甚焉，将若之何？"子西曰："二三子恤不相睦，无患吴矣。昔阖庐食不二味，居不重席，室不崇坛，器不彤镂，宫室不观，舟车不饰，衣服财用择不取费；在国，天有灾疠，亲巡孤寡而共其乏困；在军，孰食者分而后敢食，其所尝者卒乘与焉：勤恤其民而与之劳逸，是以民不罢劳，死（不）知〔不〕旷。吾先大夫子常易之，所以败我也。今闻夫差：次有台榭陂池焉，宿有妃嫱嫔御焉。一日之行，所欲必成，玩好必从，珍异是聚，观乐是务；视民如雠而用之日新。夫先自败也已，安能败我？"

冬十一月，晋赵鞅伐朝歌。

【译文】

鲁哀公元年春，周历正月，哀公即位。楚昭王、陈闵公、随君、许君包围蔡国。鼷鼠咬食准备用来郊祭的牛，为换牛举行占卜。夏四月初六日，举行郊祭。秋天，齐景公、卫灵公攻打晋国。冬天，孟懿子领兵攻打邾国。

鲁哀公元年春天，楚昭王包围蔡国，是报复柏举那次战役。距离蔡都一里而修筑堡垒，宽一丈，高两丈。士卒驻守九个昼夜，就像子西的预定计划那样。蔡国人男女分别出城投降，楚王就让蔡国在长江、汝水之间划界为国就返回楚国。蔡国于是请求迁到吴国去。

吴王夫差在夫椒打败越国，报复槜李那次战役，随即进入越国。越王率领五千披甲持盾的战士守在会稽山，派大夫文种通过吴国太宰嚭去求和，吴王准备答应越国。伍员说："不可以。我听说：'树立德行最好是使它不断滋长，去除疾患最好是使它断根。'从前有过国的君主浇杀了斟灌以攻打斟鄩，灭掉了夏后相，夏后相的妻子后缗正有身孕，从墙洞里逃出来，回到有仍国，生了少康。少康做了有仍国的牧长，憎恨浇，能防备他。浇派椒搜寻少康，他逃亡到有虞国，做了它的庖正，以消除自己的祸难。虞思于是把两个女儿嫁给他为妻，把他封在纶邑，有十里见方的田土，有徒众五百人。能遍施他的恩德，开始实行他自己的谋略，来收罗夏朝的遗民，抚慰他们的官吏。派女艾刺探浇，派季杼引诱豷，于是灭亡了有过和戈国，恢复了禹的业绩，将夏朝的祖先与天帝一起祭祀，没有丢掉过去的典章制度。如今吴国不及有过，而越国比少康强大，上天或许要使

文种以金帛美女送与宰嚭，宰嚭因此主张答应越国请和要求，选自明刊本《新镌绣像列国志》。

它强盛起来，吴国不又是难办了吗？勾践能亲爱别人并致力于施恩，施恩则不失人心，亲爱别人则得到别人的效劳，和我们同一块土地，却又世世代代是仇敌。在这时战胜了却不夺取它，又打算保存它，违背上天而使仇敌成长，以后即使后悔，也是吃不消的。姬姓国家的衰亡，指日可待。夹在蛮夷之间，又使仇敌成长，用这样的方法求做霸主，肯定是不行的。"吴王不听。伍员退下就告诉别人说："越国用十年时间生息积蓄，用十年时间教育训导，二十年之后，吴国恐怕会成为废墟了。"三月，越国和吴国言和。吴国人进入越国，《春秋》不记载，是因为吴国没有报告喜庆胜利，越国也没有报告失败。

夏四月，齐景公、卫灵公救援邯郸，包围五鹿。

吴国攻入楚国的时候，派人召见陈怀公。陈怀公让国都内的贵族上朝而向他们询问，说："想要赞助楚国的站在右边，想要赞助吴国的站到左边。"陈国人都根据田土的位置分别站到左边或右边，没有田土的则跟从族党。逢滑正对着陈怀公走上前去，说："我听说国家的兴盛是因为福，它的灭亡是由于祸。如今吴国没有福，楚国没有祸，楚国不能背弃，吴国不能追随。而晋国是盟主，如果借晋国拒绝吴国，怎么样？"陈怀公说："国家被战胜而君主逃亡，不是祸又是什么？"逢滑回答说："国家有这种事的很多，怎么就肯定不能复兴？小国尚且能复兴，何况是大国呢？我听说国家在兴盛时，看待老百姓就像受伤的人一样，这是它的福。在它灭亡的时候，把老百姓当做尘土草芥，这正是它的祸。楚国即使没有德，也没有杀它的百姓。吴国在战争中一天天衰败，暴露尸骨像草莽一样多，而又没有表现出德行。上天也许要使楚国正直和顺，灾祸到达吴国，还会有多少时候呢？"陈怀公听从了。等到夫差攻下越国，就清算先君的仇怨。秋八月，吴国侵袭陈国，就是清算过去的怨恨。

齐景公、卫灵公在乾侯会见，为的是援救范氏。鲁军和齐军、卫国的孔圉及鲜虞人攻打晋国，夺取棘蒲。

吴军驻在陈国，楚国大夫都很害怕，说："阖庐善于使用他的老百姓，因而在柏举打败我们。如今听说他的接班人比他更厉害，将把他怎么办？"子西说："您几位要担忧互相不和睦，不要担心吴国。过去阖庐吃饭不用两个菜，坐地不用两重席垫，房屋不筑高坛，器具不染色彩不加雕刻，宫室不修建楼台亭观，车船不加装饰，衣服货物器用的选择不浪费。在国内，天有灾害疫病时，亲自巡视安抚孤寡，在他们缺衣少食、艰难困苦的时候，供给他们衣食和用度。在军中，食物做熟了要等分给了每个士卒然后自己才吃，他所品尝的食物，士兵也能分享。辛勤地体恤他的百姓并和他们甘苦与共，因此老百姓不辞疲劳，死了也知道不会白死。我们的先大夫囊瓦改变了做法，这才是使我国失败的原因。现在听说夫差临时住宿也有楼台池塘，睡觉有嫔妃宫女。一天的行程，想要的享受必定办成，玩赏爱好的东西必定带上。积聚珍贵稀有的东西，追求观赏取乐，看待百姓如同仇敌，而驱使他们一天一个花样。这是首先把自己打败了，怎么能打败我们呢？"

冬十一月，晋国的赵鞅攻打朝歌。

哀公二年

【原文】

　　二年：春，王二月，季孙斯、叔孙州仇、仲孙何忌帅师伐邾，取漷东田及沂西田。癸巳，叔孙州仇、仲孙何忌及邾子盟于句绎。

　　夏，四月丙子，卫侯元卒。

　　滕子来朝。

　　晋赵鞅帅师纳卫世子蒯聩于戚。

　　秋，八月甲戌，晋赵鞅帅师及郑罕达（帅师）战于铁，郑师败绩。

　　冬，十月，葬卫灵公。

　　十有一月，蔡迁于州来。

　　蔡杀其大夫公子驷。

　　二年春，伐邾，将伐绞。邾人爱其土，故赂以漷、沂之田而受盟。

　　初，卫侯游于郊，子南仆。公曰："余无子，将立女。"不对。他日，又谓之。对曰："郢不足以辱社稷，君其改图！君夫人在堂，三揖在下，君命祗辱。"夏，卫灵公卒。夫人曰："命公子郢为太子，君命也！"对曰："郢异于他子；且君没于吾手，若有之，郢必闻之。且亡人之子辄在。"乃立辄。

　　六月乙酉，晋赵鞅纳卫大子于戚。宵迷，阳虎曰："右河而南，必至焉。"使大子绖，八人衰绖，伪自卫逆者。告于门，哭而入，遂居之。

　　秋八月，齐人输范氏粟，郑子姚、子般送之。士吉射逆之，赵鞅御之。遇于戚。阳虎曰："吾车少，以兵车之斾与罕、驷兵车先陈，罕、驷自后随而从之。彼见吾貌，必有惧心。于是乎会之，必大败之！"从之。卜战，龟焦。乐丁曰："《诗》曰：'爰始爰谋，爰契我龟。'谋协，以故兆询可也。"简子誓曰："范氏、中行氏反易天明，斩艾百姓，欲擅晋国而灭其君。寡君恃郑而保焉。今郑为不道，弃君助臣；二三子顺天明，从君命，经德义，除诟耻，在此行也！克敌者，上大夫受县，下大夫受郡，士田十万，庶人工商遂，人臣隶圉免。志父无罪，君实图之！

句绎结盟

若其有罪，绞缢以戮：桐棺三寸，不设属、辟；素车朴马，无入于兆：下卿之罚也。"

甲戌，将战，邮无恤御简子，卫大子为右。登铁上，望见郑师众，大子惧，自投于车下。子良授大子绥而乘之，曰："妇人也！"简子巡列，曰："毕万，匹夫也：七战皆获，有马百乘，死于牖下。群子勉之！死不在寇。"繁羽御赵罗，宋勇为右。罗无勇，麇之；吏诘之，御对曰："痁作而伏。"卫大子祷曰："曾孙蒯聩敢昭告皇祖文王、烈祖康叔、文祖襄公：郑胜乱从，晋午在难，不能治乱，使鞅讨之。蒯聩不敢自佚，备持矛焉。敢告无绝筋，无折骨，无面伤，以集大事，无作三祖羞。大命不敢请，佩玉不敢爱。"

郑人击简子；中肩，毙于车中。获其蜂旗。大子救之以戈，郑师北。获温大夫赵罗。大子复伐之，郑师大败；获齐粟千车。赵孟喜曰："可矣！"傅傁曰："虽克郑，犹有知在，忧未艾也。"

初，周人与范氏田。公孙龙税焉，赵氏得而献之。吏请杀之，赵孟曰："为其主也，何罪？"止，而与之田。及铁之战，以徒五百人宵攻郑师，取蜂旗于子姚之幕下，献，曰："请报主德！"

追郑师。姚、般、公孙林殿而射，前列多死。赵孟曰："国无小！"

既战，简子曰："吾伏弢呕血，鼓音不衰，今日我上也！"大子曰："吾救主于车，退敌于下；我，右之上也！"邮良曰："我两靷将绝，吾能止之；我，御之上也！"驾而乘材，两靷皆绝。

吴泄庸如蔡纳聘，而稍纳师。师毕入，众知之。蔡侯告大夫，杀公子驷以说。哭而迁墓。冬，蔡迁于州来。

【译文】

鲁哀公二年春，周历二月，季桓子、武叔、孟懿子率领军队攻打邾国。夺取漷水以东的田土及沂水以西的田土。二十三日，武叔、孟懿子与邾国君主在句绎结盟。夏四月初七日，卫灵公元死了。滕国君主前来朝见鲁国。晋国的赵鞅领兵把卫国的太子蒯聩送到戚地。秋八月初七日，晋国的赵鞅率领军队在铁地与郑国的罕达交战。郑国军队大败。冬十月，安葬卫灵公。十一月，蔡国迁到州来。蔡国杀了它的大夫公子驷。

鲁哀公二年春天，鲁军攻打邾国，准备攻打绞地，邾国人爱惜他们的故土，所以用漷水、沂水一带的田土来贿赂而接受盟约。

起初，卫灵公到郊外游览，公子郢奉侍。卫灵公说："我没有嫡子，打算立你为太子。"公子郢没有回答。另一天又对他说起，公子郢回答说："我不值得烦扰国家，君还是另谋他人。君夫人在堂上，卿、大夫、士在下边，君主这样命令只会招来麻烦。"夏天，卫灵公去世，夫人说："命令公子郢为太子，这是君的命令。"公子郢回答说："我和别的公子不同，而且君是在我的亲手侍候下去世的，如果有命令，我一定会听到的。况且逃亡人的儿子辄还在。"于是立了辄。

六月十七日，晋国赵鞅把卫国的太子蒯聩送到戚地。晚上迷了路，阳虎说："往右渡过黄河再向南走，一定到达那里。"就让太子脱帽用布包住发髻，八个人穿了丧服，假装成从卫国来迎接太子的人，向守门人报告，哭着进入城内，于是就住了下来。

秋八月，齐国人运送粮食给范氏，郑国的罕达、驷弘护送。士吉射前往迎接，赵鞅前去阻挡，在戚地相遇。阳虎说："我们的兵车少，应该用兵车上的旌旗和罕达、驷弘的兵车首先对阵，罕达、驷弘从后面随着跟上来，他们看到我们的阵容，一定会有恐惧之心。在这时合攻他们，必定大败他们。"赵鞅听从了。为战斗占卜，龟甲灼焦了，乐丁说："《诗》讲过：'首先谋划，然后占卜。'谋划相合，按过去的卜兆谋事就可以了。"赵鞅发誓说："范氏、中行氏违背、轻视上天的明教，屠杀百姓，想要独裁晋国而灭亡国君。寡君依赖郑国而安定国家。如今郑国施行无道，抛弃国君协助臣下，您几位服从天帝的明教，听从君主的命令，施行德义，铲除耻辱，就在这一次行动了。攻克敌人的人，上大夫受封县邑，下大夫受封郡，士受封十万亩田土，平民工匠商人做官，奴隶免除奴隶身份。我这次如果无罪，请君主加以考虑。如果有罪，就用绞索诛戮我，用三寸厚的桐棺埋了，不用设属棺裨棺，只用不加装饰的车马送葬，不要埋入本族的墓地，这些就是对下卿的惩罚。"

八月初七日，将要作战，邮无恤为赵鞅驾车，卫国太子做车右。登上铁丘，望见郑国军队人很多，太子害怕，自己掉到车下。邮无恤把拉绳递给他让他上了车，说："你像个妇人。"赵鞅巡视军队，说："毕万是个普通人，七次参战都俘获了敌人，拥有四百匹马，在家里得到善终。诸位努力吧，死不一定死在敌人手中。"繁羽为赵罗驾车，宋勇做车右。赵罗不勇敢，就把他捆绑起来。官吏责问这件事，御手回答说："是疟疾发作而趴下了。"卫国太子祷告说："后代蒯聩大胆禀告我皇祖文王、烈祖康叔、文祖襄公：郑胜扰乱正常的秩序，晋午处在危难之中，不能平息祸乱，派遣赵鞅讨伐他们。蒯聩我不敢让自己安逸，手持兵器充做车右。谨祷告保佑我不断筋骨，不伤面容，以成就大事，不造成三位祖先的羞辱。生死大命不敢请求，佩玉不敢爱惜。"郑国人击中赵鞅的肩膀，赵鞅倒在车中，郑国人获得他的蜂旗。蒯聩用戈去救他，郑军败退，俘虏了温地大夫赵罗。蒯聩又攻打郑军，郑军大败，俘获了齐国的一千车粮食。赵鞅高兴地说："可以了！"傅傁说："虽然战胜了郑国，还有知氏存在，忧患还没有消除。"

起初，周朝人给范氏田土，公孙龙帮范氏到那里去收租，赵家人抓到他献给赵鞅，官吏请求杀了他。赵鞅说："是为了他的主人，有什么罪？"制止了官吏并给了他田土。等到铁丘战役的时候，公孙龙带领五百名部下在晚上攻打郑军，在罕达的帐幕里夺回了蜂旗，献给赵鞅，说："让我报答主上的恩德。"晋军追击郑军，罕达、驷弘、公孙林殿后射杀晋军，走在前列的士兵死了很多。赵鞅说："国家无所谓小。"战斗结束后，赵鞅说："我趴在弓袋上吐血，鼓声也不减弱，今天我的功劳为上。"太子说："我从车中救起主人，在车下打退敌人，我是车右中功劳最大的。"邮无恤说："我的服马上两个游环快要断了，我也能控制骖马，我是御手中功劳最大的。"说着驾车装上木料，两个游环果然都断了。

吴国的泄庸到蔡国去送聘问礼物，就逐渐潜入军队。军队全部潜入蔡国，大家才知道。蔡昭公告诉大夫，杀了公子驷来作为解释，哭着迁走了先君的坟墓。冬天，蔡国迁到州来。

哀公三年

【原文】

　　三年：春，齐国夏、卫石曼姑帅师围戚。
　　夏，四月甲午，地震。
　　五月辛卯，桓宫、僖宫灾。
　　季孙斯、叔孙州仇帅师城启阳。
　　宋乐髡帅师伐曹。
　　秋，七月丙子，季孙斯卒。
　　蔡人放其大夫公孙猎于吴。
　　冬，十月癸卯，秦伯卒。
　　叔孙州仇、仲孙何忌帅师围邾。
　　三年春，齐、卫围戚，求援于中山。
　　夏五月辛卯，司铎火。火逾公宫，桓、僖灾。救火者皆曰："顾府！"南宫敬叔至，命周人出御书，俟于宫，曰："庀女！而不在，死！"子服景伯至，命宰人出礼书以待命，命不共有常刑；校人乘马，巾车脂辖；百官官备，府库慎守，官人肃给；济濡帷幕，郁攸从之，蒙葺公屋，自大庙始，外内以俟；助所不给："有不用命，则有常刑，无赦！"公父文伯至，命校人驾乘车。季桓子至，御公立于象魏之外，命救火者："伤人则止。财可为也。"命藏象魏，曰："旧章不可亡也！"富父槐至，曰："无备而官办者，犹拾渖也。"于是乎去表之槁，道还公宫。孔子在陈，闻火，曰："其桓、僖乎！"
　　刘氏、范氏世为婚姻，苌弘事刘文公，故周与范氏。赵鞅以为讨。六月癸卯，周人杀苌弘。
　　秋，季孙有疾，命正常曰："无死！南孺子之了，男也，则以告而立之；女也，则肥也可。"季孙卒，康子即位。既葬，康子在朝。南氏生男，正常载以如朝，告曰："夫子有遗言，命其圉臣曰：'南氏生男，则以告于君与大夫而立之。'今生矣，男也，敢告。"遂奔卫。康子请退。公使共刘视之，则或杀之矣。乃讨之。召正常，正常不反。
　　冬十月，晋赵鞅围朝歌，师于其南。荀寅伐其郛，使其徒自北门入，己犯师而出。癸丑，奔邯郸。十一月，赵鞅杀士皋夷，恶范氏也。

【译文】

鲁哀公三年春天，齐国的国夏、卫国石曼姑领兵包围戚地。夏四月初一日，发生地震。五月二十八日，桓公庙、僖公庙发生火灾。季桓子、武叔率领军队修筑启阳城。宋国的乐髡领兵攻打曹国。秋七月十四日，季桓子死了。蔡国把它的大夫公孙猎放逐到吴国。冬十月十三日，秦惠公死了。武叔、孟懿子领兵包围邾国。

鲁哀公三年春天，齐国、卫国包围戚地，戚地向中山求援。夏五月二十八日，司铎署起火，火越过公宫，桓公庙和僖公庙遭到火灾。救火的人都说："注意府库。"南宫敬叔赶到，命令周人搬出御书，在宫里等待，说："整理保管好，你要是不守在这，处死！"子服景伯赶到，命令宰人搬出

季桓子

礼书，以等待命令。命令如果不奉行，实行规定的处罚。校人驾上马，巾车为车辖上好油脂，各种官员备守职责，府库谨慎把守，官吏严肃执行供给。浸湿帷帐，有火气的地方就跟上去，用帷帐覆盖公房，从太庙开始盖起，从外到里按顺序进行，人力物力不足的予以帮助。有不听从命令的，就按规定处罚，不加赦免。公父文伯赶来，命令校人驾好哀公的坐车。季桓子赶到，为哀公驾车停在象魏之外，命令救火的人受了伤就停止，因为财物是可以创造的。命令收藏好法典，说："旧的典章不可失去。"富父槐来到，说："没有防备而让官员们办事，就好像捡起地上的汤汁一样。"于是就除去外围的枯干易燃物，环绕公宫开出火道。孔子在陈国，听说起火，说："恐怕是桓公庙、僖公庙吧！"

刘氏、范氏世代结为姻亲，苌弘曾事奉刘氏，所以周朝亲近范氏。赵鞅因此进行讨伐。六月十一日，周朝的人杀了苌弘。

秋天，季桓子有病，命令正常说："你不要殉身！南孺子生的孩子，如果是男的，就去报告国君而立他为继承人；如果是女的，那么肥可以立为继承人。"季桓子死了，季孙肥即位。安葬季桓子不久，季孙肥正在朝廷上，南孺子生了个男孩，正常用车载了去到朝廷，报告说："他老人家有遗言，命令他的贰臣说：'南孺子生了男孩，就把我的话禀告给君主与大夫而立他为继承人。'现在生了，是男的，大胆禀告！"于是逃往卫国。季孙肥请求退位。哀公派共刘去察看，就已经有人杀了小孩，于是讨伐凶手。召正常回国，正常不回来。

冬十月，晋国赵鞅包围朝歌，军队驻扎在城南。荀寅攻打朝歌外城，派他的部下

从北门攻进,自己则冲破敌军而出。二十三日,逃往邯郸。十一月,赵鞅杀了士皋夷,是因为憎恶范氏。

哀公四年

【原文】

四年:春,王二月庚戌,盗杀蔡侯申。

蔡公孙辰出奔吴。

葬秦惠公。

宋人执小邾子。

夏,蔡杀其大夫公孙姓、公孙霍。

晋人执戎蛮子赤,归于楚。

城西郛。

六月辛丑,亳社灾。

秋,八月甲寅,滕子结卒。

冬,十有二月,葬蔡昭公。葬滕顷公。

四年春,蔡昭侯将如吴;诸大夫恐其又迁也,承公孙翩逐而射之;入于家人而卒。以两矢门之,众莫敢进。文之锴后至,曰:"如墙而进,多而杀二人。"锴执弓而先;翩射之,中肘;锴遂杀之。故逐公孙辰,而杀公孙姓、公孙盱。

夏,楚人既克夷虎,乃谋北方。左司马眅、申公寿馀、叶公诸梁致蔡于负函,致方城之外于缯关,曰:"吴将泝江入郢,将奔命焉。"为一昔之期,袭梁及霍。单浮馀围蛮氏,蛮氏溃,蛮子赤奔晋阴地。司马起丰、析与狄戎以临上雒,左师军于菟和,右师军于仓野,使谓阴地之命大夫士蔑曰:"晋楚有盟,好恶同之。若将不废,寡君之愿也。不然,将通于少习以听命!"士蔑请诸赵孟,赵孟曰:"晋国未宁,安能恶于楚?必速与之!"士蔑乃致九州之戎,将裂田以与蛮子而城之,且将为之卜;蛮子听卜。遂执之与其五大夫,以畀楚师于三户。司马致邑、立宗焉,以诱其遗民,而尽俘以归。

秋七月,齐陈乞、弦施、卫宁跪救范氏。庚午,围五鹿。九月,赵鞅围邯郸。冬十一月,邯郸降。荀寅奔鲜虞,赵稷奔临。十二月,弦施逆之,遂堕临。国夏伐晋,取邢、任、栾、鄗、逆畤、阴人、盂、壶口,会鲜虞,纳荀寅于柏人。

【译文】

鲁哀公四年春天,周历二月二十一日,盗贼杀了蔡昭公申。蔡国的公孙辰出逃到吴国。安葬秦惠公。宋国人拘捕了小邾国君主。夏天,蔡国杀了它的大夫公孙姓、公孙霍。晋国人抓了蛮子赤把他送交给楚国。鲁国修筑西面的外城墙。六月十四日,亳社发生火灾。八月二十八日,滕国君主结死去。冬十二月,安葬蔡昭公。安葬滕顷公。

鲁哀公四年春天,蔡昭公准备去吴国,大夫们担心他又要迁移,跟公孙翩后追赶蔡昭公而用箭射他,蔡昭公逃进百姓家就死了。公孙翩用两支箭守住门口,众人没有谁敢进去。文之锴随后赶到,说:"像堵墙一样排着前进,最多杀死我们两人。"文之锴手持弓箭走在前头,公孙翩射杀他,射中了手肘,文之锴立即杀了公孙翩,因此驱逐了公孙辰而杀了公孙姓、公孙盱。

夏天,楚国人已经攻克夷虎之后,于是图谋攻取北方。左司马眅、申公寿余、叶公诸梁在负函召集蔡国人,在缯关召集方城山外的人,说:"吴国人将沿江而上进入我郢都,为此大家要准备赴命。"约定过一个晚上就袭击梁地和霍地。

单浮余包围蛮氏,蛮氏溃败,蛮子赤逃往晋国的阴地。左司马眅发动丰地、析地的人和狄戎,逼近上洛。左军屯驻在菟和,右军屯驻在仓野,派人对阴地的命大夫士蔑说:"晋国、楚国有盟约,友好和仇恨都相同。如果不打算废弃盟约,这是寡君的愿望。否则,我军将打通少习山再来听从命令。"士蔑向赵鞅请示这件事,赵鞅说:"晋国没有安宁,怎么能得罪楚国?一定要赶快把蛮子赤交给他们。"士蔑就召集九州之戎,表示要划出田土给蛮子赤并让他在那里筑城,而且要为此占卜。蛮子赤接受占卜,于是拘捕了他和他的五大夫,在三户交给了楚军。司马眅送给蛮子赤城邑建立宗主,用以引诱他的遗民,然后全部俘虏带回去。

秋七月,齐国陈乞、弦施、卫国宁跪救援范氏。十四日,包围五鹿。九月,赵鞅包围邯郸。冬十一月,邯郸投降。荀寅逃往鲜虞,赵稷逃往临地。十二月,弦施迎接赵稷,随即毁掉了临地的城邑。国夏攻打晋国,攻占了邢地、任地、栾地、鄗地、逆畤、阴人、盂地、壶口等,会合鲜虞,把荀寅送到柏人那地方。

哀公五年

【原文】

五年:春,城毗。

夏,齐侯伐宋。

晋赵鞅帅师伐卫。

秋,九月癸酉,齐侯杵臼卒。

冬,叔还如齐。

闰月,葬齐景公。

五年春,晋围柏人,荀寅、士吉射奔齐。初,范氏之臣王生恶张柳朔,言诸昭子,使为柏人。昭子曰:"夫非而仇乎?"对曰:"私仇不及公,好不废过,恶不去善,义之经也。臣敢违之?"及范氏出,张柳朔谓其子:"尔从主,勉之!我将止死。王生授我

矣，吾不可以僭之！"遂死于柏人。

夏，赵鞅伐卫，范氏之故也；遂围中牟。

齐燕姬生子，不成而死。诸子鬻姒之子荼嬖，诸大夫恐其为大子也，言于公曰："君之齿长矣，未有大子，若之何？"公曰："二三子间于忧虞，则有疾疢。亦姑谋乐，何忧于无君？"公疾，使国惠子、高昭子立荼，寘群公子于莱。秋，齐景公卒。冬十月，公子嘉、公子驹、公子黔奔卫，公子鉏、公子阳生来奔。莱人歌之，曰："景公死乎不与埋，三军之事乎不与谋；师乎师乎，何党之乎？"

郑驷秦富而侈，嬖大夫也，而常陈卿之车服于其庭。郑人恶而杀之。子思曰："《诗》曰：'不解于位，民之攸塈。'不守其位，而能久者，鲜矣。《商颂》曰：'不僭不滥，不敢怠皇，命以多福。'"

【译文】

鲁哀公五年春天，在毗地修筑城墙。夏天，齐景公攻打宋国。晋国赵鞅率领军队攻打卫国。秋天，九月二十四日，刘景公杵臼死了。冬天，叔还前往齐国。闰月，安葬齐景公。

鲁哀公五年春天，晋国包围柏人，荀寅、士吉射逃往齐国。起初，范氏的家臣王生讨厌张柳朔，向士吉射谈到张柳朔，建议让他做柏人的邑宰。士吉射说："他不是你的仇人吗？"王生回答说："个人仇怨不影响到公事，喜爱一个人不要无视他的过错，厌恶一个人不要丢掉他的优点，这是道义的原则，我敢违背吗？"到范氏从柏人出逃齐国时，张柳朔对自己的儿子说："你跟着主人，努力吧！我打算留下战死，王生已教给我死的节义，我不能对他没有信用。"于是战死在柏人。

夏天，赵鞅攻打卫国，是为了范氏的缘故，于是包围中牟。

齐国燕姬生了儿子，没有成年就死了。诸子鬻姒的儿子荼受到齐景公宠幸，大夫们担心他做了太子，就对齐景公说："君年岁大了，还没有太子，怎么办？"齐景公说："你们几位陷入忧愁，就会生病，姑且去谋求快乐的事，何必担心没有国君？"齐景公病了，派遣国夏、高张立荼为太子，把公子们安置到莱地。秋天，齐景公死了。冬十月，公子嘉、公子驹、公子黔逃亡到卫国，公子鉏、公子阳生逃亡前来鲁国。莱地人为他们唱道："景公去世啊不参加葬礼，三军的事啊不参与谋议，诸位啊诸位，你们可去哪里？"

郑国的驷秦富有而骄纵，是个下大夫，但经常在他的庭院里陈放着卿的车马服饰。郑国人厌恶他就杀了他。子思说："《诗》中讲：'在职位上努力不懈，老百姓得以休养安歇。'不安守他的职位而能长久的人是很少的。《商颂》说：'不僭越不自满，不懈怠不悠闲，上天会赐给他许多福。'"

哀公六年

【原文】

六年：春，城邾瑕。
晋赵鞅帅师伐鲜虞。
吴伐陈。
夏，齐国夏及高张来奔。
叔还会吴于柤。
秋，七月庚寅，楚子轸卒。
齐阳生入于齐。
齐陈乞弑其君荼。
冬，仲孙何忌帅师伐邾。
宋向巢帅师伐曹。

六年春，晋伐鲜虞，治范氏之乱也。

吴伐陈，复修旧怨也。楚子曰："吾先君与陈有盟，不可以不救！"乃救陈，师于城父。

齐陈乞（伪）〔为〕事高、国者，每朝必骖乘焉；所从必言诸大夫，曰："彼皆偃蹇，将弃子之命，皆曰：'高、国得君，必偪我，盍去诸？'固将谋子，子早图之！图之，莫如尽灭之。需，事之下也。"及朝，则曰："彼虎狼也，见我在子之侧，杀我无日矣。请就之位。"又谓诸大夫曰："二子者祸矣，恃得君而欲谋二三子，曰：'国之多难，贵宠之由。尽去之而后君定。'既成谋矣。盍及其未作也，先诸？作而后悔，亦无及也！"大夫从之。夏六月戊辰，陈乞、鲍牧及诸大夫以甲入于公宫。昭子闻之，与惠子乘如公。战于庄，败。国人追之，国夏奔莒，遂及高张、晏圉、弦施来奔。

秋七月，楚子在城父，将救陈。卜战，不吉；卜退，不吉。王曰："然则死也！再败楚师，不如死！弃盟逃仇，亦不如死！死，一也；其死仇乎！"命公子申为王，不可；则命公子结，亦不可；则命公子启，五辞而后许。将战，王有疾。庚寅，昭王攻大冥，卒于城父。子闾退，曰："君王舍其子而让，群臣敢忘君乎？从君之命，顺也。立君之子，亦顺也。二顺不可失也！"与子西、子期谋，潜师闭涂，逆越女之子章，立之而后还。

是岁也，有云如众赤鸟，夹日以飞，三日。楚子使问诸周大史，周大史曰："其当王身乎？若禜之，可移于令尹、司马。"王曰："除腹心之疾，而寘诸股肱，何益？不

楚昭王像

縠不有大过,天其夭诸?有罪受罚,又焉移之?"遂弗荣。

初,昭王有疾,卜曰:"河为祟。"王弗祭。大夫请祭诸郊,王曰:"三代命祀,祭不越望。江、汉、雎、漳,楚之望也。祸福之至,不是过也。不縠虽不德,河非所获罪也。"遂弗祭。孔子曰:"楚昭王知大道矣!其不失国也宜哉!《夏书》曰:'惟彼陶唐,帅彼天常,有此冀方。今失其行,乱其纪纲,乃灭而亡。'又曰:'允出兹在兹。'由己率常,可矣!"

八月,齐邴意兹来奔。

陈僖子使召公子阳生。阳生驾而见南郭且于,曰:"尝献马于季孙,不入于上乘,故又献此,请与子乘之。"出莱门而告之故。阚止知之,先待诸外。公子曰:"事未可知。反,与壬也处。"戒之,遂行。逮夜,至于齐,国人知之。僖子使子士之母养之,与馈者皆入。冬十月丁卯,立之。

将盟,鲍子醉而往。其臣差车鲍点曰:"此谁之命也?"陈子曰:"受命于鲍子。"遂诬鲍子,曰:"子之命也。"鲍子曰:"女忘君之为孺子牛而折其齿乎?而背之也!"悼公稽首,曰:"吾子奉义而行者也。若我可,不必亡一大夫;若我不可,不必亡一公子。义则进,否则退,敢不唯子是从?废兴无以乱,则所愿也。"鲍子曰:"谁非君之子?"乃受盟。使胡姬以安孺子如赖,去鬻姒,杀王甲,拘江说,囚王豹于句窦之丘。

公使朱毛告于陈子,曰:"微子则不及此。然君异于器,不可以二。器二不匮,君二多难。敢布诸大夫。"僖子不对而泣,曰:"君举不信群臣乎?以齐国之困,困又有忧。少君不可以访,是以求长君。庶亦能容群臣乎?不然,夫孺子何罪?"毛复命,公悔之。毛曰:"君大访于陈子,而图其小可也。"使毛迁孺子于骀,不至,杀诸野幕之下,葬诸殳冒淳。

【译文】

鲁哀公六年春天,鲁国在邾瑕修筑城墙。晋国赵鞅领兵攻打鲜虞。吴国攻打陈国。夏天,齐国的国夏和高张前来投奔鲁国。叔还在柤地与吴国人会合。秋天,七月十六日,楚王轸死了。齐国的阳生回到齐国。齐国陈乞杀了他的国君荼。冬天,孟懿子率军队攻打邾国。宋国的向巢领兵攻打曹国。

鲁哀公六年春天,晋国攻打鲜虞,是为了平定范氏之乱。

吴国攻打陈国,是重算过去怨仇的老账。楚昭王说:"我们先君和陈国有盟约,不能不援救。"就去救援陈国,驻扎在城父。

齐国的陈乞假意地事奉高张、国夏,每次上朝必定陪坐一辆车,所到之处必定谈到各位大夫,说:"他们都很高傲,将会背弃您的命令,都在说:'高氏、国氏得到君主欢心,一定会威胁我们,为什么不除去他们呢?'肯定会打您的主意,您要早点想办法对付。对付的办法,最好是完全灭掉他们。迟疑观望,是办事的下策。"到朝廷上就说:"他们是虎狼,看到我在您的旁边,不要多久就会杀死我了,请让我靠拢他们的行列吧。"又对大夫们说:"高氏、国氏两人要发动祸乱了!依仗得到国君的欢心就想要打您几位的主意,说:'国家多难,是由于贵幸恩宠,全部铲除他们然后君主才能稳定。'已经形成计划了,何不趁他们还未行动时先于他们下手呢?他们行动起来然后感到后悔,也来不及了。"大夫们听从了他。夏天六月二十三日,陈乞、鲍牧和大夫们率领甲士进到公宫。高张听到消息,和国夏乘车去到国君那里,在庄地交战,失败了。国都的人追赶他们,国夏逃亡到莒国,随即和高张、晏圉、弦施逃亡前来鲁国。

秋天七月,楚昭王驻在城父,准备救援陈国。占卜开战,不吉利;占卜后退,也不吉利。楚王说:"那么就是死啦!两次使楚军失败,不如死;背弃盟国逃避仇敌,也不如死。同样是死,还是与仇敌战死吧!"命令公子申做楚王,不答应;就命令公子结,也不答应;则命令公子启,公子启推辞了五次之后同意了。将要开战,楚昭王生病了。十六日,楚昭王进攻大冥,死在城父。公子启撤退,说:"君王放弃他的儿子而让位,群臣岂敢忘记君王呢?听从君王的命令,是顺服;拥立君王的儿子,也是顺服。两种顺服都不能丢弃。"就和公子申、公子结商议,秘密调遣军队,封锁道路,迎接越国女子的儿子章,立他做国君然后返回楚国。

这一年,有像一群红鸟的云彩围着太阳飞翔了三天,楚昭王派人向周朝的太史询问,周朝的太史说:"恐怕要在楚王身上应验吧。如果举行禜祭,可转移到令尹、司马身上。"楚昭王说:"去掉腹心的疾病,却把它转移到大腿胳膊上,有什么好处?我没有大的过错,上天难道能使我夭折?如果有罪受到惩罚,又怎能转移它?"于是不举行禜祭。

起初,楚昭王有病,占卜结果说:"是黄河之神作祟。"楚王不祭祀。大夫们请求到郊外祭祀黄河之神,楚昭王说:"夏、商、周三代按规定祭祀,不超越本国的山川。长江、汉水、睢水、漳水,是楚国望祭的对象,祸福的到来,不会超过这些。我即使没有德行,黄河之神也不是我遭受罪罚的原因。"结果没有祭祀。孔子说:"楚昭王懂得大道理了,他没有失去国家是应该的啊!《夏书》说:'那位陶唐帝,遵行上天的常道,拥有冀方这块土地。如今后代失去了他的治道,搅乱了他治国的大纲,于是被灭亡。'又说:'推行这个,福禄也就在于这个。'由自己遵行常道就可以了。"

八月,齐国的邴意兹逃亡前来鲁国。

陈乞派人召公子阳生回国,阳生驾车去见南郭且于,说:"曾经献马给季孙,但没有列入上等乘马之中,所以又献上这些,请让我和您坐上试试。"出了鲁都的莱门后就告诉他原因。阚止知道了,预先在门外等待阳生。阳生说:"事情还难于估计,回去吧,和壬待在一起。"告诫阚止提高警觉,就出发了。到夜里,到达齐国,国内的人知道他回国了。陈乞派儿子士的母亲招待阳生,然后与送食物的人一起进入公宫。

冬十月二十四日,立阳生为齐君。将要盟誓,鲍牧喝醉了酒前去。他管车的家臣鲍点说:"这是谁的命令?"陈乞说:"从鲍牧那里接受的命令。"于是诬赖鲍牧说:"这是您的命令。"鲍牧说:"你忘了先君给孺子荼当牛而跌断牙齿吗?如今却要背叛先君!"阳生磕头说:"您是奉行道义办事的人,如果我可以做国君,不必丧失一位大夫;如果我不可以,不必杀掉一个公子。合乎道义就前进,否则就后退,岂敢不听从您?

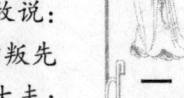

废和立都不要因此造成动乱，这是我的愿望。"鲍牧说："你们哪个不是先君的儿子呢？"就接受了盟誓。公子阳生让胡姬带着安孺子前往赖地，打发走了鬻姒，杀了王甲，拘禁江说，把王豹囚禁到句窦之丘。

齐悼公派朱毛告诉陈乞说："如果没有您，我就不能达到这一步。但是君主与器具不同，不可以有两个。器具有两件不会匮缺，君主有两个灾难更多，谨向贤大夫表白这一点。"陈乞不回答而哭泣，说："君对群臣都不相信吗？因为齐国的困乏，又加上有忧患，年幼君主不能请示，所以找来了年长的君主，大概还能容纳群臣吧！不这样的话，那孺子荼有什么罪？"朱毛向齐悼公回复使命，齐悼公后悔。朱毛说："君主大事向陈乞征求意见，而小事自己考虑就行了。"齐悼公就派朱毛将安孺子迁到骀地，没有到达，把他杀死在郊野的帐幕中，埋葬在殳冒淳。

哀公七年

【原文】

七年：春，宋皇瑗帅师侵郑。

晋魏曼多帅师侵卫。

夏，公会吴于鄫。

秋，公伐邾。八月己酉，入邾，以邾子益来。

宋人围曹。

冬，郑驷弘帅师救曹。

七年春，宋师侵郑，郑叛晋故也。

晋师侵卫，卫不服也。

夏，公会吴于鄫。吴来征百牢，子服景伯对曰："先王未之有也。"吴人曰："宋百牢我，鲁不可以后宋。且鲁牢晋大夫过十，吴王百牢，不亦可乎！"景伯曰："晋范鞅贪而弃礼，以大国惧敝邑，故敝邑十一牢之。君若以礼命于诸侯，则有数矣；若亦弃礼，则有淫者矣。周之王也，制礼：上物不过十二，以为天之大数也。今弃周礼而曰必百牢，亦唯执事。"吴人弗听，景伯曰："吴将亡矣，弃天而背本。不与，必弃疾于我。"乃与之。

大宰嚭召季康子，康子使子贡辞。大宰嚭曰："国君道长而大夫不出门，此何礼也？"对曰："岂以为礼？畏大国也！大国不以礼命于诸侯，苟不以礼，岂可量也？寡君既共命焉，其老岂敢弃其国？大伯端委以治周礼；仲雍嗣之，断发文身，裸以为饰，岂礼也哉？有由然也！"

反自鄫。以吴为无能为也，季康子欲伐邾，乃飨大夫以谋之。子服景伯曰："小所以事大，信也；大所以保小，仁也。背大国，不信；伐小国，不仁。民保于城，城保于德。失二德者，危，将焉保？"孟孙曰："二三子以为何如？恶贤而逆之？"对曰："禹合诸侯于涂山，执玉帛者万国。今其存者无数十焉，唯大不字小、小不事大也。知必危，何故不言？鲁德如邾，而以众加之，可乎？"不乐而出。

秋，伐邾。及范门，犹闻钟声。大夫谏，不听。茅成子请告于吴，不许，曰："鲁击柝闻于邾。吴二千里，不三月不至，何及于我？且国内岂不足？"成子以茅叛。师遂入邾，处其公宫。众师昼掠，邾众保于绎。师宵掠，以邾子益来，献于亳社；囚诸负瑕，负瑕故有绎。

季康子

邾茅夷鸿以束帛乘韦，自请救于吴，曰："鲁弱晋而远吴，冯恃其众，而背君之盟，辟君之执事，以陵我小国。邾非敢自爱也，惧君威之不立。君威之不立，小国之忧也。若夏盟于鄫衍，秋而背之，成求而不违，四方诸侯其何以事君？且鲁赋八百乘，君之贰也；邾赋六百乘，君之私也。以师奉贰，唯君图之！"吴子从之。

宋人围曹。郑桓子思曰："宋人有曹，郑之患也。不可以不救！"冬，郑师救曹，侵宋。

初，曹人或梦众君子立于社宫而谋亡曹；曹叔振铎请待公孙强，许之。旦而求之曹，无之。戒其子，曰："我死，尔闻公孙强为政，必去之！"及曹伯阳即位，好田弋。曹鄙人公孙强好弋，获白雁，献之，且言田弋之说；说之，因访政事，大说之。有宠，使为司城以听政。梦者之子乃行。

强言霸说于曹伯，曹伯从之，乃背晋而奸宋。宋人伐之，晋人不救；筑五邑于其郊，曰黍丘、揖丘、大城、钟、邘。

【译文】

鲁哀公七年春天，宋国的皇瑗率军队侵袭郑国。晋国的魏曼多领兵侵袭卫国。夏天，鲁哀公在鄫地会见吴国人。秋天，哀公攻打邾国。八月十一日，进入邾国，带着邾君益回国。宋国人包围曹国。冬天，郑国驷弘率军队救援曹国。

鲁哀公七年春天，宋军侵袭郑国，是因为郑国背叛晋国的缘故。晋军侵袭卫国，是因为卫国不顺从。

夏天，鲁哀公在鄫地会见吴国人。吴国前来求取百牢，子服景伯回答说："先王没有这样的先例。"吴国人说："宋国献给我们百牢，鲁国不能落在宋国后头。而且鲁国献给晋大夫的超过十牢，吴王一百牢，不也可以吗？"景伯说："晋国的范鞅贪婪而背

弃礼义，拿大国威胁敝国，所以敝国给他十一牢。君主如果对诸侯依礼发布命令，那么就有一定的数目。如果也背弃礼义，那么又比晋国更加过分了。周朝统治天下，制定礼仪，上等的物品不超过十二，认为这是天道的极数。如果现在背弃周礼，而说非百牢不可，也只好唯命是从。"吴国人不听。景伯说："吴国将灭亡了，因为它抛弃天道而违背根本。不给他们，一定会加害于我国。"于是送给他们百牢。

　　吴国太宰嚭召见季康子，季康子派子贡去辞谢。太宰嚭说："国君长途跋涉，而大夫不出国门，这是什么礼制？"子贡回答说："哪里是把它作为礼制，是因为畏惧大国。大国不按礼来向诸侯发令，如果不按照礼，难道可以用礼衡量？寡君已经来此奉行命令，他的大臣岂敢丢下国家外出？太伯穿戴着礼服礼帽来施行周礼，仲雍继承了他，剪掉头发在身上刺画花纹，赤裸身体进行装饰，难道是礼吗？是有缘由才这样的呀。"子贡从鄫地回来，认为吴国是无所作为的。

　　季康子想要攻打邾国，就宴享大夫来进行谋划。子服景伯说："小国用来事奉大国的，是信用；大国用来安抚小国的，是仁义。背离大国，是不讲信用；攻打小国，是不仁义。老百姓靠城池保护，城池靠德行保全，失去了信用、仁义两种德行的人，就有危险，将靠什么保护？"孟懿子说："您几位认为怎么样？哪位说的好就接受他的。"大夫回答说："夏禹在涂山会合诸侯，拿着玉帛前来的有一万个国家。如今还存在的，没有几十个了，就是因为大国不抚育小国，小国不事奉大国。知道必有危险，为什么不说？鲁国的德行和邾国一样，却要用武力侵袭它，行吗？"大家不欢而散。

　　秋天，鲁国攻打邾国，到达范门，还听得到钟乐声。大夫劝谏，邾隐公不听从。茅成子请求向吴国报告，也不答应，说："鲁国敲梆子的声音在邾国都可以听到，吴国则相距两千里，没有三个月赶不到，怎么能顾及我们？况且国内的力量难道不足够？"成子率领茅地的人叛变，鲁军就进入邾国，住在他们的公宫。各路军队在大白天抢劫，邾国的群众在绎地守御。鲁军在夜里劫掠；带了邾隐公益回来，在亳社献功，然后把他囚禁到负瑕，负瑕因此有了绎地人。

　　邾国的茅成子带了束帛乘韦自行到吴国去请求救援，说："鲁国以为晋国软弱而吴国遥远，依仗他们人多，而背弃了与君王订立的盟约，轻视君王的下臣，来欺凌我们小国。邾国并不敢爱惜自己的利益，而是担心君王的威严不能建立。君王的威严不能建立，是小国的忧虑。如果夏天在鄫衍结盟，秋天就违背它，并且成全他们的欲望而不反对，那四方诸侯将用什么事奉君王？而且鲁国有战车八百辆，等于是君王的敌人；邾国有战车六百辆，等于是君王的部属。把部属奉送给敌人，但愿君王考虑这一点。"吴王听从了茅成子的话。

　　宋国人包围曹国。郑国的桓子思说："宋国人一旦据有曹国，是郑国的忧患，不能不救援。"冬天，郑国军队救援曹国，侵袭宋国。

　　起初，曹国有人梦见一群贵族站在社宫，商议灭亡曹国。曹叔振铎请求等等公孙强，大家答应了。早晨起来后寻找这个人，曹国都城中没有。做梦的人告诫他的儿子说："我死后，你听到公孙强主持政事，一定要离开他。"等到曹伯阳即位后，喜欢打猎射鸟。曹国边城人公孙强爱好射猎，射得一只白雁，献给曹伯阳，并且谈到田猎的技艺。曹伯阳听了很高兴，就向他询问关于政事的意见，非常喜欢他。对他很宠信，让他做司城来主持政事。做梦人的儿子就走了。公孙强向曹伯阳论说称霸的方法，曹伯阳听从了，于是背离晋国而侵犯宋国。宋国人攻打曹国，晋国人不去救援，公孙强在国都的郊外修筑了五个城邑，叫做黍丘、揖丘、大城、钟、邗。

哀公八年

【原文】

八年：春，王正月，宋公入曹，以曹伯阳归。

吴伐我。

夏，齐人取谨及阐。

归邾子益于邾。

秋，七月。

冬，十有二月癸亥，杞伯过卒。

齐人归谨及阐。

八年春，宋公伐曹。将还，褚师子肥殿；曹人诟之。不行，师待之。公闻之，怒，命反之；遂灭曹，执曹伯〔阳〕及司城强以归，杀之。

吴为邾故，将伐鲁，问于叔孙辄。叔孙辄对曰："鲁有名而无情。伐之，必得志焉！"退而告公山不狃，公山不狃曰："非礼也！君子违，不适雠国。未臣而有伐之，奔命焉，死之可也！所托也，则隐。且夫人之行也，不以所恶废乡。今子以小恶而欲覆宗国，不亦难乎！若使子率，子必辞！王将使我。"子张疾之。

王问于子泄，对曰："鲁虽无与立，必有与毙。诸侯将救之，未可以得志焉。晋与齐、楚辅之，是四雠也。夫鲁，齐、晋之唇。唇亡齿寒，君所知也。不救何为？"

三月，吴伐我。子泄率，故道险，从武城。初，武城人或有因于吴竟田焉，拘鄫人之沤菅者，曰："何故使吾水滋？"及吴师至，拘者道之以伐武城，克之。王犯尝为之宰，澹台子羽之父好焉，国人惧。懿子谓景伯："若之何？"对曰："吴师来，斯与之战，何患焉？且召之而至，又何求焉？"

吴师克东阳而进，舍于五梧。明日，舍于蚕室。公宾庚、公甲叔子与战于夷，获叔子与析朱钼，献于王。王曰："此同车。必使能，国未可望也。"明日，舍于庚宗，遂次于泗上。

微虎欲宵攻王舍，私属徒七百人，三踊于幕庭；卒三百人，有若与焉。及稷门之内，或谓季孙曰："不足以害吴，而多杀国士，不如已也。"乃止之。吴子闻之，一夕三迁。

吴人行成。将盟，景伯曰："楚人围宋，易子而食，析骸而爨，犹无城下之盟。我未及亏而有城下之盟，是弃国也。吴轻而远，不能久，将归矣，请少待之。"弗从。景伯负载，造于莱门。乃请释子服何于吴，吴人许之；以王子姑曹当之，而后止。吴人盟而还。

齐悼公之来也，季康子以其妹妻之；即位而逆之。季鲂侯通焉；女言其情，弗敢与也；齐侯怒。夏五月，齐鲍牧帅师伐我，取讙及阐。

或譖胡姬于齐侯，曰："安孺子之党也。"六月，齐侯杀胡姬。

齐侯使如吴请师，将以伐我。乃归邾子。邾子又无道，吴子使大宰子馀讨之，囚诸楼台，栫之以棘；使诸大夫奉大子革以为政。

秋，及齐平。九月，臧宾如如齐莅盟。齐闾丘明来莅盟，且逆季姬以归，嬖。

鲍牧又谓群公子曰："使女有马千乘乎？"公子愬之。公谓鲍子："或譖子，子姑居于潞以察之。若有之，则分室以行；若无之，则反子之所。"出门，使以三分之一行；半道，使以二乘；及潞，麇之以人，遂杀之。

冬十二月，齐人归讙及阐，季姬嬖故也。

【译文】

鲁哀公八年春天，周王历正月，宋景公进入曹国，带了曹伯阳回国。吴国攻打我国。夏天，齐国人占取讙地和阐地。齐国人把邾君益送回邾国。秋天七月。冬天十二月初三，杞僖公过死了。齐国人归还讙地和阐地。

鲁哀公八年春天，宋景公攻打曹国，将要收兵回国，褚师子肥压阵。曹国人骂他，他不走了，军队在等待他。宋景公听说了，发怒，命令军队回过头去进攻，于是灭亡了曹国，抓住了曹伯阳和司城强带回国，杀了他们。

吴国因为邾国的缘故，打算攻打鲁国，向叔孙辄询问意见，叔孙辄回答说："鲁国有名而无实，攻打它，一定能实现愿望。"叔孙辄回去就告诉公山不狃。公山不狃说："你这是不合乎礼的。君子离开自己的国家，不到敌国去。没有臣事祖国而又攻打它，为敌国的命令奔走，死了也不足惜。敌国有所委任就要隐退。而且一个人出走他乡，也并不因为怨恨的事而败坏故乡。如今您因为小小怨恨就要推翻祖国，不也难吗？如果让您引路，您一定要拒绝，吴王将派遣我。"叔孙辄对自己的行为感到悔恨。吴王又询问子泄，子泄回答说："鲁国即使没有与它站在一起的盟国，但必定有可能与它一起倒台的邻国，诸侯会救援它，不能从它那里得志的。晋国、齐国和楚国帮助它，这就是四个仇敌了。鲁国，好比是齐国、晋国的嘴唇，嘴唇没有了牙齿就要受冻，这是君王所知道的，不救援还干什么？"

三月，吴国攻打我国，公山不狃领路，故意走险路，经过武城。起初，武城有个人靠着吴国边境种田，抓住一个浸泡菅草的鄫地人，说："为什么把我的水弄污浊？"等到吴军来到，被抓的鄫地人为他们带路，来攻打武城，攻下了。王犯曾经做过武城宰，澹台子羽的父亲与他要好，国内的人很害怕王犯。孟懿子对景伯说："怎么办？"

景伯回答说："吴军一来，就和他们交战，担心什么？而且是招惹他们来的，又能寻求什么别的办法呢？"吴军攻克东阳而进军，驻扎在五梧。第二天，驻扎在蚕室。公宾庚、公甲叔子在夷地和吴军作战，吴军俘获了公甲叔子和析朱鉏的尸体，献给吴王。吴王说："这是同一辆战车的人，鲁国必定任用了能人，这个国家还不能指望得到。"第二天，驻扎在庚宗，最后驻扎在泗水边上。微虎想要在晚上攻打吴王住处，私下带领兵徒七百人，在幕庭中每人跳三次，最后选定三百人，有若在其中。他们到达稷门之内，有人对季孙说："不足以危害吴国，反而会葬送国家许多人才，不如罢手。"于是停止了行动。吴王听说了，一个晚上迁移了三次。

吴国人求和，将要签订盟约，景伯说："楚国人包围宋国，宋国人交换儿子来吃，剖开尸骨来做饭，还没有签订城下之盟；我们未到衰败的时候，就要订立城下之盟，这是抛弃国家。吴国轻率而远离本国，不能持久，将要回国了，请稍等待一下。"季孙不依从。景伯背着盟书，到达莱门。鲁国就请求把景伯放到吴国去，吴国人答应了，因为鲁国要求用王子姑曹与景伯相抵，最后就停止了交换人质。吴国人签订盟约就回国了。

齐悼公来鲁国时，季康子把他的妹妹嫁给齐悼公，悼公即位后来迎接她。季鲂侯与她私通，她说出了实情，季康子不敢把她嫁给悼公了。齐悼公发怒。夏五月，齐国的鲍牧领兵攻打我国，攻取了谨地和阐地。

有人在齐悼公面前诬陷胡姬说："她是安孺子的党羽。"六月，齐悼公杀了胡姬。

齐悼公派人前往吴国请求军队，打算用来攻打我国，我国就送回了邾君。邾君又无道，吴王派太宰嚭讨伐他，把他囚禁在楼台上，用荆棘织成篱笆围住他。让大夫们事奉太子革来执政。

秋天，与齐国讲和。九月，臧宾如前往齐国参加结盟。齐国的闾丘明前来参加结盟，并且迎接季姬回国，季姬得到宠幸。

鲍牧又对公子们说："帮助你们那位拥有四千匹马吧！"公子们告诉了齐悼公，齐悼公对鲍牧说："有人说您的坏话，您暂且住到潞地去以便调查。如果有这样的事，就分掉你的家产让你走；如果没有，就回到您的地方去。"鲍牧走出门，让他带着三分之一的家产走。走到半路，只让他带两辆车走。到达潞地，把他捆绑了带进去，于是杀了他。

冬十二月，齐国人归还谨地和阐地，是因为季姬受宠的缘故。

哀公九年

【原文】

九年：春，王二月，葬杞僖公。

宋皇瑗帅师取郑师于雍丘。

夏，楚人伐陈。

秋，宋公伐郑。

冬，十月。

九年春，齐侯使公孟绰辞师于吴。吴子曰："昔岁寡人闻命，今又革之；不知所从，将进受命于君。"

郑武子剩之嬖许瑕求邑，无以与之。请外取，许之；故围宋雍丘。宋皇瑗围郑师，每日迁舍，垒合。郑师哭。子姚救之，大败。二月甲戌，宋取郑师于雍丘，使有能者无死，以郑张与郑罗归。

夏，楚人伐陈，陈即吴故也。

宋公伐郑。

秋，吴城邗，沟通江、淮。

晋赵鞅卜救郑，遇水适火，占诸史赵、史墨、史龟。史龟曰："'是谓沈阳，可以兴兵；利以伐姜，不利子商。'伐齐则可，敌宋不吉。"史墨曰："盈，水名也。子，水位也。名位敌，不可干也。炎帝为火师，姜姓其后也。水胜火，伐姜则可。"史赵曰："是谓如川之满，不可游也。郑方有罪，不可救也。救郑则不吉，不知其他。"阳虎以《周易》筮之，遇"泰☰☷"之"需☰☵"，曰："宋方吉，不可与也。微子启，帝乙之元子也。宋、郑，甥舅也。祉，禄也。若帝乙之元子归妹而有吉禄，我安得吉焉！"乃止。

冬，吴子使来儆师伐齐。

【译文】

鲁哀公九年春天，周历二月，安葬杞僖公。宋国的皇瑗率领军队在雍丘歼灭了郑国军队。夏天，楚国人攻打陈国。秋天，宋景公攻打郑国。冬十月。

鲁哀公九年春天，齐悼公派公孟绰到吴国去辞谢出兵，吴王说："去年我听到命令，现在又改变它，不知听从什么，我将进见君王接受命令。"

赵鞅

郑国罕达的宠臣许瑕求取城邑，没有拿来给他的地方。许瑕请求到外国去求取，罕达同意了他，所以许瑕包围宋国的雍丘。宋国的皇瑗包围郑军，每天迁移军营，壁垒连成一体，郑军将士痛哭。罕达去救援他们，大败。二月十四日，宋国在雍丘歼灭了郑军，只让有才能的人不死，带了郑张和郑罗回去。

夏天，楚国人攻打陈国，是因为陈国靠拢吴国的缘故。

宋景公攻打郑国。

秋天，吴国在邗地筑城，开沟贯通长江、淮河。

晋国的赵鞅为救援郑国占卜，遇到水流向火的卦象，让史赵、史墨、史龟预测吉凶。史龟说："这叫做阳气下沉，可以出兵，攻打姜姓有利，攻打子商氏不利。攻打齐国就可以，对抗宋国不吉利。"史墨说："盈，是水名；子，是水位。名与位相当，不可以触犯。炎帝是火师，姜姓是他的后代。水胜过火，攻打姜姓是可以的。"史赵说："这叫做像河川水满，不可以游过。郑国正有罪，不能够救援。救援郑国就不吉利，其他我不知道。"阳虎用《周易》为此事占筮，遇到《泰》卦变到《需》卦，说："宋国正吉利，不能与它为敌。微子启是帝乙的长子。宋、郑两国是甥舅关系。祉，就是福禄。如果帝乙的长子嫁女而有吉利的福禄，我们怎么能吉利呢？"就停止了救援郑国的行动。

冬天，吴王派使者前来告诫出兵攻打齐国。

哀公十年

【原文】

十年：春，王二月，邾子益来奔。

公会吴伐齐。

三月戊戌，齐侯阳生卒。

夏，宋人伐郑。

晋赵鞅帅师侵齐。

五月，公至自伐齐。

葬齐悼公。

卫公孟彄自齐归于卫。

薛伯夷卒。

秋，葬薛惠公。

冬，楚公子结帅师伐陈。吴救陈。

十年春，邾隐公来奔。齐甥也，故遂奔齐。

公会吴子、邾子、郯子伐齐南鄙，师于鄎。齐人弑悼公，赴于师。吴子三日哭于军门之外。徐承帅舟师，将自海入齐；齐人败之，吴师乃还。

夏，赵鞅帅师伐齐，大夫请卜之。赵孟曰："吾卜于此起兵。事不再令，卜不袭吉。行也！"于是乎取犁及辕，毁高唐之郭，侵及赖而还。

秋，吴子使来复儆师。

冬，楚子期伐陈。吴延州来季子救陈，谓子期曰："二君不务德而力争诸侯，民何罪焉？我请退，以为子名：务德而安民。"乃还。

【译文】

鲁哀公十年春天，周历二月，邾国君主益逃亡前来。哀公会合吴国攻打齐国。三月十四日，齐悼公阳生死了。夏天，宋国人攻打郑国。晋国赵鞅率领军队侵袭齐国。五月，哀公攻打齐国回到鲁国。安葬齐悼公。卫国的公孟彄从齐国回到卫国。薛国君主夷死了。秋天，安葬薛惠公。冬天，楚国公子结领兵攻打陈国。吴国救援陈国。

鲁哀公十年春天，邾隐公逃亡前来，因为他是齐国的外甥，所以随即逃往齐国。

哀公会合吴王、邾隐公、郯君攻打齐国南方的边镇，驻扎在鄎地。齐国人杀了齐悼公，向联军发了讣告。吴王在军门外哭了三天。徐承率领水军，准备从海上进入齐国，齐国人打败了他们，吴军就退回来了。

夏天，赵鞅领兵攻打齐国，大夫请求为此占卜。赵鞅说："对于这次出兵我占卜过了，一件事不占卜两次，占卜也不一定再次得到吉卦，出发吧！"于是攻取犁地和辕地，拆毁了高唐的外城，侵袭到赖地然后收兵。

秋天，吴王派使者再次来告诫我军出兵。

冬天，楚国公子结攻打陈国。吴国延州来季子救援陈国，对公子结说："两国君主不致力于德政，却用武力争夺诸侯，老百姓有什么罪呢？请让我退兵，来造成您的好名声，以便施行德政而安定百姓。"就退兵回去了。

哀公十一年

【原文】

十有一年：春，齐国书帅师伐我。

夏，陈辕颇出奔郑。

五月，公会吴伐齐。

甲戌，齐国书帅师及吴战于艾陵，齐师败绩。获齐国书。

秋，七月辛酉，滕子虞母卒。

冬，十有一月，葬滕隐公。

卫世叔齐出奔宋。

十一年春，齐为鄎故，国书、高无㔻帅师伐我，及清。季孙谓其宰冉求曰："齐师在清，必鲁故也，若之何？"求曰："一子守，二子从公御诸竟。"季孙曰："不能。"求曰："居封疆之间。"季孙告二子，二子不可。求曰："若不可，则君无出。一子帅师，背城而战。不属者，非鲁人也。鲁之群室，众于齐之兵车，一室敌车，优矣，子何患焉？二子之不欲战也宜，政在季氏。当子之身，齐人伐鲁而不能战，子之耻也。大不列于诸侯矣。"

季孙使从于朝，俟于党氏之沟。武叔呼而问战焉，对曰："君子有远虑，小人何知？"懿子强问之，对曰："小人虑材而言，量力而共者也。"武叔曰："是谓我不成丈夫也。"退而蒐乘。孟孺子泄帅右师，颜羽御，邴泄为右。冉求帅左师，管周父御，樊迟为右。季孙曰："须也弱。"有子曰："就用命焉。"季氏之甲七千，冉有以武城人三百为己徒卒，老幼守宫，次于雩门之外。五日，右师从之。公叔务人见保者而泣，曰："事充政重，上不能谋，士不能死，何以治民？吾既言之矣，敢不勉乎！"

师及齐师战于郊。齐师自稷曲。师不逾沟，樊迟曰："非不能也。不信子也。请三刻而逾之。"如之。众从之。师入齐军。

右师奔，齐人从之。陈瓘、陈庄涉泗。孟之侧后入以为殿，抽矢策其马，曰："马不进也！"林不狃之伍曰："走乎？"不狃曰："谁不如？"曰："然则止乎？"不狃曰："恶贤？"徐步而死。

师获甲首八十，齐人不能师。宵，谍曰："齐人遁。"冉有请从之，三；季孙弗许。

孟孺子语人曰："我不如颜羽，而贤于邴泄。子羽锐敏，我不欲战而能默，泄曰'驱之'。"

公为与其嬖僮汪锜乘，皆死，皆殡。孔子曰："能执干戈以卫社稷，可无殇也！"冉有用矛于齐师，故能入其军。孔子曰："义也！"

夏，陈辕颇出奔郑。初，辕颇为司徒，赋封田以嫁公女；有馀，以为己大器。国人逐之，故出。道渴，其族辕咺进稻醴、粱糗、腶脯焉；喜曰："何其给也？"对曰："器成而具。"曰："何不吾谏？"对曰："惧先行。"

为郊战故，公会吴子伐齐。五月，克博；壬申，至于嬴。中军从王，胥门巢将上军，王子姑曹将下军，展如将右军。

齐国书将中军，高无㔻将上军，宗楼将下军。陈僖子谓其弟书："尔死，我必得志！"宗子阳与闾丘明相厉也。桑掩胥御国子，公孙夏曰："二子必死。"将战，公孙夏命其徒歌《虞殡》，陈子行命其徒具含玉，公孙挥命其徒曰："人寻约！吴发短。"东郭书曰："三战必死。于此三矣！"使问弦多以琴，曰："吾不复见子矣！"陈书："此行也，吾闻鼓而已，不闻金矣！"

甲戌，战于艾陵。展如败高子。国子败胥门巢；王卒助之，大败齐师，获国书、公孙夏、闾丘明、陈书、东郭书，革车八百乘，甲首三千，以献于公。

将战，吴子呼叔孙，曰："而事何也？"对曰："从司马。"王赐之甲、剑铍，曰："奉尔君事，敬无废命！"叔孙未能对；卫赐进，曰："州仇奉甲从君！"而拜。

公使大史固归国子之元，寘之新箧，褽之以玄纁，加组带焉；寘书于其上，曰："天若不识不衷，何以使下国？"

吴将伐齐，越子率其众以朝焉，王及列士皆有馈赂。吴人皆喜，惟子胥惧，曰："是豢吴也夫！"谏曰："越在，我心腹之疾也。壤地同而有欲于我。夫其柔服，求济其欲也。不如早从事焉！得志于齐，犹获石田也，无所用之。越不为沼，吴其泯矣！使医除疾，而曰'必遗类焉'者，未之有也。《盘庚之诰》曰：'其有颠越不共，则劓殄无遗育，无俾易种于兹邑。'是商所以兴也。今君易之，将以求大，不亦难乎！"弗听。使于齐，属其子于鲍氏，为王孙氏。反役，王闻之，使赐之属镂以死。将死，曰："树吾墓槚，槚可材也，吴其亡乎！三年，其始弱矣。盈必毁，天之道也。"

秋，季孙命修守备，曰："小胜大，祸也。齐至无日矣。"

冬，卫大叔疾出奔宋。初，疾娶于宋子朝，其娣嬖。子朝出，孔文子使疾出其妻而妻之。疾使侍人诱其初妻之娣，寘于犁，而为之一宫，如二妻。文子怒，欲攻之，仲尼止之。遂夺其妻。或淫于外州，外州人夺之轩以献。耻是二者，故出。卫人立遗，使室孔姞。疾臣向魋，纳美珠焉，与之城鉏。宋公求珠，魋不与，由是得罪。及桓氏出，城鉏人攻大叔疾，卫庄公复之。使处巢，死焉。殡于郧，葬于少禘。

初，晋悼公子憖亡在卫，使其女仆而田。大叔懿子止而饮之酒，遂聘之，生悼子。悼子即位，故夏戊为大夫。悼子亡，卫人翦夏戊。孔文子之将攻大叔也，访于仲尼。仲尼曰："胡簋之事，则尝学之矣。甲兵之事，未之闻也。"退，命驾而行，曰："鸟则择木，木岂能择鸟？"文子遽止之，曰："圉岂敢度其私？访卫国之难也。"将止，鲁人以币召之，乃归。

季孙欲以田赋，使冉有访诸仲尼。仲尼曰："丘不识也。"三发，卒曰："子为国老，待子而行，若之何子之不言也？"仲尼不对，而私于冉有曰："君子之行也，度于礼，施取其厚，事举其中，敛从其薄。如是，则以丘亦足矣。若不度于礼，而贪冒无厌，则虽以田赋，将又不足。且子季孙若欲行而法，则周公之典在。若欲苟而行，又何访焉？"弗听。

【译文】

鲁哀公十一年春天，齐国的国书率领军队攻打我国。夏天，陈国辕颇出逃到郑国。五月，哀公会合吴军攻打齐国。二十七日，齐国的国书领兵在艾陵与吴军作战，齐军大败，俘获国书。秋七月十五日，滕君虞毋死了，冬十一月，安葬滕隐公。卫国的世叔齐出逃到宋国。

鲁哀公十一年春天，齐国因为鄎地战役的缘故，派国书、高无丕领兵攻打我国，到达清地。季孙对他的家臣冉求说："齐军驻在清地，一定是为了鲁国的缘故，怎么办？"冉求说："您一人留守，叔孙、孟孙两位跟着哀公到边境去抵御齐军。"季孙说："难以办到。"冉求说："那就守在边境之内。"季孙告诉叔孙、孟孙，两人不同意。冉求说："如果不同意，那国君就不用出宫。您一人率领部队，背城而战，不跟从您参战的人，就不是鲁国人。鲁国卿大夫各家的兵车，比齐国的兵车要多，您一家抵挡齐国兵车就足够了，您担心什么呢？他们两位不想参战是当然的，因为政权在季氏家。在您亲自执政的时候，齐国人攻打鲁国而不能抗战，这样您的耻辱就大了，不能和诸侯并列了。季孙派冉求跟着上朝，然后在党氏之沟等着。武叔把冉求叫来向他询问作战的计划，冉求回答说："君子有深谋远虑，小人知道什么？"孟懿子硬是问他，冉求回答说："小人是考虑能力才说话，估计力量才办事的。"武叔说："这是说我不成男子汉了。"回去就检阅兵车。孟孺子泄率领右军，颜羽为他驾车，邴泄做车右。冉求率领左军，管周父为他驾车，樊迟做车右。季孙说："樊迟太年轻了。"冉求说："因为他能执行命令。"季孙有甲士七千人，冉求用三百个武城人作为自己的步兵，老人少年守卫宫室，全军驻扎在雩门外边。五天后，右军才跟上来。公叔务人看到保卫宫室的人就哭了，说："劳役繁多，赋税苛重，在上的不能谋划，战士不能拼死，怎么能安定百姓？我已经说了这些话，岂敢不努力！"

我军和齐军在郊外作战。齐军从稷曲进攻，我军没有越过壕沟迎战，樊迟说："不是不能越过，是不信任您，请反复责求部队以越过沟去。"冉求听从了他的意见，大家就跟着过了沟。军队攻入齐国军中。右军逃跑，齐国人追击他们，陈瓘、陈庄徒步渡过泗水。孟之侧因为殿后而最后进入都城，他抽出箭来打他的马，说："马不肯向前跑。"林不狃的伙伴说："跑吧！"不狃说："我跑谁不会跟着跑？"那伙伴说："那么就停下来抵抗吗？"不狃说："哪里比逃跑强些？"就慢慢行走而被杀死。鲁军斩获甲士首级八十个，齐国人溃不成军。晚上，侦察人员报告说："齐国人逃跑了。"冉求三次请求追击，季孙不答应。孟孺子告诉别人说："我不如颜羽，但比邴泄强。颜羽急于奋勉参战，我不想参战而能不说逃跑，邴泄则说：'赶马逃跑。'"公叔务人和他宠爱的家僮汪锜同坐一车，都战死了，一起入殓。孔子说："汪锜能拿起武器来保卫国家，可以不当做夭折的人来举行葬礼。"冉求在攻击齐军时使用了矛，所以能攻入他们的军阵。孔子说："这是合乎道义的。"

夏天，陈国的辕颇出逃到郑国。起初，辕颇做陈国司徒，征取封田的赋税来为陈闵公的女儿陪嫁，有剩余的部分，用来给自己铸造大礼器。国内人驱逐他，所以出逃。在路上渴了，他的族人辕咺向他进献稻米甜酒、精细小米干粮和腌制肉干，辕颇高兴地说："怎么这样丰富？"辕咺回答说："礼器铸成时就准备好了。"辕颇："为什么不劝谏我？"回答说："害怕被先赶走。"

因为郊外那次战役的缘故，哀公会合吴王攻打齐国。五月，攻下博地。二十五日，到达嬴地。吴国中军由吴王率领，胥门巢率领上军，王子姑曹率领下军，展如率领右军。齐国由国书率领中军，高无㔻率领上军，宗楼率领下军。陈乞对他的弟弟陈书说："你如果战死，我一定会得志。"宗楼和闾丘明互相勉励。桑掩胥为国书驾车，公孙夏说："这两位一定会战死。"将要开战，公孙夏命令他的部下唱《虞殡》挽歌。陈逆命令他的部下准备好含玉。公孙挥命令他的部下说："每人准备一根八尺长的绳子，吴国人头发短。"东郭书说："作战三次必定阵亡，我到这次是第三次了。"就派人带了一张琴去问候弦施，说："我不能再见到您了。"陈书说："这次行动，我只能听到进军的鼓声，听不到收兵的锣声了。"

五月二十七日，在艾陵作战。展如打败了高无㔻，国书击败了胥门巢，吴王率领的士兵支援胥门巢，大败齐军，俘获了国书、公孙夏、闾丘明、陈书、东郭书，缴获

吴王夫差赐伍子胥属镂剑自裁,选自明刊本《新镌绣像列国志》。

革车八百辆,斩获甲士的首级三千个,用来向哀公献功。将要开战时,吴王喊叔孙,说:"你的职务是什么?"叔孙回答说:"做司马。"吴王赐给他铠甲和铍剑,说:"奉行你们君主交给的任务,严肃对待而不要废弃命令!"叔孙不能回答,子贡上前说:"叔孙敬受铠甲跟从君王。"就下拜。哀公派太史固送还国书的脑袋,把它装在新箱子里,用黑红和浅红的帛垫在下面,并加上编织的丝带,在上面放了一封信,信中说:"上天如果不知道你们的不善,为什么让我小国得胜呢?"

吴国准备攻打齐国,越王率领他的部下去朝贡,吴王和臣下们都得到了赠送的财物。吴国人都很高兴,只有伍子胥担心,他说:"这是像喂猪一样豢养吴国啊!"就劝谏说:"越国对于我们来说,是心腹之疾,地区相同,而对我国抱有欲望。他们的顺服,是谋求实现他们的欲望,不如早点对越国采取行动。在齐国面前得志,犹如获得一块石田,没有用处。越国不沦为沼泽,吴国就将被消灭了。让医生除病,却说'一定要留下病根'的人,是没有的。《盘庚》的诰令说:'如果有人毁坏礼法,不恭敬从命,就斩尽杀绝不留后代,不使他的种族在这个地方延续下去。'这就是商朝所以兴起的办法。如今君王改变这种办法,想要用来求得强大,不也难吗?"吴王不听。伍子胥出使到齐国,把自己的儿子托付给鲍氏,就是王孙氏。从艾陵战役回来,吴王听说了这件事,派人赐给他属镂剑自杀。临死时伍子胥说:"在我的墓旁栽上槚树,槚树可以做木材的时候,吴国大概会灭亡了吧!三年之后,将开始衰弱了。满了就必然毁坏,这是自然的道理。"

秋天,季孙命令整修防御设施,说:"小国战胜大国,这是祸患,齐国人的到来没有几天了。"

冬天,卫国的太叔疾出逃到宋国。起初,太叔疾娶了宋国子朝的女儿为妻,从嫁的姨妹很受宠爱。子朝逃亡出国,孔文子让太叔疾休了他的妻子而把女儿嫁给他。太叔疾派仆人引诱他前妻的妹妹,把她安顿在犁邑,给她建了一座房子,好像有两个妻子一样。孔文子发怒,想要讨伐太叔疾,孔子制止了他,于是孔文子就接回了女儿。太叔疾有时在外州与人通奸,外州人夺取他的车子献上来。太叔疾对这两件事感到羞耻,所以出逃。卫国人立了太叔遗做继承人,让他娶孔姞。太叔疾做向魋的家臣,献给向魋美丽的珍珠，向魋给了他城鉏。宋景公索取珍珠，向魋不给，因此得罪。到向魋出逃时，城鉏人攻打太叔疾，卫庄公让他回国，让他住在巢地，死在那里。在郟地停枢，葬在少禘。

起初，晋悼公的儿子憖逃亡在卫国，让女儿为自己赶车去打猎，太叔懿子留下请他们喝酒，于是聘娶他的女儿为妻，生了太叔疾。太叔疾即卿位，所以夏戊做了大夫。太叔疾逃亡后，卫国人削除了夏戊的官爵封邑。

孔文子准备攻打太叔疾，向孔子征求意见，孔子说："祭祀之类的事，倒是曾经学过，战争的事，我没有听说过。"退下去后，命令套好车子就走，说："鸟则要选择树木，树木岂能选择鸟？"孔文子赶快拦住他，说："我岂敢为自己的私事谋算，是就卫国困难的事向您询问。"孔子打算留下，鲁国人用财礼召请他，就回国了。

季孙想要按田亩征税，派冉求向孔子询问此事，孔子说："我不知道。"问了三次，冉求最后说："您是国家元老，等着您的意见办事，为什么您不肯说呢？"孔子不回答，而私下对冉求说："君子办事，要用礼来衡量，施舍要选用丰厚的标准，劳役要选用适中的标准，赋敛要遵从轻微的标准，像这样做在我看来也就够了。如果不合乎礼法，而贪得无厌，那么即使按田亩征税，还会不够，而且季孙他如果要办事合乎礼法，那么周公的典章在。如果想随便行事，那又询问什么呢？"季孙不听从。

哀公十二年

【原文】

十有二年：春，用田赋。
夏，五月甲辰，孟子卒。
公会吴于橐皋。
秋，公会卫侯、宋皇瑗于郧。
宋向巢帅师伐郑。
冬，十有二月，螽。
十二年春，王正月，用田赋。
夏五月，昭夫人孟子卒。昭公娶于吴，故不书姓。死不赴，故不称"夫人"。不反哭，故不言"葬小君"。孔子与吊，适季氏。季氏不绖。放绖而拜。
公会吴于橐皋。吴子使大宰嚭请寻盟；公不欲，使子贡对曰："盟所以周信也，故心以制之，玉帛以奉之，言以结之，明神以要之。寡君以为苟有盟焉，弗可改也已；若犹可改，日盟何益？今吾子曰'必寻盟'，若可寻也，亦可寒也。"乃不寻盟。
吴徵会于卫。初，卫人杀吴行人且姚而惧，谋于行人子羽；子羽曰："吴方无道，无乃辱吾君？不如止也。"子木曰："吴方无道。国无道，必弃疾于人。吴虽无道，犹足以患卫。往也！长木之毙，无不摽也；国狗之瘈，无不噬也；而况大国乎？"

秋，卫侯会吴于郧。公及卫侯、宋皇瑗盟，而卒辞吴盟。吴人藩卫侯之舍。子服景伯谓子贡曰："夫诸侯之会，事既毕矣，侯伯致礼、地主归饩以相辞也。今吴不行礼于卫，而藩其君舍以难之，子盍见大宰？"乃请束锦以行。语及卫故，大宰嚭曰："寡君愿事卫君，卫君之来也缓，寡君惧，故将止之。"子贡曰："卫君之来，必谋于其众；其众或欲或否，是以缓来。其欲来者，子之党也。其不欲来者，子之雠也。若执卫君，是堕党而崇雠也，夫堕子者得其志矣。且合诸侯而执卫君，谁敢不惧？堕党崇雠而惧诸侯，或者难以霸乎？"大宰嚭说，乃舍卫侯。

卫侯归，效夷言。子之尚幼，曰："君必不免，其死于夷乎！执焉，而又说其言，从之固矣！"

冬十二月，螽。季孙问诸仲尼，仲尼曰："丘闻之：火伏而后蛰者毕。今火犹西流，司历过也。"

宋郑之间有隙地焉，曰弥作、顷丘、玉畅、嵒、戈、锡。子产与宋人为成，曰："勿有是！"及宋平、元之族自萧奔郑，郑人为之城嵒、戈、锡。九月，宋向巢伐郑，取锡，杀元公之孙；遂围嵒。十二月，郑罕达救嵒；丙申，围宋师。

【译文】

鲁哀公十二年春天，按田亩征税，夏五月初三，昭公夫人孟子死了。哀公在橐皋与吴国人会见。秋天，哀公在郧地会见卫出公和宋国的皇瑗。宋国向巢率军队攻打郑国。冬十二月，发生蝗灾。

鲁哀公十二年春天，周历正月，季孙实行按田亩征税。

夏五月，昭公夫人孟子死了。昭公从吴国娶孟子，所以《春秋》不记载她的姓。死了没有发讣告，所以不称她为夫人。安葬后没有返回祖庙哭丧，所以不说"葬小君"。孔子参加吊唁，去到季氏家，季氏没戴丧帽，孔子解下丧带下拜。

哀公在橐皋会见吴国人，吴王让太宰嚭请求重温旧盟，哀公不愿意，派子贡答复说："盟约是用来巩固信用的，所以用心来制定它，用玉帛来尊奉它，用言辞来缔结它，用神明来约束它。寡君认为如果有了盟约，就不能改变了。如果还可改变，那即使天天结盟又有什么好处？现在您说'一定要重温旧盟'，如果盟约可以重温，也就可以冷落。"于是不再重温盟约。

吴国召集卫国参加会见。起初，卫国人杀了吴国行人且姚而害怕，就和行人子羽商量。子羽说："吴国正横暴无道，恐怕会污辱我们国君，不如不去。"子木说："吴国正横暴无道，国家无道，就一定会加害别人。吴国虽然没有道义，还足以祸害卫国。去吧！高大树木倒下，没有不砸东西的；一国最好的狗发狂，没有不咬人的，何况是大国呢？"

秋天，卫出公在郧地与吴王会见。哀公和卫出公、宋国皇瑗签订盟约，而终于拒绝了与吴国结盟。吴国人包围了卫出公的住所。子服景伯对子贡说："诸侯的盟会，事情已经完毕之后，盟主向各国致礼，所在地的主人赠送食物，以此互相辞别。如今吴国不向卫国施礼，反而包围他们君主的住所来为难他们，您何不去见见太宰？"于是子贡申请了五匹锦就去了。谈话谈到卫国的事情，太宰嚭说："寡君希望事奉卫君，卫君来得很慢，寡君害怕，所以打算留下他。"子贡说："卫君来此，一定与他的臣下们商量，臣下们有的愿意他来有的不愿意，因此来晚了。那些愿意他来的人，是您的朋友；那些不希望他来的人，是您的敌人。如果拘留卫君，那就是毁了朋友而帮助了敌人，那些要摧垮您的人就实现他们的愿望了。而且会合诸侯却逮捕卫君，谁会不害怕？毁坏朋友帮助敌人，而又使诸侯惧怕，恐怕难以做霸主吧！"太宰嚭听了很高兴，就放了卫出公。卫出公回国，常学讲夷地话。子之当时还年幼，说："君主一定难免于祸难，大概会死在夷地吧！被那里的人拘禁而又喜欢那里的语言，跟从他们够坚决的了。"

冬十二月，发生蝗灾。季孙向孔子询问此事，孔子说："我听说，大火星下沉然后昆虫蛰伏完毕。如今大火星还从西方经过，是掌握历法的错误。"

宋国、郑国之间有些空地，叫做弥作、顷丘、玉畅、嵒、戈、钖。子产和宋国人达成协议，说："不要占有这些空地。"到宋平公、宋元公的族人从萧地逃亡到郑国的时候，郑国人为他们在嵒、戈、钖等地筑城。九月，宋国的向巢攻打郑国，占领钖地，杀了宋元公的孙子，随即包围嵒地。十二月，郑国的罕达救援嵒地，二十八日，围攻宋国军队。

哀公十三年

【原文】

　　十有三年：春，郑罕达帅师取宋师于嵒。
　　夏，许男成卒。
　　公会晋侯及吴子于黄池。
　　楚公子申帅师伐陈。
　　於越入吴。
　　秋，公至自会。
　　晋魏曼多帅师侵卫。
　　葬许元公。
　　九月，螽。
　　冬，十有一月，有星孛于东方。
　　盗杀陈夏区夫。
　　十有二月，螽。
　　十三年春，宋向魋救其师。郑子剩使徇曰："得桓魋者有赏。"魋也逃归。遂取宋师于嵒，获成谨、郜延。以六邑为虚。

夏，公会单平公、晋定公、吴夫差于黄池。

六月丙子，越子伐吴，为二隧。畴无馀、讴阳自南方，先及郊。吴大子友、王子地、王孙弥庸、寿於姚自泓上观之。弥庸见姑蔑之旗，曰："吾父之旗也。不可以见雠而弗杀也！"大子曰："战而不克，将亡国。请待之。"弥庸不可，属徒五千，王子地助之。乙酉战，弥庸获畴无馀，地获讴阳。越子至，王子地守。丙戌复战，大败吴师。获大子友、王孙弥庸、寿於姚。丁亥，入吴，吴人告败于王，王恶其闻也，自刭七人于幕下。

秋七月辛丑，盟，吴、晋争先。吴人曰："于周室，我为长。"晋人曰："于姬姓，我为伯。"赵鞅呼司马寅曰："日旰矣，大事未成，二臣之罪也。建鼓整列，二臣死之，长幼必可知也。"对曰："请姑视之。"反，曰："肉食者无墨。今吴王有墨，国胜乎？大子死乎？且夷德轻，不忍久，请少待之。"乃先晋人。

吴人将以公见晋侯，子服景伯对使者曰："王合诸侯，则伯帅侯牧以见于王。伯合诸侯，则侯帅子、男以见于伯。自王以下，朝聘玉帛不同。故敝邑之职贡于吴，有丰于晋，无不及焉，以为伯也。今诸侯会，而君将以寡君见晋君，则晋成为伯矣，敝邑将改职贡。鲁赋于吴八百乘。若为子、男，则将半邾以属于吴，而如邾以事晋。且执事以伯召诸侯，而以侯终之，何利之有焉？"吴人乃止。既而悔之，将囚景伯。景伯曰："何也立后于鲁矣。将以二乘与六人从，迟速唯命。"遂囚以还。及户牖，谓大宰曰："鲁将以十月上辛，有事于上帝先王，季辛而毕。何世有职焉，自襄以来，未之改也。若不会，祝宗将曰：'吴实然。'且谓：'鲁不共而执其贱者七人，何损焉？'"大宰嚭言于王曰："无损于鲁而祗为名，不如归之。"乃归景伯。

吴申叔仪乞粮于公孙有山氏。曰："佩玉繠兮，余无所系之。旨酒一盛兮，余与褐之父睨。"对曰："粱则无矣，粗则有之。若登首山以呼曰：'庚癸乎！'则诺。"

王欲伐宋，杀其丈夫而囚其妇人。大宰嚭曰："可胜也，而弗能居也。"乃归。

冬，吴及越平。

【译文】

鲁哀公十三年春天，郑国的罕达率领军队在嵒地获取宋军。夏天，许元公死了。哀公在黄池会见晋定公及吴王。楚国的公子申率军攻打陈国。越国侵入吴国。哀公从黄池会见回到国内。晋国的魏曼多领兵侵袭卫国。安葬许元公。九月，发生螟灾。冬十一月，有彗星出现在东方。刺客杀死了陈国的夏区夫。十二月，发生螟灾。

鲁哀公十三年春天，宋国的向魋援救他们的军队。郑国子剩派人宣告说："俘虏向魋的人有赏。"向魋逃回宋国。于是在嵒地获取宋军，俘虏了成谨、郜延，把六个城邑变成废墟。

夏天，哀公在黄池会见单平公、晋定公和吴王夫差。

六月十一日，越王攻打吴国，兵分两路，畴无馀、讴阳从南面进军，先行到达吴都郊外。吴国的太子友、王子地、王孙弥庸、寿于姚在泓水岸边观察越国军队。弥庸看到姑蔑的旗帜，说："这是我父亲的旗帜。不能看到仇敌却不杀他们。"太子说："作战如果不能取胜，将亡国，请等待一下。"弥庸不同意，带领士卒五千人，王子地辅助他。二十日，开战，弥庸俘获了畴无余，王子地俘获了讴阳。越王赶到，王子地防守。二十一日，再次交战，大败吴军，俘获了太子友、王孙弥庸、寿于姚。二十二日，越军进入吴国。吴国人向吴王报告失败，吴王讨厌这消息被诸侯听到，亲自在帐幕下杀死了七个人。

秋七月初六日，准备盟誓，吴国和晋国争着要先歃血。吴国人说："在周王室中，我们是老大。"晋国人说："在姬姓国中，我们是霸主。"赵鞅喊司马寅说："天晚了，大事没有办

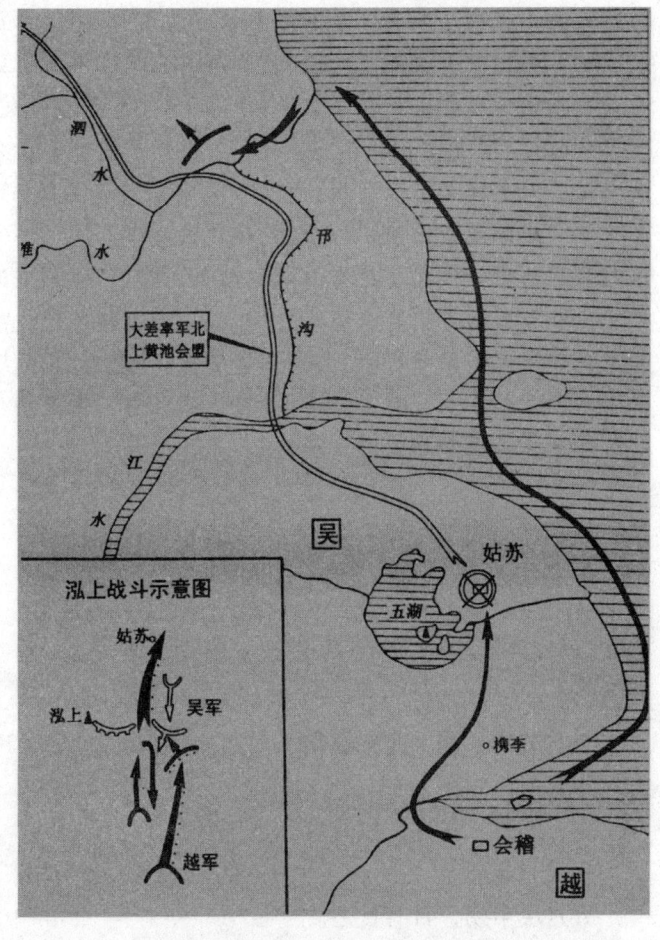

吴、越姑苏之战作战经过示意图

成，这是我们两个臣子的罪责。立起战鼓，整齐队伍，我们两人拼死一战，先后必定可以知晓。"司马寅回答说："请暂且观察对方一下。"观察回来，说："有高官厚禄的人没有脸色昏暗的，现在吴王脸色暗淡无光，是国家被战胜了吧？太子死了吧？而且夷人品性轻佻，不能长久忍耐，请稍微等待一下。"于是吴国人在晋国人之先歃血。

吴国人打算带着鲁哀公进见晋定公，子服景伯回答吴国使者说："天子会合诸侯，那么霸主率领诸侯去晋见天子。霸主会合诸侯，那么由侯率领子、男去晋见霸主。从天子以下，朝聘使用的玉帛并不相同，所以敝邑献给吴国的贡赋，只有比晋国丰厚，没有赶不上的，因为是把吴国当成霸主。现在诸侯会合，君王却打算带着寡君去见晋君，那晋国就成为霸主了，敝邑将改变贡赋。鲁国献给吴国的贡赋有八百辆兵车，如果变成子爵、男爵，就将取邾国贡赋的一半来交给吴国，而按邾国的级别来事奉晋国。而且执事以霸主的身份召见诸侯，却以诸侯的身份告终，又有什么好处呢？"吴国人就停止那样做，不久又后悔，打算囚禁景伯。景伯说："我在鲁国立了继承人，打算带两

辆车和六个人跟从你们,早走晚走唯命是从。"于是吴国人就拘禁了景伯带回国去。到达户牖,景伯对太宰说:"鲁国将在十月的第一个辛日对上帝先王举行祭祀,在最后一个辛日结束。我家世代在祭典中担任职事,从襄公以来,没有改变。如果这次不参加,主祭官将说:'是吴国使他这样的。'而且贵国说鲁国不恭,但只是拘捕了他们七个低贱的人,对鲁国又有什么损伤呢?"太宰嚭对吴王说:"对鲁国没有损伤,而只是得个坏名声,不如放他回国。"就把景伯放回去了。

吴国的申叔仪向公孙有山求取粮食,说:"佩玉沉沉啊,我没有系过它;美酒一杯啊,我和贫贱的老头只能望着它。"公孙有山回答说:"细粮已经没有了,粗粮倒是有,如果你登上首山而呼喊:'给点下等货吧!'就答应你。"吴王想要攻打宋国,杀死那里的男人而囚禁女人,太宰嚭说:"可以战胜它,但无法住在那里。"就回国了。

冬天,吴国和越国订立和约。

哀公十四年

【原文】

十有四年:春,西狩获麟。

小邾射以句绎来奔。

夏,四月,齐陈恒执其君,寘于舒州。

庚戌,叔还卒。

五月庚申朔,日有食之。

陈宗竖出奔楚。

宋向魋入于曹以叛。

莒子狂卒。

六月,宋向魋自曹出奔卫。

宋向巢来奔。

齐人弑其君壬于舒州。

秋,晋赵鞅帅师伐卫。

八月辛丑,仲孙何忌卒。

冬,陈宗竖自楚复入于陈,陈人杀之。

陈辕买出奔楚。

有星孛。

饥。

十四年春,西狩于大野。叔孙氏之车子钼商获麟,以为不祥,以赐虞人。仲尼观之,曰:"麟也。"然后取之。

小邾射以句绎来奔，曰："使季路要我，吾无盟矣。"使子路，子路辞。季康子使冉有谓之曰："千乘之国，不信其盟，而信子之言，子何辱焉？"对曰："鲁有事于小邾，不敢问故，死其城下可也。彼不臣而济其言，是义之也。由弗能！"

齐简公之在鲁也，阚止有宠焉。及即位，使为政。陈成子惮之，骤顾诸朝。诸御鞅言于公曰："陈、阚不可并也，君其择焉。"弗听。

子我夕，陈逆杀人，逢之，遂执以入。陈氏方睦，使疾而遗之潘沐，备酒肉焉，飨守囚者，醉而杀之而逃。子我盟诸陈于陈宗。

初，陈豹欲为子我臣，使公孙言己，已有丧而止。既而言之，曰："有陈豹者，长而上偻，望视，事君子必得志。欲为子臣，吾惮其为人也，故缓以告。"子我曰："何害？是其在我也。"使为臣。他日，与之言政，说，遂有宠。谓之曰："我尽逐陈氏而立女，若何？"对曰："我远于陈氏矣。且其违者，不过数人，何尽逐焉？"遂告陈氏。子行曰："彼得君；弗先，必祸子。"子行舍于公宫。

夏五月壬申，成子兄弟四乘如公。子我在幄，出，逆之，遂入，闭门。侍人御之，子行杀侍人。公与妇人饮酒于檀台，成子迁诸寝。公执戈，将击之。大史子馀曰："非不利也，将除害也。"

成子出舍于库，闻公犹怒，将出，曰："何所无君？"子行抽剑曰："需，事之贼也。谁非陈宗？所不杀子者，有如陈宗！"乃止。

子我归，属徒，攻闱与大门，皆不胜，乃出。陈氏追之，失道于弇中，适丰丘。丰丘人执之以告，杀诸郭关。成子将杀大陆子方，陈逆请而免之，以公命取车于道。及耏，众知而东之。出雍门，陈豹与之车，弗受，曰："逆为余请，豹与余车，余有私焉。事子我而有私于其仇，何以见鲁、卫之士？"东郭贾奔卫。庚辰，陈恒执公于舒州。公曰："吾早从鞅之言，不及此。"

宋桓魋之宠，害于公。公使夫人骤请享焉，而将讨之。未及，魋先谋公，请以鞶易薄。公曰："不可。薄，宗邑也。"乃益鞶七邑，而请享公焉。以日中为期，家备尽往。公知之，告皇野曰："余长魋也。今将祸余，请即救。"司马子仲曰："有臣不顺，神之所恶也，而况人乎？敢不承命。不得左师不可，请以君命召之。"

左师每食击钟。闻钟声，公曰："夫子将食。"既食，又奏。公曰："可矣。"以乘车往，曰："迹人来告曰：'逢泽有介麋焉。'公曰：'虽魋未来，得左师，吾与之田，若何？'君惮告子，野曰：'尝私焉。'君欲速，故以乘车逆子。"与之乘，至，公告之故，拜，不能起。司马曰："君与之言。"公曰："所难子者，上有天，下有先君。"对曰："魋之不共，宋之祸也。敢不唯命是听。"司马请瑞焉，以命其徒攻桓氏。其父兄故臣曰："不可。"其新臣曰："从吾君之命。"遂攻之。

子颀骋而告桓司马。司马欲入，子车止之，曰："不能事君，而又伐国，民不与也，祇取死焉。"向魋遂入于曹以叛。

六月，使左师巢伐之，欲质大夫以入焉。不能。亦入于曹取质。魋曰："不可。既不能事君，又得罪于民，将若之何？"乃舍之。民遂叛之，向魋奔卫。向巢来奔，宋公使止之，曰："寡人与子有言矣，不可以绝向氏之祀。"辞曰："臣之罪大，尽灭桓氏可也。若以先臣之故而使有后，君之惠也。若臣则不可以入矣。"

司马牛致其邑与珪焉，而适齐。向魋出于卫地，公文氏攻之，求夏后氏之璜焉。与之他玉而奔齐，陈成子使为次卿。司马牛又致其邑焉，而适吴。吴人恶之而反。赵简子召之，陈成子亦召之，卒于鲁郭门之外，阬氏葬诸丘舆。

甲午，齐陈恒弑其君壬于舒州。孔丘三日齐，而请伐齐，三。公曰："鲁为齐弱久矣，子之伐之，将若之何？"对曰："陈恒弑其君，民之不与者半。以鲁之众，加齐之半，可克也。"公曰："子告季孙。"孔子辞，退而告人，曰："吾以从大夫之后也，故不敢不言。"

初，孟孺子泄将圉马于成。成宰公孙宿不受，曰："孟孙为成之病，不圉马焉。"孺子怒，袭成。从者不得入，乃反。成有司使，孺子鞭之。秋八月辛丑，孟懿子卒。成人奔丧，弗内。袒免哭于衢。听共，弗许。惧，不归。

【译文】

鲁哀公十四年春天，在西部打猎捕获一只麒麟。小邾国的射奉献句绎前来投奔。夏天四月，齐国的陈恒拘捕了他们的君主，安置到舒州。四月二十日，叔还死了。五月初一日，发生日食。陈国的宗竖出逃到楚国。宋国向魋进入曹地而叛乱。莒国君主狂死了。六月，宋国向魋从曹地出逃到卫国。宋国向巢逃亡前来我国。齐国人在舒州杀了他们的国君壬。秋天，晋国的赵鞅率领军队攻打卫国。八月十三日，孟懿子死了。冬天，陈国的宗竖从楚国重新进入陈国，陈国人杀了他。陈国的辕买出逃到楚国。有彗星出现。发生灾荒。

鲁哀公十四年春天，哀公到西部的大野打猎，叔孙氏的车手子钽商猎获一只麒麟，认为不吉利，把它赐给虞人。孔子看了之后，说："是麒麟。"这才取回它。

小邾国的射奉献句绎前来投奔，说："派子路和我订约，我就不用与鲁国盟誓了。"鲁国派子路去，子路推辞。季康子派冉求对子路说："拥有千辆兵车的国家，不信任它的盟誓，却相信您的话，您有什么屈辱呢？"子路回答说："鲁国若对小邾国采取军事行动，我不敢问什么原因，战死在他们城下就行了。射不尽臣道，却让他的话得以实现，这是把他的不尽臣道当成正义，我不能那样。"

齐简公在鲁国时，阚止受到宠幸。等到简公即君位后，就让阚止执政。陈成子对此感到害怕，在朝廷上频频看他。御者鞅就对齐简公说："陈成子和阚止不可同时任用，君应当在中间选择一个。"齐简公不听从。

阚止在晚上晋见齐简公，陈逆杀了人，被阚止碰见了，就抓住他带进公宫。陈氏一族当时很和睦，就让陈逆装成有病，给他送去洗头用的淘米水，准备了酒肉，招待看守囚犯的人吃喝，把他们灌醉之后就杀了他们，陈逆就逃走了。阚止和陈氏家族的人在陈氏宗庙中盟誓。

起初，陈豹想要做阚止的家臣，让公孙介绍自己，不久有了丧事就停止了。丧事已完，公孙就向阚止介绍他说："有个叫陈豹的人，身材高大而肩背佝偻，总是仰视，事奉君子必定善解人意，想要做您的家臣。我惧怕他的为人，所以迟迟才告诉您。"阚止说："那有什么妨害？这都在于我。"就让陈豹做了家臣。过了些日子，阚止和陈豹讨论政事，很高兴，于是陈豹得到宠幸。阚止对陈豹说："我把陈氏家族的人全部赶走而立你为继承人，怎么样？"陈豹回答说："我在陈氏家族是远支，而且那些违背您的不过几人，为什么要全部赶走呢？"就报告了陈氏家族的人。陈逆对陈成子说："阚止他得到君主的信任，不先下手，必定会危害您。"陈逆就住到公宫里去。

夏五月十三日，陈成子兄弟乘四辆车前往齐简公那儿。阚止正在帐幕里，出来迎接他们，陈成子兄弟几个就进入公宫，把门关上。齐简公的仆人阻挡他们，陈逆杀了仆人。齐简公和宫女在檀台喝酒，陈成子要把他转移到寝宫去。简公拿起戈，准备击杀陈成子。太史子余说："不是要对君不利，是打算除掉害人。"陈成子出去住在库房里，听说简公还在发怒，准备出逃，说："哪里没有国君！"陈逆抽出剑来说："迟疑等待，是办事的祸害，谁不能做陈氏宗主？如果不杀了您，有这历代陈氏宗主为证！"陈成子就没有出逃了。

阚止回去，带领部下攻打公宫小门和大门，都没有取胜，就逃出去了。陈氏追赶他，在弇中阚止迷了路，到了丰丘。丰丘人逮住了他，报告陈成子，在郭关杀死了他。陈成子打算杀大陆子方，陈逆求情就赦免了他。子方用简公的名义在路上征取车子，到达耏地，大家发现了就逼他东返。出了雍门，陈豹给他一辆车，他不接受，说："陈逆替我求情，陈豹给我车子，我与他们有私交。事奉阚止却与他的仇敌有私交，用什么脸面去见鲁国、卫国的士人？"子方就逃往卫国。

五月二十一日，陈成子在舒州逮捕了齐简公。简公说："我早听鞅的话，不会落到这种田地！"

宋国的向魋受宠而危害到宋景公，宋景公让母亲突然邀请向魋参加宴享，打算趁机讨伐他。没等到宴享，向魋先谋算景公，请求用鞌邑换取薄邑。景公说："不行。薄邑是祖庙所在的城邑。"就增加七个封邑给鞌邑，向魋就请求设宴答谢景公，以正午作为宴享的时间，私家的武装全部带去了。宋景公知道了，告诉皇野说："我把向魋抚养大了，如今将要害我，请赶快援救。"皇野说："有臣下不服从，连神灵都厌恶，何况人呢？岂敢不接受命令。但不得到左师支持不行，请用君的命令把他召来。"左师每餐吃饭都敲钟，这时听到了钟声，景公说："他要吃饭了。"左师吃完饭后又奏乐，景公说："可以去了。"皇野坐了一辆车前往，对左师说："迹人来报告说：'逢泽有一只鹿。'国君说：'虽然向魋没来，但可找来左师，我和他去打猎，怎么样？'国君顾忌直接告诉您，我说：'我试着私下去谈谈。'国君希望快点，所以我用一辆车来迎接您。"左师就和皇野坐一辆车，到达公宫，景公告诉他缘由，左师下拜，不能站起，皇野说："君主和他盟誓。"景公说："如果要为难您的，上有天，下有先君为证！"左师回答说："向魋不恭，是宋国的祸害，哪敢不唯命是听！"皇野请求出兵的符节，甩来命令他的部下攻打向魋。他的父辈兄弟旧臣说："不行。"他的新臣说："听从我们国君的命令。"于是攻打向魋。子顾驱马报告向魋，向魋想要攻入公宫，子车阻止他，说："不能事奉国君，又要攻打首都，老百姓是不会帮助你的，只是自取灭亡。"向魋就进入曹地叛变。

六月，宋景公派左师向巢攻打向魋，向巢想要以大夫做人质而与向魋回到国都。没有办到，向巢也进入曹地，并抓了人质。向魋说："不行，既不能事奉君主，又得罪老百姓，将打算怎么办？"就放了人质。老百姓于是背叛他们，向魋逃往卫国。向巢逃亡前来鲁国，宋景公派人留他，说："寡人和您有过盟誓，不能够断了向氏的香火。"向巢辞谢说："臣下罪过太大，全部灭掉桓氏也是可以的。如果因为先臣的缘故，让桓氏有继承人，这是君主的恩惠。至于我就不能再回去了。"

司马牛把他的封邑和珪上交给宋景公，就去了齐国。向魋从卫地经过时，公文氏攻打他，向他索取夏后氏的玉璜。向魋给了公文氏别的玉，就逃往齐国，陈成子让向魋做了次卿。司马牛又把封邑交还齐国，去了吴国。吴国人讨厌他，就返回宋国。赵鞅召请他，陈成子也召请他，但他死在鲁国外城的门外，阬氏把他埋葬在舆地。

六月初五日，齐国的陈恒在舒州杀了他们的国君壬。孔子斋戒三天，请求攻打齐国，请求了三次。鲁哀公说："鲁国被齐国削弱已很久了，您主张攻打它，打算怎么办？"孔子回答说："陈恒杀了他们的国君，人民有一半不赞成。用鲁国的广大将士加上齐国的一半百姓，可以取胜。"哀公说："您去告诉季孙。"孔子辞谢，退朝告诉别人说："我因为曾位列大夫之末，所以不敢不说。"

起初，孟孺子泄打算在成邑养马，成邑的宰臣公孙宿不接受，说："你父亲孟孙因为成邑困苦，不在这里养马。"孟孺子发怒，袭击成邑，跟从的部下没能攻入，就返回去了。成邑的官员派人来，孟孺子鞭打来人。秋八月十三日，孟懿子死了，成邑人去奔丧，孺子不接纳，他们就脱去上衣穿上丧服在街上哭，表示听从命令供奉驱使，孺子还是不答应。成邑人害怕，不敢回去。

哀公十五年

【原文】

十有五年：春，王正月，成叛。
夏，五月，齐高无㔻出奔北燕。
郑伯伐宋。
秋，八月，大雩。
晋赵鞅帅师伐卫。
冬，晋侯伐郑。
及齐平。

卫公孟彄出奔齐。

十五年春，成叛于齐。武伯伐成，不克，遂城输。

夏，楚子西、子期伐吴，及桐汭。陈侯使公孙贞子吊焉，及良而卒。将以尸入，吴子使大宰嚭劳，且辞曰："以水潦之不时，无乃廪然陨大夫之尸，以重寡君之忧。寡君敢辞。"上介芋尹盖对曰："寡君闻楚为不道，荐伐吴国，灭厥民人。寡君使盖备使，吊君之下吏。无禄，使人逢天之慼，大命陨队，绝世于良。废日共积，一日迁次。今君命逆使人曰：'无以尸造于门。'是我寡君之命委于草莽也。且臣闻之曰：'事死如（事）生，礼也。'于是乎有朝聘而终，以尸将事之礼，又有朝聘而遭丧之礼。若不以尸将命，是遭丧而还也，无乃不可乎！以礼防民，犹或逾之。今大夫曰'死而弃之'，是弃礼也，其何以为诸侯主？先民有言曰：'无秽（虐）〔虚〕士。'备使奉尸将命，苟我寡君之命达于君所，虽陨于深渊，则天命也。非君与涉人之过也。"吴人内之。

秋，齐陈瓘如楚。过卫，仲由见之，曰："天或者以陈氏为斧斤，既斫丧公室，而他人有之，不可知也。其使终飨之，亦不可知也。若善鲁以待时，不亦可乎？何必恶焉？"子玉曰："然，吾受命矣。子使告我弟。"

冬，及齐平。子服景伯如齐，子赣为介，见公孙成，曰："人皆臣人。而有背人之心；况齐人虽为子役，其有不贰乎？子，周公之孙也。多飨大利，犹思不义。利不可得，而丧宗国，将焉用之？"成曰："善哉！吾不早闻命。"

陈成子馆客，曰："寡君使恒告曰'寡人愿事君如事卫君。'"景伯揖子赣而进之。对曰："寡君之愿也。昔晋人伐卫，齐为卫故，伐晋冠氏，丧车五百，因与卫地，自济以西，禚、媚、杏以南，书社五百。吴人加敝邑以乱，齐因其病，取谨与阐。寡君是以寒心。若得视卫君之事君也，则固所愿也。"成子病之，乃归成。公孙宿以其兵甲入于嬴。

卫孔圉取大子蒯聩之姊，生悝。孔氏之竖浑良夫，长而美，孔文子卒，通于内。大子在戚，孔姬使之焉。太子与之言曰："苟使我入获国，服冕乘轩，三死无与。"与之盟。为请于伯姬。

闰月，良夫与大子入，舍于孔氏之外圃。昏，二人蒙衣而乘，寺人罗御，如孔氏。孔氏之老栾宁问之，称姻妾以告。遂入，适伯姬氏。既食，孔伯姬杖戈而先，大子与五人介，舆豭从之。迫孔悝于厕，强盟之，遂劫以登台。栾宁将饮酒，炙未熟，闻乱，使告季子。召获驾乘车，行爵食炙，奉卫侯辄来奔。

季子将入，遇子羔将出，曰："门已闭矣。"季子曰："吾姑至焉。"子羔曰："弗及，不践其难。"季子曰："食焉，不辟其难。"子羔遂出。子路入，及门，公孙敢门焉，曰："无入为也！"季子曰："是公孙〔也〕，求利焉而逃其难。由不然，利其禄，必救其患。"有使者出，乃入。曰："大子焉用孔悝？虽杀之，必或继之。"且曰："大子无勇，若燔台，半，必舍孔叔。"大子闻之惧，下石乞、盂黡敌子路。以戈击之，断缨。子路曰："君子死，冠不免。"结缨而死。孔子闻卫乱，曰："柴也其来，由也死矣。"

孔悝立庄公。庄公害故政，欲尽去之。先谓司徒瞒成曰："寡人离病于外久矣，子请亦尝之。"归告褚师比，欲与之伐公，不果。

【译文】

鲁哀公十五年春天，周历正月，成邑叛变。夏五月，齐国高无丕出逃到北燕。郑声公攻打宋国。秋八月，举行求雨大祭。晋国赵鞅率领军队攻打卫国。冬天，晋定公攻打郑国。鲁国与齐国议和。卫国公孟彄出逃到齐国。

鲁哀公十五年春天，成邑背叛孟氏而投靠齐国，孟孺子攻打成邑，没有攻克，就在输地筑城。

夏天，楚国的子西、子期攻打吴国，到达桐汭。陈闵公派公孙贞子慰问吴国，走到良地就死了，随行人员打算带着灵柩进入吴国。吴王派太宰嚭前去慰劳，并且推辞说："因为雨水不合时节，恐怕洪水泛滥会毁了大夫的灵柩，而增加寡君的忧虑，寡君大胆辞谢。"上介芋尹盖回答说："寡君听说楚国施行无道，多次攻打吴国，杀害你们的百姓，寡君派遣我充做使者，慰问贵君的下级官吏。使臣没有福分，遭到上天降下的忧虑，丧了性命，死在良地。我们耗费时日准备了慰问的物资，又每天迁徙驻地赶路，如今贵君却命令拒绝使者，说：'不要带着灵柩进到吴国的门。'这样我们寡君的命令就被抛弃在草莽中了。而且我听说：'事奉死人要像事奉他活着一样。这是合乎礼的。'于是有了在朝聘中死去使臣，而带着灵柩完成使命的礼仪，又有了在朝聘时遇到对方丧葬的礼仪。如果不带着灵柩完成使命，这就像是遇到对方有丧事就回国，恐怕不行吧！用礼仪来规范百姓，还有人逾越它，如今大夫说'死了就丢掉他，'这是丢掉礼仪，还凭什么做诸侯的盟主呢？先民有句话说：'不要把死者当成污秽。'我奉守灵柩完成使命，如果我们寡君的命令能传达到贵君那里，即使是坠入深渊，那也是天命，不是贵君和摆渡人的过错。"吴国人就接纳了他们。

秋天，齐国的陈瓘前往楚国，途经卫国时，子路拜见他，说："上天也许以陈氏做斧头，削弱公室以后，而别人拥有它，这是难以预知的。也许让陈氏最终享有它，这也难以预料。如果和鲁国友好而等待时机，不也可以吗？何必搞坏关系呢？"陈瓘说："说得对，我接受教命了，您让人告诉我弟弟。"

冬天，鲁国与齐国达成和议。子服景伯前往齐国，子贡做副使，拜见公孙宿说："人人都在别人面前称臣，却有背叛别人的想法，何况齐国人呢？他们虽然为您出力，难道没有二心吗？您是周公的后代，享受过很多大的好处，还想着做不合道义的事。结果将利益得不到，反而丧失了祖国，哪里用得着这样呢？"公孙宿说："对啊！我没有早听到您的教命。"陈成子让宾客住在客馆里，说："寡君派我报告诸位：'寡人愿意像事奉卫君一样事奉贵君。'"景伯拱手请子贡走向前去，回答说："这是寡君的愿望。过去晋国人攻打卫国，齐国因为卫国的缘故，攻打晋国的冠氏，损失了五百辆战车，因而割让土地给卫国。从济水以西，禚地、媚地、杏地以南，共五百书社。吴国人将战乱加给敝国，齐国趁我困难，占取了谨地和阐地，寡君因此心灰意冷。如能像事奉卫君那样事奉我们寡君，那本来就是我们所希望的。"陈成子感到很难过，就把成邑归还给鲁国。公孙宿带着他的武器进入嬴地。

卫国孔圉娶了太子蒯聩的姐姐，生了孔悝。孔家的僮仆叫浑良夫，身材又高又漂亮，孔圉死了后，与他的夫人通奸。太子在戚地，孔姬派浑良夫去到那里。太子与浑良夫说："如果能使我回国获得国家政权，我让你戴大夫的帽子，坐大夫的车子，赦免三次死罪。"就和他盟誓。浑良夫为太子向孔姬请求。闰十二月，浑良夫和太子进入国都，住在孔家外面的菜园里。黄昏，两人用衣蒙头坐在车上，寺人罗为他们驾车，前往孔氏家。孔氏的管家栾宁盘问他们，他们谎称是亲家的仆妾，就进了孔家，到了孔姬那儿。吃完饭后，孔姬拄着戈走在前头，太子与另五人披着铠甲，用车拉着雄猪跟着她，把孔悝逼到背人的地方，强行与他盟誓，随即劫持他登上台去。栾宁打算喝酒，烤肉没熟，听说有动乱，派人报告子路。自己召来获，驾上坐车，边赶路边喝酒吃肉，事奉卫出公辄逃亡前来鲁国。子路正要进入国都，碰到子羔正要出去，说："城门已经关闭了。"子路说："我暂且到城里去。"子羔说："来不及了，不要去赴难！"子路说："吃了他的俸禄，不能逃避他的祸难。"子羔就出了城。子路进入国都，走到孔家门口，公孙敢在那里守门，说："不要进去救了。"子路说："这就是公孙敢啊，在这里谋求利益而逃避祸难。我不这样，享用他的俸禄，就一定要救援他的祸难。"正好有使者出来，子路于是进了孔家，说："太子哪里用得着孔悝？即使杀了他，必定有人继承他"。并且说："太子没有勇力，如果放火烧台，烧到一半，必定会放弃孔悝。"太子听了这话，很害怕，叫石乞、盂黡下来抵抗子路，用戈打他，打断了冠带。子路说："君子死了，帽子也不脱下。"系好冠带就死了。孔子听到卫国动乱，说："子羔将会到来，子路会死掉。"孔悝立蒯聩为卫庄公。庄公担心过去的大臣，想要全部去掉，先对司徒瞒成说："寡人在外遭受困苦很久了，请您也尝尝。"瞒成回去告诉褚师比，想要和他一起攻打庄公，没有实现。

哀公十六年

【原文】

十有六年：春，王正月己卯，卫世子蒯聩自戚入于卫。

卫侯辄来奔。

二月，卫子还成出奔宋。

夏，四月己丑，孔丘卒。

十六年春，瞒成、褚师比出奔宋。

卫侯使鄢武子告于周，曰："蒯聩得罪于君父君母，逋窜于晋。晋以王室之故，不弃兄弟，寘诸河上。天诱其衷，获嗣守封焉，使下臣肸敢告执事。"王使单平公对，曰："胖以嘉命来告余一人，往谓叔父：余嘉乃成世，复尔禄次。敬之哉！方天之休。弗敬弗休，悔其可追？"

夏四月己丑，孔丘卒。公诔之曰："旻天不吊，不慭遗一老；俾屏余一人以在位，茕茕余在疚。呜呼哀哉，尼父！无自律。"子赣曰："君其不没于鲁乎？夫子之言曰：'礼失则昏，名失则愆。'失志为昏，失所为愆。生不能用，死而诔之，非礼也。称'一人'，非名也。君两失之。"

六月，卫侯饮孔悝酒于平阳，重酬之。大夫皆有纳焉。醉而送之，夜半而遣之。载伯姬于平阳而行，及西门，使贰车反祏于西圃。子伯季子初为孔氏臣，新登于公，请追之；遇载祏者，杀而乘其车。许公为反祏，遇之，曰："与不仁人争明，无不胜。"必使先射。射三发，皆远许为。许为射之，殪。或以其车从，得祏于橐中。孔悝出奔宋。

楚大子建之遇谗也，自城父奔宋；又辟华氏之乱于郑。郑人甚善之。又适晋，与晋人谋袭郑，乃求复焉。郑人复之如初。晋人使谍于子木，请行而期焉。子木暴虐于其私邑，邑人诉之。郑人省之，得晋谍焉，遂杀子木。其子曰胜，在吴。子西欲召之，叶公曰："吾闻胜也诈而乱，无乃害乎？"子西曰："吾闻胜也信而勇，不为不利。舍诸边竟，使卫藩焉。"叶公曰："周仁之谓信，率义之谓勇。吾闻胜也好复言，而求死士，殆有私乎？复言，非信也；期死，非勇也。子必悔之！"弗从。召之，使处吴竟，为白公。

请伐郑，子西曰："楚未节也。不然，吾不忘也。"他日又请，许之。未起师，晋人伐郑。楚救之，与之盟。胜怒曰："郑人在此，仇不远矣！"胜自厉剑，子期之子平见之，曰："王孙何自厉也？"曰："胜以直闻。不告女，庸为直乎？将以杀尔父！"平以告子西。子西曰："胜如卵，余翼而长之。楚国第我死，令尹、司马非胜而谁？"胜闻之，曰："令尹之狂也！得死，乃非我。"子西不悛。胜谓石乞曰："王与二卿士，皆五百人当之，则可矣。"乞曰："不可得也。"曰："市南有熊宜僚者，若得之，可以当五百人矣。"乃从白公而见之。与之言，说。告之故，辞。承之以剑，不动。胜曰："不为利谄，不为威惕，不泄人言以求媚者。去之。"

吴人伐慎，白公败之。请以战备献，许之，遂作乱。秋七月，杀子西、子期于朝，而劫惠王。子西以袂掩面而死。子期曰："昔者吾以力事君，不可以弗终。"抉豫章以杀人而后死。石乞曰："焚库、弑王。不然，不济。"白公曰："不可！（杀）〔弑〕王不祥。焚库无聚。将何以守矣？"乞曰："有楚国而治其民，以敬事神，可以得祥，且有聚矣。何患？"弗从。叶公在蔡，方城之外皆曰："可以入矣！"子高曰："吾闻之，以险徼幸者，其求无魇，偏重必离。"闻其杀齐管修也而后入。

白公欲以子闾为王，子闾不可，遂劫以兵。子闾曰："王孙若安靖楚国、匡正王室而后庇焉，启之愿也，敢不听从？若将专利，以倾王室，不顾楚国，有死不能！"遂杀之，而以王如高府。石乞尹门。圉公阳穴宫，负王以如昭夫人之宫。

叶公亦至，及北门，或遇之，曰："君胡不胄？国人望君，如望慈父母焉。盗贼之矢若伤君，是绝民望也，若之何不胄？"乃胄而进。又遇一人曰："君胡胄？国人望君，如望岁焉，日日以几；若见君面，是得艾也。民知不死，其亦夫有奋心，犹将旌君以徇于国，而又掩面以绝民望，不亦甚乎？"乃免胄而进。

遇箴尹固帅其属，将与白公。子高曰："微二子者，楚不国矣。弃德从贼，其可保乎？"乃从叶公。使与国人以攻白公。

白公奔山而缢，其徒微之。生拘石乞而问白公之死焉。对曰："余知其死所，而长者使余勿言。"曰："不言，将（烹）〔亨〕！"乞曰："此事克则为卿，不克则（烹）〔亨〕。固其所也，何害？"乃（烹）〔亨〕石乞。王孙燕奔頯黄氏。

〔沈〕诸梁兼二事。国宁。乃使宁为令尹，使宽为司马，而老于叶。

卫侯占梦。嬖人求酒于大叔僖子，不得；与卜人比而告公曰："君有大臣在西南隅，弗去，惧害。"乃逐大叔遗。遗奔晋。

卫侯谓浑良夫曰："吾继先君而不得其器，若之何？"良夫代执火者，而言曰："疾与亡君，皆君之子也。召之，而择材焉可也；若不材，器可得也。"竖告大子。大子使五人舆豭从己，劫公而强盟之，且请杀良夫。公曰："其盟免三死。"曰："请三之后有罪杀之。"公曰："诺哉！"

【译文】

鲁哀公十六年春天，周历正月二十九日，卫国太子蒯聩从戚地回到卫国，卫出公辄逃亡来到鲁国。二月，卫国的瞒成出逃到宋国。夏四月十一日，孔子死了。

鲁哀公十六年春天，卫国的瞒成、褚师比出逃到宋国。卫庄公派鄢武子到成周报告，说："我君蒯聩得罪了君父君母，逃藏到晋国。晋国因为王室的缘故，不抛弃兄弟，而把他安置在戚地。上天降下善意，蒯聩得以继承君位管理国家，派下臣我谨向天子报告。"周敬王派单平公回答说："朕带着美好的使命来报告我，你回去对叔父说：我赞许你继承君位，恢复你的禄位，严肃地奉行职位吧！这样就可以享有上天的福禄。如果不严肃奉职就不能得到福禄，后悔难道来得及？"

夏四月十一日，孔子死了，鲁哀公追悼他说："上天不怜悯我，不肯留下这位贤老，让他辅助我一人奉守君位，而让我孤独地处在忧苦中。啊啊，悲痛啊！尼父！我没有用来诫敕自己的榜样了。"子贡说："君主恐怕不能在鲁国善终吧！老师有话说：'丧失礼仪就会昏乱，丧失名分就会犯错误。'失去意志就是昏乱，失去本位就是过错。先生活着时不能重用，死了又追悼他，这是非礼。自称一人，这是不合名分。国君两样都失去了。"

六月，卫庄公在平阳宴请孔悝喝酒，用厚礼酬报他，大夫们也都有赠送的礼物。孔悝喝醉了就送回去，到半夜就遣送他走。孔悝在平阳用车子装上孔姬出发，到达西门，派副车返回西圃取神主。子伯季子起初做孔氏家臣，新近升迁到庄公那里。他请求追赶孔悝，碰上装载神主的副车，杀了他们而坐上他们的车子。许公为又返回去取神主，遇上了子伯季子，说："和不仁的人争高下，没有不胜的。"一定要让子伯季子先射，射了三箭，都离许公为很远。许公为射子伯季子，射死了。有人坐着那辆副车跟着许公为，在袋中找到了神主。孔悝出逃到宋国。

　　楚太子建遭到诬陷时，从城父逃往宋国，又去郑国躲避华氏之乱，郑国人对他很友好。太子建又去到晋国，和晋国人谋划袭击郑国，于是要求回到郑国。郑国人让他回到郑国并像当初一样对待他。晋国人派间谍到太子建那里，请求行动并约定日期。太子建在他的私邑中施行暴政，邑中百姓控告他。郑国人前去调查，抓到了晋国间谍，于是杀了太子建。太子建的儿子名叫胜，住在吴国，子西想要召他来，叶公说："我听说胜这个人奸诈而暴乱，恐怕有危害吧？"子西说："我听说胜说话守信而且勇敢，召来不是没有好处，把他安置在边境，让他保卫边疆。"叶公说："完全合乎仁德叫做信，遵循道义叫做勇。我听说胜轻率地实践诺言，而又搜罗不怕死的人，大概是有私心吧？实践诺言，不一定是信；期求敢死的人，这不是勇敢。您召他来一定要后悔的。"子西不听，把胜召来让他住在与吴国交界的地方，称为白公。胜请求攻打郑国，子西说："楚国还未形成气候，不然的话，我没有忘记报仇。"过些日子，胜又请求，子西答应了他。还没有出兵，晋国人攻打郑国，楚国救援郑国，和郑国结盟。胜发怒说："郑国人就在这里，仇人不远了。"

　　白公胜自己磨剑，子期的儿子平看见了，问他说："王孙为什么亲自磨剑？"白公胜说："我以直率闻名，不告诉你，难道还算得上直率吗？我将用它杀你的父亲。"平把这事告诉子西，子西说："胜像鸟卵，我把他孵出来喂大。在楚国，如果我死了，令尹、司马不是他又是谁？"胜听到这话，说："令尹这样狂妄，要是得到好死，我就不是我。"子西还没觉察到。胜对石乞说："楚王和两位卿士共用五百人对付，就可以了。"石乞说："得不到这样五百人的。"又说："市场南边有个叫熊宜僚的人，如果得到他，可以抵五百人了。"就跟着白公胜去见他，和他谈话，谈得很愉快。告诉他想请他干的事，熊宜僚拒绝了。把剑架在他脖子上，他一动不动。胜说："这是个不为利益所劝诱，不被威武所吓倒，不泄露别人的话去讨好的人，离开他吧。"

　　吴国人攻打慎地，白公胜击败了他们。胜请求献捷，惠王同意了，于是发动叛乱。秋七月，在朝廷上杀死子西、子期，劫持了楚惠王。当时子西用衣袖遮着脸死去。子期说："过去我凭勇力事奉君王，不可不善始善终。"就抠取一块樟木用来杀了一个人，然后死去。石乞说："烧毁府库杀了惠王，不然不能成功。"白公胜说："不行。杀了君王不吉利，烧毁府库没有积蓄，将凭什么保住国家？"石乞说："拥有楚国而治理它的百姓，用恭敬事奉神灵，可以得到吉祥，而且享有积蓄，担心什么？"白公胜不听从。当时叶公在蔡地，方城山以外的人都说："可以进攻首都了。"叶公说："我听说，凭冒险而侥幸取胜的人，他的贪求不会满足，到失去稳定时人们必然背离他。"听到白公杀了齐国的管修时，才进攻国都。

　　白公想要立子闾做楚王，子闾不答应，就用武力劫持他。子闾说："您如果安定楚国，辅正王室，然后受它的庇护，这是我的愿望，岂敢不听从？如果要专营私利来颠覆王室，不关心楚国，那我即使死也不能听从。"于是杀了子闾，带着惠王去了高府。

石乞守护着高府之门，圉公阳在宫墙上挖开一个孔，背着惠王到了昭夫人的宫里。叶公也在这时到达，当他到达北门时，有人碰到他，说："您为什么不戴头盔？国内人民盼望您就像盼望慈爱的父母，敌寇的箭如果射伤您，那就断绝了百姓的希望，为什么不戴呢？"叶公就戴上头盔前进。又碰到一个人说："您为什么要戴头盔？国内人民盼望您如同盼望好的年成，天天盼望。如能见到您的面，那就是得到安定了。老百姓知道自己不会死，也将人人有奋起战斗的想法，还将举起您的旗帜来向国人宣告，您却又把面孔遮起来而断绝老百姓的希望，不也太过分了吗？"于是叶公就脱下头盔前进。碰到箴尹固率领着他的部下，准备去援助白公，叶公说："如果没有子西、子期两位的话，楚国就不成为国家了。抛弃德义跟从叛贼，难道可以安身吗？"箴尹固就跟随叶公。叶公派他和国都的人去攻打白公，白公逃到山上自缢了，他的部下把他的尸体隐藏起来。叶公活捉石乞而追问白公的尸体，石乞回答说："我知道他死的地方，但白公让我别说。"叶公说："不说出来将被煮死。"石乞说："这件事情成功了就做卿，不成功就被煮死，本来就是这样的下场，有什么妨碍？"就烹煮石乞。王孙燕逃往颓黄氏。叶公身兼二职，国家安定之后，就让宁做令尹，让宽做司马，自己在叶地告老卸职。

卫庄公为梦占卜，他的一个宠臣向大叔僖子索要酒，没得到，就和占卜的人勾结起来报告卫庄公说："君主在西南角有位大臣，不除掉的话，恐怕有危害。"于是赶走了大叔僖子。僖子逃亡到晋国。卫庄公对浑良夫说："我继承了先君但没有得到他的传国宝器，怎么办？"良夫替下持火烛的侍者才开口说："公子疾和逃亡在外的废君都是您的儿子，召公子辄回来在他们两人中选择有才能的任用是可以的。如果不堪任用，可以得到宝器。"宫中一个小臣向太子疾报告，太子派五个人用车子装了公猪跟随自己，劫持了卫庄公而强行和他盟誓，并且请求杀掉浑良夫。卫庄公说："我和他盟誓赦免他三次死罪。"太子说："请在三次之后，有罪就杀了他。"卫庄公说："好啊！"

哀公十七年

【原文】

十七年春，卫侯为虎幄于藉圃，成，求令名者而与之始食焉。大子请使良夫。良夫乘衷甸两牡，紫衣狐裘；至，袒裘，不释剑而食。大子使牵以退，数之以三罪而杀之。

三月，越子伐吴，吴子御之笠泽，夹水而陈。越子为左右句卒，使夜或左或右，鼓噪而进；吴师分以御之。越子以三军潜涉，当吴中军而鼓之；吴师大乱。遂败之。

晋赵鞅使告于卫曰："君之在晋也，志父为主。请君若大子来，以免志父。不然，寡君其曰'志父之为也'。"卫侯辞以难，大子又使椓之。夏六月，赵鞅围卫。齐国观、陈瓘救卫，得晋人之致师者。子玉使服而见之，曰："国子实执齐柄，而命瓘曰：'无辟晋师！'岂敢废命？子又何辱？"简子曰："我卜伐卫，未卜与齐战。"乃还。

楚白公之乱，陈人恃其聚而侵楚。楚既宁，将取陈麦。楚子问帅于大师子穀与叶公诸梁，子穀曰："右领差车与左史老，皆相令尹、司马以伐陈，其可使也。"子高曰："率贱，民慢之，惧不用命焉。"子穀曰："观丁父，鄀俘也；武王以为军率，是以克州、蓼，服随、唐，大启群蛮。彭仲爽，申俘也；文王以为令尹，实县申、息，朝陈、蔡，封畛于汝。唯其任也，何贱之有？"子高曰："天命不（谄）〔谄〕。令尹有憾于陈，天若亡之，其必令尹之子是与，君盍舍焉？臣惧右领与左史有二俘之贱而无其令德也！"王卜之，武城尹吉；使帅师取陈麦。陈人御之，败。遂围陈。秋七月己卯，楚公孙朝帅师灭陈。

王与叶公枚卜子良以为令尹。沈尹朱曰："吉！过于其志。"叶公曰："王子而相国，过将何为？"他日，改卜子国，而使为令尹。

卫侯梦于北宫，见人登昆吾之观，被发北面而噪曰："登此昆吾之虚，绵绵生之瓜。余为浑良夫，叫天无辜！"公亲筮之。胥弥赦占之，曰："不害。"与之邑，寘之；而逃奔宋。卫侯贞卜，其繇曰："如鱼竀尾，衡流而方羊。裔焉大国，灭之将亡。阖门塞窦，乃自後逾。"

冬十月，晋复伐卫，入其郛。将入城，简子曰："止！叔向有言曰：'怙乱灭国者无後。'"卫人出庄公而与晋平。晋立襄公之孙般师而还。

十一月，卫侯自鄄入，般师出。

初，公登城以望，见戎州，问之；以告。公曰："我姬姓也，何戎之有焉？"翦之。公使匠久。公欲逐石圃，未及而难作。辛巳，石圃因匠氏攻公。公阖门而请，弗许；逾于北方而队，折股。戎州人攻之。大子疾、公子青逾从公，戎州人杀之。公入于戎州己氏。——初，公自城上见己氏之妻发美，使髡之，以为吕姜髢。——既入焉，而示之璧，曰："活我，吾与女璧。"己氏曰："杀女，璧其焉往？"遂杀之而取其璧。

卫人复公孙般师而立之。十二月，齐人伐卫，卫人请平。立公子起，执般师以归，舍诸潞。

公会齐侯，盟于蒙。孟武伯相。齐侯稽首，公拜。齐人怒。武伯曰："非天子，寡君无所稽首。"武伯问于高柴曰："诸侯盟，谁执牛耳？"季羔曰："鄫衍之役，吴公子姑曹。发阳之役，卫石魋。"武伯曰："然则彘也。"

宋皇瑗之子麋，有友曰田丙，而夺其兄酁般邑以与之。酁般愠而行，告桓司马之臣子仪克。子仪克适宋，告夫人曰："麋将纳桓氏。"公问诸子仲。初，子仲将以杞姒之子非我为子，麋曰："必立伯也，是良材。"子仲怒，弗从；——故对曰："右师则老矣。不识麋也。"公执之。皇瑗奔晋。召之。

【译文】

鲁哀公十七年春天，卫庄公在藉圃修建一座饰有虎形图案的小木屋，完成后，寻找有好名声的人，要与他在小屋里首次用餐。太子疾请求用浑良夫。良夫坐着两匹公马拉的衷甸车，穿着紫色衣服和皮袍，来到小木屋，敞开皮袍，不解下佩剑就吃。太子疾派人捆了他带下去，列举他三条罪状就杀了他。

三月，越王攻打吴国，吴王在笠泽抵抗他，两军隔河对阵。越王建立左翼句卒和右翼句卒，让他们在夜里一左一右，击鼓呐喊进军，吴国军队分两边抵御越军。越王率领三军暗中渡河，直指吴国中军而击鼓进攻，吴军大乱，于是打败了吴军。

晋国的赵鞅派人告诉卫国说："君在晋国时，我做的主。请君主或太子来一趟，以免脱我。不这样的话，寡君恐怕会说是我造成的。"卫庄公用国家有祸难加以拒绝，太子疾又派人诋毁卫庄公。夏六月，赵鞅包围卫国。齐国的国观、陈瓘救援卫国，俘获了晋国的单车挑战的人。陈瓘让俘虏穿上本来的衣服而接见他，说："国观实际上掌握齐国大权，而命令我说：'不要逃避晋军！'哪里敢废弃命令？您又何必委屈前来呢？"赵鞅说："我占卜过攻打卫国，没有卜问和齐国交战。"就撤兵回国。

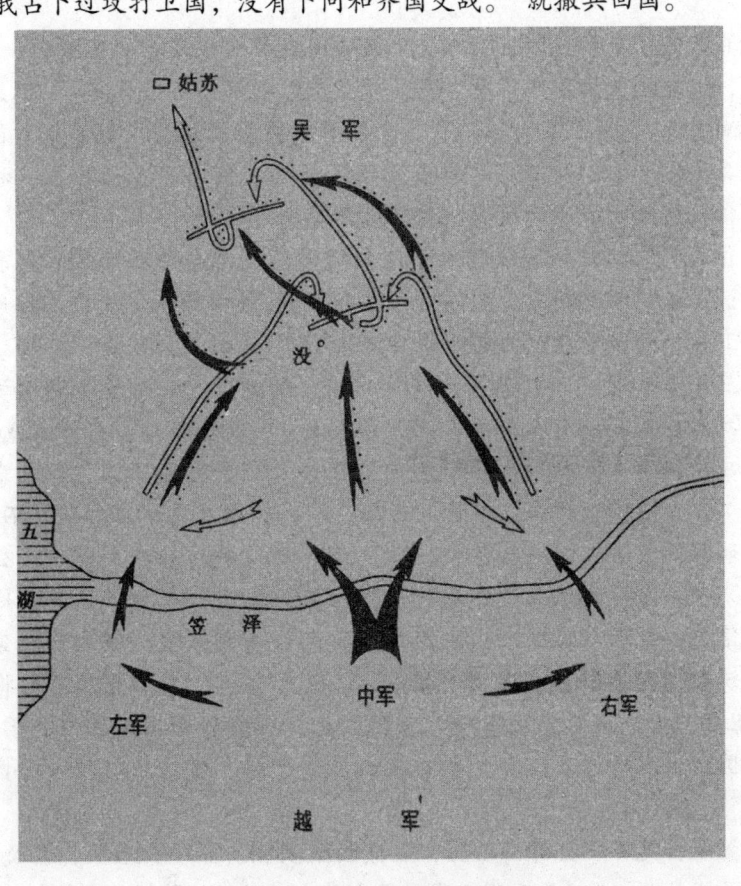

吴、越笠泽之战经过示意图

楚国白公的那次动乱时，陈国人依仗他们有积聚而侵袭楚国。楚国已经安定之后，打算夺取陈国的麦子。楚惠王向太师子谷和叶公诸梁询问统帅的人选，子谷说："左领差车和左史老都辅佐过令尹、司马攻打陈国，也许可以派遣。"子高说："统帅低贱，老百姓会瞧不起他们，恐怕不服从命令。"子谷说："观丁父，是鄀国的俘虏，武王任用他为军帅，因此攻克州国、蓼国，征服随国、唐国，从群蛮之地大大开拓了自己的领土。彭仲爽，是申国的俘虏，文王任用他为令尹，因而使申国、息国成为自己的县邑，使陈国、蔡国来朝，扩大疆界直到汝水之滨。只要能够胜任，有什么低贱不低贱的？"子高说："天命不可怀疑。令尹对陈国抱有遗恨，上天如果要灭亡陈国，将一定帮助令尹的儿子，君王何不任用他呢？我担心右领和左史有上述两位俘虏的低贱而没有他们那种美德。"楚惠王为这件事占卜，武城尹出任统帅吉利，于是派他率领军队夺取陈国的麦子。陈国人抵抗，被打败，于是包围陈国。秋七月初八日，楚国的公孙朝领兵灭亡陈国。

楚惠王和叶公诸梁占卜让子良做令尹。沈尹朱说："吉利。超出了他的期望。"叶公说："王子而做国相，超出了他的期望将会做什么呢？"过了几天，又改卜子国而让他做了令尹。

卫庄公在北宫做了个梦，梦见有人登上昆吾观，披头散发朝北边喊叫："登上这昆吾之墟的台观，绵延生长的瓜儿不断。我是浑良夫，叫喊老天我无辜。"卫庄公亲自占筮，胥弥赦预测吉凶，说："没有妨害。"庄公赐给胥弥赦封邑，他丢下封邑，逃亡到宋国。卫庄公再次占卜，繇辞说："像鱼儿红了尾巴。横游急流而彷徨。和大国相接壤，大国来侵犯就将灭亡。闭门堵洞，就从后面越墙逃亡。"

冬十月，晋国再次攻打卫国，进入了他们的外城，准备进入城内，赵鞅说："停止！叔向有话说：依仗动乱而灭亡别国的人没有后嗣。"卫国人赶走卫庄公而与晋国求和，晋国人立卫襄公的孙子般师为君就收兵回国了。

十一月，卫庄公从鄄地回到卫国，般师出逃。起初，卫庄公登上都城远望，看到戎州。他询问戎州的情况，有人告诉了他。庄公说："我是姬姓，有什么戎人呢？"就毁掉了戎州。庄公使用工匠长时间不让歇息。庄公又想要赶走石圃，但没来得及就发生了祸难。十二日，石圃利用工匠攻打卫庄公。庄公关闭宫门请求和解，石圃不答应。庄公从北面爬墙时掉了下去，摔断了大腿骨。戎州人攻打庄公，太子疾、公子青翻墙跟随庄公，戎州人杀了他们。卫庄公跑进戎州人己氏家里。当初，庄公从城上看到己氏的妻子头发很美，就派人剪下来，拿它作为夫人吕姜的假发。进入己氏家后，就拿玉璧给他看，说："救我一命，我给你玉璧。"己氏说："杀了你，玉璧将跑到哪里去？"就杀了卫庄公而取得了那块玉璧。卫国人让公孙般师回国而立他为君。十二月，齐国人攻打卫国，卫国人请求议和。齐国人立了公子起，逮捕了般师带回国内，让他住在潞地。

鲁哀公在蒙地会见齐平公并且结盟，孟武伯做辅相。齐平公磕头，哀公拱手弯腰，齐国人发怒。孟武伯说："不是天子，寡君没有理由磕头。"孟武伯问高柴说："诸侯结盟，谁执牛耳？"高柴说："鄫衍那次结盟，是吴国公子姑曹；发阳那次结盟，是卫国石魋。"武伯说："那么这次是我了。"

宋国皇瑗的儿子皇麇有个朋友叫田丙，皇麇夺了自己哥哥鄭般的封邑给田丙。鄭般生气就离开了，告诉桓司马的家臣子仪克。子仪克前往宋国，报告给夫人说："皇麋将要接纳桓氏回国。"宋景公向皇野询问此事。起初，皇野打算把杞姒的儿子非我立为嫡子。皇麋说："一定要立老大，这是个好人才。"皇野发怒，不听从。所以这次就回答说："右师倒是老了，但不知皇麋怎样。"宋景公就逮捕了皇麋。皇瑗逃往晋国，景公又召他回来。

哀公十八年

【原文】

十八年春，宋杀皇瑗。公闻其情，复皇氏之族，使皇缓为右师。

巴人伐楚，围鄾。初，右司马子国之卜也，观瞻曰："如志。"故命之。及巴师至，将卜帅，王曰："宁如志，何卜焉？"使帅师而行。请承，王曰："寝尹、工尹，勤先君者也。"三月，楚公孙宁、吴由于、薳固败巴师于鄾，故封子国于析。君子曰："惠王知志。《夏书》曰：'官占：唯能蔽志，昆命于元龟。'其是之谓乎！《志》曰：'圣人不烦卜筮。'惠王其有焉。"

夏，卫石圃逐其君起，起奔齐。卫侯辄自齐复归，逐石圃，而复石魋与大叔遗。

【译文】

鲁哀公十八年春天，宋国人杀了皇瑗。宋景公听说了事件的实情后，恢复了皇氏的家族，让皇缓做右师。

巴国人攻打楚国，包围鄾地。起初，右司马子国占卜时，观瞻说："符合你的意愿。"所以就任命子国为右司马。等到巴国军队到达时，准备卜问统帅人选，楚惠王说："子国已经符合心愿，还占卜什么？"就派遣他率领军队出发。子国请求任命副手，惠王说："寝尹吴由于、工尹薳固是为先君出过力的人。"三月，楚国的子国、吴由于、薳固在鄾地打败巴军，所以把析地封给子国。君子说："惠王懂得人的心愿。《夏书》说：'卜问官员，只有能够断定人的心愿，然后才用神龟占卜吉凶。'大概说的就是这种情况吧！古志说：'圣人不常使用卜筮。'惠王就有这种圣人之风吧！"

夏天，卫国的石圃赶走了他的国君公子起，公子起逃奔齐国。卫出公辄从齐国又回到卫国，驱逐石圃，恢复了石魋和太叔遗的官职。

哀公十九年

【原文】

十九年春，越人侵楚，以误吴也。夏，楚公子庆、公孙宽追越师，至冥，不及乃还。

秋，楚沈诸梁伐东夷，三夷男女及楚师盟于敖。

冬，叔青如京师，敬王崩故也。

【译文】

鲁哀公十九年春天，越国人侵袭楚国，是为了使吴国产生错觉。夏天，楚国的公子庆、公孙宽追击越国军队，追到冥地，没追上，就收兵回国了。

秋天，楚国的沈诸梁攻打东夷，东夷三地的男女和楚军在敖地结盟。

冬天，叔青前往周都，这是由于周敬王死去的缘故。

哀公二十年

【原文】

二十年春，齐人来徵会。夏，会于廪丘，为郑故，谋伐晋。郑人辞诸侯。秋，师还。

吴公子庆忌骤谏吴子曰："不改，必亡。"弗听。出居于艾，遂适楚。闻越将伐吴，冬，请归平越，遂归。欲除不忠者以说于越，吴人杀之。

十一月，越围吴。赵孟降于丧食。楚隆曰："三年之丧，亲昵之极也。主又降之，无乃有故乎？"赵孟曰："黄池之役，先主与吴王有质，曰：'好恶同之。'今越围吴，嗣子不废旧业而敌之，非晋之所能及也，吾是以为降。"楚隆曰："若使吴王知之，若何？"赵孟曰："可乎？"隆曰："请尝之。"乃往。

先造于越军，曰："吴犯间上国多矣。闻君亲讨焉，诸夏之人莫不欣喜。唯恐君志之不从，请入视之。"许之。告于吴王曰："寡君之老无恤，使陪臣隆敢展谢其不共。黄池之役，君之先臣志父得承齐盟，曰：'好恶同之。'今君在难，无恤不敢惮劳，非晋国之所能及也，使陪臣敢展布之。"王拜稽首曰："寡人不佞，不能事越，以为大夫忧，拜命之辱。"与之一箪珠，使问赵孟，曰："勾践将生忧寡人，寡人死之不得矣！"王曰："溺人必笑。吾将有问也：史黯何以得为君子？"对曰："黯也，进不见恶，退无谤言。"王曰："宜哉！"

【译文】

鲁哀公二十年春天，齐国人前来召集诸侯盟会。夏天，在廪丘会盟，为了郑国的缘故，商议攻打晋国。郑国人辞谢了诸侯的计划。秋天，诸侯的军队撤回。

吴国的公子庆忌屡次劝谏吴王，说："不改变政令，一定会灭亡。"吴王夫差不听，公子庆忌离开国都住在艾地，随即去到楚国。听到越国将要攻打吴国，冬天，请求回国与越国议和，就回到了吴国。他想要除掉不忠的人来向越国解说，吴国人杀了他。

十一月，越国包围吴国，赵孟的饮食比服父丧时还要减省。楚隆说："三年的丧礼，是亲人关系的最高表现了，主人又减省丧期饮食，恐怕有原因吧？"赵孟说："黄池那次盟会，先主与吴王有过盟信，说：'好恶相同。'如今越国包围吴国，作为嗣子要不废弃旧盟而抗越救吴，又不是晋国力所能及的。因此我饮食降等。"楚隆说："如果让吴王知道这情况，怎么样？"赵孟说："可以吗？"楚隆说："请让我试试。"就前去吴国。

楚隆先到了越军那里，说："吴国侵犯中原各国多次了，听说君王亲自来讨伐，中原各国的人们无不欢喜，惟恐君王的心愿不能实现。请让我进入吴国看看。"越王答应了他。楚隆向吴王报告说："寡君的老臣赵孟派陪臣我前来对他的不恭表示道歉！黄池那次盟会，寡君的先臣赵鞅得以参加盟誓，说：'好恶相同。'现在君王处在危难之中，赵孟不敢害怕劳苦，但又不是晋国力所能及的，所以派陪臣我冒昧向您禀告。"吴王下拜磕头说："寡人无能，不能事奉越国，从而造成大夫的忧虑，特此拜谢他的屈尊赐命。"给了一盒珍珠，让楚隆送给赵孟，说："勾践将使寡人产生忧患，寡人不得善终了。"吴王又说："快淹死的人必定会笑，我还有一个问题，史墨为什么能成为君子？"楚隆回答说："他做官不被人嫌恶，退官没有诽谤的话。"吴王说："他成为君子应该啊！"

哀公二十一年

【原文】

二十一年夏五月，越人始来。

秋八月，公及齐侯、邾子盟于顾。齐人责稽首，因歌之，曰："鲁人之皋，数年不觉，使我高蹈。唯其儒书，以为二国忧。"是行也，公先至于阳穀，齐闾丘息曰："君辱举玉趾以在寡君之军，群臣将传遽以告寡君。比其复也，君无乃勤？为仆人之未次，请除馆于舟道。"辞曰："敢勤仆人？"

【译文】

鲁哀公二十一年夏五月,越国人首次前来鲁国。

秋八月,鲁哀公和齐平公、邾君在顾地结盟。齐国人责备鲁哀公用拱手礼回报齐平公磕头的那件事,因而为此歌唱道:"鲁国人的过错,多年还没察觉,使得我们暴跳。就因为他固守儒家教条,造成了两国的忧愁。"

这次盟会,鲁哀公先到达阳谷。齐国的闾丘息说:"君主屈尊驾临,来慰问寡君的军队,群臣将用驿车报告寡君。等到臣下们报告回来,君恐怕太辛劳。因为仆人们还没安排好馆舍,就请在舟道下榻吧。"哀公辞谢说:"岂敢烦劳贵国仆人?"